개념을 쌓아가는 **기본서**

고등 **셀파**

Sherpa 지구과학 I

구성과 특징

STRUCTURE

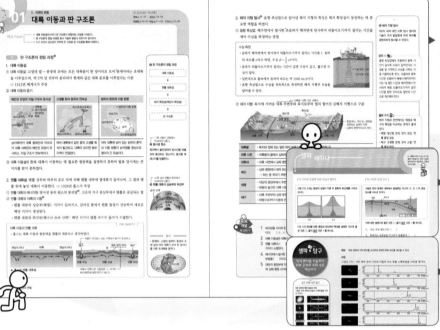

교과서 내용 정리

교과서의 내용을 이해하기 쉽게 정리하고, 중요 자료를 체계적으로 분석하여 핵심 개념을 이해할 수 있습니다.

셀파 세미나

중요한 주제를 선정하여 심화 자료 제공

셀파 탐구

시험에 자주 출제되는 탐구

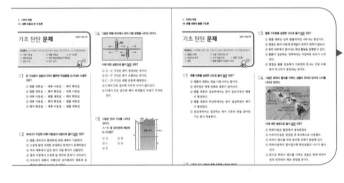

기초 탄탄 문제

중하 난이도의 객관식 문제로 기본 개념을 정립하고, 기초를 탄탄히 다질 수 있습니다.

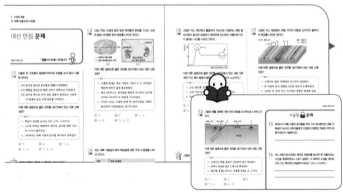

내신 만점 문제

학교 시험에 꼭 나오는 문제로 내신을 대비할 수 있습니다.
시험에 잘 나오는 서술형 문제도 확인할 수 있습니다.

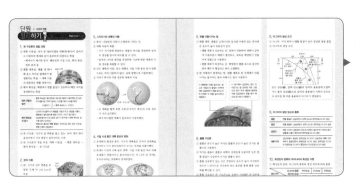

단원 정리하기

이 단원에서 배운 내용을 한눈에 훑어볼 수 있도록 정리하여,
학교 시험을 보기 전에 최종 점검할 수 있습니다.

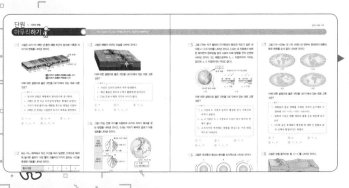

단원 마무리하기

기초 문제와 내신 문제를 통해 탄탄해진 실력을 높이고, 실전에 대비
할 수 있습니다.

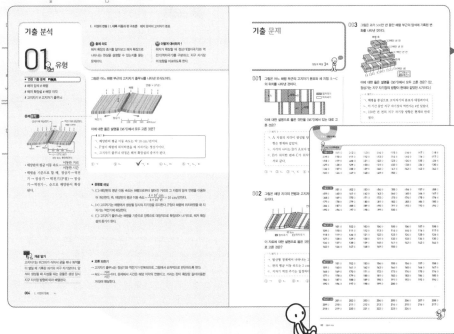

문제 기본서

시험에 잘 나오는 52유형을 선정하여 대표
유형을 분석하였습니다. 52유형과 관련 문제
를 풀면 내신을 완벽하게 대비 할 수 있습니
다.

정답과 해설

모든 문항에 대한 상세한 해설로 개념을
확실히 이해할 수 있습니다.

차례

CONTENTS
S·H·E·R·P·A

I 지권의 변동

II 지구의 역사

III 대기와 해양의 변화

판게아 초음파 지구 자기장 발산형 경계
지자기 남극 차가운 플룸 수렴형 경계
염기성암 해구
대륙 이동 하와이섬
지각 열류량 해령
진북 편각 용암 대지
마그마 조성 베게너 헤스 고지자기 로디니아 중성암
해양저 확장설 마그마 생성 초대륙 대륙 분포 변화
열점 판 구조론 지구 내부 움직임 유문암질 마그마 순상 화산
판의 경계 역자극기 열곡(대) 판 구조론 잔류 자기
현무암질 마그마 화성암 판의 구조
지자기 북극 대륙 이동설 음향 측심법 종상 화산
미래 대륙 분포 복각 마그마의 성질 성층 화산
산성암 지진파 속도
정자 극기 플룸 구조론 섭입대
맨틀 대류설 판의 이동 속도
자북 뜨거운 플룸
안산암질 마그마

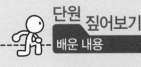

단원 짚어보기
배운 내용

· 대륙 이동설
· 판의 경계와 분포
· 지각의 구성 물질
· 규산염 광물
· 광물과 암석
· 화성암, 변성암, 퇴적암
· 지진대와 화산대

지권의 변동

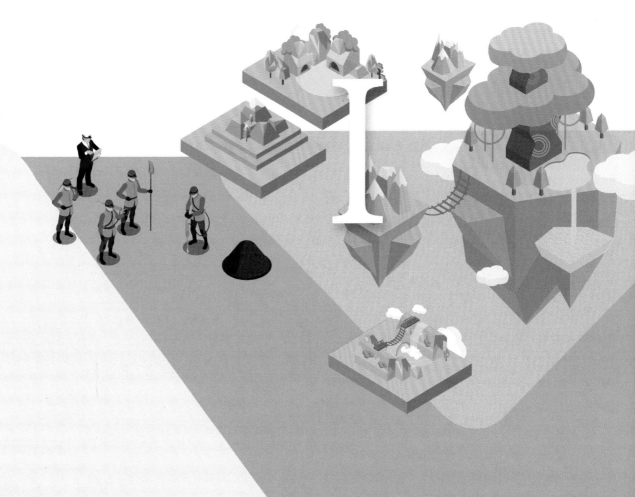

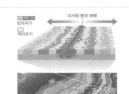

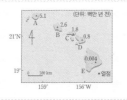
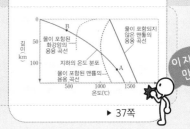
이 자료
만은 꼭!

01 대륙 이동과 판 구조론

내 교과서는 어디에?
천재 p.11~17   금성 p.13~18
미래엔 p.14~21   비상 p.11~18   YBM p.13~20

핵심 Point
- 대륙 이동설에서부터 판 구조론이 정립되는 과정을 이해한다.
- 판 구조론의 정립 과정을 탐사 기술의 발달과 관련지어 알아본다.
- 지구 표면이 끊임없이 변화해 온 과정을 판 구조론을 통해 이해한다.

1 판 구조론의 정립 과정❶

1. 대륙 이동설

① **대륙 이동설**: 고생대 말 ~ 중생대 초에는 모든 대륙들이 한 덩어리로 모여 판게아라는 초대륙을 이루었으며, 약 2억 년 전부터 분리되어 현재와 같은 대륙 분포를 이루었다는 이론
⇨ 1912년 베게너가 주장

② 대륙 이동의 증거

해안선 모양과 지질 구조의 유사성	고생물 화석 분포의 연속성	빙하의 분포와 이동 방향
대륙붕 과거 암석이 일치하는 부분 북아메리카 유럽 남아메리카 아프리카	리스트로사우루스 메소사우루스 글로소프테리스	빙하의 이동 방향 아프리카 남아메리카 인도 남극 오스트레일리아
남아메리카 대륙 동해안과 아프리카 대륙 서해안의 해안선 모양이 유사하고, 지질 구조가 연속적이다.	여러 대륙에서 같은 종의 고생물 화석이 발견되고, 대륙이 모이면 분포 지역이 연결된다.	여러 대륙에 남아 있는 빙하의 흔적과 이동 방향이 남극점을 중심으로 멀어져 간 모습이다.

③ **대륙 이동설의 한계**: 대륙이 이동하는 데 필요한 원동력을 설명하지 못하여 발표 당시에는 큰 지지를 받지 못하였다.

2. 맨틀 대류설 맨틀 상부와 하부의 온도 차에 의해 맨틀 내부에 열대류가 일어나며, 그 결과 맨틀 위에 놓인 대륙이 이동한다. ⇨ 1928년 홈스가 주장

① **맨틀 대류의 에너지원**: 방사성 동위 원소의 붕괴열❷, 고온의 지구 중심부에서 맨틀로 공급되는 열
② **맨틀 대류와 대륙의 이동❸**
- 맨틀 대류의 상승부(해령): 지각이 갈라지고, 갈라진 틈에서 맨틀 물질이 상승하여 새로운 해양 지각이 생성된다.
- 맨틀 대류의 하강부(해구나 습곡 산맥): 해양 지각이 맨틀 속으로 들어가 소멸한다.

│ 자료 파헤치기 │

대륙 이동과 맨틀 대류
- 홈스는 대륙 이동의 원동력을 맨틀의 대류라고 생각하였다.

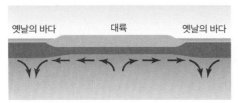

▲ 홈스의 맨틀 대류설

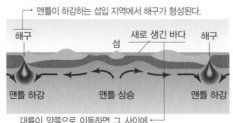

맨틀이 하강하는 섭입 지역에서 해구가 형성된다.
대륙이 양쪽으로 이동하면 그 사이에 바다(해양)와 해양 분지가 생긴다.

---

❶ 판 구조론의 정립 과정

대륙 이동설
↓
맨틀 대류설
↓
해저 확장설(해양저 확장설)
↓
판 구조론

71쪽 지층의 연령에서 자세하게 다룬다.
❷ 방사성 원소
원자핵이 불안정하여 방사선을 방출하며 붕괴하는 원소이다. 붕괴할 때 에너지를 방출한다.

24쪽 상부 맨틀의 운동에서 자세하게 다룬다.
❸ 맨틀 대류의 상승부와 하강부

◆ 용어 ◆
▶ **판게아**: 고생대 말부터 중생대 초에 걸쳐 여러 대륙이 모여 한 덩어리를 이룬 초대륙을 말한다.

---

3. **해저 지형 탐사**[4] 음향 측심법으로 알아낸 해저 지형의 특징은 해저 확장설이 등장하는 데 중요한 역할을 하였다.

① 음향 측심법: 해수면에서 발사한 초음파가 해저면에 반사하여 되돌아오기까지 걸리는 시간을 재어 수심을 측정하는 방법

> **수심 측정**
> - 음파가 해저면에서 반사되어 되돌아오기까지 걸리는 시간을 t, 음파의 속도를 v라고 하면, 수심 $d = \frac{1}{2}vt$이다.
> - 음파가 되돌아오기까지 걸리는 시간이 길면 수심이 깊고, 짧으면 수심이 얕다.
> - 일반적으로 물속에서 음파의 속도는 약 1500 m/s이다.
> - 음향 측심법으로 수심을 연속적으로 측정하면 해저 지형의 모습을 알아낼 수 있다.

발사된 신호
반사된 신호

② 해저 지형: 육지에 가까운 대륙 주변부와 육지로부터 멀리 떨어진 심해저 지형으로 구분

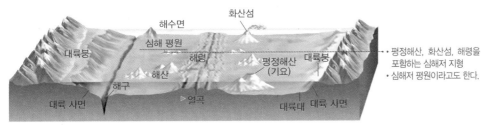

대륙붕, 대륙 사면, 대륙대
해수면 / 화산섬 / 심해 평원 / 해령 / 평정해산(기요) / 대륙붕 / 해산 / 해구 / 대륙 사면 / 열곡 / 대륙대 대륙 사면

- 평정해산, 화산섬, 해령을 포함하는 심해저 지형
- 심해저 평원이라고도 한다.

대륙붕	• 육지와 접해 있는 얕은 해저 부분으로, 육지가 바다로 연장된 곳
대륙 사면	• 대륙붕의 끝에서 심해저 쪽으로 발달한 급경사의 해저 지형
대륙대	• 대륙 사면에서 심해 평원으로 이어지는 부분에 위치한 경사가 완만해지는 부분
해산	• 심해 평원에서 해저 화산 활동에 의해 생성된 원추형의 산 → 해산 중 꼭대기 부분이 편평한 것을 평정해산(기요)이라고 한다.
해령	• 대양의 중앙부에서 주변보다 높이 2500 ~ 3000 m 정도 솟아서 만들어진 대규모의 해저 산맥 • 해령의 발견은 대륙 이동을 설명하는 전환점이 되었다.
해구	• 대륙 주변부와 심해 평원 사이에 발달하는 수심 6000 m 이상인 좁고 긴 골짜기 • 해령으로부터 이동해 온 나이가 많은 해양 지각이 소멸하는 곳

개념 확인하기

1 대서양을 사이에 둔 남아메리카 대륙과 아프리카 대륙의 해안선 모양이 유사한 것은 대륙 이동의 증거이다. (○ , ×)

2 대륙 이동설은 대륙이 이동하는 (   )을 설명하지 못해 처음에는 학계로부터 인정을 받지 못하였다.

3 맨틀 대류의 (   )부에서는 대륙이 분리되면서 새로운 해양 지각이 생성되고, (   )부에서는 해양 지각이 소멸된다.

4 해수면에서 발사한 초음파가 해저면에 반사되어 되돌아오기까지 걸리는 시간을 재어 수심을 측정하는 방법을 (   )이라고 한다.

5 대양의 중앙부에 약 2500 ~ 3000 m 높이로 솟아 있는 해저 산맥은 (해구 , 해령)이고, 대륙 주변부와 심해 평원 사이에 수심 6000 m 이상인 긴 골짜기는 (해구 , 해령)이다.

정답 1. ○ 2. 원동력 3. 상승, 하강 4. 음향 측심법 5. 해령, 해구

목표 음향 측심 자료를 이용하여 해저면의 깊이를 구하고, 해저 지형을 파악할 수 있다.

과정

표는 서로 다른 A, B 해역에서 직선 구간을 따라 일정한 간격으로 측정한 음향 측심 자료를 나타낸 것이다.

탐사 지점	1	2	3	4	5	6	7	8	9	10
A 해역에서의 음파의 왕복 시간(초)	5.46	5.61	4.99	4.81	4.67	4.33	4.45	5.10	5.40	5.53
탐사 지점	1	2	3	4	5	6	7	8	9	10
B 해역에서의 음파의 왕복 시간(초)	7.15	7.99	6.77	6.41	5.07	9.96	6.13	7.62	7.76	7.12

❶ A 해역과 B 해역에서의 음향 측심 자료를 바탕으로 각 지점의 수심을 구해 보자.(단, 해양에서 음파의 속력은 1500 m/s이다.)

❷ 과정 ❶에서 구한 값을 모눈종이에 표시하고 매끄러운 선으로 연결해 보자.

결과 및 정리

1. 그림은 A, B 해역의 수심을 계산하여 그래프에 나타낸 것이다.
 → 음파의 왕복 시간이 길수록 수심이 깊다.

2. A, B 해역의 특징은?
 → A 해역: 6 지점에서 수심이 가장 얕고, 이를 중심으로 양쪽으로 멀어질수록 수심이 점차 깊어진다. → 해령이 발달한다.
 → B 해역: 6 지점에서 수심이 급격히 증가하여 7000 m 이상에 달한다. → 해구가 발달한다.

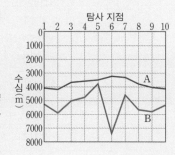

같은 주제 다른 탐구

대서양 중앙 해령과 태평양 마리아나 해구에서 측정한 음향 측심 자료로 해저 지형 추정하기
① 음향 측심법과 컴퓨터 프로그램을 활용한다.
② 가로축은 거리(km)로, 세로축은 수심(m)으로 하여 그래프에 나타낸다.
③ 두 지역에서 추정한 해저 지형 모습을 비교한다.
→ 대서양 중앙 해령에서는 해수면 아래로 약 2~2.5 km 내려가면 해저 산맥이 발달해 있다.
→ 태평양 마리아나 해구에서는 최고 수심이 약 9.3 km인 좁고 깊은 협곡이 발달해 있다.

탐구 돋보기

가로축에 거리, 세로축에 초음파의 왕복 시간이 주어지는 경우에는 주어진 그래프를 가로축에 대하여 대칭 이동시키면 해저 지형의 모습으로 변환된다.

유의점

❶ 실제로 해양에서의 음파 속력은 해수의 밀도나 온도, 깊이에 따라 다르다는 사실에 유의한다.
❷ 과정 ❶에서 두 해역의 자료를 다른 색으로 표시하여 잘 비교할 수 있도록 한다.

시험 유형은?

❶ 음향 측심법을 이용한 수심 측정에서 수심은 초음파의 왕복 시간과 어떤 관계가 있는가?
▶ 비례 관계

❷ 탐구의 A, B 해역 중 새로운 해양 지각이 생성되고 있는 곳은?
▶ A 해역

탐구 대표 문제 정답과 해설 2쪽

01 그림은 해양 탐사선이 어느 기준점을 출발하여 직선으로 항해하면서 발사한 초음파의 왕복 시간을 기준점으로부터의 거리에 따라 나타낸 것이다. (단, 물속에서 초음파의 속력은 1500 m/s이다.)

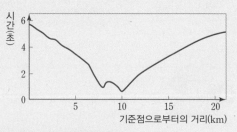

이에 대한 설명으로 옳은 것만을 〈보기〉에서 있는 대로 고른 것은?

┤ 보기 ├
ㄱ. 이 해역에는 대륙붕이 나타난다.
ㄴ. 이 해역에는 해령에 해당하는 지형이 존재한다.
ㄷ. 수심이 가장 깊은 곳은 기준점으로부터의 거리가 10 km인 지점이다.

① ㄴ　　　② ㄷ　　　③ ㄱ, ㄴ　　　④ ㄱ, ㄷ　　　⑤ ㄱ, ㄴ, ㄷ

4. 해저 확장설(해양저 확장설) → 1961년 미국의 헤스와 디츠가 주장

① 해저 확장설: 해령 아래에서 뜨거운 맨틀 물질이 상승하여 새로운 해양 지각이 만들어지고, 맨틀 대류를 따라 해령에서 양쪽으로 이동하다가 해구에서 침강하여 맨틀로 들어간다는 이론

② 해저 확장설의 증거

해양 지각의 나이❶	해령을 축으로 해령으로부터 멀어질수록 해양 지각을 이루는 암석의 나이가 많아진다.	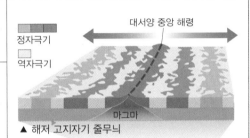 ▲ 해저 고지자기 줄무늬
해저 지각의 수심과 해저 퇴적물의 두께	해령을 중심으로 양쪽으로 갈수록 해저 지각의 수심이 깊어지고, 해저 퇴적물의 두께가 두꺼워진다.	
고지자기 줄무늬의 대칭 분포❷	지구 자기 역전의 줄무늬가 해령을 축으로 대칭으로 나타난다. → 해령에서 분출한 현무암질 용암이 냉각될 때 당시 지구 자기장 방향으로 자화된 후 양쪽으로 이동한 것으로 볼 수 있다.	 ▲ 해양 지각의 연령(나이) 분포
열곡과 변환 단층의 존재	해령에서는 맨틀 물질의 상승으로 열곡이 존재하며, 해령과 해령 사이에 해양 지각이 서로 엇갈려 이동하는 변환 단층이 나타난다. → 변환 단층에서는 해양 지각이 반대 방향으로 이동하면서 마찰이 생겨 천발 지진이 많이 발생한다.	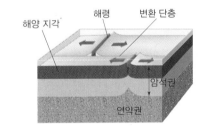
지진의 분포	해구에서 지진은 섭입대를 따라 발생하는데, 섭입대에서는 진원❸의 깊이가 해구에서 대륙 쪽으로 갈수록 점차 깊어진다. → 해저 확장설에서 해양 지각의 소멸을 설명하는 증거이다.	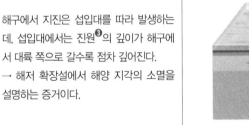

❶ 해양 지각의 나이

대륙 지각에서 가장 오래된 암석의 나이는 거의 40억 년에 이르지만 해양 지각에서는 1억 8천만 년 이상 된 암석은 발견되지 않는다. 이것은 해령에서 생성된 해양 지각이 이동하다가 해구에서 맨틀 아래로 섭입되어 소멸하기 때문이다.

강의 콕

지각 열류량은 지구 내부에서 지표로 방출되는 열량으로, 지각 열류량의 분포로 해저 확장을 알 수 있다. 지각 열류량의 분포는 해령에서 가장 높고 해구에서 가장 낮다.

❷ 정자극기와 역자극기
· 정자극기(정자기): 지자기 방향이 현재와 같은 시기
· 역자극기(역자기): 지자기 방향이 현재와 반대인 시기

❸ 진원과 진앙
· 진원: 지구 내부에서 지진이 발생한 지점
· 진앙: 진원 바로 위 지표면의 지점

셀파 콕콕

해령을 축으로 고지자기 줄무늬가 대칭적으로 나타난다. 시험에서는 해령 축을 기준으로 정자극기와 역자극기가 몇 회씩 발생했는지를 묻는 문제가 자주 출제된다.

━━━ 용어 ━━━

▶ **고지자기**: 지질 시대에 생성된 암석에 남아 있는 지구 자기이다. 암석이 생성될 때 자성을 띠는 광물은 그 당시의 지구 자기장 방향에 따라 배열된다.

개념 확인하기

1 해령에서 맨틀 물질이 상승하고, 해령을 중심으로 양쪽으로 멀어짐에 따라 해저가 확장된다는 이론을 ( )이라고 한다.

2 해령에서 해구로 갈수록 해양 지각의 나이는 (많아, 적어)지고, 해저 퇴적물의 두께는 (두꺼워, 얇아)진다.

3 변환 단층에서는 판이 반대 방향으로 이동하면서 (천발, 심발) 지진이 많이 발생한다.

정답 1. 해저 확장설(해양저 확장설)
2. 많아, 두꺼워
3. 천발

2 판 구조론

1. **판 구조론** 지구의 표층은 여러 개의 판으로 이루어져 있으며, 판의 경계에서 상호 작용이 일 └→ 10여 개의 판
어나 지진이나 화산 활동과 같은 지각 변동이 일어난다는 이론

① 판: 암석권의 크고 작은 조각으로, 판은 맨틀 대류에 의한 연약권의 움직임에 따라 이동한다. ❹

② 암석권: 지각과 상부 맨틀의 일부를 포함하는 두께 약 100 km의 단단한 부분으로, 대륙판과 해양판 으로 구분한다.

③ 연약권: 깊이 약 100∼400 km의 지역이다. 부분 용융 상태이므로 유동성이 있어 맨틀의 대류 가 일어난다.

구분❺	대륙판	해양판
구성	└→ 화강암질 암석 대륙 지각과 상부 맨틀의 일부	└→ 현무암질 암석 해양 지각과 상부 맨틀의 일부
밀도	작다	크다
두께	두껍다	얇다

2. **전 세계 판의 분포와 이동** 판은 약 1∼10 cm/년의 속도로 이동하는데, 판마다 이동 속도와 방향이 서로 다르다.

▲ 판의 분포와 이동 방향 및 속도(단위: cm/년)

① 판의 경계는 지진, 화산 활동 등 지 각 변동이 활발한 변동대와 대체로 일치한다.

② 판은 해령에서 서로 멀어지고, 해구 로 수렴하는 방향으로 이동한다.

3. **판의 경계** 판의 상대적인 운동 방향에 따라 구분한다.

① 발산형 경계: 판과 판이 서로 멀어지는 경계 → 맨틀 대류의 상승부, 새로운 판이 생성

② 수렴형 경계: 판과 판이 서로 모여드는 경계 → 맨틀 대류의 하강부, 판이 소멸

③ 보존형 경계: 판과 판이 서로 어긋나면서 이동하는 경계 → 판이 생성되거나 소멸되지 않는다.

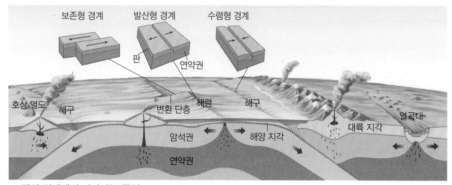

▲ 판의 경계에서 나타나는 특징

---

❹ 판의 구조

깊이 (km)

연약권은 암석권보다 밀도가 크므로 판은 연약권 위에 떠서 이동하게 된 다.

❺ 대륙판과 해양판

• 대륙판: 대륙 지각을 포함하는 판 으로, 북아메리카판, 유라시아판, 남아메리카판, 아프리카판, 인도− 오스트레일리아판 등이 있다.

• 해양판: 해양 지각을 포함하는 판 으로, 태평양판, 필리핀판, 나스카 판, 코코스판 등이 있다.

강의 콕 🔊

판은 1년에 수 cm 정도의 속도로 이동하고 있는데, 이러한 판의 이동 속도는 손톱이 자라는 속도와 거의 비슷하다.

━━━ 용어 ━━━

▶ **변환 단층**: 해령을 중심으로 해양 지각이 서로 반대 방향으로 어긋나 이동하면서 지층이 끊어져 형성 된다.

 개념
확인하기

1 지각과 맨틀의 최상부를 합친 두께 약 100 km의 (   )은 여러 조각의 (   )으로 이루어져 있다.

2 지진이나 화산 활동은 판의 경계보다 판의 중앙부에서 잘 일어난다.   (◦ , ×)

3 판과 판이 멀어지는 경계는 (   ) 경계이고, 판과 판이 가까워지는 경계는 (   ) 경계이며, 판과 판이 어긋나면서 이동하는 경계는 (   ) 경계이다.

답 1. 암석권, 판 2. × 3. 발산형, 수렴형, 보존형

012 I. 지권의 변동

기초 탄탄 문제

정답과 해설 2쪽

핵심용어_ 이 단원에서 내가 아는 것과 아직 모르는 것을 정리하며 나의 공부를 돌아보자.

☐ 대륙 이동설   ☐ 맨틀 대류설   ☐ 판 구조론
☐ 음향 측심법   ☐ 해저 확장설(해양저 확장설)
☐ 판의 구조   ☐ 판의 경계

01 판 구조론이 정립되기까지 출현한 학설들을 순서대로 나열한 것은?

① 맨틀 대류설 － 대륙 이동설 － 해저 확장설

② 맨틀 대류설 － 해저 확장설 － 대륙 이동설

③ 대륙 이동설 － 맨틀 대류설 － 해저 확장설

④ 대륙 이동설 － 해저 확장설 － 맨틀 대류설

⑤ 해저 확장설 － 대륙 이동설 － 맨틀 대류설

02 베게너가 주장한 대륙 이동설의 내용으로 옳지 <u>않은</u> 것은?

① 맨틀 내에서의 열대류에 의해 대륙이 이동한다.

② 고생대 말에 거대한 초대륙인 판게아가 존재하였다.

③ 여러 대륙에서 같은 종의 식물 화석이 산출된다.

④ 열대 지방에서 고생대 말 빙하의 흔적이 나타난다.

⑤ 아프리카 대륙의 서해안과 남아메리카 대륙의 동해안의 해안선 모습이 유사하다.

03 해저 확장설의 증거로 옳지 <u>않은</u> 것은?

① 대륙 주변부에 습곡 산맥이 발달한다.

② 지각 열류량이 해령에서 해구로 갈수록 낮아진다.

③ 해령에서 멀어질수록 해양 지각의 나이가 많아진다.

④ 해령에서 멀어질수록 해저 퇴적물의 두께가 두꺼워진다.

⑤ 해령을 중심으로 지자기 역전 줄무늬가 대칭적으로 나타난다.

04 그림은 해령 부근에서 판의 이동 방향을 나타낸 것이다.

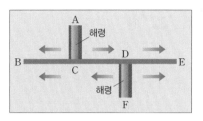

이에 대한 설명으로 옳지 <u>않은</u> 것은?

① A－C 구간은 판이 생성되는 곳이다.

② D－F 구간은 판이 소멸되는 곳이다.

③ C－D 구간은 변환 단층에 해당한다.

④ C에서 D로 갈수록 지각의 나이가 많아진다.

⑤ D에서 E로 갈수록 해저 퇴적물의 두께가 두꺼워진다.

05 그림은 판의 구조를 나타낸 것이다.
A~E 중 암석권에 해당하는 구간은?

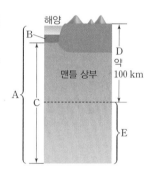

① A   ② B

③ C   ④ D

⑤ E

06 그림은 판의 구조를 모식적으로 나타낸 것이다.

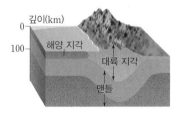

암석권에 대한 설명으로 옳은 것은?

① 연약권보다 밀도가 크다.

② 두께는 200 km 정도이다.

③ 맨틀 대류가 일어나는 부분이다.

④ 대륙판은 해양판보다 두께가 두껍다.

⑤ 지각과 맨틀 전체를 포함한 부분이다.

내신 만점 문제

정답과 해설 3쪽

* ▦▦▦ 난이도를 나타냅니다.

01 다음은 판 구조론이 등장하기까지의 과정을 순서 없이 나열한 것이다.

> (가) 방사성 원소의 붕괴열로 맨틀이 대류한다.
> (나) 해령을 중심으로 해양 지각이 양쪽으로 이동한다.
> (다) 과거에 하나로 모여 있던 대륙이 분리되고 이동하여 현재와 같은 수륙 분포를 이루었다.

이에 대한 설명으로 옳은 것만을 〈보기〉에서 있는 대로 고른 것은?

┤ 보기 ├
> ㄱ. 학설이 등장한 순서는 (다)→(가)→(나)이다.
> ㄴ. (나)에 의하면 해령에서 해구로 갈수록 해양 지각의 나이가 많아진다.
> ㄷ. (다)에서는 대륙 이동의 증거를 제시하지 못하였다.

① ㄱ   ② ㄷ   ③ ㄱ, ㄴ
④ ㄴ, ㄷ   ⑤ ㄱ, ㄴ, ㄷ

 그림은 대륙의 이동과 그 원인을 나타낸 것이다.

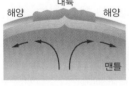 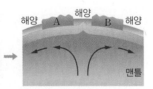

이에 대한 설명으로 옳은 것만을 〈보기〉에서 있는 대로 고른 것은?

┤ 보기 ├
> ㄱ. 밀도는 대륙이 맨틀보다 크다.
> ㄴ. 대륙이 이동하는 원인은 맨틀의 대류이다.
> ㄷ. A와 B 사이의 거리는 점점 가까워지고 있다.

① ㄱ   ② ㄴ   ③ ㄱ, ㄷ
④ ㄴ, ㄷ   ⑤ ㄱ, ㄴ, ㄷ

03 그림 (가)는 고생대 말의 빙하 퇴적층의 분포를, (나)는 고생대 말에 서식했던 화석 분포를 나타낸 것이다.

→ 빙하의 이동 방향
◯ 빙하 퇴적층 분포 지역
(가)

아프리카
남아메리카
메소사우루스
■ 화석 분포지
(나)

이에 대한 설명으로 옳은 것만을 〈보기〉에서 있는 대로 고른 것은?

┤ 보기 ├
> ㄱ. 고생대 말에는 적도 지방의 기온이 0 ℃ 이하였기 때문에 빙하가 넓게 분포하였다.
> ㄴ. 메소사우루스는 대서양을 헤엄쳐 다니면서 남아메리카와 아프리카 두 대륙에 서식하였다.
> ㄷ. (가)와 (나)는 고생대 말에 한 덩어리였던 대륙이 분리되어 이동하였다는 증거가 된다.

① ㄱ   ② ㄷ   ③ ㄱ, ㄴ
④ ㄴ, ㄷ   ⑤ ㄱ, ㄴ, ㄷ

04 표는 대륙 이동설과 해저 확장설에 대한 주요 논쟁점을 나타낸 것이다.

구분	주요 논쟁점
대륙 이동설	대륙을 이동시키는 원동력은 무엇인가?
해저 확장설	해령에서 끊임없이 해양 지각이 생성된다면 해저는 무한히 확장되는가?

판 구조론에서 적용한 두 학설의 해결 방안으로 옳은 것만을 〈보기〉에서 있는 대로 고른 것은?

┤ 보기 ├
> ㄱ. 암석권은 맨틀 대류에 의해 연약권 위를 이동한다.
> ㄴ. 해양 지각이 소멸되는 섭입대가 존재한다.
> ㄷ. 대서양 양쪽 해안에서 유사한 화석이 발견된다.
> ㄹ. 변환 단층에서 두 해양판은 반대 방향으로 이동한다.

① ㄱ, ㄴ   ② ㄱ, ㄷ   ③ ㄴ, ㄹ
④ ㄱ, ㄴ, ㄷ   ⑤ ㄴ, ㄷ, ㄹ

05 그림은 어느 해안에서 출발하여 직선으로 이동하는 해양 탐사선에서 발사한 초음파가 해저면에 반사되어 되돌아오기까지 걸리는 시간을 나타낸 것이다.

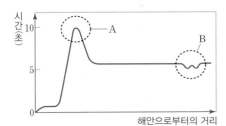

이에 대한 설명으로 옳은 것만을 〈보기〉에서 있는 대로 고른 것은? (단, 해수 중에서 음파의 속도는 약 1500 m/s이다.)

┃ 보기 ┃

ㄱ. A는 발산형 경계에 해당한다.

ㄴ. A의 가장 깊은 곳의 수심은 약 7500 m이다.

ㄷ. B에서는 새로운 해양 지각이 생성된다.

① ㄱ   ② ㄷ   ③ ㄱ, ㄴ

④ ㄴ, ㄷ   ⑤ ㄱ, ㄴ, ㄷ

 그림은 해저 확장설을 나타낸 것이다.

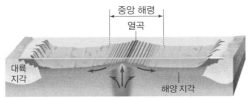

이에 대한 설명으로 옳은 것만을 〈보기〉에서 있는 대로 고른 것은?

┃ 보기 ┃

ㄱ. 해령은 맨틀 대류가 하강하는 곳이다.

ㄴ. 해령에서 멀어질수록 암석의 연령은 적어지고, 해저 퇴적물의 두께는 얇아진다.

ㄷ. 해령에서 해양 지각이 생성되어 양쪽으로 확장된다.

① ㄱ   ② ㄷ   ③ ㄱ, ㄴ

④ ㄴ, ㄷ   ⑤ ㄱ, ㄴ, ㄷ

07 그림은 어느 해양에서 해양 지각의 연령과 고지자기 줄무늬의 분포를 나타낸 것이다.

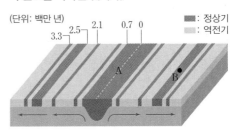

이에 대한 설명으로 옳은 것만을 〈보기〉에서 있는 대로 고른 것은?

┃ 보기 ┃

ㄱ. A에서는 열곡 아래에서 마그마가 상승한다.

ㄴ. B 지점의 암석 연령은 250만 년보다 오래되었다.

ㄷ. 230만 년 전에 지구 자기장의 방향은 현재와 같은 방향이었다.

ㄹ. 고지자기 줄무늬의 대칭적 분포는 해저 확장의 증거가 된다.

① ㄱ, ㄷ   ② ㄱ, ㄹ   ③ ㄴ, ㄷ

④ ㄱ, ㄴ, ㄹ   ⑤ ㄴ, ㄷ, ㄹ

08 그림은 여러 해저에서 관측한 지구 자기의 분포를 해령으로부터의 거리와 해양 지각의 나이에 따라 나타낸 것이다.

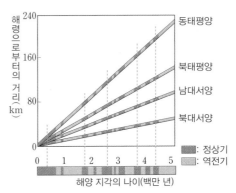

이에 대한 해석으로 옳은 것만을 〈보기〉에서 있는 대로 고른 것은?

┃ 보기 ┃

ㄱ. 지구 자기장의 역전 주기는 일정하다.

ㄴ. 해령에서 멀어질수록 해양 지각의 연령은 많아진다.

ㄷ. 해저가 확장하는 속도는 북대서양에서 가장 빠르다.

① ㄱ   ② ㄴ   ③ ㄱ, ㄷ

④ ㄴ, ㄷ   ⑤ ㄱ, ㄴ, ㄷ

09 그림 (가), (나)는 어느 해양에서 기준점으로부터의 거리에 따른 해양 지각의 연령과 퇴적물의 두께를 나타낸 것이다.

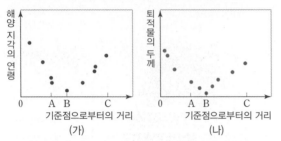

(가)

(나)

이에 대한 설명으로 옳은 것만을 〈보기〉에서 있는 대로 고른 것은?

┤ 보기 ├

ㄱ. 해저의 수심은 A에서 B로 갈수록 깊어진다.

ㄴ. 해양 지각은 A에서 C쪽으로 이동한다.

ㄷ. B 부근에는 맨틀 대류의 상승부가 있다.

① ㄱ   ② ㄴ   ③ ㄷ

④ ㄱ, ㄴ   ⑤ ㄴ, ㄷ

10 그림은 대서양 중앙 해령 부근의 해양 지각의 나이를 나타낸 것이다.

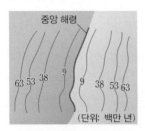

(단위: 백만 년)

이에 대한 설명으로 옳은 것만을 〈보기〉에서 있는 대로 고른 것은?

┤ 보기 ├

ㄱ. 해령은 오래된 해양 지각이 소멸되는 판의 경계이다.

ㄴ. 해령에서 멀어질수록 퇴적물의 두께는 두꺼워질 것이다.

ㄷ. 이러한 암석의 나이 분포는 중앙 해령에서부터 판이 양쪽으로 이동한 결과이다.

① ㄱ   ② ㄴ   ③ ㄱ, ㄷ

④ ㄴ, ㄷ   ⑤ ㄱ, ㄴ, ㄷ

11 그림은 태평양에서 측정한 해양 지각의 연령 분포를 나타낸 것이다.

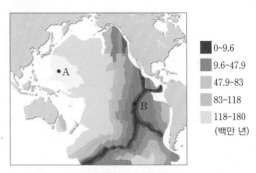

■	0~9.6
■	9.6~47.9
	47.9~83
	83~118
	118~180

(백만 년)

두 지점 A와 B에 대한 설명으로 옳은 것만을 〈보기〉에서 있는 대로 고른 것은?

┤ 보기 ├

ㄱ. B는 맨틀 대류의 상승부에 위치한다.

ㄴ. 판은 B에서 A 방향으로 이동한다.

ㄷ. 해저 퇴적물의 두께는 B보다 A에서 더 두꺼울 것이다.

① ㄴ   ② ㄷ   ③ ㄱ, ㄴ

④ ㄱ, ㄷ   ⑤ ㄱ, ㄴ, ㄷ

12 그림은 우리나라 주변에 분포하는 판의 경계와 이동 방향 및 화산 분포를 나타낸 것이다.

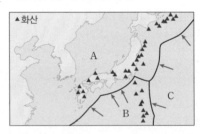

이에 대한 설명으로 옳은 것만을 〈보기〉에서 있는 대로 고른 것은?

┤ 보기 ├

ㄱ. A판과 B판의 경계는 발산형 경계이다.

ㄴ. B판은 C판보다 평균 밀도가 더 작다.

ㄷ. C판은 A판과 B판의 아래쪽으로 섭입하고 있다.

ㄹ. 일본에서 동해 쪽으로 올수록 진원이 얕아진다.

① ㄱ, ㄴ   ② ㄱ, ㄷ   ③ ㄴ, ㄷ

④ ㄴ, ㄹ   ⑤ ㄷ, ㄹ

13 그림은 맨틀 대류에 의한 판의 운동을 모식적으로 나타낸 것이다.

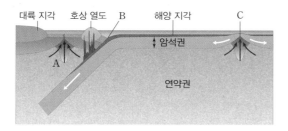

이에 대한 설명으로 옳은 것만을 〈보기〉에서 있는 대로 고른 것은?

┤ 보기 ├
ㄱ. A에서는 맨틀 물질이 상승하여 판이 생성된다.
ㄴ. B에서 생성된 판은 C쪽으로 확장된다.
ㄷ. 발산형 경계는 B이고, 수렴형 경계는 A, C이다.

① ㄱ　　　　② ㄴ　　　　③ ㄷ
④ ㄱ, ㄴ　　　⑤ ㄴ, ㄷ

14 그림은 전 세계 판의 분포와 이동 방향을 나타낸 것이다.

이에 대한 설명으로 옳은 것만을 〈보기〉에서 있는 대로 고른 것은? (단, 화살표의 방향은 판의 이동 방향, 화살표의 길이는 판의 이동 속력이다.)

┤ 보기 ├
ㄱ. 지구의 표면은 하나의 거대한 판으로 이루어져 있다.
ㄴ. 태평양판과 유라시아판의 경계 지역에는 해구가 발달한다.
ㄷ. 판의 이동 방향과 속력은 어느 판이나 같다.
ㄹ. 앞으로 대서양은 점차 넓어질 것이다.

① ㄱ, ㄴ　　② ㄱ, ㄷ　　③ ㄴ, ㄷ
④ ㄴ, ㄹ　　⑤ ㄷ, ㄹ

서술형 문제

15 베게너가 대륙 이동의 증거들을 여러 가지 제시했지만 대륙 이동설이 당시의 과학자들에게 인정받지 못했던 까닭은 무엇 때문이었는지 서술하시오.

16 어느 해양 탐사선에서 해저로 초음파를 발사한 후 되돌아오는 시간을 측정하였더니 8초가 걸렸다. 이 해역의 수심을 계산하시오. (단, 해수에서 초음파의 속도는 1500 m/s이다.)

17 그림은 해양 지각의 연령과 고지자기 분포를 나타낸 것이다.

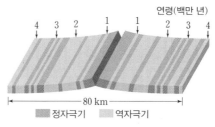

지난 400만 년 동안 이 해역에서 판의 평균 이동 속력(cm/년)을 계산 과정과 함께 나타내시오.

18 그림은 어느 해령 부근의 고지자기 분포를 나타낸 것이다.

(1) 해령을 중심으로 고지자기 분포의 특징을 서술하시오.

(2) 정자극기와 역자극기는 각각 몇 회씩 있었는지 서술하시오.

02 대륙의 분포와 변화

내 교과서는 어디에?
천재 p.18~21   금성 p.19~24
미래엔 p.22~27   비상 p.20~25   YBM p.23~28

핵심 Point
- 고지자기 자료를 활용하여 지질 시대 동안의 **대륙 분포 변화**를 알아본다.
- 현재 대륙의 이동 속도를 이용하여 **미래의 대륙과 해양의 분포** 모습을 추정한다.

1 지구 자기장과 복각

1. 지구 자기장[1] 지구 자기력이 미치는 공간

① 지리상 북극과 지자기 북극

현재 지리상 북극과 지자기 북극이 일치하지 않으므로 나침반 자침이 가리키는 자북과 진북 역시 완전히 일치하지 않는다.

지리상 북극	지구의 자전축과 북반구의 지표면이 만나는 지점
지자기 북극 (자북극)	지구 자기장을 지구 중심에 놓인 거대한 막대자석이 만드는 자기장이라고 했을 때, 막대자석의 S극 방향의 축과 지표가 만나는 지점

② 진북과 자북: 지리상 북극 방향을 진북이라 하고, 나침반 자침의 N극이 가리키는 방향을 자북이라고 한다.

2. 편각과 복각

① 편각: 지구 표면의 한 지점의 수평면 위에서 진북과 자북이 이루는 각 → 암석에 기록된 고지자기의 편각을 측정하면 그 암석이 만들어질 때 지리상 북극과 비교하여 지자기 북극이 어느 방향으로 향하고 있었는지를 알 수 있다.

② 복각: 나침반의 자침이 수평면과 이루는 각 → 광물의 복각을 측정하면 암석이 생성될 당시의 위도를 알 수 있다. → 복각은 자북극에서 멀어질수록 작아진다.

> 자료 파헤치기

지구 자기장과 복각

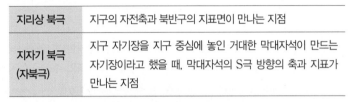

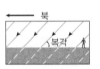
▲A(30°N) 지역

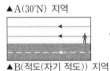
▲B(적도(자기 적도)) 지역

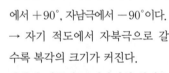
▲C(30°S) 지역

- 복각은 자기 적도에서 0°, 자북극에서 +90°, 자남극에서 -90°이다. → 자기 적도에서 자북극으로 갈수록 복각의 크기가 커진다.
- 암석에 기록된 고지자기의 복각으로 생성 당시의 위치, 자극의 위치를 추정할 수 있다. 예 복각이 +30°라면 자기 적도에서 북쪽으로 대략 30° 떨어진 지역이었고, 복각이 +90°라면 자북극 지역이었다.

2 고지자기와 대륙의 이동

1. 고지자기 마그마가 식어서 굳을 때나 퇴적물이 쌓일 때 기록된 과거의 지구 자기장
→ 암석이 형성될 당시의 지자기 북극의 위치를 알 수 있다.

2. 잔류 자기[2] 암석에 기록된 과거 지구 자기장의 방향

① 암석 내의 자성을 띠는 광물들은 암석이 굳기 전에 당시의 지구 자기장 방향으로 배열된다.

② 지각 변동을 받아도 잔류 자기는 처음 자화된 방향 그대로 보존된다.

---

❶ 지구 자기장
- 자북극과 자남극을 연결한 지구 자기의 축은 지구 자전축에 대해 약 11.5° 기울어져 있다.
- 나침반의 N극이 가리키는 자북극은 지리상 북극과 정확히 일치하지 않는다.

암기 콕
지구 자기장과 관련된 용어에는 '자'가 들어간다는 것
자북극, 지**자**기 북극, **자**북

❷ 잔류 자기
지구 자기장의 세기와 방향이 변해도 잔류 자기의 방향은 생성 당시의 방향 그대로 남아 있다.

▲ 생성 당시

▲ 현재

--- 용어 ---

▶ **복각**: 자기장을 나타내는 선을 자기력선이라 하고, 지구 자기력선의 방향과 수평면이 이루는 각을 복각이라고 한다.

3. 지자기 북극의 이동 경로 지자기 북극의 이동 경로를 연구하면 대륙 이동을 알 수 있다.

→ 대륙 이동설이 부활하는 계기가 되었다.

┌─ 자료 파헤치기 ─┐

지자기 북극의 이동 경로와 대륙의 이동

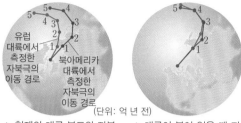

유럽 대륙에서 측정한 자북극의 이동 경로

북아메리카 대륙에서 측정한 자북극의 이동 경로

(단위: 억 년 전)

▲ 현재의 대륙 분포와 자북극의 이동 경로

▲ 대륙이 붙어 있을 때 자북극의 이동 경로

① 자북극의 이동 경로: 현재 유럽 대륙과 북아메리카 대륙의 암석에서 측정한 자북극의 이동 경로가 두 갈래로 나타난다.

→ 같은 시기에 지구의 자극이 2개 있을 수는 없다. → 본래 하나의 대륙으로 붙어 있던 북아메리카 대륙과 유럽이 갈라져 서로 다른 방향으로 이동하였다.❸

② 과거의 대륙 분포 추정: 자북극의 이동 경로를 일치시켜 보면 대륙이 모여 있게 된다.

→ 과거에 대륙이 붙어 있었음을 알 수 있다.

---

3 **과거와 미래의 대륙 분포**

1. 지질 시대 대륙 분포의 변화 지구의 대륙들은 모여서 초대륙을 형성하고 다시 분리되었다가 모이는 과정을 되풀이한다.→ 지질 시대에는 여러 번의 초대륙이 있었다.

2. 미래의 대륙 분포 변화 현재에도 대륙은 느리지만 끊임없이 이동하고 있다.

① 현재 판의 경계에서의 대륙 이동 속도와 방향을 분석하면 미래의 대륙과 해양의 모습을 예측할 수 있다. 예 동아프리카 열곡대❹

② 대륙 분포 변화

→ 판게아 주변의 바다이다.

로디니아	로라시아 판게아 테티스해 곤드와나	로라시아 테티스해 곤드와나	
▲ 12억 년 전	▲ 2억 4천만 년 전	▲ 1억 5천만 년 전	▲ 현재
• 약 12억 년 전 로디니아라는 초대륙이 존재하였다.	• 대륙이 분리되어 이동하다가 다시 모여 고생대 말에 판게아를 형성하였다. • 테티스해를 사이에 두고 판게아 북반구에는 로라시아 대륙, 남반구에는 곤드와나 대륙이 분포하였다.	• 로라시아 대륙이 유라시아 대륙과 북아메리카 대륙으로 분리되었다. • 곤드와나 대륙에서 아프리카 대륙과 남아메리카 대륙이 분리되었다. → 대서양이 확장되었다.	• 중생대 말기~신생대 초기에 남극 대륙, 인도 대륙, 오스트레일리아 대륙이 분리되었다. • 신생대 초기~중기에 인도 대륙이 유라시아 대륙과 충돌하여 티베트 고원과 히말라야산맥이 형성되었다.

---

❸ 애팔래치아산맥 형성

• 판게아가 형성되면서 북아메리카 대륙이 아프리카 대륙 및 유럽 대륙과 충돌하여 애팔래치아산맥이 형성되었다.

• 대서양이 형성된 이후 애팔래치아산맥과 칼레도니아산맥으로 분리되었다.

❹ 동아프리카 열곡대

현재 동아프리카 열곡대를 중심으로 아프리카 대륙이 분리되고 있다. 미래에는 분리된 곳을 중심으로 해령이 생성되면서 새로운 바다가 만들어질 것으로 예상된다.

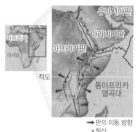

→ 판의 이동 방향
▲ 화산

셀파 콕콕 🔍

초대륙의 형성과 분리 과정을 학습하자.

초대륙 → 대륙 분리 시작 → 해저 확장 → 해구와 섭입대 형성 → 해양 지각 소멸 → 대륙과 대륙의 충돌 → 초대륙

━━ 용어 ━━

▶ 로라시아 대륙: 현재 유럽과 아시아 대륙에 해당하는 고생대 대륙

개념 확인하기

1 현재 지구 자전축과 자기축은 일치한다. (○ , ×)

2 나침반 자침의 N극이 가리키는 방향을 자북이라고 한다. (○ , ×)

3 암석에 기록된 과거의 지구 자기장을 ( )라고 한다.

4 현재 유럽 대륙과 북아메리카 대륙의 암석에서 측정한 자북극의 이동 경로 연구를 통해 대륙이 ( ) 하였음을 알 수 있다.

1 ×
2 ○
3 고지자기
4 이동

암석의 복각 자료를 이용하여 대륙의 이동 경로를 복원할 때 주의할 사항
• 복각을 정밀하게 측정해야 한다.
• 실제 위도와 자기 위도가 일치하지 않으므로 이를 보정해야 한다.
• 지질 시대 동안 자북극의 위치가 계속 이동했으므로 고지자기를 복원할 때 이 부분을 고려하여 계산해야 한다.

🔍 탐구 돋보기
인도 대륙이 남반구에서 현재 위치(북반구)까지 이동하는 동안 남반구에서는 복각의 크기가 점점 작아지고 북반구에서는 복각의 크기가 점점 커진다.

➕ 유의점
❶ 복각의 부호와 변화 양상이 의미하는 것을 파악한다.
❷ 남반구와 북반구 모두 위도가 커질수록 복각의 크기가 커지지만 자침의 방향은 서로 반대이다.

📋 시험 유형은?
❶ 복각의 크기가 0°인 곳은 어디인가?
▶ 자기 적도

❷ 인도 대륙과 유라시아판의 충돌로 만들어진 산맥은 무엇인가?
▶ 히말라야산맥

목표 암석의 연령과 복각 자료를 통해 대륙의 이동 경로를 복원할 수 있다.

과정

그림 (가)는 지질 시대 동안 인도 대륙의 위치와 복각을 나타낸 것이고, (나)는 위도와 복각과의 관계를 나타낸 것이다. (나)를 이용하여 인도 대륙의 이동에 따른 위도 변화를 계산한다.

(가)

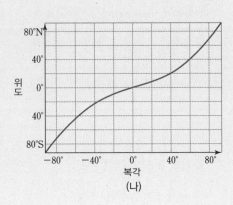

(나)

결과 및 정리

1. 과거부터 현재까지 인도 대륙의 이동에 따른 위도 변화는 다음과 같다.

시기(만 년 전)	7100	5500	3800	1000	현재
복각	$-49°$	$-21°$	$6°$	$30°$	$36°$
위도	30°S	11°S	3°N	16°N	20°N

2. 인도 대륙이 남반구에서 현재 위치까지 이동하는 동안 남반구와 북반구에서의 복각의 변화는?
   → 남반구에서는 인도 대륙이 북쪽으로 이동하면서 복각의 크기가 점점 작아지고, 북반구에서는 북쪽으로 이동하면서 복각의 크기가 점점 커진다.

탐구 대표 문제 정답과 해설 5쪽

01 인도 대륙이 남북 방향으로만 이동했다면, 위 표를 참고하여 7100만 년 동안 인도 대륙의 평균 이동 속도에 가장 가까운 값은? (단, 위도 1° 사이의 거리는 110 km이고, 소수 둘째 자리에서 반올림하시오.)

① 약 4 cm/년 　　② 약 8 cm/년 　　③ 약 12 cm/년
④ 약 16 cm/년 　　⑤ 약 20 cm/년

기초 탄탄 문제

정답과 해설 5쪽

핵심용어_ 이 단원에서 내가 아는 것과 아직 모르는 것을 정리하며 나의 공부를 돌아보자.

- ☐ 지구 자기장
- ☐ 편각
- ☐ 복각
- ☐ 고지자기
- ☐ 지자기 북극의 이동 경로와 대륙의 이동
- ☐ 초대륙 형성
- ☐ 초대륙 분리

01 지구 자기장과 고지자기에 대한 설명으로 옳지 않은 것은?

① 나침반의 N극은 북쪽을 향한다.

② 나침반의 자침이 수평면과 이루는 각은 편각이다.

③ 고지자기로 과거의 대륙 분포를 알 수 있다.

④ 저위도일수록 복각의 크기가 대체로 작다.

⑤ 고지자기의 복각이 +90°이면, 암석의 생성 당시 위치는 자북극이었다.

02 그림은 지구 자기장의 자기력선 모습을 나타낸 것이다.

이에 대한 설명으로 옳은 것은?

① 자기 적도에서는 편각이 0°이다.

② 지리상 북극과 지자기 북극은 일치한다.

③ 자북극은 자석의 S극에 해당된다.

④ 복각은 자북과 진북 사이의 각이다.

⑤ 복각이 가장 큰 곳은 자기 적도이다.

03 그림은 현재의 대륙 분포와 자북극의 이동 경로를 나타낸 것이다.

이에 대한 설명으로 옳은 것은?

① 자북극은 원래 2개였다.

② 자북극의 이동 경로는 동일하게 나타난다.

③ 자북극의 이동은 대륙의 이동 없이 자극만 이동한 결과이다.

④ 자북극의 이동 경로를 일치시키면 대륙이 붙어 있었음을 알 수 있다.

⑤ 이러한 연구 결과로 대륙 이동설은 폐기되었다.

04 그림은 지질 시대 동안 대륙 분포의 변화를 나타낸 것이다.

(가)   (나)

이에 대한 설명으로 옳지 않은 것은?

① (가) 시기에 초대륙인 로디니아가 형성되었다.

② (나)는 고생대 말에 판게아가 형성된 모습이다.

③ (나) 시기 이후 대륙이 분리되기 시작하였다.

④ 대륙이 분리되는 초기에 열곡과 같은 발산형 경계가 형성된다.

⑤ 지질 시대 동안 초대륙은 한 번만 존재하였다.

05 다음은 대륙 분포의 변화를 순서 없이 나타낸 것이다.

> (가) 로디니아라는 초대륙이 형성되었다.
> (나) 인도 대륙이 유라시아 대륙과 충돌하여 히말라야 산맥이 형성되었다.
> (다) 판게아가 형성되면서 애팔래치아산맥이 형성되었다.
> (라) 곤드와나 대륙과 로라시아 대륙이 분리되면서 대서양이 확장되었다.

대륙 분포의 변화를 오래된 것부터 시간 순서대로 옳게 나열한 것은?

① (가) → (나) → (라) → (다)

② (가) → (다) → (라) → (나)

③ (다) → (나) → (가) → (라)

④ (라) → (가) → (다) → (나)

⑤ (라) → (다) → (가) → (나)

내신 만점 문제

정답과 해설 6쪽

* ▮▮▮ 난이도를 나타냅니다.

01 ▮▮▮ 그림은 지구 자기장과 관련한 지표의 세 지점 A, B, C를 나타낸 것이다.
이에 대한 설명으로 옳은 것만을 〈보기〉에서 있는 대로 고른 것은?

지리상 북극
자북극
C
B
A

┤ 보기 ├

ㄱ. 편각은 A에서 가장 크다.

ㄴ. 복각이 가장 큰 곳은 C이다.

ㄷ. 복각은 자북극보다 지리상 북극에서 더 크다.

① ㄱ ② ㄴ ③ ㄱ, ㄷ

④ ㄴ, ㄷ ⑤ ㄱ, ㄴ, ㄷ

02 ▮▮▮ 그림 (가)~(다)는 세 지점에서 지구 자기장의 복각을 측정한 것이다. (단, 손잡이는 수평을 유지하였다.)

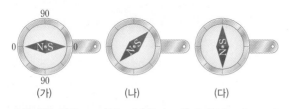

90
0   0
90
(가)   (나)   (다)

이에 대한 설명으로 옳은 것만을 〈보기〉에서 있는 대로 고른 것은?

┤ 보기 ├

ㄱ. 복각이 가장 큰 곳은 (다)이다.

ㄴ. 우리나라에서의 복각은 (나)와 비슷할 것이다.

ㄷ. (가) 지점은 자기 적도, (다) 지점은 자기 북극에 해당한다.

① ㄱ ② ㄴ ③ ㄱ, ㄷ

④ ㄴ, ㄷ ⑤ ㄱ, ㄴ, ㄷ

03 그림 (가)는 북아메리카와 유럽 대륙에서 측정한 5억 년 전부터 현재까지 자북극의 이동 경로를 나타낸 것이고, (나)는 자북극의 이동 경로를 겹쳤을 경우를 나타낸 것이다.

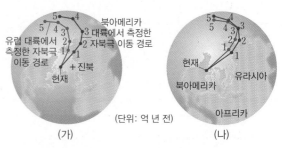

북아메리카
대륙에서 측정한
자북극 이동 경로
유럽 대륙에서
측정한 자북극
이동 경로
+진북
현재

현재
북아메리카
유라시아
아프리카
(단위: 억 년 전)

(가)   (나)

이에 대한 설명으로 옳은 것만을 〈보기〉에서 있는 대로 고른 것은?

┤ 보기 ├

ㄱ. 과거에 2개이던 자북극이 현재는 하나로 합쳐졌다.

ㄴ. 자북극은 지질 시대에 따라 그 위치가 변하였다.

ㄷ. 두 대륙에서 자북극의 이동 경로가 다른 것은 대륙이 이동하였기 때문이다.

① ㄱ ② ㄷ ③ ㄱ, ㄴ

④ ㄴ, ㄷ ⑤ ㄱ, ㄴ, ㄷ

04 ▮▮▮ 그림은 약 2억 5천만 년 전과 현재의 대륙 분포를 나타낸 것이다.

▲ 약 2억 5천만 년 전   ▲ 현재

이에 대한 설명으로 옳은 것만을 〈보기〉에서 있는 대로 고른 것은?

┤ 보기 ├

ㄱ. 약 2억 5천만 년 전에는 대서양이 존재하지 않았다.

ㄴ. 북반구 해양의 면적은 2억 5천만 년 전이 현재보다 좁았다.

ㄷ. 현재 아프리카 대륙의 남부에서는 2억 5천만 년 전 빙하의 흔적이 발견될 수 있다.

① ㄱ ② ㄴ ③ ㄱ, ㄷ

④ ㄴ, ㄷ ⑤ ㄱ, ㄴ, ㄷ

05 그림은 과거 어느 지질 시대 동안 대륙의 분포를 나타낸 것이다.

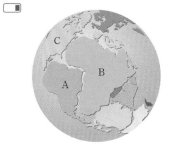

이에 대한 설명으로 옳은 것만을 〈보기〉에서 있는 대로 고른 것은?

┃ 보기 ┃

ㄱ. A 대륙과 B 대륙은 고생대 말에 분리되기 시작하였다.

ㄴ. C 대륙의 동부 지역에는 대륙 충돌에 의해 습곡 산맥이 형성되었다.

ㄷ. A 대륙과 B 대륙은 과거 곤드와나 대륙의 일부였다.

① ㄱ   ② ㄴ   ③ ㄱ, ㄷ

④ ㄴ, ㄷ   ⑤ ㄱ, ㄴ, ㄷ

 그림은 고생대 말부터 현재까지의 대륙 분포를 순서 없이 나타낸 것이다.

(가)   (나)   (다)

이에 대한 설명으로 옳은 것만을 〈보기〉에서 있는 대로 고른 것은?

┃ 보기 ┃

ㄱ. 판게아가 형성된 시기는 (가)이다.

ㄴ. 대륙 분포가 오래된 것부터 시간 순으로 배열하면 (다)→(가)→(나)이다.

ㄷ. 이 기간 동안 대서양의 크기는 확장되었다.

① ㄱ   ② ㄷ   ③ ㄱ, ㄴ

④ ㄴ, ㄷ   ⑤ ㄱ, ㄴ, ㄷ

서술형 문제

07 그림 (가)는 지구 자기장을, (나)는 A, B 지역에서의 자기력선을 나타낸 것이다.

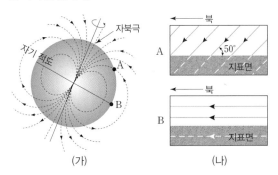
(가)   (나)

A 지역과 B 지역의 복각을 각각 쓰시오.

_____

08 그림은 7100만 년 전부터 현재까지 인도 대륙의 이동 모습을 나타낸 것이고, 표는 이 기간 동안 고지자기를 이용하여 측정한 복각으로 알아낸 위도 변화를 나타낸 것이다. (단, •은 고지자기의 측정 위치이다.)

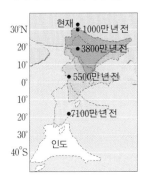

시기	위도
현재	북위 33°
1000만 년 전	북위 30°
3800만 년 전	북위 19°
5500만 년 전	남위 3°
7100만 년 전	남위 18°

이 기간 동안 인도 대륙의 복각의 크기 변화를 서술하시오.

_____

09 다음 글은 초대륙의 분리와 형성에 관한 것이다.

약 12억 년 전에 형성된 초대륙인 ㉠ 발바라는 약 8억 년 전부터 분리되기 시작하였다. 약 2억 4천만 년 전에는 대륙들이 거의 합쳐져 ㉡ 초대륙인 판게아를 이루었다. 판게아가 형성될 때 북아메리카 대륙이 아프리카 대륙, 유럽 대륙과 충돌하여 ㉢ 칼레도니아산맥이 형성되었다.

㉠~㉢ 중 잘못된 부분을 찾아 옳게 수정하시오.

_____

03 맨틀 대류와 플룸 구조론

내 교과서는 어디에?

천재 p.22~27   금성 p.27~29
미래엔 p.28~30   비상 p.26~29   YBM p.29~33

핵심 Point
- 판을 움직이는 **상부 맨틀의 운동**을 이해한다.
- 플룸 운동으로부터 더욱 큰 규모의 **지구 내부 움직임**을 이해한다.
- 상부 맨틀의 대류에 의한 판 운동과 맨틀−핵의 경계에서 올라오는 플룸 운동을 구분하여 이해한다.

1 판을 움직이는 상부 맨틀의 운동

1. 상부 맨틀의 대류와 판의 이동

① **상부 맨틀의 대류**: 연약권 내에서 방사성 원소의 붕괴열과 맨틀 상하부 깊이에 따른 온도 차이 등으로 물질의 대류❶가 매우 느리게 일어난다.
- **맨틀 대류의 상승부**: 대륙이 갈라져 이동하면서 해령이 형성된다.
- **맨틀 대류의 하강부**: 해양판이 맨틀 속으로 들어가 소멸되는 해구가 형성된다.

② **판의 이동**: 상부 맨틀의 대류를 따라 연약권 위에 놓인 판이 이동한다.

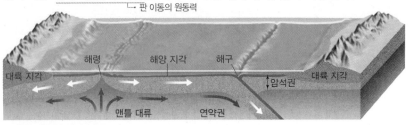

└ 판 이동의 원동력

대륙 지각 / 해령 / 해양 지각 / 해구 / 암석권 / 대륙 지각 / 맨틀 대류 / 연약권

▲ 맨틀 대류와 판의 이동

2. 맨틀 대류 외에 판을 이동시키는 힘 판 자체에서 만들어지는 물리적인 힘에 의해서도 이동한다.
└ 주로 해령과 해구에서의 작용으로 판이 이동한다.

해령에서 판을 밀어내는 힘	맨틀 물질이 상승하면서 마그마가 분출하여 판을 생성할 때 해령에서 멀어지는 방향으로 판을 밀어내는 힘이 작용한다.	 섭입하는 판이 잡아당기는 힘 / 대륙 / 판을 밀어내는 힘 / 해구 / 맨틀 / 해령 / 맨틀 대류 / 맨틀 대류 / 대륙 ▲ 판을 이동시키는 힘
해구에서 섭입하는 판이 잡아당기는 힘	해령에서 생성되어 이동하는 동안 냉각되어 무거워진 해양판이 중력을 받아 해구에서 침강하면서 기존의 판을 당기는 힘으로 작용한다.	
해저면 경사에 의한 중력의 힘	중력에 의해 판이 미끄러지면서 작용한다.	**암석권과 연약권❷ 사이에서 작용하는 힘** · 맨틀이 대류하면서 판을 싣고 가는 힘으로 작용한다.

━━━ 자료 파헤치기 ━━━

섭입대의 분포와 판의 이동 속도 비교

A ──3 cm/년──▶ B / 남아메리카판

D / 인도−오스트레일리아판 / 7 cm/년 / C

A ┌남아메리카판┐ B / C ┌인도−오스트레일리아판┐ D

└ 판의 이동 속도는 판이 섭입되는 경계의 유무와 분포 면적 등에 따라 달라진다.

① **섭입대의 분포**: 인도−오스트레일리아판은 해령과 함께 섭입대가 있지만 남아메리카판은 해령은 있지만 섭입대가 없다.
→ 남아메리카판: 해령에서 미는 힘만 있고 해구에서 잡아당기는 힘은 없다.
→ 인도−오스트레일리아판: 해령에서 미는 힘과 해구에서 잡아당기는 힘이 있다.

② **판의 이동 속도**: 남아메리카판 < 인도−오스트레일리아판

---

❶ **대류**
- 에너지 전달 방식의 하나이다.
- 유체의 경우 온도 차이가 생기면 상대적으로 온도가 높은 부분은 밀도가 작아져 위로 올라가고(A), 상대적으로 온도가 낮은 부분은 밀도가 커져 아래로 내려가면서(B) 유체가 이동하는 현상이다.

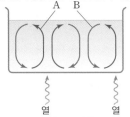

열대류가 상승 A B 열대류가 하강

열 / 열

▲ 대류와 관련된 실험

셀파 콕콕
맨틀 대류와 판의 이동을 나타내는 자료를 해석할 때는 해령과 해구에서 맨틀의 이동 방향과 판의 이동 방향을 비교해서 알아두자.

❷ **연약권**
암석권 바로 아래에 있으며, 맨틀의 부분 용융으로 유동성이 있는 부분

━━━ 용어 ━━━

▶ **방사성 원소**: 원자핵이 불안정하여 α선, β선, γ선 등의 방사선을 방출하고 붕괴하면서 안정한 원소로 변하는 원소

▶ **섭입**: 밀도가 큰 판이 밀도가 작은 판 밑으로 비스듬히 들어가는 것

2 플룸 운동과 열점

1. **플룸 구조론** 지구 내부의 변동이 플룸의 상승이나 하강에 의해 지배받고 있다는 이론
   → 판 구조론으로 설명이 어려웠던 판 내부에서 일어나는 화산 활동을 설명할 수 있다.

① 플룸: 지각에서 맨틀 하부로 하강하거나 맨틀과 핵의 경계에서 지각으로 상승하는 물질과 에너지의 흐름 → 폭이 100 km 미만인 가늘고 긴 원기둥 형태[3]

차가운 플룸	수렴형 경계에서 섭입된 판의 물질이 상부 맨틀과 하부 맨틀 경계부에 쌓여 있다가 밀도가 커지면 맨틀과 핵의 경계까지 가라앉아 형성되는 차가운 하강류
뜨거운 플룸	• 차가운 플룸이 맨틀 최하부에 도달하면 핵에서 차가운 플룸에 대해 열적 반응이 일어나고 경계면의 온도 구조가 교란되어 물질을 밀어 올리는 작용이 일어나 형성되는 뜨거운 상승류 • 맨틀—핵의 경계로부터 공급되는 열에 의해 뜨거워진다.

② 지구 내부의 플룸 운동
   • 지구에는 2~3개의 거대한 상승류가 있어 핵과 접해 있는 하부 맨틀의 물질이 지표면까지 상승한다.
   • 지표면의 물질이 다시 하부 맨틀까지 하강하는 큰 대류 현상이 일어나고 있다.

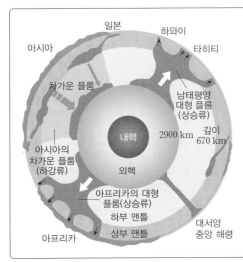

• 해구에서 침강한 해양 지각이 ▶용융되어 형성된 물질이 가라앉으면서 차가운 플룸이 만들어진다.
• 외핵과 맨틀의 경계부에서 형성된 뜨거운 물질이 기둥 모양으로 상승하는 뜨거운 플룸이 만들어진다.
• 현재 아시아 지역에 거대한 플룸 하강류가 있고, 남태평양과 아프리카 등에 2~3개의 거대한 플룸 상승류가 있어 맨틀 전반에 걸친 대류 운동이 일어나고 있다.
• 남태평양과 아프리카에 있는 유난히 큰 플룸을 슈퍼 플룸(super plume)이라고 한다. 대서양 중앙 해령에도 뜨거운 플룸이 형성된다고 알려져 있다.

③ 플룸 운동과 지진파의 속도: 지진파의 속도는 매질의 온도가 높은 영역에서는 느리게 나타나고, 온도가 낮은 영역에서는 빠르게 나타난다.
   • 플룸 상승류가 있는 곳 → 주변 맨틀보다 온도가 높으므로 지진파의 속도가 느리다.
   • 플룸 하강류가 있는 곳 → 주변 맨틀보다 온도가 낮으므로 지진파의 속도가 빠르다.

강의 쿡
상부 맨틀의 대류와 대류 결과 판 자체에서 발생한 힘은 판을 움직이게 하는 중요한 원동력이지만 이것만으로는 판의 운동을 모두 설명할 수 없다. 이 문제점을 해결하기 위해 최근 플룸 구조론이 등장하였다.

❸ 차가운 플룸과 뜨거운 플룸의 생성 과정

• 맨틀과 핵의 경계에서 뜨거운 플룸이 생성된다.
• 플룸 운동은 판의 내부에서 일어난다.

———— 용어 ————

▶ **교란**: 기존의 상태를 뒤흔들고 어지럽히는 현상이다.
▶ **용융**: 고체 상태의 물질이 녹아서 액체 상태로 변화하는 현상이다. 부분 용융이라고 하면 전체가 용융되지 않고 일부 또는 대부분이 용융된 것이다.

개념 확인하기

1 맨틀이 상승하는 곳에서는 대륙이 갈라지면서 (   )이(가) 형성되고, 맨틀이 하강하는 곳에서는 해양판이 맨틀 속으로 섭입하여 소멸하면서 (   )이(가) 형성된다.

2 해령에서는 판을 (잡아당기는, 밀어내는) 힘이 작용하고, 해구에서는 판을 (잡아당기는, 밀어내는) 힘이 작용한다.

3 지각에서 맨틀 하부로 하강하거나 맨틀과 핵의 경계에서 지각으로 상승하는 기둥 모양의 물질 흐름을 (   )이라고 한다.

4 플룸의 상승이나 하강으로 지구 내부의 변동이 일어난다는 이론을 (   )이라고 한다.

5 (뜨거운, 차가운) 플룸은 외핵과 맨틀의 경계부에서 형성되어 상승하고, (뜨거운, 차가운) 플룸은 판이 섭입하는 지역에서 형성되어 맨틀 하부로 하강한다.

답 1. 해령, 해구
2. 밀어내는, 잡아당기는
3. 플룸
4. 플룸 구조론
5. 뜨거운, 차가운

동아프리카 열곡대에서의 지진파의 속도 분포

지진파 분석 결과 플룸의 상승과 하강은 맨틀 대류가 맨틀 전체에서 발생하고 있음을 보여 준다.

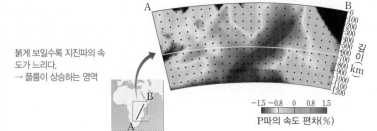

붉게 보일수록 지진파의 속도가 느리다.
→ 플룸이 상승하는 영역

푸르게 보일수록 지진파의 속도가 빠르다.
→ 플룸이 하강하는 영역

P파의 속도 편차(%)

2. 열점 플룸 상승류가 지표면과 만나는 지점 아래에 마그마가 생성되는 곳❹

① 열점에서 분출하는 마그마는 외핵과 맨틀의 경계 부근에서 생성된 것이기 때문에 상부 맨틀이 대류하여 판이 이동해도 열점의 위치는 변하지 않는다.

② 고정된 열점에서 오랫동안 많은 양의 마그마가 분출하면 화산섬이나 해산이 만들어진다.

③ 열점에서 생성된 화산섬이나 해산은 판의 이동 방향으로 배열된다.

예 하와이 열도의 생성 원리
└→ 27쪽 셀파 세미나에서 자세하게 학습하자.

3. 상부 맨틀의 운동과 플룸 운동 지권의 변동을 설명할 수 있는 상부 맨틀의 운동과 플룸 운동은 서로 연관되어 일어난다.

① 상부 맨틀의 대류와 플룸에 따른 대규모 운동은 판을 이동시키는 힘을 발생시킨다.

② 상부 맨틀의 운동과 플룸 운동

구분	상부 맨틀의 운동	플룸 운동
이론	• 판의 섭입 전 지구 표면의 수평 운동 및 판의 섭입 과정에서의 수직 운동을 설명	• 지구 내부의 변동이 플룸의 상승이나 하강에 의해 지배받고 있다는 이론 • 지구 내부 움직임 중 대규모의 수직 운동을 주로 설명
활동 영역	연약권 내의 대류	맨틀−핵 경계에서의 물질 상승과 하강
원동력	맨틀 내에 존재하는 방사성 물질의 붕괴에서 나오는 열과 상하부 깊이에 따른 온도 차이로 발생하는 열대류가 원인이다.	상승하는 뜨거운 플룸과 하강하는 차가운 플룸이 거대 규모의 대류를 일으키며 판을 이동시킨다.
대표적인 지형	대서양 중앙 해령, 동태평양 해령, 해구, 변환 단층	하와이 열점

❹ 열점의 분포

전 세계적으로 확인된 열점은 수십여 개로, 대륙판과 해양판 내부에도 있다.

• 열점 — 판 경계

셀파 콕콕

하와이 열도는 판이 이동함에 따라 위치가 계속 달라지는 것으로, 열점이 이동해서 위치가 변한 것이 아니다. 열점은 지구 내부에 고정되어 있다.

강의 콕

판이 해령에서 생성되어 해구에서 섭입되기 전까지의 판 운동은 상부 맨틀의 운동(판 구조론)으로 설명하고, 판이 섭입된 이후 지구 내부에서의 변화는 플룸 운동(플룸 구조론)으로 설명한다.

── 용어 ──

▶ 화산섬: 해저 화산의 분출로 해수면 위에 생긴 섬

▶ 해산: 해저 밑바닥에 솟아 있는 봉우리(산)로, 꼭대기가 편평한 지형을 평정해산(기요)이라고 한다.

개념 확인하기

1 플룸의 상승과 하강은 (맨틀 상부, 맨틀 전체)에서 일어난다.

2 플룸 상승류가 지표면과 만나는 지점 아래 마그마가 생성되는 곳을 (　　)이라고 한다.

3 열점은 판이 이동하는 방향을 따라 함께 이동한다. (○, ×)

4 하와이섬에서 멀리 떨어질수록 화산섬의 나이는 (많아, 적어)진다.

5 상부 맨틀의 운동은 연약권 내의 대류 현상이고, 플룸 운동은 맨틀−핵 경계에서의 물질 상승과 하강 운동이다. (○, ×)

답 1. 맨틀 전체
2. 열점
3. ×
4. 많아
5. ○

셀파 세미나 — S·H·E·R·P·A

▶ 열점에서 형성된 하와이 열도의 이동 과정을 판의 운동과 관련지어 이해하자.

하와이 열도의 생성 원리와 이동 방향

☀ 열점의 위치 알아두기

'열점 = 하와이섬'이라고 학습하고 열점의 위치를 찾는다.

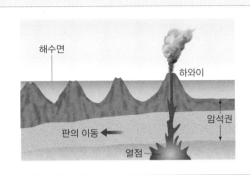

• 화산 활동은 현재 열점에 위치한 하와이섬에서 일어난다.
• 열점은 그 위치가 고정되어 있다.

☀ 화산섬들의 연령 비교하기

'연령이 많은 화산섬 = 생성된 지 오래된 화산섬'이라고 학습한다.

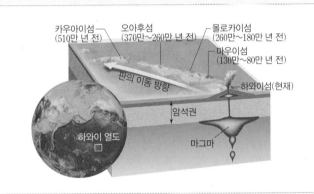

• 하와이섬에서 북서쪽으로 열도가 형성되어 있다.
• 현재 화산 활동이 일어나는 섬에서 북서쪽으로 갈수록 화산을 구성하는 암석의 나이가 많다.
 → 태평양판은 북서쪽으로 이동하였다.

☀ 하와이섬의 이동 방향 찾기

'하와이섬의 이동 방향 = 판의 이동 방향'이라고 학습하고, 화살표를 이용해 방향을 표시한다.

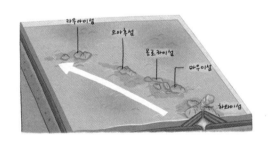

• 열점에서 형성된 화산섬들이 태평양판의 이동으로 열점을 벗어나 일렬로 배열되어 있다.
• 하와이섬은 앞으로 태평양판을 따라 북서쪽으로 이동할 것이다.
• 하와이섬이 있던 자리에 새로운 화산섬이 생성될 것이다.

---

1 그림은 열점에서 생성된 하와이 화산섬들의 분포를 나타낸 것이다.

화산섬 A~C의 생성 순서를 오래된 것부터 나열하고, 태평양판의 이동 방향을 옳게 짝 지은 것은?

	화산섬 생성 순서	판의 이동 방향
①	A − B − C	A → C
②	A − B − C	C → A
③	C − B − A	A → C
④	C − B − A	C → A
⑤	B − A − C	A → C

| 해설 | 열점에서 마그마가 상승하여 새로운 화산섬이 형성되므로 열점에 가장 가까운 화산섬(C)이 가장 최근에 형성된 섬이다.

답 ②

기초 탄탄 문제

정답과 해설 8쪽

핵심용어_ 이 단원에서 내가 아는 것과 아직 모르는 것을 정리하며 나의 공부를 돌아보자.

□ 맨틀의 대류   □ 판을 이동시키는 힘
□ 섭입대의 분포   □ 판의 이동 속도   □ 플룸 구조론
□ 열점   □ 플룸 운동과 지진파의 속도

01 맨틀 대류를 설명한 것으로 옳지 **않은** 것은?

① 맨틀의 대류는 판을 이동시키는 힘이다.
② 연약권은 액체 상태로 대류가 일어난다.
③ 맨틀 대류의 상승부에서는 판이 갈라지면서 해령이 형성된다.
④ 맨틀 대류의 하강부에서는 판이 섭입하면서 해구가 형성된다.
⑤ 섭입대에서는 침강하는 판이 기존의 판을 잡아당기는 힘이 작용한다.

02 그림은 지구 내부의 플룸 운동을 나타낸 것이다.

(가) 뜨거운 플룸이 형성되는 위치와 (나) 차가운 플룸이 형성되는 위치를 옳게 짝 지은 것은?

	(가)	(나)		(가)	(나)
①	A	B	②	A	C
③	B	A	④	B	C
⑤	C	B			

03 플룸 구조론을 설명한 것으로 옳지 **않은** 것은?

① 맨틀 대류는 상부 맨틀에서만 나타나는 현상이다.
② 열점은 판의 이동에 관계없이 위치가 변하지 않는다.
③ 판의 내부에서 일어나는 화산 활동을 설명할 수 있다.
④ 플룸이 상승하는 영역에서는 지진파의 속도가 느려진다.
⑤ 열점은 플룸 상승류가 지표면과 만나는 지점 아래에 마그마가 생성되는 곳이다.

04 그림은 하와이 열도를 이루는 섬들의 위치와 암석의 나이를 나타낸 것이다.

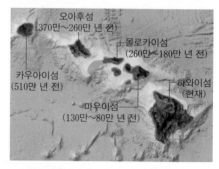

이에 대한 설명으로 옳지 **않은** 것은?

① 하와이섬은 열점에서 생성되었다.
② 카우아이섬은 생성된 후 북서쪽으로 이동했다.
③ 하와이 열도를 따라 발산형 경계가 발달해 있다.
④ 하와이섬에서 멀어질수록 화산섬들의 나이가 많아진다.
⑤ 앞으로 하와이 열도를 이루는 섬들은 현재 하와이섬의 위치에서 계속 생성될 것이다.

05 다음은 상부 맨틀의 운동과 플룸 운동에 대한 학생들의 대화 내용을 나타낸 것이다.

- 철수: 상부 맨틀의 대류는 맨틀 내 방사성 물질의 붕괴에서 나오는 열과 상하부 깊이에 따른 온도 차이 때문에 발생해.
- 영희: 하와이섬을 형성한 마그마 물질은 맨틀 내 연약권에서부터 올라온 거야.
- 민수: 현재 아시아 지역에서는 거대한 뜨거운 플룸이 형성되어 상승하고 있어.

옳게 이야기한 학생만을 있는 대로 고른 것은?

① 철수   ② 민수   ③ 철수, 영희
④ 영희, 민수   ⑤ 철수, 영희, 민수

내신 만점 문제

정답과 해설 8쪽

* ▮▮▮ 난이도를 나타냅니다.

01 그림은 맨틀 대류의 원리를 알아보기 위해 냄비에 물을 넣고 열을 가해 끓일 때의 모습을 나타낸 것이다.
이에 대한 설명으로 옳은 것만을 〈보기〉에서 있는 대로 고른 것은?

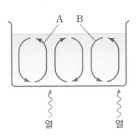

| 보기 |

ㄱ. 물의 온도가 높으면 밀도가 커진다.

ㄴ. 온도는 A가 B보다 높다.

ㄷ. A는 발산형 경계, B는 수렴형 경계에 해당한다.

① ㄱ   ② ㄴ   ③ ㄱ, ㄷ

④ ㄴ, ㄷ   ⑤ ㄱ, ㄴ, ㄷ

02 그림은 판을 이동시키는 힘 A~C를 나타낸 것이다.

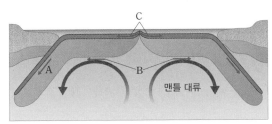

이에 대한 설명으로 옳은 것만을 〈보기〉에서 있는 대로 고른 것은?

| 보기 |

ㄱ. A는 해구에서 섭입하는 판이 잡아당기는 힘이다.

ㄴ. B는 맨틀 대류가 판을 싣고 가는 힘이다.

ㄷ. C는 해령에서 판을 밀어내는 힘이다.

① ㄱ   ② ㄷ   ③ ㄱ, ㄴ

④ ㄴ, ㄷ   ⑤ ㄱ, ㄴ, ㄷ

03 그림은 판의 이동과 맨틀 대류를 나타낸 것이다.

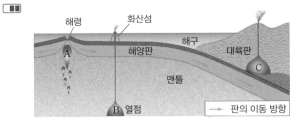

이에 대한 설명으로 옳은 것만을 〈보기〉에서 있는 대로 고른 것은?

| 보기 |

ㄱ. A에서는 상대적으로 무거운 판이 소멸된다.

ㄴ. B는 판이 이동해도 위치가 변하지 않는다.

ㄷ. C에서는 대륙판이 갈라지면서 판이 생성된다.

ㄹ. 맨틀 대류의 상승부와 하강부는 판의 경계와 대체로 일치한다.

① ㄱ, ㄴ   ② ㄴ, ㄹ   ③ ㄱ, ㄴ, ㄷ

④ ㄱ, ㄷ, ㄹ   ⑤ ㄴ, ㄷ, ㄹ

04 그림은 플룸 구조론을 모식적으로 나타낸 것이다.

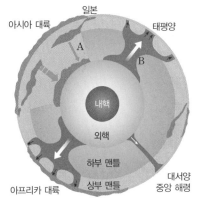

이에 대한 설명으로 옳은 것만을 〈보기〉에서 있는 대로 고른 것은?

| 보기 |

ㄱ. A는 B보다 온도가 낮다.

ㄴ. A는 섭입한 판의 물질이 가라앉아 생성된다.

ㄷ. A가 맨틀과 외핵의 경계에 도달하면 B가 생성된다.

① ㄱ   ② ㄴ   ③ ㄱ, ㄷ

④ ㄴ, ㄷ   ⑤ ㄱ, ㄴ, ㄷ

05 그림 (가), (나)는 차가운 플룸이 형성되는 과정을 순서대로 나타낸 것이다.

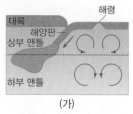 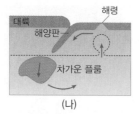

이에 대한 설명으로 옳은 것만을 〈보기〉에서 있는 대로 고른 것은?

┤ 보기 ├

ㄱ. 차가운 플룸은 주로 발산형 경계 부근에서 생성된다.

ㄴ. 차가운 플룸 지역은 지진파의 속도가 주변보다 빠르다.

ㄷ. 차가운 플룸이 맨틀 최하부에 도달하면 물질을 밀어올려 뜨거운 플룸이 생성된다.

① ㄱ   ② ㄷ   ③ ㄱ, ㄴ
④ ㄴ, ㄷ   ⑤ ㄱ, ㄴ, ㄷ

06 그림은 하와이섬 아래에서 촬영한 지진파 단층 영상을 나타낸 것이다.

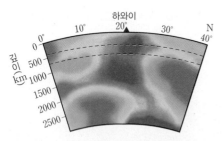

이에 대한 설명으로 옳은 것만을 〈보기〉에서 있는 대로 고른 것은? (단, 붉은색으로 갈수록 지진파의 속도가 느려지고, 파란색으로 갈수록 지진파의 속도가 빨라진다.)

┤ 보기 ├

ㄱ. 하와이섬 아래에는 열점이 있다.

ㄴ. 붉은색 영역에는 플룸의 상승류가 존재한다.

ㄷ. 맨틀과 핵의 경계에서 올라오는 고온의 열기둥은 상부 맨틀의 대류에 의한 것이다.

① ㄱ   ② ㄷ   ③ ㄱ, ㄴ
④ ㄴ, ㄷ   ⑤ ㄱ, ㄴ, ㄷ

07 그림은 전 세계의 판의 경계와 열점의 분포를 나타낸 것이다.

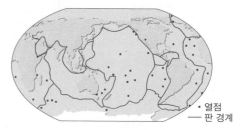

이에 대한 설명으로 옳은 것만을 〈보기〉에서 있는 대로 고른 것은?

┤ 보기 ├

ㄱ. 열점은 대부분 판의 경계를 따라 분포한다.

ㄴ. 판이 이동함에 따라 열점의 위치는 변한다.

ㄷ. 뜨거운 플룸이 상승하면서 열점이 생성된다.

① ㄱ   ② ㄷ   ③ ㄱ, ㄴ
④ ㄴ, ㄷ   ⑤ ㄱ, ㄴ, ㄷ

08 그림은 하와이 열도를 이루는 섬 A~E의 분포와 화산의 생성 시기를 나타낸 것이다.

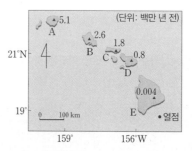

이에 대한 설명으로 옳은 것만을 〈보기〉에서 있는 대로 고른 것은?

┤ 보기 ├

ㄱ. A~E 중 현재 화산 활동이 가장 활발한 섬은 A이다.

ㄴ. 새로운 화산섬은 E의 남동쪽에 있는 열점에서 생성될 것이다.

ㄷ. 최근 80만 년 동안 태평양판의 평균 이동 속도는 2.6~5.1백만 년 전보다 느리다.

① ㄱ   ② ㄴ   ③ ㄱ, ㄷ
④ ㄴ, ㄷ   ⑤ ㄱ, ㄴ, ㄷ

그림은 열점에서 생성된 하와이 열도를 나타낸 것이다.

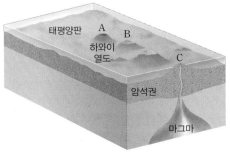

이에 대한 설명으로 옳은 것만을 〈보기〉에서 있는 대로 고른 것은?

| 보기 |

ㄱ. 화산섬이 생성된 순서를 오래된 것부터 나열하면 A → B → C이다.
ㄴ. 태평양판은 C에서 A 방향으로 이동한다.
ㄷ. C의 지하에는 뜨거운 플룸이 존재한다.

① ㄱ   ② ㄷ   ③ ㄱ, ㄴ
④ ㄴ, ㄷ   ⑤ ㄱ, ㄴ, ㄷ

10 그림 (가)는 상부 맨틀의 운동을, (나)는 지구 내부의 플룸 운동을 나타낸 것이다.

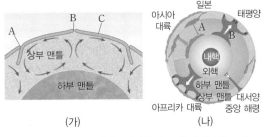

(가)   (나)

이에 대한 설명으로 옳은 것만을 〈보기〉에서 있는 대로 고른 것은?

| 보기 |

ㄱ. 맨틀 대류로 해저의 확장을 설명할 수 있다.
ㄴ. (가)와 같은 운동으로 하와이 열도 중 하와이섬에서만 화산 활동이 일어나는 것을 설명할 수 있다.
ㄷ. 판 내부의 대규모 화산 활동을 설명할 수 있는 것은 (나)와 같은 운동이다.

① ㄱ   ② ㄴ   ③ ㄱ, ㄷ
④ ㄴ, ㄷ   ⑤ ㄱ, ㄴ, ㄷ

서술형 문제

11 그림은 남아메리카판과 나스카판 주변의 판 경계와 판의 이동을 나타낸 것이다.

(1) 나스카판과 남아메리카판의 이동 속도를 비교하시오.

(2) (1)과 같이 생각한 까닭을 서술하시오.

12 그림은 어느 열점에서 형성된 후 이동한 화산섬 A~E의 암석 연령을 나타낸 것이다. 화산섬이 생성되는 동안 판의 이동 방향에 대해 서술하시오.

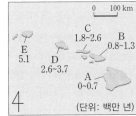

13 그림은 어느 지역의 깊이에 따른 지진파의 속도를 나타낸 것이다. 파란색은 지진파의 속도가 빠른 곳이고, 붉은색은 지진파의 속도가 느린 곳이다.

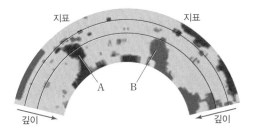

A, B 중 뜨거운 플룸은 어느 것인지 고르고, 그와 같이 판단한 까닭을 서술하시오.

I. 지권의 변동

내 교과서는 어디에?
천재 p.31~37 금성 p.30~36
미래엔 p.32~35 비상 p.30~33 YBM p.34~37

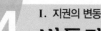

04 변동대와 화성암

핵심 Point
- 변동대에서 마그마가 생성됨을 이해한다.
- 마그마의 조성, 온도, 압력 조건에 따라 다양한 화성암이 생성됨을 이해한다.
- 한반도에 나타나는 대표적인 지형과 화성암을 연계하여 알아본다.

1 변동대에서의 마그마 생성 → 마그마: 지하 깊은 곳에서 암석이 부분 용융되어 생성된 물질

1. 마그마의 성질에 따른 화산❶의 형태 화산의 분출 형태나 화산체의 모양❷은 마그마의 성질에 따라 서로 다르게 나타난다.

종류	현무암질 마그마	안산암질 마그마	유문암질 마그마
SiO_2	52 % 이하	52 ~ 63 %	63 % 이상
온도	높다	←—————→	낮다
점성	작다	←—————→	크다
화산체 경사	완만하다	←—————→	급하다
유동성	크다	←—————→	작다
화산의 형태	용암 대지, 순상 화산		종상 화산

2. 마그마의 생성 조건 마그마는 상부 맨틀이나 지각의 하부에서 만들어지는데, 마그마가 생성되려면 마그마가 생성되는 장소의 온도가 그곳에 존재하는 암석의 용융점보다 높아야 한다.

┌─ 자료 파헤치기 ─┐

지하의 온도 분포와 마그마의 생성 조건

일반적으로 지하의 온도가 그곳에 존재하는 암석의 용융점보다 낮아 마그마가 생성되기 어렵다. 마그마가 생성되는 경우는 다음과 같다.

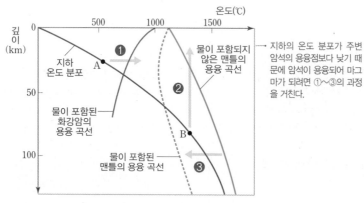

지하의 온도 분포가 주변 암석의 용융점보다 낮기 때문에 암석이 용융되어 마그마가 되려면 ❶~❸의 과정을 거친다.

❶ 지구 내부의 온도 상승으로 대륙 지각이 용융되는 경우: 대륙 지각을 구성하는 화강암은 물을 포함하고 있으며, 지하로 들어갈수록 용융 온도가 낮아지므로 지하 깊은 곳에서 마그마가 생성될 수 있다. 그러나 이보다 얕은 곳(A)에서도 온도가 상승하여 물이 포함된 화강암의 용융점보다 높아지면 대륙 지각이 용융되어 마그마가 생성될 수 있다.

❷ 압력 감소로 맨틀 물질이 용융되는 경우: B에서 맨틀 물질이 상승하면서 압력이 감소하여 맨틀의 용융점이 지하의 온도보다 낮아지면, 맨틀 물질이 용융되어 마그마가 생성된다.

❸ 물의 공급으로 맨틀 물질이 용융되는 경우: 물의 공급으로 맨틀의 용융점이 지하의 온도보다 낮아지면, 맨틀 물질이 용융되어 마그마가 생성된다.

---

❶ 화산

지하 깊은 곳에서 생성된 고온의 마그마는 주변의 암석보다 밀도가 작으므로 지각의 약한 부분이나 틈을 따라 지표 근처까지 올라오게 된다. 마그마의 내부 압력이 충분히 높아지면 지표 바깥으로 분출하게 되는데, 이렇게 생성된 산을 화산이라고 한다.

❷ 화산의 형태

- 용암 대지: 마그마가 조용히 흘러나와 만들어진 평탄한 지형 예 철원

- 순상 화산: 경사가 완만한 화산체 예 한라산

- 종상 화산: 경사가 급한 화산체 예 피나투보 화산(필리핀)

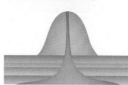

─── 용어 ───

▶ **변동대**: 지진이나 화산 활동 등 지각 변동이 일어나는 지역

▶ **마그마**: 지하 깊은 곳에서 암석이 부분 용융되어 생성된 물질

3. **마그마의 생성 장소** 해령(발산형 경계), 열점(지구 내부), 섭입대(수렴형 경계)에서 주로 생성된다.

① 해령: 해령의 하부에서 고온의 맨틀 물질이 상승하면 압력이 크게 낮아져 맨틀 물질이 용융된다. → 현무암질 마그마 생성
　　　　　　　　　　　　　　　　└ 용융점이 낮아진다.

② 열점: 지하 깊은 곳에서 뜨거운 물질이 상승하면 압력이 감소한다. → 현무암질 마그마 생성
　　　　　　　　　　　　　└ 용융점이 낮아진다.

③ 섭입대(베니오프대)

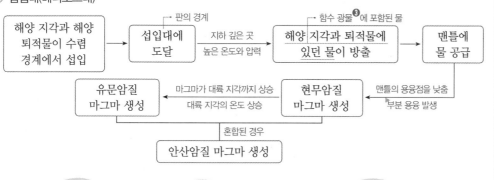

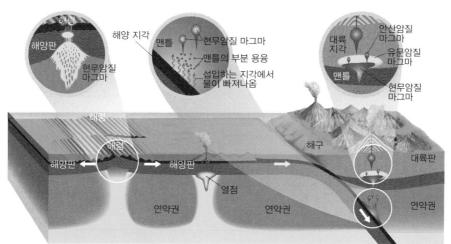

▲ 마그마의 생성 장소

마그마	생성 과정
현무암질 마그마	맨틀 물질이 맨틀 대류나 플룸 상승류를 따라 상승하면서 압력이 감소하여 용융점이 낮아져 마그마가 생성된다.
	맨틀 물질에 물이 공급되면 용융점이 낮아져 마그마가 생성된다.
안산암질 마그마	맨틀 물질과 해양 지각이 부분 용융되거나 현무암질 마그마와 유문암질 마그마가 혼합되어 마그마가 생성된다.
유문암질 마그마	상승하는 현무암질 마그마에 의해 대륙 지각 하부가 가열되어 부분 용융되면서 마그마가 생성된다.

개념 확인하기

1 지하 깊은 곳에서 암석이 부분 용융되어 생성된 물질을 (　　　)라고 한다.

2 맨틀 대류의 상승부인 해령이나 열점, 두 판이 수렴하는 경계인 섭입대에서는 부분 용융이 일어나 (　　　) 마그마가 생성될 수 있다.

3 섭입대에서 생성된 현무암질 마그마가 상승하여 대륙 지각에 도달하면 대륙 지각의 온도를 높여 (　　　) 마그마가 생성되고 이것이 하부에서 상승한 현무암질 마그마와 혼합되면 (　　　) 마그마가 생성된다.

❸ 함수 광물

화학 결합 내부에 수산화 이온(OH⁻)을 포함하고 있는 광물로, 가열하면 물(H_2O)이 빠져나온다. ⑩ 각섬석, 운모류

암기 콕

판의 경계와 해령, 열점, 섭입대에서 형성되는 마그마의 종류를 암기하도록 하자.
• 해령→현무암질 마그마
• 열점→현무암질 마그마
• 섭입대→현무암질·유문암질·안산암질 마그마
해열은 현무가, **섭**입대는 모두

셀파 콕콕

마그마의 생성 조건과 마그마의 생성 장소를 결합하여 묻는 문제가 출제되므로 변동대에서 화성암이 생성되는 과정을 종합적으로 이해하도록 한다.

──── 용어 ────

▶ **베니오프대**: 해양판이 대륙판 또는 해양판 밑으로 섭입하면서 형성되는 비스듬한 경사면으로, 섭입대라고도 한다. 최초로 발견한 지질학자 베니오프의 이름을 따서 지어졌다.

▶ **부분 용융**: 어떤 온도 범위 내에서 암석의 일부분이 용융되는 것을 말한다. 부분 용융에 의해 마그마가 생성될 때에는 원래의 암석과는 조성이 다른 마그마가 형성된다.

3. 유문암질, 안산암질
2. 현무암질
답 1. 마그마

1. 화학 조성(SiO₂ 함량)에 따른 분류

구분	SiO₂ 함량	생성 과정	함유 광물❹	비고❺
염기성암	52 % 이하 └ 대부분 45~52 %이다.	현무암질 마그마가 식어서 만들어진 암석	어두운색 광물의 함량이 많다. → 어두운색을 띤다.	고철질 광물을 많이 포함→고철질암
중성암	52 ~ 63 %	안산암질 마그마가 식어서 만들어진 암석	—	—
산성암	63 % 이상	유문암질 마그마가 식어서 만들어진 암석	밝은색 광물의 함량이 많다. → 밝은색을 띤다.	규장질 광물을 많이 포함→규장질암

2. 조직(생성된 장소, 마그마 냉각 속도)에 따른 분류

┌ 세립질이나 유리질 조직
① 화산암: 마그마가 지표로 분출하여 빨리 냉각되어 구성 광물의 크기가 작은 암석→ 분출암
② 심성암: 마그마가 지하 깊은 곳에서 천천히 냉각되어 구성 광물의 크기가 큰 암석→ 관입암
└ 조립질 조직

화학 조성에 의한 분류			염기성암	중성암	산성암
조직에 의한 분류	성질	SiO₂ 함량	적음 ◄── 52 % ── 63 % ──► 많음		
		색	어두운색 ◄── 중간 ──► 밝은색		
		많은 원소	Ca, Fe, Mg		Na, K, Si
	조직	밀도(g/cm³)	3.2 정도		2.7 정도
		냉각 속도			
화산암	세립질 조직	빠르다	현무암	안산암	유문암
심성암	조립질 조직	느리다	반려암	섬록암	화강암

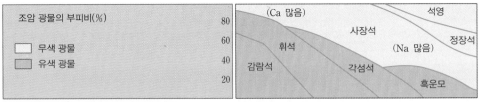

조암 광물의 부피비(%)
□ 무색 광물
▨ 유색 광물
80 / 60 / 40 / 20
(Ca 많음) 석영 사장석 정장석 휘석 (Na 많음) 감람석 각섬석 흑운모

▲ 화성암의 화학 조성과 조직에 따른 분류

3 우리나라의 화성암 지형

화산암 지형	심성암 지형
• 대부분 신생대에 현무암질 마그마가 분출하여 형성된 현무암으로 이루어져 있다.→ 현무암은 염기성암 중에서 광물 결정의 크기가 작은 화산암 • 백두산, 한탄강 일대, 제주도, 독도─현무암 분포 • 제주 마라도─안산암 분포 • 전북 변산반도─유문암 분포	• 대부분 중생대에 유문암질 마그마가 관입하여 형성된 화강암으로 이루어져 있다.→ 화강암은 산성암 중에서 광물 결정의 크기가 큰 심성암 • 북한산, 불암산, 계룡산, 월출산, 설악산의 울산 바위─화강암 분포 • 부산 황령산─반려암 분포 • 경북 양북면 해안─섬록암 분포

개념 확인하기

1 화성암은 (　　)에 따라 염기성암, 중성암, 산성암으로 구분한다.
2 화성암은 조직에 따라 (　　)과 심성암으로 구분한다.

답 1. 화학 조성(SiO₂ 함량)
2. 화산암

---

❹ 유색 광물과 무색 광물

유색 광물은 무색 광물보다 색깔이 어둡고 밀도가 크다.
• 유색 광물: 철(Fe)과 마그네슘(Mg)을 많이 포함하고 있는 광물
　예 감람석, 휘석, 각섬석, 흑운모 등
• 무색 광물: 철(Fe)과 마그네슘(Mg)을 거의 포함하지 않는 광물
　예 사장석, 정장석, 석영 등

셀파 콕콕 👀

염기성암, 중성암, 산성암으로 구분한 것은 화학 시간에 배운 용액의 산성, 염기성과는 아무런 상관이 없고 암석의 SiO₂ 함량에 따라 구분한 것이다.

❺ 고철질 광물과 규장질 광물

• 고철질 광물: 철(Fe), 마그네슘(Mg)을 많이 포함하는 광물
　예 감람석, 휘석, 각섬석, 흑운모 등
• 규장질 광물: 규소(Si), 알루미늄(Al)을 많이 포함하는 광물
　예 석영, 장석, 백운모 등

강의 콕 💬

마그마가 냉각될 때, 광물 결정을 형성하지 못한 조직을 유리질 조직이라 하고, 큰 광물 결정과 작은 광물 결정이 섞여 있는 조직을 반상 조직이라고 한다.

━━━ 용어 ━━━

▶ 화성암: 지구 내부에서 생성된 마그마가 지표 부근이나 지하에서 식어서 만들어진 암석

| 마그마의 성질에 따른 화산의 형태 |

그림 (가), (나)는 용암의 성질이 다른 두 종류의 화산체를 나타낸 것이다.

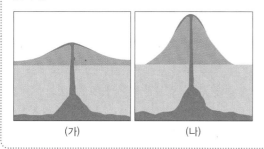

(가)　　　　　　(나)

(가), (나) 화산을 만든 용암과 화산체의 특징을 설명한 것으로 옳은 것은 ○, 옳지 않은 것은 ×를 하시오.

1. (가)는 SiO_2 함량이 52 % 이하이고, (나)는 SiO_2 함량이 63 % 이상이다. (　　)

2. 용암의 온도는 (가)가 더 높다. (　　)

3. 용암의 유동성은 (나)가 더 크다. (　　)

4. 용암의 SiO_2 함량은 (나)가 더 많다. (　　)

5. (가)는 순상 화산, (나)는 종상 화산이다. (　　)

6. (가)는 (나)보다 더 격렬하게 폭발하였다. (　　)

7. (가)는 유문암질 용암이 분출하였다. (　　)

8. (나)는 (가)보다 많은 양의 화산재가 분출하였다. (　　)

9. (가)는 점성이 작은 용암이 분출하여 순상 화산을 형성하였다. (　　)

10. (나)는 SiO_2 함량이 많은 용암에 의해 생성되어 화산체의 경사가 급하다. (　　)

| 해설 |
(가)는 순상 화산, (나)는 종상 화산이다. (가)는 (나)보다 온도와 유동성은 높지만, SiO_2 함량, 점성, 휘발 성분은 낮다. (가)는 (나)보다 화산체의 경사가 완만하다.

| 마그마의 생성 장소 |

그림은 판의 경계와 내부에서 발생하는 마그마 A, B, C의 생성 장소를 나타낸 것이다.

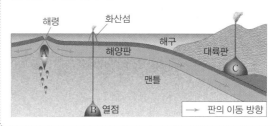

이에 대한 설명으로 옳은 것은 ○, 옳지 않은 것은 ×를 하시오.

1. A는 호상 열도이다. (　　)

2. B에서는 유문암질 마그마가 분출한다. (　　)

3. C에서는 화산 활동이 일어나지 않는다. (　　)

4. B는 지구 내부에 고정되어 있다. (　　)

5. A에서는 현무암질 마그마가 분출한다. (　　)

6. A를 구성하는 물질의 성분비는 C와 같다. (　　)

7. A에서는 맨틀 물질이 상승하여 압력이 낮아져 마그마가 생성된다. (　　)

8. B에서는 화강암질 마그마가 생성된다. (　　)

9. C에서는 주로 안산암질 마그마가 분출된다. (　　)

10. C는 물에 의해 암석의 용융점이 하강하여 생성된다. (　　)

11. C 하부에서 마그마가 생성될 때는 물이 중요한 역할을 한다. (　　)

12. B의 마그마는 맨틀 물질이 상승하여 압력이 낮아져 생성된다. (　　)

13. 물을 포함한 화강암은 압력이 커질수록 용융점이 높아진다. (　　)

| 해설 |
A는 해령으로 현무암질 마그마가 생성된다. B는 열점으로 현무암질 마그마가 생성된다. C는 섭입대로 현무암질 마그마, 안산암질 마그마, 유문암질 마그마가 생성된다.

1. ○　2. ○　3. ×　4. ○　5. ○　6. ×　7. ×　8. ×　9. ○　10. ○

| 정답 |

1. ×　2. ×　3. ×　4. ○　5. ○　6. ×　7. ○　8. ×　9. ○　10. ×　11. ○　12. ○　13. ×

| 정답 |

기초 탄탄 문제

정답과 해설 10쪽

핵심용어_ 이 단원에서 내가 아는 것과 아직 모르는 것을 정리하며 나의 공부를 돌아보자.

□ 마그마의 성질 □ 화산의 형태 □ 마그마의 생성 조건
□ 마그마의 생성 장소 □ 화성암의 분류
□ 우리나라의 화산암 지형 □ 우리나라의 심성암 지형

01 마그마와 화성암에 대한 설명으로 옳은 것은?

① 염기성암은 산성암보다 SiO_2 함량이 많다.
② 화산암은 심성암보다 깊은 곳에서 생성된다.
③ 해령 하부에서는 주로 안산암질 마그마가 생성된다.
④ 화성암의 색은 구성 광물의 종류와 비율에 따라 달라진다.
⑤ 유문암질 마그마는 현무암질 마그마보다 높은 온도에서 생성된다.

02 그림은 어느 지역 지하의 온도 분포와 맨틀의 용융 곡선을 나타낸 것이다.

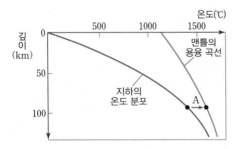

A와 같은 과정으로 마그마가 생성되었을 때 (가) **물리량의 변화**와 (나) **생성되는 마그마의 종류**를 옳게 짝 지은 것은?

	A	B
①	온도 상승	현무암질 마그마
②	온도 상승	안산암질 마그마
③	온도 하강	유문암질 마그마
④	압력 증가	현무암질 마그마
⑤	압력 감소	유문암질 마그마

03 다음은 마그마가 생성되는 장소와 그곳에서 생성되는 마그마의 종류를 나타낸 것이다.

(가) 해령 — ☐☐☐☐☐ 마그마
(나) 열점 — ☐☐☐☐☐ 마그마
(다) 섭입대 부근 — ☐☐☐☐☐ 마그마

(가)~(다)의 빈칸에 들어갈 말을 옳게 짝 지은 것은?

① (가) — 안산암질
② (나) — 안산암질
③ (가) — 유문암질
④ (나) — 유문암질
⑤ (다) — 현무암질, 안산암질, 유문암질

04 영희는 제주도를 여행하면서 그림과 같은 돌하르방을 만드는 석재를 관찰하였다. 암석의 색깔이 매우 어둡고, 광물 입자는 육안으로 구별이 되지 않을 정도로 작았다. 이 암석의 명칭으로 옳은 것은?

① 반려암 ② 안산암
③ 유문암 ④ 화강암
⑤ 현무암

05 그림은 화성암을 구성하는 주요 광물의 부피비를 나타낸 것이다.

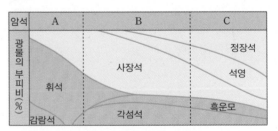

화성암 A~C에 대한 설명으로 옳은 것은?

① 색은 A가 C보다 밝다.
② SiO_2 함량은 A가 C보다 많다.
③ 암석의 밀도는 A가 C보다 작다.
④ 현무암은 B에 해당하는 화산암이다.
⑤ 무색 광물의 함량이 많은 암석은 C에 속한다.

내신 만점 **문제**

정답과 해설 11쪽

* ▮▮▮ 난이도를 나타냅니다.

 그림은 지구 내부의 깊이에 따른 온도 분포와 화강암, 맨틀의
▮▮▮ 용융 곡선을 나타낸 것이다.

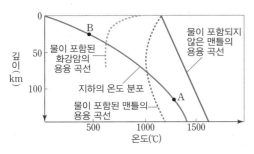

이에 대한 설명으로 옳은 것만을 〈보기〉에서 있는 대로 고른
것은?

┤ 보기 ├
ㄱ. 깊이에 따른 지구 내부의 온도 증가율은 A보다 B
에서 작다.
ㄴ. 물이 포함된 맨틀은 물이 포함되지 않은 맨틀보다
용융점이 높다.
ㄷ. A 지점의 암석은 온도가 상승하거나 압력이 감소
하면 마그마가 생성될 수 있다.

① ㄱ   ② ㄷ   ③ ㄱ, ㄴ
④ ㄴ, ㄷ   ⑤ ㄱ, ㄴ, ㄷ

02 그림은 판의 운동과 마그마가 생성되는 장소를 나타낸 것이다.
▮▮

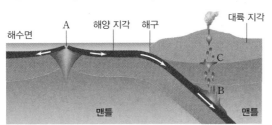

이에 대한 설명으로 옳은 것만을 〈보기〉에서 있는 대로 고른
것은?

┤ 보기 ├
ㄱ. A에서는 압력이 감소하여 마그마가 생성된다.
ㄴ. B에서는 해양 지각의 암석에서 빠져나온 물의 영
향으로 암석의 용융점이 높아진다.
ㄷ. C에서는 B에서 상승한 마그마의 영향으로 대륙 지
각의 하부가 녹아서 마그마가 생성된다.

① ㄱ   ② ㄴ   ③ ㄱ, ㄷ
④ ㄴ, ㄷ   ⑤ ㄱ, ㄴ, ㄷ

03 그림은 화강암과 맨틀의 용융 곡선을 나타낸 것이다. 화살표
▮▮▮ 는 온도나 압력의 변화 방향을 나타낸다.

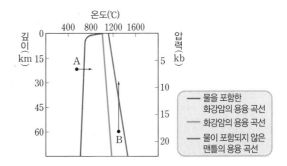

마그마 생성에 대한 설명으로 옳은 것만을 〈보기〉에서 있는
대로 고른 것은?

┤ 보기 ├
ㄱ. 변환 단층에서는 A 과정에 의해 마그마가 생성된다.
ㄴ. 해령에서는 B 과정에 의해 마그마가 생성된다.
ㄷ. 동일한 압력에서 물이 있으면 마그마의 생성 온도
가 낮아진다.

① ㄱ   ② ㄷ   ③ ㄱ, ㄴ
④ ㄴ, ㄷ   ⑤ ㄱ, ㄴ, ㄷ

 다음은 판의 섭입대에서 마그마가 생성되는 과정을 나타낸 것이다.

> (가) 판이 섭입하면서 빠져나온 물이 연약권으로 유입되어 마그마 A가 생성된다.
> (나) 마그마 A가 상승하여 지각 하부에 도달하면 지각을 녹여 마그마 B가 생성된다.
> (다) 마그마 A와 마그마 B가 혼합되어 마그마 C가 생성된다.

이에 대한 설명으로 옳은 것만을 〈보기〉에서 있는 대로 고른 것은?

> ├ 보기 ├
> ㄱ. (가)의 물은 연약권 물질의 용융점을 낮춘다.
> ㄴ. (나)에서 생성된 마그마 B는 유문암질 마그마이다.
> ㄷ. (다)의 마그마 C는 안산암질 마그마이다.

① ㄱ　　② ㄷ　　③ ㄱ, ㄴ
④ ㄴ, ㄷ　　⑤ ㄱ, ㄴ, ㄷ

06 그림은 마그마의 냉각 속도와 화학 조성(SiO_2 함량)에 따라 화성암을 분류한 것이다.

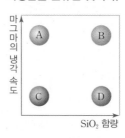

이에 대한 설명으로 옳은 것만을 〈보기〉에서 있는 대로 고른 것은?

> ├ 보기 ├
> ㄱ. A는 B보다 밝은색 광물의 함량이 많다.
> ㄴ. A는 D보다 광물 결정의 크기가 크다.
> ㄷ. B는 C보다 저온의 마그마가 굳어서 생성되었다.

① ㄱ　　② ㄷ　　③ ㄱ, ㄴ
④ ㄴ, ㄷ　　⑤ ㄱ, ㄴ, ㄷ

 그림 (가)는 피나투보 화산을 나타낸 것이고, (나)는 SiO_2 함량과 물리량 X에 따른 용암의 종류를 나타낸 것이다.

 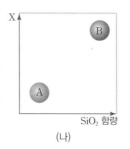

(가)　　　　(나)

이에 대한 설명으로 옳은 것만을 〈보기〉에서 있는 대로 고른 것은?

> ├ 보기 ├
> ㄱ. (가)는 종상 화산이다.
> ㄴ. 유동성은 (나)의 X에 해당하는 물리량으로 적절하다.
> ㄷ. (가)를 형성한 용암의 성질은 (나)의 A보다 B에 가깝다.

① ㄱ　　② ㄴ　　③ ㄱ, ㄷ
④ ㄴ, ㄷ　　⑤ ㄱ, ㄴ, ㄷ

07 그림은 화성암의 분류 기준에 암석 A와 B의 상대적인 위치를 나타낸 것이다.

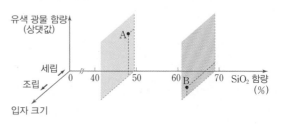

이에 대한 설명으로 옳은 것만을 〈보기〉에서 있는 대로 고른 것은?

> ├ 보기 ├
> ㄱ. A는 화강암, B는 현무암으로 볼 수 있다.
> ㄴ. 암석의 크기에 따라 산성암과 염기성암, SiO_2 함량에 따라 화산암과 심성암으로 분류할 수 있다.
> ㄷ. B는 A보다 입자 크기가 큰 것으로 보아 심성암에 해당한다.

① ㄱ　　② ㄷ　　③ ㄱ, ㄴ
④ ㄴ, ㄷ　　⑤ ㄱ, ㄴ, ㄷ

08 표는 화성암 A~C의 특징을 정리한 것이다.

구분	SiO_2 함량	조직	주요 구성 광물
A	48 %	세립질	사장석, 휘석, 감람석
B	56 %	세립질	사장석, 휘석, 각섬석
C	70 %	조립질	석영, 정장석, 사장석, 흑운모

이에 대한 설명으로 옳은 것만을 〈보기〉에서 있는 대로 고른 것은?

┤ 보기 ├

ㄱ. A는 염기성암이다.

ㄴ. 암석이 생성될 당시에 B는 C보다 마그마가 빨리 냉각되었다.

ㄷ. 밝은색 광물의 함량은 B가 C보다 많다.

① ㄱ   ② ㄷ   ③ ㄱ, ㄴ

④ ㄴ, ㄷ   ⑤ ㄱ, ㄴ, ㄷ

09 그림 (가), (나)는 각각 서울 북한산과 제주도 서귀포 해안의 암석을 나타낸 것이다.

(가)   (나)

이에 대한 설명으로 옳은 것만을 〈보기〉에서 있는 대로 고른 것은?

┤ 보기 ├

ㄱ. (가)는 (나)보다 광물 결정의 크기가 크다.

ㄴ. (가)는 (나)보다 SiO_2 함량이 많다.

ㄷ. (가)는 (나)보다 지하 깊은 곳에서 생성되었다.

① ㄱ   ② ㄷ   ③ ㄱ, ㄴ

④ ㄴ, ㄷ   ⑤ ㄱ, ㄴ, ㄷ

서술형 문제

10 그림은 지구 내부의 깊이에 따른 온도 분포와 화강암, 맨틀의 용융 곡선을 나타낸 것이다.

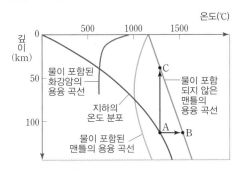

A→B와 A→C 중 해령에서의 마그마 생성 과정을 쓰고, 이곳에서 마그마 발생 원인을 간단히 서술하시오.

11 그림은 마그마가 생성되는 장소를 나타낸 것이다.

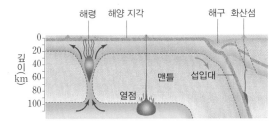

열점에서 생성되는 마그마의 종류를 그 생성 과정과 함께 서술하시오.

12 그림 (가), (나)는 화성암을 나타낸 것이다.

(가) 현무암   (나) 화강암

화강암과 비교했을 때 현무암의 유색 광물의 양과 SiO_2 함량 비를 서술하시오.

정리하기

1. 판 구조론의 정립 과정

① 대륙 이동설: 과거 한 덩어리였던 대륙(판게아)이 갈라지고 이동하여 현재와 같이 분포하게 되었다는 학설
  • 베게너가 제시한 증거: 해안선과 지질 구조, 화석 분포, 빙하 흔적 등

② 맨틀 대류설: 맨틀 내 위아래 온도 차이로 열대류가 발생한다는 학설 → 대륙 이동의 원동력은 맨틀 대류이다.

③ 해저 확장설: 해령에서 맨틀 물질이 상승하여 해양 지각을 생성한다는 학설

해저 지형의 발견	• 음향 측심법: 해수면에서 발사한 음파가 해저면에 반사하여 되돌아오기까지 걸리는 시간을 재어 수심을 측정 $$수심(H) = \frac{1}{2} \times 음파\ 속도(v) \times 시간(t)$$
해저 확장설의 증거	• 고지자기의 줄무늬가 해령을 가운데 두고 대칭을 이룬다. • 해령에서 멀어질수록 해양 지각의 나이가 증가한다. • 섭입대에서의 지진 발생 깊이가 해구에서 대륙 쪽으로 갈수록 점차 깊어진다. • 해령으로 올라온 맨틀 물질이 퍼져나갈 때의 속도 차이로 변환 단층이 생성된다.

④ 판 구조론: 지구의 겉 부분을 덮고 있는 10여 개의 판이 움직이면서 지각 변동이 일어난다는 이론

⑤ 판 구조론의 정립 과정: 대륙 이동설 → 맨틀 대류설 → 해저 확장설 → 판 구조론

2. 판의 이동

① 판: 지각과 상부 맨틀을 포함한 두께 약 100 km인 부분

② 판의 이동: 판은 다른 방향과 속도로 느리게 움직인다.

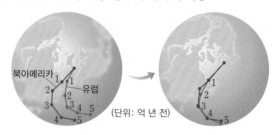

③ 판의 경계

발산형 경계	• 판과 판이 서로 멀어지는 경계 • 해양 지각이 생성되면서 판이 생성된다. • 지진, 화산 활동이 활발하다.
수렴형 경계	• 판과 판이 서로 가까워지는 경계 • 판이 소멸한다. • 지진, 화산 활동이 활발하다.
보존형 경계	• 판이 서로 어긋나 이동하는 경계 • 판이 생성되거나 소멸하지 않는다. • 천발 지진이 발생한다.

3. 고지자기와 대륙의 이동

① 복각: 나침반의 자침이 수평면과 이루는 각

② 대륙 이동의 복원
  • 지구 자기장에 반응하는 광물의 복각을 측정하면 암석이 생성될 당시의 위도를 알 수 있다.
  • 암석의 나이와 복각을 측정하면 시간에 따른 대륙의 이동 경로를 복원할 수 있다.

③ 인도 대륙의 이동: 인도 대륙은 지질 시대 동안 동서 방향으로는 거의 이동하지 않고, 남북 방향으로 이동하였다.

④ 지자기 북극의 이동 경로와 대륙의 이동

(단위: 억 년 전)

  • 두 대륙을 합쳐 보면 자북극(지자기 북극)의 이동 경로가 거의 일치한다.
  • 과거 하나였던 대륙이 분리되어 이동하였다.

4. 지질 시대 동안 대륙 분포의 변화

① 초대륙의 형성과 분리: 지구의 대륙들은 모여서 초대륙을 형성하고 다시 분리되었다가 모이는 과정을 되풀이했다.

② 판게아 이전의 수륙 분포 변화: 지질 시대 동안 여러 차례 초대륙이 만들어지고 분리되었으며, 약 12억 년 전에는 로디니아라는 초대륙이 존재하였다.

③ 판게아 이후의 수륙 분포 변화

고생대 후기	대륙들이 모여 판게아를 형성
중생대 초기	판게아가 분리되기 시작
중생대 중기~후기	남아메리카 대륙과 아프리카 대륙이 분리
중생대 후기~신생대 초기	오스트레일리아 대륙이 남극 대륙과 분리
신생대 초기~중기	인도 대륙이 유라시아판과 충돌 → 현재의 수륙 분포를 이룸

④ 미래의 대륙 분포: 현재에도 대륙이 끊임없이 이동하고 있으므로 미래의 대륙 분포는 현재와 다를 것이다.

5. 판을 이동시키는 힘

① 맨틀 대류: 맨틀은 고체이지만 암석권 아래에 있는 연약권은 온도가 높아 유동성이 있다.
  - 맨틀 대류가 상승하는 곳: 장력이 작용하여 대륙이 갈라져 이동하면서 해령이 형성되고, 새로운 해양판이 만들어져 양옆으로 이동한다.
  - 맨틀 대류가 하강하는 곳: 해양판이 맨틀 속으로 침강하면서 해구가 형성되고 판이 소멸한다.
② 판 자체에서 발생하는 힘: 맨틀 대류로 판 자체에서 만들어지는 물리적인 힘에 의해서도 판이 이동한다.

| ⊙ 해령에서 판을 밀어내는 힘: 고온 저밀도의 물질이 부력에 의해 상승하면서 판을 분리시키며 인접한 두 판을 밀어내면서 작용한다. | ⓒ 해구에서 섭입하는 판이 잡아당기는 힘: 냉각된 저온 고밀도의 판이 무게 때문에 중력에 의해 침강하면서 판을 해구 쪽으로 당기면서 작용한다. |

6. 플룸 구조론

① 플룸은 온도가 낮은 차가운 플룸과 온도가 높은 뜨거운 플룸으로 구분한다.
② 차가운 플룸이 맨틀과 외핵의 경계면에 도달하면 일부 맨틀 물질이 상승하여 뜨거운 플룸이 된다.
③ 플룸 상승류가 있는 곳은 주변보다 온도가 높아 지진파의 속도가 느려지므로 지진파의 속도 분포를 통해 플룸 상승류를 확인할 수 있다.
④ 플룸 구조론은 판 구조론으로 설명이 어려웠던 판 내부에서 일어나는 화산 활동을 설명할 수 있다.

7. 열점

① 열점: 뜨거운 플룸이 상승하여 지각을 뚫고 분출하는 곳
② 열점의 특징
  - 판이 이동해도 열점의 위치는 고정되어 있다.
  - 열점에서 오랫동안 마그마가 분출하여 해산, 화산섬을 형성한다.
③ 하와이 열도: 열점에서 화산섬이 연속해서 만들어져 판에 실려 이동함에 따라 일정한 배열을 나타낸다.

8. 마그마의 생성 조건

① 마그마: 지각 하부나 맨틀 물질이 녹아 생성된 용융 물질
② 마그마의 생성 조건

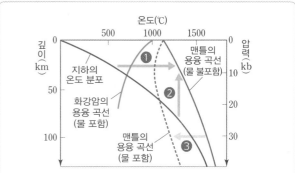

온도 상승(❶), 압력 감소(❷)로 암석의 용융점에 도달하거나 물의 공급(❸)으로 암석의 용융점이 지하의 온도보다 낮아질 때 부분 용융되어 마그마가 생성된다.

9. 마그마의 생성 장소와 종류

해령	맨틀 물질이 상승하면서 압력 감소로 현무암질 마그마 생성
열점	맨틀 물질이 상승하면서 압력 감소로 현무암질 마그마 생성
섭입대	해양 지각이 섭입하여 온도와 압력이 높아지면 지각의 함수 광물에서 물이 빠져나와 현무암질 마그마 생성
대륙 지각	섭입대에서 생성된 현무암질 마그마가 상승하여 대륙 지각 하부가 용융되면서 유문암질 마그마 생성, 현무암질 마그마와 유문암질 마그마가 혼합되어 안산암질 마그마 생성

10. 화성암의 분류와 우리나라의 화성암 지형

① 화성암의 분류: 마그마의 종류와 생성 위치에 따라 분류

생성 위치 (냉각 속도, 광물 결정의 크기)		마그마의 종류 (암석의 조성)	현무암질	안산암질	유문암질
			적음 ← SiO₂ 함량 → 많음 많음 ← 유색 광물 → 적음		
화산암	지표 ↑ 생성 위치 ↓ 지하	빠름 ↑ 냉각 속도 ↓ 느림	작음 ↑ 결정 크기 ↓ 큼	현무암	안산암	유문암
심성암				반려암	섬록암	화강암

② 우리나라의 화성암 지형
  - 화산암 지형: 백두산, 한탄강 일대, 제주도, 울릉도, 독도 등
  - 심성암 지형: 북한산, 불암산, 계룡산, 월출산, 설악산의 울산 바위 등

01 그림은 과거 약 5백만 년 동안 해령 부근의 암석에 기록된 지자기의 변화를 나타낸 것이다.

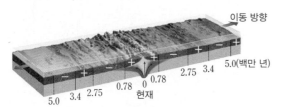

이에 대한 설명으로 옳은 것만을 〈보기〉에서 있는 대로 고른 것은?

┤ 보기 ├

ㄱ. 암석의 연령은 해령에서 멀어질수록 증가한다.

ㄴ. 3백만 년 전 지구 자기장의 방향은 현재와 같았다.

ㄷ. 지자기 역전 줄무늬는 해령을 축으로 대칭을 이룬다.

ㄹ. 4백만 년 전에는 나침반의 N극이 북쪽을 향하였다.

① ㄱ, ㄴ　　② ㄱ, ㄹ　　③ ㄴ, ㄷ
④ ㄱ, ㄴ, ㄷ　　⑤ ㄴ, ㄷ, ㄹ

02 표는 어느 해역에서 직선 구간을 따라 일정한 간격으로 해저에 발사한 음파가 가장 빨리 되돌아오기까지 걸리는 시간을 측정한 자료를 나타낸 것이다.

탐사 지점	1	2	3	4
음파 왕복 시간(초)	6.0	9.4	8.2	6.8

이에 대한 설명으로 옳은 것만을 〈보기〉에서 있는 대로 고른 것은? (단, 해양에서 음파의 속력은 1500 m/s이다.)

┤ 보기 ├

ㄱ. 탐사 지점 1의 수심은 9000 m이다.

ㄴ. 탐사 지점 2는 해령이다.

ㄷ. 1~2구간은 3~4구간보다 해저면의 평균 기울기가 급하다.

① ㄱ　　② ㄷ　　③ ㄱ, ㄴ
④ ㄴ, ㄷ　　⑤ ㄱ, ㄴ, ㄷ

03 그림은 해령이 어긋난 모습을 나타낸 것이다.

이에 대한 설명으로 옳은 것만을 〈보기〉에서 있는 대로 고른 것은?

┤ 보기 ├

ㄱ. 지진은 A보다 B에서 자주 발생한다.

ㄴ. 화산 활동은 B보다 C에서 활발하게 일어난다.

ㄷ. D는 E보다 해양 지각의 나이가 많다.

① ㄱ　　② ㄷ　　③ ㄱ, ㄴ
④ ㄴ, ㄷ　　⑤ ㄱ, ㄴ, ㄷ

04 그림 (가)는 잔류 자기를 이용하여 과거의 지자기 북극을 찾는 방법을 나타낸 것이고, (나)는 지자기 북극의 겉보기 이동 경로를 나타낸 것이다.

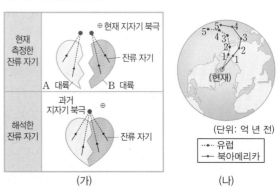

이에 대한 설명으로 옳은 것만을 〈보기〉에서 있는 대로 고른 것은?

┤ 보기 ├

ㄱ. 같은 시기에 하나의 대륙에서 형성된 잔류 자기의 방향은 한 점으로 수렴된다.

ㄴ. (가)에서 A와 B 대륙 사이에는 습곡 산맥이 형성된다.

ㄷ. (나)에서 3.5억 년 전 지자기 북극은 하나였다.

① ㄱ　　② ㄴ　　③ ㄱ, ㄷ
④ ㄴ, ㄷ　　⑤ ㄱ, ㄴ, ㄷ

05 그림 (가)는 지구 둘레의 자기력선의 분포와 위도가 같은 네 지점 a~d의 위치를 나타낸 것이고, (나)는 네 지점에서 채취한 해저면의 현무암질 암석 시료의 자화 방향을 연직 단면에 나타낸 것이다. (단, 해령으로부터 b, c 지점까지의 거리는 같으며, a, d 지점까지의 거리도 같다.)

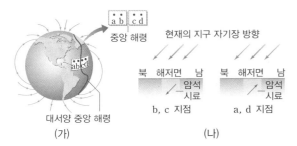

이에 대한 설명으로 옳은 것만을 〈보기〉에서 있는 대로 고른 것은?

> **보기**
>
> ㄱ. a 지점과 b 지점의 암석이 형성될 당시 자북극의 위치가 달랐다.
> ㄴ. a, d 지점은 b, c 지점보다 수심이 얕고 암석의 연령이 젊다.
> ㄷ. 고지자기의 역전대는 해령을 중심으로 거의 대칭적으로 나타난다.

① ㄱ   ② ㄴ   ③ ㄱ, ㄷ
④ ㄴ, ㄷ   ⑤ ㄱ, ㄴ, ㄷ

06 그림은 초대륙의 형성과 분리를 모식적으로 나타낸 것이다.

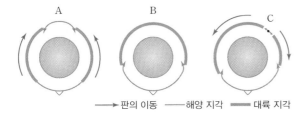

이에 대한 설명으로 옳은 것만을 〈보기〉에서 있는 대로 고른 것은?

> **보기**
>
> ㄱ. 해양 지각 A는 시간이 지나면 섭입하여 사라진다.
> ㄴ. B는 초대륙이다.
> ㄷ. C 지역에는 해구가 발달한다.

① ㄱ   ② ㄷ   ③ ㄱ, ㄴ
④ ㄴ, ㄷ   ⑤ ㄱ, ㄴ, ㄷ

07 그림 (가)~(라)는 약 2억 4천만 년 전부터 현재까지 대륙의 분포 변화를 순서 없이 나타낸 것이다.

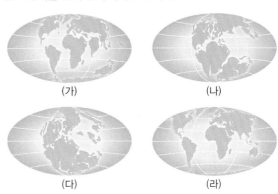

이에 대한 설명으로 옳은 것만을 〈보기〉에서 있는 대로 고른 것은?

> **보기**
>
> ㄱ. 대륙들의 분포 변화를 오래된 것부터 순서대로 나열하면 (가)→(나)→(다)→(라)이다.
> ㄴ. 대륙의 이동은 맨틀 대류와 플룸 운동 때문에 일어난다.
> ㄷ. (다)와 같은 초대륙이 형성될 때 대륙 간 충돌로 습곡 산맥이 형성되기도 하였다.

① ㄱ   ② ㄷ   ③ ㄱ, ㄴ
④ ㄴ, ㄷ   ⑤ ㄱ, ㄴ, ㄷ

08 그림은 판을 움직이는 힘 A~C를 나타낸 것이다.

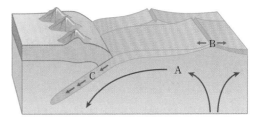

이에 대한 설명으로 옳은 것만을 〈보기〉에서 있는 대로 고른 것은?

> **보기**
>
> ㄱ. A는 연약권에서 일어나는 맨틀 대류를 나타낸다.
> ㄴ. B는 해령에서 판을 양쪽으로 밀어내는 힘이다.
> ㄷ. C는 침강하는 판 자체의 무게 때문에 발생한다.

① ㄱ   ② ㄷ   ③ ㄱ, ㄴ
④ ㄴ, ㄷ   ⑤ ㄱ, ㄴ, ㄷ

09 그림은 섭입대 하부에서 형성된 어떤 플룸을 나타낸 것이다.

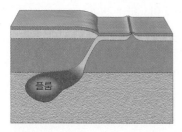

이에 대한 설명으로 옳은 것만을 〈보기〉에서 있는 대로 고른 것은?

┤ 보기 ├

ㄱ. 차가운 플룸에 해당한다.

ㄴ. 플룸 위쪽에 열점이 형성된다.

ㄷ. 플룸의 밀도가 커지면 외핵 쪽으로 침강할 것이다.

① ㄱ   ② ㄴ   ③ ㄱ, ㄷ

④ ㄴ, ㄷ   ⑤ ㄱ, ㄴ, ㄷ

10 그림은 태평양에 있는 하와이 열도의 분포와 화산암의 연령을 나타낸 것이다.

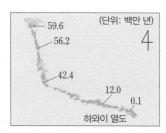

이에 대한 설명으로 옳은 것만을 〈보기〉에서 있는 대로 고른 것은?

┤ 보기 ├

ㄱ. 하와이 열도는 뜨거운 플룸의 상승으로 형성되었다.

ㄴ. 하와이 열도를 따라 발산형 경계가 발달하고 있다.

ㄷ. 태평양판은 약 4천 3백만 년 전 북북서쪽에서 북서쪽으로 이동 방향을 바꾸었다.

① ㄱ   ② ㄴ   ③ ㄱ, ㄷ

④ ㄴ, ㄷ   ⑤ ㄱ, ㄴ, ㄷ

11 그림 (가)는 지하의 온도 분포와 현무암 및 화강암의 용융 곡선을 나타낸 것이고, (나)는 판 구조의 단면을 나타낸 것이다.

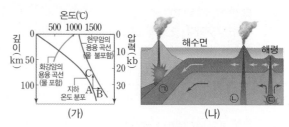

이에 대한 설명으로 옳은 것만을 〈보기〉에서 있는 대로 고른 것은?

┤ 보기 ├

ㄱ. ㉠에서는 주로 압력 감소로 마그마가 발생한다.

ㄴ. ㉢에서 마그마가 발생하는 과정은 주로 A→B 과정이다.

ㄷ. ㉡, ㉢에서는 주로 현무암질 마그마가 생성된다.

① ㄱ   ② ㄷ   ③ ㄱ, ㄴ

④ ㄴ, ㄷ   ⑤ ㄱ, ㄴ, ㄷ

12 그림은 지구 내부에서 마그마가 생성되는 장소를 나타낸 것이다.

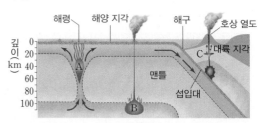

이에 대한 설명으로 옳은 것만을 〈보기〉에서 있는 대로 고른 것은?

┤ 보기 ├

ㄱ. A에서는 맨틀 물질의 온도 하강으로 마그마가 생성된다.

ㄴ. B에서는 맨틀 물질의 압력 상승으로 마그마가 생성된다.

ㄷ. C에서는 안산암질 마그마가 생성된다.

① ㄱ   ② ㄴ   ③ ㄷ

④ ㄱ, ㄷ   ⑤ ㄴ, ㄷ

13 그림 (가)는 한라산의 모습을, (나)는 하와이의 킬라우에아 화산에서 분출한 용암이 흐르는 모습을 나타낸 것이다.

 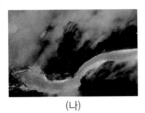

(가)   (나)

(가), (나)에서 분출된 용암의 공통적인 특징만을 〈보기〉에서 있는 대로 고른 것은?

┤ 보기 ├

ㄱ. 점성이 비교적 크다.

ㄴ. 비교적 조용하게 분출한다.

ㄷ. 용암이 흘러나와 굳어진 암석의 색이 비슷할 것이다.

① ㄱ   ② ㄴ   ③ ㄷ

④ ㄱ, ㄴ   ⑤ ㄴ, ㄷ

14 그림은 주요 화성암의 구성 광물과 SiO_2 함량, 입자의 크기를 나타낸 것이다. 입자의 크기, SiO_2 함량, 광물의 양은 암석의 일반적인 비율이다.

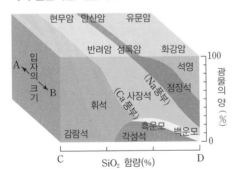

이에 대한 설명으로 옳은 것만을 〈보기〉에서 있는 대로 고른 것은?

┤ 보기 ├

ㄱ. 입자의 크기는 A에서 B로 갈수록 작다.

ㄴ. C에서 D로 갈수록 SiO_2 함량이 많아져 암석의 색은 밝아진다.

ㄷ. 반려암은 유문암보다 더 깊은 곳에서 형성된다.

① ㄱ   ② ㄷ   ③ ㄱ, ㄴ

④ ㄴ, ㄷ   ⑤ ㄱ, ㄴ, ㄷ

15 그림은 현무암과 화강암의 물리량을 비교하여 A, B로 나타낸 것이다.

 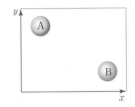

이에 대한 설명으로 옳은 것만을 〈보기〉에서 있는 대로 고른 것은?

┤ 보기 ├

ㄱ. A는 현무암, B는 화강암이다.

ㄴ. SiO_2 함량은 x에 들어갈 수 있는 물리량이다.

ㄷ. 광물 결정의 크기는 y에 들어갈 수 있는 물리량이다.

① ㄴ   ② ㄷ   ③ ㄱ, ㄴ

④ ㄱ, ㄷ   ⑤ ㄱ, ㄴ, ㄷ

16 그림 (가), (나)는 우리나라의 화성암 지형을 나타낸 것이다.

(가) 서울 북한산   (나) 경기 한탄강

이에 대한 설명으로 옳은 것만을 〈보기〉에서 있는 대로 고른 것은?

┤ 보기 ├

ㄱ. (가)는 유문암질 마그마의 관입으로 형성되었다.

ㄴ. (나)는 현무암질 마그마가 지표 부근에서 빠르게 냉각되어 형성되었다.

ㄷ. (가)는 (나)보다 나중에 형성되었다.

① ㄱ   ② ㄷ   ③ ㄱ, ㄴ

④ ㄴ, ㄷ   ⑤ ㄱ, ㄴ, ㄷ

건열 지층의 역전
평행 부정합 경사 부정합 난정합
고생대
퇴적 구조
판상 절리
자원소 중생대
모원소
역암 사암 셰일 응회암 석회암 처트 암염 석탄 유기적 퇴적암
속성 작용 육상 퇴적 환경 연안 퇴적 환경 해양 퇴적 환경 신생대
공룡 반감기 선캄브리아 시대 건층 주상 절리
삼엽충 매머드 캐스트
다짐 작용 교결 작용 화폐석 지질 시대 관입
사층리 부정합 동물군 천이의 법칙 암모나이트 쇄설성 퇴적암
화학적 퇴적암 다짐 작용 교결 작용
정단층 관입의 법칙 정습곡 경사 습곡 횡와 습곡
부정합의 법칙 표준 화석 지사학의 법칙
역단층 수평 퇴적의 법칙
단층 지질 단면도 속씨식물 연흔
겉씨식물 암상에 의한 대비 습곡
판게아 점이 층리 방사성 동위 원소
관입암상 암맥 포획암
몰드 양치식물
배사 향사

단원 짚어보기
배운 내용

학습 내용

· 퇴적암
· 풍화 작용
· 지층의 형성과 특성
· 화석의 생성
· 지질 시대의 구분
· 지질 시대 생물 대멸종

01. 퇴적 구조와 환경

· 퇴적암의 생성과 분류
· 퇴적 구조와 퇴적 환경
· 우리나라의 퇴적 지형

▶ 55쪽

02. 지질 구조

· 지질 구조의 종류
· 부정합의 형성 과정
· 판의 운동과 지질 구조

▶ 58쪽

지구의 역사

II

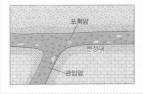
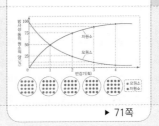
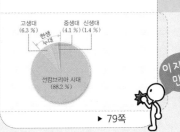
이 자료 만은 꼭!

01 퇴적 구조와 환경

내 교과서는 어디에?

천재 p.47~51 금성 p.45~48
미래엔 p.46~49 비상 p.39~43 YBM p.45~49

핵심 Point
- 지층의 형성 과정에서 퇴적암이 만들어지는 과정을 이해한다.
- 다양한 퇴적 구조에 따른 퇴적 환경을 알아본다.
- 우리나라의 퇴적 지형을 통해 과거 우리나라의 퇴적 환경을 알아본다.

1 퇴적암의 생성과 종류

1. 퇴적암 퇴적물이 쌓이고 다져져 굳어진 암석
- 퇴적물의 종류: 지표의 암석이 풍화·침식 작용을 받아 생성된 쇄설물, 호수나 바다에 녹아 있는 물질, 생물의 유해 등

2. 퇴적암의 생성

① 퇴적암의 생성 과정: 풍화 작용 → 침식·운반 작용 → 퇴적 작용❶ → 속성 작용 → 퇴적암

② 속성 작용: 퇴적물이 쌓인 후 퇴적암이 되기까지의 모든 과정으로, 다짐 작용(압축 작용)과 교결 작용이 있다.

다짐 작용(압축 작용)	교결 작용
• 퇴적물이 쌓이면서 퇴적물의 무게로 아랫부분의 퇴적물이 압력을 받아 퇴적물 사이 간격이 좁아지는 과정 • 퇴적물 사이에 있던 물이 빠져나가고 입자들의 공극이 줄어들어 퇴적물이 치밀하고 단단해지며 밀도가 증가한다.❷	석회 물질, 규질, 철분 • 퇴적물 속의 수분이나 지하수에 녹아 있던 탄산 칼슘, 규산염 광물, 산화 철 등이 침전되면서 퇴적물 입자 사이의 간격을 메우고 입자들을 서로 붙여주는 과정 • 퇴적물 입자들이 서로 접착되고 굳어져 암석으로 형성된다.

③ 퇴적암의 종류: 퇴적물의 기원, 퇴적암의 생성 과정에 따라 쇄설성 퇴적암, 화학적 퇴적암, 유기적 퇴적암으로 구분한다.❸

구분	생성 과정	퇴적물	퇴적암
쇄설성 퇴적암	암석이 풍화·침식 작용을 받아 생긴 쇄설성 퇴적물이나 화산 쇄설물이 쌓여 생성	자갈, 모래, 점토	역암
		모래, 점토	사암
		점토	셰일
		화산재	응회암
화학적 퇴적암	호수나 바다 등에서 물에 녹아 있던 물질이 화학적으로 침전되거나 물이 증발하면서 침전되어 생성	탄산 칼슘($CaCO_3$)	석회암
		규질	처트
		염화 나트륨($NaCl$)	암염 → 건조한 환경에서 생성
유기적 퇴적암	동식물이나 미생물의 유해가 쌓여 생성 화석이 산출될 가능성이 높다.	식물체	석탄
		석회질 생물체	석회암
		규질 생물체	처트

---

❶ 퇴적 장소

퇴적물이 쌓이는 곳은 대부분 해저이며, 호수와 같은 육상 환경에서 퇴적되기도 한다.

❷ 퇴적물의 밀도 변화

압축 작용으로 공극이 줄어들면 퇴적물의 질량은 일정하고 부피가 감소하므로 퇴적물의 밀도가 증가한다.

❸ 석회암과 처트

석회암과 처트는 화학 성분의 침전이나 유기물의 퇴적으로 생성될 수 있다. 따라서 생성 과정을 알아보기 위해서는 퇴적물의 상태를 확인하여 판단해야 한다.

강의 콕

응회암은 화산 쇄설물이 퇴적되어 생성된 퇴적암으로 역암, 사암, 셰일과 구분되며 화산 활동의 단서가 된다.

용어

▶ **쇄설물**: 부스러기 입자
▶ **공극**: 퇴적물 사이의 틈
▶ **교결 작용**: 쇄설물이나 광물들을 서로 단단하게 접착시키는 작용

1. **퇴적 구조** 퇴적 장소와 환경에 따라 퇴적암에 나타나는 특징적인 구조
   → 퇴적 당시의 환경을 알 수 있고, 지층의 상하 관계와 역전 여부를 파악할 수 있다.
   • 퇴적 구조의 종류와 특징❹

종류	형성 과정	특징
점이 층리	수심이 비교적 깊은 곳에서 다양한 크기의 퇴적물이 한꺼번에 쌓일 때 형성된다.	• 한 지층 내에서 위로 갈수록 퇴적물의 입자 크기가 작아지는 퇴적 구조 • 저탁류❺로 형성되는 쇄설성 퇴적암에 잘 나타난다.
사층리	바람이 불거나 물이 흘러가는 방향 쪽의 비탈면에 입자가 쌓일 때 형성된다.	• 물이 흐르거나 바람이 부는 환경에서 퇴적물이 기울어진 상태로 쌓인 퇴적 구조 • 과거 물이 흘렀던 방향이나 바람이 불었던 방향을 알 수 있다.
연흔	수심이 얕은 물밑에서 흐르는 물이나 파도의 흔적이 퇴적물 표면에 남아 형성된다.	• 물결의 영향으로 퇴적물 표면에 생긴 물결 모양이 남은 퇴적 구조 • 물의 흐름이 양쪽 방향으로 반복적으로 나타나면 대칭 형태를 보이고, 한쪽 방향으로 나타나면 비대칭 형태를 보인다.
건열	증발이나 융기로 습한 진흙이 건조한 대기에 노출되면서 균열이 형성된다.	• 건조한 환경에 노출되어 퇴적물 표면이 V자 모양으로 갈라진 퇴적 구조 • 점토와 같이 입자가 매우 작은 퇴적물이 수면 위의 건조한 환경에 노출되었을 때 형성된다.

자료 파헤치기

퇴적 구조를 통한 퇴적 환경과 지층의 역전 여부 판단

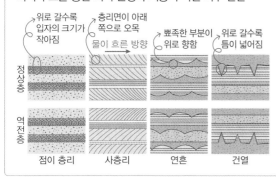

| 정상층 / 역전층 | 점이 층리 | 사층리 | 연흔 | 건열 |

위로 갈수록 입자의 크기가 작아짐 / 층리면이 아래 쪽으로 오목 물이 흐른 방향 / 뾰족한 부분이 위로 향함 / 위로 갈수록 틈이 넓어짐

① 퇴적 구조와 퇴적 환경
• 점이 층리: 수심이 깊은 바다
• 사층리: 얕은 물밑이나 사막
• 연흔: 얕은 물밑
• 건열: 건조한 환경
② 지층의 역전 여부: 퇴적 구조의 모양을 통해 지층의 역전 여부를 판단할 수 있다.

---

❹ 퇴적 구조

▲ 점이 층리

▲ 사층리

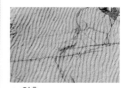
▲ 연흔

▲ 건열

❺ 저탁류

대륙붕의 끝에 쌓인 퇴적물이 해저 화산 활동이나 지진 등에 의해 갑자기 무너져 해저 경사면을 따라 흘러내리는 흐름을 저탁류라고 한다.

셀파 콕콕 🔍

사층리는 물의 흐름뿐만 아니라 사막에서 바람의 영향으로도 형성될 수 있다.

용어

▶ **사층리**: 기울어진 층리
▶ **건열**: 지층 표면이 건조해 갈라져 만들어진 균열

개념 확인하기

1 퇴적물이 다져지는 것을 (   ) 작용, 교결 물질이 퇴적물을 붙게 하는 것을 (   ) 작용이라고 하며, 퇴적물이 쌓인 후 다져지고 굳어져 퇴적암이 만들어지기까지의 과정을 (   ) 작용이라고 한다.

2 석탄, 석회암, 처트 등과 같이 생물의 유해나 골격의 일부가 쌓여서 만들어진 퇴적암을 (   ) 퇴적암이라고 한다.

3 퇴적 구조를 조사하면 퇴적 당시의 (   )과 지층의 상하 관계를 알 수 있다.

답 1. 다짐(압축), 교결, 속성
2. 유기적 3. 환경

2. 퇴적 환경 크게 육상 환경, 연안 환경, 해양 환경으로 구분한다. ❻

→ 주로 쇄설성 퇴적물 퇴적

① 육상 환경: 육지 내의 퇴적 환경으로, 하천, 호수, 사막, 범람원, 선상지 등이 있다.

→ 모래톱

② 연안 환경: 육상 환경과 해양 환경 사이에 있는 곳으로, 삼각주, 해빈, 사주, 강 하구 등이 있다.

③ 해양 환경: 가장 넓은 면적을 차지하는 퇴적 환경으로, 해저 지형에 따라 대륙붕, 대륙 사면, 대륙대, 심해저 등이 있다.

퇴적 환경에 영향을 미치는 요인
- 하천이나 삼각주에서는 유속이 빠른 곳에 큰 입자의 퇴적물이 쌓이고, 유속이 느린 곳에 작은 입자의 퇴적물이 쌓인다.
- 호수의 입구와 같이 유속이 급격히 감소하는 곳과 빙하 환경에서는 퇴적물의 분급이 불량하다.

3. 우리나라의 퇴적 지형 퇴적 구조와 지각 변동의 흔적, 여러 생물들의 화석을 통해 과거 한반도의 퇴적 환경을 추정한다.

① 경기도 화성시 시화호

- 형성 시기❼: 중생대 백악기
- 퇴적 환경: 호수
- 주요 퇴적암: 역암, 사암, 셰일
- 공룡알과 공룡 뼈 화석이 발견된다.

② 강원도 태백시 구문소

- 형성 시기: 고생대 초기
- 퇴적 환경: 바다
- 주요 퇴적암: 셰일, 석회암
- 연흔과 건열이 관찰된다.
- 삼엽충, 완족류 화석이 발견된다.

③ 전라북도 부안군 채석강

- 형성 시기: 중생대 말기
- 퇴적 환경: 호수
- 주요 퇴적암: 역암, 사암
- 단층, 습곡이 관찰된다.
- 오랜 세월 파도에 침식되어 해식 절벽, 해식 동굴이 관찰된다.

④ 제주도 서귀포층

- 형성 시기: 신생대
- 퇴적 환경: 바다
- 주요 퇴적암: 사암, 셰일
- 사층리가 관찰된다.
- 가리비, 고둥, 조개, 산호 등의 화석이 많이 발견된다.

⑤ 경상남도 고성군 덕명리 해안

- 형성 시기: 중생대
- 퇴적 환경: 호수와 호수 주변
- 주요 퇴적암: 사암, 셰일
- 연흔과 건열이 관찰된다.
- 공룡 발자국과 새 발자국 화석이 발견된다.

❻ **퇴적 환경**
- 삼각주: 강과 바다가 만나는 곳에 강물이 운반해 온 퇴적물이 쌓여 이루어진 지형
- 해빈: 해안선을 따라서 해파와 연안류가 모래나 자갈을 쌓아 올려서 만들어 놓은 퇴적 지대
- 대륙붕: 해안의 육지가 바다 쪽으로 연장되어 있는 부분으로, 수심 200 m까지의 비교적 평탄한 해저 지형

강의 콕
- 점이 층리가 나타나는 퇴적 환경 → 호수, 대륙대, 심해저
- 사층리가 나타나는 퇴적 환경 → 범람원, 사막, 해빈, 삼각주
- 연흔이 나타나는 퇴적 환경 → 호수, 대륙붕
- 건열이 나타나는 퇴적 환경 → 호수, 범람원

❼ **지층의 형성 시기**
지층의 형성 시기는 지층에 포함되어 있는 화석을 통해 알 수 있고, 가까운 곳에 존재하는 다른 지층과의 비교, 암석을 이루는 방사성 동위 원소의 반감기를 이용하여 알 수도 있다.

셀파 콕콕
우리나라의 퇴적 지형을 묻는 문제에는 지층에서 관찰되는 퇴적 구조, 지질 구조, 화석이 함께 제시된다. 단순 암기보다 주어진 자료를 해석하는 능력을 키우도록 한다.

─── 용어 ───
▶ 분급: 입자 크기의 분포가 고른 정도

개념 확인하기

1 ( ) 환경은 주로 쇄설성 퇴적물이 쌓이는 곳으로, 하천, 호수, 사막 등이 있다.

2 ( ) 환경은 가장 넓은 면적을 차지하는 퇴적 환경으로, 대륙붕, 대륙 사면, 대륙대, 심해저 등이 있다.

3 강원도 태백시 구문소에서는 ( ) 초기의 바다에서 생성된 석회암이 주로 발견되며, ( )과(와) 완족류 화석을 볼 수 있다.

답 1. 육상 2. 해양
3. 고생대, 삼엽충

셀파 세미나 ──── S·H·E·R·P·A

▶ 시험에 자주 나오는 퇴적 구조 그림과 보기 문항을 살펴보자.

퇴적 구조의 특징

✱ 점이 층리

ㅣㅣㅣ자주 나오는 보기 문항입니다.

❶ 점이 층리는 수심이 깊은 퇴적 환경에서 형성되었다.
❷ 점이 층리가 형성되는 까닭은 퇴적물의 무게에 따른 퇴적 속도 차이 때문이다.
❸ 점이 층리에서 크기가 상대적으로 큰 퇴적물이 크기가 작은 퇴적물보다 먼저 퇴적된다.
❹ 점이 층리는 저탁류로 형성되는 퇴적암에서 잘 나타난다.

✱ 사층리

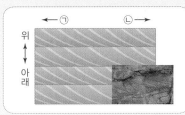

❶ 사층리를 통해 퇴적물의 공급 방향을 알 수 있다.
❷ 사층리를 통해 바람이나 유수의 방향을 추정할 수 있다.
❸ 사층리는 얕은 물밑과 사막에서 형성된다.
❹ 사층리에서 퇴적물의 이동 방향은 ㉡이다.
❺ 사층리와 점이 층리는 지층 단면에서 관찰하기 쉽다.

✱ 건열

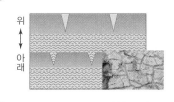

❶ 건열이 형성될 당시 기후는 건조했을 것이다.
❷ 건열이 나타나는 지층은 과거 수면 밖으로 노출된 적이 있다.
❸ 건열은 지층 틈에 있었던 수분 증발로 진흙이 수축하여 형성되었다.
❹ 건열의 갈라진 틈을 다른 퇴적물이 채우기도 한다.

✱ 연흔

❶ 연흔은 주로 수심이 얕은 곳에서 형성된다.
❷ 연흔은 과거 대륙붕이었던 지역에서 잘 나타나는 퇴적 구조이다.
❸ 연흔과 건열은 층리면에서 관찰되는 퇴적 구조이다.
❹ 점이 층리, 사층리, 건열, 연흔을 통해 지층이 역전되었는지를 판단할 수 있다.

자료 돋보기 🔍

퇴적 구조와 관련된 문제를 풀 때는 다음과 같은 단계를 거치도록 한다.
① **퇴적 구조에서 나타나는 모양 비교하기**
• 점이 층리: 크기에 따른 퇴적물의 분포
• 사층리: 층리의 기울어짐
• 건열: 지층 상부에 나타나는 V자 모양의 틈 또는 다각형 모양으로 나타나는 표면의 갈라짐
• 연흔: 지층 상부에 나타나는 뾰족한 물결무늬 또는 지층 표면에 나타나는 물결무늬 골
② **퇴적 구조의 역전 여부 확인하기**
• 퇴적 구조 모양으로 판단한다.
③ **연흔인 경우 퇴적물 공급 방향 확인하기**

＋ 유의점

퇴적 구조는 지층 생성 당시 환경을 알려준다. 현재 퇴적 구조가 있는 장소의 환경은 알 수 없다.

---

1 그림은 서로 다른 퇴적 구조를 나타낸 것이다. 이에 대한 설명으로 옳은 것만을 〈보기〉에서 있는 대로 고른 것은?

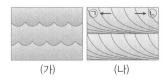

(가)   (나)

┤ 보기 ├
ㄱ. (가)는 연흔이다.
ㄴ. (가)는 역전되었고, (나)는 역전되지 않았다.
ㄷ. (나)의 퇴적물 이동 방향은 ㉠이다.

① ㄱ ② ㄴ ③ ㄱ, ㄷ ④ ㄴ, ㄷ ⑤ ㄱ, ㄴ, ㄷ

| 해설 | (가)는 연흔, (나)는 사층리이다. 두 지층 모두 역전되지 않았다. (나)에서 퇴적물의 이동 방향은 ㉡이다.   ① 답

2 그림은 퇴적암에서 나타나는 퇴적 구조이다. 이에 대한 설명으로 옳은 것만을 〈보기〉에서 있는 대로 고른 것은?

┤ 보기 ├
ㄱ. 이 퇴적 구조는 점이 층리이다.
ㄴ. 지층 형성 당시 이 지역은 대륙붕이었다.
ㄷ. 퇴적암이 형성된 후 지층의 역전이 일어났다.

① ㄱ ② ㄴ ③ ㄱ, ㄷ ④ ㄴ, ㄷ ⑤ ㄱ, ㄴ, ㄷ

| 해설 | 퇴적 구조는 점이 층리이다. 점이 층리는 수심이 깊은 곳에서 형성된다. 크기가 작은 퇴적물이 더 아래에 있기 때문에 이 지층은 역전되었다.   ③ 답

기초 탄탄 문제

정답과 해설 16쪽

핵심용어_ 이 단원에서 내가 아는 것과 아직 모르는 것을 정리하며 나의 공부를 돌아보자.

☐ 속성 작용   ☐ 다짐 작용   ☐ 교결 작용
☐ 퇴적암의 종류   ☐ 퇴적 구조   ☐ 퇴적 환경
☐ 우리나라의 퇴적 지형

01 퇴적물이 쌓인 후 퇴적암으로 되는 과정에서 일어나는 현상으로 옳은 것은?

① 다짐 작용과 교결 작용
② 다짐 작용과 분급 작용
③ 혼합 작용과 분급 작용
④ 분급 작용과 교결 작용
⑤ 분급 작용과 다짐 작용

02 그림은 세 가지 퇴적암(암염, 역암, 응회암)을 특징에 따라 구분하는 과정을 나타낸 것이다.

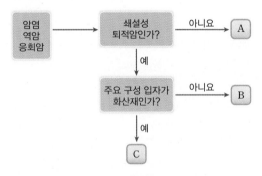

A, B, C에 해당하는 암석을 옳게 짝 지은 것은?

	A	B	C
①	암염	역암	응회암
②	암염	응회암	역암
③	역암	암염	응회암
④	역암	응회암	암염
⑤	응회암	역암	암염

03 어떤 지역을 답사하는 중에 암염이 발견되었다. 이 지역의 과거 환경으로 옳은 것은?

① 건조한 기후였을 것이다.
② 화산 활동이 있었을 것이다.
③ 온난하고 습윤한 기후였을 것이다.
④ 열대와 아열대의 바다 환경이었을 것이다.
⑤ 한랭한 기후에서 빙하가 발달하였을 것이다.

04 지층에서 발견되는 퇴적 구조와 퇴적 환경에 대한 설명으로 옳지 <u>않은</u> 것은?

① 점이 층리는 퇴적물의 입자 크기에 따라 퇴적 속도가 다르기 때문에 형성된다.
② 사층리는 수평으로 퇴적된 지층이 외부의 힘으로 층리가 기울어진 퇴적 구조이다.
③ 연흔은 얕은 물밑에서 물결 모양으로 형성된다.
④ 건열이 나타나는 지층은 과거 건조한 대기에 노출된 적이 있다.
⑤ 퇴적 구조를 조사하면 지층의 역전 여부를 알 수 있다.

05 그림은 퇴적암이 생성되는 환경을 장소에 따라 세 가지로 분류한 것이다.

A, B, C에 해당하는 퇴적 환경을 옳게 짝 지은 것은?

	A	B	C
①	육상 환경	연안 환경	해양 환경
②	육상 환경	해양 환경	연안 환경
③	해양 환경	육상 환경	연안 환경
④	해양 환경	연안 환경	육상 환경
⑤	연안 환경	육상 환경	해양 환경

내신 만점 문제

* ▨▨▨ 난이도를 나타냅니다.

01 그림은 퇴적물이 쌓여 퇴적암이 형성되는 과정을 나타낸 것이다.

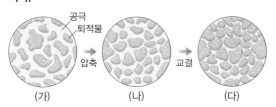

(가)   (나)   (다)

이에 대한 설명으로 옳은 것만을 〈보기〉에서 있는 대로 고른 것은?

┃ 보기 ┃

ㄱ. (가) → (나) → (다)로 갈수록 공극은 감소한다.

ㄴ. (나) → (다) 과정은 주로 공극 속의 물에 녹아 있는 물질에 의해 일어난다.

ㄷ. 유기적 퇴적암의 생성 과정은 (가) → (나) → (다)를 거치지 않는다.

① ㄱ   ② ㄷ   ③ ㄱ, ㄴ

④ ㄴ, ㄷ   ⑤ ㄱ, ㄴ, ㄷ

02 표는 퇴적암 A, B, C의 생성 원인을 나타낸 것이다.

퇴적암	생성 원인
A	화산 쇄설물의 퇴적
B	해수의 증발에 의한 염류의 침전
C	생물체 유해의 퇴적

이에 대한 설명으로 옳은 것만을 〈보기〉에서 있는 대로 고른 것은?

┃ 보기 ┃

ㄱ. A는 석회암이다.

ㄴ. B는 건조한 환경에서 형성되었다.

ㄷ. C에서 화석이 발견될 수 있다.

① ㄱ   ② ㄷ   ③ ㄱ, ㄴ

④ ㄴ, ㄷ   ⑤ ㄱ, ㄴ, ㄷ

03 그림 (가)~(다)는 생성 원인이 다른 세 암석을 나타낸 것이다.

(가) 사암   (나) 응회암   (다) 셰일

이에 대한 설명으로 옳은 것만을 〈보기〉에서 있는 대로 고른 것은?

┃ 보기 ┃

ㄱ. (가)와 (나)는 쇄설성 퇴적암에 속한다.

ㄴ. (나)는 화강암의 풍화로 생성된 물질이 굳은 것이다.

ㄷ. (다)는 화산 분출물이 퇴적되어 굳은 것이다.

① ㄱ   ② ㄷ   ③ ㄱ, ㄴ

④ ㄴ, ㄷ   ⑤ ㄱ, ㄴ, ㄷ

04 그림은 어느 퇴적암에서 관찰된 퇴적 구조를 나타낸 것이다.

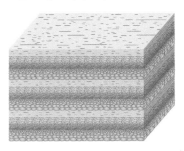

이에 대한 설명으로 옳은 것만을 〈보기〉에서 있는 대로 고른 것은?

┃ 보기 ┃

ㄱ. 물이 흐르거나 바람이 부는 환경에서 잘 형성된다.

ㄴ. 저탁류로 운반된 퇴적물이 쌓이는 경우에 잘 형성된다.

ㄷ. 지층의 역전 여부를 판단하는 데 이용될 수 있다.

① ㄱ   ② ㄷ   ③ ㄱ, ㄴ

④ ㄴ, ㄷ   ⑤ ㄱ, ㄴ, ㄷ

 그림은 어느 지층의 퇴적 구조를 나타낸 것이다.

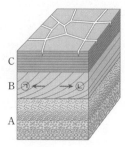

퇴적 구조 A, B, C에 대한 설명으로 옳은 것만을 〈보기〉에서 있는 대로 고른 것은?

┃ 보기 ┃

ㄱ. A는 입자의 크기에 따른 퇴적 속도 차이로 형성되었다.

ㄴ. B가 형성될 당시 물은 ㉡ 방향으로 흐르고 있었다.

ㄷ. C 상부의 지층 표면 구조는 건조한 환경에 노출되었을 때 형성되었다.

① ㄱ   ② ㄴ   ③ ㄱ, ㄷ

④ ㄴ, ㄷ   ⑤ ㄱ, ㄴ, ㄷ

06 그림 (가)와 (나)는 서로 다른 퇴적 구조를 나타낸 것이다.

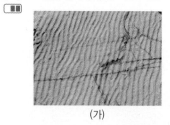 

(가)   (나)

이에 대한 설명으로 옳은 것만을 〈보기〉에서 있는 대로 고른 것은?

┃ 보기 ┃

ㄱ. (가)는 수심이 얕은 물밑에서 형성되었다.

ㄴ. (나)는 과거에 물이 흘렀던 방향이나 바람이 불었던 방향을 알려준다.

ㄷ. (가)와 (나)는 지층의 역전 여부를 판단하는 데 도움을 준다.

① ㄱ   ② ㄴ   ③ ㄱ, ㄷ

④ ㄴ, ㄷ   ⑤ ㄱ, ㄴ, ㄷ

07 그림 (가)~(다)는 서로 다른 환경에서 형성된 퇴적 구조의 단면을 나타낸 것이다.

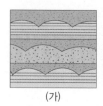 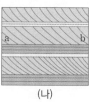 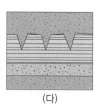

(가)   (나)   (다)

이에 대한 설명으로 옳은 것만을 〈보기〉에서 있는 대로 고른 것은?

┃ 보기 ┃

ㄱ. (가)는 수심이 얕은 물밑에서 형성되었다.

ㄴ. (나)가 형성될 당시 물은 a에서 b 쪽으로 흘렀다.

ㄷ. (가)~(다) 중 지층이 역전된 것은 (가)이다.

① ㄱ   ② ㄷ   ③ ㄱ, ㄴ

④ ㄴ, ㄷ   ⑤ ㄱ, ㄴ, ㄷ

08 그림은 어느 지역의 퇴적 구조를 나타낸 것이다.

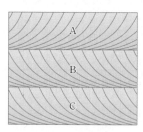

이에 대한 설명으로 옳은 것만을 〈보기〉에서 있는 대로 고른 것은?

┃ 보기 ┃

ㄱ. 지층의 생성 순서는 C→B→A이다.

ㄴ. A, B, C를 형성한 바람 또는 물의 흐름 방향은 같다.

ㄷ. 이 지층은 깊은 바다에서 퇴적되었다.

① ㄱ   ② ㄷ   ③ ㄱ, ㄴ

④ ㄴ, ㄷ   ⑤ ㄱ, ㄴ, ㄷ

09 그림은 여러 가지 퇴적 환경을 나타낸 것이다.

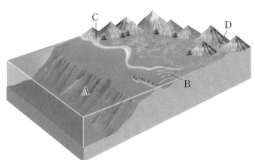

이에 대한 설명으로 옳은 것만을 〈보기〉에서 있는 대로 고른 것은?

┤ 보기 ├

ㄱ. A는 대륙 사면이다.

ㄴ. B와 C는 연안 환경에 해당한다.

ㄷ. D에는 주로 쇄설성 퇴적물이 퇴적된다.

① ㄱ　　　　② ㄷ　　　　③ ㄱ, ㄴ

④ ㄴ, ㄷ　　　⑤ ㄱ, ㄴ, ㄷ

10 그림은 우리나라의 대표적인 퇴적 지형 A, B의 위치와 두 지역의 지질학적 특징을 간단히 정리한 것이다.

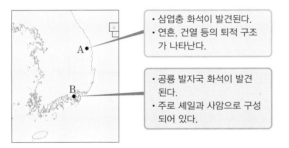

- 삼엽충 화석이 발견된다.
- 연흔, 건열 등의 퇴적 구조가 나타난다.

- 공룡 발자국 화석이 발견된다.
- 주로 셰일과 사암으로 구성되어 있다.

이에 대한 설명으로 옳은 것만을 〈보기〉에서 있는 대로 고른 것은?

┤ 보기 ├

ㄱ. A 지역은 과거에 건조한 환경이었던 때가 있었다.

ㄴ. B 지역은 주로 쇄설성 퇴적물이 퇴적되었다.

ㄷ. A 지역의 지층이 B 지역의 지층보다 먼저 형성되었다.

① ㄱ　　　　② ㄴ　　　　③ ㄱ, ㄷ

④ ㄴ, ㄷ　　　⑤ ㄱ, ㄴ, ㄷ

서술형 문제

11 그림은 퇴적물이 쌓인 후 퇴적암이 되기까지의 과정을 나타낸 것이다.

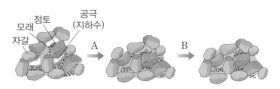

(1) A와 B 작용의 명칭을 쓰시오.

_____

(2) 퇴적물이 A와 B 과정을 받게 되면 공극과 밀도는 어떻게 변하는지 서술하시오.

_____

_____

12 그림 (가)~(라)는 퇴적암에 나타나는 건열, 연흔, 사층리, 점이 층리를 순서 없이 나타낸 것이다.

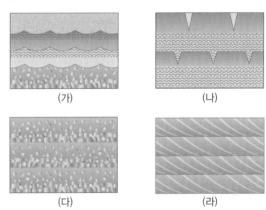

(1) (가)~(라)의 퇴적 구조는 각각 무엇인지 쓰시오.

_____

(2) (가)~(라)의 퇴적 구조가 형성되는 과정이나 퇴적 환경을 간단히 서술하시오.

_____

_____

_____

02 지질 구조

내 교과서는 어디에?
천재 p.52~56   금성 p.49~51
미래엔 p.50~53   비상 p.44~48   YBM p.50~54

핵심 Point
- 다양한 **지질 구조**의 형성 과정을 알아본다.
- **지질 구조**의 **종류**와 특징을 구별하여 이해한다.
- **관입**과 **포획**의 차이를 이해한다.

1 지질 구조

1. **지질 구조** 지층이나 암석이 지각 변동을 받아 여러 모양으로 변형된 상태
   → 지질 구조를 조사하면 과거 지층에 일어났던 지각 변동을 알 수 있다.
2. **지각 변동** 판의 운동, 지진, 화산 활동, 지층의 융기 및 침강 등
   └ 조륙 운동

2 지질 구조의 종류

1. **습곡** 지층이 양쪽에서 미는 횡압력을 받아 휘어진 지질 구조 → 조산 운동

형성 과정	비교적 온도가 높은 지하 깊은 곳에서 힘을 받는 지층은 끊어지기보다 휘어지기가 쉬워 습곡이 형성된다.
구조	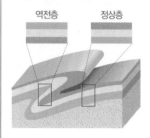 · 습곡축: 가장 많이 휘어진 부분 · 습곡축면: 습곡축을 포함하는 면 · 습곡 날개: 습곡축 양쪽의 편평한 면 · 배사: 위로 볼록한 부분 · 향사: 아래로 오목한 부분

습곡축면과 습곡 날개의 경사에 따라 정습곡, 경사 습곡, 횡와 습곡 등으로 구분한다.

종류	① 정습곡: 습곡축면이 수평면에 대하여 거의 수직인 습곡	② 경사 습곡: 습곡축면이 수직에서 기울어진 습곡	③ 횡와 습곡: 습곡축면이 거의 수평으로 누운 습곡❶

2. **단층** 암석에 힘이 작용하여 암석이 끊어지고, 끊어진 면을 경계로 양쪽의 암석이 상대적으로 다른 방향으로 이동하여 어긋나는 지질 구조

형성 과정	판의 수렴형 경계에서 작용하는 힘┐ 습곡 작용이 일어나는 깊이보다 온도가 낮은 지표 근처에서 횡압력이나 장력 또는 중력을 받은 지층이 끊어지면서 형성된다.❷ └판의 발산형 경계에서 작용하는 힘
구조	실제 이동, 경사 이동, 주향 이동, 하반, 상반, 단층면 · 단층면: 단층으로 지층이나 암석이 끊어진 면 · 상반: 단층면 위쪽에 놓인 부분 · 하반: 단층면 아래쪽에 놓인 부분

단층면의 경사와 상반과 하반의 이동 방향에 따라 정단층, 역단층, 주향 이동 단층 등으로 구분한다.

종류	① 정단층: 장력이 작용하여 상반이 아래로 이동한 단층	② 역단층: 횡압력이 작용하여 상반이 위로 이동한 단층	③ 주향 이동 단층: 수평 방향으로 힘이 작용하여 지층이 수평으로 이동한 단층
	하반, 상반	하반, 상반	

---

❶ **횡와 습곡과 지층 역전**
지각 변동을 받지 않은 지층은 아래부터 순차적으로 퇴적되지만 강한 횡압력을 받아 횡와 습곡이 형성되면 오래된 지층이 더 위쪽에 위치하는 역전된 지층이 만들어진다.

역전층   정상층

❷ **지층의 온도와 휘어짐**
온도가 높은 지층은 유동성을 가지고 있어 휘어지는 성질이 있다. 반대로 온도가 낮은 지층은 유동성이 없는 딱딱한 암석이기 때문에 힘을 받으면 휘어지지 못하고 끊어진다.

셀파 콕콕 🔍
단층에서 상반과 하반은 이동한 방향이 아닌 단층면을 기준으로 위치에 따라 나뉜다는 사실에 유의한다.

암기 콕 ⏱️
상반이 **상**부로 이동하면 **역**단층
→ 상상력(역)

━━━ 용어 ━━━
▶ **횡와**: 수평으로 누운 모습
▶ **주향 이동**: 지층의 수평 이동

판 구조론에 따라 판의 경계에서는 지층에 힘이 작용하고 특정 지질 구조가 나타난다.

- 발산형 경계: 장력이 작용하는 발산형 경계에서는 주로 정단층이 형성된다. 예 동아프리카 열곡대
- 수렴형 경계: 횡압력이 작용하는 수렴형 경계에서는 주로 습곡과 역단층이 형성된다.
  예 히말라야산맥, 알프스산맥
- 보존형 경계: 두 판이 서로 어긋나는 보존형 경계에서는 주향 이동 단층에 포함되는 변환 단층이 형성된다. 예 산안드레아스 단층

3. 절리 암석 내에 형성된 틈이나 균열❸

형성 과정	암석에 힘이 가해지거나 온도가 변하여 부피가 수축할 때 형성된다.	
종류	절리의 모양에 따라 주상 절리와 판상 절리로 구분한다.	
	① 주상 절리 → 예 한탄강 일대, 제주도  • 다각형(4각형 ~ 6각형) 기둥 모양의 절리 • 화산암에서 잘 나타난다. • 지표로 분출한 용암이 중심 방향으로 빠르게 식는 과정에서 수축하여 생성된다.	② 판상 절리 → 예 북한산 인수봉  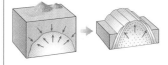 • 얇은 판 모양의 절리 • 심성암에서 잘 나타난다. • 지하 깊은 곳에 있는 암석이 융기할 때 암석을 누르는 압력이 감소하면서 팽창하여 생성된다.

4. 관입과 포획

정의	• 관입: 지하에서 마그마가 지층 사이를 뚫고 들어가 화성암(관입암)으로 굳어진 구조 • 포획: 마그마가 관입할 때 주위의 암석이나 지층의 조각이 떨어져 나와 마그마에 포함되어 굳은 구조
구조	 암맥 관입암상 포획(암) 마그마 • 관입암상: 마그마가 주변 암석의 층상 구조와 평행하게 흘러들어가 식어 굳어진 화성암 ┐관입암에 해당한다. • 암맥: 암석의 층상 구조를 가로질러 관입한 화성암 ┘ • 포획암: 화성암 사이에 포획된 암석❹
특징	• 관입이 일어날 때의 변화: 관입 과정에서 마그마의 열로 주변 암석이 변성되고, 관입암이 차가운 주변 암석의 영향으로 급격히 냉각된 흔적이 나타난다.❺ • 관입암과 포획암의 이용: 지구 내부 물질을 연구하거나 지층의 생성 순서를 결정할 때 활용한다.❻

❸ 절리와 단층의 차이

절리는 단층과는 달리 틈을 따라 암석의 상대적인 이동이 없다.

❹ 포획암과 화성암의 생성 순서

마그마가 관입되어 생성된 화성암에서 포획암이 관찰될 때, 포획암은 기존의 지층에서 떨어져 나온 암석이므로 포획한 화성암보다 먼저 생성되었다.

❺ 변성 작용

암석이 열이나 압력을 받아 고체 상태에서 광물의 조성이나 조직이 달라지는 과정이다.

- 광역 변성 작용: 조산 운동과 같이 대규모 지각 변동이 일어나는 곳에서 열과 압력을 받아 넓은 범위에 걸쳐 일어난다.
- 접촉 변성 작용: 마그마가 관입하는 주변부에서 열을 받아 비교적 좁은 영역에서 일어난다.

❻ 맨틀 포획암

포획암 중에 맨틀에서 떨어져 나온 감람암이 현무암질 마그마에 갇힌 채 지표로 분출되어 형성되기도 한다. 맨틀 포획암을 연구하면 지구 내부 물질을 연구할 수 있다.

▬▬▬▬ 용어 ▬▬▬▬

▶ 변성: 기존의 암석이 녹지 않은 상태에서 성질과 조직이 바뀌어 새로운 암석으로 변함

개념 확인하기

1 (   )에는 습곡, 단층 등이 있으며, 이를 조사하면 과거에 일어났던 지각 변동을 알 수 있다.
2 지층이 양쪽에서 미는 횡압력을 받아 휘어진 지질 구조는?
3 용암이 급격히 냉각되면서 수축하여 기둥 모양으로 만들어진 절리를 (   )라고 한다.
4 (   )은 마그마가 관입할 때 주위의 지층 조각이 떨어져 나와 마그마에 포함되어 굳은 암석이다.

답 1. 지질 구조 2. 습곡
3. 주상 절리 4. 포획암

└─→ 정합: 지층이 연속적으로 쌓여 시간 간격이 짧은 상하 지층의 관계

5. 부정합 상하 지층 사이에 큰 시간 차이가 있는 불연속적인 두 지층의 관계

<table>
<tr><td rowspan="2">형성
과정</td><td colspan="4">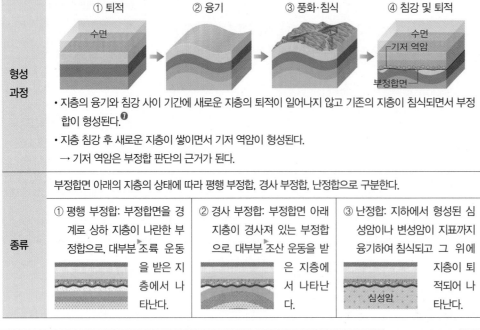
① 퇴적   ② 융기   ③ 풍화·침식   ④ 침강 및 퇴적</td></tr>
<tr><td colspan="4">• 지층의 융기와 침강 사이 기간에 새로운 지층의 퇴적이 일어나지 않고 기존의 지층이 침식되면서 부정합이 형성된다.❼
• 지층 침강 후 새로운 지층이 쌓이면서 기저 역암이 형성된다.
  → 기저 역암은 부정합 판단의 근거가 된다.</td></tr>
<tr><td rowspan="2">종류</td><td colspan="4">부정합면 아래의 지층의 상태에 따라 평행 부정합, 경사 부정합, 난정합으로 구분한다.</td></tr>
<tr><td colspan="4">① 평행 부정합: 부정합면을 경계로 상하 지층이 나란한 부정합으로, 대부분 조륙▶ 운동을 받은 지층에서 나타난다.   ② 경사 부정합: 부정합면 아래 지층이 경사져 있는 부정합으로, 대부분 조산▶ 운동을 받은 지층에서 나타난다.   ③ 난정합: 지하에서 형성된 심성암이나 변성암이 지표까지 융기하여 침식되고 그 위에 지층이 퇴적되어 나타난다.</td></tr>
</table>

❼ **부정합의 특징**
부정합면을 경계로 상하 지층 사이에 화석의 종류나 지질 구조가 크게 달라진다.

자료 파헤치기

부정합의 종류와 형성 과정

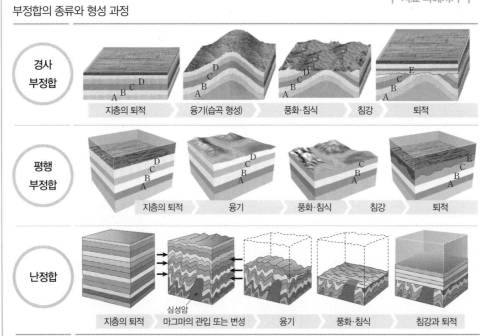

경사 부정합
지층의 퇴적 → 융기(습곡 형성) → 풍화·침식 → 침강 → 퇴적

평행 부정합
지층의 퇴적 → 융기 → 풍화·침식 → 침강 → 퇴적

난정합
지층의 퇴적 → 마그마의 관입 또는 변성 → 융기 → 풍화·침식 → 침강과 퇴적

• 모든 종류의 부정합에서 융기 → 풍화·침식 → 침강 과정이 일어난다.
• 지하에 화성암이 관입하거나 변성 작용이 일어나 변성암이 형성되기까지 오랜 시간이 걸리기 때문에 난정합은 다른 부정합보다 상하 지층 사이의 시간 간격이 매우 길다.
• 평행 부정합의 부정합면은 상하 지층과 나란하므로 기저 역암의 존재를 통해 부정합면을 확인한다.

셀파 콕콕
과거 지층에서 일어난 사건이 주어지지 않더라도 부정합이 형성되는 동안 발생한 지각 변동은 지질 단면도에서 유추할 수 있다.

--- 용어 ---
▶ **조륙 운동**: 넓은 범위에 걸쳐 지각이 서서히 융기하거나 침강하는 운동
▶ **조산 운동**: 거대한 습곡 산맥을 형성하는 지각 변동

 **개념
확인하기**

1 부정합은 퇴적 → ( ) → 풍화·침식 → 침강 → 퇴적의 과정을 거쳐 형성된다.
2 ( )은 부정합면을 경계로 상하 지층이 나란한 부정합이다.
3 부정합면 위에는 침식 작용의 흔적인 ( )이 나타난다.

답 1. 융기
2. 평행 부정합
3. 기저 역암

▶ 시험에 자주 출제되는 단층과 습곡에 작용하는 힘의 방향을 비교하고 지층에 일어나는 변화를 이해하자.

단층과 습곡 구조 알아보기

01 단층이 제시된 경우

▲ 정단층

▲ 역단층

- 상반과 하반 찾기
  → 단층면을 기준으로 위쪽에 있는 부분이 상반, 아래쪽에 있는 부분이 하반이다.
- 상반과 하반의 이동 방향 찾기
  → 상반과 하반의 이동 방향으로 단층의 종류를 구분할 수 있다. 이때 지층의 이동 방향으로 상반과 하반을 구분하지 않도록 유의한다. 상반이 위로 이동한 단층을 역단층, 상반이 아래로 이동한 단층을 정단층이라고 한다.
- 힘의 방향 비교하기
  → 정단층에는 양쪽에서 잡아당기는 장력이 작용하고, 역단층에는 양쪽에서 미는 횡압력이 작용한다. 역단층과 습곡에는 작용하는 힘의 방향이 같기 때문에 두 지층을 비교하는 문제가 출제되기도 한다.

02 습곡이 제시된 경우

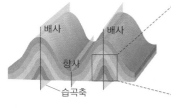

배사 배사
향사
습곡축

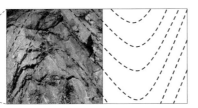

- 습곡 구조에서 가려진 부분 찾기
  → 문제에서 제시되는 습곡 자료는 보통 어느 한쪽으로 기울어진 지층만 주어진다. 눈에 보이는 부분뿐만 아니라 눈에 보이지 않는 부분까지도 연장해서 생각하도록 한다. 위 그림처럼 지층이나 암석의 전체 모양을 그려보고, 지형의 변화를 이해한다.

03 지질 단면도가 제시된 경우

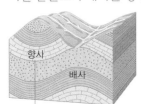

향사
배사

지층이 위로 솟아 있지만 지층이 휘어진 모습이 아래로 오목하므로 향사이다.

시험 문제에 출제되는 자료는 지표로 드러난 지층의 단면, 지층의 수직 단면의 모식도만 제시되므로 습곡의 배사, 정단층의 하반, 역단층의 상반이 솟아있게 표현되지 않는다. 따라서 습곡은 지층의 휘어진 방향을 통해 배사와 향사를 구분하고, 단층은 끊어짐이 분명하게 보이는 지층을 통해 상반과 하반의 이동 방향을 확인한다.

＋ Plus 자료

다음은 습곡이나 단층과 관련하여 시험에 자주 출제되는 보기 문항들을 모은 것이다. 중요 내용을 학습해 보자.

ㄱ. 정단층은 양쪽에서 잡아당기는 장력을 받아 형성된다.

ㄴ. 정단층은 새로운 판이 생성되는 발산형 경계에서 발달하는 지질 구조이다.

ㄷ. 대서양 중앙 해령에는 정단층이 많이 나타난다.

ㄹ. 역단층의 상반은 단층면을 따라 위로 이동하였다.

ㅁ. 히말라야산맥과 알프스산맥에서는 습곡이 나타난다.

ㅂ. 습곡에서 습곡축면이 크게 기울어지면 지층의 역전이 나타날 수 있다.

ㅅ. 습곡에서 배사 부분의 지형이 항상 위로 솟아 있지는 않다.

ㅇ. 습곡에서 상부가 침식되고 새로운 지층이 퇴적되면 경사 부정합이 형성된다.

ㅈ. 역단층과 습곡은 양쪽에서 미는 횡압력을 받아 형성된다.

ㅊ. 역단층과 습곡은 판이 충돌하는 경계에서 잘 나타난다.

ㅋ. 역단층과 습곡은 조산 운동으로 형성될 수 있다.

ㅌ. 정단층과 역단층 중 습곡이 나타나는 지층 주변에 존재할 가능성이 높은 지질 구조는 역단층이다.

ㅍ. 정단층, 역단층, 습곡은 층리가 잘 나타나는 지층에서 관찰하기 쉽다.

＋ 유의점

습곡과 역단층은 지층에 횡압력이 작용할 때 형성된다. 따라서 같은 지층에서 잘 나타난다.

기초 탄탄 문제

정답과 해설 18쪽

핵심용어_ 이 단원에서 내가 아는 것과 아직 모르는 것을 정리하며 나의 공부를 돌아보자.

☐ 습곡　　　　　☐ 단층　　　　　☐ 절리
☐ 부정합　　　　☐ 관입　　　　　☐ 포획
☐ 판의 운동과 지질 구조

01 지질 구조에 대한 설명으로 옳지 <u>않은</u> 것은?

① 지층이 힘을 받아 휘어진 것을 습곡이라고 한다.

② 지층이 힘을 받아 끊어진 것을 단층이라고 한다.

③ 습곡과 역단층이 형성될 때 지층에 작용한 힘의 방향은 서로 다르다.

④ 지층이 시간적 단절 없이 연속적으로 쌓인 것을 정합이라고 한다.

⑤ 지층에 남아 있는 지질 구조는 과거 지각 변동의 흔적을 나타낸다.

02 지층에 횡압력이 작용하는 경우에 형성될 수 있는 지질 구조만을 〈보기〉에서 있는 대로 고른 것은?

┃ 보기 ┃
ㄱ. 습곡　　　ㄴ. 정단층　　　ㄷ. 역단층
ㄹ. 절리　　　ㅁ. 부정합

① ㄱ, ㄷ　　　② ㄴ, ㄹ　　　③ ㄹ, ㅁ
④ ㄱ, ㄴ, ㄷ　　　⑤ ㄷ, ㄹ, ㅁ

03 다음 글에서 설명하고 있는 지질 구조는?

• 암석에 생긴 틈이나 균열을 말한다.
• 틈을 따라서 암석의 이동이 일어나지 않는다.
• 용암이 냉각될 때 수축이 일어나서 틈이 생기기도 한다.

① 단층　　　② 습곡　　　③ 절리
④ 부정합　　　⑤ 정합

04 그림은 어느 지역의 지질 구조 단면을 나타낸 것이다.
이 단면도에 나타나 있지 <u>않은</u> 지질 구조는?

① 습곡　　　② 정합　　　③ 부정합
④ 정단층　　　⑤ 역단층

05 그림 (가)~(다)는 서로 다른 종류의 습곡을 나타낸 것이다.

(가)　　　　　(나)　　　　　(다)

이에 대한 설명으로 옳지 <u>않은</u> 것은?

① (가)에서 A는 배사, B는 향사이다.

② (나)는 습곡축면이 기울어져 있다.

③ (다)에서는 먼저 퇴적된 지층이 나중에 퇴적된 지층보다 위에 놓이게 되는 부분이 나타난다.

④ (가)는 정습곡, (나)는 횡와 습곡, (다)는 경사 습곡이다.

⑤ (가)~(다)는 모두 횡압력을 받아 형성되었다.

06 그림 (가)와 (나)는 수평으로 쌓인 지층이 서로 다른 힘을 받아 형성된 지질 구조를 나타낸 것이다.

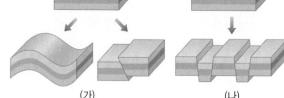

(가)　　　　　　　　　(나)

(가), (나)의 지질 구조가 잘 발달하는 판의 경계를 옳게 짝 지은 것은?

	(가)	(나)
①	히말라야산맥	동아프리카 열곡대
②	히말라야산맥	산안드레아스 단층
③	동아프리카 열곡대	히말라야산맥
④	산안드레아스 단층	히말라야산맥
⑤	산안드레아스 단층	동아프리카 열곡대

내신 만점 문제

* ▮▮▮ 난이도를 나타냅니다.

01 그림은 어느 지역에 발달한 단층의 구조를 모식적으로 나타낸 것이다.

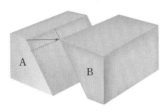

이에 대한 설명으로 옳은 것만을 〈보기〉에서 있는 대로 고른 것은? (단, 화살표는 지층의 이동 방향을 나타낸다.)

┃ 보기 ┃
ㄱ. A는 상반이고, B는 하반이다.
ㄴ. 장력의 작용으로 형성된 단층이다.
ㄷ. 주향 이동과 경사 이동이 모두 일어났다.

① ㄱ   ② ㄷ   ③ ㄱ, ㄴ
④ ㄴ, ㄷ   ⑤ ㄱ, ㄴ, ㄷ

02 그림은 어느 지역의 지질 단면을 나타낸 것이다.
이 지역에서 일어난 지각 변동에 대한 설명으로 옳은 것을 〈보기〉에서 있는 대로 고른 것은?

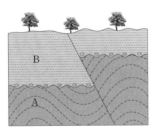

┃ 보기 ┃
ㄱ. 이 지역에는 횡압력이 작용하였다.
ㄴ. 단층이 생긴 후 습곡 작용을 받았다.
ㄷ. A와 B층 사이에는 오랫동안 퇴적이 중단된 시기가 있었다.

① ㄱ   ② ㄴ   ③ ㄷ
④ ㄱ, ㄷ   ⑤ ㄴ, ㄷ

03 그림 (가)와 (나)는 생성 과정이 다른 두 지질 구조를 나타낸 것이다.

 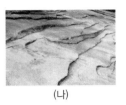

(가)   (나)

이에 대한 설명으로 옳은 것만을 〈보기〉에서 있는 대로 고른 것은?

┃ 보기 ┃
ㄱ. (가)와 (나)는 절리이다.
ㄴ. (가)는 지층이 융기하는 과정에서 압력의 감소로 생성되었다.
ㄷ. (나)는 마그마의 냉각으로 생성되었다.

① ㄱ   ② ㄷ   ③ ㄱ, ㄴ
④ ㄴ, ㄷ   ⑤ ㄱ, ㄴ, ㄷ

04 그림은 서로 다른 종류의 부정합이 형성되는 과정을 나타낸 것이다.

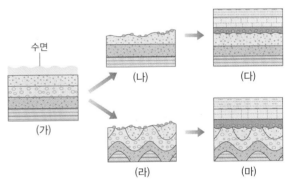

이에 대한 설명으로 옳은 것만을 〈보기〉에서 있는 대로 고른 것은?

┃ 보기 ┃
ㄱ. (가)에서는 지층이 순차적으로 퇴적된다.
ㄴ. (나)와 (라)에서 침식 작용이 일어난다.
ㄷ. (나) → (다)에서 평행 부정합이 형성된다.
ㄹ. (라) → (마)에서 난정합이 형성된다.

① ㄱ, ㄷ   ② ㄱ, ㄹ   ③ ㄴ, ㄷ
④ ㄱ, ㄴ, ㄷ   ⑤ ㄴ, ㄷ, ㄹ

05 그림은 어느 지역의 지질 단면도를 나타낸 것이다.

이에 대한 설명으로 옳은 것만을 〈보기〉에서 있는 대로 고른 것은?

┃ 보기 ┃

ㄱ. 지층에 양쪽에서 미는 힘이 작용한 적이 있다.

ㄴ. 이 지층에서는 습곡, 역단층, 부정합을 볼 수 있다.

ㄷ. 단층 형성 후 마그마가 지층을 뚫고 들어갔을 것이다.

① ㄱ   ② ㄴ   ③ ㄱ, ㄷ

④ ㄴ, ㄷ   ⑤ ㄱ, ㄴ, ㄷ

07 그림은 어느 지역의 지질 단면도를 나타낸 것이다.

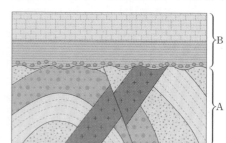

이에 대한 설명으로 옳은 것만을 〈보기〉에서 있는 대로 고른 것은?

┃ 보기 ┃

ㄱ. A층의 단층은 횡압력을 받아 형성되었다.

ㄴ. A층과 B층 사이에는 퇴적되는 중간에 긴 시간적 단절이 있었다.

ㄷ. A층에서 배사 구조가 관찰된다.

① ㄱ   ② ㄷ   ③ ㄱ, ㄴ

④ ㄴ, ㄷ   ⑤ ㄱ, ㄴ, ㄷ

06 그림 (가) ~ (라)는 여러 지질 구조를 나타낸 것이다.

(가)   (나)

 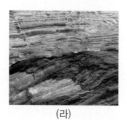

(다)   (라)

이에 대한 설명으로 옳은 것만을 〈보기〉에서 있는 대로 고른 것은?

┃ 보기 ┃

ㄱ. (가)에서는 지층이 역전될 수 있다.

ㄴ. (나)는 장력을 받아 형성된다.

ㄷ. (다)는 지층의 융기에 따른 압력 감소로 생성된다.

ㄹ. (라)는 침식 작용만 계속 받아 형성된다.

① ㄱ, ㄴ   ② ㄱ, ㄷ   ③ ㄴ, ㄷ

④ ㄴ, ㄹ   ⑤ ㄷ, ㄹ

08 그림은 어느 지역의 지질 단면도를 나타낸 것이다.

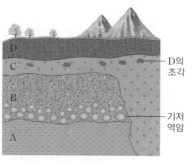

A~D에 대한 설명으로 옳은 것만을 〈보기〉에서 있는 대로 고른 것은?

┃ 보기 ┃

ㄱ. 지층 A와 B 사이에는 퇴적이 중단된 시기가 있었다.

ㄴ. C는 용암이 지표로 분출하여 생긴 화산암이다.

ㄷ. 지층 D가 가장 나중에 생성되었다.

① ㄱ   ② ㄴ   ③ ㄱ, ㄷ

④ ㄴ, ㄷ   ⑤ ㄱ, ㄴ, ㄷ

09 그림은 서로 다른 두 지역 (가)와 (나)의 지질 단면도를 나타낸 것이다.

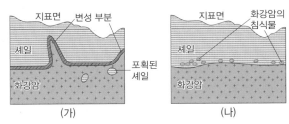

(가)　　　　　　　　(나)

이에 대한 설명으로 옳은 것만을 〈보기〉에서 있는 대로 고른 것은? (단, (가)와 (나) 지역의 화강암의 생성 시기는 같다.)

┌─ 보기 ┐
ㄱ. (가)에서 포획된 셰일은 화강암보다 먼저 생성되었다.
ㄴ. (나)에서 화강암이 셰일보다 나중에 생성되었다.
ㄷ. 셰일의 퇴적 시기는 (가)가 (나)보다 빠르다.
└──────┘

① ㄱ　　　　② ㄴ　　　　③ ㄱ, ㄷ
④ ㄴ, ㄷ　　　⑤ ㄱ, ㄴ, ㄷ

10 그림 (가)는 세계 주요 판의 분포와 경계를 나타낸 것이고, (나)는 두 가지 지질 구조를 나타낸 것이다.

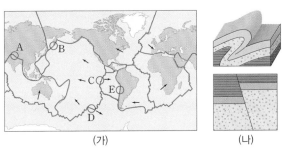

(가)　　　　　　　　(나)

이에 대한 설명으로 옳은 것만을 〈보기〉에서 있는 대로 고른 것은?

┌─ 보기 ┐
ㄱ. (나)는 습곡과 역단층이다.
ㄴ. (나)는 횡압력이 작용하여 형성된 지질 구조이다.
ㄷ. (가)에서 (나)와 같은 지질 구조가 잘 나타나는 지역
　　은 A, B, E이다.
└──────┘

① ㄱ　　　　② ㄴ　　　　③ ㄱ, ㄷ
④ ㄴ, ㄷ　　　⑤ ㄱ, ㄴ, ㄷ

서술형 문제

11 그림은 서로 다른 종류의 단층을 나타낸 것이다.

(가)　　　　　　　　(나)

(1) (가)와 (나) 단층의 이름을 쓰시오.

_____

(2) (가)와 (나) 중 지하 깊은 곳에서 습곡 구조가 형성될 수 있는 단층을 고르고, 그와 같이 생각한 까닭을 지층에 작용하는 힘의 종류와 연관지어 서술하시오.

_____

_____

12 그림은 어느 지역의 지질 단면도를 나타낸 것이다.

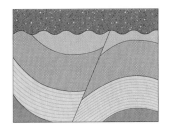

(1) 이 지역에서 나타나는 부정합의 종류를 쓰고, 그렇게 판단한 까닭을 서술하시오.

_____

_____

(2) 이와 같은 지층이 만들어진 과정을 다음에 주어진 단어를 이용하여 서술하시오.

┌──────────────────────────────────┐
│ 융기, 침강, 습곡, 횡압력, 역단층, 침식, 퇴적 │
└──────────────────────────────────┘

_____

_____

_____

03 지사 해석 방법

내 교과서는 어디에?
천재 p.59~61   금성 p.52~55
미래엔 p.54~57 비상 p.50~53   YBM p.58~56

핵심 Point
- 지층의 선후 관계 해석에 사용되는 다양한 법칙을 알아본다.
- 지사학의 법칙을 이용하여 지구의 역사를 알아본다.

1 지층의 선후 관계

1. **지사학** 지층과 암석에 기록된 지구의 역사를 연구하는 학문
2. **동일 과정의 원리** 현재 지각에서 발생하는 지질학적 사건들이 과거에도 동일하게 일어났다.
   - 동일 과정의 원리를 가정으로 지사학의 법칙을 이용하여 지층의 선후 관계를 밝힌다.

2 지사학의 법칙

1. **수평 퇴적의 법칙** 퇴적물은 수평으로 퇴적된다.
① 지층이 기울어져 있는 경사층은 퇴적물이 수평으로 퇴적된 후 지각 변동을 받아 지층이 휘어지거나 기울어졌다.❶
② 지층이 지표면과 나란한 수평층은 비교적 지각 변동을 받지 않은 지층이다.
2. **지층 누중의 법칙** 먼저 퇴적된 지층이 나중에 퇴적된 지층보다 아래에 위치한다.

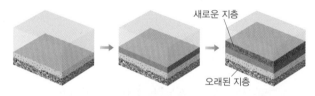
새로운 지층
오래된 지층

① 퇴적물은 이전에 쌓였던 퇴적물 위에 수평으로 쌓인다.
② 지층 누중의 법칙을 적용하려면 지층이 역전되지 않아야 한다.❷
3. **동물군 천이의 법칙** 퇴적 시기가 다른 지층에서 발견되는 화석의 종류와 진화 정도가 다르다.

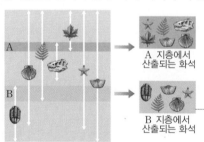
A 지층에서 산출되는 화석

B 지층에서 산출되는 화석

① 오래된 지층에서 새로운 지층으로 갈수록 더 복잡하고 진화된 화석이 발견된다.
② 동물군 천이의 법칙을 이용하면 멀리 떨어져 있는 지층의 생성 시기를 비교할 수 있다.

→ A 지층과 B 지층에서 산출되는 화석을 조사하면 A 지층과 B 지층의 선후 관계와 지층의 역전 여부를 알 수 있다.

4. **관입의 법칙** 관입한 암석은 관입당한 암석보다 나중에 생성되었다.
   - 마그마가 관입하면 고온의 열로 인해 기존 암석에 변성 작용❸이 일어난다.
     → 변성 작용을 받은 지층은 화성암보다 먼저 생성되었다.

관입의 법칙 작용

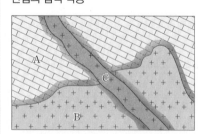

- 화성암 C는 지층 A와 화성암 B를 관입하며 생성되었다.
- 화성암 B는 지층 A를 관입하였고 화성암 C에게 관입당하였다.
- 화성암 B와 C는 지층 A를 관입하였다. → 지층 A가 가장 먼저 생성되었고, 이후 B의 관입, C의 관입이 일어났다.
- 지층의 생성 순서: A → B → C

❶ 수평층과 경사층

▲ 수평층

▲ 경사층

❷ 지층의 역전 여부

지층의 역전은 화석 또는 점이 층리, 사층리, 연흔, 건열 같은 퇴적 구조를 통해 알 수 있다.

❸ 변성 작용

변성 작용을 받은 부분
관입암

마그마가 관입한 경우 마그마의 열에 의해 마그마 접촉부를 따라 기존 암석에 변성 작용이 일어난다.

셀파 콕콕 🔍

마그마의 관입이 있는 지질 단면도를 그린다고 생각했을 때, 배경이 되는 지층이 먼저 형성되었고, 마지막에 덧칠해서 그려야 하는 부분이 최근에 관입한 화성암이다.

━━━ 용어 ━━━

▶ **지층 누중**: 지층이 누적되어 쌓임
▶ **천이**: 시간의 흐름에 따른 생물군의 변화

관입암상(마그마 관입)과 난정합(용암 분출) 비교

- 관입암상과 난정합은 화성암과 위쪽에 있는 지층의 경계가 층리와 평행하게 나타나기 때문에 구분하기 어렵다. 이러한 경우 관입암상과 난정합의 형성 과정에서 나타나는 지질학적 특징으로 구분한다. ❹

구분	관입암상(마그마 관입)	난정합(용암 분출)
모식도	(포획암 / 변성대 / 관입암)	(기저 역암 / 부정합면 / 변성대 / 분출암)
상부 지층	화성암 위쪽에 있는 지층은 화성암이 관입하기 이전에 존재하였다.	마그마가 지표로 분출❺하여 화성암층을 형성한 후 지층이 퇴적되었다.
변성대	마그마의 관입이 일어났을 때 상하 지층 모두에서 마그마 접촉부를 따라 변성 작용이 일어난다.	화성암 아래쪽에 있는 지층에서만 변성 작용이 나타나고 위쪽 지층에서는 변성 작용이 나타나지 않는다.
특징	관입한 마그마 주변 암석 일부가 떨어져 나와 화성암 속 포획암으로 발견된다.	화성암과 화성암 위의 지층은 부정합 관계이므로 위쪽 지층에서 기저 역암이 나타난다.

- 난정합은 대체로 지표로 분출된 용암이 화산암으로 굳어지고 침식되어 부정합면이 형성되지만, 침식이 활발하게 일어나는 지역일 경우 마그마 관입으로 형성된 심성암의 위쪽 지층이 모두 침식되고 심성암이 부정합면을 이루는 경우도 있다.

5. 부정합의 법칙 부정합면을 기준으로 위아래 지층 사이에는 긴 시간 간격이 있다.
- 부정합면을 경계로 상하 지층을 이루는 암석의 ▶조성, 지질 구조, 화석의 종류 등이 다르다.

지사학의 법칙과 지층의 생성 순서

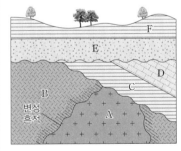

그림은 어느 지역의 지질 단면도를 나타낸 것이다. (단, 지층의 역전은 일어나지 않았다.)

Q1. 두 사건의 선후를 판단할 때 이용되는 지사학의 법칙을 쓰시오.
→ • B 퇴적－A 관입: 관입의 법칙 (A가 기존에 있던 B를 관입하였다.)
   • C 퇴적－D 퇴적: 수평 퇴적의 법칙 (지층은 수평으로 퇴적되었고 이후에 횡압력을 받아 경사층이 형성되었다.)
- E 퇴적－F 퇴적: 지층 누중의 법칙 (아래에 있는 E가 먼저 퇴적되었고, 위에 있는 F가 나중에 퇴적되었다.)
- D 퇴적－E 퇴적: 부정합의 법칙 (D 퇴적과 E 퇴적 사이에는 긴 시간 간격이 있다.)

Q2. 지층 생성 순서를 쓰시오.
→ B－A－C－D－E－F

Q3. 이 지층에서는 최소 몇 회의 융기 과정이 있었는지 쓰시오.
→ 지질 단면에서 부정합면이 2개 나타난다. 현재 F층이 지표에 노출되어 침식을 받고 있으므로 이 지층은 최소 3회 이상의 융기 과정이 있었다.

개념
확인하기

1 퇴적물이 퇴적될 때는 중력의 영향을 받아 (　　　)으로 퇴적된다.
2 역전되지 않은 지층에서 먼저 퇴적된 지층은 나중에 퇴적된 지층보다 위에 위치한다.　　　(○, ×)
3 관입당한 암석은 관입한 암석보다 (먼저, 나중에) 생성되었다.

답 1. 수평 2. × 3. 먼저

---

❹ 관입암상과 난정합 구분
변성 작용이 일어난 부분, 포획암과 기저 역암의 유무로 구분한다.

❺ 관입 화성암과 분출 화성암
- 관입 화성암: 관입암상의 화성암은 지하에서 관입한 마그마가 천천히 식어 심성암을 형성한다.
- 분출 화성암: 난정합의 화성암은 지표로 분출한 용암이 빠르게 식어 화산암을 형성한다.

강의 콕 ❼
부정합의 생성 과정에서는 반드시 융기로 인해 지층의 퇴적이 중단된 시기가 있어야 한다. 따라서 부정합면의 수만큼 해당 지역에서는 융기가 일어났을 것이고, 지층이 육지로 드러나려면 융기 과정을 한 번 더 거쳐야 한다.

▬▬▬▬ 용어 ▬▬▬▬
▶ 조성: 물질을 만드는 요소들의 구성

셀파 세미나 ─────────────── S·H·E·R·P·A

▶ 지사학의 법칙을 적용하여 지질 단면도를 해석해 보자.

지질 단면도 해석하기

그림은 지층의 역전이 없었던 지역의 지질 단면도이다.

① 수평 퇴적의 법칙
지층 A, B, C, E는 층리가 기울어져 있는 경사층이다. 따라서 지층이 수평으로 퇴적된 후 지각 변동을 받았다.

② 지층 누중의 법칙
이 지역에서는 지층의 역전이 일어나지 않았으므로 아래에 위치한 지층부터 A, B, C, E 순으로 퇴적되었다.

⑤ 부정합의 법칙
지층 H와 지층 G, 화성암 F 및 지층 G와 지층 A, B, C, E, 화성암 D는 부정합 관계에 있다. 따라서 F 관입과 H 퇴적, D 관입과 G 퇴적 사이에는 긴 시간 간격이 있다.

자료 돋보기
지질 단면도와 관련된 문제를 풀 때는 다음과 같은 단계를 거치도록 한다.
① 지문의 조건문 또는 그림에 주어지는 퇴적 구조로 지층의 역전 여부를 파악한다.
② 지사학의 법칙을 이용하여 지층의 퇴적 및 지질학적 사건의 순서를 찾는다.
③ '지구의 역사' 단원에서 배운 퇴적암, 퇴적 구조, 지질 구조, 절대 연령, 화석 등의 개념들을 이용하여 지층을 종합적으로 분석한다.

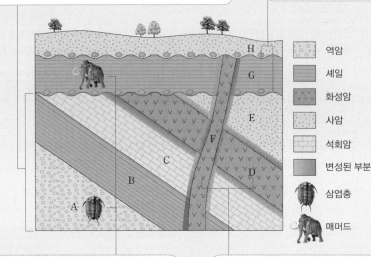

역암
셰일
화성암
사암
석회암
변성된 부분
삼엽충
매머드

③ 동물군 천이의 법칙
지층 A에서 삼엽충 화석이 발견되고, 지층 G에서 매머드 화석이 발견된다. 지층 A는 고생대에 형성된 지층이고, 지층 G는 신생대에 형성된 지층이다.

④ 관입의 법칙
화성암 D는 지층 C와 E 사이를 관입하며 형성되었으므로 지층 E가 퇴적된 이후에 관입하였다. 화성암 F는 지층 B, C, E, G, 화성암 D를 관입하며 형성되었으므로 지층 G가 퇴적된 이후에 관입하였다.

+ 유의점
관입이 두 번 일어난 지질 단면도에서는 두 번의 관입 사이에 일어난 지질학적 사건들을 파악하도록 한다.

※ 이 지역에서 일어난 지질학적 사건
- A 퇴적(고생대) → B 퇴적 → C 퇴적 → E 퇴적 → D 관입 → 습곡 → 융기 → 침식 → 침강 → G 퇴적 ┌─── 조륙 운동 ───┐
 (부정합, 신생대) → F 관입 → 융기 → 침식 → 침강 → H 퇴적(부정합) → 융기 → 침식
- 현재 지층 H가 육지에 노출되어 있으므로 침식 작용이 진행 중이다.

---

1 그림은 어느 지역의 지질 단면도를 나타낸 것이다.

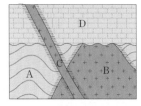

(1) 지층 A와 지층 D의 선후를 판단할 때 이용되는 지사학의 법칙은?   답 부정합의 법칙

(2) 다음은 이 지역에서 일어난 지질학적 사건이다. 빈칸에 알맞은 말을 쓰시오.

A 퇴적 → 습곡 → (   ) → 융기 → (   ) → 침강 → D 퇴적(부정합) → (   )

답 C 관입, 침식·풍화, B 관입

2 그림은 어느 지역의 지질 단면도를 나타낸 것이다.

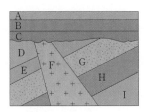

(1) 이 지역은 지층의 역전이 일어나지 않았다. A~I의 지층을 형성된 순서대로 쓰시오.
답 I-H-G-E-D-F-C-B-A

(2) 지층의 융기가 일어나기 전 일어난 지질학적 사건 중 가장 최근에 일어난 것은?

① 지층 D 퇴적   ② 조산 운동
③ 화성암 F 관입   ④ 지층 풍화·침식 작용
⑤ C 퇴적

| 해설 | D 퇴적 → 습곡 → 화성암 F 관입 → 지층 융기 → 지층 풍화·침식 작용 → 침강 → C 퇴적 순으로 일어났다.   답 ⑤

기초 탄탄 문제

정답과 해설 20쪽

핵심용어_ 이 단원에서 내가 아는 것과 아직 모르는 것을 정리하며 나의 공부를 돌아보자.

- ☐ 동일 과정의 원리
- ☐ 수평 퇴적의 법칙
- ☐ 지층 누중의 법칙
- ☐ 동물군 천이의 법칙
- ☐ 관입의 법칙
- ☐ 부정합의 법칙

01 다음은 어느 화석에 대한 설명이다.

> 조초산호의 서식 환경은 수온이 18 ℃ 이상, 25 ℃ 전후가 최적이며, 투명도가 높고 햇빛이 도달하는 수심 50 m 이내의 얕은 곳이 적당하다. 따라서 조초산호가 발견되는 지층은 수온 25 ℃ 전후의 투명도가 높은 얕은 해수 속에서 생성되었을 것이다.

위와 같은 결론을 가능하게 한 지사학 연구의 기본 원리는?

① 동일 과정의 원리
② 수평 퇴적의 법칙
③ 부정합의 법칙
④ 관입의 법칙
⑤ 동물군 천이의 법칙

02 다음은 어느 지역의 지층에 대한 설명이다.

이곳에서는 경사층이 나타나므로 ⒜ 지층이 사선으로 퇴적되었다. 지층은 현재 융기하여 노출되어 있으므로 ⒝ 침식 작용을 활발하게 받을 것이다. 이 지역에 지층의 침강이 일어나고 새로운 지층이 쌓이면 ⒞ 관입의 법칙을 이용하여 지층의 선후 관계를 판단할 수 있다.

⒜~ⒸⒸ 중 옳은 것만을 있는 대로 고른 것은?

① ⒜
② ⒝
③ ⒞
④ ⒜, ⒝
⑤ ⒝, ⒞

03 지사학의 법칙에 대한 설명으로 옳지 **않은** 것은?

① 퇴적물은 중력의 영향으로 수평면과 나란하게 퇴적된다.
② 지층의 역전이 일어나지 않은 지역에서 먼저 퇴적된 지층은 나중에 퇴적된 지층보다 아래에 위치한다.
③ 오래된 지층일수록 더욱 진화된 화석이 발견된다.
④ 관입한 암석은 관입당한 암석보다 나중에 생성되었다.
⑤ 부정합면을 기준으로 위아래 두 지층 사이에는 큰 시간 간격이 있다.

[04~05] 그림은 지층의 역전이 일어나지 않은 어느 지역의 지질 단면도를 나타낸 것이다. A, B, C, E는 퇴적암이며, D는 화강암이다.

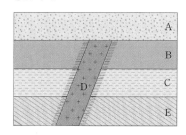

04 지층의 생성 순서로 옳은 것은?

① D−E−C−B−A
② D−A−E−C−B
③ E−C−B−D−A
④ E−C−B−A−D
⑤ E−C−D−B−A

05 지층 B와 C, B와 D의 생성 순서를 판단하는 데 이용된 지사학의 법칙을 〈보기〉에서 골라 각각 옳게 짝 지은 것은?

> ┤ 보기 ├
> ㄱ. 지층 누중의 법칙
> ㄴ. 동물군 천이의 법칙
> ㄷ. 관입의 법칙
> ㄹ. 부정합의 법칙

	B−C	B−D
①	ㄱ	ㄴ
②	ㄱ	ㄷ
③	ㄴ	ㄱ
④	ㄷ	ㄱ
⑤	ㄷ	ㄹ

내신 만점 문제

정답과 해설 21쪽

* ▭▭▭ 난이도를 나타냅니다.

01 ▭ 그림 (가)와 (나)는 인접한 두 지역의 입체 지질 단면도를 나타낸 것이다.

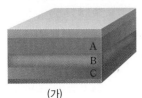 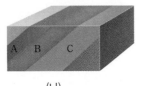

(가)　　　　　　(나)

이에 대한 설명으로 옳은 것만을 〈보기〉에서 있는 대로 고른 것은? (단, 두 지역의 지층은 역전되지 않았다.)

┤ 보기 ├
ㄱ. 지층의 생성 시기는 A가 C보다 빠르다.
ㄴ. (나)의 지층은 수평면과 나란하게 퇴적되었다.
ㄷ. 두 지역의 지층은 모두 지각 변동을 받지 않았다.

① ㄱ　　　　② ㄴ　　　　③ ㄱ, ㄷ
④ ㄴ, ㄷ　　　⑤ ㄱ, ㄴ, ㄷ

02 ▭▭ 그림은 어느 지역의 지질 단면도 및 암석 A를 나타낸 것이다.

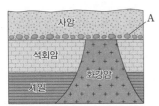

이에 대한 설명으로 옳은 것만을 〈보기〉에서 있는 대로 고른 것은?

┤ 보기 ├
ㄱ. A는 사암이다.
ㄴ. 석회암층과 사암층은 부정합 관계이다.
ㄷ. 사암층은 마그마의 열에 의한 변성 작용을 받았다.

① ㄱ　　　　② ㄴ　　　　③ ㄱ, ㄷ
④ ㄴ, ㄷ　　　⑤ ㄱ, ㄴ, ㄷ

03 ▭ 그림 (가)는 어느 지역의 지층에서 산출되는 화석을, (나)는 표준 화석의 생물이 생존한 시기를 나타낸 것이다.

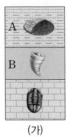

화석	생존 시기
(조개 화석)	약 5000만 년 전 ~ 3000만 년 전
(삼엽충 화석)	약 5억 4000만 년 전 ~ 2억 5000만 년 전

(가)　　　　　　(나)

이에 대한 설명으로 옳은 것만을 〈보기〉에서 있는 대로 고른 것은?

┤ 보기 ├
ㄱ. 지층 A는 약 5000만 년 전과 3000만 년 전 사이에 퇴적되었다.
ㄴ. (가) 지역의 지층은 역전되었다.
ㄷ. 지층 B에서 산출되는 화석은 약 5억 4000만 년 전 이후에 생존했었다.

① ㄱ　　　　② ㄴ　　　　③ ㄷ
④ ㄱ, ㄷ　　　⑤ ㄴ, ㄷ

04 ▭▭ 그림 (가)와 (나)는 어느 두 지역의 지층 및 화성암을 나타낸 것이다.

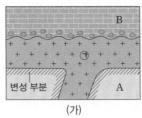 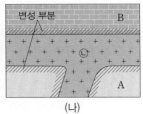

(가)　　　　　　(나)

이에 대한 설명으로 옳은 것만을 〈보기〉에서 있는 대로 고른 것은? (단, ㉠은 용암이 분출되어 형성되었다.)

┤ 보기 ├
ㄱ. (가)에서 마그마는 지층 A와 B 사이를 관입하였다.
ㄴ. (나)에서 ㉡은 B보다 먼저 생성되었다.
ㄷ. 마그마의 냉각 속도는 ㉡보다 ㉠이 빨랐다.

① ㄱ　　　　② ㄷ　　　　③ ㄱ, ㄴ
④ ㄴ, ㄷ　　　⑤ ㄱ, ㄴ, ㄷ

그림은 어느 지역의 지질 단면도를 나타낸 것이다.

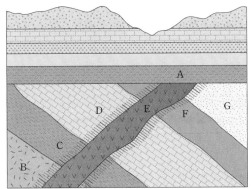

이에 대한 설명으로 옳은 것만을 〈보기〉에서 있는 대로 고른 것은? (단, 지층은 역전되지 않았다.)

┌─ 보기 ┐
ㄱ. A가 E보다 먼저 생성되었다.
ㄴ. 가장 오래된 지층은 B이다.
ㄷ. 이 지역은 최소 2회 이상의 융기가 일어났다.
└─────┘

① ㄱ   ② ㄷ   ③ ㄱ, ㄴ
④ ㄴ, ㄷ   ⑤ ㄱ, ㄴ, ㄷ

06 그림은 부정합이 형성된 어느 지역의 단면을 나타낸 것이다.

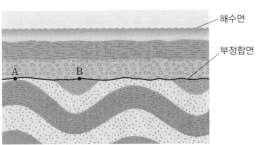

이 지역에 대한 설명으로 옳은 것만을 〈보기〉에서 있는 대로 고른 것은? (단, 지층은 역전되지 않았다.)

┌─ 보기 ┐
ㄱ. 횡압력을 받은 적이 있다.
ㄴ. 해수면의 높이가 부정합면보다 낮았던 적이 있다.
ㄷ. 부정합면을 경계로 이웃한 상하 두 지층이 생성된 시간 차이는 A가 B보다 크다.
└─────┘

① ㄱ   ② ㄷ   ③ ㄱ, ㄴ
④ ㄴ, ㄷ   ⑤ ㄱ, ㄴ, ㄷ

서술형 문제

07 그림은 어느 지역의 입체 지질 단면도를 나타낸 것이다.

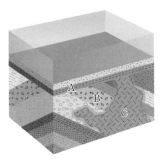

(1) 그림에서 부정합면을 찾아 표시하시오.

_____

(2) B층과 C층의 생성 시기를 결정하는 데 적용한 지사학의 법칙을 쓰고, 그 법칙을 적용한 까닭을 서술하시오.

_____

_____

08 그림은 어느 지역의 지질 단면도를 나타낸 것이다.

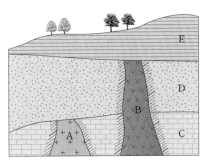

(1) 이 지역의 암석이 생성된 과정을 부정합을 포함하여 순서대로 서술하시오. (단, A, B는 화성암이다.)

_____

_____

(2) 이 지역에서 융기와 침강은 최소 몇 회 일어났는지 쓰고, 그와 같이 생각한 까닭을 서술하시오.

_____

_____

핵심 Point
- 지층의 상대 연령과 절대 연령의 의미를 이해한다.
- 암석의 특징과 화석을 이용한 지층 대비를 알아본다.
- 암석의 절대 연령을 구하는 원리를 이해한다.

---

1 상대 연령과 지층의 대비

1. **상대 연령** 지사학의 법칙을 이용하여 지층이나 암석의 생성 시기 및 지질학적 사건을 상대적인 선후 관계로 나타낸 것

2. **지층의 대비** 지층의 특징이나 화석을 이용하여 여러 지역에 분포하는 지층들의 시간적인 선후 관계를 밝히는 것

① 암상에 의한 대비: 지층을 구성하는 암석의 종류나 성분, 조직, 퇴적 구조 등을 파악하여 지층의 선후 관계를 파악하는 방법
   - 비교적 가까운 거리에 있는 지층의 대비에 이용된다.
   - 건층(열쇠층): 석탄층❶, 응회암층과 같이 비교적 짧은 시간 동안 넓은 지역에서 동시에 퇴적되어 뚜렷한 특징을 지닌 지층으로, 지층 대비의 기준이 된다.

> **암상에 의한 대비**
>
> I 지역 (이암, 사암, 역암, 석회암, 응회암, 셰일, 이암)
> II 지역 (역암, 석회암, 응회암, 셰일, 이암, 사암, 석회암, 셰일)
> III 지역 (사암, 역암, 석회암, 응회암, 셰일, 사암, 석회암, 결층 존재)
>
> - 응회암층을 건층으로 하여 I 지역, II 지역, III 지역 지층을 대비하면 10개의 지층이 있음을 알 수 있다.
> - 퇴적 순서: 셰일 – 석회암 – 사암 – 이암 – 셰일 – 응회암 – 석회암 – 역암 – 사암 – 이암
> - III 지역에서 셰일과 사암 사이에 결층이 있으므로 두 층은 부정합 관계이다.

② 화석에 의한 대비: 특정한 시기의 지층에서만 발견되는 화석을 이용하여 지층의 선후 관계를 파악하는 방법
   - 가까운 거리뿐만 아니라 멀리 떨어져 있는 지층의 대비에도 이용된다. *(거리가 멀기 때문에 같은 시기에 퇴적된 지층이 같은 암석이 아닐 수 있다.)*
   - 동물군 천이의 법칙과 표준 화석❷을 이용한다.

> **화석에 의한 대비**
>
>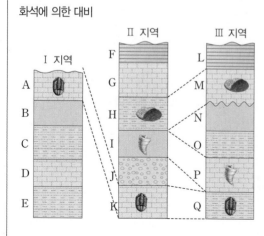
>
> I 지역 (A, B, C, D, E)
> II 지역 (F, G, H, I, J, K)
> III 지역 (L, M, N, O, P, Q)
>
> - 세 지역에서 세 종류의 화석이 특정 지층에서 발견된다. 같은 종류의 화석이 발견되는 지층은 같은 시기에 퇴적된 지층으로 추정할 수 있다.
> - 가장 오래된 지층은 I 지역의 E층이다.
> - III 지역에서 M층과 P층 사이에는 N층과 O층이 존재하지만 같은 화석이 발견되는 II 지역에서 H층과 I층 사이에는 N층과 O층이 존재하지 않는다. 따라서 H층과 I층은 부정합 관계이다.

---

❶ 석탄층

죽은 식물이 썩지 않은 상태에서 해수면 변화로 퇴적층에 묻히는 과정이 되풀이되면 땅속에서 높은 온도와 압력을 받아 수 m 두께의 석탄층이 만들어진다. 고생대 석탄기뿐만 아니라 중생대와 신생대 지층에서도 발견된다.

❷ 표준 화석

특정한 지질 시대의 지층에서만 산출되어 지층의 생성 시기를 알려주는 화석이다.

지질 시대	표준 화석
고생대	삼엽충, 필석
중생대	공룡, 암모나이트
신생대	매머드, 화폐석

━━━ 용어 ━━━

▶ **건층**: 다른 지층과 구별하기 쉬운 지층

▶ **결층**: 침식으로 사라져버린 지층으로, 부정합에서 나타난다.

2 절대 연령

1. **절대 연령** 지층이나 암석의 생성 시기 및 지질학적 사건의 발생 시기를 수치로 나타낸 것

2. **절대 연령 측정** 방사성 동위 원소를 분석하여 알아낸다.

① 방사성▶동위 원소❸: 외부의 온도나 압력 조건에 관계없이 항상 일정한 비율로 붕괴하여 안정한 원소로 변한다.

② 모원소❹와 자원소: 원래의 방사성 동위 원소를 모원소, 모원소가 붕괴하여 새로 생성된 원소를 자원소라고 한다.

③ 반감기: 방사성 동위 원소가 붕괴하여 모원소의 양이 처음의 반으로 줄어드는 데 걸리는 시간

모원소	자원소	반감기	모원소	자원소	반감기
^{238}U	^{206}Pb	약 44.7억 년	^{40}K	^{40}Ar	약 12.7억 년
^{235}U	^{207}Pb	약 7.0억 년	^{87}Rb	^{87}Sr	약 492억 년
^{232}Th	^{208}Pb	약 141억 년	^{14}C	^{14}N	약 5730년

④ 방사성 동위 원소의 반감기를 알고 광물에 포함된 모원소와 자원소의 비율을 조사하면 해당 광물이나 암석의 절대 연령을 알 수 있다.

┐ 자료 파헤치기 ┌

방사성 동위 원소 붕괴 곡선

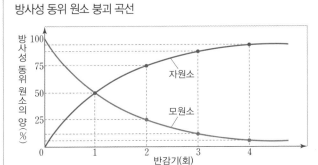

- 모원소의 처음 양을 N_0, 반감기를 n번 지난 후 모원소의 양을 N이라고 하면

$$N = N_0 \times \left(\frac{1}{2}\right)^n$$

- 모원소의 반감기를 T, 암석이나 광물의 절대 연령을 t라고 하면,

$$N = N_0 \times \left(\frac{1}{2}\right)^{\frac{t}{T}}, \left(n = \frac{t}{T}\right)$$

이다.

---

3. 방사성 동위 원소의 선택

① 암석의 나이에 비해 반감기가 너무 긴 경우: 모원소가 붕괴한 양이 너무 적어 측정이 어렵다.

② 암석의 나이에 비해 반감기가 너무 짧은 경우: 모원소가 대부분 붕괴하여 측정이 어렵다.

③ 오래된 암석의 절대 연령은 반감기가 긴 방사성 동위 원소를, 가까운 지질 시대의 암석이나 유기물에는 반감기가 짧은 방사성 동위 원소를 이용한다.

4. 암석과 절대 연령

① 화성암: 마그마에서 광물이 정출되어 화성암이 생성된 시기를 알 수 있다.

② 변성암: 변성 작용이 일어나 변성암이 생성된 시기를 알 수 있다.

③ 퇴적암: 생성 시기가 다른 여러 퇴적물이 섞여 있어 정확한 절대 연령을 알기 어렵다.

개념 확인하기

1 비교적 짧은 시간에 넓은 지역에서 동시에 퇴적되어 지층의 대비에 기준이 되는 지층은 ( )이다.

2 지층의 대비에 이용되는 화석은 생존 기간이 길수록 유리하다. (○ ×)

3 반감기가 한 번 지나면 모원소와 자원소의 비율은 1 : 1이다. (○ ×)

---

❸ **방사성 동위 원소**

동위 원소 중 자연 상태에서 불안정하기 때문에 스스로 붕괴하여 방사선을 방출하면서 안정한 원소로 변하는 원소이다.

❹ **모원소**

마그마에는 과거의 방사성 붕괴에 의한 모원소와 자원소가 함께 섞여 있지만 마그마가 냉각되면서 새롭게 생성되는 광물은 생성 과정에서 모원소만을 받아들이기 때문에 처음 화성암이 생성될 때는 모원소만을 포함한다.

셀파 콕콕 🔍
방사성 동위 원소 붕괴 곡선의 세로축에서 모원소의 양이 처음 모원소 양의 50 % 또는 $\frac{1}{2}$이 될 때까지 걸린 가로축의 시간이 반감기이다.

강의 콕 📢
방사성 붕괴의 진행에 따른 반감기와 남아 있는 모원소의 비율

반감기 (T)	남아 있는 모원소의 비율
T	$\frac{1}{2}$ (50 %)
$2T$	$\frac{1}{4}$ (25 %)
$3T$	$\frac{1}{8}$ (12.5 %)
$4T$	$\frac{1}{16}$ (6.25 %)
$5T$	$\frac{1}{32}$ (3.125 %)

━━━ 용어 ━━━

▶ **동위 원소**: 양성자 수가 같아 원자 번호는 같지만 중성자 수가 달라 질량이 다른 원소

정답 1. 건층
2. × 3. ○

지층의 절대 연령 구하기

같은 주제 다른 탐구

화성암의 절대 연령 구하기

[과정]

그림은 방사성 동위 원소 Y의 붕괴 곡선이다. 화성암 Z에는 방사성 동위 원소 Y가 처음 양의 $\frac{1}{8}$이 남아 있다.

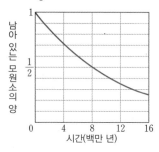

[결과 및 정리]

방사성 동위 원소 Y의 반감기는 8백만 년이다. 화성암 Z에 남아 있는 방사성 동위 원소 Y는 반감기를 3번 지났으므로 절대 연령은 2400만 년이다.

유의점

❶ 방사성 동위 원소의 붕괴 곡선에서 남아 있는 모원소의 양이 50 %가 될 때의 시간이 반감기이다.

❷ 퇴적암인 암석 A, B, C는 방사성 동위 원소의 반감기를 이용한 절대 연령 측정이 어렵다.

시험 유형은?

❶ 남아 있는 모원소의 양이 처음 양의 25 %가 되는 데 걸린 시간이 1억 년이었다면, 이 방사성 동위 원소의 반감기는?
▶ 5천만 년

❷ 퇴적암, 화성암, 변성암 중 방사성 동위 원소를 이용한 암석의 절대 연령 측정에 가장 적합한 암석은?
▶ 화성암

목표 방사성 동위 원소의 반감기를 이용하여 암석의 절대 연령을 계산할 수 있다.

과정

그림 (가)는 방사성 동위 원소 X의 붕괴 곡선을, (나)는 어느 지역의 지질 단면도를 나타낸 것이다. 이 지역에 분포하는 화성암 D와 E에는 방사성 동위 원소 X와 그 자원소가 각각 1:31, 1:3의 비율로 들어 있으며 지층의 역전은 없었다.

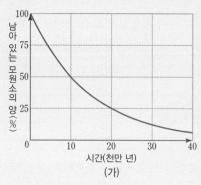

(가)

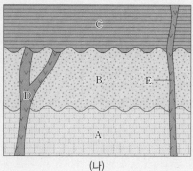

(나)

결과 및 정리

1. (가)에서 방사성 동위 원소 X의 반감기는?
→ 방사성 동위 원소의 붕괴로 남아 있는 모원소의 양은 시간이 흐름에 따라 지속적으로 감소한다. 남아 있는 모원소의 양이 처음 양의 50 %가 될 때까지의 시간이 반감기이므로 방사성 동위 원소 X의 반감기는 1억 년이다.

2. (나)에서 화성암 D와 E의 절대 연령은?
→ 화성암 D에 들어 있는 방사성 동위 원소 X와 자원소의 비율이 1:31이므로 방사성 동위 원소 X는 처음 양의 $\frac{1}{32} = \left(\frac{1}{2}\right)^5$이 남아 있다. 따라서 반감기가 5번 지났음을 알 수 있다. 방사성 동위 원소 X의 반감기는 1억 년이므로, 화성암 D의 절대 연령은 5억 년이다. 화성암 E에 들어 있는 방사성 동위 원소 X와 자원소의 비율은 1:3이므로 방사성 동위 원소 X는 처음 양의 $\frac{1}{4} = \left(\frac{1}{2}\right)^2$이 남아 있다. 따라서 반감기가 2번 지났고 화성암 E의 절대 연령은 2억 년이다.

3. 이 지역에 분포하는 암석을 생성 시기가 오래된 것부터 순서대로 나열하면?
→ A – B – D – C – E

탐구 대표 문제 정답과 해설 22쪽

01 이 탐구에 대한 설명으로 옳지 <u>않은</u> 것은?

① 방사성 동위 원소 X의 반감기는 1억 년이다.

② 어떤 암석에 남아 있는 방사성 동위 원소의 양이 처음 양의 $\frac{1}{16}$이라면 반감기가 4번 지났다.

③ D는 B보다 먼저 생성되었다.

④ 이 지역은 오랫동안 퇴적이 중단된 적이 있다.

⑤ 화성암 D는 화성암 E보다 먼저 생성되었다.

기초 탄탄 문제

정답과 해설 23쪽

핵심용어_ 이 단원에서 내가 아는 것과 아직 모르는 것을 정리하며 나의 공부를 돌아보자.

□ 상대 연령 □ 건층
□ 지층의 대비 □ 절대 연령
□ 방사성 동위 원소 □ 반감기

01 지층의 대비에 대한 설명으로 옳지 <u>않은</u> 것은?

① 여러 지역에 분포하는 지층이나 암석의 시간적인 선후 관계를 밝히는 것이다.
② 암상에 의한 대비는 주로 암석의 종류나 퇴적 구조 등을 이용한다.
③ 암상에 의한 대비는 비교적 먼 거리에 있는 지층의 대비에 이용된다.
④ 건층으로는 짧은 시간 동안 넓은 지역에서 퇴적된 지층이 적합하다.
⑤ 화석에 의한 대비에는 주로 표준 화석이 이용된다.

02 건층으로 이용되기에 가장 적합한 지층은?

① 역암층 ② 사암층 ③ 응회암층
④ 셰일층 ⑤ 석회암층

03 지층의 연령에 대한 설명으로 옳지 <u>않은</u> 것은?

① 절대 연령은 암석이나 지층이 생성된 시기를 수치로 나타낸 것이다.
② 상대 연령은 여러 지역의 지층을 대비하여 알아낸다.
③ 멀리 떨어진 지층의 대비에는 화석에 의한 대비가 유리하다.
④ 지층의 대비에는 주로 생존 기간이 긴 화석을 이용한다.
⑤ 절대 연령은 방사성 동위 원소를 이용하여 알아낸다.

04 그림은 어느 지역에 분포하는 지층의 단면을 나타낸 것이다.

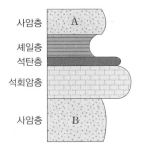

이에 대한 설명으로 옳은 것은? (단, 이 지역의 지층은 역전되지 않았다.)

① 석회암층이 가장 나중에 형성되었다.
② 건층으로 가장 적당한 지층은 석탄층이다.
③ 석회암층은 지층 대비에 기준이 된다.
④ 사암층 A의 절대 연령은 사암층 B의 절대 연령보다 많다.
⑤ 셰일층의 절대 연령은 방사성 동위 원소를 이용하여 알아낸다.

05 그림 (가)~(다)는 방사성 원소의 붕괴에 따른 모원소 X와 자원소 Y의 개수를 나타낸 것이다.

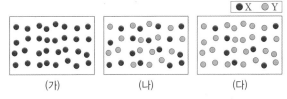

이에 대한 설명으로 옳지 <u>않은</u> 것은?

① 붕괴가 진행된 순서는 (가)→(나)→(다)이다.
② (나)에서 X와 Y의 개수는 같다.
③ (가)→(나)의 시간 간격과 (나)→(다)의 시간 간격은 서로 같다.
④ (다)는 반감기가 1번 지난 후의 모습이다.
⑤ (다)에서 모원소는 최초의 25 %로 감소했다.

06 반감기에 대한 설명으로 옳은 것은?

① 반감기는 시간이 지날수록 감소한다.

② 반감기는 화학 변화에 의해 변하지 않는다.

③ 반감기는 지하의 온도가 높으면 감소한다.

④ 반감기는 모든 원소에 대하여 동일하다.

⑤ 반감기가 두 번 지나면 모원소와 자원소의 양이 동일해진다.

07 어떤 암석 속에 들어 있는 방사성 원소의 모원소와 자원소의 양을 조사하였더니 모원소는 $\frac{1}{8}$, 자원소는 $\frac{7}{8}$이 들어 있었다. 이 암석이 생성된 후 반감기는 몇 번 지난 것인가? (단, 암석이 생성된 이후 방사성 원소는 외부로 빠져나가거나 외부에서 유입되지 않았다.)

① 1번 　　② 2번 　　③ 3번

④ 4번 　　⑤ 5번

08 방사성 동위 원소를 이용한 암석의 절대 연령 측정에 대한 설명으로 옳지 <u>않은</u> 것은?

① 퇴적암의 생성 시기 측정에 적합하다.

② 방사성 동위 원소의 반감기를 이용한다.

③ 적절한 반감기를 갖는 동위 원소를 이용한다.

④ 정확한 생성 시기를 밝히는 데 이용할 수 있다.

⑤ 반감기는 땅속의 온도 변화에 관계없이 일정하다.

[09~11] 그림 (가)는 어느 지역의 지질 단면도이고, (나)는 화성암 C에 들어 있는 방사성 원소 X의 붕괴 곡선이다.

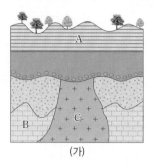
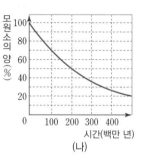

(가)　　　　　　　(나)

09 (가)에서 지층과 암석이 생성된 순서를 오래된 시간부터 순서대로 나열한 것은?

① A−B−C 　　② B−A−C

③ B−C−A 　　④ C−A−B

⑤ C−B−A

10 (나)에서 방사성 원소 X의 반감기는 얼마인가?

① 1억 년 　　② 2억 년

③ 3억 년 　　④ 4억 년

⑤ 5억 년

11 (가)에서 화성암 C에 방사성 원소 X가 25 %, 자원소가 75 % 들어 있었다면 화성암 C의 연령은 얼마인가?

① 2억 년 　　② 3억 년

③ 4억 년 　　④ 5억 년

⑤ 6억 년

내신 만점 **문제**

* ▮▮▮ 난이도를 나타냅니다.

01 그림은 인접한 서로 다른 지역의 지질 단면도를 나타낸 것이다.

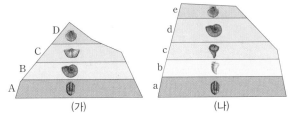

(가)   (나)

이에 대한 설명으로 옳은 것만을 〈보기〉에서 있는 대로 고른 것은?

┤ 보기 ├
ㄱ. (가)에서 지층 A와 B는 부정합 관계이다.
ㄴ. 지층 B는 지층 c보다 먼저 퇴적되었다.
ㄷ. (가)와 (나) 지역에서 지층들이 모두 퇴적되는 데 걸린 시간은 (나)가 (가)보다 훨씬 길다.

① ㄱ   ② ㄷ   ③ ㄱ, ㄴ
④ ㄴ, ㄷ   ⑤ ㄱ, ㄴ, ㄷ

02 그림은 (가)~(다) 세 지역의 지층과 산출되는 표준 화석을 기호로 나타낸 것이다.
이에 대한 설명으로 옳은 것만을 〈보기〉에서 있는 대로 고른 것은? (단, 이 지역에서 지층의 역전은 일어나지 않았다.)

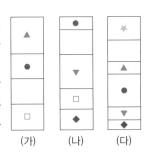

(가)   (나)   (다)

┤ 보기 ├
ㄱ. 가장 오래된 표준 화석은 ◆이다.
ㄴ. 가장 퇴적 기간이 긴 지역은 (다)이다.
ㄷ. □ 화석이 (다) 지역에서 발견되지 않는 것으로 보아 (다) 지역은 수면 위로 융기한 적이 있었다.

① ㄱ   ② ㄷ   ③ ㄱ, ㄴ
④ ㄴ, ㄷ   ⑤ ㄱ, ㄴ, ㄷ

03 그림 (가)와 (나)는 인접한 서로 다른 두 지역의 지층 및 산출되는 화석을 나타낸 것이다.

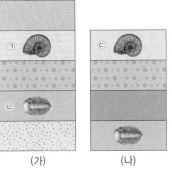

(가)   (나)

이에 대한 설명으로 옳은 것만을 〈보기〉에서 있는 대로 고른 것은? (단, 두 지역에서 다른 퇴적 과정은 일어나지 않았다.)

┤ 보기 ├
ㄱ. 지층 ㉠과 ㉢은 같은 지질 시대에 퇴적되었다.
ㄴ. (가)에서 지층 ㉡이 퇴적된 이후 퇴적이 중단된 시기가 있었다.
ㄷ. 두 지역의 지층이 퇴적된 기간은 (가)가 (나)보다 길다.

① ㄱ   ② ㄷ   ③ ㄱ, ㄴ
④ ㄴ, ㄷ   ⑤ ㄱ, ㄴ, ㄷ

04 그림은 어떤 방사성 동위 원소의 붕괴 곡선을 나타낸 것이다.

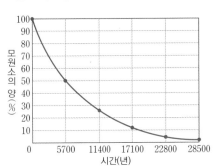

이에 대한 설명으로 옳은 것만을 〈보기〉에서 있는 대로 고른 것은?

┤ 보기 ├
ㄱ. 반감기는 5700년이다.
ㄴ. 이 방사성 원소는 붕괴하여 납으로 바뀐다.
ㄷ. 이 방사성 원소를 이용한 절대 연령 측정은 생성 시기가 오래될수록 유리하다.

① ㄱ   ② ㄷ   ③ ㄱ, ㄴ
④ ㄴ, ㄷ   ⑤ ㄱ, ㄴ, ㄷ

05 그림은 시간에 따른 방사성 동위 원소 A의 붕괴 곡선 및 A
의 붕괴로 생성된 자원소 B의 양을 나타낸 것이다.

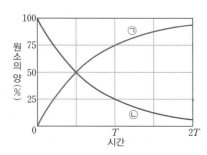

이에 대한 설명으로 옳은 것만을 〈보기〉에서 있는 대로 고른
것은?

┤ 보기 ├

ㄱ. A의 붕괴 곡선은 ㉠이다.

ㄴ. A의 반감기는 T이다.

ㄷ. 시간이 지남에 따라 $\dfrac{붕괴로 생성된 B의 양}{남아 있는 A의 양}$의 값은
커진다.

① ㄱ   ② ㄷ   ③ ㄱ, ㄴ

④ ㄴ, ㄷ   ⑤ ㄱ, ㄴ, ㄷ

 06 그림 (가)는 어느 지역의 지질 단면도를, (나)는 방사성 원소
X의 붕괴 곡선을 나타낸 것이다. 화성암 P와 Q에 포함된 방
사성 원소 X의 양은 각각 처음 양의 $\dfrac{1}{2}$과 $\dfrac{1}{4}$이다.

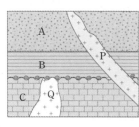

(가)   (나)

이에 대한 설명으로 옳은 것만을 〈보기〉에서 있는 대로 고른
것은?

┤ 보기 ├

ㄱ. 가장 오래된 지층은 C이다.

ㄴ. 지층 A는 14~21억 년 전 사이에 퇴적되었다.

ㄷ. 지층 B와 C 사이에 퇴적이 중단된 시기가 있었다.

① ㄱ   ② ㄴ   ③ ㄱ, ㄷ

④ ㄴ, ㄷ   ⑤ ㄱ, ㄴ, ㄷ

[07~08] 그림은 방사성 동위 원소 A~D의 붕괴 곡선을 나타낸
것이다.

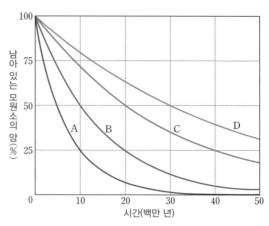

07 방사성 원소 A~D에 대한 설명으로 옳은 것만을 〈보기〉에
서 있는 대로 고른 것은?

┤ 보기 ├

ㄱ. 반감기는 A가 B보다 길다.

ㄴ. 붕괴 속도는 C가 D보다 빠르다.

ㄷ. 절대 연령이 5천만 년인 화성암에 남아 있는 A는
처음 양의 10 % 미만이다.

① ㄱ   ② ㄷ   ③ ㄱ, ㄴ

④ ㄴ, ㄷ   ⑤ ㄱ, ㄴ, ㄷ

08 방사성 동위 원소 B와 D가 같은 양 포함된 화성암이 방사성
붕괴하는 경우에 대한 설명으로 옳은 것만을 〈보기〉에서 있
는 대로 고른 것은?

┤ 보기 ├

ㄱ. 암석에 포함된 방사성 동위 원소의 양은 항상 B가
D보다 많다.

ㄴ. 암석의 나이가 많을수록 B보다 D를 이용하여 절
대 연령을 구하는 것이 유리하다.

ㄷ. 4천만 년 후 남아 있는 B와 D의 양은 처음 양의
50 %보다 적다.

① ㄱ   ② ㄷ   ③ ㄱ, ㄴ

④ ㄴ, ㄷ   ⑤ ㄱ, ㄴ, ㄷ

[09~10] 그림은 어느 지역에 분포하는 지층의 단면을 나타낸 것이다. E와 C는 화성암, X와 Y는 부정합면이다.

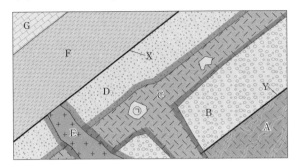

09 이 지역의 지층에 대한 설명으로 옳은 것만을 〈보기〉에서 있는 대로 고른 것은?

┃ 보기 ┃
ㄱ. C는 분출에 의해 생성된 화성암이다.
ㄴ. 이 지역은 최소 2회의 융기가 있었다.
ㄷ. 포획암 ㉠은 화성암 E와 같은 암석이다.

① ㄱ   ② ㄴ   ③ ㄱ, ㄷ
④ ㄴ, ㄷ   ⑤ ㄱ, ㄴ, ㄷ

10 그림은 화성암 C와 E에 공통으로 들어 있는 방사성 원소 Z의 붕괴 곡선을 나타낸 것이다. C와 E에는 Z가 각각 처음 양의 $\frac{1}{16}$, $\frac{1}{8}$이 남아 있다.

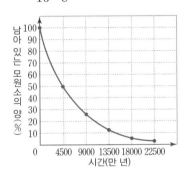

이에 대한 설명으로 옳은 것만을 〈보기〉에서 있는 대로 고른 것은?

┃ 보기 ┃
ㄱ. 부정합 X와 부정합 Y의 형성 시간 차이는 4000만 년 이상이다.
ㄴ. 암석의 절대 연령은 C가 E보다 2배 많다.
ㄷ. 지층 D의 절대 연령은 1억 8000만 년보다 많다.

① ㄱ   ② ㄴ   ③ ㄱ, ㄷ
④ ㄴ, ㄷ   ⑤ ㄱ, ㄴ, ㄷ

서술형 문제

11 그림은 인접한 세 지역 (가)~(다)에 분포하는 지층을 나타낸 것이다. 세 지역의 지층은 역전되지 않았으며, 같은 종류의 지층은 동일한 시기에 형성되었다.

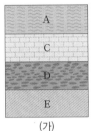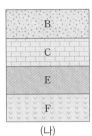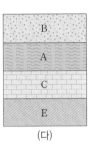

(1) 이 지역의 모든 지층을 생성된 순서대로 나열하시오.

(2) (나) 지역에 존재하는 부정합면의 개수와 위치를 서술하시오.

12 어떤 화성암에 포함된 방사성 동위 원소 ^{40}K과 ^{40}K의 붕괴로 만들어진 ^{40}Ar의 비율이 1 : 3이었다면, 이 화성암의 생성 시기를 구하는 과정을 서술하시오. (단, ^{40}K의 반감기는 약 13억 년이다.)

13 반감기가 1억 년인 방사성 동위 원소 X와 반감기가 2억 년인 방사성 동위 원소 Y가 같은 양이 포함된 어떤 암석이 4억 년이 지난 후에 남아 있는 모원소 X와 Y의 양을 비교하여 서술하시오.

05 지질 시대의 환경과 생물

내 교과서는 어디에?
천재 p.67~71 금성 p.62~70
미래엔 p.64~71 비상 p.58~65 YBM p.62~72

핵심 Point
- 지질 시대의 구분 기준을 알아본다.
- 지질 시대를 기(紀) 수준까지 알아본다.
- 화석 자료를 통한 지질 시대 생물과 기후 변화를 이해한다.

---

1 표준 화석과 시상 화석

1. 화석의 생성과 종류

① 화석: 과거 지질 시대❶에 살았던 생물의 유해나 활동 흔적❷이 지층 속에 보존되어 있는 것
  - 주로 퇴적암에서 발견된다.

② 화석의 생성 조건
  - 생물체의 개체 수가 많아야 한다.
  - 생물체에 뼈나 줄기, 껍데기와 같은 단단한 부분이 있어야 한다.
  - 생물체가 박테리아로 분해되기 전에 땅속에 빨리 매몰되어야 한다.　}　생물체의 형태가 유지되어야 한다.
  - 퇴적암이 생성된 후 심한 지각 변동이나 변성 작용을 받지 않아야 한다.

③ 화석의 생성 및 발견 과정

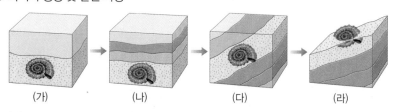

(가)　　　(나)　　　(다)　　　(라)

(가) 생물체가 죽은 후 퇴적물에 빠르게 매몰된다.
(나) 퇴적물이 계속 쌓이면서 생물체는 화석화 작용을 받게 된다.
(다) 지각 변동으로 화석이 매몰된 지층이 수면 위로 융기한다.
(라) 풍화와 침식 작용을 받아 몰드 또는 캐스트의 형태로 화석이 지표에 노출된다.

몰드와 캐스트

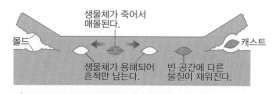

- 몰드: 생물체의 외형과 같은 틀이 남는 화석
- 캐스트: 광물질이 몰드에 채워져 생물체의 원형이 복원되는 화석

2. 표준 화석과 시상 화석

구분	표준 화석	시상 화석
정의	특정 시기에 출현하여 일정 기간 번성하다가 멸종된 생물의 화석	환경 변화에 민감하여 특정한 환경에서만 번성하는 생물의 화석
조건	지리적으로 넓게 분포해야 하며, 개체 수가 많고 생존 기간이 짧아야 한다.	지리적으로 좁은, 특정한 환경에서만 분포하며 생존 기간이 길어야 한다.
이용	지층이 생성된 시기를 판단하는 근거로 이용되거나 지층의 대비에 이용된다. • 화석에 의한 대비	생물이 살던 당시의 기후나 자연 환경을 추정하는 데 이용된다. • 퇴적 구조와 함께 퇴적 환경 추정
예	• 삼엽충❸: 고생대　　• 공룡: 중생대 • 매머드: 신생대	• 산호: 수심이 얕은 따뜻한 바다 • 고사리: 따뜻하고 습한 육지

---

❶ 지질 시대
지구가 탄생한 약 46억 년 전부터 현재까지의 기간

❷ 체화석과 생흔 화석
- 체화석: 생물의 뼈, 이빨, 껍데기 같은 골격 화석
- 생흔 화석: 생물의 발자국, 배설물, 서식을 위해 판 구멍 등 퇴적암에 남아 있는 흔적 화석

❸ 삼엽충
약 5억 4000만 년 전 고생대 캄브리아기에 처음 출현하였고 고생대 말에 멸종하였다. 삼엽충은 바다에서 서식한 생물이며 형태가 편평하다.

셀파 콕콕
분포 면적과 생존 기간에 따른 표준 화석과 시상 화석의 조건

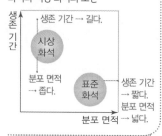

━━ 용어 ━━
▶ 매몰: 보이지 않게 파묻히거나 파묻음

2 고기후 연구 방법

1. 산소 동위 원소비$\left(\dfrac{^{18}O}{^{16}O}\right)$ 연구

- 빙하를 구성하는 물 분자, 유공충과 같은 화석, 석회 동굴의 석순 등에 포함된 산소 동위 원소비$\left(\dfrac{^{18}O}{^{16}O}\right)$를 연구하여 과거의 기후를 알 수 있다.

2. 빙하 코어❹ 연구

① 결정 사이에 포함된 공기 방울 분석: 빙하 형성 당시의 대기 조성을 알 수 있다. → 과거 공기가 보존되어 있다.

② 빙하에 포함된 꽃가루 분석: 식물의 종류나 번성했던 식물을 통해 과거의 기온을 알 수 있다.

3. 생물체 연구

① 나무의 나이테 연구: 나이테의 폭과 밀도를 조사하여 기온과 강수량의 변화를 알 수 있다.

② 산호의 성장률 연구: 수온이 높을수록 산호의 성장 속도가 빠르므로 과거의 수온을 알 수 있다.

> **기후에 따른 산소 동위 원소비❺**
> - ^{18}O는 ^{16}O보다 상대적으로 무겁기 때문에 증발이 잘 일어나지 않는다. 온난한 시기에는 ^{18}O와 ^{16}O의 증발이 모두 활발하지만, 한랭한 시기에는 ^{18}O의 증발량이 상대적으로 감소하면서 대기 중의 ^{18}O의 양은 감소하고 해수의 ^{18}O의 양은 증가한다.
> - 빙하는 대기의 수증기가 비로 내려 형성되므로 빙하의 산소 동위 원소비는 생성 당시 대기의 산소 동위 원소비와 같다.
> - 유공충 껍데기는 바다에 존재하는 물질로 형성되므로 유공충 화석의 산소 동위 원소비는 형성 당시 바다의 산소 동위 원소비와 같다.

3 지질 시대의 구분

1. 지질 시대 지구가 탄생한 약 46억 년 전~현재

2. 지질 시대의 구분❻

① 구분 기준: 고생물의 출현과 멸종, 지각 변동, 기후 변화 등

② 구분 단위: 누대(累代, Eon) → 대(代, Era) → 기(紀, Period)

③ 지질 시대의 구분

- 상대적으로 최근에 생존했던 화석이나 지각 변동의 흔적이 많이 남아 있으므로 현재와 가까운 지질 시대가 더 세분화되어 있다.

시생 누대	원생 누대	현생 누대											
		고생대						중생대			신생대		
선캄브리아 시대		캄브리아기	오르도비스기	실루리아기	데본기	석탄기	페름기	트라이아스기	쥐라기	백악기	팔레오기	네오기	제4기

▲ 46억 년 전 　▲ 5.41억 년 전 　　　　　　　 ▲ 2.52억 년 전 　 ▲ 6600만 년 전

❹ 빙하 코어

빙하에 구멍을 뚫어 채취한 원통 모양의 얼음 기둥이다.

❺ 산소 동위 원소비$\left(\dfrac{^{18}O}{^{16}O}\right)$의 변화

구분	온난 시기	한랭 시기
빙하	높다	낮다
해양 생물 화석	낮다	높다

셀파 콕콕
대(代) 단위의 지질 시대는 생물의 멸종으로 구분할 수 있다. 생물 종의 수 변화 그래프에서 개체 수가 급감하는 시기를 기준으로 고생대, 중생대, 신생대를 구분한다.

❻ 지질 시대의 상대적 길이

지구가 약 46억 년 전에 탄생하였고 고생대가 약 5억 4100만 년부터 시작되므로 지질 시대 대부분은 선캄브리아 시대이다.

고생대 (6.3 %) 　 중생대 (4.1 %) 　 신생대 (1.4 %) 　 현생 누대 　 선캄브리아 시대 (88.2 %)

―― 용어 ――

▶ 선캄브리아 시대: 고생대 최초의 시기가 캄브리아기이므로 그 이전의 시대라는 의미로 선캄브리아 시대라고 부른다.

개념 확인하기

1 화석은 주로 ( )암에서 발견된다.

2 표준 화석은 생물이 살던 기후나 자연 환경을 추정하는 데 이용된다. (○ , ×)

3 시상 화석은 생존 기간이 (길 , 짧)고, 분포 면적이 (넓 , 좁)다.

4 지질 시대의 대부분을 차지하며, 원생 누대와 시생 누대를 합친 시대는 ( ) 시대이다.

5 신생대는 ( ), ( ), ( )로 세분한다.

答 1. 퇴적 2. ×
3. 짧, 좁
4. 선캄브리아
5. 팔레오기, 네오기, 제4기

셀파 탐구

고기후 연구 방법 조사하기

목표 고기후를 연구하는 방법과 원리를 조사하고, 지질 시대 동안 일어난 기후 변화를 설명할 수 있다.

과정

다음은 지질 시대의 기후 변화를 연구하는 다양한 방법 중 일부를 나타낸 것이다.

빙하 코어 연구	석회 동굴의 석순
• 눈 결정 사이에 과거의 대기 성분이 포함되어 있다. • 물 분자의 산소 동위 원소비 $\left(\dfrac{^{18}O}{^{16}O}\right)$를 측정한다.	• 석순의 성장 속도는 동굴의 습도와 강수량의 영향을 받는다. • 석순에 포함된 탄소 방사성 동위 원소를 이용한다.
꽃가루 화석	나무의 나이테
• 기온에 따라 서식하는 식물이 달라지므로 지층에 퇴적되는 꽃가루의 종류도 달라진다.	• 나무의 생장률은 기온과 강수량에 따라 달라진다. • 생장률에 따라 나이테의 간격이 달라진다.

결과 및 정리

1. 빙하 코어의 물 분자에 포함된 산소 동위 원소비 $\left(\dfrac{^{18}O}{^{16}O}\right)$를 이용하여 기온 변화를 알아내는 원리는 무엇인가?
 → ^{18}O는 ^{16}O보다 상대적으로 무겁기 때문에 증발이 잘 일어나지 않는다. 기온이 낮아지면 ^{18}O의 증발량이 감소하고 대기 중 ^{18}O의 비율이 낮아진다. 따라서 눈이 내려 형성되는 빙하의 산소 동위 원소비 $\left(\dfrac{^{18}O}{^{16}O}\right)$가 낮아진다. 반대로 기온이 높아지면 빙하의 산소 동위 원소비 $\left(\dfrac{^{18}O}{^{16}O}\right)$가 높아진다.

2. 석순에 포함된 탄소 방사성 동위 원소를 이용하여 알아낼 수 있는 정보는 무엇인가?
 → 방사성 탄소(^{14}C)는 불안정하여 스스로 붕괴하며 반감기는 약 5700년이다. 석순의 생성 이후 방사성 탄소의 양은 계속 감소하므로 남아 있는 방사성 탄소의 양을 알면 석순의 생성 시기를 알아낼 수 있다.

3. 기온이 낮을 때와 비교해 기온이 높을 때 꽃가루 화석과 나무의 나이테에 나타나는 변화는 무엇인가?
 → 기온이 높아지면 침엽수보다 활엽수의 꽃가루가 많아지고, 나무는 생장이 활발해져 나이테 사이의 간격이 넓어진다.

유의점

❶ 빙하는 해수가 얼어서 형성되기보다 대기에서 눈이 내려 형성된다.

❷ 기온의 변화는 수온에 영향을 미치게 되며, ^{18}O 및 ^{16}O의 상대적인 증발량은 수온에 따라 달라진다.

탐구 돋보기

기온이 높을 때는 대기 중의 수증기 및 빙하의 산소 동위 원소비 $\left(\dfrac{^{18}O}{^{16}O}\right)$가 높아지고, 해양 생물의 산소 동위 원소비 $\left(\dfrac{^{18}O}{^{16}O}\right)$는 낮아진다.

시험 유형은?

❶ 빙하 속 물 분자에 포함된 산소 동위 원소비 $\left(\dfrac{^{18}O}{^{16}O}\right)$는 기온이 하강하면 어떻게 달라지는가?
▶ 기온이 하강하면 빙하 속 물 분자에 포함된 산소 동위 원소비 $\left(\dfrac{^{18}O}{^{16}O}\right)$는 낮아진다.

❷ 꽃가루 화석을 이용하여 알아낼 수 있는 고기후 환경은?
▶ 기온이 높은 시기에는 활엽수의 꽃가루가 많아지고, 기온이 낮은 시기에는 침엽수의 꽃가루가 많아진다.

탐구 대표 문제 정답과 해설 26쪽

01 이 탐구에 대한 설명으로 옳지 <u>않은</u> 것은?

① 빙하에 포함된 공기를 통해 당시의 대기 조성을 알 수 있다.

② 기온이 낮을수록 ^{16}O보다 ^{18}O로 구성된 물 분자의 증발이 잘 일어난다.

③ 탄소 방사성 동위 원소의 반감기를 이용하여 석순의 생성 시기를 알 수 있다.

④ 꽃가루 화석을 통해 당시 서식했던 식물을 알 수 있다.

⑤ 나무의 생장이 활발할수록 나이테의 간격이 넓어진다.

4 지질 시대의 환경과 생물

1. 선캄브리아 시대의 환경과 생물

환경	• 대륙 지각 형성 • 오존층 형성 이전 시기 → 지표까지 강한 자외선이 직접 도달 → 생물의 서식지가 바다로 제한
생물	• 선캄브리아 시대 화석이 거의 발견되지 않는 까닭 → 현재까지 많은 지각 변동을 받아 대부분의 지층이나 화석이 변형되거나 소실되었다. **시생 누대** • 생명체가 물속에서 처음 등장 • 남세균 출현 → 광합성 → 대기 중 산소 농도 증가(스트로마톨라이트❶ 화석) **원생 누대** • 다세포 생물 출현(에디아카라 동물군❷ 화석) • 단단한 껍데기를 가진 생물 출현

2. 고생대의 환경과 생물

환경	• 오존층 형성으로 자외선 차단 → 육상 생물 등장 → 생물의 폭발적 증가 • 고생대 말(페름기 말)에 여러 대륙이 모여 하나의 초대륙인 판게아❸ 형성 → 판의 충돌로 여러 차례 대규모 조산 운동 발생
기후	• 대체로 온난, 후기에 빙하기
생물	• 해양 무척추동물(삼엽충), 양서류, 양치식물 번성

캄브리아기
• 삼엽충, 완족류 등의 해양 무척추동물 번성

오르도비스기 ┐ 어류
• 최초의 척추동물 출현
• 두족류, 필석류 번성

실루리아기
• 갑주어 번성
• 육상 식물 출현

데본기
• 어류 번성
• 양서류 출현

석탄기
• 양서류 번성 • 파충류 출현
• 양치식물의 번성 → 석탄층 형성

페름기 ┐ 은행나무, 소철
• 겉씨식물 출현
• 생물의 대멸종

▲ 삼엽충

▲ 완족류

▲ 필석

▲ 방추충

3. 중생대의 환경과 생물

환경	• 트라이아스기 말부터 판게아 분리 → 다양한 생물 서식지 형성
기후	• 빙하기가 없는 온난한 기후 지속
생물	• 파충류(공룡), 암모나이트, 겉씨식물 번성

트라이아스기
• 암모나이트, 파충류, 겉씨식물 번성
• 말기에 포유류 출현

쥐라기
• 육지에서 거대한 파충류(공룡) 번성
• 말기에 시조새 출현

백악기
• 속씨식물 출현
• 말기에 생물의 대량 멸종

▲ 암모나이트

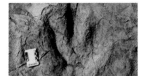
▲ 공룡 발자국

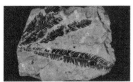
▲ 겉씨식물

---

❶ 스트로마톨라이트
남세균이 퇴적물과 함께 남긴 퇴적 구조 화석

❷ 에디아카라 동물군
오스트레일리아 남부의 에디아카라 언덕 사암층에서 산출되는 다량의 다세포 동물 화석이다. 대부분 해파리와 같이 딱딱한 골격을 갖고 있지 않다.

❸ 판게아(초대륙)
고생대 말에 대륙들이 하나로 모여 형성한 거대한 초대륙이다.

4. 신생대의 환경과 생물

환경	• 오늘날과 비슷한 수륙 분포 형성	• 히말라야산맥 형성
기후	• 팔레오기와 네오기는 대체로 온난하였으나, 제4기부터 빙하기와 간빙기가 반복 • 마지막 빙하기는 약 1만 년 전❹	
생물	• 포유류(매머드), 화폐석, 속씨식물 번성	

팔레오기, 네오기
• 겉씨식물 쇠퇴, 속씨식물 번성 → 초원 형성
• 포유류 번성, 조류 출현
• 유공충의 일종인 화폐석 출현 및 멸종

제4기 ┌ 단풍나무, 참나무
• 속씨식물 번성
• 대형 포유류(매머드) 번성
• 인류의 조상 출현 → 영장류 출현

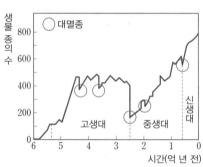

▲ 화폐석 ▲ 속씨식물

5. 대멸종 짧은 시간에 일어난 많은 생물들의 대규모 멸종

① 원인: 전 지구적으로 나타난 급격한 환경 변화 └ 고생대와 중생대 구분
② 고생대 오르도비스기 말, 데본기 말, 페름기 말, 중생대 트라이아스기 말, 백악기 말에 총 다섯 번의 대멸종이 있었다. └ 중생대와 신생대 구분
③ 가장 생물이 많이 멸종한 대멸종은 고생대 페름기 말에 일어났던 대멸종이다.

▲ 지질 시대 중 다섯 번의 대멸종

자료 파헤치기

지질 시대 중 대륙 이동과 수륙 분포

▲ 고생대 말   ▲ 중생대   ▲ 신생대 ← 대서양과 인도양이 확장된다   ▲ 현재

① 고생대 말 판게아가 형성되면서 지구에 존재하는 해안선의 길이가 짧아졌다. 생물이 살기 적합한 해안 지역과 얕은 수심의 해역이 감소하여 많은 생물이 멸종하였고, 고생대 말 생물 다양성이 감소하였다.
② 판게아는 중생대에 이르러 아메리카 대륙과 아프리카 대륙, 유라시아 대륙으로 분리된다. 대서양이 형성되고 인도 대륙이 북상하면서 인도양이 형성된다.
③ 신생대에는 인도 대륙이 유라시아 대륙과 충돌하면서 히말라야산맥이 형성된다.

---

❹ **지구의 평균 기온 변화**

지구 평균 기온(℃)

	12 17 22	
선캄브리아 시대		한랭
캄브리아기		온난
오르도비스기		
실루리아기		한랭
데본기		온난
석탄기		한랭
페름기		
트라이아스기		
쥐라기		
백악기		온난
팔레오기		
네오기		
제4기		한랭

암기 콕 🖊
번성 식물 순서
양치식물 → 겉씨식물 → 속씨식물
'겉과 속'

══ 용어 ══

▶ **매머드**: 약 480만 년 전부터 4천 년 전까지 존재했던 긴 코와 4 m 길이의 어금니를 가진 포유류

개념 확인하기

1 하나의 거대한 초대륙인 판게아는 (　　) 말에 형성되었다.
2 중생대 초기에는 (　　)식물이 번성하였고, 말기에는 (　　)식물이 출현하였다.
3 대륙의 이동으로 현재와 비슷한 수륙 분포가 만들어진 시기는 (　　)이다.
4 지구 역사상 가장 대규모의 멸종은 고생대 (　　)기 말에 일어났다.

답 1. 고생대(페름기)
2. 겉씨, 속씨
3. 신생대 4. 페름

기초 탄탄 문제

정답과 해설 26쪽

핵심용어_ 이 단원에서 내가 아는 것과 아직 모르는 것을 정리하며 나의 공부를 돌아보자.

- □ 표준 화석
- □ 시상 화석
- □ 고기후 연구 방법
- □ 산소 동위 원소비
- □ 지질 시대
- □ 판게아
- □ 빙하기
- □ 대멸종

01 화석의 형성에 대한 설명으로 옳지 <u>않은</u> 것은?

① 퇴적암, 화성암, 변성암에서 골고루 발견된다.

② 생물체가 서식을 위해 판 구멍도 화석에 해당한다.

③ 단단한 부분이 있을수록 화석 생성에 유리하다.

④ 생물체가 용해되어 흔적만 남은 화석은 몰드이다.

⑤ 생물체가 죽은 후 빠르게 매몰될수록 화석 생성에 유리하다.

02 과거의 기후 변화를 연구하는 데 이용되는 방법이 <u>아닌</u> 것은?

① 나무 나이테의 간격을 조사한다.

② 퇴적물 속의 꽃가루를 분석한다.

③ 빙하 얼음 속의 공기 방울을 분석한다.

④ 지진파의 종류와 이동 속도를 조사한다.

⑤ 지층 속에 포함된 화석의 종류를 조사한다.

03 지질 시대를 구분하는 기준이 되는 표준 화석만을 〈보기〉에서 있는 대로 고른 것은?

> 보기
> ㄱ. 삼엽충 　　　　　ㄴ. 고사리
> ㄷ. 산호 　　　　　　ㄹ. 화폐석

① ㄱ, ㄴ 　　　② ㄱ, ㄹ 　　　③ ㄴ, ㄷ

④ ㄴ, ㄹ 　　　⑤ ㄷ, ㄹ

04 그림은 약 46억 년 동안의 지구의 역사를 선캄브리아 시대, 고생대, 중생대, 신생대로 구분하여 각각의 상대적인 길이를 나타낸 것이다.

㉠ 최초의 광합성 생명체가 출현한 시기와 ㉡ 최초의 육상 식물이 출현한 시기를 각각 옳게 짝 지은 것은?

	㉠	㉡		㉠	㉡
①	A	B	②	A	C
③	C	B	④	D	A
⑤	D	B			

05 선캄브리아 시대에 대한 설명으로 옳지 <u>않은</u> 것은?

① 고생대 이전의 시기이다.

② 시생 누대와 원생 누대로 구분한다.

③ 최초의 생명체가 출현하였다.

④ 판게아가 형성되었다.

⑤ 에디아카라 동물군 화석이 만들어졌다.

06 지질 시대 동안 나타났던 생물계의 주요 특징으로 옳지 <u>않은</u> 것은?

① 선캄브리아 시대 — 남세균 출현

② 고생대 — 필석 번성

③ 중생대 — 최초의 어류 출현

④ 중생대 — 시조새 출현

⑤ 신생대 — 속씨식물 번성

내신 만점 문제

정답과 해설 27쪽

* ▮▮▮ 난이도를 나타냅니다.

01 ▮▮ 그림 (가)~(다)는 지질 시대의 화석을 나타낸 것이다.

(가) 화폐석 (나) 삼엽충 (다) 암모나이트

이에 대한 설명으로 옳은 것만을 〈보기〉에서 있는 대로 고른 것은?

┤ 보기 ├
ㄱ. 생존 시기는 (가)가 (나)보다 먼저이다.
ㄴ. (나)와 (다)는 주로 시상 화석으로 이용된다.
ㄷ. 모두 바다에서 퇴적된 지층에서 발견된다.

① ㄱ   ② ㄷ   ③ ㄱ, ㄴ
④ ㄴ, ㄷ   ⑤ ㄱ, ㄴ, ㄷ

02 ▮ 표는 어느 지역에서 발견되는 두 지층 A와 B의 특징을 나타낸 것이다.

구분	지층 A	지층 B
특징	• 석회암층 • 삼엽충 화석 발견	• 셰일층 • 공룡알 화석 발견

이에 대한 설명으로 옳은 것만을 〈보기〉에서 있는 대로 고른 것은?

┤ 보기 ├
ㄱ. 지층의 생성 순서는 지층 A가 지층 B보다 먼저이다.
ㄴ. 지층 A에서는 양치식물 화석이 발견될 수 있다.
ㄷ. 지층 B가 퇴적된 시기에는 빙하기가 있었다.

① ㄱ   ② ㄷ   ③ ㄱ, ㄴ
④ ㄴ, ㄷ   ⑤ ㄱ, ㄴ, ㄷ

03 그림은 표준 화석과 시상 화석을 생존 기간과 분포 면적에 따라 A, B로 구분하여 순서 없이 나타낸 것이다.

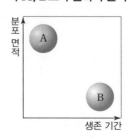

이에 대한 설명으로 옳은 것만을 〈보기〉에서 있는 대로 고른 것은?

┤ 보기 ├
ㄱ. 시상 화석은 A이다.
ㄴ. B의 예로는 암모나이트가 있다.
ㄷ. 지층의 대비에는 A가 B보다 적합하다.

① ㄱ   ② ㄷ   ③ ㄱ, ㄴ
④ ㄴ, ㄷ   ⑤ ㄱ, ㄴ, ㄷ

04 ▮▮ 그림 (가)와 (나)는 고기후 연구에 이용되는 소재를 나타낸 것이다.

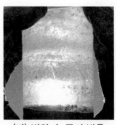 

(가) 빙하 속 공기 방울 (나) 산호 화석

이에 대한 설명으로 옳은 것만을 〈보기〉에서 있는 대로 고른 것은?

┤ 보기 ├
ㄱ. (가)를 통해 빙하 생성 당시의 대기 조성을 알 수 있다.
ㄴ. (나)의 성장률을 분석하면 과거의 수온 변화 경향을 알아낼 수 있다.
ㄷ. 고기후를 연구하기에는 시상 화석보다 표준 화석이 더 유리하다.

① ㄱ   ② ㄷ   ③ ㄱ, ㄴ
④ ㄴ, ㄷ   ⑤ ㄱ, ㄴ, ㄷ

05 그림은 그린란드 지역에 내린 눈의 산소 동위 원소비$\left(\frac{^{18}O}{^{16}O}\right)$ 및 이 지역의 기온 변화를 나타낸 것이다.

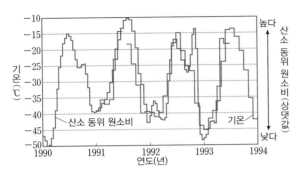

이에 대한 설명으로 옳은 것만을 〈보기〉에서 있는 대로 고른 것은?

┤ 보기 ├
ㄱ. 눈의 산소 동위 원소비는 기온이 높을수록 높아진다.
ㄴ. 해수에서 증발하는 수증기의 산소 동위 원소비가 높아질수록 눈의 산소 동위 원소비는 낮아진다.
ㄷ. 1993년에는 8월이 12월보다 산소 동위 원소비가 높았을 것이다.

① ㄱ   ② ㄴ   ③ ㄱ, ㄷ
④ ㄴ, ㄷ   ⑤ ㄱ, ㄴ, ㄷ

06 그림은 고생대 말, 중생대, 신생대의 수륙 분포를 순서 없이 나타낸 것이다.

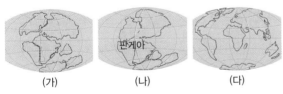

(가)   (나)   (다)

이에 대한 설명으로 옳은 것만을 〈보기〉에서 있는 대로 고른 것은?

┤ 보기 ├
ㄱ. 수륙 분포는 (나) → (다) → (가) 순으로 변화하였다.
ㄴ. 삼엽충의 멸종이 일어난 시기의 수륙 분포는 (가)이다.
ㄷ. (다) 시기에 히말라야산맥이 형성되었다.

① ㄱ   ② ㄷ   ③ ㄱ, ㄴ
④ ㄴ, ㄷ   ⑤ ㄱ, ㄴ, ㄷ

07 그림은 지구가 탄생한 46억 년 전부터 현재까지의 기간을 100 cm의 길이로 대비하여 나타낸 것이다.

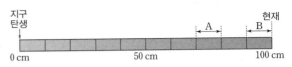

이에 대한 설명으로 옳은 것만을 〈보기〉에서 있는 대로 고른 것은?

┤ 보기 ├
ㄱ. 해양 무척추동물이 번성한 시기는 A이다.
ㄴ. A 시기에는 오존층이 형성되었다.
ㄷ. B 시기에는 삼엽충, 공룡, 매머드가 차례대로 번성하였다.

① ㄱ   ② ㄷ   ③ ㄱ, ㄴ
④ ㄴ, ㄷ   ⑤ ㄱ, ㄴ, ㄷ

08 표는 고생대를 기(紀) 수준으로 구분한 것이다.

고생대	페름기	─ A
	석탄기	
	데본기	
	실루리아기	
	오르도비스기	
	캄브리아기	─ B

이에 대한 설명으로 옳은 것만을 〈보기〉에서 있는 대로 고른 것은?

┤ 보기 ├
ㄱ. A 시기에는 빙하기가 있었다.
ㄴ. B 시기에는 육상 식물이 출현하였다.
ㄷ. 고생대 전반에 걸쳐 대멸종은 한 번 일어났다.

① ㄱ   ② ㄴ   ③ ㄱ, ㄷ
④ ㄴ, ㄷ   ⑤ ㄱ, ㄴ, ㄷ

09 그림은 지구에서 일어난 주요 사건을 시간 순서대로 나타낸 것이다.

A, B, C 기간에 대한 설명으로 옳은 것만을 〈보기〉에서 있는 대로 고른 것은?

┤ 보기 ├

ㄱ. A는 C보다 짧다.

ㄴ. A 기간 중 남세균의 광합성으로 대기 중 산소 농도 가 증가하였다.

ㄷ. 오존층이 형성된 시기는 B이다.

① ㄱ   ② ㄷ   ③ ㄱ, ㄴ

④ ㄴ, ㄷ   ⑤ ㄱ, ㄴ, ㄷ

11 다음은 어느 지질 시대의 특징을 정리한 것이다.

• 초기에는 대체로 온난했으나, 후기에는 여러 차례의 빙하기와 간빙기가 있었다.

• 겉씨식물이 쇠퇴하였고, 속씨식물이 번성하였다.

• 대형 포유류가 번성하였다.

이 지질 시대에 대한 설명으로 옳은 것만을 〈보기〉에서 있는 대로 고른 것은?

┤ 보기 ├

ㄱ. 지질 지대의 길이는 중생대보다 길다.

ㄴ. 화폐석이 번성하였다.

ㄷ. 영장류가 출현하였다.

① ㄱ   ② ㄷ   ③ ㄱ, ㄴ

④ ㄴ, ㄷ   ⑤ ㄱ, ㄴ, ㄷ

10 그림은 지질 시대를 특징에 따라 구분하는 과정을 나타낸 것이다.

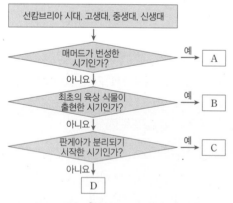

이에 대한 설명으로 옳은 것만을 〈보기〉에서 있는 대로 고른 것은?

┤ 보기 ├

ㄱ. A는 신생대이다.

ㄴ. B와 C 시기의 지층에서는 겉씨식물 화석이 발견 될 수 있다.

ㄷ. 지질 시대의 길이는 D가 가장 길다.

① ㄱ   ② ㄴ   ③ ㄱ, ㄷ

④ ㄴ, ㄷ   ⑤ ㄱ, ㄴ, ㄷ

12 그림은 지질 시대 동안의 동물과 식물의 출현 순서 중 일부를 나타낸 것이다.

이에 대한 설명으로 옳은 것만을 〈보기〉에서 있는 대로 고른 것은?

┤ 보기 ├

ㄱ. ㉠은 파충류이다.

ㄴ. ㉡과 ㉢은 중생대 지층에서 발견될 수 있다.

ㄷ. ㉡은 ㉢보다 먼저 출현하였다.

① ㄱ   ② ㄴ   ③ ㄱ, ㄷ

④ ㄴ, ㄷ   ⑤ ㄱ, ㄴ, ㄷ

그림은 현생 누대 동안의 지구 평균 기온 변화를 나타낸 것이다.

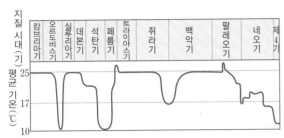

이에 대한 설명으로 옳은 것만을 〈보기〉에서 있는 대로 고른 것은?

─┤ 보기 ├─

ㄱ. 빙하 퇴적물은 고생대 초기보다 말기의 지층에서 많이 발견된다.

ㄴ. 중생대에는 한 번의 빙하기가 있었다.

ㄷ. 신생대는 초기보다 후기의 평균 기온이 낮았다.

① ㄱ   ② ㄴ   ③ ㄱ, ㄷ

④ ㄴ, ㄷ   ⑤ ㄱ, ㄴ, ㄷ

14 그림은 현생 누대 동안 나타난 해양 생물 과의 수 변화 및 대멸종이 일어난 시기를 나타낸 것이다.

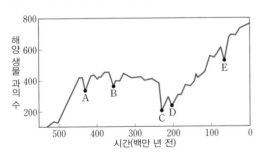

이에 대한 설명으로 옳은 것만을 〈보기〉에서 있는 대로 고른 것은?

─┤ 보기 ├─

ㄱ. 삼엽충의 멸종이 일어난 시기는 A이다.

ㄴ. 대(代) 단위의 지질 시대를 구분하는 경계가 되는 대멸종이 일어난 시기는 C와 E이다.

ㄷ. 판게아의 형성과 관계가 있는 대멸종은 E 시기에 일어났다.

① ㄱ   ② ㄴ   ③ ㄱ, ㄷ

④ ㄴ, ㄷ   ⑤ ㄱ, ㄴ, ㄷ

서술형 문제

15 다음은 A, B, C 세 지역의 지층을 이루는 암석과 화석을 조사한 후 작성한 보고서의 일부이다.

┌─────────────────────────────┐
탐구 활동 보고서

....

• A 지역: 석회암층에서 암모나이트 및 산호 화석이 발견됨.

• B 지역: 셰일층과 석회암층이 분포하며, 삼엽충과 완족류 화석이 발견됨.

• C 지역: 셰일층에서 공룡알 화석이 발견됨.
└─────────────────────────────┘

⑴ A 지역 석회암층의 생성 시기와 퇴적 환경을 화석을 이용하여 서술하시오.

_____

_____

_____

⑵ B 지역과 C 지역의 셰일층은 어떤 차이점이 있는지 화석을 이용하여 서술하시오.

_____

_____

_____

16 선캄브리아 시대는 전체 지질 시대 중 약 88 % 이상을 차지할 정도로 길지만, 다른 지질 시대에 비해 자세히 구분되지 않는다. 그 까닭은 무엇인지 서술하시오.

_____

_____

_____

17 지질 시대에는 크게 다섯 번의 대멸종이 일어났다. 이 중 대(代) 단위의 지질 시대를 구분하는 대멸종이 일어난 시기를 기(紀) 단위의 지질 시대를 기준으로 서술하시오.

_____

_____

1. 퇴적암의 생성 과정

① 퇴적암: 지표 암석의 풍화·침식 작용으로 생긴 쇄설물, 물 속에 녹아 있는 물질, 생물의 유해 등이 쌓이고 굳어져 만들어진 암석

② 속성 작용: 퇴적물이 쌓인 후 퇴적암이 만들어지기까지의 모든 과정

다짐 작용 (압축 작용)	두껍게 쌓인 퇴적물의 압력으로 퇴적물이 치밀하게 다져지는 작용 → 공극 감소, 밀도 증가
교결 작용	퇴적물 속의 수분이나 지하수에 녹아 있던 물질(규산염 광물, 산화 철, 탄산 칼슘 등)이 침전되면서 퇴적물 입자들을 붙여주는 작용

2. 퇴적암의 종류

쇄설성 퇴적암	암석의 풍화·침식 작용으로 생성된 입자들 또는 화산 쇄설물이 쌓여서 만들어진 암석 ⓔ 역암, 사암, 셰일, 응회암 등
화학적 퇴적암	물속에 녹아 있던 물질이 화학적으로 침전되거나 물의 증발로 침전되어 만들어진 암석 ⓔ 석회암, 처트, 암염 등
유기적 퇴적암	생물의 유해나 골격의 일부가 쌓여서 만들어진 암석 ⓔ 석탄, 석회암, 처트 등

3. 퇴적 구조

점이 층리	사층리
퇴적물의 크기에 따른 퇴적 속도 차이가 나타나 위로 갈수록 입자의 크기가 점점 작아지는 퇴적 구조 • 원인: 빠른 흐름(저탁류) • 환경: 심해저	얕은 물 밑이나 바람이 부는 사막에서 지층이 경사진 상태로 쌓이는 퇴적 구조 • 원인: 바람, 흐르는 물 • 환경: 얕은 하천이나 사막
연흔	건열
수심이 얕은 물 밑에서 물결의 작용에 의해 퇴적물의 표면에 생긴 물결 모양 퇴적 구조 • 원인: 잔물결이나 파도 • 환경: 수심이 얕은 곳	건조한 환경에서 퇴적물이 갈라져 퇴적암 표면에 V자 모양의 틈이 생긴 구조 • 원인: 증발, 건조한 대기에 노출 • 환경: 건조 기후 지역

4. 습곡과 단층

① 습곡: 지층이 횡압력을 받아 휘어진 구조

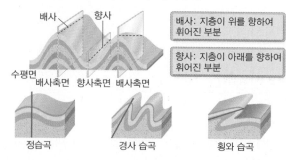

배사: 지층이 위를 향하여 휘어진 부분

향사: 지층이 아래를 향하여 휘어진 부분

정습곡 / 경사 습곡 / 횡와 습곡

② 단층: 지층이 힘을 받아 끊어져 서로 어긋난 구조

정단층	역단층	주향 이동 단층
장력을 받아 상반이 아래로 이동한 단층	횡압력을 받아 상반이 위로 이동한 단층	지층이 수평 방향으로 이동한 단층

5. 절리와 부정합

① 절리

정의	암석 내에 형성된 틈이나 균열
특징	틈을 경계로 지반의 이동이 없다. (단층은 지반의 이동이 있다.)
종류	주상 절리: 용암이 급격히 냉각되면서 수축하여 기둥 모양으로 만들어진 절리
	판상 절리: 지하 깊은 곳에 있던 암석이 지표로 드러나면서 압력 감소로 암석이 팽창하여 판 모양으로 만들어진 절리

② 부정합

정의	인접한 상하 지층 사이에 큰 시간 차이가 있을 때 두 지층의 관계
형성 과정	퇴적 → 융기 → 침식 → 침강 및 퇴적
특징	• 부정합면을 경계로 화석의 종류와 지질 구조가 크게 다르다. • 부정합면 위에 기저 역암이 쌓이는 경우가 많다.
종류	평행 부정합: 부정합면을 경계로 상하 지층이 나란한 부정합 → 조륙 운동을 받은 지층에서 생성
	경사 부정합: 부정합면을 경계로 상하 지층이 경사를 이루는 부정합 → 조산 운동을 받은 지층에서 생성
	난정합: 지하에서 형성된 심성암이나 변성암이 지표까지 융기하여 침식되고 그 위에 지층이 퇴적되어 나타나는 부정합

6. 지사학의 법칙

지사학의 법칙	내용
수평 퇴적의 법칙	지층은 수평으로 퇴적된다.
지층 누중의 법칙	아래의 지층이 위의 지층보다 먼저 퇴적되었다.
동물군 천이의 법칙	새로운 지층일수록 진화된 화석이 발견된다.
관입의 법칙	관입당한 암석은 관입한 암석보다 먼저 생성되었다.
부정합의 법칙	부정합면을 경계로 상하 두 지층 사이에는 큰 시간적 간격이 있다.

7. 상대 연령과 절대 연령

구분	상대 연령	절대 연령
정의	지층이나 암석의 생성 시기 및 지질학적 사건을 상대적인 선후 관계로 나타낸 것	지층이나 암석의 생성 시기 및 지질학적 사건의 발생 시기를 수치로 나타낸 것
방법	• 암상에 의한 대비 • 화석에 의한 대비	• 방사성 동위 원소의 반감기를 분석

8. 반감기

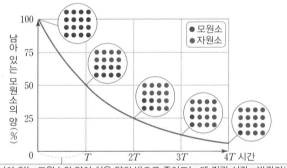

남아 있는 모원소의 양이 처음 양의 반으로 줄어드는 데 걸린 시간＝반감기(T)

▲ 방사성 동위 원소의 붕괴 곡선

① 반감기를 알고 광물에 포함된 모원소와 자원소의 비율을 조사하면 해당 광물이나 암석의 절대 연령을 알 수 있다.

② 시간에 따른 암석에 남아 있는 모원소와 자원소의 함량

반감기(T)	처음 양과 비교할 때 현재 남아 있는 모원소의 비율	모원소와 자원소의 비
T	$\frac{1}{2}$ (50 %)	1:1
$2T$	$\frac{1}{4}$ (25 %)	1:3
$3T$	$\frac{1}{8}$ (12.5 %)	1:7
$4T$	$\frac{1}{16}$ (6.25 %)	1:15
$5T$	$\frac{1}{32}$ (3.125 %)	1:31

9. 표준 화석과 시상 화석

① 표준 화석: 지층의 생성 시기를 알 수 있는 화석으로 생존 기간은 짧고, 분포 면적은 넓어야 한다. (예 삼엽충, 암모나이트, 화폐석 등)

② 시상 화석: 과거의 기후나 퇴적 환경을 알 수 있는 화석으로 생존 기간이 길고 환경 변화에 민감하여 분포 면적이 좁아야 한다. (예 산호, 고사리 등)

10. 고기후 연구 방법

① 연구 방법: 빙하 코어 연구, 유공충과 석순에 포함된 산소 동위 원소비 연구, 꽃가루 분석, 나이테 및 산호 연구

② 산소 동위 원소비$\left(\frac{^{18}O}{^{16}O}\right)$의 변화: 온난한 시기에는 ^{18}O의 증발이 잘 일어나 대기 중 산소 동위 원소비가 증가하고, 한랭한 시기에는 ^{18}O의 증발이 잘 일어나지 않아 대기 중 산소 동위 원소비가 감소한다.

구분	온난 시기	한랭 시기
대기 및 빙하의 $\frac{^{18}O}{^{16}O}$	높다	낮다
바다 및 해양 생물 화석의 $\frac{^{18}O}{^{16}O}$	낮다	높다

11. 지질 시대의 환경과 생물

지질 시대	특징
선캄브리아 시대	• 오존층이 없어 지표까지 자외선이 도달 • 자외선이 도달하지 않는 물속에서 최초의 해양 생물 출현 • 남세균의 광합성으로 대기 중 산소 농도 증가 • 원생 누대 후기에 다세포 생물 출현
고생대	• 오존층 형성으로 육상 생물 등장 • 최초의 척추동물인 어류 출현 • 삼엽충, 필석, 방추충 번성 • 양치식물 번성, 석탄층 형성 • 말기에 빙하기, 판게아 형성, 생물의 대규모 멸종
중생대	• 판게아의 분리, 대서양과 인도양 형성 • 빙하기가 없었던 온난한 기후 • 암모나이트, 파충류, 공룡 번성 • 겉씨식물 번성, 시조새 출현
신생대	• 오늘날과 같은 수륙 분포 형성, 히말라야산맥 형성 • 초기는 온난, 후기는 빙하기와 간빙기의 반복 • 속씨식물, 매머드, 화폐석 번성 • 인류의 조상 출현

01 그림은 퇴적암이 형성되는 과정을 나타낸 것이다.

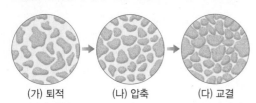

(가) 퇴적　　　　(나) 압축　　　　(다) 교결

이에 대한 설명으로 옳은 것만을 〈보기〉에서 있는 대로 고른 것은?

--- 보기 ---
ㄱ. (가)→(나) 과정에서 공극이 감소한다.
ㄴ. (나)→(다) 과정에서 밀도가 증가한다.
ㄷ. (가)→(나)→(다) 과정을 속성 작용이라고 한다.

① ㄱ　　　　② ㄷ　　　　③ ㄱ, ㄴ
④ ㄴ, ㄷ　　　⑤ ㄱ, ㄴ, ㄷ

02 그림은 여러 가지 퇴적 구조와 그 단면도를 나타낸 것이다.

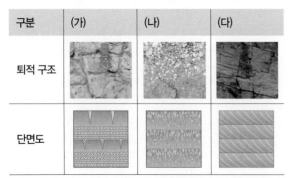

구분	(가)	(나)	(다)
퇴적 구조			
단면도			

(A) 퇴적 구조로 생성 당시에 물이 흘렀던 방향을 알 수 있는 것과, (B) 퇴적된 후에 지층이 역전된 것을 옳게 짝 지은 것은?

	A	B		A	B
①	(가)	(나)	②	(가)	(다)
③	(나)	(가)	④	(나)	(다)
⑤	(다)	(나)			

03 그림은 퇴적 구조가 관찰되는 지층의 단면을 나타낸 것이다.

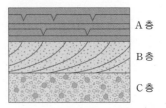

A층
B층
C층

이에 대한 설명으로 옳은 것만을 〈보기〉에서 있는 대로 고른 것은?

--- 보기 ---
ㄱ. A층은 생성되는 동안 건조한 대기에 노출된 시기가 있었다.
ㄴ. B층의 퇴적 구조는 지층의 상하 판단에 이용된다.
ㄷ. C층에서는 점이 층리가 관찰된다.

① ㄱ　　　　② ㄷ　　　　③ ㄱ, ㄴ
④ ㄴ, ㄷ　　　⑤ ㄱ, ㄴ, ㄷ

04 그림은 몇 가지 퇴적암을 분류하는 과정을 나타낸 것이다.

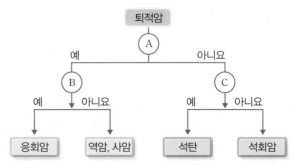

이에 대한 설명으로 옳은 것만을 〈보기〉에서 있는 대로 고른 것은?

--- 보기 ---
ㄱ. A의 질문으로 '쇄설성 퇴적물이 굳어진 암석인가?'가 들어갈 수 있다.
ㄴ. B에서 퇴적물의 종류로 응회암과 역암, 사암을 구분한다.
ㄷ. C에서 속성 작용의 유무로 석탄과 석회암을 구분한다.

① ㄱ　　　　② ㄷ　　　　③ ㄱ, ㄴ
④ ㄴ, ㄷ　　　⑤ ㄱ, ㄴ, ㄷ

05 표는 지형에 따른 퇴적 환경을 설명한 것이다.

지형	퇴적 환경
A	• 육상 환경이다. • 건조한 지역에서 강한 바람으로 모래 입자가 퇴적된다.
B	• 연안 환경이다. • 강의 하구와 바다가 만나는 곳에 삼각형 모양으로 형성된다.

A와 B 환경에 대한 설명으로 옳은 것만을 〈보기〉에서 있는 대로 고른 것은?

┤ 보기 ├
ㄱ. A에서는 퇴적 구조를 통해 바람의 방향을 알 수 있다.
ㄴ. B에서는 위로 갈수록 퇴적물 입자의 크기가 커진다.
ㄷ. B는 대륙붕과 같은 퇴적 환경에 속한다.

① ㄱ   ② ㄷ   ③ ㄱ, ㄴ
④ ㄴ, ㄷ   ⑤ ㄱ, ㄴ, ㄷ

06 그림 (가)와 (나)는 사암과 화강암이 분포하는 어느 두 지역의 지질 단면도를 나타낸 것이다.

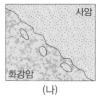
(가)   (나)

두 지역에서 암석의 포함 관계를 고려할 때, 지층의 생성 순서에 대한 설명으로 옳은 것만을 〈보기〉에서 있는 대로 고른 것은?

┤ 보기 ├
ㄱ. (가) 지역은 용암이 분출한 것으로 화강암이 먼저 형성되었다.
ㄴ. (나) 지역은 마그마가 관입한 것으로 사암이 먼저 형성되었다.
ㄷ. 사암에 마그마의 열로 변성 작용이 일어날 수 있는 곳은 (가) 지역이다.

① ㄱ   ② ㄴ   ③ ㄱ, ㄷ
④ ㄴ, ㄷ   ⑤ ㄱ, ㄴ, ㄷ

07 그림 (가)와 (나)는 서로 다른 지질 구조를 나타낸 것이다.

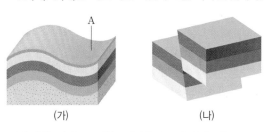
(가)   (나)

이에 대한 설명으로 옳은 것만을 〈보기〉에서 있는 대로 고른 것은?

┤ 보기 ├
ㄱ. (가)의 A는 향사에 해당한다.
ㄴ. (나)는 역단층이다.
ㄷ. (가)와 (나)는 판의 발산형 경계에서 잘 형성된다.

① ㄱ   ② ㄷ   ③ ㄱ, ㄴ
④ ㄴ, ㄷ   ⑤ ㄱ, ㄴ, ㄷ

08 그림 (가)와 (나)는 서로 다른 종류의 부정합이 생성되는 과정을 나타낸 것이다.

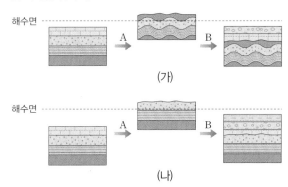
(가)

(나)

이에 대한 설명으로 옳은 것만을 〈보기〉에서 있는 대로 고른 것은?

┤ 보기 ├
ㄱ. A는 융기, B는 침강의 과정이다.
ㄴ. A와 B 사이에 퇴적이 중단되는 현상이 나타난다.
ㄷ. (가)에서는 부정합면을 경계로 상하 지층이 경사져 있다.

① ㄱ   ② ㄴ   ③ ㄱ, ㄷ
④ ㄴ, ㄷ   ⑤ ㄱ, ㄴ, ㄷ

09 그림은 어느 지역의 지질 단면도를 나타낸 것이다. 이에 대한 설명으로 옳은 것만을 〈보기〉에서 있는 대로 고른 것은? (단, 이 지역에서 지층의 역전은 없었다.)

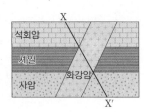

┤ 보기 ├

ㄱ. 사암은 석회암보다 먼저 퇴적되었다.

ㄴ. 화강암의 상대 연령을 알려면 관입의 법칙을 이용해야 한다.

ㄷ. X−X′ 구간에서의 암석 연령을 나타낸 그래프는 오른쪽 그림과 같다.

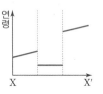

① ㄱ   ② ㄴ   ③ ㄱ, ㄷ
④ ㄴ, ㄷ   ⑤ ㄱ, ㄴ, ㄷ

10 그림 (가)와 (나)는 두 지역의 지질 단면도를 나타낸 것이다.

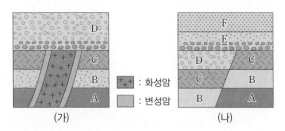

(가)   (나)

이에 대한 설명으로 옳은 것만을 〈보기〉에서 있는 대로 고른 것은? (단, A~F는 퇴적암이다.)

┤ 보기 ├

ㄱ. (가)에서 화성암은 D보다 나중에 생성되었다.

ㄴ. (나)에서 단층은 장력을 받아 형성되었다.

ㄷ. 두 지역 모두에서 부정합면이 나타난다.

① ㄱ   ② ㄴ   ③ ㄱ, ㄷ
④ ㄴ, ㄷ   ⑤ ㄱ, ㄴ, ㄷ

11 그림 (가)는 어느 지역의 지질 단면도를, (나)는 방사성 원소 X의 시간에 따른 붕괴 곡선을 나타낸 것이다. (가)의 화성암 P와 Q에 남아 있는 방사성 원소 X의 양이 각각 처음 양의 $\frac{1}{4}$, $\frac{1}{16}$이었다.

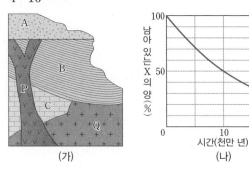

(가)   (나)

이 지역의 지층에 대한 설명으로 옳은 것만을 〈보기〉에서 있는 대로 고른 것은?

┤ 보기 ├

ㄱ. A에서는 삼엽충 화석이 발견된다.

ㄴ. 화성암 P는 중생대, Q는 고생대에 관입하였다.

ㄷ. C가 퇴적될 당시 암모나이트가 번성하였다.

① ㄱ   ② ㄴ   ③ ㄱ, ㄷ
④ ㄴ, ㄷ   ⑤ ㄱ, ㄴ, ㄷ

12 그림은 중생대를 A, B, C로 기(紀) 수준까지 구분하여 나타낸 것이다.

(단위: 억 년 전)

대	중생대		
기	A	B	C

2.52   2.01   1.45   0.66

이에 대한 설명으로 옳은 것만을 〈보기〉에서 있는 대로 고른 것은?

┤ 보기 ├

ㄱ. A 시기는 트라이아스기이다.

ㄴ. 생물의 대멸종이 B 시기에 일어났다.

ㄷ. C 시기에는 빙하기가 있었다.

① ㄱ   ② ㄴ   ③ ㄱ, ㄷ
④ ㄴ, ㄷ   ⑤ ㄱ, ㄴ, ㄷ

13 그림은 심해 퇴적물 속의 해양 생물을 이용하여 알아낸 시간에 따른 산소 동위 원소비$\left(\dfrac{^{18}O}{^{16}O}\right)$를 나타낸 것이다.

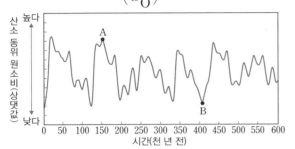

이에 대한 설명으로 옳은 것만을 〈보기〉에서 있는 대로 고른 것은?

| 보기 |

ㄱ. 심해 퇴적물 속 해양 생물의 산소 동위 원소비는 수온이 낮을수록 높다.
ㄴ. 지구 전체 빙하 면적은 A 시기가 B 시기보다 넓다.
ㄷ. A 시기에 형성된 빙하의 산소 동위 원소비는 B 시기에 형성된 빙하의 산소 동위 원소비보다 높다.

① ㄱ   ② ㄷ   ③ ㄱ, ㄴ
④ ㄴ, ㄷ   ⑤ ㄱ, ㄴ, ㄷ

14 그림은 A, B 두 지역의 위치를, 표는 두 지역에 분포하는 암석 및 화석을 나타낸 것이다.

구분	A	B
화석	삼엽충, 필석	공룡 발자국, 민물조개
암석	석회암, 셰일	사암, 셰일

이에 대한 설명으로 옳은 것만을 〈보기〉에서 있는 대로 고른 것은?

| 보기 |

ㄱ. A 지역의 지층이 퇴적될 당시에는 속씨식물이 번성하였다.
ㄴ. B 지역에서는 암모나이트 화석이 발견된다.
ㄷ. 고생대에 A 지역은 해수면보다 아래에 위치했다.

① ㄱ   ② ㄷ   ③ ㄱ, ㄴ
④ ㄴ, ㄷ   ⑤ ㄱ, ㄴ, ㄷ

15 그림은 지질 시대 생물의 생존 기간에 따른 번성 정도를 나타낸 것이다.

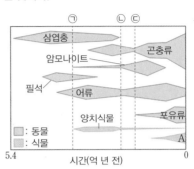

이에 대한 설명으로 옳은 것만을 〈보기〉에서 있는 대로 고른 것은?

| 보기 |

ㄱ. A는 겉씨식물이다.
ㄴ. 지질 시대를 구분하는 기준으로 가장 적합한 시기는 ㉡이다.
ㄷ. 어류 화석과 삼엽충 화석은 같은 지층에서 발견될 수 있다.

① ㄱ   ② ㄷ   ③ ㄱ, ㄴ
④ ㄴ, ㄷ   ⑤ ㄱ, ㄴ, ㄷ

16 그림 (가)는 현생 누대 동안 나타난 생물 과의 멸종 비율을, (나)는 어느 화석의 모습을 나타낸 것이다.

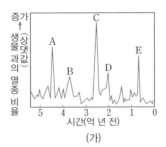 

(가)   (나)

이에 대한 설명으로 옳은 것만을 〈보기〉에서 있는 대로 고른 것은?

| 보기 |

ㄱ. A, B 시기의 대멸종은 고생대에 일어났다.
ㄴ. (나)의 생물은 C와 D 시기 사이에 번성하였다.
ㄷ. E 시기의 대멸종으로 중생대와 신생대를 구분한다.

① ㄱ   ② ㄴ   ③ ㄱ, ㄷ
④ ㄴ, ㄷ   ⑤ ㄱ, ㄴ, ㄷ

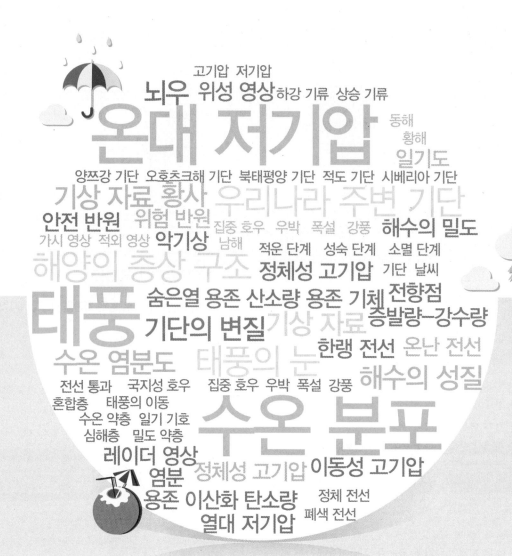

고기압 저기압
뇌우 위성 영상 하강 기류 상승 기류
온대 저기압
동해
황해
일기도
양쯔강 기단 오호츠크해 기단 북태평양 기단 적도 기단 시베리아 기단
기상 자료 황사 우리나라 주변 기단
안전 반원 위험 반원 집중 호우 우박 폭설 강풍 해수의 밀도
가시 영상 적외 영상 악기상 남해 적운 단계 성숙 단계 소멸 단계
해양의 층상 구조 정체성 고기압 기단 날씨
태풍 숨은열 용존 산소량 용존 기체 전향점
기단의 변질 기상 자료 증발량-강수량
수온 염분도 태풍의 눈 한랭 전선 온난 전선
전선 통과 국지성 호우 집중 호우 우박 폭설 강풍 해수의 성질
혼합층 태풍의 이동
수온 약층 일기 기호
심해층 밀도 약층 수온 분포
레이더 영상 정체성 고기압 이동성 고기압
염분 정체 전선
용존 이산화 탄소량 폐색 전선
열대 저기압

대기와 해양의 변화

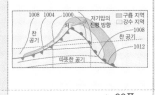
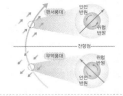

이 자료 만은 꼭!

01 기압과 날씨 변화

내 교과서는 어디에?
천재 p.81~85 금성 p.79~83
미래엔 p.82~89 비상 p.77~83 YBM p.81~88

핵심 Point
- 고기압과 저기압이 통과할 때 날씨 변화를 이해한다.
- 온대 저기압이 지나갈 때 날씨 변화를 이해한다.
- 일기도와 위성 영상을 해석하여 날씨를 알아본다.

1 고기압과 저기압

1. 고기압과 저기압 `일사량, 대기 순환 등 다양한 원인으로 발생 → 보통 며칠 정도 지속된다.

구분	고기압	저기압
모식도 (북반구)	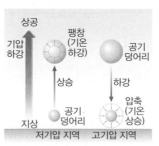	
정의	주변보다 기압❶이 높은 곳	주변보다 기압이 낮은 곳
지상 공기 이동	• 중심부에 하강 기류 발생 • 중심에서 바깥쪽으로 공기가 시계 방향으로 회전하며 발산	• 중심부에 상승 기류 발생 • 바깥쪽에서 중심으로 공기가 시계 반대 방향으로 회전하며 수렴

2. 기압과 날씨

① 고기압: 공기가 하강하면 단열 압축❷이 일어나 기온이 높아지고 수증기의 응결이 일어나지 않아 날씨가 맑다.

② 저기압: 공기가 상승하면 단열 팽창이 일어나 기온이 낮아지고 수증기의 응결이 일어난다. 구름이 형성되면서 날씨가 흐려지고 강수 현상이 나타나기도 한다.

▲ 공기의 상승과 하강

2 기단

1. 기단 기온과 습도 등 성질이 거의 비슷한 공기 덩어리 → 주로 고기압 지역이 바람이 약하기 때문에 기단이 발생한다.

① 공기 덩어리가 넓은 지역에 오랫동안 머무르면 기온과 습도가 지표와 비슷해지면서 기단 형성

② 기단의 종류
  - 대륙에서 형성되는 기단은 건조하고, 해양에서 형성되는 기단은 습윤하다.
  - 고위도에서 형성되는 기단은 한랭하고, 저위도에서 형성되는 기단은 온난하다.

2. 우리나라 주변 기단 계절별로 다른 기단의 영향을 받아 특징적인 날씨가 나타난다.

기단	성질	계절	영향
양쯔강 기단	온난 건조	봄, 가을	황사
오호츠크해 기단	한랭 다습	초여름	장마❸
북태평양 기단	고온 다습	여름	장마, 무더위
적도 기단			태풍
시베리아 기단	한랭 건조	겨울	한파, 강풍

▲ 우리나라 주변의 기단

---

❶ 기압
대기의 압력으로, 관측 지점에서 단위 면적을 누르는 공기의 무게이다. 바람은 고기압에서 저기압으로 분다.

❷ 단열 변화
외부와 열 교환 없이 공기의 부피가 변하면서 온도가 변하는 현상이다.
- 단열 압축: 공기가 하강하면 주변의 기압이 높아지므로 부피가 압축되면서 온도가 높아진다.
- 단열 팽창: 공기가 상승하면 주변의 기압이 낮아지므로 부피가 팽창되면서 온도가 낮아진다.

암기 콕

발원지	대륙	해양
고위도	한랭 건조	한랭 다습
저위도	고온 건조	고온 다습

❸ 장마
장마는 습도가 높은 두 기단이 만났을 때 장마 전선이 형성되면서 일어난다. 우리나라는 초여름에 한랭한 오호츠크해 기단과 고온의 북태평양 기단이 만나 장마 전선을 형성한다.

--- 용어 ---

▶ **일사량**: 태양으로부터 지구로 복사되는 에너지의 양

3. **기단의 변질** 기단이 발원지에서 다른 지역으로 이동하면 지표면의 영향으로 기단의 성질이 변하고 날씨의 변화로 이어진다.

① 따뜻한 기단이 한랭한 바다를 통과할 때

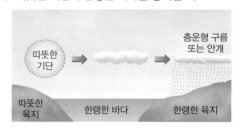

② 차고 건조한 기단이 따뜻한 바다를 통과할 때

- 기단이 한랭한 바다를 통과하는 동안 열을 빼앗겨 안정해진다.
  → 층운형 구름이 발달하고, 약한 이슬비가 내리거나 안개가 발생한다.
  ㉠ 북태평양 기단이 북상하며 남해안에 안개가 발생한다.

- 기단이 따뜻한 바다를 통과하는 동안 열과 수증기를 공급받아 불안정해진다.
  → 적운형 구름이 발달하고, 해안 지역에 강한 소나기가 내린다.
  ㉠ 시베리아 기단이 따뜻한 황해를 지나면서 서해안에 폭설을 내린다.❹

3 고기압과 날씨

1. **정체성 고기압** 고기압 중심부가 거의 이동하지 않고 한 곳에 머무르는 고기압
   ㉠ 시베리아 고기압, 북태평양 고기압, 오호츠크해 고기압

2. **이동성 고기압** 중위도에서 편서풍❺의 영향을 받아 동쪽으로 이동하는 고기압
   ① 정체성 고기압에서 분리되어 생성되거나 온대 저기압 전, 후면에서 발달한다.
   ② 이동성 고기압과 날씨: 고기압이 다가오는 2~3일 간은 맑다가, 고기압이 지나가면 뒤이어 다가오는 저기압이나 기압골❻의 영향으로 흐려진다. → 다른 이동성 고기압이 다가오면 날씨가 반복된다. → 봄·가을철 양쯔강 유역에서 다가오는 이동성 고기압의 영향으로 우리나라의 날씨가 변덕스럽다.

───────────── 자료 파헤치기 ┐

계절별 일기도

① 봄·가을철 일기도
이동성 고기압

② 여름철 일기도
북태평양 고기압

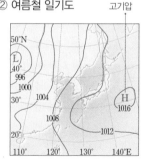

③ 겨울철 일기도
→ 시베리아 고기압

- 규모가 작은 이동성 고기압이 곳곳에 보이고 그 사이에 저기압이 나타난다.

- 해양에 고기압, 육상에 저기압의 기압 배치가 보이며 등압선 간격이 넓다.

- 우리나라의 북서쪽 시베리아 지방에 고기압이 발달하며 등압선 간격이 매우 좁다.

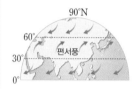
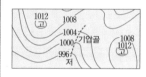

개념
확인하기

1 고기압은 차갑고 저기압은 따뜻하다. (○, ×)
2 북태평양 기단은 저위도의 해양에서 발달한 기단으로 성질은 ( )하다.
3 시베리아 고기압, 북태평양 고기압은 한 곳에 오래 머무르는 ( ) 고기압이다.

3 정체성
2 고온 다습
답 1 ×

전선

- 전선면: 찬 기단과 따뜻한 기단이 만나 이루는 불연속적인 경계면
- 전선: 전선면과 지표면이 만나는 경계선

물질은 온도가 상승하면 부피가 증가하여 밀도가 작아진다.

구분	한랭 전선	온난 전선
형성	밀도가 큰 찬 공기가 밀도가 작은 따뜻한 공기 아래를 파고들면서 밀어 올린다.	밀도가 작은 따뜻한 공기가 밀도가 큰 찬 공기 위로 타고 오른다.
전선면의 기울기	급하다	완만하다
생성 구름	적운형 구름	층운형 구름
강수 형태	전선 후면의 좁은 지역에 소나기	전선 전면의 넓은 지역에 이슬비
이동 속도	빠르다	느리다
전선 통과 후	기온 하강	기온 상승

강의 콕콕
- 정체 전선: 두 기단의 세력이 비슷하여 한 곳에 오래 머무르는 전선

- 폐색 전선: 이동 속도가 빠른 한랭 전선이 온난 전선을 따라가 겹쳐진 전선

4 온대 저기압

1. **온대 저기압** 중위도 온대 지방에서 전선을 동반하여 발달하는 저기압
① 구조: 남서쪽에 한랭 전선, 남동쪽에 온난 전선을 동반한다.
② 이동: 편서풍의 영향으로 서쪽에서 동쪽으로 이동한다.
- 우리나라에 영향을 주는 온대 저기압은 중국이나 몽골 부근에서 발생하여 오호츠크해 부근에서 소멸한다.

2. **온대 저기압의 일생** 온대 저기압은 발생, 발달, 소멸까지 보통 5~7일이 걸린다.

셀파 콕콕
온대 저기압의 이동 방향, 전선 위치, 바람 방향은 직접 그려보며 그림으로 암기한다.

① 중위도 지역에서 찬 공기와 따뜻한 공기가 만나 정체 전선이 형성된다.❼

② 남북 간의 기온 차로 파동이 발생하고 시계 반대 방향의 회전이 발생한다.

③ 저기압 중심의 남서쪽에 한랭 전선, 남동쪽에 온난 전선이 형성된다.

④ 한랭 전선이 온난 전선보다 빠르므로 중심부터 폐색 전선이 형성된다.

⑤ 폐색 전선이 발달하며 온대 저기압의 강도가 점차 약해진다.

⑥ 따뜻한 공기가 찬 공기 위로 올라가고, 온대 저기압이 소멸된다.

❼ **온대 저기압의 발생 원인**
온대 저기압은 전선면을 이루고 있는 따뜻한 공기와 찬 공기가 따뜻한 공기는 위로, 차가운 공기는 아래로 가려는 성질 때문에 발생한다. (위치 에너지)

━━━━ 용어 ━━━━
▶ **온대 지방**: 위도 23.5°와 위도 66.5° 사이의 사계절이 뚜렷하게 나타나는 지방

5 **온대 저기압 주변의 날씨**

1. 온대 저기압 주변 기상 요소

① 기온 분포: 전선의 남쪽에는 따뜻한 기단, 전선의 북쪽에는 찬 기단이 있다.

② 구름 분포: 한랭 전선의 뒤쪽 좁은 영역에 적운형 구름이 분포하고, 온난 전선의 앞쪽 넓은 영역에 층운형 구름이 분포한다.

③ 강수 형태: 한랭 전선의 뒤에서 강한 소나기성(소낙성) 비가, 온난 전선의 앞에서 약한 비가 내린다.

④ 바람 분포: 온난 전선의 앞쪽은 남동풍, 두 전선 사이는 남서풍, 한랭 전선의 뒤쪽은 북서풍이 분다.

⑤ 기압 분포: 한랭 전선과 온난 전선이 만나고 있는 저기압 중심에서 가장 기압이 낮고, 중심에서 멀어질수록 기압이 높아진다.

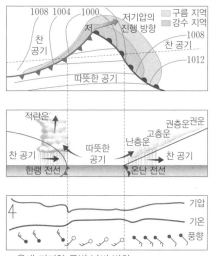

▲ 온대 저기압 주변 날씨 변화

2. 온대 저기압 통과 시 날씨 변화 저기압 중심이 관측자의 북쪽을 지나는 경우 온난 전선과 한랭 전선이 관측자를 차례로 지나가게 된다.

① 온난 전선 통과: 층운형 구름이 점차 낮아지다가 맑아진다. 기온이 상승하고 기압이 낮아진다. 풍향이 남동풍에서 남서풍으로 변한다.
└ 저기압 중심으로 가까워진다.

② 한랭 전선 통과: 맑은 날씨 후 적운형 구름이 발달한다. 기온이 하강하고 기압이 높아진다. 풍향이 남서풍에서 북서풍으로 변한다. [8]
└ 저기압 중심에서 멀어진다.

| 자료 파헤치기 |

온대 저기압 통과 시 풍향 변화(우리나라 서울 지방을 기준)

㉠ 온난 전선 통과 전

㉡ 온난 전선 통과 후

㉢ 한랭 전선 통과 후

• 온대 저기압 중심이 관측자의 북쪽 지역을 지나갈 경우, 온난 전선과 한랭 전선이 차례로 통과하게 된다. 풍향은 남동풍(↘), 남서풍(↗), 북서풍(↘)으로 변하므로 '시계 방향'으로 변화한다. [9]
 └ 온대 저기압 중심이 관측자의 남쪽 지역을 지나갈 경우, 풍향은 '시계 반대 방향'으로 변화한다.

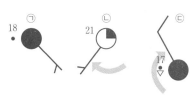

▲ 일기 기호에서 나타나는 풍향 변화

▲ 풍향·풍속 분포

셀파 콕콕 🔍

온대 저기압 주변 지역의 날씨 추정, 날씨에 해당하는 온대 저기압 주변 지역 찾기, 날씨 변화를 통한 온대 저기압 통과 시간 추정 등 다양한 문제가 자주 출제되므로 꼼꼼하게 익혀둔다.

❽ 전선 통과

전선면을 경계로 전면과 후면의 기단 성질이 크게 다르므로 전선 통과 시 기상 요소가 크게 변한다.

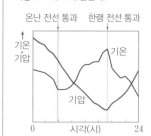

❾ 저기압 주위 풍향 변화

온대 저기압의 이동 방향을 기준으로 오른쪽 지역에서는 풍향이 시계 방향으로 변하고, 왼쪽 지역에서는 시계 반대 방향으로 변한다. 이러한 사실은 열대 저기압인 태풍에도 적용된다.

━━━ 용어 ━━━

▶ 소낙성: 비나 눈이 갑자기 내리기 시작하여 갑자기 멎는 성질

개념 확인하기

1 한랭 전선은 전선면의 기울기가 (급하고, 완만하고) 이동 속도가 (빠르다, 느리다).

2 온대 저기압에서 한랭 전선과 온난 전선의 북쪽 지역에는 (   ) 공기가 자리하고 있다.

3 온난 전선 부근에서 강수 구역은 온난 전선이 진행하는 방향의 (   )쪽에 있다.

4 온난 전선이 지나고 한랭 전선이 오기 전 날씨는 (맑, 흐리)고 기온이 (높, 낮)다.

답 1. 급하고, 빠르다
2. 찬 3. 앞
4. 맑, 높

1. 일기도
① 고기압과 저기압의 위치와 분포, 전선과 태풍의 위치를 알 수 있다.
② 일기 기호[⑩]를 통해 날씨와 풍향, 풍속을 알 수 있다.

2. 위성 영상 위성 영상을 통해 구름의 분포와 유형을 알 수 있다.
① 가시 영상: 구름이 반사하는 태양 복사 에너지 중 가시광선 영역의
에너지를 나타낸다.
  · 구름이 두꺼울수록 햇빛을 더 많이 반사 → 두꺼운 구름은 밝
  게, 얇은 구름은 흐리게 나타난다.
  · 태양이 없으면 구름에서 반사되는 가시광선이 없기 때문에 밤
  에는 영상 자료를 얻을 수 없다.

▲ 가시 영상 관측 방법

② 적외 영상: 구름이 방출하는 적외선 영역의 에너지를 나타낸다.
  · 온도가 낮을수록 더 밝게 표시 → 고도가 높은 구름은 밝게, 고
  도가 낮은 구름은 흐리게 나타난다.
  · 구름에서 직접 방출되는 에너지이므로 태양이 없는 밤에도 관
  측이 가능하다.

▲ 적외 영상 관측 방법

3. 레이더 영상
① 강수 입자에 부딪혀 되돌아오는 반사파를 분석하여 영상으로 나타낸다.
② 강수 지역의 위치와 이동 경향, 강수량을 파악할 수 있다.

| 자료 파헤치기 |

기상 위성 영상 해석
그림은 같은 시기의 가시 영상과 적외 영상이다.

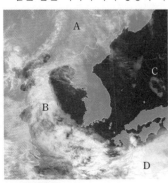
▲ 가시 영상

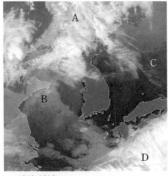
▲ 적외 영상

· A 지역: 가시 영상에서 흐리게, 적외 영상에서 밝게 표시된다. → 얇고 높은 구름
· B 지역: 가시 영상에서 밝게, 적외 영상에서 흐리게 표시된다. → 두껍고 낮은 구름
· C 지역: 가시 영상과 적외 영상에서 모두 흐리게 표시된다. → 얇고 낮은 구름(안개)
· D 지역: 가시 영상과 적외 영상에서 모두 밝게 표시된다. → 두껍고 높게 발달한 구름

개념 확인하기

1 기상 위성 영상 중 (   ) 영상은 밤에도 자료를 얻을 수 있다.
2 강수 지역을 파악할 수 있는 일기 자료는 (   ) 영상이다.

답 1. 적외
2. 레이더

---

⑩ 일기 기호

풍속			
2 m/s	5 m/s	7 m/s	25 m/s
↗	↗	↗	↗

풍향

구름의 양			
맑음	구름조금	구름많음	흐림
○	◑	◕	●

일기				
비	소나기	눈	안개	뇌우
●	▽	✱	≡	⌐

용어

▶ 가시광선: 우리 눈으로 볼 수 있는
전자기파로 온도가 매우 높은 물체에
서 방출된다.

▶ 적외선: 가시광선에서 붉은색보다
파장이 긴 전자기파로 비교적 온도가
낮은 물체에서도 방출된다.

셀파 탐구

일기도와 위성 영상
해석하기

목표 일기도와 위성 영상으로 온대 저기압이 통과할 때 날씨 변화를 설명할 수 있다.

과정

그림은 같은 시각의 일기도와 적외 영상을 나타낸 것이다.

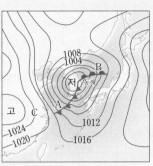

▲ 일기도

▲ 적외 영상

❶ 일기도의 온대 저기압과 고기압의 위치, A, B, C의 위치를 적외 영상에 표시한다.

　❓ 위성 영상을 활용하면 구름의 유형과 분포를 확인할 수 있다.

❷ 적외 영상에서 A와 B 지역의 구름 높이를 비교한다.

　❓ 적외 영상에서 높은 구름은 밝게, 낮은 구름은 흐리게 표시된다.

결과 및 정리

　　　　　　　　　　　　　　　　　┌→ 풍속은 일기도에서 등압선 간격이 좁을수록 빠르다.

1. A, B, C 지역의 날씨는? (구름, 풍향, 풍속, 강수 유무)

지역	구름	풍향	풍속(상대적 세기)	강수 유무
A	낮은 구름	북서풍	빠름	강한 소나기
B	높은 구름	동풍	빠름	지속적인 약한 비
C	맑음	서풍	느림	—

2. 앞으로 온대 저기압은 어느 방향으로 이동하는가? 그 까닭은?

　→ 우리나라는 중위도 편서풍 지대에 속해 있기 때문에 편서풍의 영향으로 저기압 중심이 동해로 빠져
　나가 일본을 거쳐 북태평양으로 이동할 것이다.

탐구 대표 문제 정답과 해설 32쪽

01 그림은 어느 날 우리나라 주변의 구름 분포를 가시 영상으로 촬영한 것이다. 이에 대한 설명으로 옳은 것은?

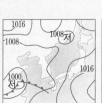

① 낮과 밤에 모두 촬영할 수 있다.

② 강수량을 예측할 수 있다.

③ A에는 저기압이 위치한다.

④ 구름의 두께는 B보다 C가 더 두껍다.

⑤ 지표에서 상승 기류는 C보다 A에서 활발하다.

02 그림 (가)와 (나)는 하루 간격으로 작성한 우리나라 부근의 일기도를 순서 없이 나타낸 것이다. (가)와 (나) 중 더 나중에 작성된 일기도를 찾고, 그 까닭을 서술하시오.

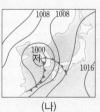

(가)　　　　　(나)

같은 주제 다른 탐구

연속된 일기도와 위성 영상을 이용하여 날씨 해석하기

① 3시간 간격으로 작성된 일기도와 같은 날, 같은 시각에 촬영한 위성 영상을 준비한다.

② 온대 저기압의 이동 방향을 찾는다.

　→ 온대 저기압은 편서풍의 영향으로 동쪽으로 이동한다.

③ 온대 저기압이 통과하는 동안 날씨 변화를 알아본다.

➕ 유의점

❶ 위성 영상과 일기도를 비교할 때 사진이나 그림에 표현된 범위(영역)가 다를 수 있으므로 지도의 모양을 잘 보고 판단한다.

❷ 전선의 위치와 구름의 위치는 정확히 일치하지 않는 경우가 많으니 대략적인 위치만 확인한다.

🔍 탐구 돋보기

같은 시각 가시 영상이 있다면 구름의 두께를 알 수 있고, 레이더 영상이 있다면 강수 위치와 강수량을 알 수 있다.

📋 시험 유형은?

❶ 고기압과 저기압에서 날씨 차이는?

▶ 고기압에서는 날씨가 맑고, 저기압에서는 날씨가 흐리다.

❷ 한랭 전선이 지나고 난 후 날씨 변화는?

▶ 소나기성 강수가 내린 후 기온이 하강하고 날씨가 맑아진다.

기초 탄탄 문제

정답과 해설 32쪽

핵심용어_ 이 단원에서 내가 아는 것과 아직 모르는 것을 정리하며 나의 공부를 돌아보자.

☐ 고기압과 저기압 ☐ 기단 ☐ 기단의 변질
☐ 정체성 고기압 ☐ 이동성 고기압 ☐ 온대 저기압
☐ 일기도 ☐ 위성 영상

01 그림은 북반구 어떤 지역의 기압을 등압선으로 나타낸 것이다.

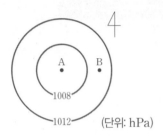

(단위: hPa)

A, B 지점에 대한 설명으로 옳은 것은?

① A에서는 날씨가 맑다.
② A에서는 상승 기류가 나타난다.
③ A의 공기는 주변부로 퍼져 나간다.
④ B에서는 서풍 계열의 바람이 분다.
⑤ 기압은 A가 B보다 높다.

02 다음 설명에 해당하는 전선은?

> 찬 공기가 따뜻한 공기 아래로 파고들어 형성되는 전선
> 으로 전선면의 기울기가 급하다.

① 한랭 전선 ② 온난 전선 ③ 정체 전선
④ 장마 전선 ⑤ 폐색 전선

03 중위도에서 온대 저기압이 서에서 동으로 이동하는 원인이
되는 바람은?

① 계절풍 ② 산곡풍 ③ 극동풍
④ 무역풍 ⑤ 편서풍

04 우리나라 주변 기단에 대한 설명으로 옳지 <u>않은</u> 것은?

① 봄철 이동성 고기압의 영향으로 날씨가 자주 변한다.
② 초여름 저위도에서 발달한 고온의 두 기단이 만나
장마 현상이 일어난다.
③ 여름철 무더위의 원인은 북태평양 기단이다.
④ 가을철에는 온난 건조한 기단의 영향을 받는다.
⑤ 겨울철에는 대륙에서 발달한 기단의 세력이 강해
져 건조한 기후가 나타난다.

05 그림은 온대 저기압의 일생을 순서 없이 나타낸 것이다.

온대 저기압의 일생을 순서대로 나열한 것은?

① (나) ― (가) ― (다) ― (라)
② (나) ― (라) ― (다) ― (가)
③ (라) ― (가) ― (나) ― (다)
④ (라) ― (다) ― (가) ― (나)
⑤ (라) ― (다) ― (나) ― (가)

06 일기 자료 중 강수 지역 및 강수량을 파악할 때 유용한 것은?

① 지상 일기도 ② 가시 영상
③ 적외 영상 ④ 레이더 영상
⑤ 풍속·풍향 분포도

내신 만점 문제

정답과 해설 33쪽

* ▮▮▮ 난이도를 나타냅니다.

01 그림은 북반구 어느 지역에서 기압 차이로 나타나는 공기의 흐름을 나타낸 것이다.

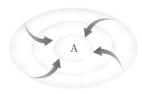

이에 대한 설명으로 옳은 것만을 〈보기〉에서 있는 대로 고른 것은?

┤ 보기 ├
ㄱ. A는 저기압이고, B는 고기압이다.
ㄴ. A에서는 상승 기류가 나타나 구름이 생성된다.
ㄷ. 전선은 B에서만 형성된다.

① ㄱ   ② ㄴ   ③ ㄱ, ㄴ
④ ㄱ, ㄷ   ⑤ ㄴ, ㄷ

02 그림은 우리나라 월별 평균 기온 및 강수량과 우리나라에 영향을 주는 기단의 위치를 나타낸 것이다.

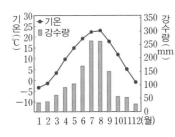
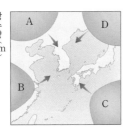

이에 대한 설명으로 옳은 것만을 〈보기〉에서 있는 대로 고른 것은?

┤ 보기 ├
ㄱ. A 기단의 영향을 받을 때 우리나라의 기온이 낮다.
ㄴ. B 기단의 영향으로 4월과 10월에 강수량이 적다.
ㄷ. 6, 7월 강수의 원인인 기단은 C와 D이다.

① ㄱ   ② ㄷ   ③ ㄱ, ㄴ
④ ㄴ, ㄷ   ⑤ ㄱ, ㄴ, ㄷ

03 그림 (가)는 겨울철 어느 날의 일기도를, (나)는 이날 A와 B 지점에서 측정한 높이에 따른 기온 분포를 나타낸 것이다.

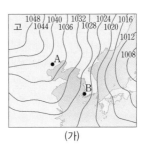
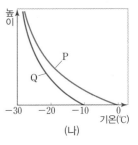

(가)   (나)

이에 대한 설명으로 옳은 것만을 〈보기〉에서 있는 대로 고른 것은?

┤ 보기 ├
ㄱ. 기단이 A에서 B로 이동할 때 기단의 하층부는 불안정해진다.
ㄴ. A에서 측정한 기온 분포는 P이다.
ㄷ. 폭설이 내릴 가능성은 A보다 B에서 크다.

① ㄱ   ② ㄴ   ③ ㄱ, ㄷ
④ ㄴ, ㄷ   ⑤ ㄱ, ㄴ, ㄷ

04 그림은 우리나라 어느 계절의 일기도를 나타낸 것이다.

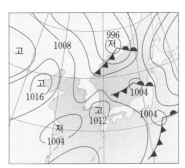

이에 대한 설명으로 옳은 것만을 〈보기〉에서 있는 대로 고른 것은?

┤ 보기 ├
ㄱ. 봄과 가을철에 나타나는 일기도이다.
ㄴ. 우리나라는 이동성 고기압의 영향을 받고 있다.
ㄷ. 편서풍의 영향으로 우리나라는 이후에 온대 저기압의 영향을 받을 것이다.

① ㄱ   ② ㄷ   ③ ㄱ, ㄴ
④ ㄴ, ㄷ   ⑤ ㄱ, ㄴ, ㄷ

05 그림 (가)~(다)는 온대 저기압의 발생과 발달 과정을 순서대로 나타낸 것이다.

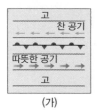 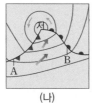 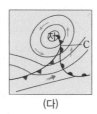

(가)　　　　　(나)　　　　　(다)

이에 대한 설명으로 옳은 것만을 〈보기〉에서 있는 대로 고른 것은?

┤ 보기 ├
ㄱ. (가)의 전선은 열대 지방의 해상에서 발생한다.
ㄴ. (나)→(다)의 변화는 전선 A가 B보다 빠르게 이동하기 때문에 생긴다.
ㄷ. (다)의 전선 C가 더 발달하면 전선 A와 B 사이의 지상에는 따뜻한 구역이 점점 감소한다.

① ㄱ　　　　② ㄴ　　　　③ ㄱ, ㄷ
④ ㄴ, ㄷ　　　⑤ ㄱ, ㄴ, ㄷ

06 그림은 온대 저기압이 통과하는 동안 어느 관측소에서 관측한 기상 요소의 변화를 나타낸 것이다.

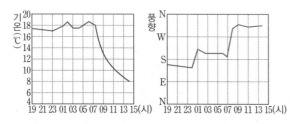

이 관측소의 날씨에 대한 설명으로 옳은 것만을 〈보기〉에서 있는 대로 고른 것은?

┤ 보기 ├
ㄱ. 08시경에 한랭 전선이 통과하였다.
ㄴ. 전선이 통과한 직후에 소나기가 내렸을 가능성이 있다.
ㄷ. 온대 저기압이 통과하는 동안 풍향은 시계 방향으로 변했다.

① ㄱ　　　　② ㄴ　　　　③ ㄱ, ㄷ
④ ㄴ, ㄷ　　　⑤ ㄱ, ㄴ, ㄷ

07 그림 (가), (나)는 24시간 간격으로 작성된 우리나라 주변의 일기도를 순서 없이 나타낸 것이다.

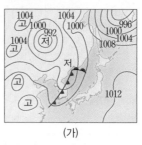 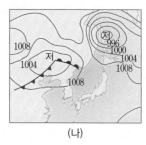

(가)　　　　　　　　(나)

이에 대한 설명으로 옳은 것만을 〈보기〉에서 있는 대로 고른 것은?

┤ 보기 ├
ㄱ. (가)는 (나)보다 24시간 후의 일기도이다.
ㄴ. 우리나라의 서울에서 소나기가 내릴 때의 일기도는 (나)이다.
ㄷ. (가) 이후에 서울 지방에서는 기온과 기압이 모두 상승하였을 것이다.

① ㄱ　　　　② ㄷ　　　　③ ㄱ, ㄴ
④ ㄴ, ㄷ　　　⑤ ㄱ, ㄴ, ㄷ

08 그림 (가)는 어느 날 18시에 온대 저기압과 기상 관측소 A~E의 위치를 모식적으로 나타낸 것이고, (나)는 이날 어느 지역의 기상 관측소에서 기상 요소를 시간에 따라 기록한 것이다.

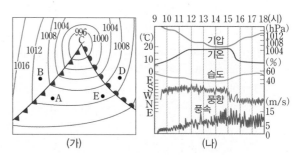

(가)　　　　　　　　(나)

이에 대한 설명으로 옳은 것만을 〈보기〉에서 있는 대로 고른 것은?

┤ 보기 ├
ㄱ. (나)는 (가)의 B에서 관측한 기상 요소이다.
ㄴ. (가)에서 A 관측소가 D 관측소보다 기온이 낮다.
ㄷ. (나)에서 15시와 16시 사이에 소나기가 내렸을 가능성이 있다.

① ㄱ　　　　② ㄴ　　　　③ ㄱ, ㄷ
④ ㄴ, ㄷ　　　⑤ ㄱ, ㄴ, ㄷ

09 그림은 2014년 7월 어느 날 9시에 관측한 우리나라 부근의 기상 레이더 영상과 전선을 나타낸 것이다.

이날 우리나라의 날씨에 대한 설명으로 옳은 것만을 〈보기〉에서 있는 대로 고른 것은?

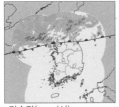

강수량(mm/시)
■5 이상 ■1~5 ■0~1

┤ 보기 ├

ㄱ. 강수량은 전선의 남쪽보다 북쪽에서 많다.
ㄴ. 우리나라에는 동서 방향으로 폐색 전선이 형성되어 있다.
ㄷ. 제주 지방은 고온 다습한 기단의 영향을 받는다.

① ㄱ   ② ㄴ   ③ ㄷ
④ ㄱ, ㄷ   ⑤ ㄴ, ㄷ

10 그림은 2006년 4월 18일과 20일에 기상 위성에서 찍은 우리나라 주변의 적외 영상과 가시 영상을 순서 없이 나타낸 것이다.

4월 18일 20시

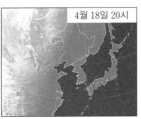
4월 18일 20시

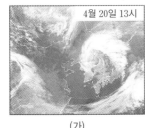
4월 20일 13시
(가)

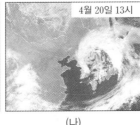
4월 20일 13시
(나)

이에 대한 설명으로 옳은 것만을 〈보기〉에서 있는 대로 고른 것은?

┤ 보기 ├

ㄱ. (가)는 적외 영상이고, (나)는 가시 영상이다.
ㄴ. (가)는 고도가 높은 구름에서 밝게 나타난다.
ㄷ. (나)는 물체의 온도를 감지하여 영상으로 나타낸다.

① ㄱ   ② ㄷ   ③ ㄱ, ㄴ
④ ㄴ, ㄷ   ⑤ ㄱ, ㄴ, ㄷ

서술형 문제

11 그림 (가)는 북반구 어느 지역의 일기도이고, (나)는 일기도 상의 A~D 중 두 곳의 일기 기호를 나타낸 것이다.

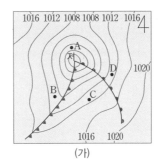
(가)

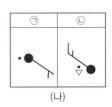
(나)

⑴ (나)의 ㉠, ㉡과 같은 날씨가 나타나는 곳을 (가)의 A~D 중에서 찾아 그 기호를 쓰시오.

_____

⑵ C 지역에서 앞으로 나타날 기상 요소(기온, 기압, 풍향) 변화를 서술하시오.

_____

_____

12 그림 (가), (나)는 여름철 일기도와 겨울철 일기도를 순서 없이 나타낸 것이다.

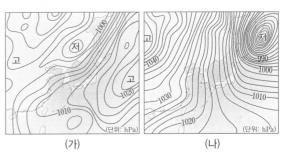
(가)   (나)

겨울철 일기도를 고르고, 그와 같이 생각한 까닭을 서술하시오.

_____

_____

13 레이더 영상을 분석하여 알 수 있는 기상 요소를 서술하시오.

_____

_____

02 태풍의 발생과 영향

내 교과서는 어디에?
천재 p.86~89 금성 p.84~89
미래엔 p.90~93 비상 p.84~88 YBM p.89~92

핵심 Point
- 태풍의 발생, 이동, 소멸 과정을 알아본다.
- 태풍이 통과할 때의 날씨 변화를 일기도와 위성 영상을 통해 알아본다.
- 태풍의 피해와 영향을 알아본다.

1 태풍의 발생

1. 태풍 중심 부근의 최대 풍속이 17 m/s 이상인 열대 저기압

① 태풍의 에너지원: 수증기가 대기 중에서 응결하며 방출하는 숨은열(잠열)❶

② 전선을 동반하지 않으며 강풍과 폭우가 발생한다.

2. 태풍의 발생 과정

① 열대 해상에서 대기가 해수로부터 열과 수증기를 공급받는다.

② 상승 기류가 발생하고 수증기의 숨은열이 방출되면서 적란운이 발달한다.

③ 지구 자전 효과로 공기의 회전이 일어나고 적란운이 태풍으로 발달한다.

3. 열대 저기압 발생 조건과 장소

① 열대 저기압의 발생 조건

따뜻한 해수에서 열과 수증기를 공급받아야 한다.	수온이 27 ℃ 이상인 열대 해상에서 발생
상승 기류가 발생하여 적란운이 형성되어야 한다.	북동 무역풍과 남동 무역풍의 수렴이 일어나는 저기압대에서 발생❷
지구 자전 효과로 공기의 회전이 일어나야 한다.	지구 자전 효과❸가 없는 적도에서는 태풍이 발생하지 못한다.

▲ 적도 저압대

② 열대 저기압 발생 장소: 위도 5°~25° 사이의 수온이 27 ℃ 이상인 열대 해상

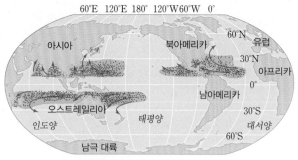
▲ 열대 저기압 발생 지역

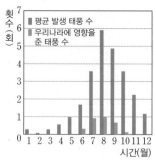
▲ 북서 태평양에서 발생한 월 평균 태풍 수와 이 중 우리나라에 영향을 준 태풍 수(1981~2010년 평균)

4. 우리나라의 태풍

① 북서 태평양에 연평균 26개의 태풍 발생

② 7~9월에 발생한 태풍 중 평균 약 3개의 태풍이 우리나라를 통과한다.

---

❶ **숨은열(잠열)**

물이 증발하거나 수증기가 응결할 때 출입하는 열이다. 물질의 온도 변화로 드러나지 않기 때문에 '숨은'열이라고 한다. 물이 증발할 때는 주변 공기로부터 숨은열이 흡수되고, 수증기가 응결할 때는 주변 공기로 숨은열이 방출된다.

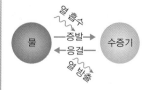

❷ **적도 저압대**

적도에서는 지표의 가열이 활발하게 일어나 강한 상승 기류가 나타난다. 지표에서는 북동 무역풍과 남동 무역풍의 수렴이 일어난다. 따라서 구름이 발생하기 좋은 조건을 갖추고 있다.

❸ **지구 자전 효과(전향력)**

빠르게 이동하는 물체는 북반구를 기준으로 운동 방향의 오른쪽으로 힘을 받는다. 위도에 따라 힘의 크기가 다르며 적도에서는 지구 자전 효과가 없다.

강의 콕

발생 지역별 열대 저기압의 이름

북태평양	태풍
인도양과 남태평양	사이클론
대서양	허리케인

--- 용어 ---

▶ **적란운**: 구름 최상부가 대류권 계면에 닿을 만큼 수직으로 매우 높게 발달한 구름. 강한 비와 함께 뇌우, 우박, 돌풍을 동반하는 경우도 있다.

2 　태풍의 이동과 소멸

1. 태풍의 이동

① 저위도에서는 무역풍의 영향을 받아 북서쪽으로 이동하고, 중위도에서는 편서풍의 영향을 받아 북동쪽으로 이동한다. → 포물선 경로

② 전향점: 무역풍의 영향을 받던 태풍이 편서풍의 영향을 받아 이동 방향이 변하는 지점
- 전향점을 지나면 태풍의 이동 속도가 빨라진다.

③ 진행 경로에 고기압이 있으면 태풍이 고기압의 가장자리를 따라 이동한다.
- 북태평양 고기압이 발달할 때에는 태풍의 이동 경로는 서쪽으로 치우친다.

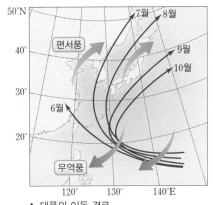
▲ 태풍의 이동 경로

2. 태풍의 소멸 　태풍은 보통 일주일 정도 지속된다.

① 태풍의 세력 약화❹: 수증기(태풍의 에너지원) 공급 감소
- 고위도로 이동하면 주변 해역 수온이 낮아져 수증기의 공급이 적어진다.
- 육지에 상륙하면 수증기의 공급이 적어지고, 지면과의 마찰이 일어난다. → 육지는 해양보다 표면이 거칠다.

② 태풍이 약화되면 열대 저압부나 온대 저기압으로 변질되면서 소멸된다.

❹ 태풍의 세력
태풍의 세력은 중심 기압이 낮을수록 강하다. 열대 해상을 지나는 동안 태풍은 세기가 강해지기 때문에 중심 기압이 낮아지고, 고위도로 이동하거나 육지에 상륙한 태풍은 세기가 약해지므로 중심 기압이 높아진다.

3 　태풍의 구조와 날씨

1. 태풍의 기본 구조

① 태풍의 규모
- 지름: 수백 km ~ 약 2000 km
- 높이: 약 15 km → 대류권 계면 정도의 높이

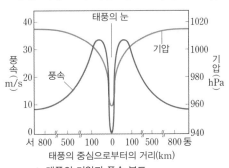
▲ 태풍의 구조

② 저기압
- 시계 반대 방향으로 공기가 회전하여 수렴
- 상승 기류로 두꺼운 적란운이 발달한다.

▲ 태풍의 기압과 풍속 분포

강의 콕
태풍의 눈 형성
태풍의 중심에 가까워질수록 바람은 빠르게 회전하고, 원심력이 커진다. 풍속이 충분히 빨라지는 부분에서 주변 공기를 저기압 중심으로 미는 힘과 원심력이 같아지면 공기는 중심으로 더 들어가지 못하고 중심 주위를 회전하면서 상승한다. 이곳보다 안쪽은 바람이 약하게 불고 맑은 날씨를 보이게 된다.

2. 태풍의 눈 　태풍의 중심으로 하강 기류가 나타나며 날씨가 맑고 바람이 약하다.

① 풍속: 태풍의 눈벽에서 가장 빠르게 나타나며 태풍의 눈에서 급격하게 느려진다.

② 기압: 태풍의 눈에 가까워질수록 낮아지며 태풍의 눈에서 가장 낮다.

용어
▶ 열대 저압부: 중심 최대 풍속이 17 m/s 미만인 열대 저기압

개념
확인하기

1 태풍은 적도 해상에서 발생하고 발달한다. 　(○, ×)

2 태풍의 에너지원은 수증기가 가진 (　　)이다.

3 태풍이 상륙하면 지면과의 (　　)이 커지고, 수증기의 공급이 차단되어 세력이 (　　)해진다.

4 태풍에서 풍속은 태풍의 눈에서 가장 강하다. 　(○, ×)

답 1. ×
2. 잠열(숨은열)
3. 마찰, 약 4. ×

3. 위험 반원과 안전 반원

① 위험 반원: 태풍이 이동하는 방향을 기준으로 오른쪽 영역
  - 저기압성 바람의 방향과 태풍의 이동 방향이 같기 때문에 풍속이 강하다.

② 안전 반원(가항 반원): 태풍이 이동하는 방향을 기준으로 왼쪽 영역
  - 저기압성 바람의 방향과 태풍의 이동 방향이 반대이기 때문에 상쇄되어 풍속이 약하다.

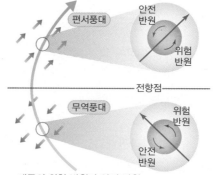

▲ 태풍의 위험 반원과 안전 반원

4. 기상 자료에서 나타나는 태풍

① 일기도
  - 등압선이 동심원의 형태로 나타난다.
  - 중심부에 가까울수록 등압선 간격이 좁아진다.

② 위성 영상
  - 나선형 또는 원형의 구름이 두껍게 분포한다.
  - 중심부에 구름이 없는 태풍의 눈이 나타난다.

4 태풍의 피해와 역할

① 피해❺: 강풍 피해, 해일 피해, 호우 피해
  - 태풍이 육지에 상륙하면 세력이 약해지므로 주로 섬이나 해안 지방에서 피해가 크다.

② 역할
  - 태풍이 고위도로 이동하면서 열대 해상의 열을 고위도로 수송한다.
  용승('엘니뇨와 남방 진동' 단원에 자세히 설명되어 있다.)
  - 해양의 표층을 혼합시키고 찬 해수의 상승을 유도하여 해수면을 냉각시킨다.

자료 파헤치기

태풍(열대 저기압)과 온대 저기압 비교

구분	태풍(열대 저기압)	온대 저기압
발생	$5°\sim25°$의 열대 해상	온대 지방의 전선 주변
전선	없음	한랭 전선, 온난 전선 동반
강수 지역	나선형의 구름대를 따라 비가 내린다.	온난 전선과 한랭 전선 부근에서 비가 내린다.
이동	무역풍의 영향으로 북서쪽으로 이동, 전향점을 지나면 편서풍의 영향으로 북동쪽으로 이동	편서풍의 영향으로 동쪽으로 이동
에너지원	따뜻한 해양에서 공급된 수증기가 응결하면서 방출하는 숨은열(잠열)	전선에서 찬 공기는 아래로, 따뜻한 공기는 위로 이동하려는 위치 에너지

강의 쏙쏙

태풍이 이동할 때 풍향 변화

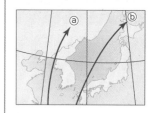

❺ 태풍의 이동 경로에 따른 피해

태풍의 중심이 남해를 지나 동해로 통과하면(ⓑ) 우리나라는 안전 반원의 영향을 받아 태풍 피해가 적다. 반면에 태풍의 중심이 황해를 통과할 경우(ⓐ) 우리나라는 위험 반원의 영향을 받아 태풍 피해가 크다.

━━━ 용어 ━━━

▶ 가항: 저항할 수 있다는 의미. 가항 반원은 안전 반원과 같은 의미로 사용된다.

개념 확인하기

1 태풍의 이동 경로에서 진행 방향의 왼쪽은 (   ) 반원, 오른쪽은 (   ) 반원이다.

2 위험 반원에서는 저기압성 바람 방향과 태풍의 이동 방향이 서로 (같아서, 달라서) 바람이 강하다.

3 태풍의 주요 피해 유형은 (강풍, 호우, 가뭄, 한파, 해일, 폭설) 등이 있다.

답 1 안전(가항), 위험
2 같아서
3 강풍, 호우, 해일

| 태풍의 이동 경로 |

그림은 태풍 곤파스의 이동 경로를 나타낸 것이다.

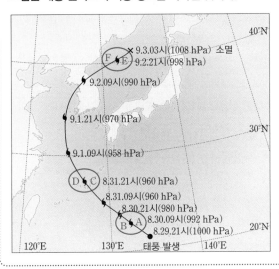

이에 대한 설명으로 옳은 것은 ○, 옳지 않은 것은 ×를 하시오.

1. 태풍이 우리나라를 통과할 때 서해안은 동해안보다 태풍 피해가 클 것이다. (　　)

2. 태풍이 우리나라에 상륙한 후 세력이 더욱 강해졌다. (　　)

3. A, B 중 위험 반원은 A에 해당하고, 안전 반원은 B에 해당한다. (　　)

4. C, D 중 태풍의 피해는 D에서 더 클 것이다. (　　)

5. E 지역은 태풍의 풍향과 편서풍의 방향이 일치하므로 풍속이 강하다. (　　)

6. F 지역은 태풍의 풍향과 무역풍의 방향이 반대이므로 피해가 비교적 작다. (　　)

7. 9월 1일 09시와 21시 사이에 중심 기압이 높아졌으므로 태풍의 세력은 더 강해졌을 것이다. (　　)

| 해설 |
태풍 진행 방향을 기준으로 오른쪽 영역을 위험 반원, 왼쪽 영역을 안전 반원이라고 한다. 태풍의 피해는 위험 반원 지역에서 크다.

| 태풍이 통과할 때 풍향 변화 |

그림 (가)는 태풍 A, B의 이동 경로를, (나), (다)는 태풍이 통과할 때 풍향 변화를 나타낸 것이다. 숫자는 시간에 따른 풍향 변화이다.

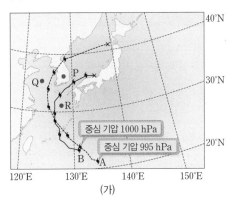

(가)

(나) 시계 방향으로 변화

(다) 시계 반대 방향으로 변화

태풍 A, B가 이동하는 동안 P, Q, R 지역에서의 풍향 변화를 (나), (다)에서 각각 고르시오.

[태풍 A가 이동하는 동안]

1. P 지역의 풍향 변화는 (　　)이다.

2. Q 지역의 풍향 변화는 (　　)이다.

3. R 지역의 풍향 변화는 (　　)이다.

[태풍 B가 이동하는 동안]

4. P 지역의 풍향 변화는 (　　)이다.

5. Q 지역의 풍향 변화는 (　　)이다.

6. R 지역의 풍향 변화는 (　　)이다.

| 해설 |
태풍이 이동하는 동안 태풍 오른쪽 지역의 풍향은 시계 방향으로 변하고, 왼쪽 지역의 풍향은 시계 반대 방향으로 변한다.

| 정답 |
1. ○ 2. × 3. ○ 4. × 5. ○ 6. × 7. ×

| 정답 |
1. (나) 2. (다) 3. (나) 4. (다) 5. (다) 6. (나)

기초 탄탄 문제

정답과 해설 34쪽

핵심용어_ 이 단원에서 내가 아는 것과 아직 모르는 것을 정리하며 나의 공부를 돌아보자.

☐ 태풍　　　　☐ 열대 저기압　　　☐ 숨은열(잠열)
☐ 태풍의 눈　　☐ 안전 반원　　　　☐ 위험 반원
☐ 태풍의 역할　☐ 태풍의 피해

01 태풍에 대한 설명으로 옳지 <u>않은</u> 것은?

① 수온이 높은 열대 해상에서 발생한다.
② 따뜻하고 습한 공기가 공급되면서 발달한다.
③ 수증기의 숨은열을 에너지원으로 한다.
④ 적도에서 가장 많은 태풍이 발생한다.
⑤ 온대 저기압과 달리 전선을 동반하지 않는다.

02 태풍의 세력이 약화되는 까닭으로 옳은 것은?

① 중심 기압이 낮아진다.
② 열대 해상에 수온이 상승한다.
③ 수증기의 공급이 감소한다.
④ 편서풍의 영향을 받기 시작한다.
⑤ 높은 수온의 해상에서 오래 머무른다.

03 태풍과 온대 저기압의 공통점은?

① 열대 해상에서 발생한다.
② 전선을 동반하여 형성된다.
③ 중심 기압이 주위보다 낮다.
④ 고위도에서 저위도로 이동한다.
⑤ 에너지원은 수증기가 방출하는 숨은열이다.

04 그림은 우리나라를 통과한 어느 태풍의 위치를 하루 간격으로 나타낸 것이다.

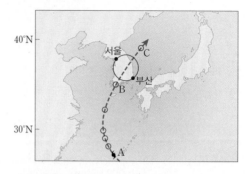

이에 대한 설명으로 옳은 것은?

① 서울보다 부산에서 피해가 크다.
② A 지점에서는 편서풍의 영향을 받는다.
③ B 지점 이후부터 세력이 강화되었다.
④ 중심 기압은 C에서 가장 낮다.
⑤ 태풍이 지나는 동안 부산에서 풍향은 시계 반대 방향으로 변한다.

05 그림은 태풍 주변의 기압과 풍속 분포를 나타낸 것이다.

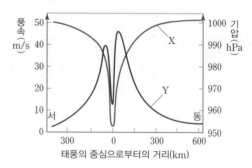

이에 대한 설명으로 옳은 것은?

① X는 풍속이고, Y는 기압이다.
② 구름은 태풍의 중심에서 가장 두껍게 나타난다.
③ 태풍의 눈 지름은 약 150 km이다.
④ 태풍의 중심에서 동쪽이 위험 반원이다.
⑤ 태풍의 단면에서 기압이 낮을수록 풍속은 빨라진다.

내신 만점 문제

정답과 해설 35쪽

* ▣▣▣ 난이도를 나타냅니다.

01 그림은 전 세계 열대 저기압의 발생 장소와 빈도를 해수의 온도와 함께 나타낸 것이다.

이에 대한 설명으로 옳은 것만을 〈보기〉에서 있는 대로 고른 것은?

┤ 보기 ├

ㄱ. 적도 해역에서 열대 저기압이 발생하지 않는 까닭은 수온이 매우 높기 때문이다.

ㄴ. 열대 저기압의 발생 빈도는 북반구가 남반구보다 높다.

ㄷ. 지구 온난화가 지속되면 열대 저기압의 발생 지역은 고위도 쪽으로 확장될 것이다.

① ㄱ   ② ㄴ   ③ ㄱ, ㄷ

④ ㄴ, ㄷ   ⑤ ㄱ, ㄴ, ㄷ

 그림은 2012년 8월 우리나라에 영향을 준 태풍 볼라벤의 이동 경로를 나타낸 것이다.
이에 대한 설명으로 옳은 것만을 〈보기〉에서 있는 대로 고른 것은?

┤ 보기 ├

ㄱ. 태풍이 이동하는 동안 서울은 위험 반원에 속했다.

ㄴ. 8월 28일 태풍의 영향권에 속할 때, 서울의 풍향은 시간이 경과함에 따라 시계 방향으로 변했다.

ㄷ. 태풍의 중심 기압은 소멸 직전에 가장 낮을 것이다.

① ㄱ   ② ㄷ   ③ ㄱ, ㄴ

④ ㄴ, ㄷ   ⑤ ㄱ, ㄴ, ㄷ

03 그림은 우리나라 부근에서 태풍이 발생했을 때의 예상 진로를 나타낸 것이다.

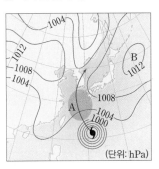

이에 대한 설명으로 옳은 것만을 〈보기〉에서 있는 대로 고른 것은?

┤ 보기 ├

ㄱ. A 해역의 수온이 높으면 태풍의 세력은 약화된다.

ㄴ. B의 세력이 강하면 태풍의 예상 진로는 더 동쪽으로 치우친다.

ㄷ. 태풍이 예상 진로대로 이동할 경우 풍속은 서울보다 부산에서 더 빠르다.

① ㄱ   ② ㄷ   ③ ㄱ, ㄴ

④ ㄴ, ㄷ   ⑤ ㄱ, ㄴ, ㄷ

04 그림은 태풍의 발생 해역과 월별 평균 이동 경로를 나타낸 것이다.
이에 대한 설명으로 옳은 것만을 〈보기〉에서 있는 대로 고른 것은?

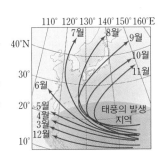

┤ 보기 ├

ㄱ. 초여름보다 가을에 발생한 태풍이 중위도에서 더 동쪽으로 이동한다.

ㄴ. 우리나라는 대체로 봄철에 태풍의 영향을 받지 않는다.

ㄷ. 북위 25° 이상의 해역에서 태풍이 발생하기 어려운 까닭은 편서풍의 영향을 받기 때문이다.

① ㄱ   ② ㄷ   ③ ㄱ, ㄴ

④ ㄴ, ㄷ   ⑤ ㄱ, ㄴ, ㄷ

05 그림은 태풍의 중심을 지나는 직선을 따라 측정한 지상 풍속을 모식적으로 나타낸 것이다.

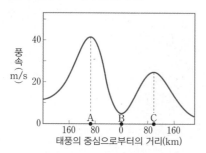

A~C 지점에 대한 설명으로 옳은 것만을 〈보기〉에서 있는 대로 고른 것은?

| 보기 |

ㄱ. A는 위험 반원, C는 안전 반원이다.

ㄴ. 풍속이 가장 빠른 A에서 기압이 가장 낮다.

ㄷ. C보다 B에서 더 높은 구름이 발달한다.

① ㄱ   ② ㄴ   ③ ㄱ, ㄷ
④ ㄴ, ㄷ   ⑤ ㄱ, ㄴ, ㄷ

06 그림은 2010년에 발생한 태풍 곤파스의 이동 경로와 시간에 따른 중심 기압 변화를 나타낸 것이다.

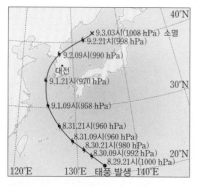

이에 대한 설명으로 옳은 것만을 〈보기〉에서 있는 대로 고른 것은?

| 보기 |

ㄱ. 태풍은 우리나라에 상륙한 후 세력이 더욱 약해졌다.

ㄴ. 태풍이 북위 30°를 통과한 이후부터 편서풍의 영향을 받기 시작했다.

ㄷ. 태풍이 통과하는 동안 대전 지역의 풍향은 시계 방향으로 변했다.

① ㄱ   ② ㄷ   ③ ㄱ, ㄴ
④ ㄴ, ㄷ   ⑤ ㄱ, ㄴ, ㄷ

 그림 (가)는 어느 태풍의 이동 경로와 중심 기압을, (나)는 이 태풍이 지나는 동안 제주 지역에서 27일 15시, 28일 03시, 28일 15시에 관측한 풍향과 풍속을 ㉠, ㉡, ㉢으로 순서 없이 나타낸 것이다.

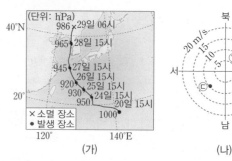

이에 대한 설명으로 옳은 것만을 〈보기〉에서 있는 대로 고른 것은?

| 보기 |

ㄱ. 제주도는 위험 반원에 있었다.

ㄴ. (가)에서 중심 기압은 태풍이 발생할 때 가장 낮았다.

ㄷ. 27일 15시에 관측한 바람은 ㉡이다.

① ㄱ   ② ㄷ   ③ ㄱ, ㄴ
④ ㄴ, ㄷ   ⑤ ㄱ, ㄴ, ㄷ

08 그림은 태풍이 통과하는 동안 우리나라의 어느 관측소에서 관측한 기상 요소의 변화를 나타낸 것이다.

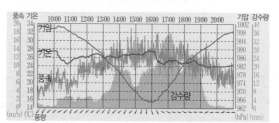

이에 대한 설명으로 옳은 것만을 〈보기〉에서 있는 대로 고른 것은?

| 보기 |

ㄱ. 기압이 가장 낮았을 때 바람이 거의 불지 않았다.

ㄴ. 강수량은 태풍이 다가올 때보다 통과한 후에 더 많았다.

ㄷ. 관측 지역은 안전 반원 속에 있어 태풍에 의한 피해가 상대적으로 적었다.

① ㄱ   ② ㄴ   ③ ㄱ, ㄷ
④ ㄴ, ㄷ   ⑤ ㄱ, ㄴ, ㄷ

09 그림은 우리나라에 태풍이 통과하는 동안 남해안의 목포 지방에서 시간에 따라 측정한 풍속과 풍향을 나타낸 것이다.

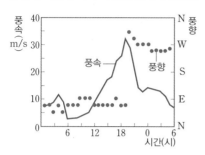

이에 대한 설명으로 옳은 것만을 〈보기〉에서 있는 대로 고른 것은?

| 보기 |

ㄱ. 태풍이 통과하면서 풍향이 동풍 계열에서 서풍 계열로 바뀌었다.
ㄴ. 18~19시 사이에 태풍의 눈이 목포를 지났다.
ㄷ. 이날 태풍의 중심은 황해를 가로질러 북상하였다.

① ㄱ   ② ㄴ   ③ ㄷ
④ ㄱ, ㄷ   ⑤ ㄴ, ㄷ

10 그림은 어느 태풍의 이동 경로와 9월 16일 21시 이후의 예상 경로를 나타낸 것이다.

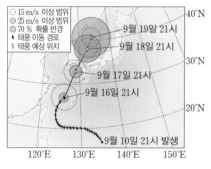

이에 대한 설명으로 옳은 것만을 〈보기〉에서 있는 대로 고른 것은?

| 보기 |

ㄱ. 수온이 낮은 바다로 이동하는 동안 태풍의 세력은 점차 약해질 것이다.
ㄴ. 태풍이 예상 경로로 진행했을 때 우리나라보다 일본 해안에서 바람의 세기가 강할 것이다.
ㄷ. 태풍이 예상 경로로 진행한다면 서울 지방의 풍향은 시계 방향으로 변할 것이다.

① ㄱ   ② ㄴ   ③ ㄷ
④ ㄱ, ㄴ   ⑤ ㄴ, ㄷ

서술형 문제

11 그림은 태풍 단면을 중심으로부터 거리에 따라 나타낸 것이다.

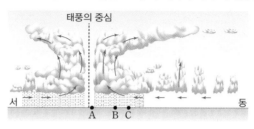

(1) A, B, C 세 지역 중 태풍의 눈인 지역을 쓰고, 해당 지역의 날씨를 간단히 서술하시오.

_____

(2) A, B, C 지역의 기압과 풍속을 비교하여 서술하시오.

_____

_____

12 그림은 2002년 어느 태풍의 중심이 우리나라 중부 지역을 통과했을 때 시간 당 강수량을 관측한 것이다.

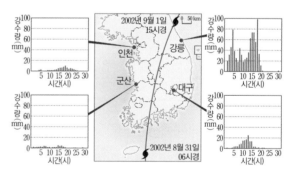

* 그래프의 시간은 2002년 8월 31일 06시 태풍이 제주 주변 해역 통과 이후 경과 시간이다.

(1) 서쪽 지역(인천, 군산)과 동쪽 지역(강릉, 대구)의 강수량을 비교하여 서술하시오.

_____

_____

(2) 위와 같은 차이가 나타나는 까닭을 '위험 반원'과 '안전 반원'을 언급하여 서술하시오.

_____

_____

03 우리나라의 주요 악기상

내 교과서는 어디에?
천재 p.90~94 금성 p.90~96
미래엔 p.94~97 비상 p.90~95 YBM p.94~101

핵심 Point
● 우리나라 주요 악기상의 생성 과정을 이해한다.
● 악기상의 피해를 최소화하는 방법을 알아본다.

1 뇌우

1. 뇌우 천둥과 번개를 동반한 폭풍우
① 강한 뇌우는 돌풍, 호우, 우박, 폭설, 토네이도와 함께 나타난다.
② 지속 시간이 짧은 국지적인 현상으로 예측하기 어렵다.
2. 뇌우의 발생 장소 강한 상승 기류가 나타나는 곳에서 발생❶
① 국지적으로 가열될 때(대기가 매우 불안정해질 때) → 한여름에 자주 발생
② 한랭 전선에서 찬 공기가 따뜻한 공기를 파고들어 따뜻한 공기가 빠르게 상승할 때
③ 태풍에서 상승 기류가 강한 부분 → 태풍의 눈 주변부

3. 뇌우의 발달 단계

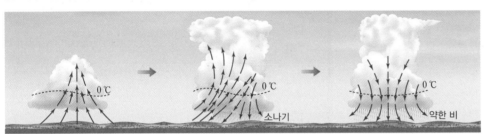

▲ 적운 단계 　　　　　　▲ 성숙 단계 　　　　　　▲ 소멸 단계

① 강한 상승 기류가 발생하면서 적운이 발달하고 적란운으로 성장한다. 강수 현상은 거의 없다.
② 상승 기류와 하강 기류가 함께 나타난다. 돌풍, 소나기, 번개, 천둥, 우박 등을 동반한다.
③ 상승 기류는 사라지고 하강 기류만 남게 된다. 약한 비가 내리고 구름이 소멸된다.

2 집중 호우(국지성 호우)

1. 국지성 호우 짧은 시간 동안 좁은 지역에서 많은 비가 내리는 현상
① 국지성 호우는 수십 분~수 시간 정도 지속되고, 반지름이 10~20 km인 좁은 지역에 집중적으로 발생한다.
② 기준 강수량: 한 시간에 30 mm 이상, 하루에 80 mm 이상 또는 연강수량의 10 % 이상
③ 시간적, 공간적 규모가 작고 일기도에 표시되지 않으므로 예측이 어렵다.
2. 집중 호우의 발생 주로 여름철에 발생
① 높은 적란운이 형성되어 강한 뇌우 발달 시 발생
② 초여름 장마 전선❷ 형성 시 발생 → 집중 호우이지만 국지성 호우는 아니다.

강풍
• 강풍: 10분 동안의 평균 풍속이 14 m/s 이상인 바람
• 우리나라 강풍 발생: 강한 뇌우와 태풍의 영향을 받을 때, 겨울철에 발달한 시베리아 고기압의 영향을 받을 때 발생

---

❶ 뇌우 발생 장소
수직으로 높은 적란운이 뇌우가 발생할 수 있는 장소이다. 높게 발달한 적란운에서 뇌우와 함께 강풍, 집중 호우, 폭설, 우박 등의 악기상이 함께 나타나므로 뇌우와 동반되는 악기상의 발생 장소도 뇌우의 발생 장소와 같다.

셀파 콕콕 🔍
뇌우의 발달 단계는 구름 내부에서 주로 일어나는 기류를 중심으로 구분한다.

❷ 장마 전선
초여름 북태평양 기단과 오호츠크해 기단의 영향으로 형성되는 장마 전선은 비교적 오랜 시간 동안 넓은 지역에서 나타나는 집중 호우를 발생시킨다.

─── **용어** ───
▶ 토네이도: 매우 강한 저기압 중심에서 발생한 회오리 바람

3 우박

1. **우박** 지상으로 얼음 덩어리가 떨어지는 강수 현상❸
① 과냉각 물방울❹을 많이 포함하고 있는 성숙 단계의 뇌우에서 나타난다.
② 주로 초여름이나 가을에 발생한다.
   • 한여름은 우박이 떨어지는 도중 녹기 쉽고, 겨울에는 수증 기의 양이 적어서 우박이 커지기 어렵다.

2. **우박의 생성 과정**
① 강한 상승 기류가 나타나는 적란운 내에서 빙정이 상승과 하 강을 반복한다.
② 상승과 하강 과정에서 빙정 주위에 과냉각 물방울이 얼어붙 고 빙정의 크기가 커진다.
③ 빙정이 충분히 무거워지면 상승 기류를 거슬러 지상에 우박 으로 떨어진다.

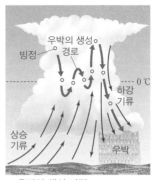
▲ 우박의 생성 과정

4 폭설

1. **폭설** 짧은 시간에 많은 눈이 오는 현상❺
2. **폭설 발생**
① 서해안 폭설(기단의 변질): 찬 시베리아 기단이 따뜻한 황해를 통과하면 황해로부터 열과 수증 기를 공급받아 기단이 불안정해지고 서해안에 폭설을 내린다.
② 영동 지방 폭설: 동해상에 저기압성 기류가 발달하여 동풍 계열 바람이 불면 기단이 태백산맥 을 타고 상승하면서 영동 지방에 폭설이 내린다.
   • 공기가 산을 타고 올라가면 습도가 높아지고 수증기가 응결하여 강수 현상이 나타난다.

▲ 서해안 폭설 발생

▲ 기단의 변질

▲ 영동 지방 폭설 발생

한파
• 한파: 겨울철 기온이 급격하게 낮아지는 현상
• 우리나라 한파 발생: 시베리아 고기압이 확장되면서 한파 발생

---

❸ **강수 현상**
비, 눈, 우박과 같이 대기 중의 물이 구름으로부터 땅으로 떨어지는 현상이다. 비에 한정한 현상은 강우 현상이다.

❹ **과냉각 물방울**
0 ℃보다 온도가 낮지만 얼지 않고 액체 상태로 존재하는 물방울을 과냉각 물방울이라고 한다. 적란운에서 기온이 0 ℃에서 −40 ℃ 사이의 고도에 존재한다.

❺ **폭설 관련 특보**
• 대설 주의보: 24시간 신적설이 5 cm 이상 예상될 때 발표하는 기상 특보이다.
• 대설 특보: 24시간 신적설이 20 cm 이상 예상될 때, 산간에는 30 cm 이상 예상될 때 발표하는 기상 특보이다.
※ 신적설: 새롭게 쌓이는 적설량

강의 콕 📓
겨울에는 지표면이 냉각되기 때문에 상승 기류가 잘 나타나지 않는다. 따라서 산맥과 따뜻한 바다의 영향을 받는 특수한 경우에 공기가 상승하고 폭설이 발생한다.

━━━ 용어 ━━━
▶ 빙정: 대기 중에 생긴 얼음 결정

개념 확인하기

1 뇌우에 동반되는 현상은?
2 우리나라에서 국지적 가열에 의한 뇌우가 자주 발달하는 계절은?
3 우박은 강한 상승 기류가 나타나는 (   ) 내에서 발생한다.
4 영동 지방의 폭설은 동해안에 (   )풍 계열의 바람이 불 때 발생할 수 있다.

답 1 천둥, 번개, 돌풍, 우박 등
2 여름 3 적란운
4 동

5 황사

1. 황사 중국 내륙 또는 몽골 사막 지역에서 상공으로 올라간 모래 먼지가 멀리 이동하여 낙하하는 현상

① 발원지: 중국 고비 사막, 내몽골 고원 등 내륙 건조 지역❻

② 발생 시기: 양쯔강 기단의 세력이 강해지는 3월에서 5월 사이

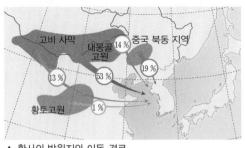

▲ 황사의 발원지와 이동 경로

2. 황사의 발생

① 발생: 발원지에 강한 바람이 불거나 상승 기류(저기압)가 있을 때 모래 먼지가 지표에서 3~5 km 상공까지 상승한다.

② 이동: 상승한 모래 먼지가 편서풍을 타고 동쪽으로 이동한다.
  • 기압 배치에 따라 이동 방향과 속도가 달라질 수 있다.

③ 낙하: 모래 먼지가 이동하면서 낙하하거나 하강 기류(고기압)를 받아 낙하한다.
  • 강한 편서풍을 타고 한반도를 지나 일본, 태평양, 북아메리카까지 날아가기도 한다.→ 미국 서부 지역에 영향을 미치기도 한다.

▲ 모래 먼지의 상승과 하강

3. 황사 대책

① 황사는 발원지와 피해 지역이 다르므로 국가 간에 서로 협력이 필요하다.

② 황사의 발원지가 주로 사막 지역이므로 사막화를 방지한다.

❻ 황사와 사막화

황사는 주로 내륙의 건조한 지역 중 사막에서 시작된다. 따라서 사막화가 진행될수록 황사는 더 심각해진다.

강의 콕 📎
폭염과 열대야
• 폭염: 하루 최고 기온이 33 ℃를 넘는 날
• 열대야: 하루 최저 기온이 25 ℃ 이상인 무더운 밤

━━━ 용어 ━━━
▶ **사태**: 경사진 곳에서 흙이나 암석 틈에 물이 스며들어 미끄러지는 현상

6 악기상의 피해를 최소화하는 방법

구분	피해	최소화 방법
집중 호우	홍수, 사태 등을 일으켜 인명 피해, 재산 피해 발생	집중 호우 발생 시 저지대나 상습 침수 지역에서 대피하고, 사전에 배수로나 하수구를 정비하고 위험 시설물을 제거한다.
우박	농작물 파괴, 시설물 파괴, 항공기 동체 파괴	돌발적 발생으로 사전 예방이 어려우므로, 사후 관리에 집중한다.
폭설	비닐하우스 붕괴, 교통 마비, 유통 및 관광 산업에 악영향	신속하게 제설 작업을 진행하고 눈의 무게를 버틸 수 있는 튼튼한 구조물을 설치한다.
강풍	도로 시설물 파괴, 선박 침몰 및 침수	외출을 삼가고 건물의 유리창이 파손되지 않게 주의한다.
황사	호흡기 질환 및 눈병 유발, 농작물의 생장 방해, 교통 장애	마스크를 착용하고 실외 활동을 자제한다. 국제적으로 사막화 억제를 위한 협력을 진행한다.

개념 확인하기

1 우리나라에 영향을 미치는 모래 먼지의 발원지는 (　　　) 내륙 또는 (　　　)의 사막 지역이다.

2 황사의 농도는 발원지에 (저기압, 고기압)이 배치될 때 더 높으며 (동쪽, 서쪽)으로 이동한다.

3 인체가 황사에 노출되면 (　　　) 질환을 유발하므로 마스크를 착용하도록 한다.

셀파 탐구

황사 현상의 변화 추이 분석하기

유의점

❶ 우리나라에 영향을 주는 황사의 발생 횟수는 기상의 영향을 받기 때문에 매년 변동 폭이 클 수 있다. 한반도는 양쯔강 기단의 세력이 강해지는 봄철에 황사가 자주 발생한다.

❷ 황사 발생의 변화 추이를 10년 평균 또는 30년 평균으로 살펴보는 까닭은 전체적인 경향을 파악하기 좋기 때문이다.

탐구 돋보기

황사의 발생 일수 변화 추이와 그와 같이 발생하는 원인을 함께 알아둔다.

시험 유형은?

❶ 연중 황사 발생이 가장 잦은 계절은?
▶ 봄철

❷ 황사의 이동에 큰 영향을 미치는 대기 순환은?
▶ 편서풍

목표 황사 발생 일수 자료를 통해 황사 발생 변화 추이를 분석하고 그 원인을 설명할 수 있다.

과정

그림 (가)는 1960년부터 2015년까지 서울 지역의 연도별 황사 관측 일수를 나타낸 것이고, (나)는 같은 기간의 평균 월별 황사 관측 일수를 나타낸 것이다.

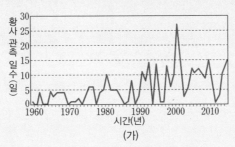
(가)

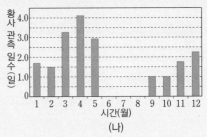
(나)

결과 및 정리

1. 1960년 이후 연간 황사 발생 일수 변화 추이는?
→ 2000년대 초반에 크게 감소하였지만 대체로 시간이 지남에 따라 증가하는 경향을 보인다.

2. 연간 황사 발생 일수가 변하는 까닭은?
→ 황사 발원지의 사막화가 진행되고 더 많은 양의 모래 먼지가 대기로 유입되기 때문이다.

3. 월별 황사 발생 일수 변화 추이는?
→ 여름철(6, 7, 8월)에 황사가 거의 발생하지 않으며 봄철(3, 4, 5월)에 황사 발생 일수가 가장 많다.

4. 황사 발생 일수가 월별로 변하는 까닭은?
→ 월별로 우리나라 주변에 세력이 강해지는 기단이 달라지기 때문이다.

5. 황사 발생 피해를 줄일 수 있는 방법은?
→

황사 발생 전	• 기상 예보를 청취, 지역 설정에 맞게 휴업 검토
황사 발생 중	• 창문을 닫고 가급적 외출을 삼가 • 외출 시 필요한 보호 안경, 마스크, 긴 소매 의복 착용
황사 종료 후	• 실내 공기의 환기 및 황사에 노출된 물품 등을 세척 후 사용

탐구 대표 문제 정답과 해설 37쪽

01 우리나라에 나타나는 황사의 발생과 추이에 대한 설명으로 옳은 것만을 〈보기〉에서 있는 대로 고른 것은?

┤ 보기 ├
ㄱ. 계절에 관계없이 매년 발생 횟수가 꾸준하게 증가하고 있다.
ㄴ. 연중 황사 발생이 가장 많은 계절은 가을이다.
ㄷ. 우리나라에 발생하는 황사는 중국 내륙 지역의 사막화와 관련 있다.

① ㄱ   ② ㄷ   ③ ㄱ, ㄴ   ④ ㄴ, ㄷ   ⑤ ㄱ, ㄴ, ㄷ

02 우리나라 주변의 기단 중 황사 발생에 영향을 미치는 기단은?

① 시베리아 기단   ② 오호츠크해 기단   ③ 양쯔강 기단
④ 적도 기단   ⑤ 북태평양 기단

기초 탄탄 문제

정답과 해설 37쪽

핵심용어_ 이 단원에서 내가 아는 것과 아직 모르는 것을 정리하며 나의 공부를 돌아보자.

□ 악기상   □ 뇌우   □ 집중 호우
□ 우박   □ 폭설   □ 한파
□ 강풍   □ 황사

01 여러 가지 기상 현상에 대한 설명으로 옳지 않은 것은?

① 뇌우는 높게 발달한 적란운에서 발생한다.
② 우박은 상승 기류가 강한 구름에서 발생한다.
③ 시베리아 고기압이 우리나라까지 확장되면 한파가 발생한다.
④ 국지성 호우는 전국적으로 비가 꾸준히 내리는 현상이다.
⑤ 황사는 주로 봄철에 발생한다.

02 뇌우가 주로 발생하는 계절은?

① 봄   ② 여름   ③ 가을
④ 겨울   ⑤ 늦겨울

03 그림은 뇌우의 발달 단계를 순서 없이 나타낸 것이다.

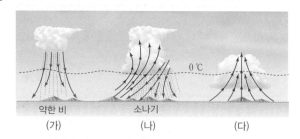

약한 비 (가)   소나기 (나)   (다)   0 ℃

이에 대한 설명으로 옳지 않은 것은?

① 발달 과정은 (다)−(나)−(가) 순이다.
② (가)에서 강한 하강 기류로 우박이 내릴 수 있다.
③ (나)에서 천둥, 번개가 동반될 수 있다.
④ (다)에서 구름이 수직으로 성장한다.
⑤ 주로 한여름에 나타나는 과정이다.

04 그림과 같이 수직으로 발달한 형태의 구름에서 나타날 수 있는 현상과 거리가 먼 것은?

① 뇌우   ② 우박   ③ 집중 호우
④ 폭설   ⑤ 황사

05 그림은 우리나라에 폭설이 발생했을 때의 위성 영상을 나타낸 것이다.

이에 대한 설명으로 옳은 것은?

① 한랭 건조한 시베리아 기단의 영향을 직접 받았다.
② 우리나라에 전선이 발달한 저기압이 지나고 있다.
③ 동해안 지역에 서풍이 불면서 폭설이 내린다.
④ 황해를 지나온 공기가 습하고 따뜻한 성질로 변하였다.
⑤ 구름 분포로 보아 성질이 다른 공기가 만나 상승 기류가 발달했다.

06 황사의 피해를 줄이기 위한 노력으로 옳지 않은 것은?

① 황사 관련 국가들의 국제 협력 사업을 추진한다.
② 황사 발원지에 나무를 심고 숲을 조성한다.
③ 황사의 이동 경로를 파악하기 위한 체계를 구축한다.
④ 황사 발생 시 국민 행동 요령에 대해 교육하고 안내한다.
⑤ 관개 사업과 목축을 통해 황사 발원지의 농업 생산성을 증대한다.

내신 만점 문제

정답과 해설 38쪽

* ◼◼◼ 난이도를 나타냅니다.

01 그림은 짧은 시간 동안 강수로 인한 피해를 나타낸 것이다.

이에 대한 설명으로 옳은 것만을 〈보기〉에서 있는 대로 고른 것은?

┨ 보기 ┠
ㄱ. 집중 호우의 피해에 해당한다.
ㄴ. 강수 기간 중 적운형 구름이 형성되었을 것이다.
ㄷ. 주로 반지름이 수백 km의 넓은 지역에서 일어난다.

① ㄱ   ② ㄷ   ③ ㄱ, ㄴ
④ ㄴ, ㄷ   ⑤ ㄱ, ㄴ, ㄷ

 그림은 뇌우의 일생을 순서대로 나타낸 것이다.

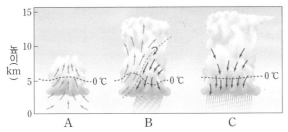

이에 대한 설명으로 옳은 것만을 〈보기〉에서 있는 대로 고른 것은?

┨ 보기 ┠
ㄱ. A 단계는 국지적으로 지표가 가열될 때 잘 나타난다.
ㄴ. B 단계에서 돌풍과 강한 소나기가 동반될 수 있다.
ㄷ. C 단계가 지나면 구름은 소멸한다.

① ㄱ   ② ㄴ   ③ ㄱ, ㄷ
④ ㄴ, ㄷ   ⑤ ㄱ, ㄴ, ㄷ

03 그림 (가)는 어느 날 발생한 뇌우의 모습을, (나)는 이때 우리나라 주변의 지상 일기도를 나타낸 것이다.

 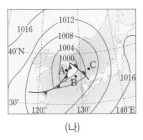

(가)   (나)

이에 대한 설명으로 옳은 것만을 〈보기〉에서 있는 대로 고른 것은?

┨ 보기 ┠
ㄱ. (가)는 층운형 구름에서 주로 나타난다.
ㄴ. (가)의 구름 내부에서는 상승 기류와 하강 기류가 동시에 나타난다.
ㄷ. A~C 중 (가)와 같은 현상이 관측될 가능성이 가장 높은 곳은 A이다.

① ㄱ   ② ㄴ   ③ ㄱ, ㄴ
④ ㄱ, ㄷ   ⑤ ㄴ, ㄷ

04 그림은 우리나라에 영향을 주는 기상 현상을 나타낸 것이다.

이에 대한 설명으로 옳은 것만을 〈보기〉에서 있는 대로 고른 것은?

┨ 보기 ┠
ㄱ. 강수 현상 중 하나이다.
ㄴ. 구름 내부에서 상승과 하강을 반복하면서 빙정이 성장한다.
ㄷ. 주로 기온이 낮은 겨울철에 잘 나타난다.

① ㄱ   ② ㄷ   ③ ㄱ, ㄴ
④ ㄴ, ㄷ   ⑤ ㄱ, ㄴ, ㄷ

05 그림은 우리나라에 한파가 발생했을 때 일기도를 나타낸 것이다.

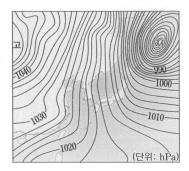

(단위: hPa)

이에 대한 설명으로 옳은 것만을 〈보기〉에서 있는 대로 고른 것은?

┤ 보기 ├
ㄱ. 시베리아 고기압의 세력이 강해졌을 때 한파가 나타난다.
ㄴ. 한파 기간 동안에는 다른 날보다 풍속이 강하다.
ㄷ. 황해의 수온이 높다면 서해안 지역에 폭설이 내릴 수 있다.

① ㄱ   ② ㄴ   ③ ㄱ, ㄷ
④ ㄴ, ㄷ   ⑤ ㄱ, ㄴ, ㄷ

 그림은 경기, 강원 지역에 낮 시간 동안 집중 호우가 발생했을 때의 적외 영상을 나타낸 것이다.
이에 대한 설명으로 옳은 것만을 〈보기〉에서 있는 대로 고른 것은?

┤ 보기 ├
ㄱ. 우박, 돌풍, 번개를 동반하기도 하는 기상 현상이다.
ㄴ. 우리나라 부근에는 고기압이 배치되어 있다.
ㄷ. 같은 시간의 가시 영상에서 경기, 강원 지역은 밝게 나타날 것이다.

① ㄱ   ② ㄴ   ③ ㄱ, ㄷ
④ ㄴ, ㄷ   ⑤ ㄱ, ㄴ, ㄷ

 그림은 우리나라 서해안에 폭설이 내리는 과정을 나타낸 것이다.

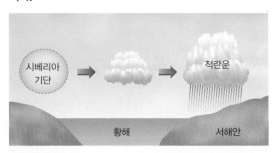

이에 대한 설명으로 옳은 것만을 〈보기〉에서 있는 대로 고른 것은?

┤ 보기 ├
ㄱ. 겨울철에 시베리아 기단이 황해를 통과할 때 황해에서 시베리아 기단으로 수증기가 공급된다.
ㄴ. 시베리아 기단은 황해를 지나면서 하층이 안정해진다.
ㄷ. 황해의 수온이 낮을수록 서해안의 강설량은 증가한다.

① ㄱ   ② ㄷ   ③ ㄱ, ㄴ
④ ㄴ, ㄷ   ⑤ ㄱ, ㄴ, ㄷ

08 그림은 2011년 강원도 지방에 폭설이 내릴 때 위성 영상을 나타낸 것이다.

이에 대한 설명으로 옳은 것만을 〈보기〉에서 있는 대로 고른 것은?

┤ 보기 ├
ㄱ. 동해안에 동풍이 강하게 불 때 나타나는 현상이다.
ㄴ. 태백산맥의 서쪽은 동쪽보다 눈이 많이 내리지 않는다.
ㄷ. 시베리아 기단의 세력이 강하다.

① ㄱ   ② ㄷ   ③ ㄱ, ㄴ
④ ㄴ, ㄷ   ⑤ ㄱ, ㄴ, ㄷ

09 그림 (가)는 황사가 나타난 어느 날의 일기도를, (나)는 황사의 발원지와 이동 경로를 나타낸 것이다.

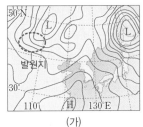
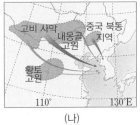

(가)   (나)

이에 대한 설명으로 옳은 것만을 〈보기〉에서 있는 대로 고른 것은?

─ 보기 ├
ㄱ. 발원지에는 하강 기류가 나타난다.
ㄴ. 황사의 이동은 편서풍의 영향을 받는다.
ㄷ. 우리나라 지상으로 고기압이 형성되면 황사가 더 심해질 것이다.

① ㄱ   ② ㄴ   ③ ㄷ
④ ㄱ, ㄷ   ⑤ ㄴ, ㄷ

10 그림 (가)는 지난 40년 동안 서울과 부산에서 관측된 월별 황사 일수를, (나)는 우리나라에 영향을 미치는 황사의 발원지를 나타낸 것이다.

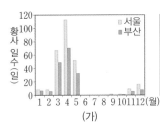

(가)   (나)

이에 대한 설명으로 옳은 것만을 〈보기〉에서 있는 대로 고른 것은?

─ 보기 ├
ㄱ. 봄철 황사 일수는 서울보다 부산이 많다.
ㄴ. 황사는 지권과 기권의 상호 작용으로 발생한다.
ㄷ. 황사는 한랭 건조한 기단의 세력이 강해질 때 주로 관측된다.

① ㄱ   ② ㄴ   ③ ㄷ
④ ㄱ, ㄷ   ⑤ ㄴ, ㄷ

서술형 문제

11 그림은 뇌우의 발달 단계를 나타낸 것이다.

▲적운 단계   ▲성숙 단계   ▲소멸 단계

(1) 성숙 단계에서 나타나는 특징을 서술하시오.

_____

_____

(2) 뇌우의 발달 단계에서 우박이 생성될 수 있는 단계를 쓰고, 그 까닭을 서술하시오.

_____

_____

_____

12 겨울철 우리나라 서해안에 폭설이 내리는 과정을 다음 단어를 포함하여 서술하시오.

┌─────────────────────────────┐
│ 시베리아 기단, 황해, 기단의 변질 │
└─────────────────────────────┘

_____

_____

_____

13 우리나라에 황사가 심해지는 조건을 발원지와 우리나라의 기압 배치와 관련지어 서술하시오.

_____

_____

_____

04 해수의 성질

내 교과서는 어디에?
천재 p.97~102   금성 p.99~104
미래엔 p.98~103   비상 p.96~103   YBM p.102~109

핵심 Point
- 해수의 물리적, 화학적 성질을 이용하여 해양의 변화를 이해한다.
- 해수의 수온, 염분, 밀도, 용존 산소량의 분포를 알아본다.
- 실측 자료를 활용하여 해수의 성질을 알아본다.

1 수온

1. 표층 수온 분포
① 전 세계 해양의 표층 수온은 0~30 ℃ 범위에 있다.
② 등수온선이 위도에 대체로 나란하다.
- 표층 수온 분포에 가장 큰 영향을 주는 요인은 태양 복사 에너지양이므로 태양 복사 에너지양이 동일한 같은 위도에서 수온이 대체로 같다.
③ 동일한 경도에서 위도가 높아질수록 수온이 낮아진다.
- 고위도로 갈수록 단위 면적당 태양 복사 에너지양이 적어지므로 수온이 낮아진다.❶
④ 등수온선이 위도에 나란하지 않은 곳이 있다.
- 대양의 동쪽 가장자리는 한류의 영향을 받아 수온이 낮다. → 캘리포니아 해류, 카나리아 해류, 페루 해류 등
- 대양의 서쪽 가장자리는 난류의 영향을 받아 수온이 높다. → 쿠로시오 해류, 멕시코 만류, 동오스트레일리아 해류 등

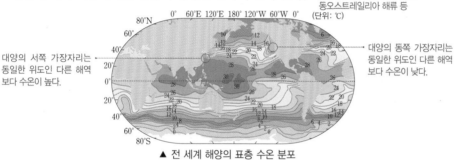

대양의 서쪽 가장자리는 동일한 위도인 다른 해역보다 수온이 높다.

대양의 동쪽 가장자리는 동일한 위도인 다른 해역보다 수온이 낮다.

(단위: ℃)

▲ 전 세계 해양의 표층 수온 분포

2. 연직 수온 분포
① 수심이 깊어질수록 수온이 대체로 낮아진다.
② 해양의 층상 구조: 수온의 연직 분포에 따라 3개의 층으로 구분한다.

혼합층	• 표층부터 수심에 따라 수온이 일정한 층 • 바람의 영향으로 해수가 혼합된다. • 바람이 강한 지역이나 계절에 두꺼워진다.
수온 약층	• 수심이 깊어질수록 수온이 급격히 낮아지는 층 • 아래쪽에 찬 해수, 위쪽에 따뜻한 해수가 있어 매우 안정한 상태이다. • 연직 혼합이 일어나지 않아 혼합층과 심해층 사이의 물질과 열 교환을 막는다.
심해층	• 수온이 낮고, 수심에 따른 수온 변화가 거의 없는 층 • 수심이 깊기 때문에 태양 복사의 영향을 거의 받지 않는다. • 위도나 계절에 관계없이 수온이 거의 일정하다.

표층과 심층의 수온 차이가 작으면 잘 나타나지 않는다.

▲ 해양의 층상 구조

③ 우리나라 주변 해수의 계절별 특징
- 여름: 기온이 높아 표층 수온이 높고 수온 약층이 뚜렷하다.
- 겨울: 바람이 강하게 불어 혼합층의 두께가 두껍다.

셀파 콕콕 🔍
태평양과 대서양의 표층 수온 분포는 표층 해류의 영향을 많이 받으므로 '대기 대순환과 해양의 표층 순환' 단원의 표층 해류 분포 자료와 비교하며 함께 공부한다.

❶ 위도별 태양 복사 에너지

고위도 지역
햇빛
저위도 지역

고위도일수록 햇빛이 지면을 더 비스듬히 비추기 때문에 단위 면적에 도달하는 태양 복사 에너지양이 적다.

═══ 용어 ═══

▶ **한류**: 고위도에서 저위도로 흐르는 찬 해수의 흐름
▶ **난류**: 저위도에서 고위도로 흐르는 따뜻한 해수의 흐름

3. 위도별 해수의 층상 구조

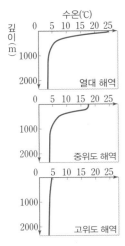

① 열대 해역
- 바람이 약하게 불기 때문에 혼합층의 두께가 얇다.
- 태양 복사 에너지양이 많은 곳이므로 표층 수온이 높고 수온 약층이 뚜렷하다.

② 중위도 해역
- 바람이 강하게 불기 때문에 혼합층의 두께가 두껍다.
- 세 개의 층이 잘 구분된다.

③ 고위도 해역
- 태양 복사 에너지를 적게 받는 곳이므로 표층 수온이 낮고 심층까지 수온 변화가 거의 없다.

2 염분

1. **염분** 해수에 녹아 있는 ▶염류의 양[2]
① 해양의 평균 염분: 약 35 psu
② 표층 염분을 결정하는 요인: 강수량, 증발량, 결빙과 해빙, 담수 유입
- 표층 염분 증가: 강수량 감소, 증발량 증가, 결빙
- 표층 염분 감소: 강수량 증가, 증발량 감소, 해빙, 하천수 유입

2. **표층 염분 분포** 강수량과 증발량이 큰 영향을 미친다.
① 대기 대순환의 영향으로 위도별로 강수량과 증발량이 다르게 나타난다.
- 강수량: 적도에서 높게 나타나고, 위도 30° 부근은 고압대가 형성되어 강수량이 적다.
- 증발량: 저위도로 갈수록 대체로 높게 나타나지만 적도 부근은 위도 30° 부근보다 증발량이 적다.[3]

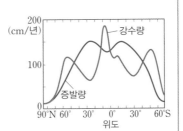

▲ 위도별 강수량, 증발량 분포

② 표층 염분 분포는 (증발량−강수량) 값과 대체로 일치하며 위도 30° 부근에서 가장 높고 적도에서 낮다.
③ 연안 해역은 대륙에서 하천수가 유입되어 대양의 중심부보다 염분이 낮다.

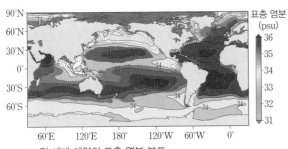

▲ 전 세계 해양의 표층 염분 분포

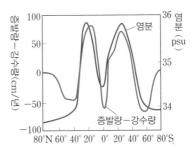

▲ (증발량−강수량)과 표층 염분 분포

❷ 염분비 일정 법칙

해수의 염분은 해역에 따라 다르지만 각각의 염류들의 질량비는 일정하다.

❸ 적도에서 증발량이 중위도보다 적은 까닭

증발이 잘 일어나려면 해수가 받는 복사 에너지양이 많아야 하고 대기가 건조해야 한다. 적도의 경우 태양 복사 에너지양은 저위도로 갈수록 커지므로 적도에서 가장 큰 값을 갖지만 비가 자주 오고 습한 날씨 때문에 대기가 건조하지 못하여 중위도보다 증발량이 적다.

────── 용어 ──────

▶ **염류:** 해수에 녹아 있는 여러 유기물로, 염화 나트륨, 염화 마그네슘 등이 있다.

개념 확인하기

1 해양의 층상 구조는 (   ), (   ), (   )으로 이루어진다.

2 표층 염분은 강수량이 (   )을수록, 증발량이 (   )을수록 높다.

3 적도 해역은 중위도 해역보다 표층 염분이 (   )다.

답 1. 혼합층, 수온 약층, 심해층
2. 적, 많 3. 낮

3 밀도

1. 해수의 밀도 단위 부피당 해수의 질량

① 해수의 밀도는 수온이 낮을수록, 염분이 높을수록 크다.

② 수온 염분도(T−S도)를 이용하면 수온과 염분을 통해 밀도를 알아낼 수 있다.

자료 파헤치기

수온 염분도(T−S도)

① 수온 염분도(T−S도): 수온과 염분을 가로축과 세로축으로 하는 그래프에 등밀도선을 나타낸 것이다.

② 해수의 특성을 파악할 수 있다. [4]

- 수온: C > B > A
- 염분: B = C > A
- 밀도: A = B > C

  └ 밀도가 같은 해수일수록 혼합이 잘 일어난다.

③ A와 B는 수온과 염분이 다르지만 밀도가 같은 해수이다.

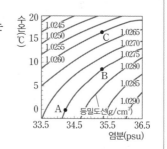

---

2. 밀도 분포

① 열대나 아열대의 해양은 수심에 따른 수온의 변화가 크므로 밀도 분포가 염분보다 수온의 영향을 크게 받는다. → 해수의 밀도는 수온과 대칭적인 변화를 보인다.

② 고위도로 갈수록 태양 복사 에너지양이 감소하므로 수온은 감소한다.→ 고위도로 갈수록 표층 해수의 밀도는 대체로 증가하는 경향을 보인다. [5]

③ 수심에 따른 수온 분포로 해양을 3개의 층으로 구분한다.→ 수온과 대칭적인 변화가 나타나는 밀도를 통해 해양을 표층, 밀도 약층, 심층으로도 구분한다.

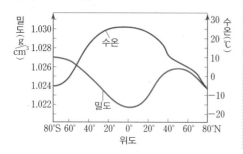

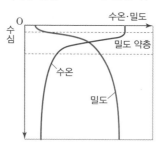

4 용존 기체

1. 용존 기체 해수에 용해되어 있는 여러 기체

① 해수의 표층은 대기와 맞닿아 있어 대기 중으로 기체가 방출되기도 하고 대기에서 해수로 기체가 녹기도 한다.

② 기체의 용해도는 염분이 낮을수록, 수온이 낮을수록 증가한다.

2. 용존 산소량

① 표층에서 가장 높다.

- 햇빛이 깊은 수심까지 들어가지 못하기 때문에 표층에서 광합성이 많이 일어난다.[6] └ 식물성 플랑크톤은 표층에 가장 많다.

② 수심 1000 m까지 급격하게 낮아진다.

- 햇빛이 도달하지 못하는 깊이에서는 광합성이 일어나지 못하고, 생물의 호흡만 일어난다. └ 빛이 없는 층을 무광층이라고 한다.

③ 수심 1000 m부터 수심이 깊어짐에 따라 증가한다.

- 용존 산소량이 풍부한 심층 해류가 흐른다.

▲ 수심에 따른 용존 산소량

---

[4] 수온 염분도의 이용

같은 성질의 공기 덩어리를 기단이라고 한다면 같은 성질의 해수를 수괴라고 한다. 수온 염분도는 수괴의 특성과 수괴의 이동을 파악할 때 유용하다.

[5] 북반구 고위도의 표층 해수 밀도가 낮은 까닭

북반구 고위도는 육지의 하천수가 유입되고 빙하가 녹고 있기 때문에 남반구와 다르게 수온이 낮음에도 표층 밀도가 낮다.

강의 콕

해수의 연직 분포에서 수심이 깊어질 때 수온은 상승하는 경우가 없고, 밀도는 감소하는 경우가 없다. 반면에 염분은 수심이 깊어질 때 증가하거나 감소하는 경우가 모두 나타날 수 있다.

[6] 수심에 따른 빛 흡수

빛은 수심 10 m 이내에서 대부분 흡수되며 수심 100 m에서 99 %의 빛이 흡수된다. 따라서 100 m보다 깊은 해수는 빛이 없는 어두운 환경이며 광합성이 일어날 수 없다.

용어

▶ **용해도**: 일정한 온도에서 일정한 양의 용매에 녹을 수 있는 용질의 최대의 양

3. 용존 이산화 탄소량

① 일정한 수심까지는 용존 산소량과 대칭적 변화를 보인다.❼
  - 표층에서 가장 낮다.
  - 수심 1000 m까지 급격하게 증가한다.
② 수심 1000 m부터 수심이 깊어질수록 증가한다.
  - 심해에서 생물의 호흡만 일어나며 수온이 낮다.

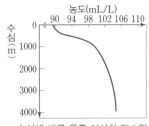

▲ 수심에 따른 용존 이산화 탄소량

❼ 용존 산소량과 용존 이산화 탄소량의 변화가 상반되게 나타나는 까닭

광합성과 호흡의 과정에서 산소와 이산화 탄소의 흡수와 방출이 반대로 일어나고 해수의 용존 기체량 변화에서 생물의 광합성과 호흡이 크게 영향을 미치기 때문이다. 생물이 거의 없는 심층에서는 용존 산소량과 용존 이산화 탄소량의 변화가 반대로 나타나지 않는다.

태평양의 용존 산소량 분포

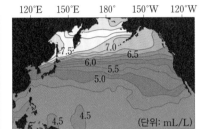

(단위: mL/L)

- 대양의 용존 산소량의 분포에 가장 큰 영향을 미치는 요인은 수온이다.→ 등치선 모양이 수온 분포와 비슷
- 대체로 위도와 나란한 분포를 보이며 고위도로 갈수록 용존 산소량이 커진다.

대양의 동쪽 가장자리	대양의 서쪽 가장자리
한류의 영향을 받아 같은 위도의 다른 해역보다 용존 산소량이 높다.	난류의 영향을 받아 같은 위도의 다른 해역보다 용존 산소량이 낮다.

---

5 우리나라 주변 해역의 특징

1. 표층 수온 분포

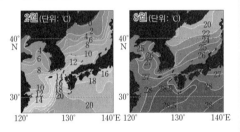

① 동해: 남북 간의 수온 변화가 크며 한류와 난류가 만나는 조경 수역이 나타난다.
② 황해: 수온의 연교차가 크다.
  → 수심이 얕고 해수의 양이 적다.❽
③ 남해: 쿠로시오 해류의 영향으로 연중 수온이 가장 높다.

2. 표층 염분 분포

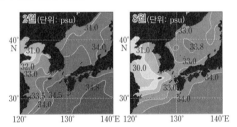

① 여름은 겨울보다 표층 염분이 낮다.
  → 여름철 강수량이 많다.
② 동해보다 황해의 표층 염분이 낮다.
  → 중국과 우리나라의 하천수가 황해로 유입된다.

3. **표층 밀도 분포** 수온이 높고 염분이 낮은 여름에 표층 밀도가 낮게 나타나고, 수온이 낮고 염분이 높은 겨울에 표층 밀도가 높다.

4. **표층 용존 산소량 분포** 용존 산소량이 낮은 쿠로시오 해류의 영향을 많이 받는 저위도와 여름에 낮게 나타난다.

❽ 황해의 수온 연교차

해수의 양이 적으면 수온 상승에 필요한 열도 적다. 황해는 수심이 얕아 해수의 양이 적고 동해는 수심이 깊어 해수의 양이 많다. 따라서 황해의 수온 1 ℃를 올리는 데 필요한 열이 동해의 수온 1 ℃를 올리는 데 필요한 열보다 적으므로 황해의 수온은 쉽게 상승한다.

━━━━━ 용어 ━━━━━

▶ 쿠로시오 해류: 태평양 서쪽 가장자리에서 고위도로 흐르는 난류

개념 확인하기

1 해수의 밀도는 수온이 ( )을수록, 염분이 ( )을수록 크다.
2 용존 산소량은 표층에서 가장 (낮, 높)다.
3 동해에는 한류와 난류가 만나 ( )이 형성된다.
4 우리나라 주변 해역 중 연중 표층 염분이 가장 낮은 바다는?

답 1. 낮, 높
2. 낮
3. 조경 수역
4. 황해

셀파 탐구

우리나라 주변 해수의 성질 분석하기

목표 실제 인공위성 자료를 조사하여 우리나라 주변 해양의 특징을 이해할 수 있다.

과정 1

그림은 각각 8월과 2월의 평균 표층 수온 분포를 나타낸 것이다.

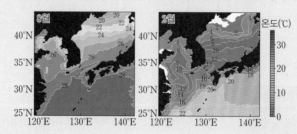

결과 및 정리

1. 동해와 황해 중 등수온선이 조밀한 바다는 어디인가?
   → 동해에서 남쪽의 난류와 북쪽의 한류가 만나기 때문에 동해의 등수온선이 조밀하다.

2. 8월과 2월에 수온 차가 큰 바다와 작은 바다는 각각 어디인가?
   → 황해는 수심이 얕고 해수의 양이 적기 때문에 8월과 2월의 수온 차가 크다. 남해는 비교적 수심이 깊고 연중 쿠로시오 난류의 영향을 받기 때문에 8월과 2월의 수온 차가 작다.

과정 2

그림은 ARGO 프로그램을 이용하여 수온 염분도를 작성한 것이다.

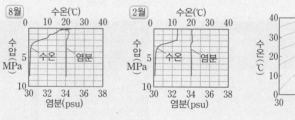

결과 및 정리

1. 2월과 8월의 표층 해수의 성질은?

구분	수온	염분	밀도
2월	12 ℃	34 psu	1.026 g/cm^3
8월	22 ℃	33 psu	1.022 g/cm^3

2. 2월과 8월의 심층 해수의 성질은?
   → 심층 해수는 계절에 상관없이 수온이 1 ℃ 내외, 염분이 34 psu로 거의 일정하다.

탐구 대표 문제 정답과 해설 39쪽

01 우리나라의 2월과 8월, 표층 수온 및 표층 염분의 분포에 대한 설명으로 옳지 않은 것은?

① 겨울철 동해안의 수온이 같은 위도의 서해안의 수온보다 높다.

② 동해는 황해보다 남북 간 등수온선의 간격이 더 조밀하다.

③ 표층 염분은 겨울보다 여름에 더 높다.

④ 표층 해수의 밀도는 2월보다 8월에 더 작다.

⑤ 황해의 연안 지역은 같은 위도의 먼 바다보다 염분이 낮다.

(+) 유의점

❶ ARGO 프로그램의 밀도 자료에서 표기와 단위에 유의한다. 예를 들어 밀도 "28"은 1.028 g/cm^{3}를 의미한다.

❷ 수온 염분도에는 수심이 표시되지 않는 경우가 있다. 밀도가 가장 작은 쪽이 표층, 밀도가 가장 큰 쪽이 심층을 나타낸다.

탐구 돋보기

겨울과 여름, 동해와 황해의 수온, 염분을 비교하여 기억해둔다. 수온과 염분이 낮거나 높은 까닭을 함께 알아두자.

시험 유형은?

❶ 황해의 염분이 동해보다 낮은 까닭은?
▶ 중국과 우리나라의 하천수 유입량이 황해에 많기 때문이다.

❷ 2월과 8월 중 수온 약층이 잘 발달하는 계절과 혼합층이 잘 발달하는 계절은 각각 언제인가?
▶ 2월에는 바람이 강하여 혼합층이 잘 발달하고, 8월에는 표층 수온이 높아 수온 약층이 잘 발달한다.

기초 탄탄 문제

정답과 해설 40쪽

핵심용어_ 이 단원에서 내가 아는 것과 아직 모르는 것을 정리하며 나의 공부를 돌아보자.

□ 수온   □ 해양의 층상 구조   □ 염분
□ 해수의 밀도   □ 수온 염분도(T–S도)   □ 용존 산소량
□ 용존 이산화 탄소량   □ 우리나라 주변 해역의 특징

01 태평양의 표층 수온 분포에서 태평양의 서쪽 가장자리가 동쪽 가장자리보다 수온이 높게 나타나는 데 영향을 주는 것은?

① 온대 저기압   ② 태풍
③ 대기 대순환   ④ 해양의 표층 해류
⑤ 해양의 심층 해류

02 그림은 중위도 어느 해역의 연직 수온 분포를 나타낸 것이다.

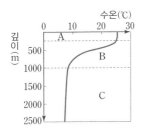

이에 대한 설명으로 옳은 것은?

① A층의 두께는 바람의 세기와 관련이 있다.
② B층에서 해수의 연직 운동이 활발하게 일어난다.
③ B층은 A와 C층의 물질 교환을 활발하게 한다.
④ C층은 태양 복사 에너지를 가장 많이 받는다.
⑤ C층은 위도와 계절에 따른 수온 변화가 크다.

03 표층 염분이 낮아지는 경우는?

① 강수량이 감소한다.
② 태양의 고도가 높아져 증발량이 증가한다.
③ 육지에서 바다로 유입되는 강물의 양이 감소한다.
④ 극지방에서 해빙이 일어나 빙하 면적이 좁아진다.
⑤ 고온 건조한 기단이 바다로 이동해 온다.

04 어떤 해역의 (증발량–강수량) 값과 가장 관련 있는 해수의 성질은?

① 표층 수온   ② 표층 염분
③ 해수의 밀도   ④ 용존 산소량
⑤ 용존 이산화 탄소량

05 해수의 밀도에 대한 설명으로 옳지 않은 것은?

① 해수의 밀도는 수온이 낮을수록, 염분이 높을수록 크다.
② 수온 염분도를 이용하면 수온과 염분을 통해 해수의 밀도를 알 수 있다.
③ 두 해수의 수온과 염분이 다르면 밀도도 다르다.
④ 고위도에서 해수의 밀도는 염분의 영향을 더 많이 받는다.
⑤ 수심에 따라 밀도가 급격하게 증가하는 층은 밀도 약층이다.

06 용존 산소량이 가장 높게 나타나는 층은?

① 표층   ② 심층   ③ 수온 약층
④ 밀도 약층   ⑤ 무광층

07 우리나라 주변 해역에 대한 설명으로 옳지 않은 것은?

① 황해는 수온의 연교차가 크다.
② 남해는 연중 쿠로시오 해류의 영향을 받는다.
③ 동해는 난류와 한류의 영향을 받아 조경 수역이 형성된다.
④ 여름철에 우리나라 주변 해역의 염분이 낮은 까닭은 증발량이 많기 때문이다.
⑤ 황해의 염분이 낮은 까닭은 우리나라와 중국의 하천수가 황해로 유입되기 때문이다.

내신 만점 문제

정답과 해설 40쪽

* ▭▭▭ 난이도를 나타냅니다.

01 그림은 위도별 해수의 층상 구조와 연직 수온 분포를 나타낸 것이다.

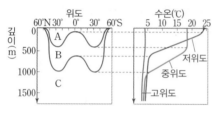

이에 대한 설명으로 옳은 것만을 〈보기〉에서 있는 대로 고른 것은?

┤ 보기 ├
ㄱ. A층의 두께는 바람이 강할수록 두꺼워진다.
ㄴ. B층에서 해수의 밀도는 수심이 깊어질수록 증가한다.
ㄷ. C층의 수온은 고위도로 갈수록 높아진다.

① ㄱ   ② ㄴ   ③ ㄱ, ㄴ
④ ㄱ, ㄷ   ⑤ ㄴ, ㄷ

02 그림은 중위도 지역 해수의 연직 온도와 밀도 분포 및 위도에 따른 표층 해수의 온도와 밀도 분포를 나타낸 것이다.

 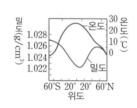

이에 대한 설명으로 옳은 것만을 〈보기〉에서 있는 대로 고른 것은?

┤ 보기 ├
ㄱ. 해수의 밀도는 대체로 온도에 반비례한다.
ㄴ. 해수의 밀도는 고위도로 갈수록 꾸준하게 증가한다.
ㄷ. 위도에 따른 표층 해수의 온도 분포는 태양 복사 에너지의 입사량이 가장 큰 영향을 미친다.

① ㄱ   ② ㄴ   ③ ㄱ, ㄷ
④ ㄴ, ㄷ   ⑤ ㄱ, ㄴ, ㄷ

03 그림은 전 세계 해수의 표층 수온 분포를 나타낸 것이다.

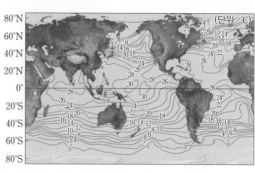

이에 대한 설명으로 옳은 것만을 〈보기〉에서 있는 대로 고른 것은?

┤ 보기 ├
ㄱ. 비가 많이 내리는 해역일수록 표층 수온이 낮다.
ㄴ. 해수의 표층 수온 분포는 대체로 위도와 나란하게 나타난다.
ㄷ. 대륙 주변부의 표층 수온은 해류나 수륙 분포의 영향을 받는다.

① ㄱ   ② ㄷ   ③ ㄱ, ㄴ
④ ㄴ, ㄷ   ⑤ ㄱ, ㄴ, ㄷ

04 그림은 북태평양 표층 해수의 평균 수온 분포를 나타낸 것이다.

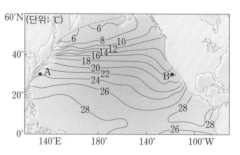

이에 대한 설명으로 옳은 것만을 〈보기〉에서 있는 대로 고른 것은?

┤ 보기 ├
ㄱ. 서태평양에서는 고위도로 갈수록 위도에 따른 수온 변화가 작아진다.
ㄴ. A 해역은 난류, B 해역은 한류의 영향을 받는다.
ㄷ. A 해역은 B 해역에 비해 용존 산소량이 많다.

① ㄱ   ② ㄴ   ③ ㄱ, ㄷ
④ ㄴ, ㄷ   ⑤ ㄱ, ㄴ, ㄷ

05 그림은 전 세계 표층 해수의 염분 분포를 나타낸 것이다.

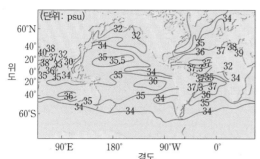

이에 대한 설명으로 옳은 것만을 〈보기〉에서 있는 대로 고른 것은?

┤ 보기 ├
ㄱ. 대양 한가운데로 갈수록 대륙의 영향을 적게 받아 표층 염분이 높다.
ㄴ. 증발량이 많은 적도에서 표층 염분이 가장 높지 않은 까닭은 증발량보다 강수량이 많기 때문이다.
ㄷ. 같은 위도에서 대서양이 태평양보다 표층 염분이 높다.

① ㄱ   ② ㄷ   ③ ㄱ, ㄴ
④ ㄴ, ㄷ   ⑤ ㄱ, ㄴ, ㄷ

07 그림 (가)는 위도에 따른 표층 수온 분포를, (나)는 위도에 따른 연평균 강수량과 증발량의 분포를 나타낸 것이다.

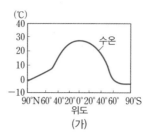 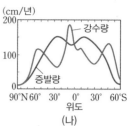

이에 대한 설명으로 옳은 것만을 〈보기〉에서 있는 대로 고른 것은?

┤ 보기 ├
ㄱ. 수온이 가장 높은 위도에서 염분이 가장 높다.
ㄴ. (강수량－증발량) 값이 클수록 표층 염분은 낮다.
ㄷ. 적도에서 증발량이 위도 30° 부근보다 낮은 까닭은 대기가 습하기 때문이다.

① ㄱ   ② ㄷ   ③ ㄱ, ㄴ
④ ㄴ, ㄷ   ⑤ ㄱ, ㄴ, ㄷ

06 그림은 북반구 어느 해역의 2월과 8월의 깊이에 따른 수온과 염분의 변화를 나타낸 것이다.

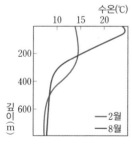 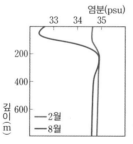

이에 대한 설명으로 옳은 것만을 〈보기〉에서 있는 대로 고른 것은?

┤ 보기 ├
ㄱ. 8월보다 2월에 바람이 강하게 불 것이다.
ㄴ. 강수의 영향은 2월보다 8월에 더 크게 나타난다.
ㄷ. 해수의 밀도는 수온 약층에서 깊이에 따라 급격히 감소한다.

① ㄱ   ② ㄷ   ③ ㄱ, ㄴ
④ ㄴ, ㄷ   ⑤ ㄱ, ㄴ, ㄷ

 그림은 어느 해역에서 측정한 깊이에 따른 수온과 염분을 수온 염분도에 나타낸 것이다.

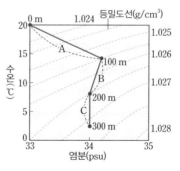

이에 대한 설명으로 옳은 것만을 〈보기〉에서 있는 대로 고른 것은?

┤ 보기 ├
ㄱ. 해수 표면의 수온은 33 ℃이다.
ㄴ. 염분 변화는 구간 A보다 구간 B에서 크다.
ㄷ. 밀도 변화는 구간 B보다 구간 C에서 작다.

① ㄱ   ② ㄴ   ③ ㄷ
④ ㄱ, ㄴ   ⑤ ㄴ, ㄷ

09 그림은 수온 염분도를 나타낸 것이다. 점선은 염분에 따라 물의 밀도가 최대가 되는 온도를 연결한 선이다.

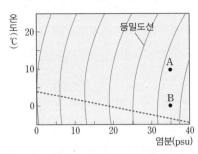

이에 대한 설명으로 옳은 것만을 〈보기〉에서 있는 대로 고른 것은?

> ┤ 보기 ├
>
> ㄱ. 수온은 A가 B보다 높다.
>
> ㄴ. 염분은 B가 A보다 높다.
>
> ㄷ. 밀도는 B가 A보다 크다.

① ㄱ   ② ㄴ   ③ ㄱ, ㄷ

④ ㄴ, ㄷ   ⑤ ㄱ, ㄴ, ㄷ

 10 그림은 어느 해역에서 깊이에 따른 수온과 염분을 측정하여 수온 염분도에 나타낸 것이다.

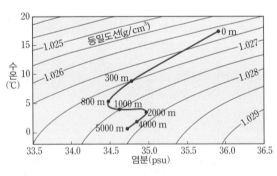

이에 대한 설명으로 옳은 것만을 〈보기〉에서 있는 대로 고른 것은?

> ┤ 보기 ├
>
> ㄱ. 혼합층은 거의 나타나지 않는다.
>
> ㄴ. 표층에서 800 m로 가는 동안 수온과 염분은 모두 감소한다.
>
> ㄷ. 깊이에 따라 밀도가 급격하게 감소하는 구간이 있다.

① ㄱ   ② ㄷ   ③ ㄱ, ㄴ

④ ㄴ, ㄷ   ⑤ ㄱ, ㄴ, ㄷ

11 그림은 해수에 녹아 있는 두 기체 A와 B의 수심에 따른 농도를 나타낸 것이다. A와 B 중 하나는 산소이고 다른 하나는 이산화 탄소이다.

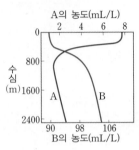

이에 대한 설명으로 옳은 것만을 〈보기〉에서 있는 대로 고른 것은?

> ┤ 보기 ├
>
> ㄱ. A의 농도는 표층에서 가장 높다.
>
> ㄴ. B의 농도가 500 m 부근부터 급격히 증가하는 까닭은 생물의 호흡과 관련이 있다.
>
> ㄷ. 심해층에서 A와 B의 농도는 적도 지방 표층 해수의 영향을 받는다.

① ㄱ   ② ㄱ, ㄴ   ③ ㄱ, ㄷ

④ ㄴ, ㄷ   ⑤ ㄱ, ㄴ, ㄷ

12 그림은 해수의 수심에 따른 어떤 용존 기체의 양을 나타낸 것이다.

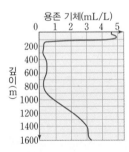

이에 대한 설명으로 옳은 것만을 〈보기〉에서 있는 대로 고른 것은?

> ┤ 보기 ├
>
> ㄱ. 식물성 플랑크톤은 수심 100 m 이내에 대부분 존재한다.
>
> ㄴ. 수심 200 m보다 깊은 곳에는 햇빛이 잘 도달하지 않는다.
>
> ㄷ. 수심이 800 m보다 깊어질수록 용존 기체의 양이 증가한다.

① ㄱ   ② ㄴ   ③ ㄱ, ㄷ

④ ㄴ, ㄷ   ⑤ ㄱ, ㄴ, ㄷ

13 그림은 우리나라 주변 해수의 표층 수온 분포를 나타낸 것이다.

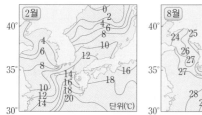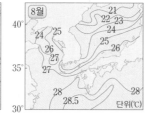

이에 대한 설명으로 옳은 것만을 〈보기〉에서 있는 대로 고른 것은?

| 보기 |

ㄱ. 대체로 표층 수온은 위도가 높아질수록 높아진다.
ㄴ. 표층 수온의 연교차는 동해보다 황해에서 크다.
ㄷ. 동해의 위도별 표층 수온 차이는 2월이 8월보다 크다.

① ㄱ　　　　② ㄴ　　　　③ ㄱ, ㄷ
④ ㄴ, ㄷ　　　⑤ ㄱ, ㄴ, ㄷ

14 그림은 우리나라 주변 해수의 표층 염분 분포를 나타낸 것이다.

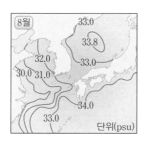

이에 대한 설명으로 옳은 것만을 〈보기〉에서 있는 대로 고른 것은?

| 보기 |

ㄱ. 2월보다 8월에 표층 염분이 낮은 까닭은 태양의 고도가 높아 증발량이 많기 때문이다.
ㄴ. 대체로 황해의 표층 염분이 동해나 남해보다 높다.
ㄷ. 남해의 표층 염분이 높게 나타나는 것은 연중 쿠로시오 해류의 영향을 받기 때문이다.

① ㄱ　　　　② ㄴ　　　　③ ㄷ
④ ㄱ, ㄴ　　　⑤ ㄴ, ㄷ

서술형 문제

15 그림은 동해의 동일 지점에서 2월과 8월에 관측한 수심에 따른 수온, 염분, 밀도를 수온 염분도에 나타낸 것이다.

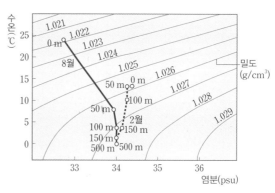

(1) 2월과 8월 중 혼합층이 발달하는 계절과 혼합층의 두께를 쓰시오.

_____

_____

(2) 2월과 8월의 염분 차이는 깊이에 따라 어떻게 변하는지 서술하시오.

_____

_____

(3) 동해의 심층에서 해수의 성질이 계절별로 크게 차이 나지 않는 까닭을 서술하시오.

_____

_____

_____

_____

16 황해의 표층 염분이 동해나 남해와 비교하여 낮은 까닭을 서술하시오.

_____

_____

_____

1. 고기압과 저기압

구분	고기압	저기압
모식도 (북반구)	 하강 기류 / 고	상승 기류 / 저
정의	주변보다 기압이 높은 곳	주변보다 기압이 낮은 곳
지상 공기 이동	• 중심부에 하강 기류 발생 • 중심에서 바깥쪽으로 공기가 시계 방향으로 회전하며 발산	• 중심부에 상승 기류 발생 • 바깥쪽에서 중심으로 공기가 시계 반대 방향으로 회전하며 수렴

2. 우리나라 주변 기단

기단	성질	계절
양쯔강 기단	온난 건조	봄, 가을
오호츠크해 기단	한랭 다습	초여름
북태평양 기단	고온 다습	여름
적도 기단		
시베리아 기단	한랭 건조	겨울

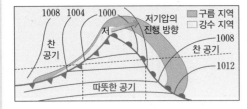

3. 온대 저기압

① 중위도 온대 지방에서 전선을 동반하여 발달하는 저기압
② 날씨 변화
• 온난 전선 통과: 층운형 구름이 점차 낮아지다가 맑아진다. 기온이 상승하고 기압이 낮아진다. 풍향이 남동풍에서 남서풍으로 변한다.
• 한랭 전선 통과: 맑은 날씨 후 적운형 구름이 발달한다. 기온이 하강하고 기압이 높아진다. 풍향이 남서풍에서 북서풍으로 변한다.

4. 태풍의 형성

① 태풍의 에너지원: 수증기의 응결 시 방출되는 숨은열(잠열)
② 태풍의 발생 장소: 위도 5°~25° 사이의 수온 27 ℃ 이상인 열대 해상
③ 형성 과정

• 해수에서 대기로 열과 수증기 공급
• 상승 기류 발생, 적란운 형성
• 공기가 회전하면서 태풍 발달

5. 태풍의 이동과 소멸

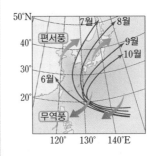

① 태풍의 이동: 포물선 경로
• 저위도: 무역풍의 영향을 받아 북서쪽으로 이동
• 중위도: 편서풍의 영향을 받아 북동쪽으로 이동
② 태풍의 소멸: 중심 기압이 높아지면서 소멸

6. 태풍의 눈

① 태풍의 눈: 태풍의 중심 부근에서 맑고 바람이 약한 구역

 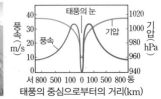

② 기압과 풍속 분포
• 기압: 태풍의 중심에 가까울수록 감소, 태풍의 눈에서 최저
• 풍속: 태풍의 중심부에 가까울수록 증가, 태풍의 눈에서 급격하게 감소

7. 위험 반원과 안전 반원

① 위험 반원: 태풍의 이동 방향과 저기압성 바람의 방향이 같아 풍속이 강한 구역
② 안전 반원: 태풍의 이동 방향과 저기압성 바람의 방향이 달라 상대적으로 풍속이 약한 구역

8. 뇌우 발달

① 뇌우: 천둥과 번개를 동반한 폭풍우

② 뇌우의 발달: 강한 상승 기류가 나타나는 곳에서 발달

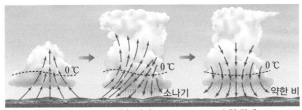

적운 단계 | 성숙 단계 | 소멸 단계

- 상승 기류로 적운 발달, 적란운으로 성장
- 상승·하강 기류가 동시에 나타나면서 악기상 발생
- 하강 기류만 나타나며 약한 비와 함께 구름 소멸

③ 뇌우에서 집중 호우, 우박, 강풍 등 다양한 악기상 발생

9. 악기상

집중 호우	• 짧은 시간 동안 많은 비가 내리는 현상 • 주로 여름철 강한 뇌우, 장마 전선에서 발생
우박	• 지상으로 얼음 덩어리가 떨어지는 강수 현상 • 주로 성숙 단계의 뇌우에서 발생
폭설	• 짧은 시간 동안 많은 눈이 내리는 현상 • 기단의 변질, 지형적 원인으로 발생
한파	• 겨울철 기온이 급격하게 낮아지는 현상 • 시베리아 고기압이 확장되면서 발생
강풍	• 10분 동안의 평균 풍속이 14 m/s 이상인 바람 • 강한 뇌우, 태풍, 시베리아 고기압이 확장할 때 발생

10. 황사

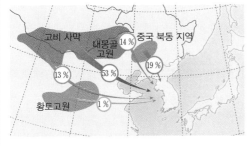

① 황사: 사막 지역에서 모래 입자가 바람을 타고 이동하여 낙하하는 현상

② 발원지: 중국·몽골 내륙의 건조 지역

③ 발생 시기: 주로 양쯔강 기단의 세력이 강해지는 3월과 5월 사이

11. 수온

① 표층 수온 분포
- 위도가 높아질수록 대체로 수온이 낮아진다.
- 대양의 가장자리에서는 한류 또는 난류의 영향을 받는다.

② 해양의 층상 구조: 수온의 연직 분포에 따라 구분

혼합층	바람의 혼합으로 표층부터 수심에 따라 수온이 일정한 층
수온 약층	수심이 깊어질수록 수온이 급격히 낮아지는 안정한 층
심해층	계절, 위도에 관계없이 수심에 따른 수온 변화가 거의 없는 층

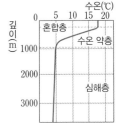

12. 염분과 밀도

① 염분: 해수에 녹아 있는 염류의 양
- (증발량−강수량) 값에 비례하며 중위도에서 가장 높다.

② 해수의 밀도: 수온이 낮을수록, 염분이 높을수록 크다.
- 수온 염분도(T−S도)를 이용하여 수온, 염분, 밀도를 분석할 수 있다.

13. 용존 기체

① 용존 산소량   ② 용존 이산화 탄소량

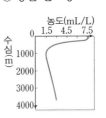 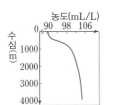

표층	생물의 광합성 영향
표층 ~ 심층	생물의 호흡 영향
심층	극지방에서 형성되는 심층 해류 영향

14. 우리나라 주변 해역의 특징

① 표층 수온
- 동해: 남북 간의 수온 변화가 크다.
- 황해: 수온의 연교차가 크다.
- 남해: 연중 수온이 높다.

② 표층 염분
- 여름철에 강수량이 많아 겨울철보다 표층 염분이 낮다.
- 우리나라와 중국의 하천이 황해로 많이 유입되어 동해보다 황해의 표층 염분이 낮다.

01 그림은 우리나라 주변 일기도를 나타낸 것이다.

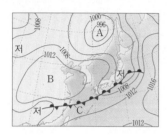

이에 대한 설명으로 옳은 것만을 〈보기〉에서 있는 대로 고른 것은?

보기
ㄱ. A는 저기압, B는 고기압이다.
ㄴ. C는 폐색 전선을 나타낸 것이다.
ㄷ. 우리나라는 동풍 계열의 바람이 불고 있다.

① ㄱ   ② ㄴ   ③ ㄱ, ㄷ
④ ㄴ, ㄷ   ⑤ ㄱ, ㄴ, ㄷ

02 그림 (가), (나)는 온대 저기압에서 볼 수 있는 두 전선을 나타 낸 것이다.

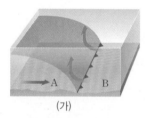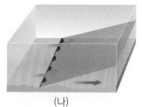

(가)   (나)

이에 대한 설명으로 옳은 것만을 〈보기〉에서 있는 대로 고른 것은?

보기
ㄱ. (가)의 A는 B보다 기온이 높다.
ㄴ. (나)의 전선 진행 방향 앞쪽에 층운형 구름이 형성 된다.
ㄷ. (가)는 (나)보다 이동 속도가 빠르다.

① ㄱ   ② ㄷ   ③ ㄱ, ㄴ
④ ㄴ, ㄷ   ⑤ ㄱ, ㄴ, ㄷ

03 그림은 같은 시각에 가시광선과 적외선으로 관측한 기상 위 성 영상을 나타낸 것이다.

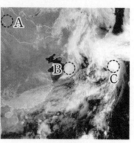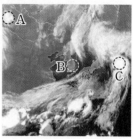

가시 영상   적외 영상

이에 대한 설명으로 옳은 것만을 〈보기〉에서 있는 대로 고른 것은?

보기
ㄱ. A는 얇고 높은 구름이다.
ㄴ. A~C 중 강수 가능성이 가장 큰 구름은 C이다.
ㄷ. B는 C보다 구름 상부의 고도가 더 높다.

① ㄱ   ② ㄷ   ③ ㄱ, ㄴ
④ ㄴ, ㄷ   ⑤ ㄱ, ㄴ, ㄷ

04 그림은 우리나라 부근에서 온대 저기압이 3일 동안 이동한 경로를 나타낸 것이다.

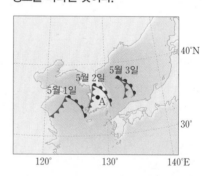

이에 대한 설명으로 옳은 것만을 〈보기〉에서 있는 대로 고른 것은?

보기
ㄱ. 저기압 중심은 A 지역보다 북쪽 지역을 통과하였다.
ㄴ. 5월 2일과 3일 사이에 A 지역의 기온이 낮아졌다.
ㄷ. 5월 2일 A 지역에는 남동풍이 분다.

① ㄱ   ② ㄷ   ③ ㄱ, ㄴ
④ ㄴ, ㄷ   ⑤ ㄱ, ㄴ, ㄷ

05 그림 (가)는 어느 날 온대 저기압이 우리나라 어느 관측소를 통과하는 동안 관측한 기온과 기압을, (나)는 이날 6시, 12시, 18시에 관측한 풍향과 풍속을 ㉠, ㉡, ㉢으로 순서 없이 나타낸 것이다.

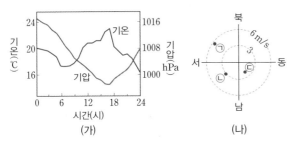

이에 대한 설명으로 옳은 것만을 〈보기〉에서 있는 대로 고른 것은?

┤ 보기 ├

ㄱ. 12시에 관측한 바람은 ㉠이다.

ㄴ. 온난 전선은 17시경에 통과하였다.

ㄷ. 이 온대 저기압의 중심은 관측소의 북쪽을 통과하였다.

① ㄱ   ② ㄷ   ③ ㄱ, ㄴ
④ ㄴ, ㄷ   ⑤ ㄱ, ㄴ, ㄷ

06 그림 (가), (나)는 우리나라를 통과한 온대 저기압과 태풍의 이동 경로를 순서 없이 나타낸 것이다.

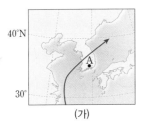 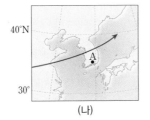

이에 대한 설명으로 옳은 것만을 〈보기〉에서 있는 대로 고른 것은?

┤ 보기 ├

ㄱ. (가)는 온대 저기압의 이동 경로를 나타낸 것이다.

ㄴ. (나)에서 A 지역에 전선이 통과하였다.

ㄷ. 두 저기압이 각각 지나는 동안 A 지역에서 풍향은 시계 방향으로 변하였다.

① ㄱ   ② ㄴ   ③ ㄱ, ㄷ
④ ㄴ, ㄷ   ⑤ ㄱ, ㄴ, ㄷ

07 그림 (가)는 어느 태풍의 이동 경로를, (나)는 이 태풍의 영향을 받는 동안 A 지역에서의 해수면 높이를 나타낸 것이다.

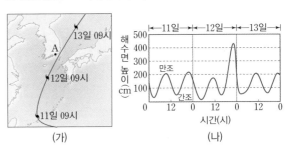

이에 대한 설명으로 옳은 것만을 〈보기〉에서 있는 대로 고른 것은?

┤ 보기 ├

ㄱ. 12일 밤 A 지역의 해수면 상승은 태풍의 영향이다.

ㄴ. 11일 09시 이후 태풍은 편서풍의 영향을 받았다.

ㄷ. 12일과 13일 사이 우리나라의 육지에서는 풍향이 시계 반대 방향으로 변했을 것이다.

① ㄱ   ② ㄴ   ③ ㄱ, ㄷ
④ ㄴ, ㄷ   ⑤ ㄱ, ㄴ, ㄷ

08 그림은 2012년에 발생한 두 태풍 중심의 이동 경로와 당시의 북태평양 고기압 세력을 나타낸 것이다.

이에 대한 설명으로 옳은 것만을 〈보기〉에서 있는 대로 고른 것은?

┤ 보기 ├

ㄱ. 태풍 볼라벤이 황해를 지날 때 서울은 안전 반원에 속한다.

ㄴ. 태풍의 세력은 우리나라를 통과한 후 모두 약해졌다.

ㄷ. 태풍의 이동 경로는 북태평양 고기압에 의해 밀려나는 경향이 있다.

① ㄱ   ② ㄴ   ③ ㄱ, ㄷ
④ ㄴ, ㄷ   ⑤ ㄱ, ㄴ, ㄷ

09 그림 (가), (나)는 태풍이 우리나라를 지나는 동안 어느 지점에서 관측한 기압, 풍속, 풍향의 변화를 나타낸 것이다.

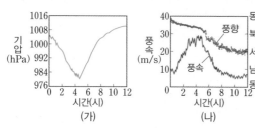

(가)　　(나)

이 지점에 대한 설명으로 옳은 것만을 〈보기〉에서 있는 대로 고른 것은?

┤ 보기 ├
ㄱ. 4~6시에 태풍의 눈이 지나갔다.
ㄴ. 관측 지점은 태풍 이동 경로의 오른쪽에 위치하였다.
ㄷ. 12시 이후 태풍의 세력은 약해졌을 것이다.

① ㄱ　　　② ㄷ　　　③ ㄱ, ㄴ
④ ㄴ, ㄷ　　⑤ ㄱ, ㄴ, ㄷ

10 그림 (가)는 어느 날 18시 50분의 시간당 강우량을, (나)는 같은 날 비슷한 시간대에 발생한 낙뢰 위치를 30분 구간으로 표현한 것이다.

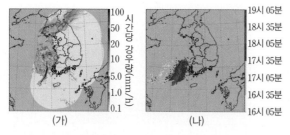

(가)　　(나)

이에 대한 설명으로 옳은 것만을 〈보기〉에서 있는 대로 고른 것은?

┤ 보기 ├
ㄱ. 이날 저녁 남해안에 강한 소나기가 지나갔을 것이다.
ㄴ. 강수 영역은 낙뢰 영역과 함께 동쪽으로 이동하고 있다.
ㄷ. 강수 영역에 상승 기류로 수직으로 발달한 구름이 형성되어 있다.

① ㄱ　　　② ㄴ　　　③ ㄱ, ㄷ
④ ㄴ, ㄷ　　⑤ ㄱ, ㄴ, ㄷ

11 그림은 어느 해 4월 7일부터 13일까지 황사가 이동하는 모습을 나타낸 것이다. 음영은 황사의 영역과 강도를 나타낸다.

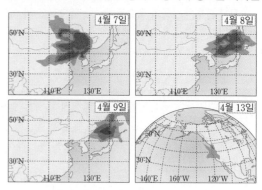

이에 대한 설명으로 옳은 것만을 〈보기〉에서 있는 대로 고른 것은?

┤ 보기 ├
ㄱ. 황사는 미국의 서부 지역까지 영향을 주었다.
ㄴ. 황사는 편서풍에 의해 동쪽으로 이동하였다.
ㄷ. 황사의 영향은 우리나라의 남부 지방보다 중부 지방에서 더 컸다.

① ㄱ　　　② ㄴ　　　③ ㄱ, ㄷ
④ ㄴ, ㄷ　　⑤ ㄱ, ㄴ, ㄷ

12 그림 (가)는 어느 날 가시광선으로 관측한 기상 위성 영상이고, (나)는 같은 날 부산 지역의 시간당 강수량을 나타낸 것이다.

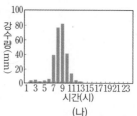

(가)　　(나)

이에 대한 설명으로 옳은 것만을 〈보기〉에서 있는 대로 고른 것은?

┤ 보기 ├
ㄱ. 부산 지역에는 약한 비가 지속적으로 내렸다.
ㄴ. 저기압의 영향으로 전국에 많은 비가 내렸다.
ㄷ. 부산 상공에 두꺼운 구름이 발달하였다.

① ㄱ　　　② ㄴ　　　③ ㄷ
④ ㄱ, ㄷ　　⑤ ㄴ, ㄷ

13 그림은 어느 해 8월에 동해의 두 관측 지점 A와 B에서 수심에 따라 측정한 수온과 염분을 수온 염분도에 나타낸 것이다.

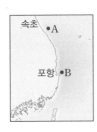 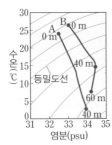

A와 B 지점을 비교한 것으로 옳은 것만을 〈보기〉에서 있는 대로 고른 것은?

> ┃ 보기 ┃
>
> ㄱ. 표층 수온과 염분은 A 지점이 B 지점보다 낮다.
>
> ㄴ. 수심 40 m에서 해수의 밀도는 A 지점이 B 지점보다 크다.
>
> ㄷ. 표면에서 수심 40 m까지는 혼합층이 발달해 있다.

① ㄱ ② ㄷ ③ ㄱ, ㄴ
④ ㄴ, ㄷ ⑤ ㄱ, ㄴ, ㄷ

14 그림은 해수의 수온, 염분, 밀도의 관계를 나타낸 것이다.

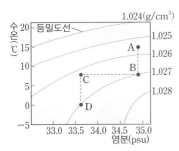

이에 대한 설명으로 옳은 것만을 〈보기〉에서 있는 대로 고른 것은?

> ┃ 보기 ┃
>
> ㄱ. A∼D 중 밀도가 가장 작은 해수는 A이다.
>
> ㄴ. 수온의 차이가 같으면 밀도의 차이도 같다.
>
> ㄷ. A∼C 중 해수 D와 가장 잘 혼합되는 해수는 A이다.

① ㄱ ② ㄷ ③ ㄱ, ㄴ
④ ㄴ, ㄷ ⑤ ㄱ, ㄴ, ㄷ

15 그림 (가)는 어느 해역의 깊이에 따른 수온과 염분을, (나)는 수온 염분도를 나타낸 것이다.

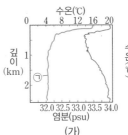 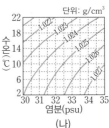

이 자료에 대한 설명으로 옳은 것만을 〈보기〉에서 있는 대로 고른 것은?

> ┃ 보기 ┃
>
> ㄱ. ㉠은 수온을 나타낸다.
>
> ㄴ. 표층의 해수 밀도는 약 1.025 g/cm³이다.
>
> ㄷ. 수심 1∼2 km에서는 해수의 밀도가 일정하다.

① ㄱ ② ㄴ ③ ㄷ
④ ㄱ, ㄴ ⑤ ㄴ, ㄷ

16 그림 (가), (나)는 우리나라 주변 해양에서 측정한 겨울과 여름의 표층 수온 분포를 각각 나타낸 것이다.

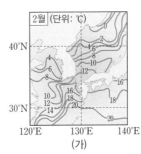 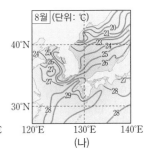

이에 대한 설명으로 옳은 것만을 〈보기〉에서 있는 대로 고른 것은?

> ┃ 보기 ┃
>
> ㄱ. 남북 간 수온 차가 가장 큰 해역은 동해이다.
>
> ㄴ. 계절 간 수온 차가 가장 큰 해역은 황해이다.
>
> ㄷ. 남해의 수온이 연중 높은 까닭은 동해와 황해에서 육지의 영향을 받은 연안류가 흘러 들어오기 때문이다.

① ㄱ ② ㄷ ③ ㄱ, ㄴ
④ ㄴ, ㄷ ⑤ ㄱ, ㄴ, ㄷ

동안 경계류   서안 경계류

남극 저층수 북대서양 심층수 남극 중층수

페렐 순환

표층 순환   심층 순환

온실 기체 **침강**

적도 저압대 아열대 고압대 한대 전선대 극 고압대

위도별 에너지 불균형   대기 대순환 난류

용승 간접순환 직접 순환 **극순환** 고기후 연구 방법 **해들리 순환**

풍성

순환   라니냐 지구의 복사 평형 정체성 고기압 난류

남극 순환 해류 적도 반류   에너지 과잉 에너지 부족 밀도류

세차 운동   자전축 경사각 온실 효과

엘니뇨   공전 궤도 이심률   무역풍   극순환

전 지구적 해수의 순환 지구 온난화   수괴

조경 수역 편서풍 열대 순환 아한대 순환 산소 동위 원소비

지구 외적 요인

적도 해류 쿠로시오 해류 북태평양 해류 캘리포니아 해류

한류 남방 진동 아열대 순환 극동풍

태양 활동 변화 워커 순환 ENSO

연안 용승 적도 용승

 단원 짚어보기

배운 내용

· 대기 대순환 세포

· 우리나라 주변 해류

· 엘니뇨와 라니냐

· 복사 평형

· 온실 효과

· 지구 온난화

대기와 해양의 상호 작용

IV

학습 내용

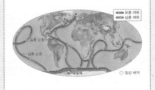

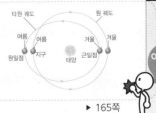
이 자료
만은 꼭!

대기 대순환과 해양의 표층 순환

내 교과서는 어디에?
천재 p.111~114   금성 p.113~115
미래엔 p.114~117 비상 p.109~113 YBM p.117~121

핵심 Point ─ • 대기 대순환과 표층 순환의 관계를 표층 해류를 중심으로 이해한다.
• 북태평양 표층 순환과 관련지어 우리나라 주변 해류 분포를 알아본다.

1 위도별 에너지 불균형

1. 에너지 불균형 발생

① 원인: 단위 면적당 입사하는 태양 복사 에너지양이 고위도로 갈수록 감소한다.┐ 지구가 구형이기 때문이다.

② 위도 38°에서 입사하는 태양 복사 에너지양과 방출하는 지구 복사 에너지양이 같다.

• 저위도(위도 0°~38°): 태양 복사 에너지 입사량 > 지구 복사 에너지 방출량 → 에너지 과잉
• 고위도(위도 38°~90°): 태양 복사 에너지 입사량 < 지구 복사 에너지 방출량 → 에너지 부족

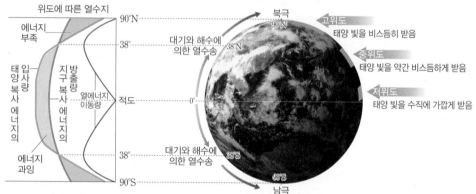

▲ 위도별 에너지 입사량, 방출량, 이동량

2. 위도 간 에너지 이동 저위도의 남는 에너지가 고위도로 이동한다.

① 위도 38°에서 에너지 이동량이 최대

② 저위도의 에너지 과잉량 = 고위도의 에너지 부족량 → 그래프에서 에너지 과잉 면적과 에너지 부족 면적이 같다.

• 대기와 해양의 순환으로 각 위도는 에너지 평형 상태에 도달한다.

2 대기 대순환

1. 적도 저압대와 극 고압대 형성

① 적도: 지표면 가열로 상승 기류가 발달한다. → 하층 공기가 수렴하고 저압대가 형성된다.

② 극: 지표면 냉각으로 하강 기류가 발달한다. → 하층 공기가 발산하고 고압대가 형성된다.

③ 지구가 자전하지 않는다면 적도와 극 사이에 1개의 거대한 ▸열대류만 존재할 것이다. ❶

2. 대기 대순환 세포 북반구와 남반구에 각각 3개의 ▸대기 순환 세포가 존재한다.

• 전향력의 영향으로 적도 상층에서 발산한 공기는 위도 30°에서 하강하고, 극 하층에서 발산한 공기는 위도 60°에서 상승한다.

순환 세포	위도	지상 바람(북반구)	특징
해들리 순환	0°~30°	무역풍(북동풍)	직접 순환 (적도 지표면 가열)
페렐 순환	30°~60°	편서풍(남서풍)	간접순환 ❷
극순환	60°~90°	극동풍(북동풍)	직접 순환 (극 지표면 냉각)

강의 콕 🎤

지구가 흡수하는 에너지와 방출하는 에너지는 고위도와 저위도, 여름과 겨울, 낮과 밤 등 다양한 요인으로 불균형이 발생한다. 반면에 지구 전체가 태양으로부터 받는 에너지양과 방출하는 에너지양은 같다.

---

❶ 지구가 자전하지 않는 경우 대기 대순환 모형

지구가 자전하지 않는다면 상층 공기가 고위도로 이동하고 하층 공기가 저위도로 이동하는 하나의 순환만 나타난다.

---

❷ 직접 순환과 간접순환

지표의 가열 또는 냉각으로 나타나는 순환은 직접 순환이다. 페렐 순환은 위도 30°에서 해들리 순환의 하강 기류와 위도 60°에서 극순환의 상승 기류로 형성된 간접순환이다.

▬▬▬ 용어 ▬▬▬

▸ **열대류**: 지역별 온도 차이로 더운 지역의 공기가 상승하고 찬 지역의 공기가 하강하면서 발생하는 대류

▸ **대기 순환 세포**: 대기 대순환에서 각각 독립된 대기의 순환

3. 위도별 저압대와 고압대

① 저압대: 대기 대순환에서 상승 기류가 우세하게 나타나는 위도대
- 하층 공기의 수렴이 일어나고 강수량이 많다. 예 적도 저압대, 한대 전선대

② 고압대: 대기 대순환에서 하강 기류가 우세하게 나타나는 위도대 ┌사막이 분포하고, 염분이 높은 위도대
- 하층 공기의 발산이 일어나고 맑고 건조한 기후가 나타난다. 예 극고압대, 아열대 고압대

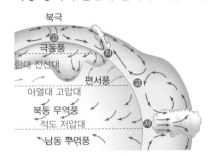

구분	위도	공기의 수렴과 발산
적도 저압대	0°	북동·남동 무역풍 수렴
아열대 고압대	30°	무역풍과 편서풍 발산
한대 전선대	60°	편서풍과 극동풍 수렴
극 고압대	90°	극동풍 발산

강의 콕
아열대 고압대는 상대적으로 저위도이므로 기온이 높아 증발량이 많다. 또한 고압대이므로 건조하고 강수량이 적다. 아열대 고압대는 '해수의 성질' 단원에서 배운 (증발량－강수량)이 가장 크게 나타나는 위도대이다.

3 해양의 표층 순환

1. 표층 순환(풍성 순환) 대기 대순환 바람과 마찰력으로 형성되는 표층 해수의 수평 방향 순환

지상 바람의 영향 – 동서 방향 해류 형성	수륙 분포의 영향 – 남북 방향 해류 형성
• 지상에서 우세하게 부는 바람의 영향으로 동서 방향으로 이동하는 해류가 형성된다. • 무역풍 지대: 동에서 서로 흐르는 해류 형성 • 편서풍 지대: 서에서 동으로 흐르는 해류 형성	• 동서 방향으로 흐르는 해류가 대륙에 가까워지면 남북 방향으로 이동하는 해류가 형성된다.❸ • 난류: 저위도에서 고위도로 흐르는 해류 • 한류: 고위도에서 저위도로 흐르는 해류❹

2. 전 세계 표층 해류 분포 대체로 적도를 경계로 북반구와 남반구가 대칭을 이룬다.

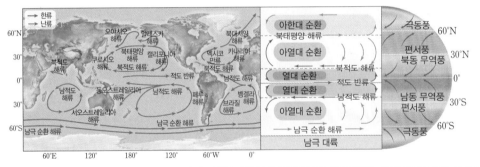

아열대 순환	• 무역풍 지대에서 서쪽으로 흐르는 해류와 편서풍 지대에서 동쪽으로 흐르는 해류가 이어져 형성된 순환 (북반구: 시계 방향 순환, 남반구: 시계 반대 방향 순환)
열대 순환	• 무역풍의 영향으로 형성된 북적도 해류와 남적도 해류가 두 해류 사이에서 흐르는 적도 반류❺와 이어져 형성된 순환
아한대 순환	• 편서풍 지대에서 동쪽으로 흐르는 해류와 극동풍 지대에서 서쪽으로 흐르는 해류가 이어져 형성된 순환 • 남반구는 남극 순환 해류를 막는 대륙이 없기 때문에 아한대 순환이 나타나지 않는다.

❸ 표층 해류와 수륙 분포
표층 해류는 수륙 분포의 영향을 많이 받기 때문에 수륙 분포가 복잡해질수록 표층 해류의 분포도 복잡해진다.

❹ 한류와 난류 구분
한류와 난류의 기준은 절대적인 수온이 아닌, 주위 해수와 비교한 상대적인 수온이다. 알래스카 해류와 캘리포니아 해류는 북태평양 해류에서 뻗어 나온 해류로 수온이 비슷하다. 그러나 고위도로 흐르는 알래스카 해류는 주변보다 수온이 높아서 난류, 저위도로 흐르는 캘리포니아 해류는 주변보다 수온이 낮아서 한류로 분류된다.

❺ 적도 반류
북위 5°～10° 해역에서 흐르는 해류로, 바람의 영향이 아닌 해수면의 높이 차이로 발생한다.

━━━ 용어 ━━━
▶ **풍성 순환**: 바람으로 형성된 순환

개념 확인하기

1 자전하지 않는 지구에서 대기 순환 세포는 각 반구에 (   )개가 만들어진다.

2 극지방 부근에서 형성되는 대기 순환 세포는 (   )이며 지상에 (   )이 분다.

3 북태평양에서는 편서풍의 영향을 받아 (   )가 흐른다.

3. 북태평양 해류
2. 극세포, 극동풍
답 1. 1

3. 표층 해류별 특징

① 한류와 난류

구분	수온	염분	용존 산소량	영양 염류	예
한류	낮다	낮다	많다	많다	캘리포니아 해류, 페루 해류 등
난류	높다	높다	적다	적다	쿠로시오 해류, 멕시코 만류❻ 등

② 동안 경계류와 서안 경계류❼

구분	정의	해류 폭	유속
동안 경계류	대양의 동안을 흐르는 해류 └ 대륙의 서쪽 연안	넓다	느리다
서안 경계류	대양의 서안을 흐르는 해류 └ 대륙의 동쪽 연안	좁다	빠르다

③ 남극 순환 해류: 남극 주위를 순환하는 해류로 편서풍의 영향을 받아 동쪽으로 흐른다.
 • 동서 방향 이동 중 대륙에 막히지 않으므로 남북 방향 해류가 나타나지 않는다.┐
  남극 대륙 주위에서 난류의 영향을 받는 해역이 없다.

4. 표층 해류의 영향

① 대기 대순환과 함께 저위도의 남는 에너지를 에너지가 부족한 고위도로 수송한다.

② 해안 지역의 기후에 영향을 미친다.

 • 난류의 영향을 받는 지역은 동일 위도 다른 지역보다 평균 기온이 높고, 한류의 영향을 받는 지역은 동일 위도의 다른 지역보다 평균 기온이 낮다.

---

④ 우리나라 주변 해류
→ 우리나라 부근을 흐르는 난류의 근원은 쿠로시오 해류이다.

① 남해의 해류: 연중 쿠로시오 해류의 영향을 받으며 계절에 따른 해류 변화가 거의 없다.

② 황해의 해류: 쿠로시오 해류에서 나온 황해 난류가 북상하고 중국과 서해안 연안을 따라 중국 연안류, 서한 연안류가 황해에서 빠져나온다.

③ 동해의 해류: 동한 난류와 북한 한류가 만나 조경 수역을 이룬다.

 • 동한 난류: 쿠로시오 해류에서 갈라져 나와 동해안을 따라 북상하는 해류

 • 북한 한류: 연해주 한류에서 연장되어 동해안을 따라 남하하는 해류

조경 수역의 위치 변화 → 계절에 따라 달라진다.

• 여름철: 북한 한류보다 동한 난류의 세력이 강해져 조경 수역이 북상한다.

• 겨울철: 동한 난류보다 북한 한류의 세력이 강해져 조경 수역이 남하한다.

❻ 멕시코 만류

북대서양의 서쪽 가장자리, 북아메리카 연안을 흐르는 멕시코 만류는 저위도에서 고위도로 흐르는 난류이다. 멕시코 만류는 북대서양 해류로 이어져 북유럽 연안까지 흐른다. 북유럽과 서유럽은 고위도이지만 멕시코 만류의 영향을 받아 주변보다 온난한 기후를 보인다.

❼ 해류 구분

아열대 순환에서 동안 경계류는 한류, 서안 경계류는 난류이다. 아한대 순환, 열대 순환에서 동안 경계류는 난류, 서안 경계류는 한류로 아열대 순환과 반대로 나타난다.

셀파 콕콕 🔍
우리나라 주변 해류는 '해수의 성질' 단원에서 배운 우리나라 주변 해역의 특징과 연계하여 함께 공부한다.

■■■■ 용어 ■■■■

▶ 조경 수역: 난류와 한류가 만나는 해역으로, 난류성 어종과 한류성 어종이 공존하여 좋은 어장이 형성된다.

 개념 확인하기

1 북태평양의 서쪽을 따라 흐르는 해류로 우리나라 동한 난류의 근원이 되는 해류는?
2 한류와 난류가 만나는 해역을 (   )이라 하며 좋은 어장을 형성한다.
3 북한 한류는 동한 난류보다 용존 산소량과 영양 염류가 많다. (○, ×)

답 1. 쿠로시오 해류 2. 조경 수역 3. ○

| 북태평양에서의 표층 순환 |

그림은 북태평양의 표층 순환과 우리나라 주변 표층 해류를 나타낸 것이다. 쿠로시오 해류는 우리나라 주변을 흐르는 난류의 근원으로, 북태평양의 표층 순환을 형성하는 주요 해류 중 하나이다.

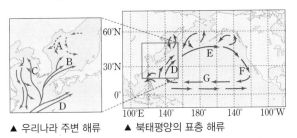

▲ 우리나라 주변 해류   ▲ 북태평양의 표층 해류

이에 대한 설명으로 옳은 것은 ○, 옳지 않은 것은 ×를 하시오.

1. A는 북한 한류이고, B는 동한 난류이다. (　)

2. B는 여름보다 겨울에 더 높은 위도까지 흐른다. (　)

3. B와 C의 근원이 되는 해류는 D이다. (　)

4. A는 B보다 염분이 낮고 영양 염류를 많이 포함한다. (　)

5. D는 북태평양 아열대 표층 순환의 일부이다. (　)

6. 용존 산소량은 A가 B보다 많다. (　)

7. E에는 무역풍의 영향으로 해류가 흐른다. (　)

8. D는 F보다 용존 산소량이 많다. (　)

9. 북태평양에서 아열대 순환 방향은 시계 방향이다. (　)

10. 연평균 기온은 D 해역이 F 해역보다 높다. (　)

11. G에 흐르는 해류는 남적도 해류이다. (　)

12. D는 F보다 염분이 높다. (　)

13. E는 북태평양의 북쪽 해역에서 동쪽으로 흐르며 아열대 순환과 아한대 순환을 이룬다. (　)

| 해설 |

A는 북한 한류, B는 동한 난류, C는 황해 난류, D는 쿠로시오 해류, E는 북태평양 해류, F는 캘리포니아 해류, G는 북적도 해류이다.

| 대기 대순환과 해양의 표층 순환 |

그림은 표층 해류와 대기 대순환에 의한 지표 부근의 바람을 나타낸 것이다.

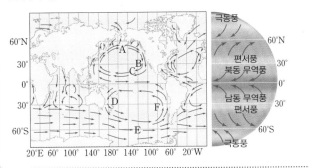

다음 빈칸에 들어갈 알맞은 해류 A ~ F를 쓰시오. 괄호의 순서에 상관없이 해당되는 해류의 기호를 쓰시오.

1. 편서풍의 영향을 받는 해류는 (　)와 (　)로, 서쪽에서 동쪽으로 흐른다.

2. 무역풍의 영향을 받는 해류는 (　)로, 동쪽에서 서쪽으로 흐른다.

3. 북적도 해류는 (　)이고, 남극 대륙 주위를 순환하는 남극 순환 해류는 (　)이다.

4. 난류는 (　)이고, 한류는 (　)와 (　)이다.

5. 북태평양 아열대 순환을 일으키는 해류는 (　), (　), (　)이고, 시계 방향으로 순환한다.

6. 남태평양 아열대 순환을 일으키는 해류는 (　), (　), (　)이고, 시계 반대 방향으로 순환한다.

7. D와 F 해역 중 표층 수온이 낮은 해역은 (　)이다.

8. D와 F 해역 중 표층 염분이 높은 해류는 (　)이고, 용존 산소량이 많은 해류는 (　)이다.

| 해설 |

A는 북태평양 해류, B는 캘리포니아 해류, C는 북적도 해류, D는 동오스트레일리아 해류, E는 남극 순환 해류, F는 페루 해류이다.

기초 탄탄 문제

정답과 해설 45쪽

핵심용어_ 이 단원에서 내가 아는 것과 아직 모르는 것을 정리하며 나의 공부를 돌아보자.

☐ 위도별 에너지 불균형 ☐ 대기 대순환 ☐ 대기 순환 세포
☐ 저압대와 고압대 ☐ 해양의 표층 순환 ☐ 아열대 순환
☐ 한류와 난류 ☐ 우리나라 주변 해류

01 그림은 지구의 위도별 에너지 이동량을 나타낸 것이다.

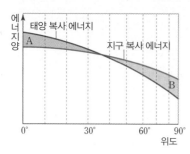

이에 대한 설명으로 옳지 <u>않은</u> 것은?

① 태양 복사 에너지는 저위도로 갈수록 증가한다.
② 지구 복사 에너지는 저위도로 갈수록 증가한다.
③ A는 남는 에너지, B는 부족한 에너지이다.
④ 에너지는 저위도에서 고위도로 이동한다.
⑤ A의 면적은 B의 면적보다 크다.

02 그림은 북태평양의 바람과 해수의 순환을 나타낸 것이다.

⊙ <u>한류</u>와 ⓒ <u>편서풍</u>의 영향으로 흐르는 해류를 옳게 짝 지은 것은?

	⊙	ⓒ		⊙	ⓒ
①	A	A	②	A	B
③	C	B	④	C	D
⑤	D	D			

03 그림은 자전하는 지구에서 대기 대순환의 모형을 나타낸 것이다.

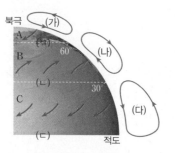

이에 대한 설명으로 옳지 <u>않은</u> 것은?

① (가)와 (다)는 직접 순환이다.
② 지구가 자전하지 않았다면 (나)는 존재하지 않았을 것이다.
③ A와 C에서는 북동풍이 우세하게 불고, B에서는 북서풍이 우세하게 분다.
④ (ㄱ)에서는 공기의 수렴이 일어나고, (ㄴ)에서는 공기의 발산이 일어난다.
⑤ (ㄷ)에서는 지표가 가열되어 강한 상승 기류가 나타난다.

04 한류와 난류에 대한 설명으로 옳은 것은?

① 한류는 수온이 높다.
② 난류는 염분이 낮다.
③ 한류는 용존 산소량이 적다.
④ 중위도 아열대 순환에서 난류는 대양의 서쪽에서 흐른다.
⑤ 한류의 대표적인 예로는 쿠로시오 해류가 있다.

05 그림은 우리나라 주변의 해류를 나타낸 것이다. 조경 수역을 이루는 해류는?

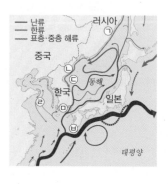

① ㉠, ㉡
② ㉡, ㉢
③ ㉢, ㉤
④ ㉣, ㉤
⑤ ㉤, ㉥

내신 만점 **문제**

정답과 해설 45쪽

* ▨▨▨ 난이도를 나타냅니다.

01 그림은 북반구의 대기 대순환을 간단히 나타낸 것이다.

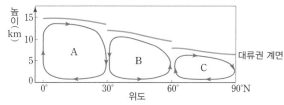

이에 대한 설명으로 옳은 것만을 〈보기〉에서 있는 대로 고른 것은?

┤ 보기 ├

ㄱ. A의 순환에 무역풍이 포함된다.

ㄴ. 열대류인 직접 순환 세포는 B이다.

ㄷ. 30°N 지역은 60°N 지역보다 강수량이 많다.

① ㄱ   ② ㄴ   ③ ㄱ, ㄷ

④ ㄴ, ㄷ   ⑤ ㄱ, ㄴ, ㄷ

02 그림은 북반구의 대기 대순환을 나타낸 것이다.

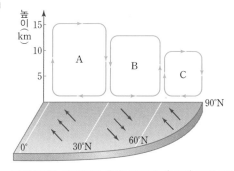

이에 대한 설명으로 옳은 것만을 〈보기〉에서 있는 대로 고른 것은?

┤ 보기 ├

ㄱ. A~C 중 간접순환은 B이다.

ㄴ. 저위도의 열에너지를 고위도로 수송하는 현상이다.

ㄷ. B와 C 사이에는 지상에 고압대가 위치하고 있다.

① ㄱ   ② ㄷ   ③ ㄱ, ㄴ

④ ㄴ, ㄷ   ⑤ ㄱ, ㄴ, ㄷ

03 그림은 태평양에서의 아열대 순환을 나타낸 것이다.

이에 대한 설명으로 옳은 것만을 〈보기〉에서 있는 대로 고른 것은?

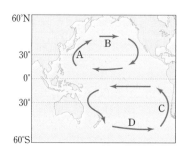

┤ 보기 ├

ㄱ. A는 C보다 수온이 높다.

ㄴ. B와 D는 편서풍의 영향으로 형성된 해류이다.

ㄷ. 북반구에서 시계 방향, 남반구에서 시계 반대 방향의 아열대 순환이 형성된다.

① ㄱ   ② ㄴ   ③ ㄱ, ㄷ

④ ㄴ, ㄷ   ⑤ ㄱ, ㄴ, ㄷ

 그림은 태평양에서의 바람의 분포와 표층 순환을 모식적으로 나타낸 것이다.

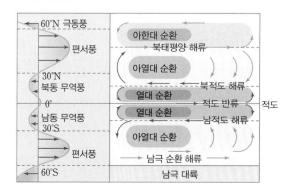

이에 대한 설명으로 옳은 것만을 〈보기〉에서 있는 대로 고른 것은?

┤ 보기 ├

ㄱ. 해양의 표층 순환은 대기 대순환의 영향으로 발생한다.

ㄴ. 북반구와 남반구의 해수 순환은 적도를 기준으로 대칭이다.

ㄷ. 아열대 순환은 난류로, 아한대 순환은 한류로 이루어져 있다.

① ㄱ   ② ㄷ   ③ ㄱ, ㄴ

④ ㄴ, ㄷ   ⑤ ㄱ, ㄴ, ㄷ

그림은 해양에서의 표층 해류와 대기 대순환으로 나타나는 지표 부근의 바람을 나타낸 것이다.

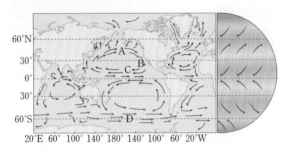

이에 대한 설명으로 옳은 것만을 〈보기〉에서 있는 대로 고른 것은?

┃ 보기 ┃

ㄱ. A~D 중 난류는 B이다.

ㄴ. A는 북적도 해류, C는 적도 반류이다.

ㄷ. D는 남극 순환 해류로, 편서풍의 영향을 받는다.

① ㄱ   ② ㄴ   ③ ㄷ

④ ㄱ, ㄴ   ⑤ ㄴ, ㄷ

06 그림은 해수의 표층 순환을 나타낸 것이다.

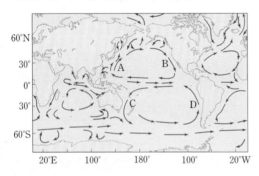

이에 대한 설명으로 옳은 것만을 〈보기〉에서 있는 대로 고른 것은?

┃ 보기 ┃

ㄱ. 동일 위도에서 A는 B보다 수온이 높다.

ㄴ. 해수의 용존 산소량은 D가 C보다 많다.

ㄷ. A~D는 모두 대륙의 연안 지역 기후에 영향을 미친다.

① ㄱ   ② ㄷ   ③ ㄱ, ㄴ

④ ㄴ, ㄷ   ⑤ ㄱ, ㄴ, ㄷ

07 그림은 북아메리카 주변의 해류 A와 B를 나타낸 것이다.

이에 대한 설명으로 옳은 것만을 〈보기〉에서 있는 대로 고른 것은?

┃ 보기 ┃

ㄱ. A는 아열대 순환의 일부이다.

ㄴ. B 해류가 연장되어 북대서양 해류로 이어진다.

ㄷ. 용존 산소량과 영양 염류는 B보다 A에 많다.

① ㄱ   ② ㄷ   ③ ㄱ, ㄴ

④ ㄴ, ㄷ   ⑤ ㄱ, ㄴ, ㄷ

08 그림은 북반구의 주요 표층 해류가 흐르는 해역을 나타낸 것이다.

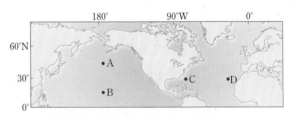

A~D 해역에 대한 설명으로 옳은 것만을 〈보기〉에서 있는 대로 고른 것은?

┃ 보기 ┃

ㄱ. A와 B에서 해수에 의한 위도별 열 수송이 활발히 일어난다.

ㄴ. C와 D에서 각각 난류와 한류가 흐른다.

ㄷ. A 해역은 아열대 순환과 아한대 순환에 해당하는 해류가 흐른다.

① ㄱ   ② ㄷ   ③ ㄱ, ㄴ

④ ㄴ, ㄷ   ⑤ ㄱ, ㄴ, ㄷ

09 그림은 북태평양 서쪽 연안의 표층 해류를 나타낸 것이다.

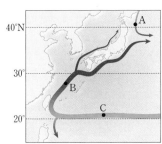

이에 대한 설명으로 옳은 것만을 〈보기〉에서 있는 대로 고른 것은?

┤ 보기 ├
ㄱ. A ~ C 중 한류는 A이다.
ㄴ. B는 우리나라 주변을 흐르는 난류의 근원이다.
ㄷ. A ~ C는 모두 북태평양 아열대 순환을 이루고 있다.

① ㄱ   ② ㄷ   ③ ㄱ, ㄴ
④ ㄴ, ㄷ   ⑤ ㄱ, ㄴ, ㄷ

10 그림은 우리나라 주변 해역의 해류를 나타낸 것이다.

이에 대한 설명으로 옳은 것만을 〈보기〉에서 있는 대로 고른 것은?

┤ 보기 ├
ㄱ. B와 C 해류는 A에서 갈라져 나온 해류이다.
ㄴ. 영양 염류가 가장 풍부한 해류는 D이다.
ㄷ. 북대서양에는 A 해류와 유사한 성격의 멕시코 만류가 흐른다.

① ㄱ   ② ㄴ   ③ ㄱ, ㄷ
④ ㄴ, ㄷ   ⑤ ㄱ, ㄴ, ㄷ

서술형 문제

11 그림은 태평양과 대서양에서의 표층 해류를 나타낸 것이다.

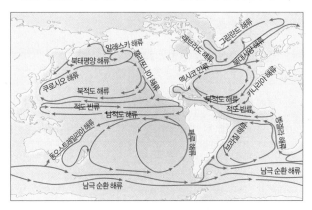

(1) 〈보기〉는 해류를 일으키는 여러 요인을 나열한 것이다.

┤ 보기 ├
밀도 차, 무역풍, 편서풍, 극동풍, 해수면의 경사

북태평양 해류와 북적도 해류를 일으키는 요인을 〈보기〉에서 찾아 각각 서술하시오.

_____

_____

(2) 그림에 나타나는 해류를 두 집단으로 구분하였을 때, (나)와 비교하여 (가) 해류의 특징을 3가지 이상 서술하시오.

(가)	(나)
캘리포니아 해류	멕시코 만류
페루 해류	쿠로시오 해류
카나리아 해류	브라질 해류
벵겔라 해류	동오스트레일리아 해류

_____

_____

12 유럽의 북서쪽 지역은 같은 위도의 다른 지역보다 겨울철 평균 기온이 높다. 그 까닭을 표층 해류와 연관지어 서술하시오.

_____

_____

IV. 대기와 해양의 상호 작용

02

내 교과서는 어디에?
천재 p.115~117   금성 p.116~119
미래엔 p.118~121   비상 p.114~117   YBM p.123~127

해양의 심층 순환

핵심 Point
• 심층 순환의 발생 원리와 분포를 알아본다.
• 심층 순환을 표층 순환 및 기후 변화와 관련지어 이해한다.

1 심층 순환의 형성

1. 심층 순환의 발생 원인과 특징

① 심층 순환: 심층 해류에 의한 해수의 순환

② 발생 원인: 수온과 염분의 변화로 해수 밀도의 차이가 생기고 해수가 이동한다.❶ → 밀도류

③ 심층 순환 과정

극 해역에서 낮은 수온과 높은 염분을 가진 고밀도의 해수가 침강한다.❷	⇨	극지방 해저에 해수가 축적되고 저위도 지방으로 심층 해수가 이동한다.
⇧		⇩
해수가 표층을 따라 다시 극 쪽으로 이동한다.	⇦	심층 해수가 온대 또는 열대 해역에서 표층으로 용승한다.

해양의 표층 순환

▲ 심층 순환 모형

❶ **열염 순환**

수온과 염분 변화로 밀도 차이가 생기고 심층 순환이 형성되므로 심층 순환을 열염 순환이라고도 한다.

❷ **침강**

표층의 해수가 심층으로 가라앉는 현상으로 표층 해수의 밀도가 높거나 표층 해수의 수렴이 일어나면 발생한다. 반대로 심층 해수가 올라오는 현상은 용승이다.

2. 심층 순환의 확인과 관측
→ 심층 해수의 수온과 염분을 관측하고 수괴를 판단하여 심층 순환을 확인한다.

① 심층 해수는 매우 느리게 흐르기 때문에 심층 순환을 직접 확인하기 어렵다.

② 수괴: 수온과 염분이 거의 같은 해수 덩어리 → 대기의 기단과 비슷한 개념이다.

• 해수가 침강하여 심층으로 흘러도 수온과 염분은 상당 기간 변하지 않으며 밀도가 다른 해수와 잘 섞이지 않는다. → 수괴의 성질이 유지된다.

③ 수괴의 수온과 염분을 수온 염분도(T−S도)에 나타내면 수괴의 성질을 쉽게 파악할 수 있다.

• 심층 해수의 수온과 염분을 수온 염분도에 나타내면 해수의 근원이 되는 수괴를 알 수 있다.

┃ 자료 파헤치기 ┃

북대서양과 지중해 수괴 분석

• 그림은 각각 북대서양과 지중해가 만나는 지브롤터 해협에서의 수심 200~600 m 해수(A)와 수심 2000 m 해수(B)의 물리적 성질을 수온 염분도에 나타낸 것이다.

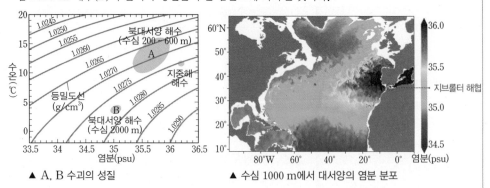

▲ A, B 수괴의 성질   ▲ 수심 1000 m에서 대서양의 염분 분포

• 지중해 해수의 밀도는 A보다 크고, B보다 작으므로 지중해 해수가 북대서양으로 유입될 때 수심 600~2000 m 사이에 위치하게 된다.

• 수심 1000 m 해수의 염분 분포를 통해 지브롤터 해협 근처에 있는 북대서양 해수는 북대서양 수괴보다 지중해 수괴와 유사함을 알 수 있다.

셀파 콕콕 🔍

심해층의 수심에서는 위치별로 수온 차이가 거의 없기 때문에 해수의 밀도에 미치는 영향은 수온보다 염분이 더 크다. 따라서 염분 분포 자료로 수괴를 구분할 수 있다.

━━━ 용어 ━━━

▶ **용승**: 깊은 바다의 찬 바닷물이 해수면으로 솟아오르는 현상

3. **북대서양 심층 해수** 수괴의 성질로 세 개의 심층수를 구분한다.

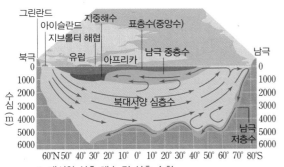

▲ 대서양 심층 해수 및 심층 순환

▲ 대서양 심층 해수의 성질

남극 저층수	• 전 해양에서 밀도가 가장 높은 해수[3] • 남극 대륙 주변의 웨델해[4]에서 겨울철 해수의 결빙으로 표층 해수의 염분이 증가하고 밀도가 커져 침강하며 형성 └ 남반구 겨울철, 북반구 여름철 • 대서양, 태평양, 인도양 등 전 세계 대양의 가장 아래에서 흐른다.
북대서양 심층수	• 북대서양의 그린란드 해역에서 냉각된 표층 해수가 침강하여 형성 • 대서양의 중층과 심층에서 남대서양까지 흐른다.
남극 중층수	• 남극 대륙 주변해에서 표층 해수가 침강하여 형성 • 대서양의 수심 약 1000 m 중층에서 저위도로 흐른다.

❸ 수괴의 밀도

해수의 연직 밀도 분포는 깊이가 깊어질수록 높아지므로 아래에 위치한 해수일수록 밀도가 높다.

❹ 웨델해

남극 대륙 주변에서 대서양 방향으로 대륙이 오목하게 들어가 있는 해역이다. 표층 해수가 침강하여 남극 저층수가 형성된다.

2 심층 순환과 표층 순환의 관계

1. **전 세계 심층 순환** 매우 느리게 순환(한 번 순환하는 데 천 년 이상 시간 소요)

① 침강 해역: 그린란드 주변 해역, 남극 대륙 주변 웨델해

② 극에서 열을 잃고 형성된 심층 해수가 심해를 따라 저위도로 이동한다.

2. **전 지구적 해수의 순환** 심층 순환은 표층 순환과 연결되어 전 지구 해양을 흐르는 하나의 거대한 순환을 이룬다.

① 심층 해수가 대서양, 인도양, 태평양으로 이동하며 용승하여 표층 순환과 연결된다.[5]

② 표층 해수가 순환하면서 다시 침강 해역에 이르면 침강이 일어나 심층 순환으로 이어진다.

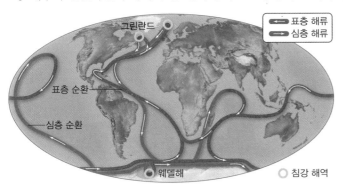

▲ 전 지구적 해수의 순환

❺ 표층 해류와 심층 해류의 균형

표층 해류를 이루는 해수의 양은 매우 적고 심층 해류를 이루는 해수의 양은 매우 많다. 그러나 표층 해류는 빠르고 심층 해류는 느리기 때문에 두 순환을 이루는 해수의 양이 균형을 이룬다.

━━ 용어 ━━

▶ **결빙**: 물의 온도가 하강하여 어는 현상

개념 확인하기

1 심층 순환은 (　　)과 (　　)에 의해 결정되는 밀도 차이로 발생하기 때문에 열염 순환이라고도 한다.

2 (　　)는 비슷한 성질을 지닌 해수의 덩어리이다.

3 (남극 저층수 , 북대서양 심층수 , 남극 중층수)는 그린란드 해역에서 냉각된 표층 해수가 침강하여 형성된다.

답 1. 수온, 염분
2. 수괴
3. 북대서양 심층수

1. 심층 순환의 역할

① 저위도의 남는 에너지를 에너지가 부족한 고위도로 수송한다.

② 용존 산소가 풍부한 고위도 표층 해수를 전 지구의 심해로 운반한다.

- 심층 해수의 용존 산소는 심해 생물의 호흡에 이용되고 용승이 일어나는 해역에 용존 산소량을 높여 좋은 어장을 형성한다.

2. 심층 순환과 기후 변화

① 심층 순환에 변화가 일어나면 전 지구적 에너지 순환에 이상이 일어나 기후가 변한다.

② 극지방 빙하 융해로 나타나는 기후 변화 과정❻

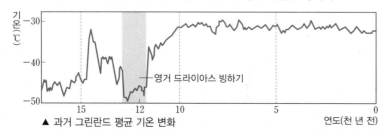

| 지구 온난화로 극지방 기온과 수온이 상승하고 빙하가 융해된다. (빙하 면적이 감소한다.) |

수온이 높을수록, 염분이 낮을수록 해수의 밀도는 작아진다. → 표층 해수의 염분이 낮아지고 밀도가 작아진다.

극지방 해저에서 해수의 발산이 일어난다. → 심층 해수가 형성되지 않아 심층 순환이 약화된다.

극지방 표층 해수의 침강이 잘 일어나지 않는다. ← 극지방 표층 해수의 침강으로 밀도류가 형성된다.

심층 순환과 이어져 있는 표층 순환도 약화된다. ← 심층 순환은 용승으로 표층 순환과 이어져 있다.

해양의 순환은 대기의 순환과 함께 위도 간 에너지를 수송한다. → 전 지구적 해수의 순환이 약화되고 위도 간 에너지 수송량이 감소한다.

저위도는 에너지가 누적되고, 고위도는 에너지 부족량이 증가한다. ← 대기와 해양의 순환으로 위도별 에너지 불균형이 해소된다.

| 위도별 에너지 불균형이 심화된다. |

증발량이 증가하고 대기 중 수증기량이 많아지면서 태풍, 뇌우 등 대기 중 물과 관련된 현상이 빈번하게 일어난다. →

← 극지방에 빙하가 형성되고 표층 해수의 염분과 밀도가 증가하여 심층 해수 형성, 심층 순환 강화가 일어난다.

| 저위도의 평균 기온이 상승한다. | | 고위도의 평균 기온이 하강한다. |

영거 드라이아스 빙하기

- 약 12900년 전부터 11700년 전까지 약 1200년 동안의 짧은 빙하기

▲ 과거 그린란드 평균 기온 변화

- 북아메리카의 대륙 빙하가 녹으면서 거대한 호수가 만들어졌다. 이 호수를 막았던 빙하층이 붕괴되면서 호수의 물이 대량으로 북대서양에 유입되었다.

- 호수의 물 유입으로 북대서양 해수의 염분과 밀도가 낮아져 심층 순환에 이상이 일어나고 기후 변화로 이어졌다.

---

❻ 극지방의 평균 기온이 상승하여 빙하가 녹을 때 나타나는 현상

①, ② 중 더 우세한 현상에 따라 극지방 빙하가 녹았을 때 고위도 평균 기온이 결정된다.

① 극지방 지표면의 반사율이 낮아져 태양 복사 에너지 흡수율이 높아지고 극지방 평균 기온이 상승할 수 있다.

② 해수의 염분과 밀도가 낮아지면 심층 순환이 약화되고 위도별 에너지 불균형이 심화되어 극지방을 포함한 고위도 지방의 평균 기온이 하강할 수 있다.

강의 톡

지구 온난화가 일어났을 때 빙하의 면적이 자주 언급된다. 지구의 평균 기온 변화에 가장 민감한 환경이 극지방과 고지대 빙하이기 때문이다. 작은 기온 변화로도 얼음이 물로 변하면서 지구 환경이 크게 변한다.

용어

▶ 융해: 고체에 열을 가했을 때 액체로 되는 현상

개념 확인하기

1 심층 순환은 저위도의 남는 에너지를 고위도로 수송한다. (◯, ×)

2 심층 순환이 약해지면 표층 순환은 강화된다. (◯, ×)

3 심층 해수에 풍부한 용존 산소는 심해 생물의 (　　) 에 이용된다.

4 극지방 해수의 염분이 낮아지면 전 지구적 해수의 순환이 강화된다. (◯, ×)

답 1. ◯
2. ×
3. 호흡
4. ×

▶ 시험에 출제되는 심층 순환 관련 실험 과정을 학습하고, 심층 순환의 발생 원리를 이해하여 시험에 대비하세요.

심층 순환의 발생 원리를 알아보는 실험

01 밀도가 다른 두 수괴가 만났을 때 해수의 흐름

- 칸막이로 분리된 수조의 양쪽에 수온이 같은 10 psu 소금물과 30 psu 소금물을 같은 높이로 넣는다.
- 10 psu 소금물과 30 psu 소금물에 각각 붉은색과 파란색 잉크를 떨어뜨린다.
- 칸막이를 들어 올려 소금물의 이동을 관찰한다.

＊결과

칸막이를 열면 A에서 B로, D에서 C로 소금물이 흐른다.

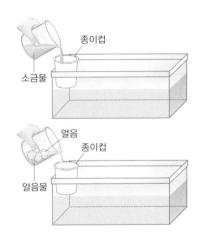

칸막이
A   B
10 psu 소금물   C   D   30 psu 소금물

+ Plus 문제

Q. 실험 ❶에서 A, B와 C, D에 다른 방향의 소금물 흐름이 나타나는 까닭은?
A. 소금물의 밀도 차(염분 차) 때문에 | 깊이가 얕은 A, B에서는 밀도가 낮은 10 psu 소금물이 밀도가 높은 30 psu 소금물 쪽으로 흐르고, 깊이가 깊은 C, D에서는 밀도가 높은 30 psu 소금물이 밀도가 낮은 10 psu 소금물 쪽으로 흐른다.

02 수온과 염분 차이에 따른 해수의 침강

- 밑면에 구멍이 뚫린 종이컵을 수조 가장자리에 붙이고 상온의 물을 종이컵의 아랫면이 잠길 때까지 수조에 채운다.
- 붉은색 잉크를 떨어뜨린 소금물을 수조의 종이컵에 천천히 붓는다.
- 첫 번째 과정을 한 후, 파란색 잉크를 떨어뜨린 얼음물을 수조의 종이컵에 천천히 붓는다.

＊결과

소금물과 얼음물은 수조 바닥까지 내려간 후 바닥을 따라 퍼져 나간다.

종이컵
소금물

얼음
종이컵
얼음물

+ Plus 문제

Q1. 실험 ❷에서 소금물과 얼음물이 가라앉는 까닭은?
A1. 소금물과 얼음물의 밀도가 수조에 채운 물의 밀도보다 크기 때문에 | 물의 밀도는 수온이 낮을수록, 염분이 높을수록 크다.

Q2. 종이컵의 물을 더 빠르게 가라앉게 하는 방법은?
A2. 수조에 담긴 물의 온도를 높인다. 종이컵 속 얼음물에 소금을 녹인다. 등

03 심층 해류와 표층 해류의 관계

- 수조 바닥에 온도계 A, B, C를 설치하고 25 ℃의 물을 담은 후 몇 개의 스타이로폼 조각을 띄운다.
- 종이컵 바닥에 구멍을 뚫어 수조의 한쪽에 고정시키고 얼음을 채운다.
- 붉은색 잉크를 떨어뜨린 물을 종이컵에 천천히 붓는다.

＊결과

온도계 A, B, C 순으로 온도가 낮아진다. 수조 벽을 따라 흐르는 얼음물의 영향으로 스타이로폼 조각은 종이컵 쪽으로 이동한다.

스타이로폼 조각
얼음
온도계
A   B   C

+ Plus 문제

Q1. 해양의 순환에서 실험 ❸의 종이컵을 고정시킨 부분에 해당되는 곳은?
A1. 남극 대륙 주변 웨델해, 그린란드 해역

Q2. 해양의 순환 과정에서 실험 ❸의 스타이로폼 조각의 이동에 해당되는 것은?
A2. 표층 순환(표층 해류)

기초 탄탄 문제

정답과 해설 47쪽

핵심용어_ 이 단원에서 내가 아는 것과 아직 모르는 것을 정리하며 나의 공부를 돌아보자.

□ 해양의 심층 순환　　　　□ 수괴
□ 남극 저층수　　　　　　□ 북대서양 심층수
□ 침강 해역　　　　　　　□ 전 지구적 해수의 순환

01 해수의 심층 순환에 대한 설명으로 옳지 <u>않은</u> 것은?

① 심층 순환은 고위도에서만 일어난다.
② 심층 순환의 원인은 해수의 밀도 차이다.
③ 표층 해수의 침강은 주로 극 해역에서 일어난다.
④ 해수의 결빙이 일어나면 해수의 염분과 밀도가 증가한다.
⑤ 심층 순환을 통해 심층과 표층 사이에서 용존 산소와 영양 염류가 이동한다.

02 그림은 심층 순환을 모식적으로 나타낸 것이다.

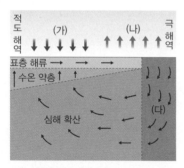

이에 대한 설명으로 옳지 <u>않은</u> 것은?

① 해수는 심층과 표층을 모두 순환한다.
② 심층에서는 저위도로, 표층에서는 고위도로 해수가 이동한다.
③ (가)와 (나)의 차이가 일어나는 까닭은 단위 면적당 태양 복사 에너지의 입사량이 다르기 때문이다.
④ (다)가 일어나려면 해수의 염분과 수온이 낮아야 한다.
⑤ 표층을 흐르는 해수보다 심층을 흐르는 해수의 양이 더 많다.

03 그림은 북대서양의 주요 수괴 A~F를 수온 염분도에 나타낸 것이다.

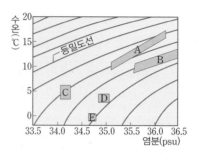

전 세계 대양의 가장 아래에서 흐르는 남극 저층수의 수괴는?

① A　　　　　② B　　　　　③ C
④ D　　　　　⑤ E

04 심층 순환과 표층 순환에 대한 설명으로 옳은 것은?

① 심층 순환은 표층 순환보다 빠르게 일어난다.
② 표층 순환은 해수의 밀도 차에 의해, 심층 순환은 바람에 의해 일어난다.
③ 표층 순환과 심층 순환은 각각 독립적으로 일어난다.
④ 심층 순환은 고위도 해역에서 냉각된 표층수가 침강하면서 일어난다.
⑤ 심층 순환은 수심 1 km 이상의 해수에서만 일어나므로 기후 변화와 관련성이 적다.

05 그림은 전 지구적 해수의 순환을 나타낸 것이다.

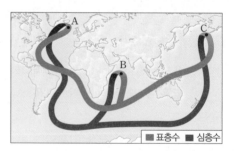

A~C 해역을 용승과 침강 해역으로 옳게 구분한 것은?

	용승 해역	침강 해역
①	A	B, C
②	A, B	C
③	A, C	B
④	B	A, C
⑤	B, C	A

내신 만점 문제

정답과 해설 48쪽

* ▣▣▣ 난이도를 나타냅니다.

01 그림은 육지에서 멀리 떨어진 서로 다른 해역에서 측정한 표층 해수 A~C의 수온과 염분을 나타낸 것이다. 해수 A~C에 대한 설명으로 옳은 것만을 〈보기〉에서 있는 대로 고른 것은?

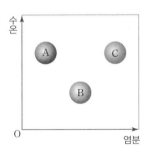

┤ 보기 ├

ㄱ. 밀도가 가장 큰 해수는 A이다.

ㄴ. 해수 B에서 결빙이 일어나면 빙하 주변의 해수는 염분이 증가한다.

ㄷ. A와 C가 층을 이룰 때, C가 A의 아래로 내려간다.

① ㄱ   ② ㄷ   ③ ㄱ, ㄴ

④ ㄴ, ㄷ   ⑤ ㄱ, ㄴ, ㄷ

그림은 대서양의 심층 순환을 나타낸 것이다.

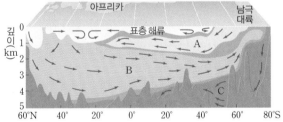

해류 A, B, C에 대한 설명으로 옳은 것만을 〈보기〉에서 있는 대로 고른 것은?

┤ 보기 ├

ㄱ. 밀도는 A<B<C 순이다.

ㄴ. B는 남극에서 침강하여 북극으로 흐른다.

ㄷ. 전체 해수의 부피로 보면 심층 순환보다 표층 순환에 있는 해수가 더 많다.

① ㄱ   ② ㄴ   ③ ㄱ, ㄷ

④ ㄴ, ㄷ   ⑤ ㄱ, ㄴ, ㄷ

03 그림은 해수의 연직 순환을 알아보기 위한 실험 과정을 나타낸 것이다.

[실험 과정]

(가) 수조에 물을 채우고, 바닥에 작은 구멍이 뚫린 종이컵을 수조에 고정시킨다.

(나) 잉크로 착색시킨 소금물을 종이컵에 천천히 부으면서 수조에서 일어나는 현상을 관찰한다.

이 실험에 대한 설명으로 옳은 것만을 〈보기〉에서 있는 대로 고른 것은?

┤ 보기 ├

ㄱ. 수온이 같을 때 염분이 높으면 밀도가 크다.

ㄴ. (가)에서 수조에 찬물을 채우면 (나)에서 침강이 더 잘 일어난다.

ㄷ. (나)에서 차가운 소금물을 종이컵에 부으면 침강이 더 잘 일어난다.

① ㄱ   ② ㄴ   ③ ㄱ, ㄷ

④ ㄴ, ㄷ   ⑤ ㄱ, ㄴ, ㄷ

04 그림은 북대서양의 여러 수괴를 수온 염분도에 나타낸 것이다.

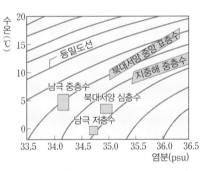

이에 대한 설명으로 옳은 것만을 〈보기〉에서 있는 대로 고른 것은?

┤ 보기 ├

ㄱ. 밀도가 가장 큰 수괴는 남극 저층수이다.

ㄴ. 지중해 중층수는 북대서양 중앙 표층수와 북대서양 심층수 사이에서 흐를 것이다.

ㄷ. 북대서양의 수괴에서 염분이 34.1 psu인 해수는 남극 저층수이다.

① ㄱ   ② ㄷ   ③ ㄱ, ㄴ

④ ㄴ, ㄷ   ⑤ ㄱ, ㄴ, ㄷ

 그림 (가)는 북대서양의 표층에서 심층까지의 해수 순환을, (나)는 북대서양 남북 단면의 해수 연직 순환을 나타낸 모식도이다.

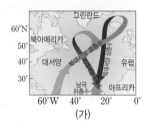 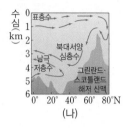

이에 대한 설명으로 옳은 것만을 〈보기〉에서 있는 대로 고른 것은?

┤ 보기 ├
ㄱ. 북대서양 표층수가 열을 잃고 침강하여 북대서양 심층수로 변화한다.
ㄴ. 북대서양 심층수보다 남극 저층수의 밀도가 크다.
ㄷ. 남극 저층수는 적도를 지나 북반구 중위도 심해까지 이동한다.

① ㄱ   ② ㄴ   ③ ㄱ, ㄷ
④ ㄴ, ㄷ   ⑤ ㄱ, ㄴ, ㄷ

06 그림은 수심 4000 m 해수의 연령 분포를 나타낸 것이다. 해수의 연령은 해수가 표층에서 침강한 이후부터 현재까지 경과한 시간을 의미한다.

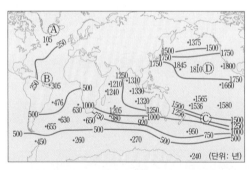

이에 대한 설명으로 옳은 것만을 〈보기〉에서 있는 대로 고른 것은?

┤ 보기 ├
ㄱ. 수심 4000 m 해수의 연령은 태평양이 대서양보다 많다.
ㄴ. A ~ D 해역 중 표층에서 해수의 침강이 활발한 곳은 A이다.
ㄷ. 수심 4000 m에서 해류는 B 해역이 C 해역보다 빠르다.

① ㄱ   ② ㄷ   ③ ㄱ, ㄴ
④ ㄴ, ㄷ   ⑤ ㄱ, ㄴ, ㄷ

07 그림은 전 지구적인 해수의 순환을 모식적으로 나타낸 것이다.

이에 대한 설명으로 옳은 것만을 〈보기〉에서 있는 대로 고른 것은?

┤ 보기 ├
ㄱ. 이 순환은 위도 간의 열에너지 수송에 기여한다.
ㄴ. 인도양과 태평양에서는 표층수가 심층수로 변화된다.
ㄷ. A 해역에서 침강이 강화되면 표층 순환이 약해진다.

① ㄱ   ② ㄴ   ③ ㄱ, ㄷ
④ ㄴ, ㄷ   ⑤ ㄱ, ㄴ, ㄷ

08 그림은 태평양과 대서양의 위도에 따른 염분의 연직 분포와 중층수, 심층수의 이동을 나타낸 것이다. 화살표는 해수의 이동 방향이다.

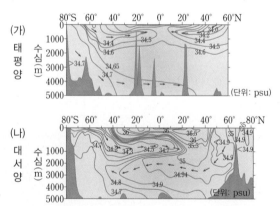

이에 대한 설명으로 옳은 것만을 〈보기〉에서 있는 대로 고른 것은?

┤ 보기 ├
ㄱ. 심층수는 고위도에서 염분이 높아져 형성된다.
ㄴ. 심층 해류는 표층 해류에 비해 남북 간 이동 거리가 길다.
ㄷ. 태평양과 대서양의 가장 저층을 이루는 심층 해류는 남극 대륙 주변에서 이동하여 온다.

① ㄱ   ② ㄴ   ③ ㄱ, ㄷ
④ ㄴ, ㄷ   ⑤ ㄱ, ㄴ, ㄷ

09 그림 (가)는 전 지구적인 해수 순환을, (나)는 (가) 순환의 세기가 변하여 발생한 지표 기온의 변화량을 나타낸 것이다.

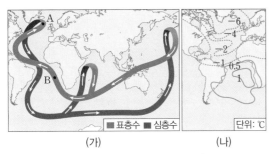

(가)　　　　　(나)

(나)와 같이 지표 기온이 변화되는 과정에 대한 설명으로 옳은 것만을 〈보기〉에서 있는 대로 고른 것은?

┤ 보기 ├
ㄱ. 북대서양은 추워졌고 남대서양은 더워졌다.
ㄴ. 대서양의 심층 해류가 강해졌다.
ㄷ. B에서 A로 이동하는 표층 해류가 강화되었다.

① ㄱ　　　　② ㄴ　　　　③ ㄱ, ㄷ
④ ㄴ, ㄷ　　　⑤ ㄱ, ㄴ, ㄷ

10 그림은 북대서양 심층수와 남극 저층수의 발생 원리를 알아보기 위한 모형 실험을 나타낸 것이다.

[실험 과정]

(가) 수조에 20 ℃의 수돗물을 넣는다.

(나) 농도가 15 %이고 수온이 4 ℃, 15 ℃인 소금물을 하나는 용기 A에, 나머지는 용기 B에 넣는다.

(다) 서로 다른 색깔의 잉크를 A와 B에 소량으로 각각 넣는다.

(라) 두 개의 콕을 동시에 열고 소금물의 이동을 관찰한다.

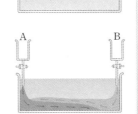

이 실험에 대한 설명으로 옳은 것만을 〈보기〉에서 있는 대로 고른 것은?

┤ 보기 ├
ㄱ. A에 넣은 소금물의 온도는 15 ℃이다.
ㄴ. A 소금물이 B 소금물보다 밀도가 크다.
ㄷ. 이 실험에서 수돗물은 북대서양 심층수에 해당한다.

① ㄱ　　　　② ㄴ　　　　③ ㄱ, ㄷ
④ ㄴ, ㄷ　　　⑤ ㄱ, ㄴ, ㄷ

서술형 문제

11 그림은 대서양의 남북 단면에서 나타나는 주요 심층 해류를 나타낸 것이다.

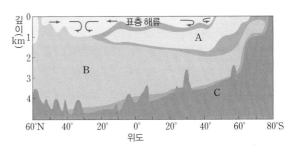

(1) A~C 심층 해류의 이동 방향을 화살표로 표시하시오.

(2) A~C 심층 해수의 명칭과 밀도를 비교하여 서술하시오.

12 그림은 북반구 해수의 표층 수온 분포를 나타낸 것이다.

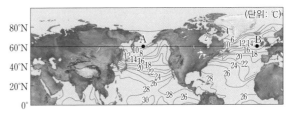

(1) 위도가 같은 A 지역과 B 지역의 수온을 비교하고, 그와 같이 생각한 까닭을 해류와 관련지어 서술하시오.

(2) 지구 온난화가 진행되면 B 지역에서 기온이 낮아질 수 있다. 그러한 변화가 일어나는 과정을 해류와 관련지어 서술하시오.

03 엘니뇨와 남방 진동

내 교과서는 어디에?

천재 p.118~122   금성 p.120~124
미래엔 p.122~129 비상 p.118~123 YBM p.128~134

핵심 Point
- 엘니뇨와 남방 진동을 대기와 해양의 상호 작용으로 이해한다.
- 평상시, 엘니뇨 발생 시, 라니냐 발생 시 나타나는 환경 변화를 비교한다.
- 엘니뇨와 라니냐가 지구 환경과 인간 생활에 미치는 영향을 알아본다.

1 용승

1. 용승과 침강

┌→ 수온이 낮고 영양 염류가 풍부하다.

① 용승: 심해의 찬 해수가 표층으로 올라오는 현상 → 표층 해수의 발산이 일어날 때 발생한다.

② 침강: 표층의 해수가 심층으로 가라앉는 현상 → 표층 해수의 수렴이 일어날 때 발생한다.

2. 용승의 영향
┌→ 안개 발생

① 표층 수온 및 기온 하강 → 대기 안정 → 하강 기류 형성 → 강수량 감소 및 건조 기후 형성

② 표층 영양 염류 증가❶ → 플랑크톤 번성❷ → 좋은 어장 형성

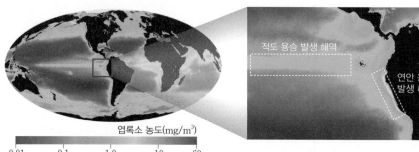

엽록소 농도(mg/m³)

0.01   0.1   1.0   10   60

▲ 해양의 식물성 플랑크톤 분포와 용승 발생 해역

적도 용승 발생 해역

연안 용승 발생 해역

바람과 해수의 이동

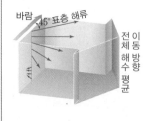

바람 45° 표층 해류

전체 이동 해수 방향 평균

에크만 나선

에크만 수송

① 북반구 기준
- 표층 해수는 풍향의 오른쪽 45° 방향으로 흐른다.
- 해수의 깊이가 깊어질수록 바람과 해수의 이동 방향 각도가 커진다.
- 전체 해수는 평균적으로 바람의 오른쪽 90° 방향으로 흐른다.

② 남반구 기준: 지구 자전 효과(전향력)가 반대 방향이므로 해수가 바람의 왼쪽 90° 방향으로 흐른다.

3. 용승 발생 유형

① 연안 용승: 해안선에 평행한 바람 발생 → 표층 해수가 ▸외해로 이동 → 연안 용승 발생

연안 용승이 발생하는 경우❸
- 북반구에서 서해안에 북풍이 부는 경우
- 북반구에서 동해안에 남풍이 부는 경우
- 남반구에서 서해안에 남풍이 부는 경우
- 남반구에서 동해안에 북풍이 부는 경우

② 적도 용승: 북동 무역풍의 오른쪽, 남동 무역풍의 왼쪽으로 해수 이동 → 적도 해역 표층 해수 발산 → 적도 용승 발생

표층의 해수가 외해로 밀려 나간다.

북풍

북반구

용승

▲ 연안 용승

북동 무역풍   남동 무역풍

적도

용승

▲ 적도 용승

---

❶ 영양 염류

식물성 플랑크톤이나 해조류의 몸체를 구성하고 증식에 필요한 인산염, 질산염, 규산염 등을 총칭해서 영양 염류라고 한다.

❷ 플랑크톤과 용승

용승이 일어나는 해역에서 플랑크톤이 크게 번성하므로 플랑크톤의 분포를 통해 용승이 일어나는 지역을 알 수 있다.

❸ 연안 침강

표층의 해수가 내해로 밀려온다.

남풍

침강

- 연안 용승이 일어나는 경우의 반대 방향으로 바람이 불면 해수가 연안으로 수렴하고 연안 침강이 발생한다.
- 침강이 일어나면 표층의 산소가 심층에 공급된다.

강의 콕 🔊

바람의 회전 방향에 따라 표층 해수의 발산 또는 수렴이 일어난다.

해수의 이동 방향

저   고

바람의 방향

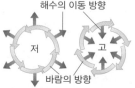

▲ 저기압에서의 용승(북반구)   ▲ 고기압에서의 용승(북반구)

━━━ 용어 ━━━

▸ **외해**: 육지와 인접하지 않은 넓은 바다

1. 엘니뇨와 라니냐 열대 태평양 엘니뇨 감시 구역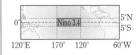에서 실측 수온과 30년 평균 수온 편차로 판단

① 엘니뇨: 동태평양에서 표층 수온이 평년보다 높은 상태로 지속되는 현상

② 라니냐: 동태평양에서 표층 수온이 평년보다 낮은 상태로 지속되는 현상**❺**

2. 평상시

① 서태평양(인도네시아 연안)

- 따뜻한 해수가 이동하여 수온이 높다.
- 저기압이 형성되어 상승 기류가 우세하고 비가 자주 내린다.

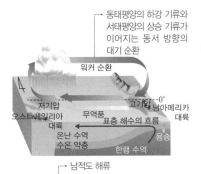

↑ 동태평양의 하강 기류와 서태평양의 상승 기류가 이어지는 동서 방향의 대기 순환

② 동태평양(페루 연안)

- 용승 발생으로 수온이 낮고 좋은 어장이 형성된다.
- 고기압이 형성되어 하강 기류가 우세하고 건조한 기후가 나타난다.

③ 열대 태평양: 무역풍의 영향으로 따뜻한 해류가 동에서 서로 이동한다.

3. 엘니뇨와 라니냐 발생 과정

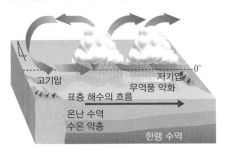 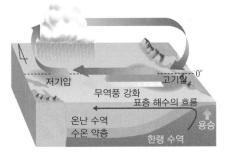

① 엘니뇨 원인: 무역풍 약화

→ 남적도 해류 약화 및 적도 반류 강화

→ 따뜻한 표층 해수가 동쪽으로 이동

→ 동태평양 표층 해수 발산 약화

→ 동태평양 용승 약화 → 표층 수온 상승

② 라니냐 원인: 무역풍 강화

→ 남적도 해류 강화

→ 따뜻한 표층 해수가 더 서쪽으로 이동

→ 동태평양 표층 해수 발산 강화

→ 동태평양 용승 강화 → 표층 수온 하강

구분	엘니뇨	라니냐
동태평양 (페루 연안)	•용승 약화로 표층 영양 염류가 감소하고 어획량도 감소한다. •표층 수온 상승으로 대기의 하층 기온이 상승하고 상승 기류가 형성되면서 강수량이 증가한다.	•용승 강화로 수온이 크게 하강하고 어장에서 냉해가 발생한다. •표층 수온 하강으로 대기의 하층 기온이 하강하고 하강 기류가 형성되면서 가뭄이 발생한다.
서태평양 (인도네시아 연안)	•표층 수온 하강으로 강수량이 감소하고 가뭄이 발생한다.	•표층 수온 상승으로 강수량이 증가하고 폭우가 발생한다.

❹ 엘니뇨 감시 구역

엘니뇨 발생의 지표가 되는 열대 태평양의 관측 위치로 나라마다 조금씩 다르다. 우리나라는 열대 태평양 Nino3.4 지역인 경도 5°S~5°N, 위도 170°~120°W 지역이 엘니뇨 감시 구역이다.

❺ 엘니뇨와 라니냐의 기준

엘니뇨와 라니냐의 기준 수온 편차와 지속 기간은 나라마다 다르다. 보통 기준 수온 편차는 0.3~0.5 ℃이고 지속 기간은 3 ~ 6개월이다. 우리나라의 경우 수온 편차가 0.5 ℃, 지속 기간이 5개월일 때 라니냐인지 엘니뇨인지를 판단한다.

셀파 콕콕

엘니뇨와 라니냐 발생 시 환경 변화는 무역풍, 남적도 해류, 용승, 수온 순으로 이해한다.

▬▬▬ 용어 ▬▬▬

▶ 냉해: 주로 농작물이나 어패류의 성장 기간 중 낮은 기온이 오래 지속되어 성장과 수확에 나쁜 영향을 미치는 재해

개념 확인하기

1 용승이 일어나는 해역은 주변보다 수온이 낮다. (○, ×)

2 해안선과 평행한 바람이 불 때 연안 표층수의 발산으로 나타나는 용승을 ( ) 용승이라고 한다.

3 평상시 페루 연안은 용승으로 수온이 ( )다.

3. 낮
2. 연안
답 1. ○

자료 파헤치기

엘니뇨와 라니냐 자료

평년(초록색)보다 해수면이 높으면
붉은색, 낮으면 파란색이다.

해수면 높이 편차 | 평상시 | 엘니뇨 발생 시 | 라니냐 발생 시

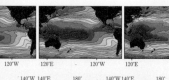

표층 수온 분포

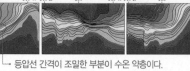

연직 수온 분포

└ 등압선 간격이 조밀한 부분이 수온 약층이다.

① 해수면 높이 편차: 엘니뇨 발생 시 해수가 서쪽으로 이동하지 않고 누적되어 동태평양 해수면이 높아진다.
② 표층 수온 분포: 동태평양 적도 부근 해역의 수온이 엘니뇨 발생 시에는 평상시보다 높아지고 라니냐 발생 시에는 평상시보다 낮아진다.
③ 연직 수온 분포: 엘니뇨 발생 시 동서 표층 수온 차가 작아지고, 수온 약층은 평상시보다 수심이 깊은 곳에서 나타난다.

셀파 콕콕
엘니뇨 관련 문제에는 대부분 그림 자료가 함께 제시된다. 해수면 높이 편차, 표층 수온 분포, 연직 수온 분포 등 다양한 자료를 학습하고, 문제에서 제시된 자료가 나타나는 시기를 파악한다.

---

3 남방 진동

1. **남방 진동** 열대 태평양에서 동·서 기압이 시소처럼 반대로 나타나는 현상

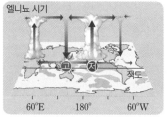 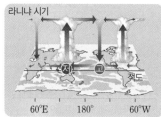

구분	엘니뇨	라니냐
동태평양	저기압	고기압
서태평양	고기압	저기압

2. **엔소(ENSO)**
① 엘니뇨와 라니냐 시기의 표층 수온 변화와 기압 분포 변화는 밀접한 관련이 있다.
• 수온 상승 → 대기의 하층 기온 상승 → 기층 불안정화 → 상승 기류 발생 → 저기압 형성 **❻**
• 수온 하강 → 대기의 하층 기온 하강 → 기층 안정화 → 하강 기류 발생 → 고기압 형성
② 엘니뇨, 라니냐와 남방 진동을 합하여 엘니뇨 남방 진동(ENSO)이라고 한다.

❻ 기층의 불안정화
공기는 기온이 높을수록 밀도가 작아진다. 대기의 하층 기온이 상승하면 하층 공기가 가벼워져 상승하려는 성질을 띠게 된다. 가벼운 공기가 아래에, 무거운 공기가 위에 있기 때문에 기층은 불안정해진다.

엘니뇨와 라니냐가 우리 생활에 주는 영향

 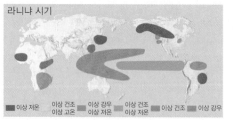

엘니뇨 시기 | 라니냐 시기

• 엘니뇨와 라니냐가 발생하면 대기와 해양의 상호 작용으로 전 지구적인 환경 변화를 초래한다.

─── 용어 ───
▶ 엔소(ENSO): El Niño and Southern Oscillation, 엘니뇨와 남방 진동

개념 확인하기

1 엘니뇨 발생 시에는 동태평양의 수온 약층 깊이가 (깊어 , 얕아)진다.
2 열대 태평양에서 수온이 높은 지역은 ( )기류가 발생하여 ( )기압이 형성된다.

답 1 깊어 2 상승, 저

셀파 세미나 ——— S·H·E·R·P·A

▶ 시험에 자주 나오는 보기 문항을 모았습니다. 중요 내용을 반복적으로 학습하여 시험에 대비하세요.

엘니뇨 발생 과정

스피드 정리

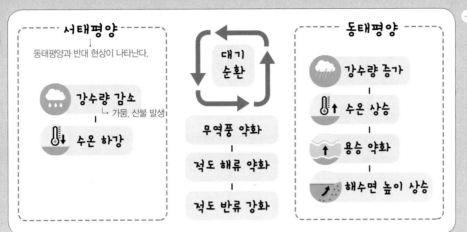

Plus 자료

다음은 엘니뇨나 라니냐와 관련하여 시험에 출제되는 자료 유형이다.
ㄱ. 시간에 따른 수온 편차 변화
ㄴ. 수온 편차 분포
ㄷ. 수온 연직 분포
ㄹ. 수온 약층 깊이 편차 변화
ㅁ. 동서 방향 풍속 편차 분포
ㅂ. 대기와 해수의 연직 단면
ㅅ. 강수 구역 분포
ㅇ. 해수면 높이 편차 분포
ㅈ. 강수량 편차 분포
ㅊ. 표층 해류 속도 편차

그림은 태평양 적도 부근 해역의 평상시 대기와 해수의 연직 단면을 나타낸 것이다.

무역풍의 세기가 평상시보다 약해질 때 나타나는 현상으로 옳은 것은 ○, 옳지 않은 것은 ×를 하시오.

1. 남적도 해류가 약해진다. (   )

2. A와 B 해역 간의 표층 수온 차는 증가한다. (   )

3. B 해역에서 용승이 강해진다. (   )

4. A 해역에서는 강수량이 증가한다. (   )

5. 평상시보다 B 해역의 수온은 높아진다. (   )

6. A 지역에서는 산불이나 가뭄이 발생할 수 있다. (   )

7. B 해역에서는 강수량이 증가하여 홍수 피해가 발생할 수 있다. (   )

8. B 해역에서는 수온 약층이 더 깊은 곳에서 나타난다. (   )

| 해설 |

평상시 B 해역의 수온은 A 해역의 수온보다 상대적으로 낮다. 엘니뇨가 발생하면 A 해역에서는 표층 수온이 하강하고 B 해역의 표층 수온은 상승하기 때문에 두 해역 간의 표층 수온 차는 감소한다.

1. ○ 2. × 3. × 4. × 5. ○ 6. ○ 7. ○ 8. ○

| 정답 |

그림은 동태평양 적도 부근 해역의 수온 편차(관측 수온 − 평균 수온)를 나타낸 것이다.

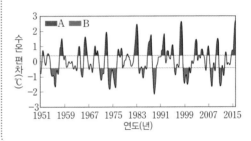

A 시기와 B 시기에 대한 설명으로 옳은 것은 ○, 옳지 않은 것은 ×를 하시오.

1. A는 엘니뇨 시기이다. (   )

2. B는 라니냐 시기이다. (   )

3. A 시기에 적도 반류가 강해진다. (   )

4. A 시기에 동태평양 적도 부근 해역에서는 따뜻한 해수층이 얇아진다. (   )

5. B 시기에 페루 연안 기압이 높아진다. (   )

6. A 시기에는 무역풍이 강해지면서 따뜻한 해수가 서쪽으로 이동한다. (   )

7. A 시기에 페루 연안 어장에서 냉해 피해가 발생한다. (   )

| 해설 |

A 시기는 동태평양 적도 부근 해역의 수온이 평소보다 높은 엘니뇨 시기이다. 엘니뇨 시기에는 무역풍이 약해지면서 따뜻한 해수가 동쪽으로 이동하여 동태평양 적도 부근 해역에서 따뜻한 해수층이 두꺼워진다.

1. ○ 2. ○ 3. ○ 4. × 5. ○ 6. × 7. ×

| 정답 |

기초 탄탄 문제

정답과 해설 50쪽

핵심용어_ 이 단원에서 내가 아는 것과 아직 모르는 것을 정리하며 나의 공부를 돌아보자.

- □ 용승
- □ 침강
- □ 엘니뇨
- □ 라니냐
- □ 수온 편차
- □ 무역풍
- □ 남적도 해류
- □ 남방 진동

01 용승이 일어나는 해역에 대한 설명으로 옳지 <u>않은</u> 것은?

① 표층 수온이 하강한다.

② 하강 기류가 형성된다.

③ 표층 영양 염류량이 증가한다.

④ 플랑크톤의 감소로 어획량이 감소한다.

⑤ 강수량이 감소하고 건조한 기후가 나타난다.

02 그림은 북반구에서 해안선에 평행하게 부는 바람의 방향을 나타낸 것이다.

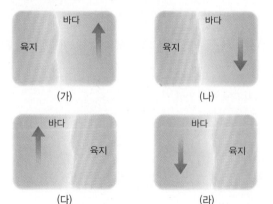

(가)

(나)

(다)

(라)

(가)~(라) 중 연안 용승이 일어나는 경우만을 있는 대로 고른 것은?

① (가), (나)　　② (가), (다)　　③ (가), (라)

④ (나), (다)　　⑤ (나), (라)

03 엘니뇨 시기에 평년과 비교하여 열대 태평양 지역의 특징에 대한 설명으로 옳은 것은?

① 무역풍이 약해진다.

② 동태평양의 용승이 강해진다.

③ 페루 연안의 수온이 평년보다 낮아진다.

④ 인도네시아 연안의 강수량이 증가한다.

⑤ 동태평양 해역에서 냉해가 발생한다.

04 평년과 비교하여 라니냐 시기에 열대 태평양 대기의 특징에 대한 설명으로 옳지 <u>않은</u> 것은?

① 동태평양에 고기압이 형성된다.

② 동태평양 지역의 대기가 안정해진다.

③ 서태평양 지역의 기압이 상승한다.

④ 서태평양 지역의 강수량이 증가한다.

⑤ 서태평양 지역에 상승 기류가 우세하게 나타난다.

05 그림은 엘니뇨와 라니냐 시기의 표층 수온 변화와 기압 변화의 관계를 나타낸 것이다.

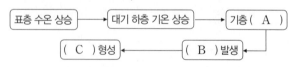

A~C에 들어갈 말을 옳게 짝 지은 것은?

	A	B	C
①	안정화	상승 기류	고기압
②	안정화	하강 기류	저기압
③	불안정화	상승 기류	고기압
④	불안정화	상승 기류	저기압
⑤	불안정화	하강 기류	고기압

내신 만점 **문제**

정답과 해설 50쪽

* ▮▮▮ 난이도를 나타냅니다.

01 그림은 적도 부근 해역에서 바람과 해수의 이동을 나타낸 것
▮▮▮ 이다.

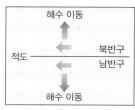

이에 대한 설명으로 옳은 것만을 〈보기〉에서 있는 대로 고른
것은?

┤ 보기 ├
ㄱ. 적도 지역의 표층 해수는 발산이 일어난다.
ㄴ. 적도를 따라 표층 해수가 침강한다.
ㄷ. 무역풍이 강해지면 수온 약층이 형성되는 깊이가
  깊어진다.

① ㄱ
② ㄴ
③ ㄱ, ㄷ
④ ㄴ, ㄷ
⑤ ㄱ, ㄴ, ㄷ

02 그림은 여름철 우리나라 울
▮▮▮ 산 연안에 냉수대가 나타났
을 때의 표층 수온 분포를 나
타낸 것이다.
이에 대한 설명으로 옳은 것
만을 〈보기〉에서 있는 대로
고른 것은?

┤ 보기 ├
ㄱ. 울산 연안에서 용승이 일어났다.
ㄴ. 남풍 계열의 바람이 불었다.
ㄷ. 표층 해수가 먼 바다로 이동하여 발산이 일어난다.

① ㄱ
② ㄴ
③ ㄱ, ㄷ
④ ㄴ, ㄷ
⑤ ㄱ, ㄴ, ㄷ

03 그림은 평년의 태평양 적도 부근 해역의 대기 순환을 나타낸
▮▮▮ 것이다.

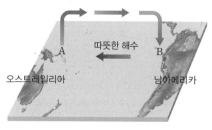

이 시기에 B 지역에 대한 설명으로 옳은 것만을 〈보기〉에서
있는 대로 고른 것은?

┤ 보기 ├
ㄱ. 용승이 일어나 수온이 높다.
ㄴ. A 지역보다 기압이 높다.
ㄷ. A 지역과 동일하게 해양성 기후로 습하고 강수량
  이 많다.

① ㄱ
② ㄴ
③ ㄱ, ㄷ
④ ㄴ, ㄷ
⑤ ㄱ, ㄴ, ㄷ

 그림은 동태평양 적도 부근 해역의 수온 편차(관측 수온 −
▮▮▮ 평균 수온)를 나타낸 것이다. A와 B는 각각 엘니뇨 시기와
라니냐 시기 중 하나이다.

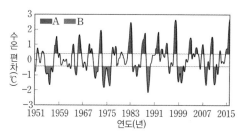

B 시기와 비교했을 때 A 시기에 적도 부근 동태평양 해역에
대한 설명으로 옳은 것만을 〈보기〉에서 있는 대로 고른 것은?

┤ 보기 ├
ㄱ. 평년보다 수온이 높은 시기이다.
ㄴ. 강한 남적도 해류가 나타난다.
ㄷ. 수온 약층이 나타나는 깊이가 깊다.

① ㄱ
② ㄴ
③ ㄱ, ㄷ
④ ㄴ, ㄷ
⑤ ㄱ, ㄴ, ㄷ

05 그림은 태평양 적도 부근 해수의 연직 단면을 모식적으로 나타낸 것이다. (점선은 평상시 해수의 경계를 나타낸다.)

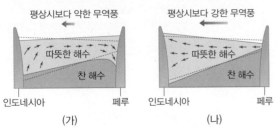

(가) 시기와 비교할 때, (나) 시기에 발생하는 현상으로 옳은 것만을 〈보기〉에서 있는 대로 고른 것은?

┤ 보기 ├
ㄱ. 인도네시아 연안의 강수량은 적어진다.
ㄴ. 페루 연안 표층수에는 용존 산소량이 많아진다.
ㄷ. 인도네시아 연안의 따뜻한 해수층은 얇아진다.

① ㄱ   ② ㄴ   ③ ㄱ, ㄷ
④ ㄴ, ㄷ   ⑤ ㄱ, ㄴ, ㄷ

 그림 (가)는 2015년 1월부터 11월까지 동태평양 적도 부근 해역에서 관측한 해수면의 수온 편차를, (나)는 (가)를 바탕으로 2015년 12월부터 2016년 2월까지 일어날 것으로 예측되는 대기 상태의 변화를 나타낸 것이다.

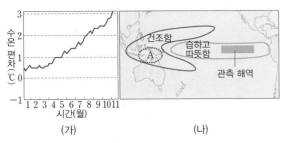

이에 대한 설명으로 옳은 것만을 〈보기〉에서 있는 대로 고른 것은?

┤ 보기 ├
ㄱ. 2015년에 엘니뇨가 발생했다.
ㄴ. 2015년에 적도 반류가 강해졌다.
ㄷ. 2016년 초에 A 지역에서는 산불이 발생할 가능성이 높다.

① ㄱ   ② ㄴ   ③ ㄱ, ㄷ
④ ㄴ, ㄷ   ⑤ ㄱ, ㄴ, ㄷ

07 그림 (가), (나)는 엘니뇨와 라니냐 발생 시 태평양 적도 부근 해역의 연직 수온 분포를 순서 없이 나타낸 것이다.

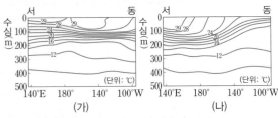

(가)보다 (나)에서 큰 값을 나타내는 물리량만을 〈보기〉에서 있는 대로 고른 것은?

┤ 보기 ├
ㄱ. 동태평양의 표층 수온
ㄴ. 동태평양의 14 ℃ 등온선의 깊이
ㄷ. 동·서태평양의 표층 수온의 차이
ㄹ. 동·서태평양의 해수면 높이 경사 정도

① ㄱ, ㄴ   ② ㄴ, ㄷ   ③ ㄷ, ㄹ
④ ㄱ, ㄴ, ㄷ   ⑤ ㄴ, ㄷ, ㄹ

08 그림은 열대 태평양 주변의 어느 지역에서 평상시와 엘니뇨 시의 월평균 강수량을 비교한 것이다.

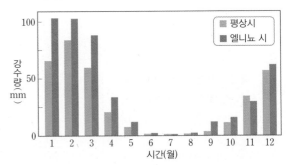

이 지역에 대한 설명으로 옳은 것만을 〈보기〉에서 있는 대로 고른 것은?

┤ 보기 ├
ㄱ. 엘니뇨가 발생하면 강수량이 대체로 증가한다.
ㄴ. 태평양 서쪽 연안에 위치한다.
ㄷ. 엘니뇨 발생 시 평소보다 수온이 하강할 것이다.

① ㄱ   ② ㄷ   ③ ㄱ, ㄴ
④ ㄴ, ㄷ   ⑤ ㄱ, ㄴ, ㄷ

09 그림은 어느 해에 발생한 엘니뇨의 영향을 나타낸 것이다.

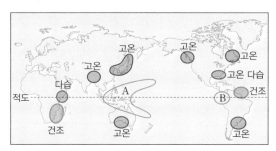

이 시기의 특징에 대한 설명으로 옳은 것만을 〈보기〉에서 있는 대로 고른 것은?

보기

ㄱ. A 지역의 기압이 평년보다 낮아진다.
ㄴ. A와 B 지역의 표층 수온 차이는 감소한다.
ㄷ. 태평양 지역의 기후 변화만을 초래한다.

① ㄱ   ② ㄴ   ③ ㄱ, ㄷ
④ ㄴ, ㄷ   ⑤ ㄱ, ㄴ, ㄷ

10 그림은 엘니뇨와 라니냐 시기 중 어느 시기의 기후 변동을 나타낸 것이다.

평상시와 비교하여 이 시기의 특징에 대한 설명으로 옳은 것만을 〈보기〉에서 있는 대로 고른 것은?

보기

ㄱ. 페루 연안의 강수량 편차는 (−)이다.
ㄴ. 서태평양의 수온 편차는 (+)이다.
ㄷ. 서태평양의 기압 편차는 (−)이다.

① ㄱ   ② ㄴ   ③ ㄱ, ㄷ
④ ㄴ, ㄷ   ⑤ ㄱ, ㄴ, ㄷ

서술형 문제

11 그림은 남아메리카 대륙의 페루 부근 해역에서 관측한 수온 편차(측정 수온 − 평균 수온)를 나타낸 것이다.

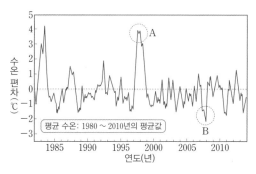

(1) A 시기의 원인이 되는 바람의 풍속 변화를 서술하시오.

(2) A 시기에 적도 부근 동·서태평양의 표층 수온 변화를 서술하시오.

(3) B 시기에 페루 연안 해수면 온도 변화의 결과로 발생하는 기압 변화를 과정과 함께 서술하시오.

12 그림 (가), (나)는 엘니뇨와 라니냐 시기에 태평양 적도 부근 해역의 수온 분포를 순서 없이 나타낸 것이다.

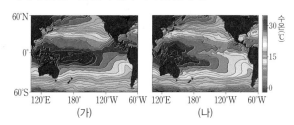

(가)와 (나) 중 엘니뇨가 발생한 시기를 고르고, 그와 같이 생각한 까닭을 서술하시오.

04 기후 변화

내 교과서는 어디에?
천재 p.125~138   금성 p.127~136
미래엔 p.130~136 비상 p.124~132 YBM p.135~145

핵심 Point
- 기후 변화의 원인을 **자연적 요인**과 **인위적 요인**으로 구분하여 이해한다.
- 기후 변화의 자연적 요인을 **지구 외적 요인**과 **지구 내적 요인**으로 구분하여 이해한다.
- 인간 활동에 의한 지구 온난화를 알아본다.

1 기후 변화

1. 기후 변화

┌─ 세계기상기구(WHO) 기준 30년

① 기후: 어떤 지역의 기상 특성을 장기간 평균하여 대표성을 갖는 통계적인 종합적 날씨 상태

② 기후를 결정하는 요소: 태양 복사 에너지와 지구 복사 에너지의 흡수량과 방출량이 가장 큰 영향을 미치며 그밖에 수륙 분포, 해류, 지표 반사율 등이 영향을 미친다.❶

2. 기후 변화 요인 기후 변화를 일으키는 요인을 유형에 따라 구분한다.

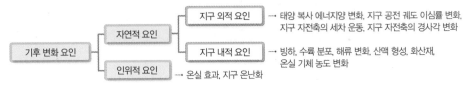

기후 변화 요인 ┬ 자연적 요인 ┬ 지구 외적 요인 → 태양 복사 에너지양 변화, 지구 공전 궤도 이심률 변화, 지구 자전축의 세차 운동, 지구 자전축의 경사각 변화
            │   └ 지구 내적 요인 → 빙하, 수륙 분포, 해류 변화, 산맥 형성, 화산재, 온실 기체 농도 변화
            └ 인위적 요인 → 온실 효과, 지구 온난화

2 고기후

1. 고기후 연구 방법 지구의 역사 동안 변화해 온 지구 환경에 대한 자료를 분석한다.

① 화석: 화석 형성 당시 기후를 생물이 서식하는 영역의 특징으로 유추할 수 있다.

② 나이테: 나무는 높은 기온과 다습한 환경에서 성장하였을 때 나이테 간격이 넓다.

③ 빙하 코어: 빙하 얼음을 구성하는 산소의 동위 원소 비율을 분석하여 과거 기온을 추정할 수 있고,❷ 빙하 속 공기 방울로 과거 지구 대기 성분을 알 수 있다.

2. 고기후 자료 분석

① 평균 기온은 증가와 감소를 반복하며 나타난다.

┌─ 온실 기체

② 이산화 탄소와 메테인의 증감 경향이 온도의 증감 경향과 거의 동일하게 나타난다.

③ 이산화 탄소 농도와 메테인 농도를 통해 미래 기온도 예측이 가능하다.

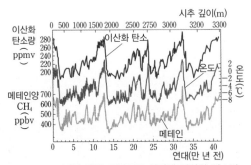

▲ 남극 빙하 표본으로 알아낸 이산화 탄소량, 메테인양, 상대적 온도 변화

3 기후 변화의 자연적 요인 – 지구 외적 요인

1. 태양 복사 에너지양 변화 태양 활동이 활발한 시기에 증가하며 태양 활동의 활발한 정도는 흑점의 수를 통해 알 수 있다.❸

① 광구 표면 흑점 수 증가 → 태양에서 더 많은 에너지 방출 → 태양 복사 에너지 흡수량 증가 → 지구 평균 기온 상승

② 흑점 수가 적었던 시기가 지구의 기온이 낮았던 소빙하기와 일치한다.❹

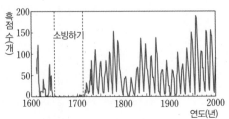

▲ 흑점 수의 변화

---

❶ 에너지와 기후

태양 복사 에너지는 물을 증발시키고 물의 순환을 촉진시키면서 다양한 기상 현상을 일으킨다. 또한 지구 복사 에너지양과 비교하여 상대적 양에 따라 기온이 결정되고 에너지 과잉 또는 부족 현상이 발생한다. 에너지는 과잉된 지역에서 부족한 지역으로 이동하고, 이 과정에서 다양한 기후가 나타난다.

❷ 빙하 속 산소 동위 원소비

$\frac{^{18}O}{^{16}O}$ 값이 크면 온난했던 시기이고 $\frac{^{18}O}{^{16}O}$ 값이 작으면 한랭했던 시기이다.

❸ 태양 활동과 흑점의 관계

태양의 활동이 활발한 시기에 태양이 방출하는 에너지양이 많아지고 광구에 나타나는 흑점의 수가 증가한다. 흑점 수는 약 11년을 주기로 증가와 감소를 반복한다.

❹ 소빙하기

1645~1715년 동안 유럽과 북아메리카 지역에 나타난 평균 기온이 낮았던 시기이다.

─────── 용어 ───────

▶ 광구: 태양의 표면

2. 지구 운동의 변화 태양 복사 에너지의 입사각, 지구 − 태양 거리가 변하여 기후가 변한다.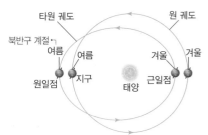❺

① 지구 공전 궤도 이심률 변화: 타원 궤도에서 원 궤도로 변화(약 10만 년 주기) 원일점과 근일점이 없다.

- 지구의 공전 궤도가 원 궤도인 경우에는 지구의 위치에 따른 태양 복사 에너지양의 차이가 없다.(태양 복사 에너지 입사각 차이만 존재) → 계절이 없어지지 않는다.
- 현재는 북반구가 여름일 때 원일점이므로 지구가 받는 태양 복사 에너지양이 적고, 북반구가 겨울일 때 근일점이므로 지구가 받는 태양 복사 에너지양이 많다.

이심률 변화	증가(원 궤도 → 타원 궤도)				감소(타원 궤도 → 원 궤도)			
위치	북반구		남반구		북반구		남반구	
계절	여름	겨울	여름	겨울	여름	겨울	여름	겨울
지구 − 태양 거리	증가	감소	감소	증가	감소	증가	증가	감소
평균 기온 변화	하강	상승	상승	하강	상승	하강	하강	상승
기온의 연교차	작아진다		커진다		커진다		작아진다	

② 지구 자전축의 세차 운동: 자전축 경사 방향 변화(약 26000년 주기)

- 지구 자전축 방향이 변하면서 근일점과 원일점에서의 계절이 변한다.❻
- 지구 자전축 방향이 180° 회전하는 경우

위치	계절	지구 위치 변화	지구−태양 거리	평균 기온 변화	기온의 연교차
북반구	여름	원일점 → 근일점	감소	상승	커진다
	겨울	근일점 → 원일점	증가	하강	
남반구	여름	근일점 → 원일점	증가	하강	작아진다
	겨울	원일점 → 근일점	감소	상승	

③ 지구 자전축 경사각 변화: 자전축의 기울기 변화(약 41000년 주기) 태양의 남중 고도

- 지구 자전축 경사각이 변하면 위도별 태양 복사 에너지의 입사각이 변한다.

현재 지구 자전축 경사각은 23.5°이며 약 21.5°와 24.5° 사이에서 변한다.

자전축 경사각 변화	증가(23.5° → 24.5°)		감소(23.5° → 21.5°)	
계절	여름	겨울	여름	겨울
태양의 남중 고도 변화	높아진다	낮아진다	낮아진다	높아진다
평균 기온 변화	상승	하강	하강	상승
기온의 연교차	커진다		작아진다	

└→ 북반구와 남반구에서 동일한 효과가 나타난다.

중위도 및 우리나라에서 변화
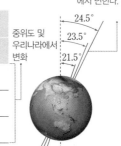

개념 확인하기

1 현재 지구의 공전 궤도는 타원 궤도로 북반구는 근일점에서 여름이다. (○ , ×)

2 지구 자전축 경사각이 24.5°로 커진다면 우리나라는 여름 기온이 ( )하고, 겨울 기온은 ( )한다.

답 1 ×
2 상승, 하강

❺ **밀란코비치 주기**

세르비아의 과학자 밀란코비치는 지구 공전 궤도 이심률 변화, 자전축 경사각 변화, 세차 운동이 주기적으로 일어나며 지구 운동이 변함을 주장하였다. 밀란코비치는 이 세 가지 주기를 조합하여 기후 변화 패턴을 설명하였다.

❻ **계절 결정**

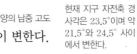

북반구와 남반구의 계절은 태양 복사 에너지의 입사각과 낮의 길이에 따라 결정된다. 태양 복사 에너지의 입사각이 높고 태양이 비추는 면적이 더 넓은 반구가 여름이다.

셀파 콕콕

문제에 주어진 자료에서 지구의 위치별 계절을 파악하고 지구 − 태양 거리를 비교하면 평균 기온 변화, 기온의 연교차 변화를 알 수 있다. '자전축 경사각이 증가했을 때 기온의 연교차가 커진다.'는 부분은 개념적으로 이해하기 어려우므로 반드시 암기한다.

━━ **용어** ━━

▶ **이심률**: 타원의 찌그러진 정도. 이심률이 작을수록 원에 가깝다.

요인	기후 변화
빙하	• 지표 상태에 따라 태양 복사의 반사율이 다르며 빙하의 반사율은 매우 높은 편이다.❼ • 빙하 형성 → 지표 반사율 증가 → 태양 복사 에너지 흡수량 감소 → 평균 기온 하강
수륙 분포	• 육지는 바다보다 비열이 작고 증발량이 적다. • 초대륙 형성: 대륙 내에 건조하고 연교차가 큰 대륙성 기후가 발달 • 대륙 분리: 해안 지역이 확장되면서 습하고 연교차가 작은 해양성 기후 발달
해류 변화	• 난류의 영향을 받는 지역은 평균 기온이 높고 한류의 영향을 받는 지역은 평균 기온이 낮다. • 수륙 분포가 변하면 해류의 방향이 바뀌고 난류와 한류의 영향을 받는 지역이 변한다.
산맥 형성	• 높은 산맥은 공기의 이동을 막고 풍향을 변화시킨다. • 산맥을 넘어간 기단은 성질이 변한다.❽
화산재 증가	• 대규모 화산 폭발은 많은 양의 화산재와 먼지를 대기 중으로 방출한다. • 대규모 화산 폭발 → 대기 중으로 화산재, 먼지 유입 → 대기 투명도 감소 → 태양 복사 에너지 반사율 증가 → 평균 기온 하강
온실 기체 농도 변화	• 온실 기체는 지구 대기의 온실 효과를 강화시켜 지구의 평균 기온을 상승시킨다. • 화산 분출 시 대기 중 수증기나 이산화 탄소 농도가 증가하고, 수온 상승으로 바다의 이산화 탄소가 대기로 방출되는 경우 지구의 평균 기온이 상승한다.

5 기후 변화의 인위적 요인과 지구 온난화

1. **지구의 복사 평형**

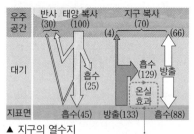

▲ 지구의 열수지

구분	흡수량	방출량
지구 전체 (70)	태양 복사-지구 반사 (70)	지표 복사 (4) 대기 복사 (66)
대기 (154)	태양 복사 흡수 (25) 지표 복사 흡수 (129)	우주로 방출 (66) 지표로 재복사 (88)
지표면 (133)	태양 복사 흡수 (45) 대기 복사 흡수 (88)	대기로 복사 (129) 우주로 복사 (4)

지표와 대기가 받는 에너지는 지표 133, 대기 154로 지구가 태양으로부터 받는 에너지인 70보다 많다.

① 지구 전체의 반사율은 약 30 %이다.

② 각 영역(지구 전체, 대기, 지표)은 에너지 흡수량과 방출량이 같은 평형 상태이다.

2. **온실 효과** 지표가 방출하는 에너지 중 일부를 대기가 흡수하고 지표로 다시 복사하여 지표의 온도가 높아지는 현상

① 온실 기체: 온실 효과를 일으키는 기체로, 태양 복사 에너지는 통과시키고 지구 복사 에너지는 잘 흡수한다.❾

② 대기 중 온실 기체의 농도가 증가하면 대기의 온실 효과가 강화되고 지구의 평균 기온이 상승하는 지구 온난화가 진행된다.

3. **지구 온난화** 지구 평균 기온이 상승하는 현상

① 원인: 대기 중 온실 기체 농도의 꾸준한 상승으로 온실 효과 강화

② 온실 기체 증가 원인: 산업 혁명 이후 화석 연료의 사용, 산림 벌채, 교통량 증가 등

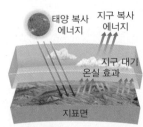

▲ 온실 효과

└ 온실 효과의 영향으로 지구의 평균 기온(약 15 ℃)이 태양으로부터 복사되는 에너지의 영향보다 높게 유지된다.

❼ **지표 상태에 따른 반사율**

지표 상태	반사율(%)
아스팔트	4~12
침엽수림	8~15
토양	17
녹색 잔디	25
사막 모래	40
콘크리트	55
빙하	50~70
눈	80~90

❽ **산맥과 기후**

공기가 산맥을 타고 올라가는 지역에서는 습윤한 기후가 나타나고, 산맥을 따라 내려오는 지역에서는 고온 건조한 기후가 나타난다.

강의 콕

태양은 주로 가시광선 영역으로 에너지를 복사하고 지구는 주로 적외선 영역으로 에너지를 복사한다. 가시광선은 파장이 짧은 전자기파, 단파라 하고 적외선은 파장이 긴 전자기파, 장파라고 한다. 온실 기체는 가시광선 또는 단파에 투명하고 적외선 또는 장파에 불투명하다고 표현하기도 한다.

❾ **온실 기체의 종류**

온실 기체	기여도(%)
수증기	36~70
이산화 탄소	9~26
메테인	4~9
오존	3~7

수증기의 온실 효과 기여도가 가장 높지만 수증기는 지역에 따라 농도 차이가 크고 인위적 요인으로 증가하지 않기 때문에 지구 온난화 대책에 관련해서 수증기를 다루지 않는다.

━━ **용어** ━━

▶ **비열**: 어떤 물질 1 g의 온도를 1 ℃ 높이는 데 필요한 열량

지구의 평균 기온 변화, 대기 중 온실 기체 농도 변화

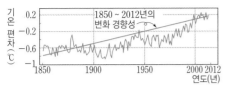

▲ 지구 평균 기온 변화

▲ 대기 중 온실 기체 농도 변화

• 지구의 평균 기온은 상승과 하강이 반복적으로 나타나지만 전체적으로 상승하는 경향을 보인다. 1950년대부터 가파른 상승 경향을 보인다.

• 온실 기체가 온실 효과를 강화시켜 지구의 평균 기온을 상승시키기 때문에 두 자료의 변화 경향은 비슷하게 나타난다.

• 이산화 탄소와 메테인 농도는 관측 기간 중 매년 꾸준히 증가하고 있다. 이산화 탄소의 경우 1950년대부터 농도가 급격하게 증가했다.

강의 콕!
지질 시대 중 평균 기온이 현재보다 높았던 기간이 있다. 현재 지구 온난화의 심각성은 단시간에 급격하게 상승하는 변화 경향성에 있다.

4. 지구 온난화의 영향

① 해수의 온도가 상승하면서 용존 이산화 탄소의 용해도가 낮아진다.

   • 해수에서 대기로 이산화 탄소가 방출되고, 대기 중 이산화 탄소 농도가 더 높아지면서 지구 온난화가 더 심해진다.

② 극지방 빙하가 녹으면서 해수의 염분이 낮아지고 침강이 약화된다.

   • 심층 해수 생성이 약화되면서 심층 순환이 약화되고 위도별 에너지 불균형이 심화된다.

   → 고위도의 평균 기온이 하강하고, 저위도의 평균 기온이 상승한다.

⑩ 열팽창
물체는 온도가 상승하면 부피가 팽창한다. 해수의 온도가 상승하면 부피가 팽창하고 해수면이 상승한다.

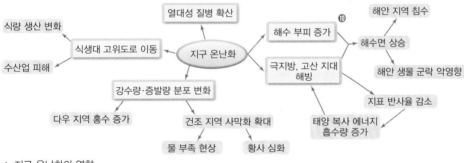

▲ 지구 온난화의 영향

⑪ 이산화 탄소 포집 및 저장 기술
산업 시설에서 발생하는 이산화 탄소를 포집하여 해양이나 육지의 지층 속에 저장하는 기술이다.

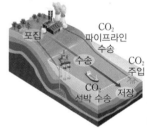

5. 지구 온난화의 대책

① 기후 변화 완화

   • 온실 기체 배출량 감축: 신·재생 에너지 사용을 확대하고 에너지 효율성을 높이는 기술을 개발하며 숲의 황폐화를 방지한다.

   • 온실 기체 흡수: 대규모 산림을 조성하고 해양 비옥화를 실시하며 해저에 이산화 탄소를 포집하여 저장하는 기술⑪을 연구한다.

② 기후 변화 적응: 기후 변화에 적응하는 농법을 개발하고 재배 작물을 변화시키며 기상 재난에 대한 대책을 강화한다.

━━ 용어 ━━

▶ **해양 비옥화**: 해양에 식물의 영양분을 인위적으로 공급하여 광합성이 활발히 일어나게 하는 방법

개념 확인하기

1 빙하의 감소는 지구의 반사율을 (　　)시킨다.

2 지구의 대기는 태양 복사의 흡수량이 지표 복사의 흡수량보다 많다. (○, ×)

3 과거 100년 동안 지구 평균 기온과 대기 중 온실 기체 농도는 대체로 (　　)하는 경향을 보인다.

답 1 감소
2 ×
3 증가

목표 관측과 기후 모형 예측 자료를 분석하여 최근 온난화 경향과 그 원인을 이해할 수 있다.

과정

그림은 기후 모형으로 모의실험한 지구의 기온 변화와 실제 관측 기온을 나타낸 것이다.

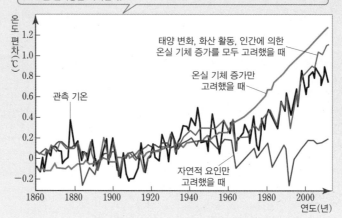

기후 모형은 3가지 조건에서 실험한 것으로, 전 세계 기후 연구 기관에서 사용 중인 수십 개의 모형 결과를 평균하여 나타냈다. 여기서 편차는 1880 ~ 1919년을 기준으로 한 변화량을 의미한다.

❶ 1960년대 이전과 이후의 기온 변화 특징을 비교한다.
❷ 각각의 요인을 고려했을 때 기온 변화 특징을 비교한다.

결과 및 정리

1. 1960년대 이전과 이후의 기온 변화 특징은?
   → 관측 기간 동안 기온은 상승과 하강을 반복하면서 전체적으로 약간 상승하였다가 1960년 이후 급격하게 기온이 상승하는 추세가 나타난다.

2. 자연적 요인만 고려했을 때 기온 변화 특징은?
   → 자연적 요인만 고려하여 계산한 기온 변화는 상승과 하강을 반복하며 온도 편차가 0 ℃에서 크게 벗어나고 있지 않다. 1960년 이후로 관측 기온과 차이가 커진다.

3. 인위적 요인만 고려했을 때 기온 변화 특징은?
   → 온실 기체 증가만 고려하여 계산한 기온 변화는 1960년대 이전에는 관측 기온 변화와 상당히 일치한다. 1960년대 이후로는 관측 기온보다 더 높게 나타난다.

4. 자연적 요인과 인위적 요인을 함께 고려했을 때 기온 변화 특징은?
   → 자연적 요인과 온실 기체 증가를 모두 고려하여 계산한 기온 변화는 실제 관측한 기온 변화와 가장 일치한다.

같은 주제 다른 탐구

미래의 지구 온난화 경향
[과정]
그림은 화석 연료에 계속 의존하는 경우(A)와 청정에너지 기술을 적용하는 경우(B)의 2100년까지 지구 평균 기온 변화를 나타낸 것이다.

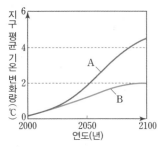

[결과 및 정리]
청정에너지 기술을 적용하는 경우에도 2100년까지는 기온이 계속해서 상승한다. 반면에 화석 연료에 계속 의존하는 경우보다 기온 상승률이 작고, 기온 상승 정도가 시간이 지남에 따라 감소한다.

➕ **유의점**
❶ 컴퓨터로 모의실험한 계산 결과의 경향을 하나씩 자세히 분석하여 설명한다.
❷ 관측 기온의 변화 경향을 분석하고 그와 같이 나타난 까닭을 각 요인별로 설명해 본다.

📋 시험 유형은?
❶ 관측 기온의 온도 편차와 가장 유사한 계산 온도는 어느 모형인가?
▶ 자연적 요인과 온실 기체 증가를 포함한 인위적 요인을 모두 고려한 계산 온도가 가장 유사하다.
❷ 인위적 요인만 고려했을 때의 기온은 관측 기온과 어떻게 차이가 나는가?
▶ 관측 기온보다 높게 나타난다.

탐구 대표 문제 정답과 해설 52쪽

01 이 자료에 대한 설명으로 옳지 <u>않은</u> 것은?

① 1960년 이후가 이전보다 온도 상승률이 더 크다.
② 관측 기온은 자연적 요인만 고려했을 때 기온과 가장 잘 일치한다.
③ 1960년 이후 온실 기체 증가만 고려했을 때 기온은 관측 기온보다 높게 나타난다.
④ 기온은 여러 가지 요인에 의해 복합적으로 결정된다.
⑤ 최근의 기온 상승은 온실 기체의 농도 증가와 관련성이 깊다.

셀파 탐구

한반도의 기후 변화 경향성 파악하기

목표 관측 자료를 활용하여 한반도의 기후 변화 경향성을 파악할 수 있다.

과정

그림은 지난 30년 동안(1981~2010년) 기온 및 강수량의 변화 추세를 지역별로 나타낸 것이다. 이 기간에 전 지구 평균 기온은 0.16 ℃/10년 비율로 증가했다.

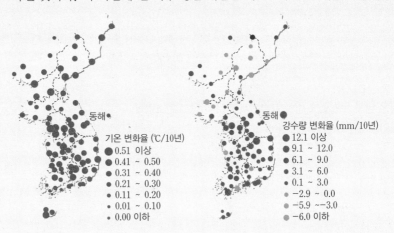

결과 및 정리

1. 지난 30년 동안 한반도의 기온 변화 경향은?
   → 지난 30년 동안 한반도의 연평균 기온 변화의 경향은 한 지점(문경)을 제외한 모든 관측점에서 상승하고 있다.

2. 지난 30년 동안 한반도의 강수량 변화 경향은?
   → 지역에 따라 지난 30년 동안 강수량이 증가한 곳도 있고 감소한 곳도 있지만 전반적으로 강수량이 증가한 곳이 더 많다.

3. 전 지구 평균 기온 상승폭과 비교하여 우리나라의 평균 기온 상승 정도는?
   → 우리나라 대부분의 지역에서 전 지구 평균 기온 상승폭인 0.16 ℃/10년보다 높은 기온 상승을 보인다. 따라서 지구 온난화 정도가 다른 나라들보다 우리나라에서 크다.

탐구 대표 문제 정답과 해설 52쪽

01 이 탐구 과정에 대한 설명으로 옳지 <u>않은</u> 것은?

① 한반도 대부분의 지역은 지난 30년 동안 기온이 상승하였다.
② 한반도 곳곳에 지난 30년 동안 강수량이 감소한 지역이 나타난다.
③ 남쪽으로 갈수록 강수량 증가가 크다.
④ 서울, 경기, 영남 등의 지역에서 30년 동안 기온이 크게 상승하였다.
⑤ 서울의 기온 상승률은 전 지구 평균 기온 상승률보다 크다.

02 서울의 기온 상승 경향이 높은 까닭을 〈보기〉에서 있는 대로 고른 것은?

보기
ㄱ. 교통량이 매우 많다.
ㄴ. 사람들의 경제 활동으로 온실 기체 배출량이 높다.
ㄷ. 도시화로 산림 지역이 축소된 곳이 많다.

① ㄱ　　②ㄴ　　③ㄱ,ㄷ　　④ㄴ,ㄷ　　⑤ㄱ,ㄴ,ㄷ

같은 주제 다른 탐구

최근 100년 동안 우리나라 평균 기온 변화

[과정]

그림은 우리나라의 관측소 6곳(서울, 인천, 강릉, 대구, 목포, 부산)에서 1910~2009년 동안 측정한 기온을 10년 범위로 평균한 값을 나타낸 것이다. (지구의 평균 기온은 최근 100년 동안 약 0.85 ℃ 상승하였다.)

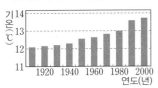

[결과 및 정리]

우리나라 관측소 6곳의 평균 기온은 최근 100년 동안 꾸준하게 상승하였다. 2000년의 평균 기온은 1910년의 평균 기온보다 1.5 ℃ 이상 높으므로 지구의 평균 기온 상승보다 기온 상승 정도가 더 크다.

시험 유형은?

❶ 제주도의 기온 변화는 지구 평균 기온 변화와 비교할 때 어떻게 변화했는가?
▶ 원의 크기로 보아 제주도는 0.2 ℃/10년 이상의 기온 상승을 보이고 지구 평균 기온 상승률인 0.16 ℃/10년보다 크다.

❷ 제주도의 강수량은 어떻게 변화했는가?
▶ 원의 크기와 색깔로 보아 강수량이 6 mm/10년 이하로 증가했다.

기초 탄탄 문제

정답과 해설 53쪽

핵심용어_ 이 단원에서 내가 아는 것과 아직 모르는 것을 정리하며 나의 공부를 돌아보자.

☐ 기후 변화   ☐ 지구 공전 궤도 이심률   ☐ 자전축 경사각
☐ 세차 운동   ☐ 복사 평형   ☐ 지구 온난화
☐ 온실 기체   ☐ 기후 변화의 내적 요인

01 그림은 남극 보스토크 빙하 표본에서 얻은 이산화 탄소량과 메테인양의 변화를 나타낸 것이다.

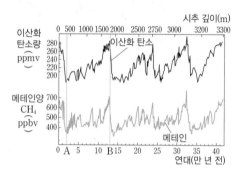

이에 대한 설명으로 옳지 <u>않은</u> 것은?

① 두 기체 모두 온실 기체이다.
② 지구 대기의 적외선 흡수량은 A 시기가 B 시기보다 크다.
③ 기온은 A 시기가 B 시기보다 낮다.
④ 빙하는 A 시기가 B 시기보다 넓게 분포한다.
⑤ 극지방 지표 반사율은 A 시기가 B 시기보다 크다.

02 지구 기후 변화의 요인 중 지구 외적 요인에 대한 설명으로 옳은 것은?

① 태양 흑점 수가 많았던 시기에 지구 기온은 낮았다.
② 지구 자전축 경사각이 작을수록 우리나라의 기온 연교차는 증가한다.
③ 현재 지구가 원일점에 있을 때 북반구는 겨울이다.
④ 지구 공전 궤도가 원형인 경우에는 계절 변화가 나타나지 않는다.
⑤ 지구 공전 궤도의 변화는 태양으로부터 지구가 받는 복사 에너지양을 변화시킨다.

03 초대륙 형성으로 발생하는 기후 변화로 가장 적절한 것은?

① 지구 반사율 하강
② 건조한 대륙성 기후 지역 확대
③ 온실 기체 감소
④ 지구 평균 기온 하강
⑤ 복잡한 해류 경로 형성

04 그림은 복사 평형 상태에 있는 지구의 열수지를 나타낸 것이다.

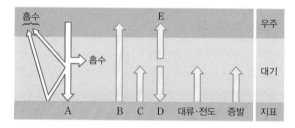

이에 대한 설명으로 옳은 것은?

① A는 지표 흡수로 주로 적외선 형태이다.
② B는 태양 복사를 우주로 반사하는 지표 반사이다.
③ C는 대기가 흡수하는 지표 복사이다.
④ D는 B와 같은 양의 에너지가 이동한다.
⑤ E는 대기 복사로 주로 가시광선 형태이다.

05 지구 온난화가 발생했을 때의 영향과 환경 변화에 대한 설명으로 옳지 <u>않은</u> 것은?

① 열대성 질병이 사라진다.
② 해수의 온도가 상승한다.
③ 해수면이 상승하여 저지대가 침수된다.
④ 극지방의 빙하 면적이 감소한다.
⑤ 기후대가 변하여 식생대가 전반적으로 고위도로 이동한다.

내신 만점 문제

정답과 해설 53쪽

* ▭▭▭ 난이도를 나타냅니다.

01 그림은 아이스 코어로 추정한 약 40만 년 동안의 대기 중 이
▭▭ 산화 탄소 농도와 평균 기온 편차 변화를 나타낸 것이다.

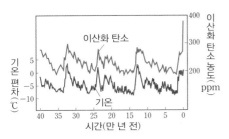

이에 대한 설명으로 옳은 것만을 〈보기〉에서 있는 대로 고른
것은?

┤ 보기 ├
ㄱ. 이산화 탄소 농도는 빙하 내 공기 방울로 알 수 있다.
ㄴ. 기온이 높은 시기에 이산화 탄소 농도가 높다.
ㄷ. 현재는 5만 년 전보다 빙하의 면적이 넓다.

① ㄱ　　　　② ㄷ　　　　③ ㄱ, ㄴ
④ ㄴ, ㄷ　　　⑤ ㄱ, ㄴ, ㄷ

02 그림은 지구 기후 변화의 원인 중 지구 자
▭▭ 전축 경사각의 변화를 나타낸 것이다.
이에 대한 설명으로 옳은 것만을 〈보기〉에
서 있는 대로 고른 것은?

┤ 보기 ├
ㄱ. 지구의 자전축 경사각이 변해도 한 위도에서 태양
　의 남중 고도는 일정하다.
ㄴ. 경사각이 현재보다 작아지면 우리나라의 겨울철 평
　균 기온은 하강한다.
ㄷ. 경사각이 현재보다 커지면 남·북반구 중위도 기온
　의 연교차가 모두 커진다.

① ㄱ　　　　② ㄷ　　　　③ ㄱ, ㄴ
④ ㄴ, ㄷ　　　⑤ ㄱ, ㄴ, ㄷ

그림은 지구의 공전 궤도가 원이고, 자전축이 기울어져 있지
않은 경우를 나타낸 것이다.

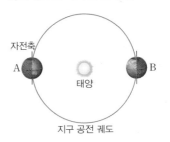

이 경우 나타날 수 있는 현상에 대한 설명으로 옳은 것만을
〈보기〉에서 있는 대로 고른 것은?

┤ 보기 ├
ㄱ. 우리나라는 A와 B에서 태양의 남중 고도가 같다.
ㄴ. 위도가 다른 지역의 기온 차이가 없다.
ㄷ. 지구의 모든 위도에서 계절 변화가 없다.

① ㄱ　　　　② ㄴ　　　　③ ㄱ, ㄷ
④ ㄴ, ㄷ　　　⑤ ㄱ, ㄴ, ㄷ

04 그림 (가)는 지구 자전축 경사각의 변화를, (나)는 하짓날 태
▭▭▭ 양과의 거리 변화를 현재를 기준으로 5만 년 전부터 5만 년
후까지 나타낸 것이다.

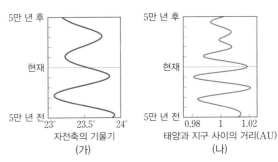

이에 대한 설명으로 옳은 것만을 〈보기〉에서 있는 대로 고른
것은? (단, 다른 기후 변화 요인은 없다고 가정한다.)

┤ 보기 ├
ㄱ. (가)는 세차 운동을 나타낸 것이다.
ㄴ. 3만 년 전은 하짓날 중위도 지역의 태양 남중 고도
　가 현재보다 높다.
ㄷ. 1만 년 후 하짓날 지구 전체가 받는 태양 복사 에너
　지양은 현재보다 많다.

① ㄱ　　　　② ㄷ　　　　③ ㄱ, ㄴ
④ ㄴ, ㄷ　　　⑤ ㄱ, ㄴ, ㄷ

05 그림 (가), (나)는 각각 다른 시기의 공전 궤도와 지구 자전축 방향을 나타낸 것이다.

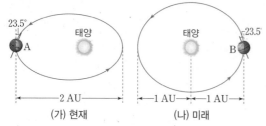

(가) 현재   (나) 미래

이에 대한 설명으로 옳은 것만을 〈보기〉에서 있는 대로 고른 것은? (단, 공전 궤도 이심률, 자전축 경사 방향 변화 이외의 요인은 변하지 않는다고 가정한다.)

┤ 보기 ├
ㄱ. (가) 시기 A 위치에서 북반구는 겨울이다.
ㄴ. (나) 시기에 우리나라는 계절 변화가 없어진다.
ㄷ. 하루 동안 지구가 받는 태양 복사 에너지양은 A보다 B에서 많다.

① ㄱ   ② ㄷ   ③ ㄱ, ㄴ
④ ㄴ, ㄷ   ⑤ ㄱ, ㄴ, ㄷ

07 그림은 지구에 도달하는 태양 복사 에너지를 100 단위라고 할 때 지구의 열수지를 나타낸 것이다.

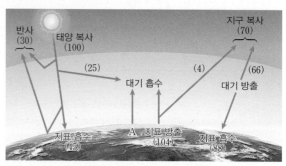

이에 대한 설명으로 옳은 것만을 〈보기〉에서 있는 대로 고른 것은?

┤ 보기 ├
ㄱ. A는 29이다.
ㄴ. 대기가 흡수한 총 에너지양은 100보다 크다.
ㄷ. 대기 중 온실 기체 농도가 증가하면 지표가 방출하는 에너지양이 증가한다.

① ㄱ   ② ㄷ   ③ ㄱ, ㄴ
④ ㄴ, ㄷ   ⑤ ㄱ, ㄴ, ㄷ

06 그림은 1960~2000년까지 전 세계 빙하의 총 부피 변화량을, 표는 지표면 상태에 따른 반사율을 나타낸 것이다.

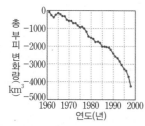

지표 상태	반사율(%)
물	3~10
침엽수림	8~15
빙하	50~70
눈	80~90

이에 대한 설명으로 옳은 것만을 〈보기〉에서 있는 대로 고른 것은?

┤ 보기 ├
ㄱ. 빙하의 면적이 감소했다.
ㄴ. 과거보다 극지방의 반사율이 감소하고 태양 복사 에너지의 흡수량이 많아졌을 것이다.
ㄷ. 극 지역에서 표층 해수의 침강이 활발해졌다.

① ㄱ   ② ㄷ   ③ ㄱ, ㄴ
④ ㄴ, ㄷ   ⑤ ㄱ, ㄴ, ㄷ

08 그림은 최근 약 90년 동안 북극, 열대, 남극 지역에서 측정한 연평균 기온 편차를 나타낸 것이다.

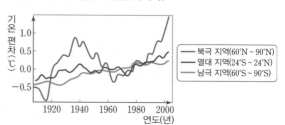

이에 대한 설명으로 옳은 것만을 〈보기〉에서 있는 대로 고른 것은?

┤ 보기 ├
ㄱ. 기온 변화 경향은 극지역이 열대 지역보다 작다.
ㄴ. 극지역에서 기온 변화 경향은 북극이 남극보다 크다.
ㄷ. 수권에서 해수의 양은 1920년보다 2000년에 증가했다.

① ㄱ   ② ㄴ   ③ ㄱ, ㄷ
④ ㄴ, ㄷ   ⑤ ㄱ, ㄴ, ㄷ

09 그림 (가), (나)는 IPCC(정부 간 기후 변화 협의체)가 두 가지 온실 기체 배출 시나리오를 바탕으로 제시한 2100년까지 대기 중 이산화 탄소의 농도와 지표면 온도 변화량을 각각 나타낸 것이다.

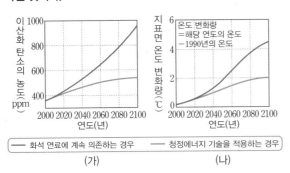

― 화석 연료에 계속 의존하는 경우   ― 청정에너지 기술을 적용하는 경우
(가)   (나)

이에 대한 설명으로 옳은 것만을 〈보기〉에서 있는 대로 고른 것은?

┤ 보기 ├
ㄱ. 청정에너지 기술을 적용하는 경우 지표면 온도가 하강한다.
ㄴ. 시간이 지날수록 두 가지 온실 기체 배출 시나리오에서 나타난 지표면 온도 변화량 차이가 커진다.
ㄷ. 2100년에 평균 해수면 높이는 현재보다 높을 것이다.

① ㄱ   ② ㄴ   ③ ㄱ, ㄷ
④ ㄴ, ㄷ   ⑤ ㄱ, ㄴ, ㄷ

10 그림은 지구 온난화와 관련하여 연쇄적으로 일어나는 현상을 나타낸 것이다.

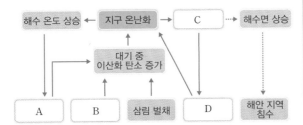

이에 대한 설명으로 옳은 것만을 〈보기〉에서 있는 대로 고른 것은?

┤ 보기 ├
ㄱ. 기체 용해도 감소는 A에 해당한다.
ㄴ. 화석 연료 사용은 B에 해당한다.
ㄷ. 빙하 면적 확대는 C에 해당한다.
ㄹ. 지표면 반사율 증가는 D에 해당한다.

① ㄱ, ㄴ   ② ㄴ, ㄷ   ③ ㄷ, ㄹ
④ ㄱ, ㄴ, ㄷ   ⑤ ㄴ, ㄷ, ㄹ

서술형 문제

11 그림 (가), (나)는 어느 시기의 지구 공전 궤도와 자전축 방향을 모식적으로 나타낸 것이다.

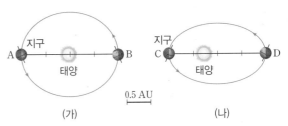

(가)   (나)

(1) 지구 전체에 하루 동안 입사하는 태양 복사 에너지 양을 결정하는 요인을 쓰고, A ~ D에서 그 상대적 값을 비교하시오.

(2) A ~ D 각각의 위치에서 우리나라의 계절을 쓰시오.

12 다음은 지구의 대기권 가장자리에 도달하는 태양 복사 에너지를 100 단위라고 했을 때 지표로 유입되는 에너지와 유출되는 에너지를 나타낸 것이다.

구분	에너지의 이동	이동량
유입	태양 복사 에너지 흡수	45
	대기 복사 에너지 흡수	A
유출	지표 복사 에너지 방출	104
	대류와 전도	8
	숨은열(잠열)	21

A의 수치를 쓰고 그 값을 구하는 과정을 서술하시오.

13 대기 중 온실 기체 농도가 증가하였을 때 지구의 평균 기온이 상승하는 원리를 다음 단어를 포함하여 서술하시오.

재복사, 지구 복사 에너지, 지구의 평균 기온

1. 위도별 에너지 불균형

① 원인: 위도에 따른 단위 면적당 입사하는 태양 복사 에너지양이 고위도로 갈수록 감소한다.

② 위도 약 38°에서 에너지 입사량과 방출량이 동일
- 저위도: 에너지 과잉
- 고위도: 에너지 부족

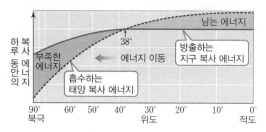

2. 대기 대순환

구분	위도	특징
적도 저압대	0°	• 적도 지표면 가열로 발생한 저압대 • 상승 기류가 우세하게 나타난다.
해들리 순환	0°~30°	• 적도 지표면 가열로 발생한 직접 순환 • 지상에 무역풍이 분다.
아열대 고압대	30°	• 해들리 순환과 페렐 순환의 경계 • 사막이 분포하고 염분이 높다.
페렐 순환	30°~60°	• 두 순환 세포 사이에 형성된 간접순환 • 지상에 편서풍이 분다.
한대 전선대	60°	• 페렐 순환과 극순환의 경계 • 따뜻한 공기와 찬 공기가 수렴한다.
극순환	60°~90°	• 극 지표면 냉각으로 발생한 직접 순환 • 지상에 극동풍이 분다.
극 고압대	90°	• 극 지표면 냉각으로 발생한 고압대 • 하강 기류가 우세하게 나타난다.

3. 해수의 표층 순환

① 원인: 바람과 해수의 마찰력 및 수륙 분포

② 동서 방향 해류와 남북 방향 해류가 연결되면서 크게 세 개의 순환 형성(열대 순환, 아열대 순환, 아한대 순환)

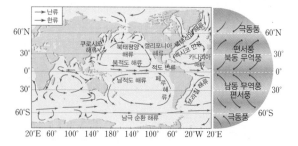

4. 심층 순환 형성

① 원인: 극지방의 염분이 높고 수온이 낮은 해수가 침강하고 극지방 해저에서 심층 해수의 발산이 일어난다.

② 심층 순환 형성 과정

극 해역에서 낮은 수온과 높은 염분을 가진 고밀도의 해수가 침강한다. ⇨ 극지방 해저에 해수가 축적되고 저위도 지방으로 심층 해수가 이동한다.

⇧ ⇩

해수가 표층을 따라 다시 극 쪽으로 이동한다. ⇦ 심층 해수가 온대 또는 열대 해역에서 표층으로 상승한다.

5. 대서양 심층 해수

① 심층 해수의 종류

남극 저층수	남극 대륙 주변의 웨델해에서 겨울철 해수의 결빙으로 표층 해수의 염분이 증가하고 밀도가 커져 침강하며 형성
북대서양 심층수	북대서양의 그린란드 해역에서 냉각된 표층 해수가 침강하여 형성
남극 중층수	남극 대륙 주변해에서 표층 해수가 침강하여 형성

② 밀도 비교: 남극 저층수 > 북대서양 심층수 > 남극 중층수

6. 전 지구적 해수의 순환

① 표층 순환과 심층 순환은 연결되어 전 지구 해양을 흐르는 하나의 거대한 순환을 이룬다.

② 전 지구적 해수의 순환은 저위도의 에너지를 고위도로 수송하는 역할을 하며 심해에 산소를 공급한다.

7. 용승

① 용승: 표층 해수의 발산으로 심해의 찬 해수가 표층으로 올라오는 현상

② 용승의 종류

연안 용승	적도 용승
표층의 해수가 외해로 밀려 나간다.	북동 무역풍 / 남동 무역풍 / 적도 / 용승
바람이 불면 표층 해수가 외해로 이동하여 해수의 발산이 일어나고 용승이 발생	적도에서 북동 무역풍과 남동 무역풍이 불면 해수의 발산이 일어나고 용승이 발생

8. 엘니뇨와 라니냐

구분	엘니뇨	라니냐
모식도		강한 무역풍
정의	동태평양 표층 수온이 평년보다 높아지는 현상	동태평양 표층 수온이 평년보다 낮아지는 현상
원인	평소보다 약한 무역풍	평소보다 강한 무역풍
동태평양	• 용승 약화(표층 수온 상승) • 강수량 증가 • 해수면 높이 증가 • 수온 약층 깊이 깊어짐	• 용승 강화(표층 수온 하강) • 강수량 감소 • 해수면 높이 감소 • 수온 약층 깊이 얕아짐
서태평양	수온 하강, 강수량 감소	수온 상승, 강수량 증가
열대 태평양	• 남적도 해류 약화 • 적도 반류 세력 확장 • 동서 표층 수온 차 감소	• 남적도 해류 강화 • 적도 반류 세력 축소 • 동서 표층 수온 차 증가

9. 남방 진동

① 남방 진동: 열대 태평양에서 동·서 기압 분포가 반대로 나타나는 패턴

② 엘니뇨와 라니냐 시기 기압 패턴 변화

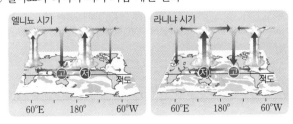

10. 기후 변화의 외적 요인

요인	기후 변화
태양 복사 에너지양 변화	태양이 방출하는 에너지양이 증가하면 지구 평균 기온은 상승한다.
지구 공전 궤도 이심률 변화	• 지구 – 태양 거리가 변하면서 평균 기온이 변한다. • 지구 공전 궤도가 타원 궤도에서 원 궤도로 변하면 북반구 기온의 연교차가 증가하고, 남반구 기온의 연교차가 감소한다.
세차 운동	• 지구 자전축이 180° 회전하면 북반구 기온의 연교차가 증가하고, 남반구 기온의 연교차가 감소한다.
지구 자전축 경사각 변화	• 지구 자전축 경사각이 커지면 북·남반구 중위도에서 기온의 연교차가 증가한다. • 지구 자전축 경사각이 작아지면 북·남반구 중위도에서 기온의 연교차가 감소한다.

11. 기후 변화의 내적 요인

요인	기후 변화
빙하 면적 변화	지표 반사율 변화
수륙 분포 변화	해양성 기후, 대륙성 기후 결정
해류 변화	난류 영향 지역, 한류 영향 지역 변화
산맥 형성	풍향 변화, 산맥 전·후면 공기 성질 변화
화산재 분출	대기 투명도 변화
온실 기체 농도 변화	대기 중 온실 효과 변화

12. 지구의 복사 평형

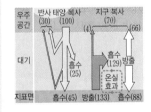

① 각 영역에서 에너지 흡수량과 에너지 방출량이 같다.

② 지표와 대기가 받는 에너지는 지구가 태양으로부터 직접 받는 에너지보다 많다.

13. 지구 온난화

① 지구 온난화: 지구의 평균 기온이 상승하는 경향
  • 원인: 대기 중 온실 기체 농도 증가로 온실 효과 강화

② 온실 효과: 지표가 방출하는 에너지 중 일부를 대기가 흡수하고 지표로 다시 복사하여 지표의 온도가 높아지는 현상

③ 온실 기체 증가 원인: 산업 혁명 이후 화석 연료의 사용, 산림 벌채, 교통량 증가 등

01 그림 (가)는 세 지역에서 태양의 고도를, (나)는 위도에 따른 태양 복사 에너지와 지구 복사 에너지의 양을 나타낸 것이다.

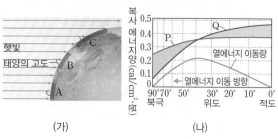

(가)   (나)

이에 대한 설명으로 옳은 것만을 〈보기〉에서 있는 대로 고른 것은?

┤ 보기 ├
ㄱ. (가)에서 A~C 중 태양의 고도가 가장 높은 지역은 A이다.
ㄴ. Q보다 P가 큰 지역에서는 에너지가 남는다.
ㄷ. A~C 중 C에서 Q가 가장 크다.

① ㄱ   ② ㄷ   ③ ㄱ, ㄴ
④ ㄴ, ㄷ   ⑤ ㄱ, ㄴ, ㄷ

02 그림 (가), (나)는 지구가 자전하지 않는다고 가정할 때와 자전할 때의 대기 대순환 모형을 순서 없이 나타낸 것이다.

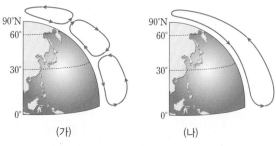

(가)   (나)

(가)와 (나)에서 동시에 일어나는 현상으로 옳은 것만을 〈보기〉에서 있는 대로 고른 것은?

┤ 보기 ├
ㄱ. 적도에는 저압대가 발달한다.
ㄴ. 위도 30°에 고압대가 발달한다.
ㄷ. 극에는 고압대가 발달한다.

① ㄱ   ② ㄴ   ③ ㄱ, ㄷ
④ ㄴ, ㄷ   ⑤ ㄱ, ㄴ, ㄷ

03 그림은 태평양 표층의 아열대 순환과 대기 대순환을 나타낸 것이다.

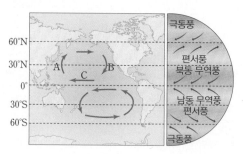

이에 대한 설명으로 옳은 것만을 〈보기〉에서 있는 대로 고른 것은?

┤ 보기 ├
ㄱ. A는 B보다 용존 산소량이 적다.
ㄴ. C는 무역풍의 영향을 받아 형성된 해류이다.
ㄷ. C는 아열대 순환과 아한대 순환을 형성한다.

① ㄱ   ② ㄴ   ③ ㄷ
④ ㄱ, ㄴ   ⑤ ㄴ, ㄷ

04 그림은 남극 대륙 주변의 표층 해류를 나타낸 것이다.

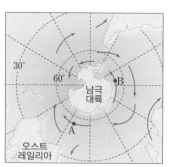

이에 대한 설명으로 옳은 것만을 〈보기〉에서 있는 대로 고른 것은?

┤ 보기 ├
ㄱ. A 해류는 남극 순환 해류이다.
ㄴ. B 해류는 편서풍의 영향으로 흐른다.
ㄷ. A와 B는 각각 난류와 한류이다.

① ㄱ   ② ㄴ   ③ ㄷ
④ ㄱ, ㄴ   ⑤ ㄴ, ㄷ

05 그림은 북대서양 해수의 표층 순환을 나타낸 것이다.

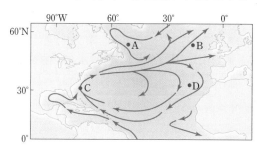

관측 지점 A∼D에 대한 설명으로 옳은 것만을 〈보기〉에서 있는 대로 고른 것은?

┤ 보기 ├
ㄱ. A에는 난류가, B에는 한류가 흐른다.
ㄴ. C 지점의 용존 산소량이 A 지점보다 많다.
ㄷ. C는 D보다 유속이 빠르고 염분이 높다.

① ㄱ   ② ㄴ   ③ ㄷ
④ ㄱ, ㄴ   ⑤ ㄱ, ㄷ

06 그림은 우리나라 주변의 표층 해류를 나타낸 것이다.

쿠로시오 해류의 세력이 강해질 때 우리나라 주변 해양에서 나타날 수 있는 현상으로 옳은 것만을 〈보기〉에서 있는 대로 고른 것은?

┤ 보기 ├
ㄱ. 황해의 평균 수온이 상승한다.
ㄴ. 남해의 여름철 염분이 겨울철보다 높아진다.
ㄷ. 동해의 조경 수역이 북쪽으로 이동한다.

① ㄱ   ② ㄴ   ③ ㄱ, ㄷ
④ ㄴ, ㄷ   ⑤ ㄱ, ㄴ, ㄷ

07 그림은 대서양의 심층 순환을 나타낸 것이다.

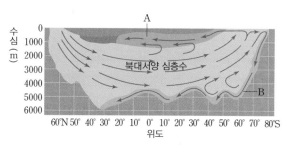

이에 대한 설명으로 옳은 것만을 〈보기〉에서 있는 대로 고른 것은?

┤ 보기 ├
ㄱ. A는 북에서 남으로 흐른다.
ㄴ. A는 북대서양 심층수보다 밀도가 작고, B는 북대서양 심층수보다 밀도가 크다.
ㄷ. B는 해저 아래를 흐르고 표층으로 다시 올라오지 않는다.

① ㄱ   ② ㄴ   ③ ㄱ, ㄷ
④ ㄴ, ㄷ   ⑤ ㄱ, ㄴ, ㄷ

08 그림 (가)는 북대서양에서의 열염 순환의 일부를, (나)는 과거 약 30년 동안 A, B 두 해역의 표층 염분 변화를 나타낸 것이다.

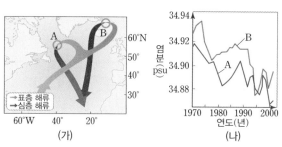

이에 대한 설명으로 옳은 것만을 〈보기〉에서 있는 대로 고른 것은?

┤ 보기 ├
ㄱ. A와 B에서 북대서양 표층 해수의 침강이 일어난다.
ㄴ. A, B 두 해역 모두 표층 해수 밀도가 증가하고 있다.
ㄷ. 전 지구적 해수의 순환은 앞으로 강화될 것이다.

① ㄱ   ② ㄴ   ③ ㄷ
④ ㄱ, ㄴ   ⑤ ㄴ, ㄷ

09 그림은 남반구에서 남풍이 불고 있는 서쪽 해안을 나타낸 것이다.

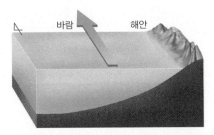

이 해안 지역에서 나타날 수 있는 현상에 대한 설명으로 옳은 것만을 〈보기〉에서 있는 대로 고른 것은?

| 보기 |

ㄱ. 연안을 따라 용승이 나타난다.
ㄴ. 대기가 안정해진다.
ㄷ. 날씨가 서늘하고 안개가 자주 발생한다.

① ㄱ   ② ㄷ   ③ ㄱ, ㄴ
④ ㄴ, ㄷ   ⑤ ㄱ, ㄴ, ㄷ

10 그림은 해안선과 평행하게 강한 바람이 불고 있는 남반구 열대 동태평양 해역의 깊이에 따른 해수 밀도 분포를 나타낸 것이다.

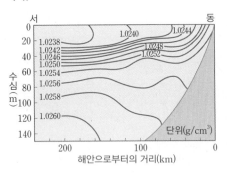

이에 대한 설명으로 옳은 것만을 〈보기〉에서 있는 대로 고른 것은?

| 보기 |

ㄱ. 강한 북풍이 불고 있는 해역이다.
ㄴ. 해안선에 가까울수록 수온이 낮다.
ㄷ. 해안 지역은 건조한 날씨가 나타날 것이다.

① ㄱ   ② ㄷ   ③ ㄱ, ㄴ
④ ㄴ, ㄷ   ⑤ ㄱ, ㄴ, ㄷ

11 그림은 동태평양 페루 연안 해역에서 플랑크톤 양과 수온의 변화를 나타낸 것이다. (가)와 (나)는 각각 평상시와 엘니뇨 시기 중 하나이다.

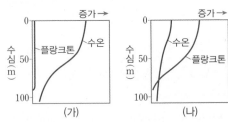

이에 대한 설명으로 옳은 것만을 〈보기〉에서 있는 대로 고른 것은?

| 보기 |

ㄱ. 무역풍의 세기는 (가) 시기가 (나) 시기보다 강하다.
ㄴ. (나) 시기 해역 표층에 플랑크톤이 많은 까닭은 수온이 낮은 표층 해수가 침강하였기 때문이다.
ㄷ. 페루 연안 해수면의 높이가 더 높은 시기는 (가)이다.

① ㄱ   ② ㄷ   ③ ㄱ, ㄴ
④ ㄴ, ㄷ   ⑤ ㄱ, ㄴ, ㄷ

12 그림 (가)는 엘니뇨 감시 해역 A를, (나)는 A에서 관측한 해수면의 수온 편차를 나타낸 것이다.

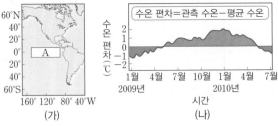

평상시와 비교했을 때 2010년 1월의 A 해역에 대한 설명으로 옳은 것만을 〈보기〉에서 있는 대로 고른 것은?

| 보기 |

ㄱ. 강수량이 증가했다.
ㄴ. 용승 현상이 강해졌다.
ㄷ. 적도 서태평양보다 수온이 높아졌다.

① ㄱ   ② ㄴ   ③ ㄷ
④ ㄱ, ㄴ   ⑤ ㄴ, ㄷ

13 표는 지구의 기후 변화를 일으키는 요인을 정리한 것이다.

요인	내용
(가)	약 10만 년을 주기로 지구 공전 궤도 이심률 변화
(나)	고생대 페름기 말 대륙이 하나로 뭉쳐 판게아를 형성
(다)	1991년 필리핀의 피나투보 화산 폭발로 화산재 성층권 유입

이에 대한 설명으로 옳은 것만을 〈보기〉에서 있는 대로 고른 것은?

┤ 보기 ├

ㄱ. (가)는 지구 외적 요인 중 하나이다.

ㄴ. (나)에 의해 내륙 중심부 지역에 거대한 건조 기단이 형성된다.

ㄷ. (다)의 영향으로 지구 평균 기온은 하강했다.

① ㄱ　　　　② ㄷ　　　　③ ㄱ, ㄴ

④ ㄴ, ㄷ　　　⑤ ㄱ, ㄴ, ㄷ

14 그림은 지구 자전축의 변화를 현재와 비교하여 모식적으로 나타낸 것이다.

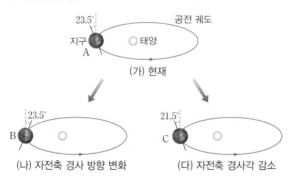

(가) 현재
(나) 자전축 경사 방향 변화
(다) 자전축 경사각 감소

이에 대한 설명으로 옳은 것만을 〈보기〉에서 있는 대로 고른 것은? (단, 다른 기후 환경 변화 요인은 없다고 가정한다.)

┤ 보기 ├

ㄱ. 우리나라 기온의 연교차는 (가)보다 (다)일 때 작다.

ㄴ. 북반구 중위도 여름 기온은 (나)의 경우가 (가)보다 높다.

ㄷ. 지구 전체가 하루 동안 받는 태양 복사 에너지양은 B가 A, C보다 많다.

① ㄱ　　　　② ㄷ　　　　③ ㄱ, ㄴ

④ ㄴ, ㄷ　　　⑤ ㄱ, ㄴ, ㄷ

15 그림 (가)는 1979년부터 2015년까지 북극 빙하 면적의 변화를, (나)는 지구의 열수지를 나타낸 것이다.

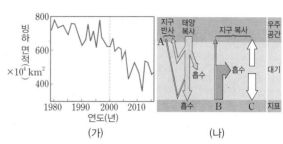

(가)　　　　(나)

이에 대한 설명으로 옳은 것만을 〈보기〉에서 있는 대로 고른 것은? (단, 다른 기후 환경 변화 요인은 없다고 가정한다.)

┤ 보기 ├

ㄱ. 북극에서 A의 값은 감소하고 있다.

ㄴ. C가 증가하면 B가 감소한다.

ㄷ. 지구 반사와 지구 복사의 합은 1980년보다 2010년이 더 작았다.

① ㄱ　　　　② ㄴ　　　　③ ㄱ, ㄷ

④ ㄴ, ㄷ　　　⑤ ㄱ, ㄴ, ㄷ

16 그림 (가)는 과거 40만 년 동안의 기온 변화를, (나)는 과거 약 1000년 동안의 기온 변화를 나타낸 것이다.

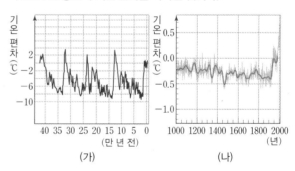

(가)　　　　(나)

이에 대한 설명으로 옳은 것만을 〈보기〉에서 있는 대로 고른 것은?

┤ 보기 ├

ㄱ. 지구의 역사 중 현재가 가장 온도가 높은 시기이다.

ㄴ. 5만 년 전은 현재보다 해수면이 낮았을 것이다.

ㄷ. 자연적 요인만으로도 지구의 평균 기온은 계속해서 변한다.

① ㄱ　　　　② ㄷ　　　　③ ㄱ, ㄴ

④ ㄴ, ㄷ　　　⑤ ㄱ, ㄴ, ㄷ

탄소·질소·산소 순환 반응(CNO 순환 반응)

P-P 반응 **밝기** 초신성 폭발 흑체

양성자·양성자 반응 선 스펙트럼

분광형 색지수 **절대 등급** 흡수 스펙트럼

양성자

중성자

별의 에너지원

스펙트럼 **연주 시차** 원시별 주계열 단계 **반지름**

초신성 잔해 중성자별 백색 왜성

외계 행성계 미세 중력 렌즈 현상

케플러 우주 망원경

식 현상 **표면 온도**

플랑크 곡선 별의 진화 별의 내부 구조 **중력 수축 에너지** 연속 스펙트럼

블랙홀 슈테판·볼츠만 법칙 주계열성 H-R도

겉보기 등급 도플러 효과

별의 물리량 필터 하버드 분광 분류법

적색 거성

영년 주계열 광도

초거성 행성상 성운 헬륨 핵융합 반응 포그슨 공식

광도 행성상 성운 **정역학 평형**

계급 **수소 핵융합 반응** 흡수선의 종류

생명 가능 지대

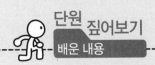

별과 외계 행성계

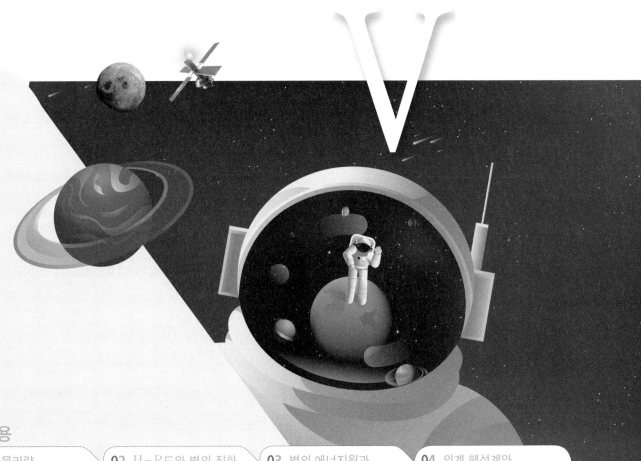

학습 내용

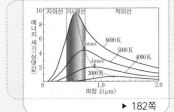

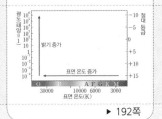

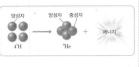

이 자료 만은 꼭!

V. 별과 외계 행성계

내 교과서는 어디에?
천재 p.147~151   금성 p.145~148
미래엔 p.148~151 비상 p.143~147 YBM p.153~159

01 별의 물리량

핵심 Point
- 별의 분광형과 표면 온도의 관계를 이해한다.
- 별의 광도와 크기 사이의 관계를 이해한다.

1 흑체 복사와 색지수

1. 흑체 복사

① 흑체: 입사된 모든 복사 에너지를 흡수하고, 흡수한 에너지를 완전히 방출하는 이상적인 물체
- 흑체가 방출하는 복사는 연속 ▶스펙트럼으로 나타난다.
- 흑체 복사의 파장에 따른 에너지 세기 그래프는 표면 온도에 의해서만 결정된다.
- 흑체에 가장 가까운 물체는 별이다.

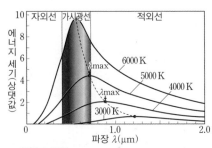

▲ 플랑크 곡선

② 플랑크 곡선: 흑체가 방출하는 복사 에너지의 파장에 따른 분포 곡선

③ 빈의 법칙: 흑체는 표면 온도(T)가 높을수록 최대 에너지를 방출하는 파장(λ_{max})이 짧아진다.

$$\lambda_{max} = \frac{a}{T} \ (a = 2.898 \times 10^{3} \ \mu m \cdot K)$$

└ 절대 온도로, 물질의 특성에 영향을 받지 않는 온도이다.

2. 색지수

① 온도가 높은 별: 짧은 파장에서 많은 에너지를 방출 → 상대적으로 파란색으로 보인다.

② 온도가 낮은 별: 긴 파장에서 많은 에너지를 방출 → 상대적으로 붉은색으로 보인다.

③ 특정한 파장의 빛만을 통과시키는 U 필터, B 필터, V 필터가 주로 사용된다.
- 각 필터를 통과한 빛의 세기로부터 구한 별의 겉보기 등급❶을 각각 U, B, V라고 한다.
- U 필터는 보라색(자외선), B 필터는 파란색(가시광선), V 필터는 노란색(가시광선) 영역의 빛만 통과시킨다.

④ 색지수: 서로 다른 파장 영역에서 측정한 등급의 차 → $(B-V)$ 또는 $(U-B)$를 사용❷

구분	색지수 $(B-V)$
표면 온도가 10000 K인 별	0
표면 온도가 10000 K보다 높은 별	음(−)의 값을 가진다.
표면 온도가 10000 K보다 낮은 별	양(+)의 값을 가진다.

자료 파헤치기

별의 색지수

① 온도가 높은 별
- B 필터보다 V 필터를 통과한 빛이 적다.
- B 등급 < V 등급 → 색지수 $(B-V) < 0$

② 온도가 낮은 별
- B 필터보다 V 필터를 통과한 빛이 많다.
- B 등급 > V 등급 → 색지수 $(B-V) > 0$

강의 콕 🐝

'흑체'라는 개념은 1862년에 독일의 물리학자 키르히호프가 처음 사용했다. 그는 흑체 복사가 물질의 종류와는 상관이 없고 오직 온도에만 의존한다는 것을 밝혔다.

❶ 밝기와 등급

별의 밝기가 밝을수록 별의 등급을 나타내는 숫자가 더 작다. 따라서 등급이 작은 별은 밝은 별을 의미한다.

별의 등급을 정확히 측정하기 위해 필터를 사용한다.

❷ 색지수
- 별의 표면 온도를 나타내는 단순한 숫자이다. 숫자가 작을수록 온도가 높은 별이다.
- 태양의 색지수 $(B-V)$는 약 0.656이다.
- 보통 $(B-V)$는 주계열성의 온도를, $(U-B)$는 뜨거운 천체들의 온도를 나타낼 때 이용된다.

═══ 용어 ═══

▶ 스펙트럼: 빛을 파장에 따라 나눈 것으로 띠 모양으로 나타난다.

1. 스펙트럼의 종류

① 연속 스펙트럼: 모든 파장에 걸쳐 복사 에너지를 방출하는 빛이 연속적인 띠로 나타나는 스펙트럼이다. ⑩ 백열등, 흑체

② 선 스펙트럼: 특정한 파장대의 스펙트럼만 나타난다.

- 방출 스펙트럼: 온도가 높은 저밀도의 기체가 방출하는 빛은 선 스펙트럼으로 관측된다.
  └ 고온의 기체
  ⑩ 형광등의 방출선
- 흡수 스펙트럼❸: 연속 스펙트럼을 나타내는 빛을 온도가 낮은 저밀도의 기체에 통과시킬
  └ 저온의 기체
  때 관측되는 스펙트럼으로 어두운 선으로 나타난다. ⑩ 태양의 흡수선

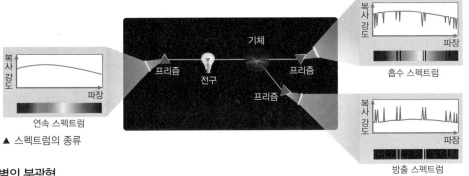

▲ 스펙트럼의 종류

2. 별의 분광형

① 천체 분광학▶의 역사

- 17세기 뉴턴은 태양의 연속 스펙트럼을 관측하였다.
- 1814년 프라운호퍼는 태양의 스펙트럼에서 수많은 흡수선을 발견하였다.
  → 태양의 스펙트럼은 연속 스펙트럼처럼 보이는데, 정밀한 장비로 관측하면 수많은 흡수선들이 나타난다. 태양의 표면에서는 빛이 연속 스펙트럼으로 방출되지만 태양의 바깥쪽 대기층과 지구의 대기에 의해 흡수선이 많이 만들어진다.

▲ 태양의 스펙트럼❹ → 태양의 대기층에서 형성된 많은 흡수선이 보인다.

- 19세기 허긴스는 성운의 스펙트럼에서 방출선을 확인하였다.
- 20세기 초 피커링과 캐넌은 흡수선을 기준으로 별들을 분류하였다.

② 하버드 분광 분류법: 하버드 대학의 피커링과 캐넌은 흡수선의 종류와 세기를 기준으로 별의 분광형을 O, B, A, F, G, K, M형의 7가지로 분류하였다.

- 분광형: 별의 표면 온도에 따라 스펙트럼에 나타나는 흡수선의 기본 패턴이 다르다. 이를 기준으로 별을 분류한 것을 분광형이라고 한다.❺

---

❸ **별의 스펙트럼에서 흡수선이 만들어지는 까닭**
별빛은 별의 대기층을 통과하면서 여러 가지 원소들에 의해 흡수 스펙트럼이 만들어진다. 이 과정에서 별의 표면 온도에 따라 원소들의 이온화된 정도가 다르기 때문에 고유한 흡수 스펙트럼이 나타난다.

셀파 콕콕
별의 흡수선이 별에 따라 다른 것은 표면 온도에 차이가 있기 때문이다.

❹ **태양의 분광형** 또는 6000 K
태양은 표면 온도가 약 5800 K인 별이다. 태양을 하버드 분광 분류법에 따라 분류하면 G2형에 해당한다.

❺ **별의 분광형과 흡수선의 종류**
연구 초기에는 별의 스펙트럼에서 나타나는 흡수선의 차이가 별의 화학 조성이 다르기 때문이라고 생각하였으나 나중에 별들의 화학 조성은 거의 같다는 것이 알려졌다.

─ 용어 ─

▶ **분광학**: 파장에 따른 빛과 물질의 상호 작용을 연구하는 학문

개념 확인하기

1 흑체가 방출하는 복사 에너지의 파장에 따른 세기는 (　　　)에 따라 달라진다.

2 별의 표면 온도가 높을수록 최대 에너지를 방출하는 파장이 길어진다. (○, ×)

3 색지수 $(B-V)$가 작은 별일수록 표면 온도가 높은 별이다. (○, ×)

4 고온의 기체가 방출하는 빛이 특정한 파장대의 스펙트럼으로 나타나는 것을 (　　　) 스펙트럼이라고 한다.

5 연속 스펙트럼을 띠는 빛을 저온의 기체에 통과시킬 때 어두운 선으로 나타나는 스펙트럼은 (방출, 흡수) 스펙트럼이다.

답 1. 표면 온도
2. ×
3. ○
4. 방출
5. 흡수

- O형 별은 표면 온도가 가장 높아 파란색을 띠고, M형으로 갈수록 표면 온도가 낮아져 붉은색을 띤다.
  → O형과 M형을 제외한 각 분광형은 각각 0에서 9까지 10단계로 세분하였다.
- 피커링은 연구 초기에 별의 스펙트럼을 수소의 흡수 스펙트럼선을 기준으로 A형에서부터 P형까지 알파벳 순서로 분류하였으나, 캐넌에 의해 별의 표면 온도 순(O>B>A>F>G>K>M)으로 다시 분류하였다.

셀파 콕콕 🔍

별의 분광형에 따른 표면 온도와 스펙트럼과의 관계는 시험에 자주 출제된다. 표면 온도에 따라 뚜렷하게 나타나는 흡수선의 종류가 어떻게 달라지는지도 알아두도록 한다.

분광형[6]	색깔	표면 온도(K)	스펙트럼의 모습
O	파란색	28000 이상	30000 K H선 He선
B	청백색	10000~28000	20000 K He선 C선
A	흰색(백색)	7500~10000	10000 K Ca선 Fe선
F	황백색	6000~7500	7000 K Fe선 O선 Mg선 Na선
G	노란색	5000~6000	6000 K O선
K	주황색	3500~5000	4000 K 여러 가지 분자선
M	붉은색	3500 이하	3000 K 여러 가지 분자선

▲ 별의 분광형에 따른 표면 온도와 스펙트럼의 모습

③ **분광형에 따른 흡수선의 종류**: 별은 표면 온도에 따라 스펙트럼이 다르게 나타나므로 스펙트럼을 분석하고 흡수선의 세기를 알면 별의 표면 온도를 알 수 있다.
- O형에서는 이온화된 헬륨의 흡수선(HeⅡ)이 강하다.
- A형에서는 수소의 흡수선(H)이 가장 강하다.
- 표면 온도가 낮은 M형에서는 분자 흡수선(TiO)이 강하다.
  └ 산화 타이타늄

[6] 분광형에 따른 별의 예시

분광형	별 예시
O형	세페우스자리λ
B형	리겔, 스피카
A형	시리우스, 베가
F형	카노푸스, 프로키온
G형	태양, 카펠라
K형	아르크투루스, 알데바란
M형	안타레스

별의 분광형에 따른 흡수선의 종류 및 세기 ─ 별의 표면 온도에 따라 별의 대기를 구성하는 기체들의 이온화 정도가 다르다.

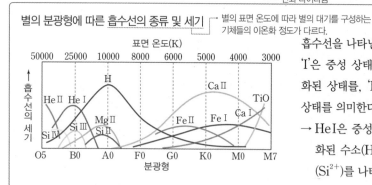

흡수선을 나타낼 때 사용하는 로마 숫자 'I'은 중성 상태를, 'II'는 +1가의 이온화된 상태를, 'III'은 +2가의 이온화된 상태를 의미한다.
→ HeI은 중성 헬륨(He), HII는 이온화된 수소(H^+), SiIII은 +2의 규소(Si^{2+})를 나타낸다.

─ 용어 ─

▶ **이온화**: 전자를 얻거나 잃는 과정에서 전자 이동이 일어나 전하를 띠게 되는 반응이다.

개념 확인하기

1. (　　)형 별은 표면 온도가 가장 높은 파란색 별이며, (　　)형 별은 표면 온도가 가장 낮은 붉은색 별이다.

2. 분광형이 M형인 별은 표면 온도가 (높고 , 낮고), 색깔은 (파란색 , 붉은색)을 띤다.

3. 분광형이 O형인 별에서는 수소의 흡수선이 가장 강하게 나타난다. (○ , ×)

4. 별의 흡수 스펙트럼이 차이 나는 주요 원인은 별의 (　　)가 다르기 때문이다.

4. 표면 온도
3. ×
2. 낮고, 붉은색
1. O, M

셀파 세미나 ——— S·H·E·R·P·A

▶ 중학교에서 배운 별의 등급에 대해 학습하고, 이번 단원에서 배운 색지수와 표면 온도와의 관계를 살펴보자.

별의 물리량 이해하기

스피드 정리

등급(겉보기 등급, 절대 등급)과 거리

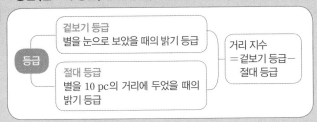

등급 ─┬─ 겉보기 등급 별을 눈으로 보았을 때의 밝기 등급
      └─ 절대 등급 별을 10 pc의 거리에 두었을 때의 밝기 등급

거리 지수 = 겉보기 등급 − 절대 등급

연주 시차와 거리

연주 시차 ─┬─ 거리가 먼 별 연주 시차가 작다. ── 거리 지수가 크다.
           └─ 거리가 가까운 별 연주 시차가 크다. ── 거리 지수가 작다.

색지수와 표면 온도

색지수 ─┬─ 고온의 별 파란색을 띤다. ── $(B-V)$가 $(-)$값이다. ── 표면 온도가 상대적으로 높다.
        └─ 저온의 별 붉은색을 띤다. ── $(B-V)$가 $(+)$값이다. ── 표면 온도가 상대적으로 낮다.

표는 몇 가지 별의 등급과 색을 나타낸 것이다.

별	겉보기 등급	절대 등급	색깔
A	−1.5	4.5	백색
B	−0.1	−0.5	황색
C	0.1	−6.5	청백색

별 A~C의 특징에 맞게 빈칸을 채우시오.

1. 실제 밝기가 가장 밝은 별은 (   )이다.

2. 실제 가장 어두운 별은 (   )이다.

3. 눈으로 보기에 가장 밝은 별은 (   )이다.

4. 눈으로 보기에 가장 어두운 별은 (   )이다.

5. 연주 시차가 가장 큰 별은 (   )이다.

6. 표면 온도가 가장 높은 별은 (   )이다.

7. 표면 온도가 가장 낮은 별은 (   )이다.

| 해설 |

거리 지수가 클수록 멀리 있는 별이고, 거리 지수가 작을수록 가까이 있는 별이다.

표는 세 별의 등급과 색지수를 나타낸 것이다.

별	겉보기 등급	절대 등급	색지수 $(B-V)$
아르크투루스	−0.1	−0.3	1.23
프로키온	0.4	2.6	0.42
시리우스	−1.5	1.4	0.00

이에 대한 설명으로 옳은 것은 ○, 옳지 않은 것은 ×를 하시오.

1. 가장 멀리 있는 별은 아르크투루스이다. (   )

2. 가장 가까이 있는 별은 시리우스이다. (   )

3. 실제 가장 밝은 별은 시리우스이다. (   )

4. 눈으로 보기에 가장 어두운 별은 프로키온이다. (   )

5. 표면 온도가 가장 높은 별은 프로키온이다. (   )

6. 표면 온도가 가장 낮은 별은 아르크투루스이다. (   )

7. 연주 시차가 가장 작은 별은 아르크투루스이다. (   )

8. 연주 시차가 가장 큰 별은 시리우스이다. (   )

| 해설 |

별의 표면 온도가 높을수록 색지수는 작게 나타난다. 실제 가장 밝은 별은 아르크투루스이다. 표면 온도가 가장 높은 별은 시리우스이다.

| 정답 |

1.C 2.A 3.A 4.C 5.A 6.C 7.B

| 정답 |

1.○ 2.○ 3.○ 4.○ 5.× 6.○ 7.○ 8.○

3 별의 광도와 크기

1. 별의 밝기와 등급 관계[1] → 별의 밝기는 등급으로 나타낸다.

① 1등급인 별이 6등급인 별보다 100배 더 밝다. → 1등급 사이에는 $100^{\frac{1}{5}}$배($\fallingdotseq 2.5$배)의 밝기 차이가 있다.

② 포그슨 공식: 겉보기 등급이 각각 m_1, m_2인 두 별의 겉보기 밝기를 각각 l_1, l_2라고 하면, 다음과 같은 관계가 성립한다.

$$100^{\frac{1}{5}(m_2-m_1)}=10^{\frac{2}{5}(m_2-m_1)}=\frac{l_1}{l_2} \qquad \therefore m_2-m_1=-2.5\log\frac{l_2}{l_1}$$

2. 별의 등급과 광도 관계

① 광도[2](L_1, L_2)를 사용하여 포그슨 공식을 다음과 같이 나타낼 수 있다.

$$M_2-M_1=-2.5\log\frac{L_2}{L_1}$$

② 태양의 광도($L_\odot$)와 태양의 절대 등급($M_\odot$)을 알고 있으므로, 별의 절대 등급(M)과 광도(L) 사이의 관계를 나타내면 다음과 같다.

$$M-M_\odot=-2.5\log\frac{L}{L_\odot}$$

3. 별의 광도와 크기 관계

① 슈테판·볼츠만 법칙: 흑체가 단위 시간 동안 단위 면적에서 방출하는 복사 에너지양은 표면 온도의 4제곱에 비례한다.

$$E=\sigma T^4 \ (\text{볼츠만 상수 } \sigma=5.670\times10^{-8}\,\text{W·m}^{-2}\text{·K}^{-4},\ T\text{는 절대 온도})$$

② 별이 단위 시간 동안 단위 면적에서 방출하는 에너지양(E)을 별의 전체 표면적에 곱한 값은 별의 광도(L)에 해당한다.

$$L=\text{별의 표면적}\times E=4\pi R^2\times\sigma T^4$$
$$(R\text{는 별의 반지름})$$

별이 단위 넓이당 방출하는 에너지의 양 $E=\sigma T^4$

별의 겉넓이$=4\pi R^2$

$$L=4\pi R^2\cdot\sigma T^4$$

③ 별의 반지름: 별의 광도 L과 별의 표면 온도 T를 알면 별의 반지름 R를 구할 수 있다.

$$L=4\pi R^2\cdot\sigma T^4 \qquad \therefore R=\frac{\sqrt{L}}{\sqrt{4\pi\sigma}\cdot T^2}$$

광도와 크기 관계를 이용하여 태양의 반지름 구하기

① 태양의 광도는 약 3.9×10^{26} W이고, 표면 온도는 약 5800 K이다.

② 광도와 크기 관계식을 이용하여 다음과 같이 태양의 반지름(R)을 구할 수 있다.

$$R=\frac{\sqrt{L}}{\sqrt{4\pi\sigma}\cdot T^2}=\frac{\sqrt{3.9\times10^{26}}}{\sqrt{4\pi\times5.67\times10^{-8}}\times5800^2}\fallingdotseq7\times10^8\,\text{m}$$

---

❶ 별의 밝기 비교

별까지의 거리가 서로 다르기 때문에 겉보기 등급으로 별의 실제 밝기를 비교할 수 없다. 별이 10 pc(약 32.6 광년) 거리에 있다고 가정했을 때의 등급인 절대 등급을 이용하여 별의 실제 밝기를 비교한다.

강의 톡톡

별의 반지름을 구하는 과정
• 반지름을 구하려면 표면 온도와 광도를 알아야 한다.
• 별의 스펙트럼을 분석하여 분광형을 알아내면 별의 표면 온도를 구할 수 있다.
• 별의 절대 등급을 알아낸 후 등급과 광도 관계식으로부터 별의 광도를 구할 수 있다. (별의 절대 등급은 별까지의 거리와 겉보기 등급을 측정하여 구할 수 있다.)

❷ 광도

별의 밝기를 나타내는 양으로, 별의 전 표면적을 통해 방출하는 복사 에너지의 양을 의미한다. 광도는 별의 표면 온도뿐만 아니라 별의 표면적에도 관련이 있다.

─── 용어 ───

▶ **겉보기 등급**: 맨눈으로 관측한 별의 밝기를 숫자로 나타낸 것이다. 값이 작을수록 밝게 보이는 별이다.

▶ **광도**: 별이 단위 시간 동안 방출하는 에너지의 양으로, 별의 밝기를 나타낸 물리량이다. 단위는 W 또는 J/s를 사용한다.

개념 확인하기

1 포그슨 공식으로부터 별의 겉보기 등급과 밝기의 관계를 알 수 있다. (○, ×)

2 흑체가 단위 시간 동안 단위 면적에서 방출하는 복사 에너지양은 표면 온도의 (　　)에 비례한다. 이러한 법칙을 (빈의 변위 법칙, 슈테판·볼츠만 법칙)이라고 한다.

답 1. ○
2. 4제곱, 슈테판·볼츠만 법칙

기초 탄탄 문제

정답과 해설 58쪽

핵심용어_ 이 단원에서 내가 아는 것과 아직 모르는 것을 정리하며 나의 공부를 돌아보자.

☐ 흑체 ☐ 흑체 복사 ☐ 스펙트럼
☐ 색지수 ☐ 분광형 ☐ 포그슨 공식
☐ 슈테판·볼츠만 법칙 ☐ 광도와 반지름

01 흑체에 대한 설명으로 옳은 것은?

① 반사율이 100 %인 물체이다.
② 흑체와 가장 유사한 천체는 별이다.
③ 흑체는 특정한 파장의 빛만 흡수할 수 있다.
④ 흑체는 에너지를 흡수하거나 방출하지 않는 물체이다.
⑤ 흑체가 방출하는 복사 에너지양은 표면 온도에 반비례한다.

02 별의 온도와 색지수에 대한 설명으로 옳지 <u>않은</u> 것은?

① 온도가 높은 별은 파란색으로 보인다.
② 온도가 낮은 별은 붉은색으로 보인다.
③ 별의 등급을 정확히 측정하기 위해서 필터를 사용한다.
④ 색지수로는 $(B-V)$ 또는 $(U-B)$를 사용한다.
⑤ 표면 온도가 10000 K인 별의 색지수 $(B-V)$는 $(+)$값을 가진다.

03 그림 (가)~(다)에 해당하는 스펙트럼의 종류를 옳게 짝 지은 것은?

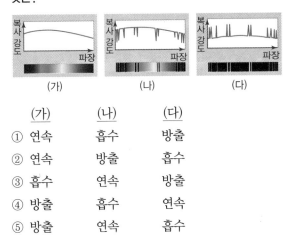

(가)   (나)   (다)

	(가)	(나)	(다)
①	연속	흡수	방출
②	연속	방출	흡수
③	흡수	연속	방출
④	방출	흡수	연속
⑤	방출	연속	흡수

04 하버드 분광 분류법에 대한 설명으로 옳지 <u>않은</u> 것은?

① 별의 표면 온도에 따라 별을 O, B, A, F, G, K, M형으로 분류한다.
② O형 별은 붉은색으로 보이고, M형 별은 파란색으로 보인다.
③ A형 별의 스펙트럼에는 수소의 흡수선이 가장 강하게 나타난다.
④ O형과 M형을 제외한 각 분광형은 10단계로 세분하였다.
⑤ M형의 별에서는 분자 흡수선이 강하다.

05 별의 밝기, 등급, 광도에 대한 설명으로 옳지 <u>않은</u> 것은?

① 1등급인 별이 6등급인 별보다 100배 더 밝다.
② 1등급 사이에는 약 2.5배의 밝기 차이가 있다.
③ 포그슨 공식은 별의 밝기와 등급의 관계를 나타낸 것이다.
④ 광도는 별이 단위 시간 동안 방출하는 에너지의 양이다.
⑤ 별의 광도가 클수록 절대 등급이 크다.

06 그림은 별의 단위 면적에서 단위 시간 동안 방출하는 에너지양 A와 별의 반지름 R를 나타낸 것이다.

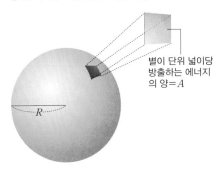

별이 단위 넓이당 방출하는 에너지의 양$=A$

별의 광도로 옳은 것은?

① RA ② $\dfrac{A}{R}$ ③ R^2A

④ $4\pi R^2 A$ ⑤ $\dfrac{A}{4\pi R^2}$

내신 만점 문제

정답과 해설 58쪽

* ▮▮▮ 난이도를 나타냅니다.

01 그림은 두 별 A, B의 단위 면적에서 단위 시간 동안 방출하는 에너지 세기를 파장에 따라 나타낸 것이다.
이에 대한 설명으로 옳은 것만을 〈보기〉에서 있는 대로 고른 것은?

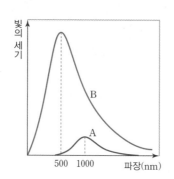

┤ 보기 ├
ㄱ. 최대 에너지 세기를 갖는 파장은 A가 B보다 길다.
ㄴ. 별의 표면 온도는 A가 B보다 높다.
ㄷ. 별의 색깔은 A가 B보다 붉게 보인다.

① ㄱ   ② ㄴ   ③ ㄱ, ㄷ
④ ㄴ, ㄷ   ⑤ ㄱ, ㄴ, ㄷ

02 그림은 표면 온도가 다른 별의 플랑크 곡선을 나타낸 것이다.

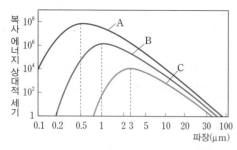

A~C에 대한 설명으로 옳은 것만을 〈보기〉에서 있는 대로 고른 것은?

┤ 보기 ├
ㄱ. 색지수가 가장 큰 것은 A이다.
ㄴ. 표면 온도는 A가 B의 2배이다.
ㄷ. 별이 단위 시간 동안 단위 면적에서 방출하는 에너지양은 B가 C의 9배이다.

① ㄱ   ② ㄴ   ③ ㄱ, ㄷ
④ ㄴ, ㄷ   ⑤ ㄱ, ㄴ, ㄷ

03 그림은 두 별 (가), (나)의 파장에 따른 상대적 에너지 세기와 U, B, V 필터를 투과하는 파장 영역을 나타낸 것이다.

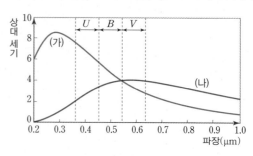

이에 대한 설명으로 옳은 것만을 〈보기〉에서 있는 대로 고른 것은?

┤ 보기 ├
ㄱ. 표면 온도는 (가)가 (나)보다 높다.
ㄴ. U 등급은 (가)가 (나)보다 크다.
ㄷ. 색지수 $(B-V)$는 (가)가 (나)보다 크다.

① ㄱ   ② ㄷ   ③ ㄱ, ㄴ
④ ㄴ, ㄷ   ⑤ ㄱ, ㄴ, ㄷ

04 그림은 여러 스펙트럼의 모습을 나타낸 것이다.

(가)   (나)   (다)

이에 대한 설명으로 옳은 것만을 〈보기〉에서 있는 대로 고른 것은?

┤ 보기 ├
ㄱ. 백열등 빛을 파장에 따라 분해하면 (가)와 같은 스펙트럼이 나타난다.
ㄴ. 흑체의 스펙트럼에서는 (나)와 같은 스펙트럼이 관측된다.
ㄷ. 형광등 빛을 간이 분광기로 관찰하면 (다)와 같은 스펙트럼으로 관측된다.

① ㄱ   ② ㄴ   ③ ㄱ, ㄷ
④ ㄴ, ㄷ   ⑤ ㄱ, ㄴ, ㄷ

05 그림은 분광기로 관측한 태양 스펙트럼의 모습을 나타낸 것이다.

이에 대한 설명으로 옳은 것만을 〈보기〉에서 있는 대로 고른 것은?

┤ 보기 ├
ㄱ. 연속 스펙트럼이 띠 모양으로 나타난다.
ㄴ. 스펙트럼에 나타난 어두운 선은 흡수선이다.
ㄷ. 어두운 선 중 일부는 지구의 대기층에서 형성된 것이다.

① ㄱ   ② ㄷ   ③ ㄱ, ㄴ
④ ㄴ, ㄷ   ⑤ ㄱ, ㄴ, ㄷ

06 그림은 별의 분광형에 따른 흡수선의 상대적인 세기를 나타낸 것이다.

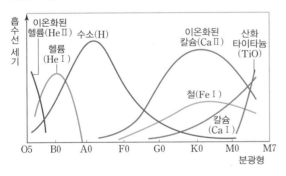

이에 대한 설명으로 옳은 것만을 〈보기〉에서 있는 대로 고른 것은?

┤ 보기 ├
ㄱ. 고온의 별일수록 헬륨 흡수선이 뚜렷하다.
ㄴ. 분자 흡수선은 붉은색 별에서 잘 나타난다.
ㄷ. 수소 흡수선이 가장 강하게 나타나는 별은 태양보다 표면 온도가 낮은 별이다.

① ㄱ   ② ㄴ   ③ ㄷ
④ ㄱ, ㄴ   ⑤ ㄱ, ㄷ

07 표는 별 (가)~(다)의 분광형과 스펙트럼을 나타낸 것이다.

별	분광형	스펙트럼
(가)	B0	
(나)	M0	
(다)	G0	

이에 대한 설명으로 옳은 것만을 〈보기〉에서 있는 대로 고른 것은?

┤ 보기 ├
ㄱ. (가)는 청백색 별이다.
ㄴ. 별의 표면 온도는 (나)가 가장 낮다.
ㄷ. 태양의 스펙트럼과 가장 비슷한 별은 (다)이다.

① ㄱ   ② ㄷ   ③ ㄱ, ㄴ
④ ㄴ, ㄷ   ⑤ ㄱ, ㄴ, ㄷ

08 그림은 여러 가지 별의 스펙트럼 모습을 나타낸 것이다.

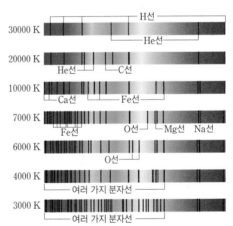

이에 대한 설명으로 옳은 것만을 〈보기〉에서 있는 대로 고른 것은?

┤ 보기 ├
ㄱ. 별의 표면 온도에 따라 다양한 흡수 스펙트럼이 나타난다.
ㄴ. 별의 표면 온도는 별의 B 등급과 V 등급의 차이를 이용해 알 수 있다.
ㄷ. 여러 가지 분자 흡수선이 나타나는 별일수록 표면 온도가 높다.

① ㄱ   ② ㄴ   ③ ㄷ
④ ㄱ, ㄴ   ⑤ ㄱ, ㄷ

09 다음은 별의 밝기와 등급을 설명한 것이다.

> 별의 밝기는 등급으로 나타내는데, 1등급인 별이 6등급인 별보다 약 (㉠)배 더 밝고, 1등급 사이에는 약 (㉡)배의 밝기 차이가 있다. 겉보기 등급이 각각 m_1, m_2, 겉보기 밝기를 각각 l_1, l_2라고 하면,
> $$10^{\frac{2}{5}(m_2-m_1)}=\frac{l_1}{l_2} \quad \therefore m_2-m_1=(㉢)이다.$$
> 이러한 관계를 (㉣)이라고 한다.

이에 대한 설명으로 옳은 것만을 〈보기〉에서 있는 대로 고른 것은?

> ─┤ 보기 ├─
> ㄱ. ㉠은 100, ㉡은 2.5이다.
> ㄴ. ㉢은 $-2.5 \times \log \frac{l_2}{l_1}$이다.
> ㄷ. ㉣은 슈테판·볼츠만 법칙이다.

① ㄱ   ② ㄷ   ③ ㄱ, ㄴ
④ ㄴ, ㄷ   ⑤ ㄱ, ㄴ, ㄷ

10 그림은 별의 광도를 구하기 위해 필요한 물리량을 나타낸 것이다.

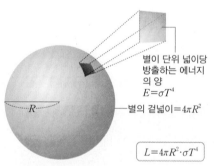

별이 단위 넓이당 방출하는 에너지의 양 $E=\sigma T^4$

별의 겉넓이 $=4\pi R^2$

$$L=4\pi R^2 \cdot \sigma T^4$$

이에 대한 설명으로 옳은 것만을 〈보기〉에서 있는 대로 고른 것은?

> ─┤ 보기 ├─
> ㄱ. 별의 광도는 단위 시간 동안 단위 면적에서 방출하는 에너지양이므로 E에 해당한다.
> ㄴ. 별의 광도와 표면 온도를 알면 별의 크기(반지름)를 알 수 있다.
> ㄷ. 단위 넓이당 방출하는 별의 에너지양은 표면 온도에 비례한다.

① ㄱ   ② ㄴ   ③ ㄱ, ㄷ
④ ㄴ, ㄷ   ⑤ ㄱ, ㄴ, ㄷ

11 표는 별 (가)~(다)의 물리량을 나타낸 것이다.

별	절대 등급	분광형
(가)	-5.0	B1
(나)	$+5.0$	G2
(다)	-5.0	K0

이에 대한 설명으로 옳은 것만을 〈보기〉에서 있는 대로 고른 것은?

> ─┤ 보기 ├─
> ㄱ. 별의 표면 온도는 (가)가 (나)보다 높다.
> ㄴ. 별이 단위 시간 동안 방출하는 에너지양은 (나)가 (다)보다 많다.
> ㄷ. 별의 반지름은 (다)가 가장 작다.

① ㄱ   ② ㄷ   ③ ㄱ, ㄴ
④ ㄴ, ㄷ   ⑤ ㄱ, ㄴ, ㄷ

12 그림은 별 A, B의 표면 온도와 절대 등급을 나타낸 것이다.

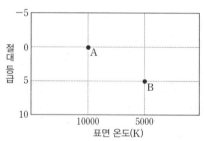

이에 대한 설명으로 옳은 것만을 〈보기〉에서 있는 대로 고른 것은?

> ─┤ 보기 ├─
> ㄱ. 별의 광도는 A가 B의 5배이다.
> ㄴ. 단위 시간 동안 단위 면적에서 방출되는 에너지양은 A가 B의 16배이다.
> ㄷ. 별의 반지름은 A가 B의 2.5배이다.

① ㄱ   ② ㄷ   ③ ㄱ, ㄴ
④ ㄴ, ㄷ   ⑤ ㄱ, ㄴ, ㄷ

13 표는 별 (가)~(다)의 특성을 나타낸 것이다.

별	겉보기 등급(m)	절대 등급(M)	색지수 ($B-V$)
(가)	-1.5	1.4	0.00
(나)	-0.1	-0.3	1.23
(다)	0.4	2.6	0.42

이에 대한 설명으로 옳은 것만을 〈보기〉에서 있는 대로 고른 것은?

┌─── 보기 ───

ㄱ. 가장 밝게 보이는 별은 (가)이다.

ㄴ. 가장 많은 에너지를 방출하는 별은 (나)이다.

ㄷ. 반지름이 가장 큰 별은 (다)이다.

① ㄱ　　　　② ㄷ　　　　③ ㄱ, ㄴ

④ ㄴ, ㄷ　　　⑤ ㄱ, ㄴ, ㄷ

14 그림은 별 A, B에서 방출하는 복사 에너지의 세기를 파장에 따라 나타낸 것이고, 표는 두 별의 반지름을 나타낸 것이다.

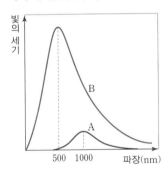

별	반지름 (태양=1)
A	10
B	5

이에 대한 설명으로 옳은 것만을 〈보기〉에서 있는 대로 고른 것은?

┌─── 보기 ───

ㄱ. 표면 온도는 A가 B보다 낮다.

ㄴ. 광도는 A가 B보다 크다.

ㄷ. 단위 시간 동안 단위 면적에서 별이 방출하는 에너지 양은 A가 B보다 많다.

① ㄱ　　　　② ㄷ　　　　③ ㄱ, ㄴ

④ ㄴ, ㄷ　　　⑤ ㄱ, ㄴ, ㄷ

서술형 문제

15 그림은 별 (가), (나)의 단위 시간 동안 단위 면적에서 방출하는 에너지 세기를 파장에 따라 나타낸 것이다.

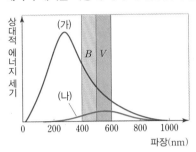

(1) (가)와 (나)의 표면 온도를 빈의 변위 법칙과 관련지어 서술하시오.

_____

_____

(2) (가)와 (나)의 색지수 ($B-V$)를 비교하여 서술하시오.

_____

_____

_____

16 표는 별 A, B의 물리량을 나타낸 것이다.

물리량	별 A	B
표면 온도(K)	5000	10000
광도(태양=1)	1	10

(1) B의 절대 등급을 구하시오. (단, 태양의 절대 등급은 $+5.0$등급이다.)

_____

_____

(2) A의 반지름은 B의 몇 배인지 구하시오.

_____

_____

02 H−R도와 별의 진화

내 교과서는 어디에?
천재 p.152~160   금성 p.150~157
미래엔 p.152~159   비상 p.149~159   YBM p.160~168

핵심 Point
- 별의 물리량을 이용하여 **H−R도**를 그리고 **별**을 분류한다.
- 질량에 따른 별의 진화 과정과 최종 단계를 설명한다.

1 H−R도

1. **H−R도** 헤르츠스프룽과 러셀[1]은 별의 표면 온도와 광도의 관계를 나타낸 그래프를 그려 별을 분류하였다. 이 그래프를 두 천문학자의 이름을 따서 H−R도(헤르츠스프룽−러셀도) 라고 한다.

2. **H−R도에서 가로축과 세로축의 물리량**

① 가로축 물리량: 별의 표면 온도, 스펙트럼형(분 광형), ▶색지수로 표시한다.
- 왼쪽에서 오른쪽으로 갈수록 표면 온도가 낮아지므로, O−B−A−F−G−K−M 형 순서로 나열된다.

② 세로축 물리량: 별의 광도, 절대 등급으로 표시 한다.
- 아래에서 위로 갈수록 광도가 높다. → 절대 등급은 낮아진다.

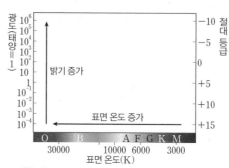

▲ H−R도

2 H−R도와 별의 종류

1. 별의 분포

① 전체 별의 약 80 ~ 90 %가 H−R 도의 왼쪽 위에서 오른쪽 아래로 향하는 휘어진 띠 모양의 대각선 상에 위치한다.
- → 태양은 주계열성으로 H−R도 에서는 태양을 기준(태양=1) 으로 광도를 정한다.

② 왼쪽 위에서 오른쪽 아래로 향하는 휘어진 띠 모양의 대각선에 위치한 별들은 표면 온도가 높을수록 광도 가 크다.

③ 대각선 오른쪽 위쪽에 놓인 별들은 표면 온도는 낮지만 광도가 매우 크다.

④ 대각선 왼쪽 아래에 놓인 별들은 표면 온도가 높지만 광도가 매우 낮다.

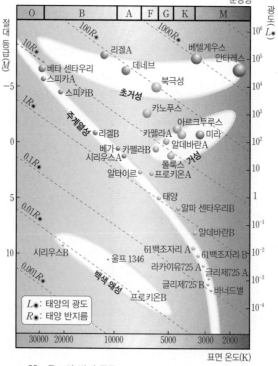

▲ H−R도와 별의 종류

⑤ H−R도에서 오른쪽 위에 있는 별들은 반지름[2]이 매우 크고, 왼쪽 아래에 있는 별들은 반지름이 매우 작다.

---

① 헤르츠스프룽과 러셀
- 헤르츠스프룽(Ejnar Hertzsprung, 1873~1967): 헤르츠스프룽 은 H−R도를 제작하였고, 세페이 드 변광성의 주기−광도 관계 확립 에 기여하였다.
- 러셀(Henry Norris Russell, 1877~1957): 러셀은 헤르츠스프룽 과 별도로 H−R도를 제작하였고, 별의 진화를 연구하였다.

셀파 콕콕
H−R도에서 주계열성, 초거성, 거 성, 백색 왜성의 위치를 비교하여 알 아두도록 한다. 이때 H−R도의 가 로축과 세로축에 해당하는 물리량도 알아두자.

② 별의 반지름
별의 광도 $L = 4\pi R^2 \cdot \sigma T^4$으로부터 별의 반지름($R$)은 표면 온도($T$)가 낮을수록, 광도($L$)가 클수록 크다.

용어
▶ 색지수: 서로 다른 파장 영역에서 측정한 등급 차로, 별의 표면 온도를 나타내는 수치이다.
▶ 광도: 별이 단위 시간 동안 방출하 는 에너지의 양으로, 별의 밝기를 나 타낸다.

2. H−R도에서의 별의 종류

구분	H−R도에서의 위치	별의 특성
주계열성 대부분의 별이 주계열에 속한다.	• H−R도의 왼쪽 위에서 오른쪽 아래로 대각선 방향으로 분포하는 별이다.	• 에너지원: 중심핵에서 일어나는 수소 핵융합 반응을 통해 빛과 열을 낸다. • 주계열성의 물리량: 표면 온도가 높을수록 광도가 크고 반지름과 질량도 크다. 질량이 클수록 중심핵의 온도가 높아 단위 시간 동안 한꺼번에 많은 양의 에너지가 만들어질 수 있어 광도도 크다.❸
▶ **적색 거성** 붉은색의 큰 별이라는 의미	• H−R도에서 주계열성이 있는 대각선의 오른쪽 위에 분포하는 별이다.	• 분광형: K형 또는 M형이므로 표면 온도는 약 3000 ∼4500 K이다. • 광도: 태양의 약 10∼1000배이다. • 크기: 태양보다 반지름이 훨씬 크다. • 예 아르크투루스, 알데바란A 등
초거성	• 적색 거성보다 광도가 더 커서 H−R도에서 적색 거성의 위쪽에 분포하는 별이다.	• 분광형: O형, B형인 청색 초거성이 있고, K형, M형인 적색 초거성이 있다. • 광도: 태양의 수만∼수십만 배에 이른다. • 방출하는 에너지양: 청색 초거성이 적색 초거성보다 표면 온도가 높으므로 단위 면적에서 방출하는 에너지는 청색 초거성이 더 많다. • 반지름: 적색 초거성이 청색 초거성보다 훨씬 크다. 태양의 1000배가 넘는 초거성도 있다. • 예 리겔은 대표적인 청백색 초거성이고 안타레스나 베텔게우스는 대표적인 적색 초거성이다.
▶ **백색 왜성**	• H−R도에서 주계열성의 왼쪽 아래에 분포하는 별이다.	• 분광형: 주로 A형이다. • 광도: 매우 낮은 어두운 별이다.❹ • 크기: 지구와 비슷하고 태양 반지름의 0.01배 정도이다. • 질량: 태양의 절반 정도이다. • 밀도: 태양 밀도의 10^6배로 매우 크다.

3. 별의 상대적인 크기 비교

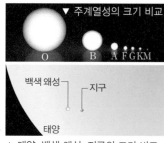

▲ 태양, 백색 왜성, 지구의 크기 비교

▲ 주계열성(태양), 적색 거성(알데바란A), 초거성(베텔게우스)의 크기 비교

개념 확인하기

1 가로축에 별의 분광형, 세로축에 절대 등급을 나타낸 그래프를 (　　)라고 한다.
2 H−R도에서 오른쪽에 위치한 별일수록 표면 온도가 높다. (○ , ×)
3 H−R도에서 왼쪽 아래에 위치한 별일수록 크기가 작다. (○ , ×)
4 H−R도에서 왼쪽 위에서 오른쪽 아래의 대각선 방향으로 늘어서 있는 별을 (　　)이라고 한다.
5 별의 크기는 초거성＜적색 거성＜주계열성＜백색 왜성 순이다. (○ , ×)

답 1 H−R도
2 ×
3 ○
4 주계열성
5 ×

별의 위치를 H−R도에 표시하면 다음과 같다.

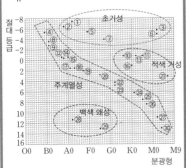

▲ H−R도

목표 H−R도를 그리고 별을 분류하여 별의 물리적 특징을 설명할 수 있다.

과정

표는 별의 절대 등급과 분광형을 나타낸 것이다. 모눈종이에 가로축을 분광형, 세로축을 절대 등급으로 하여 각 별의 위치를 나타내 보자.

별 이름	절대 등급	분광형	별 이름	절대 등급	분광형
① 데네브	−7.5	A2	⑯ 폴룩스	+1.1	K0
② 리겔	−6.6	B8	⑰ 시리우스A	+1.5	A1
③ 안타레스	−5.8	M2	⑱ 포말하우트	+1.6	A3
④ 민타카	−5.4	O9	⑲ 알타이르(견우)	+2.1	A7
⑤ 카노푸스	−5.4	A9	⑳ 프로키온A	+2.8	F5
⑥ 베텔게우스	−5.0	M2	㉑ 미라	+3.0	M7
⑦ 폴라리스(북극성)	−4.1	F7	㉒ 센타우루스A	+4.2	G2
⑧ 스피카	−3.6	B1	㉓ 태양	+4.8	G2
⑨ 벨라트릭스	−2.8	B2	㉔ 센타우루스B	+6.2	K1
⑩ 카펠라	−0.8	G6	㉕ 백조자리A	+7.5	K5
⑪ 알데바란	−0.8	K5	㉖ 백조자리B	+8.3	K7
⑫ 레굴루스	−0.6	B7	㉗ 캅테인	+10.9	M2
⑬ 아르크투루스	−0.6	K2	㉘ 시리우스B	+11.3	A2
⑭ 알골	−0.5	B8	㉙ 프로키온B	+13.3	F5
⑮ 베가(직녀)	+0.6	A0	㉚ 바너드	+13.3	M4

결과 및 정리

1. 별들을 위치에 따라 분류하면? → 초거성, 적색 거성, 주계열성, 백색 왜성으로 분류할 수 있다.

2. 별의 집단을 물리적 특징에 따라 정리하면?

구분	표면 온도	광도	반지름
초거성	다양	매우 크다	매우 크다
적색 거성	낮다	크다	크다
주계열성	다양	다양	다양
백색 왜성	조금 높다	작다	매우 작다

3. H−R도에 나타난 주계열성의 특징은? → 태양 주변의 별들 중 주계열성에 포함된 별이 가장 많다. 별은 일생의 대부분을 주계열 단계에서 보내기 때문에 주계열성의 수가 가장 많다.

탐구 대표 문제 정답과 해설 60쪽

01 이 탐구와 관련한 H−R도에 대한 설명으로 옳은 것은?

① 가로축의 물리량은 절대 등급이다.
② 위로 갈수록 표면 온도가 높은 별이다.
③ 대부분의 별은 오른쪽 위에서 왼쪽 아래로 이어지는 대각선 위에 분포한다.
④ 초거성은 주계열성보다 반지름이 작다.
⑤ 별의 평균 밀도는 주계열성이 백색 왜성보다 작다.

3 별의 표면 온도와 광도에 따른 분광 분류

1. **MK 분류법** 여키스 천문대의 모건과 키넌은 별을 분광형과 광도 계급(절대 등급)에 따라 6개의 집단으로 나누어 분류하였다.❶

2. 태양을 분광형과 광도 계급에 따라 분류하면 G2V형 별이다. → 태양은 분광형을 기준으로 G2형에 속하고, 광도를 기준으로 V형에 속한다.

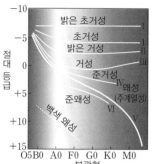

광도 계급	반지름	별의 종류
I	크다	초거성
II	↑	밝은 거성
III		거성
IV		준거성
V		왜성 (주계열성)
VI	작다	준왜성

▲ 분광형과 광도에 따른 분광 분류(MK 분류법)

4 별의 진화

1. 별의 탄생❷

① 온도가 낮고 밀도가 높은 성운에서 성간 물질이 중력 수축하여 원시별이 생성된다.

② 원시별 단계에서는 중력 수축하여 반지름이 감소하고, 중심부의 온도는 상승한다. ┌ 원시별의 중심부 온도는 1000만 K 이하이다.

③ 원시별 중심부의 온도가 약 1000만 K에 도달하면 수소 핵융합 반응이 시작된다.
→ 이때부터 주계열성이라고 한다.
- 별의 질량이 클수록 중력 수축이 빠르게 일어나 빨리 주계열에 도달한다.
- 질량이 큰 원시별은 표면 온도가 높고, 광도가 큰 주계열성이 된다.❸

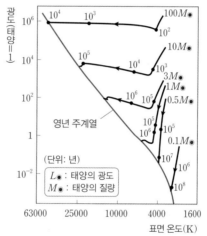

▲ 원시별의 진화 경로

2. 주계열 단계

① 수소 핵융합 반응이 시작되면 중력과 바깥쪽으로 향하는 기체의 내부 압력 차에 의한 힘이 평형을 이루게 되어 중력 수축이 멈추고, 별의 크기가 일정하게 유지된다.
- **영년 주계열**: 원시별이 진화하여 수소 핵융합 반응을 시작할 때 H−R도에서의 별의 위치이다.

❶ 2차원적으로 분광 분류를 하는 까닭

분광형이 같더라도 광도 계급에 따라 별의 광도가 다르다. 백색 왜성, 주계열성, 초거성 등의 다양한 별의 분광형이 A0형으로 같을 수 있다. 따라서 별들의 표면 온도와 광도를 2차원 그래프에 나타내면 별의 다양한 특성을 동시에 비교할 수 있다.

❷ 별이 탄생하기 좋은 영역

성간 물질이 밀집되어 있으면 구름처럼 보이는데 이를 성운이라고 한다. 성운 중에서 어둡게 보이는 저온 고밀도의 암흑 성운은 상대적으로 중력 수축하여 원시별이 탄생하기에 좋은 조건을 갖추고 있다.

❸ H−R도에서 주계열성이 가장 많은 까닭

별은 일생의 대부분을 주계열 단계에서 보내기 때문에 관측되는 별들도 대부분 주계열성이다.

암기 콕
별의 진화를 결정하는 가장 중요한 물리량은 질량이다.

━━━ 용어 ━━━

▶ **주계열성**: 중심부에서 수소 핵융합 반응이 일어나는 별

▶ **영년 주계열**: 주계열성으로 진화를 시작하는 위치

개념 확인하기

1 광도 계급에서 I형에서 VI형으로 갈수록 별의 반지름의 크기는 (작아 , 커)진다.

2 원시별은 성운 내부에서 온도가 높고 밀도가 낮은 영역에서 잘 만들어진다. (○ , ×)

3 중심부에서 수소 핵융합 반응이 일어나는 별을 ( )이라고 한다.

4 질량이 큰 별일수록 중력 수축이 빠르게 일어나 주계열에 빨리 도달한다. (○ , ×)

5 원시별이 주계열성으로 진화를 시작할 때 H−R도에서의 위치를 (영년 주계열 , 거성 단계)(이)라고 한다.

답 1. 작아
2. ×
3. 주계열성
4. ○
5. 영년 주계열

② 질량이 큰 주계열성은 광도와 표면 온도가 높아 H−R도에서 왼쪽 위에 위치하고, 질량이 작은 주계열성은 오른쪽 아래에 위치한다.

③ 별은 일생의 약 90 %를 주계열 단계에서 머문다. 이 기간은 질량이 큰 별일수록 에너지를 빨리 소모하여 짧다.❹

- 별이 주계열 단계에서 보내는 기간은 중심핵에서 수소 핵융합 반응이 일어나는 기간과 같다. 질량이 큰 별일수록 중심부의 온도가 높기 때문에 수소 핵융합 반응이 일어날 수 있는 영역이 넓고, 반응의 효율도 매우 높다. 따라서 수소 핵융합의 원료인 수소가 소진되는 속도가 빨라져 주계열 단계에서 보내는 기간이 짧고, 결과적으로 별의 수명이 짧다.

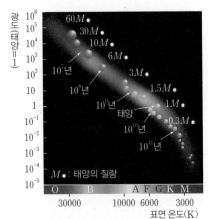

▲ 주계열성의 질량과 수명

3. 거성 단계

① 중심부의 열이 외곽으로 전달되면 중심핵을 둘러싼 외곽 수소층에서 수소 핵융합이 일어나게 된다.❺

> 중심핵에서 모든 수소가 소진되고 헬륨핵이 형성 → 수소 핵융합이 끝나면 중력이 기체압보다 우세하여 중력 수축 발생(핵융합 반응이 끝나 내부에서 외부로 향하는 기체 압력이 사라지고 중력만 작용) → 중력 수축으로 발생한 열이 별의 외곽으로 전달

▲ 거성 단계로 진화

② 중심핵 외곽 수소 껍질에서 수소 핵융합이 일어나면 별의 바깥층은 온도가 크게 상승하여 급격하게 팽창하게 된다. → 중심부 온도가 상승하면 헬륨핵 주변에서 수소 핵융합 반응이 다시 시작되어 별의 겉부분이 팽창하여 거대해진다. → 헬륨으로 이루어진 중심부가 더욱 수축하여 헬륨 핵융합 반응이 일어난다. 이때 중심부의 주변에서는 수소 핵융합 반응이 여전히 진행 중이다.

질량이 태양과 비슷한 경우

별 외곽부의 급격한 팽창으로 별의 표면 온도는 하강하게 되어 색깔은 붉은색을 띠지만 반지름이 매우 커지므로 광도도 매우 커진다.
→ H−R도의 오른쪽 상단에 위치하여 적색 거성이 된다.

질량이 태양보다 매우 큰 경우

중심부의 온도가 적색 거성보다 훨씬 높고, 반지름도 적색 거성보다 훨씬 더 커진다.
→ H−R도의 오른쪽 맨 위에 위치하여 초거성이 된다.

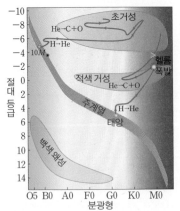

▲ 적색 거성과 초거성의 진화

4. **최종 단계** 거성 단계가 끝날 무렵, 별은 매우 불안정한 상태가 된다. ┌─ 별의 마지막 모습은 질량에 따라 달라진다.

① 태양과 질량이 비슷한 별: 별이 팽창과 수축을 반복하면서 별의 외곽층 물질이 우주 공간으로 방출되어 행성상 성운이 만들어진다. 별의 중심부는 수축하여 백색 왜성이 된다.

❹ **별의 수명과 질량과의 관계**

- 주계열성의 중심부에서 수소가 소진되는 데 걸리는 시간 t는 연료의 양인 질량(M)에 비례하고, 단위 시간에 방출하는 에너지인 광도(L)에 반비례한다.

$$t \propto \frac{M}{L}$$

- 주계열성의 질량−광도 관계에 따르면 주계열성의 광도는 질량의 제곱~네제곱에 비례한다($L \propto M^{2\sim4}$). 따라서 다음과 같은 식이 성립한다.

$$t \propto \frac{M}{L} = \frac{1}{M^{1\sim3}}$$ (별의 수명은 질량에 반비례한다.)

❺ **거성 단계의 진화 속도**

주계열 단계와 비교할 때 거성이나 초거성으로 진화하는 단계는 매우 빠르게 진행되며, 거성이나 초거성 단계에서 머무는 기간도 주계열 단계보다 매우 짧다.

─── 용어 ───

▶ **핵융합**: 가벼운 원자핵이 뭉쳐져 무거운 원자핵이 형성되는 과정이다.

▶ **헬륨 폭발**(Helium flash, 헬륨 섬광): 적색 거성 내부에 축적된 헬륨에서 헬륨 핵융합 반응이 일어날 때 짧은 시간 내에 열흐름이 확산되는 현상이다.

- 행성상 성운: 별이 적색 거성 단계에서 별의 외곽 물질을 우주 공간으로 방출하여 만들어진 가스와 전리된 기체로 이루어진 성운이다.[❻]
- 태양 진화의 최종 모습은 행성상 성운과 백색 왜성이 될 것으로 추정한다.

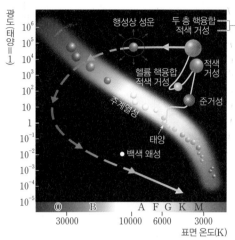

중심핵에는 탄소만 남고 헬륨층(중심핵) 핵융합과 수소층(수소 껍질) 핵융합이 모두 일어나며 팽창한다.

▲ H−R도에서 태양의 진화 과정

② 태양보다 질량이 큰 별: 초거성 단계를 거쳐 초신성 폭발을 일으킨 후 중성자별 또는 블랙홀이 된다.[❼]

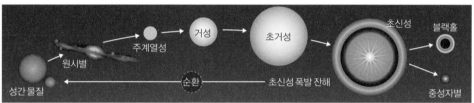

▲ 질량이 큰 별의 일생

초신성 폭발	• 질량이 큰 별에서는 중심부의 온도가 매우 높아 계속적인 핵융합 반응이 일어나 최종적으로 철이 생성된다. • 철로 이루어진 핵은 더 이상 핵융합 반응이 일어나지 못하여 빠르게 수축하다가 폭발한다. • 초신성 폭발 때 중심부는 극심하게 수축하여 밀도가 매우 큰 중성자별이 생성된다. • 중심부 질량이 더 큰 경우에는 밀도가 훨씬 높은 블랙홀이 된다.
중성자별	• 질량은 태양의 약 1.4~3배에 해당하는데, 반지름은 30 km 정도로 밀도가 매우 크다. • 구성 물질이 극심하게 압축되어 전자와 양성자가 결합하여 형성된 중성자로만 이루어진 별이다.
블랙홀	• 중성자별보다 더 심하게 압축이 일어나면 별의 표면 중력이 너무 커서 중심부의 빛조차도 빠져나오지 못한다. 블랙홀은 주변 천체와의 상호 작용을 통해 간접적으로 관측할 수 있다. • 전자기파를 이용하여 직접 관측할 수 없는 천체이며, 이러한 천체를 블랙홀이라고 한다.

❻ 행성상 성운

중심부에 백색 왜성이 존재한다.

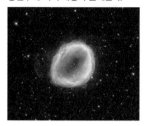

❼ 초신성 잔해

중심부에 중성자별(또는 블랙홀)이 존재한다.

강의 콕

초신성은 은하 전체의 밝기와 비슷한 정도로 빛나는 천체이다. 초신성 폭발 시 엄청난 양의 항성 물질이 분출해 초신성 잔해를 형성하며, 폭발 뒤 일정 기간 동안 상당히 밝게 빛난다. 초신성 폭발은 산소보다 무거운 원소의 주요 공급원이다.

━━━━━ 용어 ━━━━━

▶ 양성자: 양전하를 띠는 입자로, 업 쿼크 2개와 다운 쿼크 1개로 구성되어 있다.

▶ 중성자: 전하를 띠지 않는 입자로, 업 쿼크 1개와 다운 쿼크 2개로 구성되어 있다.

개념 확인하기

1 주계열성 단계에서 거성 단계로 진화함에 따라 표면 온도는 (높, 낮)아지고, 반지름은 (커, 작아)진다.
2 질량이 태양과 비슷한 주계열성은 H−R도의 오른쪽 상단으로 진화하여 (   )이 된다.
3 태양과 질량이 비슷한 별의 진화 과정은 원시별 → 주계열성 → 적색 거성 → (   )과 백색 왜성이다.
4 초거성의 중심부에 철로 이루어진 핵이 빠르게 수축하다가 폭발하는 현상을 (   )이라고 한다.
5 태양보다 질량이 매우 큰 별은 진화의 최종 단계에서 (   ) 또는 블랙홀이 생성된다.
6 별의 진화 단계에서 중성자별보다 더 심하게 중심부의 압축이 일어나 빛조차도 빠져나오지 못하는 천체를 (   )이라고 한다.

6. 블랙홀
5. 중성자별
4. 초신성 폭발
3. 행성상 성운
2. 적색 거성
답 1. 낮, 커

셀파 세미나 ──── S·H·E·R·P·A

H−R도 해석하기

스피드 정리

H−R도와 별의 분류

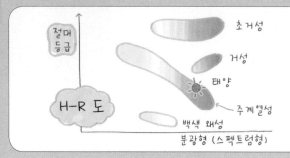

H−R도의 가로축과 세로축의 물리량

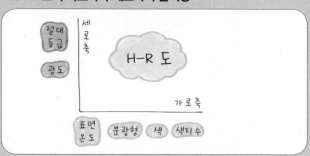

그림은 몇 가지 별들을 H−R도에 나타낸 것이다.

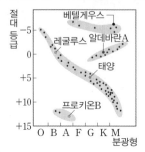

이에 대한 설명으로 옳은 것은 ○, 옳지 <u>않은</u> 것은 ×를 하시오.

1. 태양은 주계열성에 해당한다. (　　)

2. 알데바란A는 거성에 해당한다. (　　)

3. 프로키온B는 백색 왜성에 해당한다. (　　)

4. 표면 온도가 가장 높은 별은 베텔게우스이다. (　　)

5. 표면 온도가 가장 낮은 별은 레굴루스이다. (　　)

6. 광도가 가장 높은 별은 베텔게우스이다. (　　)

7. 광도가 가장 낮은 별은 태양이다. (　　)

8. 반지름이 가장 큰 별은 태양이다. (　　)

9. 반지름이 가장 작은 별은 프로키온B이다. (　　)

10. 알데바란A는 프로키온B보다 광도가 크다. (　　)

11. 레굴루스는 태양보다 표면 온도가 낮다. (　　)

12. 베텔게우스는 태양보다 반지름이 크다. (　　)

그림은 별 A~D를 H−R도에 나타낸 것이다.

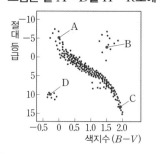

별 A~D의 특징에 맞게 빈칸을 채우시오.

1. 주계열성에 해당하는 별은 (　　)와 (　　)이다.

2. 거성에 해당하는 별은 (　　)이다.

3. 백색 왜성에 해당하는 별은 (　　)이다.

4. 표면 온도가 가장 높은 별은 (　　)이다.

5. 표면 온도가 가장 낮은 별은 (　　)이다.

6. 광도가 가장 높은 별은 (　　)이다.

7. 광도가 가장 낮은 별은 (　　)이다.

8. 별 B는 별 C보다 광도가 (　　)다.

9. 별 A는 별 B보다 표면 온도가 (　　)다.

10. 별 A는 별 C보다 반지름이 (　　)다.

| 해설 |

색지수 $(B-V)$가 작을수록 표면 온도가 높고, 색지수 $(B-V)$가 클수록 표면 온도가 낮다.

| 정답 |

1. ○ 2. ○ 3. ○ 4. × 5. × 6. ○ 7. ○ 8. × 9. ○ 10. ○ 11. × 12. ○

| 정답 |

1. A, C 2. B 3. D 4. D 5. C 6. A 7. C 8. 크 9. A 10. 작

기초 탄탄 문제

정답과 해설 60쪽

핵심용어_ 이 단원에서 내가 아는 것과 아직 모르는 것을 정리하며 나의 공부를 돌아보자.

☐ 주계열성 ☐ 적색 거성 ☐ 초거성
☐ 백색 왜성 ☐ 원시별 ☐ 행성상 성운
☐ 초신성 폭발 ☐ 중성자별 ☐ 블랙홀

01 H−R도에 대한 설명으로 옳은 것은?

① 오른쪽에 위치한 별일수록 표면 온도가 높다.
② 위쪽으로 갈수록 별의 절대 등급이 크다.
③ H−R도의 왼쪽 하단에 있는 별일수록 평균 밀도가 크다.
④ H−R도에서 오른쪽 상단에 위치한 별일수록 반지름이 작다.
⑤ 별이 가장 많이 분포하는 영역은 오른쪽 위부터 왼쪽 아래로 이어지는 대각선 영역이다.

02 그림은 H−R도에 별의 종류를 나타낸 것이다.

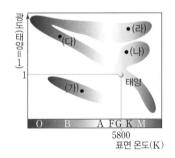

(가)~(라)에 해당하는 별의 종류를 옳게 짝 지은 것은?

	(가)	(나)	(다)	(라)
①	백색 왜성	적색 거성	주계열성	초거성
②	백색 왜성	주계열성	적색 거성	초거성
③	백색 왜성	초거성	주계열성	적색 거성
④	주계열성	적색 거성	백색 왜성	초거성
⑤	주계열성	초거성	백색 왜성	적색 거성

03 〈보기〉는 별의 물리량을 나타낸 것이다.

┤ 보기 ├
ㄱ. 질량   ㄴ. 광도   ㄷ. 절대 등급
ㄹ. 분광형   ㅁ. 반지름   ㅂ. 표면 온도

H−R도에서 (가)가로축 물리량과 (나)세로축 물리량으로 적절한 것은?

	(가)	(나)
①	ㄱ	ㅁ
②	ㄹ	ㄴ
③	ㅂ	ㄷ
④	ㄹ, ㅂ	ㄴ, ㄷ
⑤	ㄱ, ㄹ, ㅂ	ㄴ, ㄷ, ㅁ

04 별의 탄생 과정에 대한 설명으로 옳지 않은 것은?

① 원시별은 성운 내부에서 밀도가 높고 온도가 낮은 영역에서 잘 생성된다.
② 원시별 단계에서는 크기가 작아지고 중심부의 온도가 높아진다.
③ 원시별의 질량이 클수록 주계열에 늦게 도달한다.
④ 질량이 큰 원시별은 표면 온도가 높은 주계열이 된다.
⑤ 질량이 작은 원시별은 광도가 작은 주계열성이 된다.

05 주계열성의 특징에 대한 설명으로 옳은 것은?

① 질량이 클수록 광도가 크다.
② 질량이 클수록 반지름이 작다.
③ 표면 온도가 높을수록 광도가 작다.
④ 중력 수축에 의해 크기가 계속 작아진다.
⑤ 별의 진화 단계 중 주계열 단계에서 보내는 시간이 가장 짧다.

06 별의 진화 과정에 대한 설명으로 옳은 것은?

① 별의 진화 속도를 결정하는 주된 물리량은 별의 질량이다.
② 별은 원시별 단계에서 보내는 시간이 가장 길다.
③ 태양의 진화 순서는 주계열성 → 백색 왜성 → 적색 거성 순이다.
④ 태양보다 질량이 작은 별은 최종 단계에서 초신성 폭발을 일으킨다.
⑤ 주계열성보다 백색 왜성의 밀도가 더 작다.

내신 만점 문제

정답과 해설 61쪽

* ▮▮▮ 난이도를 나타냅니다.

01 ▮ 그림은 성운 내부에서 별이 탄생하는 과정을 나타낸 것이다.

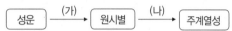

성운 ─(가)→ 원시별 ─(나)→ 주계열성

이에 대한 설명으로 옳은 것만을 〈보기〉에서 있는 대로 고른 것은?

┤ 보기 ├
ㄱ. (가) 과정은 주로 성운 내부의 온도가 높은 곳에서 잘 일어난다.
ㄴ. (나) 과정에서 중력 수축이 일어난다.
ㄷ. (가), (나) 과정에서 모두 표면 온도가 대체로 증가한다.

① ㄱ   ② ㄷ   ③ ㄱ, ㄴ
④ ㄴ, ㄷ   ⑤ ㄱ, ㄴ, ㄷ

02 ▮▮ 그림은 별을 광도 계급(I~VI)에 따라 구분하여 나타낸 것이다.

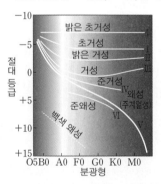

이에 대한 설명으로 옳은 것만을 〈보기〉에서 있는 대로 고른 것은?

┤ 보기 ├
ㄱ. 별의 평균 크기는 광도 계급 I형이 II형보다 크다.
ㄴ. 태양의 광도 계급은 V형에 속한다.
ㄷ. 별의 표면 온도가 같으면 광도 계급이 달라도 스펙트럼은 동일하게 나타난다.

① ㄱ   ② ㄷ   ③ ㄱ, ㄴ
④ ㄴ, ㄷ   ⑤ ㄱ, ㄴ, ㄷ

 그림은 H─R도에 별 a~d와 태양의 위치를 나타낸 것이다.

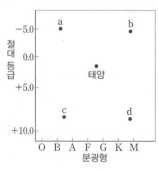

이에 대한 설명으로 옳은 것만을 〈보기〉에서 있는 대로 고른 것은?

┤ 보기 ├
ㄱ. a는 b보다 표면 온도가 높다.
ㄴ. c와 d는 주계열성이다.
ㄷ. 별의 밀도는 b > 태양 > c이다.

① ㄱ   ② ㄷ   ③ ㄱ, ㄴ
④ ㄴ, ㄷ   ⑤ ㄱ, ㄴ, ㄷ

 그림은 태양 주변의 별들을 H─R도에 나타낸 것이다.

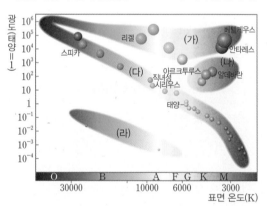

별의 종류 (가)~(라)에 대한 설명으로 옳은 것만을 〈보기〉에서 있는 대로 고른 것은?

┤ 보기 ├
ㄱ. 태양 주변의 별들 중 (다)가 가장 많다.
ㄴ. (가)는 (나)보다 질량이 대체로 크다.
ㄷ. 별의 크기는 (다)가 (라)보다 크다.

① ㄱ   ② ㄷ   ③ ㄱ, ㄴ
④ ㄴ, ㄷ   ⑤ ㄱ, ㄴ, ㄷ

05 그림은 질량이 다른 원시별이 주계열에 도달하는 경로와 걸리는 시간을 나타낸 것이다.

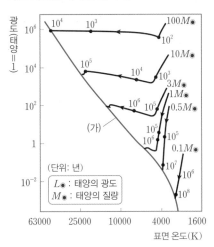

이에 대한 설명으로 옳은 것만을 〈보기〉에서 있는 대로 고른 것은?

┤ 보기 ├

ㄱ. (가)는 영년 주계열이다.

ㄴ. 진화하는 동안 원시별은 모두 반지름이 감소한다.

ㄷ. 원시별의 질량이 클수록 주계열성이 되기까지 걸리는 시간이 짧다.

① ㄱ   ② ㄷ   ③ ㄱ, ㄴ

④ ㄴ, ㄷ   ⑤ ㄱ, ㄴ, ㄷ

---

06 그림은 태양의 진화 과정을 나타낸 것이다.

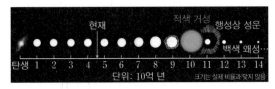

이에 대한 설명으로 옳은 것만을 〈보기〉에서 있는 대로 고른 것은?

┤ 보기 ├

ㄱ. 현재 태양은 주계열 단계에 위치한다.

ㄴ. 탄생 후 약 100억 년이 지났을 때 표면 온도는 현재보다 낮을 것이다.

ㄷ. 탄생 후 약 120억 년이 지났을 때 광도는 현재보다 클 것이다.

① ㄱ   ② ㄷ   ③ ㄱ, ㄴ

④ ㄴ, ㄷ   ⑤ ㄱ, ㄴ, ㄷ

---

07 그림은 주계열성의 질량과 광도와의 관계를 나타낸 것이다.

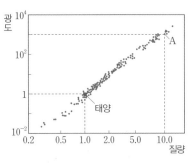

이에 대한 설명으로 옳은 것만을 〈보기〉에서 있는 대로 고른 것은?

┤ 보기 ├

ㄱ. 주계열성은 질량이 클수록 절대 등급이 작다.

ㄴ. 별의 표면 온도는 A가 태양보다 낮다.

ㄷ. 주계열 단계에서 머무는 시간은 A가 태양보다 길 것이다.

① ㄱ   ② ㄷ   ③ ㄱ, ㄴ

④ ㄴ, ㄷ   ⑤ ㄱ, ㄴ, ㄷ

---

08 그림은 질량이 다른 두 주계열성 A, B의 진화 과정을 나타낸 것이다.

| 별 A | (가) → | 적색 거성 | (나) → | 백색 왜성 |

| 별 B | (다) → | 초거성 | (라) → | 중성자별 |

이에 대한 설명으로 옳은 것만을 〈보기〉에서 있는 대로 고른 것은?

┤ 보기 ├

ㄱ. 질량은 B가 A보다 크다.

ㄴ. 별의 수명은 A가 B보다 짧다.

ㄷ. (가)와 (다) 과정에서 모두 반지름이 증가한다.

ㄹ. (나) 과정에서 행성상 성운이 형성되고, (라) 과정에서 초신성 폭발이 일어난다.

① ㄱ, ㄴ   ② ㄴ, ㄹ   ③ ㄷ, ㄹ

④ ㄱ, ㄷ, ㄹ   ⑤ ㄴ, ㄷ, ㄹ

09 그림 (가)는 주계열성의 색지수와 절대 등급을, (나)는 주계열성의 질량−광도 관계를 나타낸 것이다.

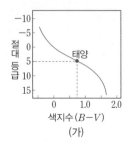
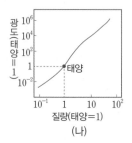

주계열성의 특징에 대한 설명으로 옳은 것만을 〈보기〉에서 있는 대로 고른 것은?

┤ 보기 ├

ㄱ. 표면 온도가 높을수록 절대 등급이 작다.
ㄴ. 질량이 클수록 색지수가 작다.
ㄷ. 색지수가 클수록 별의 수명이 길다.

① ㄱ 　　② ㄷ 　　③ ㄱ, ㄴ
④ ㄴ, ㄷ 　　⑤ ㄱ, ㄴ, ㄷ

10 그림은 태양과 비슷한 질량을 가진 별의 진화 과정 중 내부에서 일어나는 반응을 나타낸 것이다.

이에 대한 설명으로 옳은 것만을 〈보기〉에서 있는 대로 고른 것은?

┤ 보기 ├

ㄱ. 주계열성이다.
ㄴ. 표면 온도는 태양보다 높다.
ㄷ. H−R도에서 태양보다 위쪽에 위치한다.

① ㄱ 　　② ㄷ 　　③ ㄱ, ㄴ
④ ㄴ, ㄷ 　　⑤ ㄱ, ㄴ, ㄷ

11 그림은 태양과 질량이 같은 어느 주계열성의 진화 과정을 나타낸 것이다.

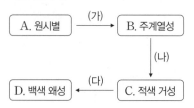

이에 대한 설명으로 옳은 것만을 〈보기〉에서 있는 대로 고른 것은?

┤ 보기 ├

ㄱ. (가) 과정에서 광도가 감소한다.
ㄴ. (나) 과정에서 표면 온도가 증가한다.
ㄷ. 행성상 성운은 (나) 과정에서 형성된다.
ㄹ. A~D 중 별의 밀도는 D가 가장 크다.

① ㄱ, ㄷ 　　② ㄱ, ㄹ 　　③ ㄴ, ㄷ
④ ㄱ, ㄴ, ㄹ 　　⑤ ㄴ, ㄷ, ㄹ

12 그림은 어느 별의 진화 과정을 나타낸 것이다.

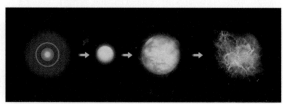

A. 원시별　B. 주계열성　C. 초거성　D. 초신성 폭발

이에 대한 설명으로 옳은 것만을 〈보기〉에서 있는 대로 고른 것은?

┤ 보기 ├

ㄱ. 이 별의 수명은 태양보다 짧다.
ㄴ. 별의 중심부에서 수소 핵융합 반응이 일어나는 시기는 B이다.
ㄷ. D 단계 이후 중성자별 또는 블랙홀이 남는다.

① ㄱ 　　② ㄷ 　　③ ㄱ, ㄴ
④ ㄴ, ㄷ 　　⑤ ㄱ, ㄴ, ㄷ

그림은 여러 가지 별들을 H−R도에 나타낸 것이다.

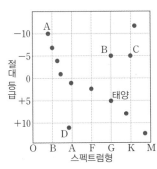

이에 대한 설명으로 옳은 것만을 〈보기〉에서 있는 대로 고른 것은?

┤ 보기 ├

ㄱ. A는 주계열성이다.

ㄴ. B와 C는 반지름이 같다.

ㄷ. C는 태양보다 광도가 10000배 크다.

ㄹ. D의 중심부에서 수소 핵융합 반응이 일어난다.

① ㄱ, ㄷ   ② ㄱ, ㄹ   ③ ㄴ, ㄷ

④ ㄱ, ㄴ, ㄹ   ⑤ ㄴ, ㄷ, ㄹ

14 그림 (가), (나)는 질량이 다른 두 별이 각각 진화하여 생성된 최종 단계의 모습을 나타낸 것이다.

(가)   (나)

이에 대한 설명으로 옳은 것만을 〈보기〉에서 있는 대로 고른 것은?

┤ 보기 ├

ㄱ. 별의 질량은 (가)가 (나)보다 컸다.

ㄴ. (가)의 중심부에는 백색 왜성이 있다.

ㄷ. (가)는 (나)보다 격렬한 폭발에 의해 형성되었다.

① ㄱ   ② ㄴ   ③ ㄱ, ㄷ

④ ㄴ, ㄷ   ⑤ ㄱ, ㄴ, ㄷ

서술형 문제

15 그림 (가), (나)는 별들을 H−R도에 나타낸 것이다.

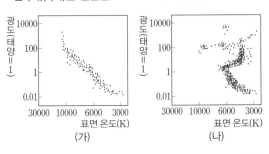

(가)   (나)

(가), (나) 중 나이가 더 많은 별의 집단을 고르고, 그와 같이 생각한 까닭을 서술하시오.

_____

_____

16 그림은 태양의 예상 진화 경로를 H−R도에 나타낸 것이다. (가)에서 (라)로 진화하는 동안 반지름 변화를 별의 종류와 연관지어 서술하시오.

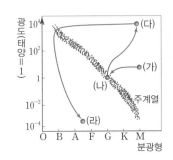

_____

_____

17 그림은 별의 에너지원을 분류하는 과정을 나타낸 것이다.

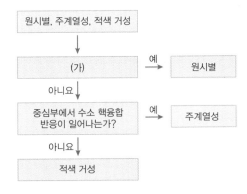

(가)에 들어갈 적절한 질문을 서술하시오.

_____

_____

별의 에너지원과 내부 구조

내 교과서는 어디에?
천재 p.161~163   금성 p.158~162
미래엔 p.160~162 비상 p.160~164 YBM p.169~172

핵심 Point
• 주계열성의 에너지 생성 과정을 이해한다.
• 진화 단계에 따른 별의 내부 구조를 설명한다.

1 별의 에너지원

1. 원시별의 에너지원

① 중력 수축 에너지: 성간 물질이 중력에 의해 수축될 때 위치 에너지의 감소로 생기는 에너지

② 원시별에서 중력 수축에 의해 발생된 에너지 중 일부는 복사 에너지로 방출되고, 나머지는 원시별 내부의 온도를 높이는 데 사용된다.

> • 중력 수축으로 감소한 위치 에너지만큼 증가한 운동 에너지는 열에너지로 전환된다.
> • 전환된 열에너지의 일부는 복사로 방출하고 나머지는 별의 온도를 상승시킨다.
> • 별의 중심부의 온도가 충분히 상승하여 수소 핵융합 반응이 시작되면 내부 압력이 상승하여 더 이상 중력 수축이 일어나지 않고 크기가 일정하게 유지되는 주계열성이 된다.

2. 주계열성의 에너지원

① 주계열성의 중심부: 수소 핵융합 반응으로 에너지를 생성한다.❶ ┌─ 온도가 1000만 K 이상

② 4개의 수소 원자핵이 융합하여 1개의 헬륨 원자핵을 생성한다. → 약 0.7 %의 질량 결손(Δm)이 에너지(E)로 전환된다.

• 아인슈타인의 질량―에너지 등가 원리❷에 따라 $E = \Delta mc^2$의 에너지가 발생

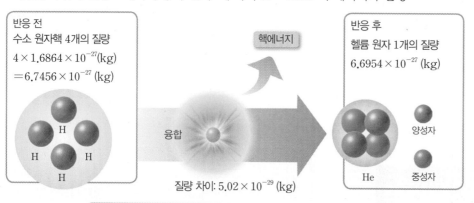

반응 전
수소 원자핵 4개의 질량
$4 \times 1.6864 \times 10^{-27}$(kg)
$= 6.7456 \times 10^{-27}$(kg)

핵에너지

융합

질량 차이: 5.02×10^{-29}(kg)

반응 후
헬륨 원자 1개의 질량
6.6954×10^{-27}(kg)

양성자

He   중성자

> 전환된 핵에너지
> $E = \Delta mc^2 = (5.02 \times 10^{-29}) \times (3 \times 10^8)^2 = 4.5 \times 10^{-12}$ (J)

③ 태양의 광도와 수명: 현재 태양의 광도를 유지하고 태양 중심부의 수소의 양을 기준으로 할 때 태양의 수명은 약 100억 년이다.

> 태양의 수명 계산하기
> • 태양의 질량은 2×10^{30} kg이고, 수소 핵융합에 참여하는 중심핵의 질량은 태양 전체 질량의 약 10 %이고, 반응이 일어날 때 질량 결손은 약 0.7 %이다.
> • 태양의 중심부에서 수소 핵융합 반응으로 방출할 수 있는 총 에너지양은
> $E = \Delta mc^2 = 2 \times 10^{30} \times 0.1 \times 0.007 \times (3 \times 10^8)^2 = 1.26 \times 10^{44}$ J이다.
> • 현재 태양의 광도가 3.9×10^{26} J/s이므로, 태양이 에너지를 방출할 수 있는 시간은
> $$t = \frac{E_\odot}{L_\odot} = \frac{1.26 \times 10^{44} \text{ (J)}}{3.9 \times 10^{26} \text{ (J/s)}} = 3.23 \times 10^{17} \text{ s} \approx 1.0 \times 10^{10} \text{년이다.}$$

❶ 온도가 1000만 K 이상일 때 수소 핵융합 반응이 일어나는 까닭
수소 핵융합 반응이 일어나려면 (+) 전하를 띠고 있는 원자핵들이 척력을 극복하고 결합해야 한다. 거리가 가까워질수록 척력이 매우 강해지기 때문에 이를 극복하려면 원자핵이 매우 빠른 속도로 충돌해야 하고, 이를 위해서 온도가 1000만 K 이상이 되어야 한다.

❷ 질량―에너지 등가의 원리
아인슈타인의 특수 상대성 이론에 의해 유도된 공식으로, $E = mc^2$이다. E는 에너지, m은 질량, c는 빛의 속도(3×10^8 m/s)이다. 이 공식에 의하면 물질은 질량의 크기에 해당하는 에너지를 가지고 있다.

강의 콕
태양이 현재의 광도로 빛나기 위해서 매초 약 6억 t(톤)의 수소가 핵융합을 통해 헬륨으로 전환되고 있다.

용어
▶ 성간 물질: 별과 별 사이의 공간에 존재하는 물질이다.

④ 양성자·양성자 반응(P−P 반응)과 CNO 순환 반응: 주계열성의 중심핵에서 일어나는 수소 핵융합 반응

셀파 콕콕
P−P 반응과 CNO 순환 반응
• 주계열성에서 일어난다.
• 수소 핵융합 반응이다.
• 중심부의 온도에 따라 반응이 나뉜다.

양성자·양성자 반응(P−P 반응)	탄소·질소·산소 순환 반응(CNO 순환 반응)
• 수소 원자핵(양성자) 6개가 결합하여 헬륨 원자핵 1개가 생성되고, 2개의 수소 원자핵이 방출된다. • 중심부의 온도가 1800만 K 이하인 주계열성에서 일어나는 수소 핵융합 반응이다. └ 기준 온도를 비교하자! • 질량이 작은 주계열성에서는 P−P 반응이 CNO 순환 반응보다 우세하다.	• 수소 원자핵 4개가 핵융합하여 헬륨 원자핵 1개를 만드는 반응으로, 반응 과정에 탄소, 질소, 산소 원자핵이 ▶촉매 작용을 한다. • 중심핵의 온도가 1800만 K 이상인 주계열성에서 우세하게 일어나는 반응이다. └ 기준 온도를 비교하자!

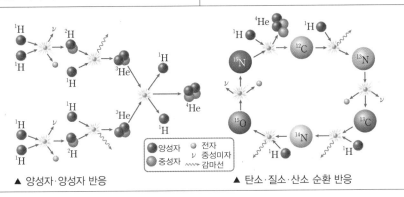

양성자 ● 전자
ν 중성미자
중성자 〰〰 감마선

▲ 양성자·양성자 반응   ▲ 탄소·질소·산소 순환 반응

3. 적색 거성과 초거성의 에너지원

① 적색 거성의 에너지원: 중심부의 온도가 약 1억 K 이상이 되면 헬륨 핵융합 반응❸이 일어난다.
└ 기준 온도를 비교하자!
   • 헬륨 핵융합 반응: 주계열성에서 수소 핵융합 반응이 끝나면 중심핵은 헬륨만 남아 더 이상 수소 핵융합 반응이 일어나지 않는다. 이때 중심핵의 중력 수축이 일어나고, 중심부가 수축함에 따라 중심핵의 온도가 상승하게 된다.

② 초거성의 에너지원: 중심부의 온도가 적색 거성보다 더 높기 때문에 핵융합 반응이 계속 일어나고 그 결과 네온, 규소, 철까지 만들어진다.❹

❸ 헬륨 핵융합 반응
2개의 헬륨 원자핵이 핵융합하여 베릴륨 원자핵을 형성하고, 베릴륨이 분해되기 전에 1개의 헬륨핵이 추가로 융합하여 탄소핵을 형성하는 반응이다.

❹ 별의 핵융합 반응

수소 핵융합 반응 (P−P 반응, CNO 순환 반응)

↓ 헬륨핵 생성

헬륨 핵융합 반응

↓ 탄소핵 생성

탄소 핵융합 반응

└ 최종적으로 철까지 생성

핵융합 반응	수소 연소	헬륨 연소	탄소 연소	네온 연소	산소 연소	규소 연소
연료	수소	헬륨	탄소	네온	산소	마그네슘, 규소, 황
주요 생성물	헬륨	탄소	산소, 네온, 나트륨, 마그네슘	산소, 마그네슘	마그네슘, 규소, 황	철

▲ 별 내부의 핵융합 반응

━━ 용어 ━━
▶ 촉매: 반응 과정에서 소모되거나 변화되지 않으면서 반응 속도를 빠르거나 느리게 변화시키는 물질이다. 촉매는 소량만 있어도 반응 속도에 영향을 미칠 수 있다.

개념 확인하기

1 원시별의 에너지원은 (   ) 수축 에너지, 주계열성의 에너지원은 (   ) 핵융합 반응이다.
2 수소 핵융합 반응은 중심부의 온도가 약 (1000만 , 10만) K 이상일 때 일어날 수 있다.
3 4개의 수소 원자핵이 융합하여 1개의 헬륨 원자핵을 생성할 때 약 (   ) %의 질량 손실이 발생한다.
4 주계열성에서 일어나는 수소 핵융합 반응에는 (   ) 반응과 탄소·질소·산소 순환 반응(CNO 순환 반응)이 있다.
5 질량이 큰 주계열성에서는 P−P 반응이 CNO 순환 반응보다 우세하다.   (○ , ×)
6 주계열성의 중심부에서 일어나는 P−P 반응과 CNO 순환 반응은 모두 (수소 , 헬륨) 핵융합 반응이다.
7 질량이 큰 초거성은 중심부의 (   )가 매우 높기 때문에 핵융합 반응으로 네온, 규소, 철까지 만들어진다.

답 1. 중력, 수소
2. 1000만
3. 0.7
4. 양성자·양성자(P−P)
5. ×
6. 수소
7. 온도

1. 주계열성의 내부 구조

① 정역학 평형 상태: 팽창하려는 기체 압력 차에 의한 힘과 중심 쪽으로 수축하려는 중력이 평형을 이루어 일정한 모양을 유지하고 있는 상태이다.

▲ 정역학 평형

기체 압력 차로 발생한 힘

중력

② 주계열성은 정역학 평형 상태를 유지하므로 크기가 일정하게 유지된다. → 주계열성의 내부는 중력과 기체 압력 차로 발생한 힘이 평형을 이루고 있으므로 크기가 일정하다. 반면 주계열성이 거성으로 진화하면 기체 압력 차로 발생한 힘이 커져 별이 팽창한다.

③ 질량에 따른 주계열성의 내부 구조 ┌ 태양 질량과 비교한 상대적인 값이므로 질량이 태양과
　　　　　　　　　　　　　　　　비슷한지 큰지에 따라 내부 구조를 파악하도록 한다.

태양 질량의 2배 이하인 별(질량이 태양과 비슷한 별)	태양 질량의 2배 이상인 별❺
대류층 복사층	복사층 대류핵
중심핵, 복사층, 대류층으로 이루어져 있다.	중심핵(대류핵)과 복사층으로 이루어져 있다.

2. 거성의 내부 구조

적색 거성	초거성
• 헬륨핵의 중력 수축으로 온도가 높아짐에 따라 중심부에서 헬륨 핵융합 반응이 일어난다. • 중심부를 둘러싸고 있는 외곽 수소층(수소각)의 온도가 높아져 수소 핵융합 반응이 일어난다. • 별의 껍질층(최외곽층)은 팽창하여 크기가 커지고 표면 온도가 낮아진다.	• 질량이 충분히 큰 경우 중심부의 온도가 매우 높아 핵융합 반응이 지속적으로 일어나고, 최종적으로 중심부에 철로 된 핵이 만들어진다. • 별의 내부는 양파껍질 같은 구조를 가지게 된다. • 중심부의 철핵은 더 이상 핵융합이 일어나지 않아 중력 수축하여 결국 초신성 폭발을 일으킨다.❻
H He C+O ▲ 질량이 태양 정도인 별의 내부 구조	He C+O H O+Ne+Mg S+Si Fe ▲ 질량이 매우 큰 별의 내부 구조

개념 확인하기

1 중력과 기체 압력 차이에 의한 힘이 균형을 이루고 있는 상태를 (　　) 평형이라고 한다.

2 태양보다 질량이 2배 이상인 주계열성의 내부 구조는 중심핵, 복사층, 대류층으로 이루어져 있다. (　○, ×　)

3 적색 거성의 내부 구조는 계속적인 핵융합 반응이 일어나는 양파껍질 같은 구조를 가지며, 최종적으로 철로 된 핵이 만들어진다. (　○, ×　)

4 중심부의 철핵에서 더 이상 핵융합이 일어나지 않으면 초거성의 내부는 중력 수축하여 (　　) 폭발을 일으킨다.

답 1 정역학
2 ×
3 ×
4 초신성

▶ 시험에 자주 나오는 보기 문항을 모았습니다. 중요 내용을 반복적으로 학습하여 시험에 대비하세요.

별의 에너지원과 내부 구조

| 주계열성의 내부 구조 |

질량이 작은 별	질량이 큰 별
대류층 복사층 (가)	복사층 대류핵 (나)
• 양성자·양성자 반응(P−P 반응)이 일어난다. → 수소 원자핵 6개가 헬륨 원자핵 1개와 수소 원자핵 2개로 바뀌면서 에너지를 생성 • 중심부에서부터 중심핵−복사층−대류층의 구조가 나타난다.	• 탄소·질소·산소 순환 반응(CNO 순환 반응)이 일어난다. → 탄소, 질소, 산소가 촉매 역할을 하여 수소 원자핵이 헬륨 원자핵으로 바뀌면서 에너지를 생성 • 중심부에서부터 대류핵−복사층의 구조가 나타난다.

그림 (가), (나)에 대한 설명으로 옳은 것은 ○, 옳지 않은 것은 × 를 하시오.

1. 태양과 질량이 비슷한 별의 내부 구조는 (나)이다. (　)
2. 질량이 태양의 2배가 넘는 별의 내부 구조는 (가)이다.(　)
3. (가), (나) 중 반지름은 (가)가 더 크다. (　)
4. (가), (나)는 모두 별의 진화 단계 중 주계열성에서의 내부 구조이다. (　)
5. (가), (나) 중 상대적으로 질량이 큰 별은 (나)이다. (　)
6. (가)의 중심핵에서는 헬륨 핵융합 반응이 일어나고, (나)의 중심핵에서는 수소 핵융합 반응이 일어난다. (　)

| 해설 |
(가)는 질량이 태양 정도인 별(태양 질량의 2배 이하인 별)의 내부 구조이고, (나)는 질량이 태양의 2배 이상인 별의 내부 구조이다. (가), (나)에서는 모두 수소 핵융합 반응이 일어난다.

| 별의 마지막 단계에서의 내부 구조 |

질량이 태양 정도의 별	질량이 태양보다 매우 큰 별
수소 헬륨 탄소 (가)	수소 헬륨 탄소 산소 규소 철 (나)
• 별의 중심부 온도가 계속 높아지지 않는다. • 별의 중심부에서는 헬륨 핵융합까지 일어나 탄소 원자핵까지 만들어진다.	• 별의 중심부 온도가 태양 정도 질량인 별보다 높아 더 많은 핵융합이 이루어진다. • 별의 중심부에서는 핵융합으로 철까지 만들어진다.

그림 (가), (나)에 대한 설명으로 옳은 것은 ○, 옳지 않은 것은 × 를 하시오.

1. (가)의 중심핵에서는 수소 핵융합 반응이 일어난다. (　)
2. (나)는 별의 중심부로 갈수록 무거운 원소가 존재한다. (　)
3. 철보다 무거운 원소는 (나)가 폭발하는 과정에서 생성된다. (　)
4. (가)는 (나)보다 질량이 작다. (　)
5. 초신성 폭발을 일으켜 블랙홀이 될 수 있는 별은 (가)이다. (　)
6. (가), (나)는 H−R도에서 주계열에 위치한다. (　)
7. (가)는 별의 중심부로 갈수록 가벼운 원소로 이루어져 있다. (　)
8. (나)는 별의 내부에서 핵융합 반응으로 철이 형성된다. (　)

| 해설 |
(가)의 중심핵에서는 헬륨 핵융합 반응이 일어난다.

| 정답 |
1. × 2. × 3. ○ 4. ○ 5. ○ 6. ×

| 정답 |
1. × 2. ○ 3. ○ 4. ○ 5. × 6. × 7. × 8. ○

기초 탄탄 문제

정답과 해설 63쪽

핵심용어_ 이 단원에서 내가 아는 것과 아직 모르는 것을 정리하며 나의 공부를 돌아보자.

- □ 중력 수축 에너지
- □ 수소 핵융합 반응
- □ 양성자·양성자 반응
- □ CNO 순환 반응
- □ 정역학 평형
- □ 복사층
- □ 대류층
- □ 대류핵

01 원시별과 주계열성의 주요 에너지원을 옳게 짝 지은 것은?

	원시별	주계열성
①	수소 핵융합 에너지	수소 핵융합 에너지
②	수소 핵융합 에너지	중력 수축 에너지
③	중력 수축 에너지	중력 수축 에너지
④	중력 수축 에너지	수소 핵융합 에너지
⑤	수소 핵융합 에너지	헬륨 핵융합 에너지

02 수소 핵융합 반응에 대한 설명으로 옳지 않은 것은?

① 태양 에너지의 근원이 되는 반응이다.

② 온도가 1000만 K 이상일 때 일어날 수 있다.

③ 양성자·양성자 반응과 CNO 순환 반응이 있다.

④ CNO 순환 반응에서 탄소, 질소, 산소 원자핵은 촉매 역할을 한다.

⑤ 질량이 작은 별에서는 CNO 순환 반응이 우세하다.

03 그림은 어느 별의 중심부에서 일어나는 반응을 나타낸 것이다.

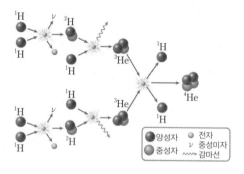

이에 대한 설명으로 옳은 것은?

① 헬륨 핵융합 반응이다.

② CNO 순환 반응이다.

③ 주계열성의 중심부에서 일어난다.

④ 반응이 진행될 때 질량이 보존된다.

⑤ 태양보다 질량이 매우 큰 별의 중심부에서 우세하다.

04 별의 크기가 일정하게 유지될 때, 별 내부에서 작용하는 힘의 관계를 옳게 나타낸 것은?

① 중력=원심력

② 중력>원심력

③ 중력<기체 압력 차에 의한 힘

④ 중력=기체 압력 차에 의한 힘

⑤ 중력>기체 압력 차에 의한 힘

05 주계열성의 내부 구조에 대한 설명으로 옳은 것은?

① 태양과 질량이 비슷한 별은 대류핵과 복사층으로 이루어져 있다.

② 태양 질량의 2배 이상인 별은 중심핵, 복사층, 대류층으로 이루어져 있다.

③ 주계열성은 질량에 관계없이 수소 핵융합 반응이 일어나는 중심핵을 갖고 있다.

④ 중심부의 핵융합 과정에 따라 주계열성의 크기가 점차 작아진다.

⑤ 별의 내부는 양파껍질 같은 구조를 가지며, 최종적으로 철핵이 생성된다.

06 그림 (가), (나)는 진화 단계가 다른 두 별의 내부 구조를 나타낸 것이다.

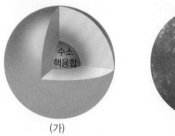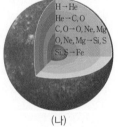

(가)   (나)

(가), (나)에 해당하는 별의 종류를 옳게 짝 지은 것은?

	(가)	(나)
①	주계열성	적색 거성
②	주계열성	초거성
③	적색 거성	초거성
④	적색 거성	주계열성
⑤	초거성	주계열성

내신 만점 문제

* ▮▮▮ 난이도를 나타냅니다.

01
그림은 별의 에너지원을 분류하는 과정을 나타낸 것이다.

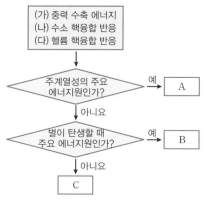

A~C에 해당하는 에너지원에 대한 설명으로 옳은 것만을 〈보기〉에서 있는 대로 고른 것은?

┤ 보기 ├
ㄱ. A는 주계열성의 주요 에너지원인 중력 수축 에너지이다.
ㄴ. B는 헬륨 핵융합 반응이다.
ㄷ. C 반응 결과 탄소핵이 형성된다.

① ㄱ   ② ㄷ   ③ ㄱ, ㄴ
④ ㄴ, ㄷ   ⑤ ㄱ, ㄴ, ㄷ

02
그림은 별의 중심부에서 일어나는 반응을 나타낸 것이다.

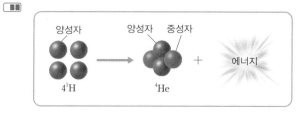

이에 대한 설명으로 옳은 것만을 〈보기〉에서 있는 대로 고른 것은?

┤ 보기 ├
ㄱ. 수소 핵융합 반응이다.
ㄴ. 온도가 1000만 K 이상일 때 일어날 수 있다.
ㄷ. 반응 전의 질량이 반응 후의 질량보다 크다.

① ㄱ   ② ㄷ   ③ ㄱ, ㄴ
④ ㄴ, ㄷ   ⑤ ㄱ, ㄴ, ㄷ

03
그림은 주계열성에서 핵융합 반응의 경로를 나타낸 것이다.

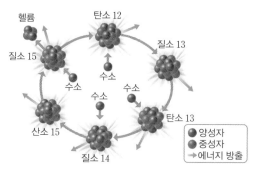

이에 대한 설명으로 옳은 것만을 〈보기〉에서 있는 대로 고른 것은?

┤ 보기 ├
ㄱ. 헬륨 핵융합 반응이다.
ㄴ. 탄소, 질소, 산소는 촉매 역할을 한다.
ㄷ. 태양보다 질량이 작은 주계열성에서 활발하게 일어난다.

① ㄱ   ② ㄴ   ③ ㄱ, ㄷ
④ ㄴ, ㄷ   ⑤ ㄱ, ㄴ, ㄷ

04
그림은 크기가 일정하게 유지되는 어떤 별의 내부에 작용하는 두 힘을 나타낸 것이다.
이에 대한 설명으로 옳은 것만을 〈보기〉에서 있는 대로 고른 것은?

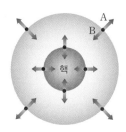

┤ 보기 ├
ㄱ. 이 별은 주계열성이다.
ㄴ. 힘 A는 기체 압력 차에 의한 힘이다.
ㄷ. 힘 B가 힘 A보다 커지면 팽창이 일어난다.

① ㄱ   ② ㄴ   ③ ㄷ
④ ㄱ, ㄴ   ⑤ ㄴ, ㄷ

05 그림은 태양과 질량이 비슷한 어느 별의 내부 구조를 나타낸 것이다.
이에 대한 설명으로 옳은 것만을 〈보기〉에서 있는 대로 고른 것은?

┤ 보기 ├

ㄱ. 초거성의 내부 구조이다.

ㄴ. 태양보다 광도와 반지름이 클 것이다.

ㄷ. 중심부에서 헬륨 핵융합 반응이 일어나므로 중심부의 온도는 태양보다 높다.

① ㄱ   ② ㄷ   ③ ㄱ, ㄴ

④ ㄴ, ㄷ   ⑤ ㄱ, ㄴ, ㄷ

06 그림 (가)는 H−R도를, (나)는 태양과 질량이 비슷한 진화 과정에 있는 어느 별의 내부 구조를 나타낸 것이다.

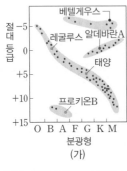
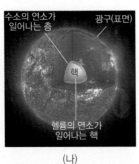

이에 대한 설명으로 옳은 것만을 〈보기〉에서 있는 대로 고른 것은?

┤ 보기 ├

ㄱ. (나)는 적색 거성의 내부 구조이다.

ㄴ. (가)의 별 중 (나)의 내부 구조와 가장 비슷할 것으로 예상되는 별은 알데바란A이다.

ㄷ. (나)는 진화의 최후 단계에서 중성자별이 된다.

① ㄱ   ② ㄷ   ③ ㄱ, ㄴ

④ ㄴ, ㄷ   ⑤ ㄱ, ㄴ, ㄷ

07 그림은 어느 별의 중심핵 구조를 나타낸 것이다.

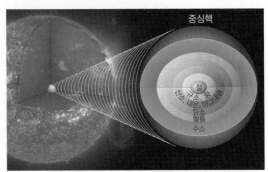

이에 대한 설명으로 옳은 것만을 〈보기〉에서 있는 대로 고른 것은?

┤ 보기 ├

ㄱ. 별의 중심부에 가까울수록 대체로 원자량이 작다.

ㄴ. 별의 중심부에 가까울수록 온도가 높다.

ㄷ. 이 별의 수명은 태양보다 짧다.

① ㄱ   ② ㄷ   ③ ㄱ, ㄴ

④ ㄴ, ㄷ   ⑤ ㄱ, ㄴ, ㄷ

08 그림 (가), (나)는 질량이 다른 두 주계열성의 내부 구조를 나타낸 것이다.

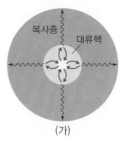
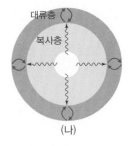

이에 대한 설명으로 옳은 것만을 〈보기〉에서 있는 대로 고른 것은?

┤ 보기 ├

ㄱ. 질량은 (가)가 (나)보다 작다.

ㄴ. CNO 순환 반응은 (가)가 (나)보다 우세하다.

ㄷ. (나)의 중심부에서 헬륨 핵융합 반응이 일어난다.

① ㄱ   ② ㄴ   ③ ㄱ, ㄷ

④ ㄴ, ㄷ   ⑤ ㄱ, ㄴ, ㄷ

그림 (가)는 질량이 큰 별의 진화 과정을, (나)는 (가)의 어느 단계에 해당하는 별의 내부를 나타낸 것이다.

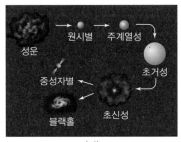

(가)   (나)

이에 대한 설명으로 옳은 것만을 〈보기〉에서 있는 대로 고른 것은?

┤ 보기 ├
ㄱ. (나)의 별은 초거성이다.
ㄴ. 지구에 존재하는 모든 원소는 초거성 내부에서 만들어진다.
ㄷ. 블랙홀로 진화되는 별은 중성자별로 진화되는 별보다 중심핵의 질량이 크다.

① ㄱ   ② ㄷ   ③ ㄱ, ㄴ
④ ㄴ, ㄷ   ⑤ ㄱ, ㄴ, ㄷ

10 그림은 어느 별의 진화 과정에서 나타나는 내부 구조의 변화를 순서 없이 나타낸 것이다.

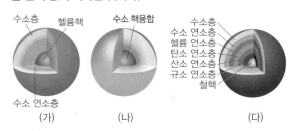

(가)   (나)   (다)

이에 대한 설명으로 옳은 것만을 〈보기〉에서 있는 대로 고른 것은?

┤ 보기 ├
ㄱ. 별의 진화 순서는 (나) → (가) → (다)이다.
ㄴ. (나)의 중심부에는 대류핵이 존재한다.
ㄷ. (다)에서 중심에 가까운 원자핵일수록 먼저 생성되었다.

① ㄱ   ② ㄷ   ③ ㄱ, ㄴ
④ ㄴ, ㄷ   ⑤ ㄱ, ㄴ, ㄷ

서술형 문제

11 다음은 태양의 수명을 계산하는 과정을 나타낸 것이다.

(가) 태양의 질량은 2×10^{30} kg이고, 수소 핵융합에 참여하는 중심핵의 질량은 태양 전체 질량의 약 10 %이고, 반응이 일어날 때 질량 결손은 약 (㉠) %이다.

(나) 태양의 중심부에서 수소 핵융합으로 방출할 수 있는 총 에너지양은
$$E = \Delta mc^2 = 2 \times 10^{30} \times 0.1 \times 0.007 \times (3 \times 10^8)^2$$
$$= 1.26 \times 10^{44} \text{ J이다.}$$

(다) 현재 태양의 광도가 3.9×10^{26} J/s이므로, 태양이 에너지를 방출할 수 있는 시간은 약 (㉡)이다.

(1) ㉠에 들어갈 알맞은 값을 쓰시오.

_____

(2) ㉡에 들어갈 값과 풀이 과정을 쓰시오.

_____

_____

12 그림은 태양과 질량이 비슷한 주계열성의 내부 구조를 나타낸 것이다.

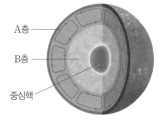

A, B층에서 에너지가 전달되는 방식을 비교하여 서술하시오.

_____

_____

13 초거성의 중심부에 핵융합 반응으로 양파껍질 같은 구조가 나타나는 까닭을 서술하시오.

_____

_____

04 외계 행성계와 외계 생명체 탐사

내 교과서는 어디에?

천재 p.167~172 금성 p.165~172
미래엔 p.164~171 비상 p.166~177 YBM p.173~183

핵심 Point
- 외계 행성계 **탐사 방법**과 지금까지 발견된 외계 행성계의 특징을 알아본다.
- 외계 생명체가 존재할 가능성이 있는 **행성의 일반적인 조건**을 설명한다.
- 외계 생명체 탐사의 의의를 토의한다.

1 외계 행성계 탐사

1. 외계 행성을 탐사하는 방법

중심별의 시선 속도를 이용하는 방법

- 중심별과 행성이 공통 질량 중심을 같은 주기로 공전한다. 이때 중심별의 회전으로 시선 속도가 변하면 도플러 효과❶에 의한 별빛의 파장 변화가 생긴다.
- 중심별이 지구로 접근할 때 청색 편이, 멀어질 때 적색 편이가 나타난다.
- 행성의 질량이 클수록 중심별의 시선 속도 변화가 크므로 행성의 존재를 확인하기 쉽다.

별빛이 관측자에게 다가올 때는 흡수선이 파장이 짧은 쪽으로 이동(청색 편이)한다.

별빛이 관측자에게서 멀어질 때는 흡수선이 파장이 긴 쪽으로 이동(적색 편이)한다.

공통 질량 중심 / 중심별 / 행성

식 현상을 이용하는 방법

- 중심별 주위를 공전하는 행성이 중심별 앞면을 지날 때 식 현상이 일어나 중심별의 밝기가 감소한다. 이를 관측하여 행성의 존재를 확인한다.
- 관측자의 시선 방향과 행성의 공전 궤도면이 거의 나란해야 식 현상이 관측된다.
- 행성의 반지름이 클수록 중심별의 밝기 변화가 크므로 행성의 존재를 확인하기 쉽다.

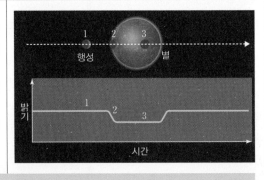

행성 / 별 / 밝기 / 시간

미세 중력 렌즈 현상을 이용하는 방법

- 배경별의 별빛이 앞쪽 별의 중력에 의해 미세하게 굴절되어 휘어지는 미세 중력 렌즈 현상❷을 이용한다.
- 앞쪽 별이 행성을 가지고 있다면 배경별의 밝기 변화가 추가로 나타나므로 행성의 존재를 확인할 수 있다.
- 외계 행성의 공전 궤도면과 관측자의 시선 방향이 나란하지 않아도 행성을 발견할 수 있으며, 크기가 작은 행성도 찾을 수 있다.

  앞쪽 별의 질량에 따라 별빛의 굴절이 결정된다.

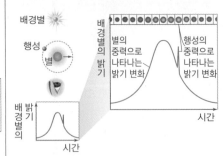

배경별 / 행성 / 별 / 배경별의 밝기 / 시간 / 별의 중력으로 나타나는 밝기 변화 / 행성의 중력으로 나타나는 밝기 변화

직접 관측에 의한 탐사 → 외계 행성의 거리가 가까운 경우 직접 관측할 수 있다.

- 외계 행성이 중심별의 별빛을 반사하거나, 행성 자체의 복사 에너지를 관측하여 행성을 찾는다.
- 지구에서 중심별까지의 거리가 멀거나, 행성이 중심별에 너무 가까우면 직접 관측하기 어렵다.
- 중심별의 밝기가 행성보다 더 밝으므로 중심별을 가리고 행성을 찾는다.

---

❶ 도플러 효과

관측자와 파원(소리, 빛 등을 내는 물체)의 상대적인 운동에 따라 파동의 파장이 달라지는 효과를 도플러 효과라고 한다. 서로 가까워질 경우에는 관측된 파장이 원래의 파장보다 짧아지고, 멀어질 경우에는 원래의 파장보다 길어진다.

강의 콕

별이 실제로 움직이는 속도를 시선 속도(관측자의 시선 방향과 나란한 성분)와 접선 속도(시선 속도에 수직한 성분)로 분해할 수 있다. 시선 속도는 관측자로부터 멀어지거나 가까워지는 속도 성분으로, 멀어지면 (+), 가까워지면 (−)로 나타낸다.

❷ 중력 렌즈 현상

질량이 큰 천체의 중력에 의해 멀리서 오는 별빛이 휘어져 관찰되는 현상을 중력 렌즈 현상이라고 한다. 중력 렌즈 현상은 보통 은하들이 모여 있는 은하단에 의해 나타나지만 하나의 별 또는 행성에 의해서도 미세하게 나타날 수 있다.

용어

▶ **외계 행성계**: 태양이 아닌 다른 별 주위를 공전하고 있는 행성을 외계 행성이라 하고, 별과 행성이 모여 형성된 계를 외계 행성계라고 한다.

2. 외계 행성계 탐사 결과

① 주로 시선 속도 변화와 식 현상을 이용하여 발견된 외계 행성의 수가 가장 많고, 직접 관측을 통해 발견된 수가 가장 적다.

② 초기에 발견된 외계 행성은 대부분 목성 규모의 행성이었으나 최근 관측 기술의 발달로 지구 규모의 행성들도 발견되고 있다.

③ 최근의 외계 행성계 탐사는 <u>지구형 행성 탐사</u>에 주목하고 있다.
└ 지구 규모의 암석으로 이루어진 행성

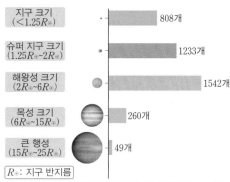

지구 크기 ($<1.25R_\oplus$)	808개
슈퍼 지구 크기 ($1.25R_\oplus{\sim}2R_\oplus$)	1233개
해왕성 크기 ($2R_\oplus{\sim}6R_\oplus$)	1542개
목성 크기 ($6R_\oplus{\sim}15R_\oplus$)	260개
큰 행성 ($15R_\oplus{\sim}25R_\oplus$)	49개

$R_\oplus$: 지구 반지름

▲ 케플러 우주 망원경이 발견한 외계 행성의 크기별 개수

2 외계 생명체 탐사

1. 외계 생명체의 존재 조건

액체 상태의 물	• 행성이 표면 온도가 적절하게 유지될 수 있는 영역(생명 가능 지대)에 위치해야 생명체가 존재할 가능성이 크다.
적절한 대기압	• 대기는 온실 효과를 일으켜 생명체가 살아가기에 적당한 온도를 유지해 준다. • 대기는 유해한 자외선을 막아주는 역할을 한다.
행성 자기장	• 자기장은 우주에서 들어오는 고에너지 입자(우주선)와 중심별에서 들어오는 항성풍을 막아 준다. → 지상에 생명체가 살 수 있다.
중심별의 적절한 질량	• 중심별의 질량이 너무 크거나 작지 않아야 한다. → 별의 질량이 너무 크면 진화 속도가 빠르다. → 별의 질량이 너무 작으면 생명 가능 지대의 폭이 좁고, 거리가 가깝다.

자료 파헤치기

생명 가능 지대의 특징

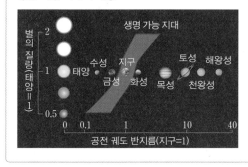

• 생명 가능 지대❸는 별 주변에 물이 액체 상태로 존재할 수 있는 영역이다.
└ 고체나 기체 상태는 아니다.

• 별의 광도가 클수록 생명 가능 지대는 별로부터 먼 곳에 형성되고, 생명 가능 지대의 폭이 넓어진다.

• 태양계에서 생명 가능 지대는 금성과 화성 사이로, 지구가 이 영역에 위치해 있다.

2. 외계 생명체 탐사와 의의

① 탐사: 탐사선을 이용한 태양계 천체 탐사, 세티(SETI)❹ 등을 통해 외계 생명체 탐사

② 의의: 외계 생명체를 연구하고 탐사하는 과정을 통해 인류는 우주와 생명에 대한 이해의 폭을 넓힐 수 있고, 새로운 과학 기술의 진보로 산업 발전에 실용적인 도움을 준다.

---

❸ **생명 가능 지대의 범위**

행성에 액체 상태의 물이 존재할 수 있는지 여부는 행성의 대기 조건이나 반사율 등에 따라 달라질 수 있다. 따라서 행성의 조건(반사율, 온실 효과 등)을 어떻게 고려하였는지에 따라 생명 가능 지대의 범위가 달라질 수 있다.

셀파 콕콕 🔍

액체 상태의 물은 외계 생명체 탐사의 핵심이 되므로 물의 특성을 잘 알고 있어야 한다.

① 비열이 크다.: 온도가 쉽게 변하지 않기 때문에 생명체의 항상성 유지에 중요한 역할을 한다.

② 다양한 물질이 잘 녹는다.: 생명 현상에 필요한 다양한 물질들이 물에 녹아 생명체에게 흡수된다.

③ 고체가 될 때 부피가 커진다.: 물이 얼 때 표면부터 얼기 때문에 추운 겨울철에 호수나 강에 서식하는 수중 생태계가 유지될 수 있다.

❹ **세티(SETI, 외계 지적 생명체 탐사 프로젝트)**

• 외계의 지적 생명체들이 지구로 전파를 보낸다는 가정 아래 우주에서 들어오는 인공적인 신호를 찾는 작업이다.

• 1960년대에는 정부의 지원과 많은 사람들의 관심을 받으며 진행되었다.

• 1999년에는 개인들이 참여할 수 있는 세티앳홈(SETI@Home)으로 발전하였다.

▬▬▬ 용어 ▬▬▬

▶ **우주선**: 우주 공간에서 고속으로 움직이는 고에너지 입자(주로 양성자)이다.

▶ **항성풍**: 별(항성)의 대기에서 우주 공간으로 질량이 방출되는 현상이다.

개념 확인하기

1 식 현상에 의한 중심별의 (　　　) 변화를 관측하여 행성의 존재를 확인할 수 있다.

2 배경별의 별빛이 앞쪽 별의 중력에 의해 굴절되면 (밝게, 어둡게) 관측된다.

3 별 주변에서 물이 액체 상태로 존재할 수 있는 영역을 (　　　)라고 한다.

답 1. 밝기
2. 밝게
3. 생명 가능 지대

외계 행성계
탐사 프로젝트
조사하기

+

케플러 우주 망원경
미국항공우주국에서 2009년에 지구형 행성을 탐사할 목적으로 발사한 우주 망원경이다. 식 현상을 관찰하여 외계 행성을 찾고 있다. 2016년 초까지 4000여 개가 넘는 외계 행성 후보를 발견하였다.

+ 유의점

지금까지 알려진 외계 행성의 탐사 결과는 관측 기술과 관련된 통계적 한계가 포함되어 있다는 점을 고려해야 한다.

🔍 탐구 돋보기

과학자들이 사용하는 외계 행성 탐사 방법들은 대부분 반지름이 크고 항성에 가까운 행성들을 발견하기 쉬운 방식이다. 따라서 관측 결과로 얻는 통계 자료가 일반적인 외계 행성의 특징을 나타낸다고 판단하기 어렵다.

📋 시험 유형은?

❶ 현재까지 외계 행성을 발견하는데 가장 많이 이용된 방법 2가지는?
▶ 시선 속도 변화를 이용한 탐사, 식 현상을 이용한 탐사

❷ 현재까지 발견된 외계 행성의 질량은 지구보다 대체로 (크다 / 작다).
▶ 크다

목표 외계 행성계 탐사 프로젝트를 조사하고, 지금까지 발견된 외계 행성계의 통계적 특징을 설명할 수 있다.

과정

다음은 외계 행성계 탐사로 발견한 행성들의 물리량을 나타낸 것이다. 현재까지 발견된 외계 행성의 특징을 분석해 보자.

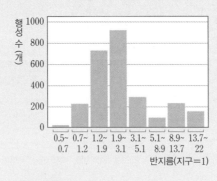

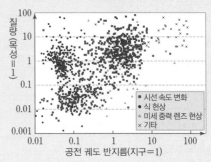

결과 및 정리

1. 지금까지 발견된 외계 행성의 특징은?
   → 현재까지의 탐사 결과를 기준으로 하면 지구보다 질량이 큰 행성들이 많다.
   → 공전 궤도 반지름은 0.01~10 AU까지로 넓게 분포하는 편이지만, 1 AU 미만인 행성들이 더 많다.

2. 지금까지 발견된 외계 행성의 통계적 한계는?
   → 지금까지 발견된 외계 행성은 주로 중심별에 가까운 목성 규모의 행성이었다. 이는 외계 행성 탐사 방법들이 반지름이 크고 항성과 가까운 행성들을 발견하기 쉬운 방식이기 때문에 나타나는 통계적 한계이다. 실제로 관측 자료가 누적되면서 점차 다양한 조건의 행성이 발견되고 있다.

탐구 대표 문제 정답과 해설 65쪽

01 이 탐구에 대한 설명으로 옳은 것은?

① 외계 행성은 대부분 지구 크기의 행성이다.
② 외계 행성은 대부분 생명 가능 지대에 위치한다.
③ 질량이 작은 외계 행성일수록 발견될 가능성이 크다.
④ 행성 반지름이 작은 외계 행성일수록 발견될 가능성이 크다.
⑤ 공전 궤도 반지름이 지구보다 작은 행성이 큰 행성보다 많이 발견되었다.

02 그림은 2016년까지 발견된 외계 행성의 개수를 탐사 방법에 따라 나타낸 것이다. 식 현상을 이용하여 발견한 외계 행성이 급격하게 많아진 까닭은 최근 ( ) 우주 망원경이 식 현상을 이용하여 행성들을 많이 발견하였기 때문이다. 괄호 안에 들어갈 우주 망원경의 이름을 쓰시오.

셀파 탐구

별의 광도에 따른 생명 가능 지대 추정하기

목표 별의 표면 온도와 광도에 따라 생명 가능 지대가 어떻게 달라지는지 추정할 수 있다.

과정

→ 주계열성의 질량이 클수록 수명이 짧다. 별의 수명이 짧으면 행성이 생명 가능 지대에 머물 수 있는 시간도 짧아진다.

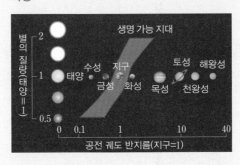

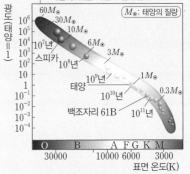

(가) 주계열성의 질량에 따른 생명 가능 지대

(나) 주계열성의 질량과 수명

❶ 주계열성의 물리적 특성에 따라 생명 가능 지대는 어떻게 달라지는지 설명해 보자.

❷ 생명체가 지구에서와 비슷한 과정으로 진화한다면 생명체가 살고 있는 행성은 어떤 별 주변에 존재할지 토의해 보자.

결과 및 정리

1. 주계열성의 질량이 클수록 별 주위의 생명 가능 지대의 범위 변화는?
   → 주계열성은 질량이 클수록 광도가 크다. 별의 광도가 클수록 생명 가능 지대는 중심별에서 멀어지며, 폭은 넓어진다.

2. 생명체가 탄생하기에 가장 적합한 별의 분광형은? (단, 지구에서 생명체가 탄생하기까지 약 10억 년이 걸렸고, 최초의 척추동물이 등장하기까지 약 40억 년이 걸렸다.)
   → 생명체의 탄생 및 진화가 지구에서와 비슷한 과정으로 진행된다면, 별의 수명이 최소 10억 년 이상 이어야 생명체가 탄생할 수 있다. 따라서 수명이 짧은 O형, B형, A형은 적합하지 않다. 주계열성 중 M형 별은 수명이 충분히 길지만 생명 가능 지대의 폭이 매우 좁고, 중심별에 매우 가깝게 위치 하므로 행성의 공전 주기와 자전 주기가 같아질 가능성이 커서 생명체가 존재할 확률이 낮아진다. 따라서 생명체가 탄생하기에 가장 적합한 별의 분광형은 F형, G형, K형이다.

탐구 대표 문제 정답과 해설 65쪽

01 이 탐구에 대한 설명으로 옳은 것은?

① 생명 가능 지대는 물이 존재할 수 있는 영역이다.

② 별의 질량이 클수록 생명 가능 지대는 별에 가까워진다.

③ 별의 광도가 작을수록 생명 가능 지대의 폭은 넓어진다.

④ 태양계에서 액체 상태의 물이 존재하는 행성은 지구뿐이다.

⑤ 별의 질량이 클수록 행성에서 생명체가 탄생하고 진화하기에 적합하다.

02 그림은 주계열성의 물리량 X에 따른 생명 가능 지대의 범위를 나타낸 것이다. 물리량 X로 적절한 것을 3가지 쓰시오.

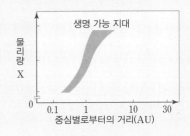

같은 주제 다른 탐구

지구의 형성과 지구에서의 생명 진화의 역사를 살펴보고 생명체가 존재하는 행성을 거느릴 수 있는 별의 조건을 생각하기

- 지구의 핵 형성 —— 45.6 —— 지구 형성
- 생물 활동 흔적 —— 40
- (그린란드 이수아 —— 35 박테리아 화석
- 퇴적암) —— 30 (호주 아펙스 처트)
- 산소 농도 —— 25 진핵 세포
- 증가 —— 20
- —— 15
- —— 10
- 삼엽충 출현 —— 5
- 공룡 멸종 —— 0 인간
  (억 년 전)

⊕ 유의점

❶ 외계 생명체의 특성이 지구 생명체와 유사할 것이라는 전제 하에 연구를 수행하는 한계가 있다.

❷ 연구자가 행성의 조건을 어떻게 고려하였는지에 따라 생명 가능 지대의 범위가 달라질 수 있다.

시험 유형은?

❶ 주계열성의 질량이 클수록 생명 가능 지대의 거리와 폭은?
▶ 중심별에서 멀어지고, 폭은 넓어진다.

❷ 생명체가 존재하기 적합한 별의 분광형은?
▶ F형, G형, K형

기초 탄탄 문제

정답과 해설 65쪽

핵심용어_ 이 단원에서 내가 아는 것과 아직 모르는 것을 정리하며 나의 공부를 돌아보자.

□ 외계 행성계 □ 시선 속도 □ 식 현상
□ 도플러 효과 □ 미세 중력 렌즈 현상 □ 생명 가능 지대
□ 외계 생명체의 존재 조건 □ 외계 생명체 탐사

01 외계 행성을 탐사하는 방법으로 적절하지 <u>않은</u> 것은?

① 직접 촬영하는 방법
② 행성의 식 현상을 이용하는 방법
③ 중심별의 분광형을 이용하는 방법
④ 미세 중력 렌즈 현상을 이용하는 방법
⑤ 중심별의 시선 속도 변화를 이용하는 방법

02 그림은 외계 행성을 탐사하는 방법의 원리를 나타낸 것이다.

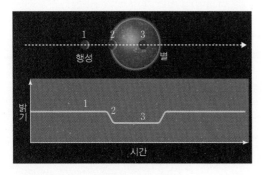

이에 대한 설명으로 옳지 <u>않은</u> 것은?

① 식 현상을 이용한 방법이다.
② 그래프는 중심별의 밝기 변화를 나타낸 것이다.
③ 행성의 반지름이 작을수록 행성을 발견하기 쉽다.
④ 밝기 변화가 나타나는 주기는 행성의 공전 주기와 같다.
⑤ 행성의 공전 궤도면은 관측자의 시선 방향에 거의 나란하다.

03 시선 속도 변화를 측정하여 외계 행성을 탐사하는 방법에 대한 설명으로 옳지 <u>않은</u> 것은?

① 별과 행성은 공통 질량 중심을 중심으로 같은 주기로 회전한다.
② 별빛 스펙트럼의 파장 변화를 분석하여 행성의 존재를 확인한다.
③ 행성의 공전 궤도면이 관측자의 시선 방향과 수직해야 한다.
④ 시선 속도가 변하면 별빛의 파장 변화가 생긴다.
⑤ 행성의 질량이 클수록 중심별의 시선 속도 변화가 크게 나타난다.

04 지구와 별 사이에 다른 별이 있을 때, 지구에 가까이 있는 별의 중력 때문에 멀리 있는 별빛이 굴절되어 밝아진다. 이러한 현상을 무엇이라고 하는가?

① 식 현상 ② 적색 편이 ③ 중력 효과
④ 도플러 효과 ⑤ 미세 중력 렌즈 현상

05 그림은 질량에 따른 생명 가능 지대를 나타낸 것이다.

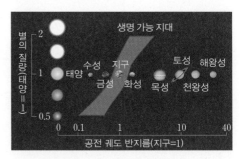

이에 대한 설명으로 옳지 <u>않은</u> 것은?

① 생명 가능 지대는 물이 액체 상태로 존재할 수 있는 영역이다.
② 지구는 생명 가능 지대에 위치해 있다.
③ 별의 광도가 클수록 생명 가능 지대는 별에서 멀어진다.
④ 별의 질량에 관계없이 생명 가능 지대의 폭은 일정하다.
⑤ 별의 광도가 클수록 생명 가능 지대의 폭이 넓어진다.

내신 만점 문제

정답과 해설 65쪽

* ▮▮▮ 난이도를 나타냅니다.

01 그림은 외계 행성이 별 주위를 공전하는 모습을 나타낸 것이다.

▮

이 행성의 존재를 알아내기 위한 관측 방법으로 옳은 것만을 〈보기〉에서 있는 대로 고른 것은? (단, 행성의 공전 궤도면은 관측자의 시선 방향에 나란하다.)

┤ 보기 ├
ㄱ. 지구에서 별까지의 거리를 측정한다.
ㄴ. 별빛 스펙트럼에 나타나는 파장 변화를 관측한다.
ㄷ. 행성의 식 현상에 의한 별의 밝기 변화를 관측한다.

① ㄱ   ② ㄴ   ③ ㄱ, ㄷ
④ ㄴ, ㄷ   ⑤ ㄱ, ㄴ, ㄷ

02 그림은 외계 행성의 탐사 방법을 나타낸 것이다.

▮▮▮

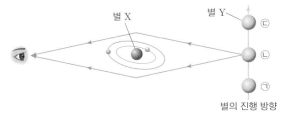

이에 대한 설명으로 옳은 것만을 〈보기〉에서 있는 대로 고른 것은?

┤ 보기 ├
ㄱ. ㉠~㉢ 중 Y의 밝기는 ㉡일 때 가장 어둡다.
ㄴ. X 주변에 행성이 존재하면 Y의 밝기 변화가 불규칙하게 나타난다.
ㄷ. X와 Y의 거리가 멀어질수록 별빛이 많이 굴절된다.

① ㄱ   ② ㄴ   ③ ㄱ, ㄷ
④ ㄴ, ㄷ   ⑤ ㄱ, ㄴ, ㄷ

03 그림은 중심별과 행성이 공통 질량 중심 주위를 회전할 때 나타나는 별빛의 파장 변화를 나타낸 것이다.

이에 대한 설명으로 옳은 것만을 〈보기〉에서 있는 대로 고른 것은?

┤ 보기 ├
ㄱ. 공통 질량 중심을 회전하는 주기는 중심별이 행성보다 길다.
ㄴ. 스펙트럼에서 청색 편이가 나타나는 주기는 행성의 공전 주기와 같다.
ㄷ. 중심별의 질량이 클수록 스펙트럼의 파장 변화량이 커진다.

① ㄱ   ② ㄴ   ③ ㄱ, ㄷ
④ ㄴ, ㄷ   ⑤ ㄱ, ㄴ, ㄷ

04 그림 (가)는 어떤 외계 행성계의 모습을, (나)는 행성 A에 의한 중심별의 광도 변화를 나타낸 것이다.

▮▮▮

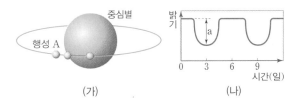

(가)   (나)

행성 A에 대한 설명으로 옳은 것만을 〈보기〉에서 있는 대로 고른 것은?

┤ 보기 ├
ㄱ. 공전 궤도면은 시선 방향에 수직하다.
ㄴ. 공전 주기는 약 3일이다.
ㄷ. 반지름이 2배로 커지면 a는 4배로 커진다.

① ㄱ   ② ㄴ   ③ ㄷ
④ ㄱ, ㄷ   ⑤ ㄴ, ㄷ

05 그림은 태양계에서 생명 가능 지대의 변화를 시간에 따라 나타낸 것이다.

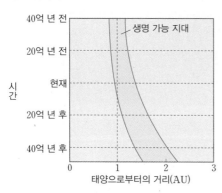

이에 대한 설명으로 옳은 것만을 〈보기〉에서 있는 대로 고른 것은?

┤ 보기 ├

ㄱ. 태양의 광도는 40억 년 전보다 현재가 크다.

ㄴ. 시간이 지날수록 생명 가능 지대의 폭은 넓어진다.

ㄷ. 앞으로 20억 년 후 지구는 생명 가능 지대에 위치해 있을 것이다.

① ㄱ   ② ㄷ   ③ ㄱ, ㄴ
④ ㄴ, ㄷ   ⑤ ㄱ, ㄴ, ㄷ

06 그림은 현재까지 발견된 외계 행성들의 크기에 따른 개수를 나타낸 것이다.

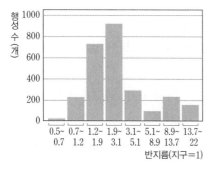

이에 대한 설명으로 옳은 것만을 〈보기〉에서 있는 대로 고른 것은?

┤ 보기 ├

ㄱ. 지구보다 질량이 큰 행성이 더 많을 것이다.

ㄴ. 대부분 직접 촬영하여 발견하였다.

ㄷ. 대부분 생명 가능 지대에 위치해 있을 것이다.

① ㄱ   ② ㄷ   ③ ㄱ, ㄴ
④ ㄴ, ㄷ   ⑤ ㄱ, ㄴ, ㄷ

07 그림은 현재까지 발견된 외계 행성의 공전 궤도 반지름과 질량을 탐사 방법에 따라 구분하여 나타낸 것이다.

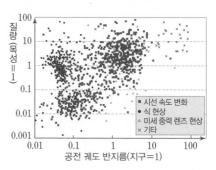

지금까지 발견된 외계 행성의 특징에 대한 설명으로 옳은 것만을 〈보기〉에서 있는 대로 고른 것은?

┤ 보기 ├

ㄱ. 대부분 지구보다 질량이 크다.

ㄴ. 도플러 효과를 이용하여 발견된 행성의 수가 가장 적다.

ㄷ. 식 현상에 의해 발견된 행성들은 대부분 공전 주기가 길다.

① ㄱ   ② ㄴ   ③ ㄱ, ㄷ
④ ㄴ, ㄷ   ⑤ ㄱ, ㄴ, ㄷ

08 그림 (가), (나)는 지구와 달의 모습을 나타낸 것이다.

(가) 지구   (나) 달

지구에만 생명체가 존재하는 까닭을 달과 비교하여 설명한 것으로 옳은 것만을 〈보기〉에서 있는 대로 고른 것은?

┤ 보기 ├

ㄱ. 지구는 생명 가능 지대에 위치한다.

ㄴ. 지구 표면에 액체 상태의 물이 풍부하다.

ㄷ. 대기의 온실 효과로 적당한 온도가 유지되고 있다.

① ㄱ   ② ㄷ   ③ ㄱ, ㄴ
④ ㄴ, ㄷ   ⑤ ㄱ, ㄴ, ㄷ

그림은 태양과 별 S 주변의 생명 가능 지대를 나타낸 것이다.

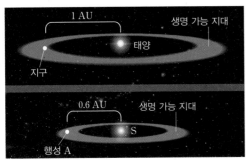

이에 대한 설명으로 옳은 것만을 〈보기〉에서 있는 대로 고른 것은? (단, 별 S는 주계열성이며, 탄생 시기가 태양의 탄생 시기와 같다.)

┤ 보기 ┠

ㄱ. 별 S는 태양보다 표면 온도가 높다.

ㄴ. 행성 A에는 액체 상태의 물이 존재할 수 있다.

ㄷ. 앞으로 생명 가능 지대에 머물 수 있는 시간은 지구보다 행성 A가 더 길다.

① ㄱ   ② ㄴ   ③ ㄱ, ㄷ

④ ㄴ, ㄷ   ⑤ ㄱ, ㄴ, ㄷ

10 그림은 주계열성의 수명을 나타낸 것이다.

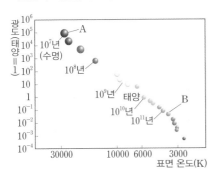

이에 대한 설명으로 옳은 것만을 〈보기〉에서 있는 대로 고른 것은?

┤ 보기 ┠

ㄱ. 별의 수명이 길수록 질량은 작다.

ㄴ. 생명 가능 지대의 폭은 A보다 태양에서 넓다.

ㄷ. 외계 행성이 생명 가능 지대에 머물 수 있는 시간은 A보다 B에서 길다.

① ㄱ   ② ㄴ   ③ ㄱ, ㄷ

④ ㄴ, ㄷ   ⑤ ㄱ, ㄴ, ㄷ

서술형 문제

11 그림은 어떤 외계 행성계에서 중심별을 공전하는 두 행성 A, B에 의한 중심별의 밝기 변화를 나타낸 것이다. 두 행성의 공전 궤도면은 모두 시선 방향에 나란하다.

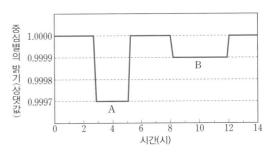

(1) 행성 A와 B에 의해 식 현상이 지속된 시간을 비교하시오.

(2) 행성 A와 B의 반지름의 비를 비교하여 서술하시오.

12 그림은 세 외계 행성계에서 중심별의 질량과 행성의 공전 궤도 반지름을 나타낸 것이다.

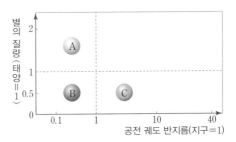

(1) A, B, C에 위치한 외계 행성 중에서 생명체가 존재할 가능성이 가장 큰 행성을 고르시오.

(2) (1)과 같이 생각한 까닭을 서술하시오.

13 액체 상태의 물이 생명체에게 중요한 까닭을 3가지 서술하시오.

1. 흑체 복사와 색지수

① 흑체 복사: 표면 온도(T)가 높을수록 최대 에너지를 방출하는 파장(λ_{max})이 짧다.

② 색지수: 서로 다른 파장 영역에서 측정한 등급의 차를 나타낸 것으로 $(B-V)$ 또는 $(U-B)$가 작을수록 고온의 별이다.

2. 별의 분광형과 표면 온도

① 분광형: 별의 스펙트럼을 기준으로 분류한 것

② 하버드 분광 분류법: 흡수선의 종류와 세기를 기준으로 O, B, A, F, G, K, M형으로 분류

분광형	색깔	표면 온도(K)
O	파란색	28000 이상
B	청백색	10000 ~ 28000
A	흰색	7500 ~ 10000
F	황백색	6000 ~ 7500
G	노란색	5000 ~ 6000
K	주황색	3500 ~ 5000
M	붉은색	3500 이하

③ 흡수 스펙트럼의 예

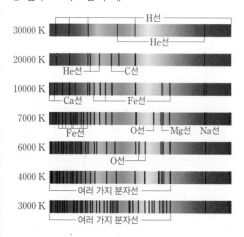

3. 별의 광도와 크기

① 슈테판·볼츠만 법칙: 흑체가 단위 시간 동안 단위 면적에서 방출하는 복사 에너지양(E)은 표면 온도(T)의 4제곱에 비례($E = \sigma T^4$)

② 광도: 별이 단위 시간 동안 방출하는 에너지의 양
$$L = 4\pi R^2 \times \sigma T^4$$

③ 반지름: $L = 4\pi R^2 \cdot \sigma T^4$ $\therefore R = \dfrac{\sqrt{L}}{\sqrt{4\pi\sigma} \cdot T^2}$

4. H−R도와 별의 종류

① H−R도: 가로축에 별의 분광형 또는 표면 온도, 세로축에 별의 절대 등급 또는 광도로 나타낸 도표

② 별의 종류: H−R도의 별들을 크게 주계열성, 적색 거성, 초거성, 백색 왜성의 네 종류로 분류

주계열성	• H−R도의 왼쪽 위에서 오른쪽 아래로 이어지는 영역 • 별의 약 90 %가 여기에 속한다.
적색 거성	• H−R도에서 주계열의 오른쪽 위에 분포하는 별 • 표면 온도가 낮아 붉은색이고 광도는 크다.
초거성	• H−R도에서 적색 거성보다 위쪽에 분포하는 별 • 광도와 반지름이 적색 거성보다 크다.
백색 왜성	• H−R도에서 주계열의 왼쪽 아래에 분포하는 별 • 표면 온도는 높은 편이지만, 광도는 매우 작다.

5. 별의 진화

① 원시별: 성운에서 온도가 낮고 밀도가 높은 곳에서 형성
 • 중력 수축: 반지름 감소, 중심부 온도 상승
 • 질량이 클수록 중력 수축이 빠르게 일어나 진화 속도가 빠르다.

② 질량에 따른 별의 진화
 • 태양과 질량이 비슷한 별의 진화: 주계열성 → 중심부에서 수소 고갈 → 헬륨핵 수축 → 온도 상승 → 중심부에서 헬륨 연소, 외곽 수소층 연소 → 별이 팽창하여 광도 증가, 표면 온도 감소, 적색 거성 형성 → 별의 외곽층 물질을 우주 공간으로 방출, 행성상 성운 형성 → 별의 중심부는 수축하여 백색 왜성 형성

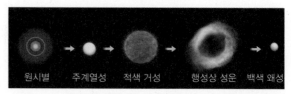

원시별 → 주계열성 → 적색 거성 → 행성상 성운 → 백색 왜성

 • 태양보다 질량이 훨씬 큰 별의 진화: 주계열성 → 초거성 → 중심부의 온도가 매우 높아 계속적인 핵융합 반응이 일어나 최종적으로 철이 생성 → 철로 이루어진 핵이 빠르게 수축 → 초신성 폭발 → 중성자별 또는 블랙홀 형성

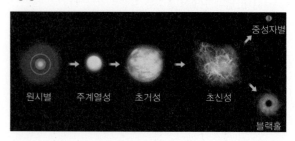

원시별 → 주계열성 → 초거성 → 초신성 → 중성자별 / 블랙홀

6. 별의 에너지원

① 원시별의 에너지원: 중력 수축 에너지

② 주계열성의 에너지원: 수소 핵융합 반응에 의한 에너지

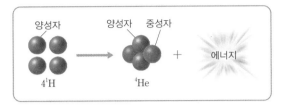

③ 수소 핵융합 반응의 종류

- 양성자·양성자 반응(P−P 반응): 태양 질량의 2배 이하인 별
- 탄소·질소·산소 순환 반응(CNO 순환 반응): 태양 질량의 2배 이상인 별

7. 별의 내부 구조

① 정역학 평형: 주계열성은 기체의 압력 차로 발생한 힘과 중력이 평형을 이루어 일정한 크기를 유지한다.

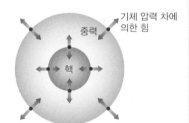

② 주계열성의 내부 구조

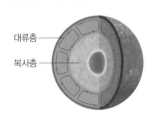

태양 질량의 2배 이하인 별은 중심핵, 복사층, 대류층으로 구성	태양 질량의 2배 이상인 별은 대류핵과 복사층으로 구성

③ 거성의 내부 구조

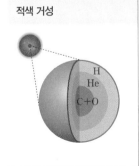

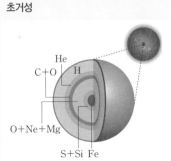

적색 거성	초거성
헬륨핵이 핵융합 반응을 하여 탄소와 산소로 구성된 핵이 형성	중심부의 온도가 높기 때문에 더 많은 핵융합 과정을 거치며, 최종적으로 철로 구성된 중심핵이 형성

8. 외계 행성계 탐사 방법

① 시선 속도 변화 이용: 별빛 스펙트럼의 파장 변화로 행성의 존재 확인

② 식 현상 이용: 행성이 중심별의 앞면을 지날 때 일어나는 별의 밝기 변화로 행성의 존재 확인

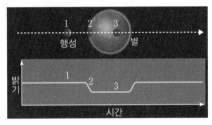

③ 미세 중력 렌즈 현상 이용: 멀리 있는 배경별의 빛이 앞쪽 별과 행성의 중력에 의해 굴절되는 현상을 이용하여 행성의 존재 확인

9. 외계 생명체 탐사

① 생명 가능 지대: 별 주변에서 액체 상태의 물이 존재할 수 있는 영역 → 중심별의 광도가 클수록 생명 가능 지대는 별로부터 멀어지고, 그 폭도 넓어진다.

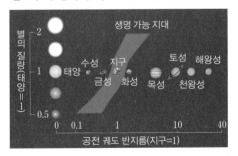

② 생명체가 탄생하고 진화할 수 있으려면 중심별의 질량이 적당해야 하며, 행성에 적당한 두께의 대기와 자기장이 존재해야 한다.

01 표는 주계열성 (가)~(다)의 절대 등급과 분광형을 나타낸 것이다.

별	절대 등급	분광형
(가)	−5.0	B8
(나)	+0.6	A0
(다)	+4.5	F5

이에 대한 설명으로 옳은 것만을 〈보기〉에서 있는 대로 고른 것은?

┤ 보기 ├
ㄱ. 별의 질량은 (가)가 가장 크다.
ㄴ. (나)는 태양보다 표면 온도가 높다.
ㄷ. (다)는 표면 온도가 가장 낮다.

① ㄱ   ② ㄴ   ③ ㄱ, ㄷ
④ ㄴ, ㄷ   ⑤ ㄱ, ㄴ, ㄷ

02 그림은 표면 온도에 따른 흡수선의 상대적인 세기를 나타낸 것이다.

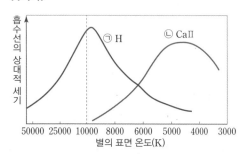

이에 대한 설명으로 옳은 것만을 〈보기〉에서 있는 대로 고른 것은?

┤ 보기 ├
ㄱ. ㉠은 수소, ㉡은 이온화된 칼슘에 의해 형성된 흡수선이다.
ㄴ. 분광형이 O형인 별은 B형인 별보다 ㉠이 강하게 나타난다.
ㄷ. 붉은색 별에서는 ㉠보다 ㉡이 뚜렷하다.

① ㄱ   ② ㄴ   ③ ㄱ, ㄷ
④ ㄴ, ㄷ   ⑤ ㄱ, ㄴ, ㄷ

03 그림은 두 별 (가), (나)의 파장에 따른 에너지 세기와 B 필터, V 필터의 파장 영역을 나타낸 것이다.

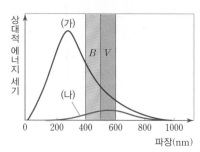

이에 대한 설명으로 옳은 것만을 〈보기〉에서 있는 대로 고른 것은?

┤ 보기 ├
ㄱ. 표면 온도는 (가)가 (나)보다 높다.
ㄴ. B 등급은 (가)가 (나)보다 작다.
ㄷ. (나)는 $(B-V)$ 색지수가 $(+)$이다.

① ㄱ   ② ㄷ   ③ ㄱ, ㄴ
④ ㄴ, ㄷ   ⑤ ㄱ, ㄴ, ㄷ

04 그림은 H−R도에 별 A, B, C를 나타낸 것이다.

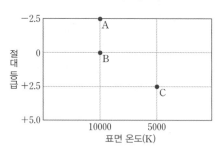

이에 대한 설명으로 옳은 것만을 〈보기〉에서 있는 대로 고른 것은? (단, 별 A, B, C의 겉보기 등급은 같다.)

┤ 보기 ├
ㄱ. 광도는 A가 C의 100배이다.
ㄴ. 별의 거리는 B가 가장 가깝다.
ㄷ. 반지름은 A가 C보다 2.5배 크다.

① ㄱ   ② ㄴ   ③ ㄱ, ㄷ
④ ㄴ, ㄷ   ⑤ ㄱ, ㄴ, ㄷ

05 그림은 H−R도에 별의 종류 (가)~(라)를 나타낸 것이다.

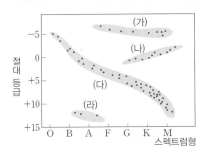

이에 대한 설명으로 옳은 것만을 〈보기〉에서 있는 대로 고른 것은?

┤ 보기 ├

ㄱ. 태양은 (가) 집단에 속한다.

ㄴ. 별의 반지름은 (나) 집단보다 (다) 집단이 크다.

ㄷ. 별의 나이는 (가) 집단보다 (라) 집단이 많다.

① ㄱ   ② ㄷ   ③ ㄱ, ㄴ

④ ㄴ, ㄷ   ⑤ ㄱ, ㄴ, ㄷ

06 그림은 태양의 예상 진화 경로를 H−R도에 나타낸 것이다.

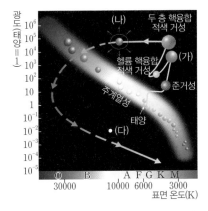

이에 대한 설명으로 옳은 것만을 〈보기〉에서 있는 대로 고른 것은?

┤ 보기 ├

ㄱ. (가)로 진화하는 동안 중심부에서 수축이 일어난다.

ㄴ. (나) 단계에서 초신성 폭발을 일으킨다.

ㄷ. (다)의 중심부에서 핵융합 반응이 일어난다.

① ㄱ   ② ㄴ   ③ ㄱ, ㄷ

④ ㄴ, ㄷ   ⑤ ㄱ, ㄴ, ㄷ

07 그림은 질량이 다른 두 별의 진화 과정 일부를 나타낸 것이다.

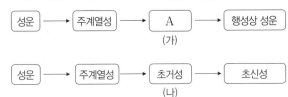

이에 대한 설명으로 옳은 것만을 〈보기〉에서 있는 대로 고른 것은?

┤ 보기 ├

ㄱ. (가)는 (나)보다 질량이 큰 별의 진화 과정이다.

ㄴ. A 단계에서 헬륨 핵융합 반응이 일어난다.

ㄷ. (나)는 최후 단계에서 백색 왜성이 형성될 수 있다.

① ㄱ   ② ㄴ   ③ ㄱ, ㄷ

④ ㄴ, ㄷ   ⑤ ㄱ, ㄴ, ㄷ

08 그림 (가)~(다)는 성단의 진화 과정을 H−R도에 순서 없이 나타낸 것이다.

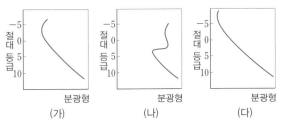

이에 대한 설명으로 옳은 것만을 〈보기〉에서 있는 대로 고른 것은? (단, 성단을 이루는 별들은 모두 동시에 탄생하였다.)

┤ 보기 ├

ㄱ. 진화 순서는 (다) → (가) → (나)이다.

ㄴ. (나)는 (가)보다 성단의 나이가 많다.

ㄷ. 나이가 많은 성단일수록 파란색 별의 비율이 크다.

① ㄱ   ② ㄴ   ③ ㄷ

④ ㄱ, ㄴ   ⑤ ㄴ, ㄷ

09 그림은 별의 중심핵에서 일어나는 반응을 나타낸 것이다.

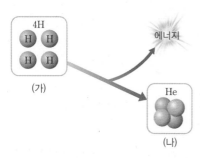

이에 대한 설명으로 옳은 것만을 〈보기〉에서 있는 대로 고른 것은?

┤ 보기 ├
ㄱ. 이 별은 주계열성이다.
ㄴ. (가)의 질량보다 (나)의 질량이 크다.
ㄷ. 온도가 높아지면 반응의 효율이 낮아진다.

① ㄱ ② ㄴ ③ ㄱ, ㄷ
④ ㄴ, ㄷ ⑤ ㄱ, ㄴ, ㄷ

10 그림 (가), (나)는 질량이 다른 두 별의 내부 구조를 나타낸 것이다.

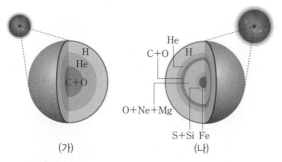

이에 대한 설명으로 옳은 것만을 〈보기〉에서 있는 대로 고른 것은?

┤ 보기 ├
ㄱ. (가)와 (나)는 모두 중심부로 갈수록 무거운 원소로 이루어져 있다.
ㄴ. (가)는 진화 단계에서 초신성 폭발을 일으킨다.
ㄷ. 중심부의 온도는 (가)가 (나)보다 높다.

① ㄱ ② ㄴ ③ ㄱ, ㄷ
④ ㄴ, ㄷ ⑤ ㄱ, ㄴ, ㄷ

11 그림은 태양의 내부 구조를 나타낸 것이다.

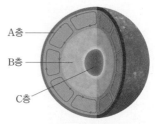

A~C층에 대한 설명으로 옳은 것만을 〈보기〉에서 있는 대로 고른 것은?

┤ 보기 ├
ㄱ. A층에서는 주로 복사에 의해 에너지가 전달된다.
ㄴ. B층의 온도는 1000만 K보다 높다.
ㄷ. C층은 B층보다 무거운 원소의 비율이 높다.

① ㄱ ② ㄷ ③ ㄱ, ㄴ
④ ㄴ, ㄷ ⑤ ㄱ, ㄴ, ㄷ

12 그림은 주계열성의 중심핵 온도에 따른 수소 핵융합 반응의 에너지 생성 효율을 나타낸 것이다. ㉠과 ㉡은 각각 양성자·양성자 반응과 탄소·질소·산소 순환 반응 중 하나이다.

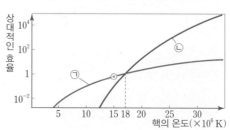

이에 대한 설명으로 옳은 것만을 〈보기〉에서 있는 대로 고른 것은?

┤ 보기 ├
ㄱ. 태양의 중심핵에서는 ㉠이 우세하다.
ㄴ. ㉠은 ㉡보다 질량이 작은 주계열성에서 우세한 반응이다.
ㄷ. 중심부의 온도가 1800만 K 이상인 주계열성은 대류핵이 형성된다.

① ㄱ ② ㄷ ③ ㄱ, ㄴ
④ ㄴ, ㄷ ⑤ ㄱ, ㄴ, ㄷ

13 그림은 공통 질량 중심 주위를 회전하는 별과 행성의 모습을 나타낸 것이다.

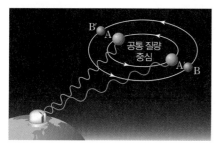

이에 대한 설명으로 옳은 것만을 〈보기〉에서 있는 대로 고른 것은?

┤ 보기 ├
ㄱ. A는 별, B는 행성이다.
ㄴ. 공통 질량 중심을 중심으로 회전하는 주기는 A가 B보다 짧다.
ㄷ. 행성의 질량이 클수록 스펙트럼에 나타난 파장 변화량이 커진다.

① ㄱ   ② ㄴ   ③ ㄱ, ㄷ
④ ㄴ, ㄷ   ⑤ ㄱ, ㄴ, ㄷ

14 그림은 외계 행성이 A에서 B로 이동하는 동안 나타난 중심별의 겉보기 밝기 변화를 나타낸 것이다.

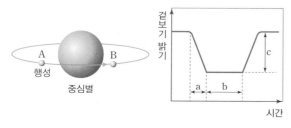

이에 대한 설명으로 옳은 것만을 〈보기〉에서 있는 대로 고른 것은?

┤ 보기 ├
ㄱ. 행성의 반지름이 클수록 a가 길어진다.
ㄴ. 중심별의 시선 속도는 b 구간에서 최대이다.
ㄷ. 중심별의 반지름이 클수록 c가 증가한다.

① ㄱ   ② ㄴ   ③ ㄱ, ㄷ
④ ㄴ, ㄷ   ⑤ ㄱ, ㄴ, ㄷ

15 그림은 두 외계 행성계 A와 B의 생명 가능 지대와 행성의 위치를 나타낸 것이다.

이에 대한 설명으로 옳은 것만을 〈보기〉에서 있는 대로 고른 것은? (단, 두 중심별은 모두 주계열성이다.)

┤ 보기 ├
ㄱ. A의 중심별은 태양보다 광도가 작다.
ㄴ. 액체 상태의 물이 존재할 수 있는 영역은 B가 태양계보다 넓다.
ㄷ. 중심별에서 행성의 단위 면적에 입사되는 에너지양은 행성 ㉠보다 ㉡이 많다.

① ㄱ   ② ㄴ   ③ ㄱ, ㄷ
④ ㄴ, ㄷ   ⑤ ㄱ, ㄴ, ㄷ

16 표 (가), (나)는 최근까지 발견된 외계 행성의 수를 행성 반지름과 중심별 질량에 따라 각각 나타낸 것이다.

행성 반지름 (지구=1)	행성 수 (개)	중심별 질량 (태양=1)	행성 수 (개)
1.25 미만	808	0.5 이하	119
1.25~2	1233	0.5~1.5	313
2~6	1542	1.5~2.5	18
6 이상	309	2.5 이상	4
(가)		(나)	

이에 대한 해석으로 옳은 것만을 〈보기〉에서 있는 대로 고른 것은?

┤ 보기 ├
ㄱ. 지구보다 크기가 작은 행성은 존재하지 않는다.
ㄴ. 중심별의 질량이 태양과 비슷한 행성계의 행성이 많이 발견되었다.
ㄷ. 발견된 외계 행성들은 대부분 생명 가능 지대에 위치한다.

① ㄱ   ② ㄴ   ③ ㄷ
④ ㄱ, ㄴ   ⑤ ㄴ, ㄷ

막대 나선 은하 헤일로
나선 은하의 회전 속도 정상 나선 은하
평탄 우주 열린 우주 렙톤
편평도 쿼크 허블 법칙
허블 상수 전파
활동 코비 위성 로브
은하 우주 배경 복사 충돌 은하 타원 은하
암흑 물질 우주 나이 중앙 팽대부 편평성 문제 허블 상수
외부 은하의 종류 원자 수소와 헬륨의 질량비
우리 은하의 모양 은하 은하 급팽창 우주론
빅뱅 우주론 원반
불규칙 은하 적색 편이 더블유맵 위성 우주 팽창
나선팔 전파 로브
허블 법칙 나선 은하
적색 편이 정상 우주론 중성 세이퍼트은하
나선팔 원자
제트 대폭발 우주론
암흑 에너지 막대 나선 은하 닫힌 우주
전파 은하 우주의 미래
보통 물질 퀘이사

단원 짚어보기

배운 내용

- ·우리 은하의 모양
- ·우리 은하의 크기
- ·우리 은하의 구성 천체
- ·우주 팽창 모형
- ·빅뱅 우주론
- ·빅뱅 우주론의 관측적 증거
- ·우주의 진화 과정

외부 은하와
우주 팽창

VI

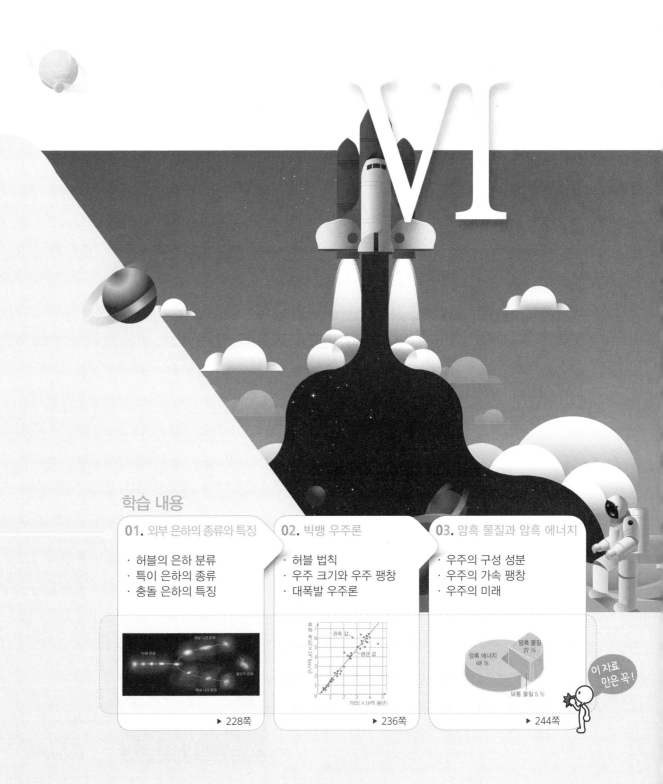

학습 내용

01. 외부 은하의 종류와 특징

· 허블의 은하 분류
· 특이 은하의 종류
· 충돌 은하의 특징

▶ 228쪽

02. 빅뱅 우주론

· 허블 법칙
· 우주 크기와 우주 팽창
· 대폭발 우주론

▶ 236쪽

03. 암흑 물질과 암흑 에너지

· 우주의 구성 성분
· 우주의 가속 팽창
· 우주의 미래

▶ 244쪽

이 자료
만은 꼭!

01 외부 은하의 종류와 특징

내 교과서는 어디에?
천재 p.181~185   금성 p.181~183
미래엔 p.182~187 비상 p.183~188 YBM p.191~197

핵심 Point ┌─── • 은하를 모양에 따라 분류하고 특징을 알아본다.
           └─── • 특이 은하의 종류를 알아보고 충돌 은하의 특징을 설명한다.

1 허블의 은하 분류

1. 허블의 은하 분류 체계 외부 은하를 모양에 따라 크게 타원 은하, 나선 은하, 불규칙 은하로 분류하였다. **❶** → 은하의 모양과 은하의 진화 사이에는 관련이 없다.

```
┌─ ▲ NGC4414  ▲ M81   ▲ NGC3310 ─┐
└──────────── 정상 나선 은하 ──────────┘
```

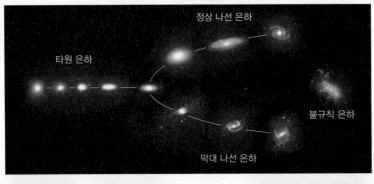

정상 나선 은하

타원 은하

불규칙 은하

막대 나선 은하

```
┌─ ▲ NGC1427A ─┐
└─── 불규칙 은하 ───┘
```

```
┌─ ▲ M87   ▲ M60 ─┐    ┌─ ▲ NGC1300 ─┐
└──── 타원 은하 ─────┘    └── 막대 나선 은하 ──┘
```

2. 나선 은하 은하 중심부에서 나선팔이 뻗어 나온 은하**❷**

① 납작한 원반 형태로, 은하핵과 나선팔을 가지고 있다.

② 은하핵을 가로지르는 막대 모양 구조의 유무에 따라 막대 나선 은하와 정상 나선 은하로 구분한다.

③ 나선팔이 감긴 정도와 은하핵의 크기에 따라 a, b, c로 다시 나눈다.

④ 나선팔에는 젊은 파란색의 별들과 성간 물질이 주로 분포하고, 은하핵에는 늙은 붉은색의 별들이 주로 분포한다.

┌───┐
│ **허블 분류 체계에서 우리 은하의 모습**
│
│ • 우리 은하를 모양에 따라 분류하면 막대 나선 은하에 속한다.
│ • 옆에서 본 모습: 중앙 팽대부, 은하 원반, 헤일로**❸**가 존재한다.
│ • 위에서 본 모습: 나선팔과 은하 중심부를 가로지르는 막대 구조가 보인다.
│ • 태양계는 은하 중심으로부터 약 8 kpc 떨어진 나선팔에 위치한다.
│
│
│ 태양 나선팔
└───┘

---

❶ 관측되는 외부 은하의 비율

현재까지 관측된 은하들은 약 77 %가 나선 은하, 20 %가 타원 은하, 3 %가 불규칙 은하이다.

셀파 콕콕 🔭

허블의 은하 분류 체계에서 은하들은 모양(형태)에 따라 분류한 것으로 진화에 따라 분류한 것이 아니다. 타원 은하보다 더 진화한 은하가 나선 은하라고 생각하지 않도록 한다.

❷ 안드로메다은하

지구로부터 약 250만 광년 떨어져 있는 우리 은하와 비슷한 규모의 외부 은하(나선 은하)이다.

❸ 헤일로

은하핵과 은하 원반을 둥글게 공 모양으로 둘러싼 영역이다. 주로 붉은색의 늙은 별들이 분포한다.

━━━ 용어 ━━━

▶ 팽대부: 나선 은하의 중심부에서 밀도가 높은 부분

3. **타원 은하** 타원 모양의 은하

① 비교적 나이가 많은 붉은색의 별들로 이루어져 있다.

② 내부에 성간 물질을 거의 갖고 있지 않아 별이 활발하게 생성되지 않는다.

③ 편평도에 따라 E0에서 E7까지 나눈다. → E0에서 E7으로 갈수록▶ 편평도가 커진다.

4. **불규칙 은하** 일정한 모양을 갖추지 않은 은하

① 성간 물질과 젊은 별을 모두 포함하고 있다.→ 늙은 별보다 젊은 별의 분포가 높다.

② 새로운 별들이 활발하게 생성되고 있다.

③ 대표적인 불규칙 은하에는 대마젤란은하와 소마젤란은하가 있다.

┃ **자료 파헤치기** ┃

은하의 분류

은하는 모양에 따라 타원 은하, 나선 은하, 불규칙 은하로 구분한다.❹ 나선 은하는 정상 나선 은하와 막대 나선 은하로 분류한다.

구분	특징
A	일정한 모양이 있는 은하
B	일정한 모양이 없는 은하 → 불규칙 은하
C	타원 은하
D	나선 은하
E	정상 나선 은하
F	막대 나선 은하

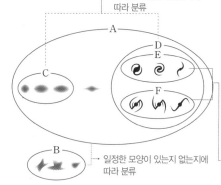

→ 나선팔이 있는지 없는지에 따라 분류

→ 일정한 모양이 있는지 없는지에 따라 분류

→ 막대 모양 구조가 있는지 없는지에 따라 분류

2 **특이 은하**

1. **전파 은하** 특이 은하들 중 강한 전파를 방출하는 은하

구조	• 중심에 핵이 있고 양쪽에 로브❺라고 불리는 거대한 돌출부가 있다. • 로브와 핵은 제트로▶ 연결되어 있다. 전파 로브 / 중심 핵 / 제트 / 전파 로브	종류	  ▲ 전파 은하 –화가자리A ▲ 전파 은하 –헤라클레스A
특징	• 로브의 크기: 눈에 보이는 은하의 수 배 정도이다. • 로브 사이의 간격: 은하 크기의 수백 배에 이른다. → 회전하는 원반에서 수직으로 뿜어져 나오는 물질이다. • 로브와 제트는 강한 X선을 방출한다. → 강한 자기장이 존재하기 때문		

 개념 확인하기

1 외부 은하를 크기와 질량에 따라 타원 은하, 나선 은하, 불규칙 은하로 분류하였다. (○ , ×)

2 허블의 분류 체계에 따르면 우리 은하는 ( )에 속한다.

3 나선 은하는 막대 구조의 유무에 따라 ( ) 나선 은하와 막대 나선 은하로 구분한다.

4 타원 은하는 ( )에 따라 E0부터 E7까지 분류한다.

5 특이 은하 중 강한 전파를 방출하는 은하를 ( ) 은하라고 한다.

5. 전파
4. 편평도
3. 정상
2. 막대 나선 은하
1. ×

2. **퀘이사** 수많은 별들로 이루어진 거대한 은하지만 너무 멀리 떨어져 있어 하나의 별처럼 보이는 은하

① 방출하는 에너지: 우리 은하의 수백~수천 배에 이른다.
　→ 작은 공간에서 많은 에너지를 방출하는 것으로 보아 퀘이사의 중심부에 블랙홀이 있을 것으로 추정된다. ❻

② 가장 멀리 있는 퀘이사: 우주 나이 10억 년 이전에 생긴 것이다. 현재 우리가 관측할 수 있는 가장 먼 거리의 천체이다.
　→ 우주 탄생 초기에 생긴 천체로, 매우 큰 적색 편이가 나타난다.

③ 크기: 태양계 정도이다.

④ 은하의 형성과 진화 등을 연구하는 데 중요한 역할을 한다.

3. **세이퍼트은하** 보통의 은하들과 비교했을 때 아주 밝은 핵과 넓은 방출선을 보이는 은하

① 대부분 나선 은하의 형태로 관측된다.
　→ 전체 나선 은하 중 약 2 %가 세이퍼트은하로 분류된다.

② 은하 중심부에 블랙홀이 있을 것으로 추정: 스펙트럼에서 넓은 방출선을 가지고 있으므로 방출원인 가스가 매우 빠른 속도로 움직이고 있기 때문이다.

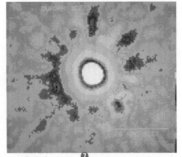

▲ 퀘이사 → X–선으로 관측하면 중심부에서 막대한 양의 에너지를 방출하고 있다. ❼

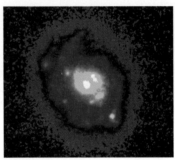

▲ 세이퍼트은하_ M77

3 충돌 은하

1. **충돌 은하** 은하가 충돌하여 생긴 은하

2. **충돌 은하의 특징**

① 은하가 충돌할 때 막대한 에너지를 방출한다. → 활동성이 강한 은하가 만들어진다.

② 두 은하가 중력의 영향으로 가까워지면 한꺼번에 많은 별을 생성시키기도 한다. ❽
새로운 항성이 탄생한다.

③ 은하가 가까이 접근해 은하 사이의 인력이 작용하여 길게 휘어진 구조물과 같은 특이한 형태가 나타나기도 한다.

▲ 충돌 은하의 모습

개념
확인하기

1 퀘이사의 중심부에서 강한 에너지가 방출되는 것으로 보아 퀘이사의 중심부에 (　　)이 있을 것으로 추정된다.

2 수많은 별들이 모여 있는 은하지만 너무 멀리 떨어져 있어 별처럼 보이는 천체는 (퀘이사 , 전파 은하 , 세이퍼트은하)이다.

3 보통의 은하보다 아주 밝은 핵과 넓은 방출선을 보이는 은하를 (　　)라고 한다.

4 은하와 은하가 충돌할 때 생긴 은하를 (　　) 은하라고 한다.

답 1. 블랙홀
2. 퀘이사
3. 세이퍼트은하
4. 충돌

목표 우주에 다양한 은하들이 존재함을 알고, 은하를 형태에 따라 분류할 수 있다.

과정

다음은 다양한 외부 은하들의 모습을 나타낸 것이다.

(가)　　　　(나)　　　　(다)　　　　(라)

(마)　　　　(바)　　　　(사)　　　　(아)

❶ 허블의 은하 분류 체계를 기준으로 (가)~(아)의 은하들을 분류해 보자.

❷ 과정 ❶에서 분류한 각 은하를 구성하는 물질에 대해 정리해 보자.

결과 및 정리

1. 은하를 형태에 따라 분류하면?
　→ 타원 은하: (가), (라)
　→ 정상 나선 은하: (다), (바)
　→ 막대 나선 은하: (마), (사)
　→ 불규칙 은하: (나), (아)

2. 각 은하를 구성하는 물질을 별의 나이와 성간 물질의 유무로 서술하면?
　→ 타원 은하는 오래된 별로 되어 있고 성간 물질이 적다.
　→ 나선 은하의 나선팔에는 성간 물질이 많고 젊은 별들이 주로 분포하고, 은하핵에는 늙은 별들이 주로 분포한다.
　→ 불규칙 은하는 비교적 젊은 별로 되어 있고 성간 물질이 많다.

같은 주제 다른 탐구

외부 은하 분류하기
그림은 허블의 은하 분류 체계를 나타낸 것이다.

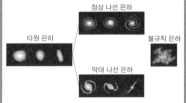

정상 나선 은하

타원 은하　　　　　불규칙 은하

막대 나선 은하

• 나선팔과 은하 원반을 갖고 있는 은하는 나선 은하이다.
• 타원 은하는 편평도(편평한 정도)에 따라 세분할 수 있다.
• 정상 나선 은하와 막대 나선 은하를 나누는 기준은 막대 구조의 유무이다.
• 나선팔이 없는 은하는 타원 은하와 불규칙 은하이다.
• 정상 나선 은하는 나선팔이 은하핵에서 시작된다.

➕ **유의점**

❶ 은하를 형태에 따라 분류해서 얻을 수 있는 결과는 크고 밝은 은하들에 제한된다.
❷ 은하를 형태만으로 분류하기에는 한계가 있음에 유의한다.

📋 시험 유형은?

❶ 허블은 외부 은하를 타원 은하, 나선 은하, 불규칙 은하로 분류하였다. 이때 분류 기준은?
▶ 은하의 모양(형태)

❷ 정상 나선 은하와 막대 나선 은하의 차이점은?
▶ 정상 나선 은하는 중심부에 막대 구조가 없고, 막대 나선 은하는 중심부에 막대 구조가 있다.

탐구 대표 문제 정답과 해설 69쪽

01 다음에서 설명하는 외부 은하의 모습으로 옳은 것은?

• 별들이 밀집되어 있는 은하핵이 있다.
• 나선팔을 가지고 있다.
• 은하 중심부에 막대 구조가 있다.

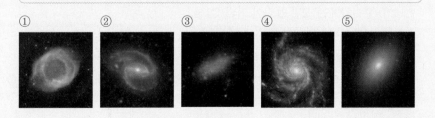

①　　　②　　　③　　　④　　　⑤

기초 탄탄 문제

정답과 해설 69쪽

핵심용어_ 이 단원에서 내가 아는 것과 아직 모르는 것을 정리하며 나의 공부를 돌아보자.

☐ 정상 나선 은하　　☐ 막대 나선 은하　　☐ 타원 은하
☐ 불규칙 은하　　　☐ 전파 은하　　　　☐ 퀘이사
☐ 세이퍼트은하　　　☐ 충돌 은하

01 허블의 은하 분류 체계에 대한 설명으로 옳지 <u>않은</u> 것은?

① 타원 은하는 둥근 정도에 따라 분류하였다.
② 정상 나선 은하는 은하핵과 나선팔을 가지고 있다.
③ 외부 은하를 진화 정도에 따라 분류하였다.
④ 나선 은하는 막대 나선 은하와 정상 나선 은하로 분류한다.
⑤ 불규칙 은하는 나선 은하나 타원 은하로 분류하기 어려운 은하이다.

02 다음은 어떤 종류의 은하의 특징을 설명한 것이다.

> 은하를 구성하는 별들이 대부분 늙은 별로 이루어져 있으며, 성간 물질이 매우 적고 고온이기 때문에 새로운 별의 탄생이 활발하지 않다.

이러한 특징이 나타나는 은하의 모습으로 옳은 것은?

① 　② 　③

④ 　⑤

03 나선 은하에 대한 설명으로 옳은 것은?

① 나선팔에는 성간 물질이 거의 없다.
② 편평도에 따라 E0에서 E7까지 나눈다.
③ 새로운 별이 거의 탄생하지 않는다.
④ 은하들의 크기는 대부분 비슷하다.
⑤ 납작한 원반 형태로 은하핵과 나선팔이 있다.

04 그림은 은하를 형태에 따라 분류한 것이다.

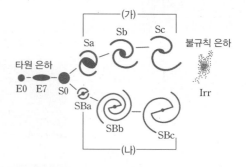

이에 대한 설명으로 옳지 <u>않은</u> 것은?

① (가)는 정상 나선 은하이다.
② (나)는 막대 나선 은하이다.
③ E0에서 E7으로 갈수록 편평도가 커진다.
④ 불규칙 은하는 규칙적인 모양을 보이지 않는다.
⑤ 타원 은하를 구성하는 별들은 은하 형성 초기보다 현재 별들이 활발하게 생성되고 있다.

05 특이 은하에 대한 설명으로 옳지 <u>않은</u> 것은?

① 전파 은하는 보통의 은하보다 수백 배 이상 강한 전파를 방출한다.
② 퀘이사는 제트로 연결된 로브가 핵의 양쪽에 대칭적으로 나타난다.
③ 퀘이사의 스펙트럼은 적색 편이가 매우 크다.
④ 세이퍼트은하는 스펙트럼에 폭이 넓은 방출선을 보인다.
⑤ 세이퍼트은하의 중심부에는 거대한 블랙홀이 있을 것으로 추정된다.

06 특이 은하와 충돌 은하에 대한 설명으로 옳지 <u>않은</u> 것은?

① 전파 은하에서 관측되는 제트는 회전하는 원반에서 수평으로 뿜어져 나오는 물질 흐름이다.
② 퀘이사의 스펙트럼은 매우 큰 적색 편이가 나타난다.
③ 세이퍼트은하는 다른 은하에 비해 중심핵이 상대적으로 매우 밝다.
④ 세이퍼트은하는 대부분 나선 은하의 형태로 관측된다.
⑤ 은하가 충돌할 때 성간 물질의 충돌에 의해 새로운 별이 생성될 수 있다.

내신 만점 문제

정답과 해설 69쪽

* ▥▥▥ 난이도를 나타냅니다.

01

그림은 외부 은하를 형태에 따라 분류한 것이다.

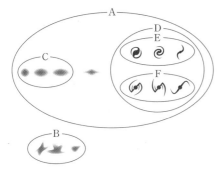

이에 대한 설명으로 옳은 것만을 〈보기〉에서 있는 대로 고른 것은?

┤ 보기 ├
ㄱ. A와 B의 분류 기준은 모양의 규칙성 여부이다.
ㄴ. C와 D의 분류 기준은 나선팔의 유무이다.
ㄷ. E와 F의 분류 기준은 은하의 회전 방향이다.

① ㄱ   ② ㄷ   ③ ㄱ, ㄴ
④ ㄴ, ㄷ   ⑤ ㄱ, ㄴ, ㄷ

02

그림은 형태가 다른 세 종류의 은하를 나타낸 것이다.

(가)   (나)   (다)

이에 대한 설명으로 옳은 것만을 〈보기〉에서 있는 대로 고른 것은?

┤ 보기 ├
ㄱ. 성간 물질이 거의 없는 은하는 (가)이다.
ㄴ. 은하의 진화 순서는 (가)-(나)-(다) 순이다.
ㄷ. 우리 은하와 가장 유사한 은하는 (다)이다.

① ㄱ   ② ㄷ   ③ ㄱ, ㄴ
④ ㄴ, ㄷ   ⑤ ㄱ, ㄴ, ㄷ

03

 그림은 여러 종류의 외부 은하를 분류한 것이다.

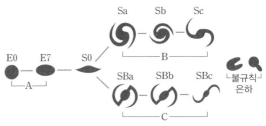

이에 대한 설명으로 옳은 것만을 〈보기〉에서 있는 대로 고른 것은?

┤ 보기 ├
ㄱ. A에서 은하 E0보다 E7의 편평도가 더 크다.
ㄴ. B의 은하는 나선팔이 감긴 정도에 따라 a, b, c로 나뉜다.
ㄷ. C의 은하들은 중심부에 막대 구조가 나타난다.

① ㄱ   ② ㄷ   ③ ㄱ, ㄴ
④ ㄴ, ㄷ   ⑤ ㄱ, ㄴ, ㄷ

04

그림은 은하를 형태에 따라 분류하는 과정을 나타낸 것이다.

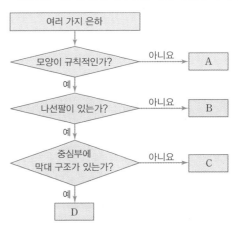

이에 대한 설명으로 옳은 것만을 〈보기〉에서 있는 대로 고른 것은?

┤ 보기 ├
ㄱ. A는 불규칙 은하이다.
ㄴ. B의 내부에는 성간 물질이 거의 없다.
ㄷ. C는 편평도에 따라 세분된다.
ㄹ. 우리 은하는 D에 해당한다.

① ㄱ, ㄴ   ② ㄴ, ㄷ   ③ ㄷ, ㄹ
④ ㄱ, ㄴ, ㄹ   ⑤ ㄴ, ㄷ, ㄹ

그림 (가), (나)는 형태가 다른 나선 은하를 나타낸 것이다.

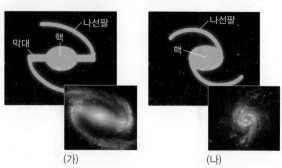

이에 대한 설명으로 옳은 것만을 〈보기〉에서 있는 대로 고른 것은?

┤ 보기 ├

ㄱ. (나)는 나선팔이 핵과 직접 연결되어 있다.

ㄴ. 우리 은하의 구조는 (가)보다 (나)에 가깝다.

ㄷ. (가)는 정상 나선 은하, (나)는 막대 나선 은하이다.

① ㄱ   ② ㄷ   ③ ㄱ, ㄴ

④ ㄴ, ㄷ   ⑤ ㄱ, ㄴ, ㄷ

06 그림 (가), (나)는 막대 나선 은하와 타원 은하를 순서 없이 나타낸 것이다.

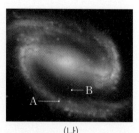

(가)   (나)

이에 대한 설명으로 옳은 것만을 〈보기〉에서 있는 대로 고른 것은?

┤ 보기 ├

ㄱ. (가)는 타원 은하이다.

ㄴ. 우리 은하는 (나)와 같은 형태에 속한다.

ㄷ. 별과 성간 물질은 B 영역보다 A 영역에 많이 모여 있다.

① ㄱ   ② ㄷ   ③ ㄱ, ㄷ

④ ㄴ, ㄷ   ⑤ ㄱ, ㄴ, ㄷ

07 그림은 우주 망원경을 사용하여 안드로메다은하를 각각 다른 파장대로 관측한 것이다.

(가) 자외선 영상   (나) 가시광선 영상   (다) 근적외선 영상

이에 대한 설명으로 옳은 것만을 〈보기〉에서 있는 대로 고른 것은?

┤ 보기 ├

ㄱ. 안드로메다은하는 나선 은하에 속한다.

ㄴ. 높은 온도의 별을 관측하기에 가장 적합한 영상은 (가)이다.

ㄷ. 관측에 이용한 파장을 짧은 것부터 순서대로 나열하면 (가) → (나) → (다)이다.

① ㄱ   ② ㄴ   ③ ㄱ, ㄷ

④ ㄴ, ㄷ   ⑤ ㄱ, ㄴ, ㄷ

08 그림은 어떤 세이퍼트은하의 스펙트럼을 나타낸 것이다.

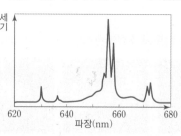

이에 대한 설명으로 옳은 것만을 〈보기〉에서 있는 대로 고른 것은?

┤ 보기 ├

ㄱ. 넓은 방출선이 관측된다.

ㄴ. 선 스펙트럼의 폭이 좁다.

ㄷ. 다른 은하들보다 중심핵 부근의 활동이 거의 일어나지 않을 것이다.

① ㄱ   ② ㄷ   ③ ㄱ, ㄴ

④ ㄴ, ㄷ   ⑤ ㄱ, ㄴ, ㄷ

09 그림 (가), (나)는 어느 전파 은하의 가시광선 영상과 전파 영상을 순서 없이 나타낸 것이다.

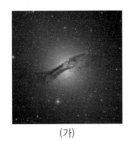 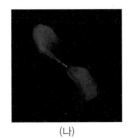

(가)　　　　　　　　(나)

이에 대한 설명으로 옳은 것만을 〈보기〉에서 있는 대로 고른 것은?

┤ 보기 ├
ㄱ. (가)는 전파 영상, (나)는 가시광선 영상이다.
ㄴ. 중심핵에서 강한 제트 분출이 있다.
ㄷ. 가시광선 영상에서 대부분 나선 은하로 관측된다.

① ㄱ　　　　② ㄴ　　　　③ ㄱ, ㄷ
④ ㄴ, ㄷ　　　⑤ ㄱ, ㄴ, ㄷ

10 그림 (가), (나)는 전파 은하 M87을 각각 가시광선과 전파로 관측한 것이다.

(가) 가시광선 영상　　　　(나) 전파 영상

이에 대한 설명으로 옳은 것만을 〈보기〉에서 있는 대로 고른 것은?

┤ 보기 ├
ㄱ. 이 은하는 강한 전파를 방출한다.
ㄴ. 중심핵에서는 제트가 분출되고 있다.
ㄷ. 가시광선 영상에서 나선 은하로 관측된다.

① ㄱ　　　　② ㄷ　　　　③ ㄱ, ㄴ
④ ㄴ, ㄷ　　　⑤ ㄱ, ㄴ, ㄷ

서술형 문제

11 표는 특이 은하 (가), (나)의 수소 방출 스펙트럼과 특징을 나타낸 것이다. (가)와 (나) 중 하나는 퀘이사이고, 다른 하나는 세이퍼트은하이다.

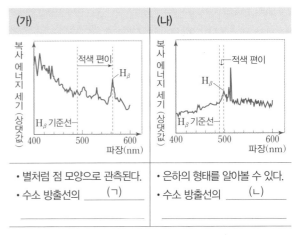

(가)	(나)
• 별처럼 점 모양으로 관측된다.	• 은하의 형태를 알아볼 수 있다.
• 수소 방출선의 　(ㄱ)	• 수소 방출선의 　(ㄴ)

(1) (가)와 (나) 은하의 종류를 각각 쓰시오.

(2) (가), (나)의 스펙트럼을 참고하여 두 은하의 대표적인 특징에 해당하는 내용으로 (ㄱ)과 (ㄴ)을 완성하시오.

12 그림은 충돌하는 나선 은하를 나타낸 것이다.

(1) 은하들이 충돌하면 은하에 속한 별들끼리는 어떻게 되는지 서술하시오.

(2) 은하의 충돌 과정에서 새로운 별이 많이 탄생하는 까닭을 서술하시오.

02 빅뱅 우주론

내 교과서는 어디에?

천재 p.186~193   금성 p.184~191

미래엔 p.188~195   비상 p.189~197   YBM p.198~210

핵심 Point
• 허블 법칙을 알아보고, 허블 상수와 우주의 나이와의 관계를 이해한다.
• 정상 우주론과 대폭발 우주론(빅뱅 우주론)의 특징을 비교한다.

---

1 허블 법칙과 우주 팽창

1. 외부 은하의 관측

① 적색 편이: 외부 은하의 스펙트럼을 조사하면 흡수선의 위치가 원래의 위치보다 파장이 긴 적색 쪽으로 이동해 있다.

→ 도플러 효과에 의해 외부 은하들이 우리 은하로부터 멀어져 가면서 나타나는 현상이다.

② 흡수선 파장의 변화량을 측정하면 후퇴 속도 V_R을 알 수 있다.

$$V_R = c \times \frac{\Delta\lambda}{\lambda_0} = cz \ (c: \text{빛의 속도}, \ z = \frac{\lambda - \lambda_0}{\lambda_0} = \frac{\Delta\lambda}{\lambda_0} \Rightarrow \text{적색 편이})$$

| 자료 파헤치기 |

외부 은하의 적색 편이

① 외부 은하의 스펙트럼에서 적색 편이가 관측된다.

→ 외부 은하는 우리 은하로부터 멀어지고 있다. → 우주 팽창을 알 수 있다.

② 멀리 있는 은하일수록 적색 편이 정도(적색 편이량)가 크다.

→ 거리가 먼 은하일수록 후퇴 속도가 빠르고, 거리가 가까운 은하일수록 후퇴 속도가 느리다.

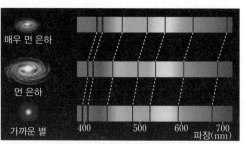

매우 먼 은하 / 먼 은하 / 가까운 별 / 400 500 600 700 파장(nm)

2. 허블 법칙

① 허블 법칙: 은하의 후퇴 속도(V_R)는 외부 은하의 거리(r)에 비례한다.

$$V_R = H \times r \ (H: \text{허블 상수})$$

• 멀리 있는 은하일수록 더 빨리 멀어진다.

• 멀리 있는 은하일수록 적색 편이량이 더 크게 나타난다.

② 허블 상수(H): 71 ± 4 km/s/Mpc이다.[1]

3. 우주 팽창

① 우주 팽창: 우주 공간이 팽창하여 은하 사이의 거리가 멀어지고 있다.

② 우주 팽창의 중심: 우주 공간 자체가 팽창하므로 우주 팽창의 중심은 없다.

• 외부 은하는 서로 멀어지고 있다.

• 우리 은하가 우주의 중심이 아니며 팽창하는 우주에 특별한 중심은 없다.

• 어떤 은하에서 관측해도 다른 은하가 자신이 속한 은하로부터 멀어지는 것처럼 관측된다.

③ 우주 크기[2]: 우리 은하로부터 멀리 있는 은하일수록 후퇴 속도가 크다. 관측 가능한 은하 중에서 가장 멀리 있는 은하는 빛의 속도 c로 멀어질 것이다. 관측 가능한 우주의 크기를 R이라고 하면, $V_R = Hr$, $c = HR$, $\therefore R = \frac{c}{H}$이다.

후퇴 속도(×10⁴ km/s) 그래프: 관측 값 / 평균 값 / 거리(×10억 광년)

▲ 허블 법칙
우리 은하에서 1 Mpc만큼 떨어진 외부 은하의 후퇴 속도는 71 ± 4 km/s이다.

---

❶ 허블 상수 값이 달라지는 까닭

관측 기술의 발달로 이전보다 더 멀리 떨어져 있는 은하들의 거리와 후퇴 속도 자료가 관측되기 때문이다.

❷ 우주의 나이

• 우주가 태어나면서부터 모든 은하가 일정한 속도로 멀어지기 시작했다면, 은하가 멀어지기 시작한 시간은 우주의 나이가 된다.

• 허블 상수를 구하면 우주의 나이를 알 수 있다. 우주의 나이($\frac{1}{H}$)는 허블 상수의 역수이다.

셀파 콕콕

외부 은하의 적색 편이로부터 알 수 있는 사실을 기억하자.

• 우리 은하로부터 멀어지면 적색 편이가 나타나고, 가까워지면 청색 편이가 나타난다.

• 스펙트럼의 편이 현상으로 지구와의 거리가 멀어지고 있는지 가까워지고 있는지를 알 수 있다.

• 스펙트럼 흡수선의 위치로 그 별의 구성 원소를 알 수 있다.

--- 용어 ---

▶ 후퇴 속도: 관측자로부터 멀어질 때의 빠르기이다.

풍선 모형 실험

① 고무풍선에 일정한 간격으로 동전을 붙인다.

② 고무풍선을 불어서 팽창시킨다.

• 고무풍선이 부풀어 오를 때 동전 사이의 간격은 멀어진다.

 → 은하가 팽창하면 은하 사이의 거리는 멀어진다.

• 멀리 있는 동전일수록 동전 사이의 간격이 더 많이 멀어진다.

 → 우주가 팽창하면 모든 은하들이 멀어지고, 멀리 있는 은하일수록 더 빨리 멀어진다.

• 고무풍선의 표면에서 팽창의 중심은 없다.

 → 어떤 은하에서 관측하더라도 허블 법칙이 성립한다.

고무풍선에 붙인 동전은 은하를 의미한다.

고무풍선의 표면은 우주 공간을 의미한다.

❸ 빅뱅

빅뱅은 폭발이 아니라 시공간의 팽창을 의미한다. 폭발은 공간 속의 한 점을 중심으로 물질이 퍼져나가는 것이지만, 빅뱅은 시공간 자체가 커지는 현상이며 중심이 없다.

강의 록

아인슈타인은 우주는 팽창하거나 수축하지 않고 같은 모습을 유지하며 중력에 의한 수축을 막는 어떤 힘이 우주에 존재한다고 주장하였다. 중력에 반대되는 힘을 설명하기 위해 우주 상수를 도입하였다.

2 대폭발 우주론(빅뱅 우주론)

1. 대폭발 우주론(빅뱅 우주론)

① 빅뱅: 우주는 초고온, 초고밀도 상태에서 폭발과 함께 팽창하였다. 폭발 순간을 빅뱅❸이라고 하며, 이 순간부터 시간과 공간이 존재하기 시작하였다.

② 원자 형성: 빅뱅 이후 팽창으로 우주 온도가 낮아지면서 기본 입자❹들이 나타나 수소 원자핵을 형성하였고, 핵융합으로 헬륨핵이 형성되었다. 그 후 원자핵은 전자와 결합하여 중성 원자를 형성하였다.

2. 정상 우주론❺과 대폭발 우주론(빅뱅 우주론)

구분	정상 우주론	대폭발 우주론(빅뱅 우주론)
물질 생성	우주가 팽창하며 그 사이의 공간에 새로운 물질이 생성되었다.	빅뱅 초기 기본 입자의 생성 후 질량을 가지는 물질의 생성이 멈추었다.
우주 팽창		
우주 크기와 밀도	크기는 점점 커지고, 밀도는 일정하다.	크기는 점점 커지고, 밀도는 점점 줄어든다.

❹ 기본 입자의 종류

• 쿼크: 양성자, 중성자 등의 무거운 입자를 만드는 기본 입자이다. 단독으로 존재하지 않는다.

• 렙톤: 단독으로 존재하며 비교적 가벼운 입자이다. 렙톤의 예로는 전자가 있다.

❺ 정상 우주론

• 우주가 팽창할 때 그 안에서 새로운 물질이 생성되어 우주의 밀도가 항상 일정하게 유지된다.

• 무한대의 우주가 시작도 끝도 없이 영원히 존재한다.

• 우주 배경 복사를 설명할 수 없다.

3 대폭발 우주론(빅뱅 우주론)의 증거

1. 우주 배경 복사 관측

대폭발 우주론의 가장 확실한 증거이다.

① 우주 배경 복사: 빅뱅 이후 우주 나이가 약 38만 년일 때 우주가 투명해지면서 우주 전체에 퍼진 복사 흔적이다. 당시 우주 온도가 약 3000 K으로, 이때 우주를 채우고 있던 복사가 우주 팽창으로 파장이 길어져 현재 2.7 K 복사로 관측된다.

━━ 용어 ━━

▶ 기본 입자: 더 이상 분해되지 않는 입자이다.

개념 확인하기

1 외부 은하의 스펙트럼에서는 적색 편이가 나타난다. (○ , ×)

2 외부 은하들의 후퇴 속도는 거리에 관계없이 일정하게 나타난다. (○ , ×)

3 허블 상수의 역수는 우주의 ( )에 해당한다.

4 우주가 고온, 고밀도의 한 점으로부터 팽창하였다는 우주론은 (정상 우주론 , 대폭발 우주론)이다.

5 우주 나이가 약 38만 년일 때 우주 전체에 퍼진 복사 흔적을 (우주 배경 복사 , 빅뱅)(이)라고 한다.

답
1 ○
2 ×
3 나이
4 대폭발 우주론
5 우주 배경 복사

② 우주 배경 복사 관측: 펜지어스와 윌슨은 최초로 우주 배경 복사를 발견하였다. 그 후 코비(COBE) 위성과 더블유맵(WMAP) 위성을 이용하여 정밀한 관측이 이루어졌다.

> ┌ 통신 위성용 전파 안테나를 이용

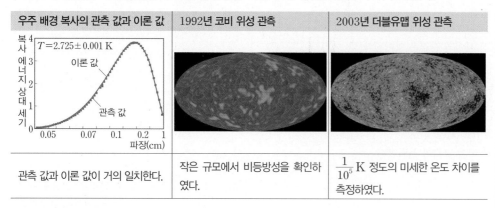

우주 배경 복사의 관측 값과 이론 값	1992년 코비 위성 관측	2003년 더블유맵 위성 관측
관측 값과 이론 값이 거의 일치한다.	작은 규모에서 비등방성을 확인하였다.	$\frac{1}{10^5}$ K 정도의 미세한 온도 차이를 측정하였다.

2. 수소와 헬륨의 질량비

① 가벼운 원소의 비율: 우주를 구성하는 물질 대부분은 수소와 헬륨이며, 질량비는 약 3 : 1이다.
② 현재 우주에 존재하는 대부분의 헬륨은 빅뱅 직후 최초 3분 동안 형성된 것으로 추정하고 있다.[6]

> 자료 파헤치기

초기 우주에서 원소의 핵합성

① 빅뱅 후 약 0.1초(온도 10^{10} K)에 기본 입자들이 양성자와 중성자를 형성하였다.
→ 양성자 수는 중성자 수보다 약간 많았다.
② 빅뱅 직후 1초가 지나면서 양성자와 중성자의 개수 비는 7 : 1이 되었다.
③ 3분이 되었을 때 수소와 헬륨 원자핵의 질량비는 약 3 : 1이 되었다.

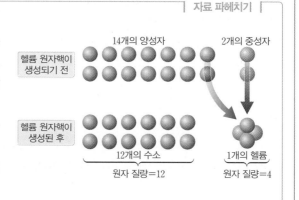

14개의 양성자   2개의 중성자
헬륨 원자핵이 생성되기 전

헬륨 원자핵이 생성된 후
12개의 수소   1개의 헬륨
원자 질량=12   원자 질량=4

4 급팽창 우주론

1. 급팽창 우주론(인플레이션[7] 이론)
빅뱅 직후 극히 짧은 시간 동안 우주가 급격히 팽창했다는 이론이다. 대폭발 우주론이 해결하지 못한 몇 가지 문제들을 해결해 주었다.

2. 편평성 문제와 지평선 문제

① 편평성 문제: 관측 결과에 따르면 우주 공간은 편평하다. → 빅뱅 순간 우주가 편평하지 않더라도 급팽창으로 현재 관측 가능한 우주는 편평해질 수 있다.

급팽창 전에는 우주의 크기가 우주의 지평선보다 작았다.
급팽창 후에는 우주의 크기가 우주의 지평선보다 크다. (대폭발 우주론)
급팽창
예전 모형
우주의 크기 규모
급팽창 모형
시간(초)

② 지평선 문제: 우주 지평선의 정반대 방향(서로에게 영향을 주고받을 수 없는 위치)에서 오는 우주 배경 복사가 균질하다. → 우주 탄생 초기 급팽창이 일어나기 전에는 크기가 작아 정보를 충분히 교환할 수 있었다.

---

❻ 헬륨보다 무거운 원소
· 헬륨보다 무거운 원소의 합성은 우주가 팽창함에 따라 온도가 낮아져서 일어날 수 없었다.
· 현재 관측되는 헬륨보다 무거운 원소들은 모두 별의 진화 과정에서 생성된 것이다.

강의 콕
우주 배경 복사의 분포는 대체로 균일하지만 완전히 균일하지는 않다. 초기 우주에 미세하게 물질의 밀도 차이가 있었고, 이 밀도 차로 중력 차가 생겨 물질이 모일 수 있었다. 이후 별과 은하 등 우주의 구조를 형성하였다.

❼ 인플레이션
빅뱅이 일어난 지 $10^{-35} \sim 10^{-32}$초 사이에 우주는 급격히 팽창하였다. 이때 팽창은 빛보다 빠른 속도였으며, 우주 크기는 10^{50}배 이상 커졌다.

용어
▶ 우주 지평선: 빅뱅 이후 빛이 지구에 도달할 수 있는 지역과 도달할 수 없는 바깥 지역 사이의 경계이다. 지평선 안쪽 영역을 '관측 가능한 우주'라고 한다.

개념 확인하기

1 대폭발 우주론을 뒷받침하는 관측적 증거로는 (우주 배경 복사 , 수소와 헬륨의 비율 , 외부 은하의 적색 편이)가(이) 있다.

2 급팽창 우주론으로 빅뱅 우주론의 몇 가지 모순점을 해결할 수 있었다. (○ , ×)

답 1. 우주 배경 복사, 수소와 헬륨의 비율, 외부 은하의 적색 편이
2. ○

같은 주제 다른 탐구

외부 은하의 후퇴 속도와 거리
그림은 외부 은하의 모습과 스펙트럼을 나타 낸 것이다.

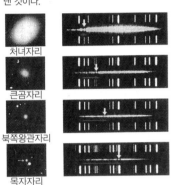

처녀자리

큰곰자리

북쪽왕관자리

목자자리

은하의 후퇴 속도를 계산하여 그래프에 나타 내면 다음과 같다.

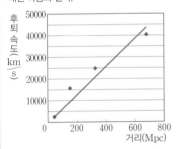

유의점

❶ 파장의 변화량($\Delta\lambda = \lambda - \lambda_0$)을 구하면 적색 편이량$\left(z = \dfrac{\Delta\lambda}{\lambda_0}\right)$을 구할 수 있다.

❷ 적색 편이량과 후퇴 속도는 다음과 같은 관계가 있다.

$$V_R = \dfrac{\Delta\lambda}{\lambda_0} \times c \ (c = 3 \times 10^5 \text{ km/s})$$

시험 유형은?

❶ 외부 은하의 거리가 멀어질수록 후퇴 속도 는 어떻게 변하는가?
▶ 후퇴 속도가 빨라진다.

❷ 은하의 후퇴 속도를 계산해서 알 수 있는 사실은?
▶ 우주는 팽창한다.

목표 외부 은하의 적색 편이를 조사하여 은하의 후퇴 속도를 계산할 수 있다.

과정

그림은 (가)~(바) 외부 은하 사진과 이들의 수소 방출 스펙트럼을 나타낸 것이다.

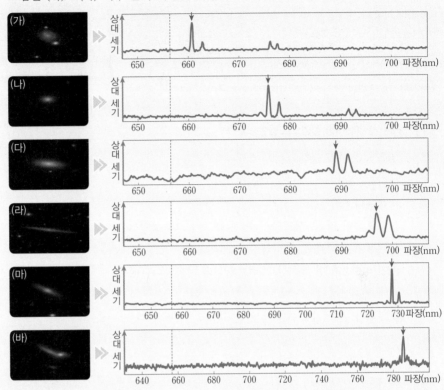

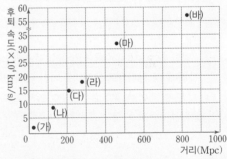

결과 및 정리

1. 그래프에서 (가)~(바)를 연결한 직 선의 기울기가 의미하는 것은?
   → 허블 상수

2. 외부 은하의 거리에 따른 적색 편 이량의 변화는?
   → 거리가 멀수록 적색 편이량이 커지고, 거 리가 가까워지면 적색 편이량이 작아진다.

3. 적색 편이량이 클수록 외부 은하의 후퇴 속도는? → 후퇴 속도는 빨라진다.

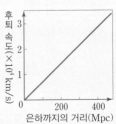

▲ (가)~(바) 은하의 후퇴 속도

탐구 대표 문제 정답과 해설 71쪽

01 그림은 은하의 후퇴 속도와 거리의 관계를 나타낸 것이다. 이에 대한 설명으로 옳지 않은 것은?

① 팽창하는 우주에서 팽창의 중심은 없다.

② 그래프의 기울기는 허블 상수를 의미한다.

③ 기울기가 클수록 우주의 팽창이 빠르다.

④ 멀리 있는 은하일수록 적색 편이 값이 작게 나타난다.

⑤ 멀리 있는 은하일수록 더 빠른 속도로 멀어진다.

기초 탄탄 문제

정답과 해설 71쪽

핵심용어_ 이 단원에서 내가 아는 것과 아직 모르는 것을 정리하며 나의 공부를 돌아보자.

- □ 허블 법칙
- □ 허블 상수
- □ 우주의 나이
- □ 적색 편이
- □ 은하의 후퇴 속도
- □ 빅뱅 우주론
- □ 대폭발 우주론
- □ 우주 배경 복사
- □ 급팽창 우주론

01 허블 법칙에 대한 설명으로 옳은 것은?

① 우리 은하가 팽창의 중심에 있다.

② 다른 은하에서 보면 은하들이 접근하는 것처럼 관측된다.

③ 가로축이 거리, 세로축이 후퇴 속도인 그래프에서 기울기는 허블 상수의 역수이다.

④ 거리가 2배 먼 은하는 스펙트럼선의 이동량이 4배가 된다.

⑤ 거리가 먼 은하일수록 적색 편이가 크게 관측된다.

02 멀리 있는 은하일수록 적색 편이가 크게 나타난다. 이 법칙을 바탕으로 은하들의 움직임을 가장 옳게 표현한 것은? (단, 화살표의 길이는 운동 속도의 크기와 방향을 나타낸 것이다.)

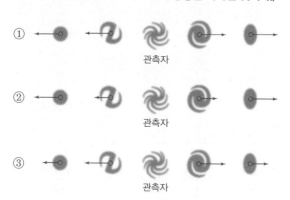

03 우주 배경 복사에 대한 설명으로 옳지 않은 것은?

① 우주 배경 복사는 빅뱅 우주론의 증거가 된다.

② 우주 배경 복사는 약 2.7 K에 해당하며, 하늘의 모든 방향에서 관측된다.

③ 우주 배경 복사는 우주 나이 약 38만 년에 자유롭게 빠져나온 빛이 관측되는 것이다.

④ 우주 배경 복사의 미세한 온도 차이는 우주의 밀도 차를 가져와 우주 거대 구조를 만들었다.

⑤ 우주 배경 복사는 쿼크가 모여 양성자와 중성자를 형성할 때 빠져나온 빛이다.

04 그림은 어떤 우주론에 근거하여 시간에 따른 우주의 변화 모습을 나타낸 것이다.

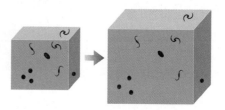

이 우주론에 대한 설명으로 옳은 것은?

① 우주의 크기는 작아지고 있다.

② 우주의 밀도는 작아지고 있다.

③ 우주의 온도는 상승하고 있다.

④ 우주의 중심은 우리 은하이다.

⑤ 우주의 에너지와 물질의 총량은 계속 증가한다.

05 우주 팽창에 대한 설명으로 옳은 것은?

① 멀리 있는 은하일수록 천천히 멀어진다.

② 팽창하는 우주의 중심은 우리 은하이다.

③ 외부 은하의 거리와 후퇴 속도는 비례 관계에 있다.

④ 빅뱅 우주론에서 예측하는 수소와 헬륨의 질량비는 약 5 : 1이다.

⑤ 우주 배경 복사는 급팽창 우주론의 확실한 근거이다.

내신 만점 문제

정답과 해설 72쪽   * ▭▭▭ 난이도를 나타냅니다.

01 그림은 지구에서 관측했을 때 은하 A, B가 멀어지고 있는 모습을 나타낸 것이다.

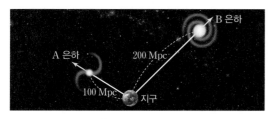

이에 대한 설명으로 옳은 것만을 〈보기〉에서 있는 대로 고른 것은?

┤ 보기 ├
ㄱ. 우주의 중심은 지구이다.
ㄴ. 은하의 후퇴 속도는 B가 A의 2배이다.
ㄷ. 적색 편이의 정도는 A보다 B가 크다.

① ㄱ   ② ㄷ   ③ ㄱ, ㄴ
④ ㄴ, ㄷ   ⑤ ㄱ, ㄴ, ㄷ

02 그림은 외부 은하 A~C의 운동 방향과 스펙트럼선의 적색 편이량(z)을 나타낸 것이다.

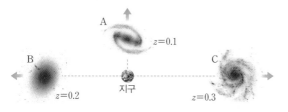

이에 대한 설명으로 옳은 것만을 〈보기〉에서 있는 대로 고른 것은?

┤ 보기 ├
ㄱ. 지구는 우주의 중심에 위치한다.
ㄴ. B는 A보다 지구로부터 더 느린 속도로 멀어진다.
ㄷ. C는 B보다 지구로부터 1.5배 먼 거리에 위치한다.

① ㄱ   ② ㄴ   ③ ㄷ
④ ㄱ, ㄴ   ⑤ ㄴ, ㄷ

03 그림은 외부 은하까지의 거리와 후퇴 속도와의 관계를 나타낸 것이다.
이에 대한 설명으로 옳은 것만을 〈보기〉에서 있는 대로 고른 것은?

┤ 보기 ├
ㄱ. 지구에서 멀리 있는 은하일수록 더 빠른 속도로 멀어지고 있다.
ㄴ. 이러한 현상이 나타나는 까닭은 은하들이 움직여 지구에서 멀어져 가고 있기 때문이다.
ㄷ. 멀리 있는 은하일수록 스펙트럼의 적색 편이가 크게 나타난다.

① ㄱ   ② ㄴ   ③ ㄱ, ㄷ
④ ㄴ, ㄷ   ⑤ ㄱ, ㄴ, ㄷ

04 그림은 A, B 천문대에서 관측한 외부 은하까지의 거리와 후퇴 속도를 나타낸 것이다.

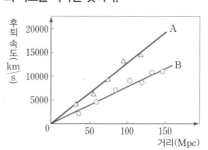

이에 대한 설명으로 옳은 것만을 〈보기〉에서 있는 대로 고른 것은?

┤ 보기 ├
ㄱ. 허블 상수는 B보다 A에서 더 크게 계산된다.
ㄴ. 우주의 나이는 B보다 A에서 구한 값이 더 크다.
ㄷ. 같은 거리에 있는 외부 은하의 적색 편이 정도는 B보다 A에서 더 작다.

① ㄱ   ② ㄷ   ③ ㄱ, ㄴ
④ ㄴ, ㄷ   ⑤ ㄱ, ㄴ, ㄷ

05 그림은 대폭발 우주론(빅뱅 우주론)의 팽창하는 우주를 나타낸 것이다.

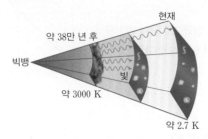

이에 대한 설명으로 옳은 것만을 〈보기〉에서 있는 대로 고른 것은?

┤ 보기 ├

ㄱ. 빅뱅 이후 우주의 평균 밀도는 점차 감소하였다.

ㄴ. 우주의 팽창으로 우주 배경 복사의 파장은 점점 짧아진다.

ㄷ. 우주 배경 복사는 우주의 온도가 약 3000 K이었을 때 방출되었다.

① ㄱ   ② ㄴ   ③ ㄱ, ㄷ

④ ㄴ, ㄷ   ⑤ ㄱ, ㄴ, ㄷ

06 다음은 자석의 배경이 흐트러지는 현상을 우주 배경 복사의 불균일성으로 비유한 실험을 나타낸 것이다.

[실험 과정] (가) 모눈종이 위에 원판 모양의 작은 자석을 일정한 간격으로 배열한다. 이때 자석끼리 붙지 않도록 조심한다.

(나) 자석 하나의 위치를 조금씩 옮겨가며 변화를 살펴본다.

[실험 결과] 자석의 위치를 조금 옮겨가자 자석끼리 갑자기 붙기도 하고 자석이 다른 자석을 밀기도 하여 일정했던 배열이 완전히 흐트러졌다.

우주 배경 복사의 불균일성이 우주의 형성 과정에 미친 영향으로 옳은 것만을 〈보기〉에서 있는 대로 고른 것은? (단, 우주에 자기장 효과는 없다.)

┤ 보기 ├

ㄱ. 중력의 효과가 상쇄되어 급격한 팽창이 일어났다.

ㄴ. 물질의 밀도가 큰 곳에서 지역적으로 뭉쳐졌다.

ㄷ. 온도 차이가 크던 우주가 균질하게 혼합되었다.

① ㄱ   ② ㄴ   ③ ㄱ, ㄷ

④ ㄴ, ㄷ   ⑤ ㄱ, ㄴ, ㄷ

07 그림은 우주의 팽창을 알아보기 위한 실험을 나타낸 것이다.

이에 대한 설명으로 옳은 것만을 〈보기〉에서 있는 대로 고른 것은?

┤ 보기 ├

ㄱ. 풍선 표면의 팽창에서 팽창의 중심이 없다.

ㄴ. 모든 은하들 사이의 거리가 서로 멀어진다.

ㄷ. 어떤 점을 기준으로 하더라도 은하까지의 거리와 후퇴 속도는 비례한다.

① ㄴ   ② ㄷ   ③ ㄱ, ㄴ

④ ㄱ, ㄷ   ⑤ ㄱ, ㄴ, ㄷ

08 다음은 어떤 우주론의 연구 내용을 소개한 것이다.

펜지어스와 윌슨은 대폭발 이후 고온의 초기 우주에서 발생된 빛의 흔적을 정밀하게 측정했다. 그 결과 그림 (가)와 같은 2.7 K의 흑체 복사에 해당하는 우주 배경 복사를 검출했다. 또한 그림 (나)와 같이 방향에 따라 우주 배경 복사가 10^{-5} K 정도의 미세한 온도 편차가 있음을 확인했다.

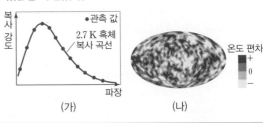

(가)   (나)

이에 대한 설명으로 옳은 것만을 〈보기〉에서 있는 대로 고른 것은?

┤ 보기 ├

ㄱ. 우주가 팽창하더라도 우주의 밀도는 일정하다.

ㄴ. 대폭발 이후 우주 배경 복사의 온도는 감소했다.

ㄷ. 우주 배경 복사는 약 2.7 K 흑체 복사에 해당된다.

ㄹ. 우주 배경 복사는 공간 분포에 미세한 차이가 없다.

① ㄱ, ㄴ   ② ㄴ, ㄷ   ③ ㄷ, ㄹ

④ ㄱ, ㄴ, ㄷ   ⑤ ㄴ, ㄷ, ㄹ

그림 (가), (나)는 우주의 팽창을 고려하여 우주의 진화를 설명하는 두 이론을 모식적으로 나타낸 것이다.

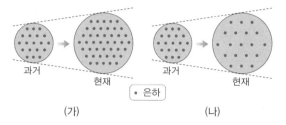

이에 대한 설명으로 옳은 것만을 〈보기〉에서 있는 대로 고른 것은?

┤ 보기 ├
ㄱ. (가)에서 우주의 질량은 일정하다.
ㄴ. (나)에서 우주의 밀도는 감소한다.
ㄷ. (나)에서 우주의 온도는 낮아진다.

① ㄱ   ② ㄷ   ③ ㄱ, ㄴ
④ ㄴ, ㄷ   ⑤ ㄱ, ㄴ, ㄷ

10 그림은 급팽창 우주론과 대폭발 우주론을 비교한 것이다.

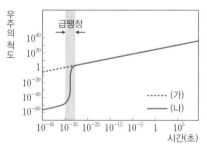

이에 대한 설명으로 옳은 것만을 〈보기〉에서 있는 대로 고른 것은?

┤ 보기 ├
ㄱ. (가)는 대폭발 우주론, (나)는 급팽창 우주론이다.
ㄴ. 급팽창 우주론은 대폭발 우주론이 해결하지 못한 편평성 문제와 지평선 문제를 해결해 주었다.
ㄷ. 급팽창 우주론에 따르면 급팽창 이전에 우주의 크기는 우주의 지평선보다 크다고 설명한다.

① ㄱ   ② ㄷ   ③ ㄱ, ㄴ
④ ㄴ, ㄷ   ⑤ ㄱ, ㄴ, ㄷ

서술형 문제

11 그림은 외부 은하 X의 스펙트럼을 비교 선 스펙트럼과 함께 나타낸 것이고, 표는 파장이 400 nm인 흡수선의 적색 편이가 일어난 양($\Delta\lambda$)과 X까지의 거리를 나타낸 것이다. (단, 빛의 속도는 3×10^5 km/s이다.)

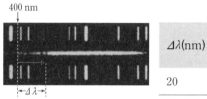

$\Delta\lambda$(nm)	X까지의 거리 (Mpc)
20	300

(1) 멀리 있는 외부 은하일수록 $\Delta\lambda$의 값은 어떻게 되는지 쓰시오.

(2) X의 후퇴 속도를 풀이 과정과 함께 쓰시오.

(3) X를 이용하여 허블 상수를 구하시오. (단, 풀이 과정과 답을 함께 쓰시오.)

12 그림은 대폭발로 시작된 우주가 시간에 따라 팽창하고 있는 모습을 나타낸 것이다.

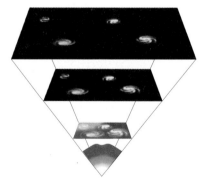

우주가 팽창함에 따라 (가) 우주의 밀도와 (나) 우주 배경 복사는 어떻게 달라질지 서술하시오.

03 암흑 물질과 암흑 에너지

내 교과서는 어디에?

천재 p.194~196   금성 p.192~196
미래엔 p.196~197   비상 p.198~201   YBM p.211~214

핵심 Point
• 우주의 구성 성분을 보통 물질, 암흑 물질, 암흑 에너지로 구분한다.
• Ia형 초신성 관측 결과를 이용하여 우주의 가속 팽창을 설명한다.

1 우주의 구성 성분❶

1. **보통 물질** 우리 주변에서 비교적 쉽게 관찰할 수 있는 대상을 구성하는 물질 ┌ 전자기파를 통해 확인
   • 가장 작은 단위는 여러 종류의 기본 입자이다.

2. **암흑 물질** 우주에서 관측되지 않는 미지의 물질
① 별과 은하를 관측하면 예상보다 큰 중력이 우주에 영향을 미치고 있다.
② 우주에는 관측되는 물질의 양보다 관측되지 않는 물질의 양이 훨씬 많다.→ 은하나 은하단에서 대부분의 질량을 차지하고 있다.
③ 암흑 물질은 표준 모형❷으로는 잘 설명되지 않는다.

| | 자료 파헤치기 |

암흑 물질의 존재 확인

나선 은하의 회전 속도 곡선	중력 렌즈 현상❸
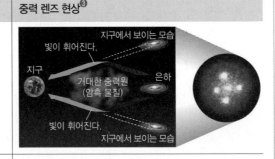	지구에서 보이는 모습 / 빛이 휘어진다. / 지구 / 거대한 중력원 (암흑 물질) / 은하 / 빛이 휘어진다. / 지구에서 보이는 모습
• 별을 비롯한 대부분의 물질이 은하 중심에 집중되어 있고, 은하 중심부에서 멀어질수록 회전 속도가 느려질 것이라고 생각하였다.	• 중력 렌즈 현상으로 하나의 퀘이사가 여러 개의 영상으로 나타난다.
• 실제 관측 결과 은하 중심에서 멀어져도 회전 속도가 거의 일정하다.	• 암흑 물질이 분포하는 곳에서는 중력 효과로 빛의 경로가 왜곡되어 관측된다.
• 은하 외곽에도 많은 양의 물질이 분포한다.	

3. 암흑 에너지와 우주의 가속 팽창

① 암흑 에너지: 우주의 팽창을 가속시키는 우주 성분
   • Ia형 초신성 관측 결과 우주는 현재 가속 팽창하고 있다.
   • 물질에 의한 중력과 반대 방향으로 척력으로 작용하는 요소가 있어야 한다.
   • 중력과 반대로 작용하면서 우주 팽창을 가속시키는 암흑 에너지의 존재가 밝혀졌다.
② Ia형 초신성 관측 결과
   • Ia형 초신성은 거의 일정한 질량에서 폭발하기 때문에 밝기가 일정하여 겉보기 밝기를 구하면 거리를 쉽게 구할 수 있다.
   • 초신성까지의 거리는 우주 팽창 속도가 일정하다고 가정한 경우보다 더 멀다.
   • 최근 우주 팽창 속도가 가속화되고 있다.
③ 우주의 가속 팽창
   • 암흑 에너지가 없다면 우주의 물질 때문에 우주는 수축해야 하지만 우주는 계속 가속 팽창하고 있다.

---

❶ **우주의 구성 성분**

암흑 에너지 68 %
암흑 물질 27 %
보통 물질 5 %

최신 연구 결과에 따라 우주의 구성 성분 사이의 비율은 바뀌고 있다.

❷ **표준 모형**

물질을 이루는 기본 입자와 입자 사이의 상호 작용으로 우주의 기본 물질들이 만들어졌다고 생각한 과학 이론이다.

❸ **중력 렌즈 현상**

물체의 중력에 의해 멀리서 오는 빛이 굴절되어 나타나는 현상이다. 관찰자와 관찰 대상(물체) 사이에 렌즈 역할을 하는 천체가 위치할 때 앞쪽 별의 중력 때문에 뒤에서 오는 별빛이 휘어져 관찰된다.

━━━ 용어 ━━━

▶ **척력**: 두 물체가 서로 밀어내는 힘으로 인력과는 반대 개념이다.

- 우주에는 물질의 중력을 합친 것보다 더 큰 암흑 에너지가 존재할 것이다.

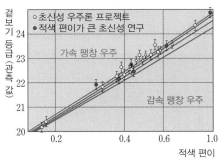

▲ Ia형 초신성 관측

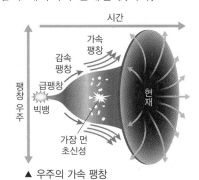

▲ 우주의 가속 팽창

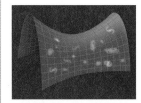

❹ 우주의 곡률

▲ 곡률이 음(−)인 구부러진 우주
 – 열린 우주

▲ 곡률이 0인 평탄 우주

▲ 곡률이 양(+)인 구형의 우주
 – 닫힌 우주

2 우주의 미래

1. **우주의 미래❹** 우주가 앞으로 팽창할지 수축할지는 우주의 밀도(물질과 에너지의 양)에 따라 결정될 것이다.

2. **열린 우주, 평탄 우주, 닫힌 우주❺**

열린 우주	평탄 우주	닫힌 우주
• 우주의 밀도가 ▶임계 밀도보다 작다(우주의 밀도＜임계 밀도). • 우주의 곡률이 음(−)인 우주이다. → 우주의 곡률＜0 • 우주는 계속해서 팽창한다.	• 우주의 밀도가 임계 밀도와 같다. (우주의 밀도＝임계 밀도) • 우주의 곡률이 0인 우주이다. → 우주의 곡률＝0 • 우주는 팽창 속도가 계속 감소하지만 팽창이 완전히 멈추지는 않는다.	• 우주의 밀도가 임계 밀도보다 크다(우주의 밀도＞임계 밀도). • 우주의 곡률이 양(+)인 우주이다. → 우주의 곡률＞0 • 우주는 팽창 속도가 점점 감소하다가 결국 수축한다.

❺ 시간에 따른 우주의 미래

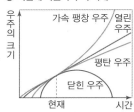

3. **최근 우주** 평탄하지만 팽창 속도가 점점 빨라지고 있다.

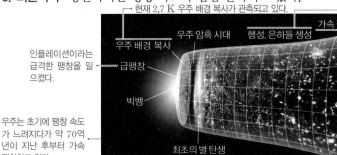

→ 현재 2.7 K 우주 배경 복사가 관측되고 있다.

인플레이션이라는 급격한 팽창을 일으켰다.

급팽창 · 빅뱅 · 우주는 초기에 팽창 속도가 느려지다가 약 70억 년이 지난 후부터 가속 팽창하고 있다.

우주 배경 복사 · 우주 암흑 시대 · 행성, 은하들 생성 · 가속 팽창

최초의 별 탄생

빅뱅 후 138억 년

인플레이션 과정에서 발생한 미세한 밀도 차이가 커져 별과 은하 등이 탄생하였다.

현재 우주의 팽창 속도는 점점 빨라지고 있다.

▲ 급팽창 우주와 가속 팽창 우주

--- 용어 ---

▶ **임계**: 어떤 물리적 현상이 전혀 다르게 나타나는 경계

▶ **임계 밀도**: 우주의 밀도에 의한 중력과 우주가 팽창하는 힘이 평형을 이룰 때의 밀도

개념 확인하기

1 Ia형 초신성 관측 결과 우주의 팽창 속도가 더 (빨라 , 느려)지고 있다.

2 우주가 가속 팽창하는 까닭은 중력과 반대 방향으로 작용하는 (   ) 에너지가 척력으로 작용하기 때문이다.

3 보통 물질, 암흑 물질, 암흑 에너지 중 현재 우주를 구성하는 비율이 가장 큰 것은 암흑 물질이다.
(○ , ×)

4 우주의 팽창을 가속시키는 우주 성분은 (   )이다.

5 암흑 에너지를 고려하지 않을 때, 우주의 미래 모습을 정하는 데 가장 중요한 물리량은 우주의 (나이 , 밀도 , 크기)이다.

6 우주의 밀도와 임계 밀도가 같아서 우주의 팽창 속도가 느려지지만 팽창이 완전히 멈추지 않는 우주는 (열린 , 닫힌 , 평탄) 우주이다.

기초 탄탄 문제

정답과 해설 74쪽

핵심용어_ 이 단원에서 내가 아는 것과 아직 모르는 것을 정리하며 나의 공부를 돌아보자.

☐ 보통 물질 ☐ 암흑 물질 ☐ 암흑 에너지
☐ 나선 은하의 회전 속도 ☐ 중력 렌즈 현상 ☐ 우주의 가속 팽창
☐ 열린 우주 ☐ 평탄 우주 ☐ 닫힌 우주

01 우주의 구성 성분에 대한 설명으로 옳지 <u>않은</u> 것은?

① 우주의 구성 성분은 크게 보통 물질, 암흑 물질, 암흑 에너지로 나눌 수 있다.

② 우주에서 가장 많은 비율을 차지하는 구성 성분은 전자기파를 방출하거나 흡수할 수 있는 물질이다.

③ 암흑 에너지는 우주의 가속 팽창을 일으키는 원인으로 추정된다.

④ 암흑 물질은 천체의 운동에 미치는 중력 효과에 의해 그 존재를 확인할 수 있다.

⑤ 우주의 구성 성분으로부터 우주의 팽창 속도를 추정할 수 있다.

02 그림은 최근 관측 자료를 바탕으로 우주의 구성 성분을 나타낸 것이다.

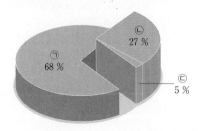

㉠~㉢에 들어갈 구성 성분을 옳게 짝 지은 것은?

	㉠	㉡	㉢
①	보통 물질	암흑 물질	암흑 에너지
②	보통 물질	암흑 에너지	암흑 물질
③	암흑 물질	보통 물질	암흑 에너지
④	암흑 에너지	암흑 물질	보통 물질
⑤	암흑 물질	암흑 에너지	보통 물질

03 그림은 어느 팽창 우주 모형에서 시간에 따른 우주의 크기를 나타낸 것이다.

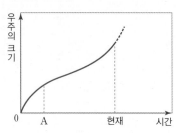

이에 대한 설명으로 옳은 것은?

① 암흑 물질은 은하 질량의 대부분을 차지한다.

② A 시기의 우주 팽창률은 현재보다 빨랐다.

③ 암흑 에너지는 우주의 팽창을 가속시키는 물질이다.

④ 현재 우주는 물질에 의한 수축 효과가 암흑 에너지에 의한 팽창 효과보다 더 우세하다.

⑤ 현재 우주의 크기는 A 시기보다 작다.

04 우주의 가속 팽창에 대한 설명으로 옳지 <u>않은</u> 것은?

① 우주가 암흑 물질로만 채워졌다면 지금과 같은 가속 팽창을 할 수 없다.

② Ⅰa형 초신성 관측 결과 우주의 가속 팽창을 알 수 있었다.

③ 우주의 팽창을 가속하는 우주의 성분은 암흑 에너지이다.

④ 암흑 에너지는 중력과 같은 방향으로 작용한다.

⑤ 암흑 에너지의 효과가 증가하면 우주는 더 가속 팽창할 것이다.

05 우주의 팽창과 우주의 미래에 대한 설명으로 옳지 <u>않은</u> 것은?

① 우주의 팽창 정도는 우주의 밀도에 따라 결정된다.

② Ⅰa형 초신성을 관측하여 멀리 있는 은하까지의 거리를 구할 수 있다.

③ 빅뱅 이후 우주는 계속해서 가속 팽창하고 있다.

④ 우주의 밀도와 임계 밀도가 같을 때 평탄 우주가 된다.

⑤ 우주에는 물질의 중력을 합친 것보다 더 큰 암흑 에너지가 존재할 것이다.

내신 만점 문제

정답과 해설 75쪽

* ▮▮▮ 난이도를 나타냅니다.

01 그림은 우주를 구성하는 성분의 시간에 따른 비율 변화를 예측하여 나타낸 것이다.

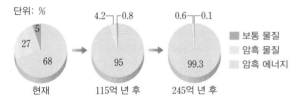

이에 대한 설명으로 옳은 것만을 〈보기〉에서 있는 대로 고른 것은?

┤ 보기 ├
ㄱ. 현재 우주에는 암흑 물질이 보통 물질보다 많다.
ㄴ. 115억 년 후에는 현재보다 우주의 팽창 속도가 빨라질 것이다.
ㄷ. 245억 년 후에는 현재보다 우주의 밀도가 커질 것이다.

① ㄱ   ② ㄷ   ③ ㄱ, ㄴ
④ ㄴ, ㄷ   ⑤ ㄱ, ㄴ, ㄷ

02 그림은 현재 우주를 구성하는 물질의 성분비를 나타낸 것이다.
A~C에 대한 설명으로 옳은 것만을 〈보기〉에서 있는 대로 고른 것은?

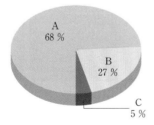

┤ 보기 ├
ㄱ. A는 우주의 가속 팽창을 일으키는 물질이다.
ㄴ. B는 전자기파를 방출하거나 흡수하는 물질이다.
ㄷ. C는 천체의 운동에 미치는 중력 효과에 의해서만 그 존재를 확인할 수 있다.

① ㄱ   ② ㄷ   ③ ㄱ, ㄴ
④ ㄴ, ㄷ   ⑤ ㄱ, ㄴ, ㄷ

03 그림은 어느 팽창 우주 모형에서 시간에 따른 우주의 크기와 우주를 구성하는 요소의 상대량을 나타낸 것이다.

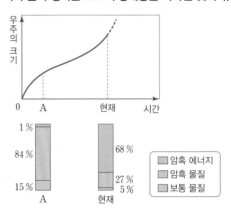

이에 대한 설명으로 옳은 것만을 〈보기〉에서 있는 대로 고른 것은?

┤ 보기 ├
ㄱ. 우주의 평균 밀도는 A 시점보다 현재가 크다.
ㄴ. 암흑 물질의 비율은 A 시점보다 현재가 크다.
ㄷ. 현재 시점에서 우주의 팽창 속도는 증가하고 있다.

① ㄱ   ② ㄷ   ③ ㄱ, ㄴ
④ ㄴ, ㄷ   ⑤ ㄱ, ㄴ, ㄷ

04 표는 우주를 구성하는 성분의 상대량을 나타낸 것이다.

구성 요소	상대량(%)
(가)	68
(나)	A
보통 물질	B

이에 대한 설명으로 옳은 것만을 〈보기〉에서 있는 대로 고른 것은?

┤ 보기 ├
ㄱ. (가)는 암흑 물질, (나)는 암흑 에너지이다.
ㄴ. A는 B보다 크다.
ㄷ. 암흑 물질은 우주를 가속 팽창시키는 원인이 된다.

① ㄱ   ② ㄴ   ③ ㄱ, ㄷ
④ ㄴ, ㄷ   ⑤ ㄱ, ㄴ, ㄷ

그림은 Ia형 초신성들의 적색 편이와 거리 지수를 나타낸 것이다.

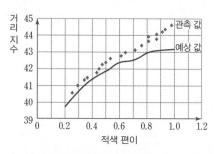

이에 대한 설명으로 옳은 것만을 〈보기〉에서 있는 대로 고른 것은? (단, 거리 지수가 클수록 외부 은하까지의 거리는 멀어진다.)

보기

ㄱ. 멀리 있는 초신성일수록 예상보다 더 가까이 있다.

ㄴ. 일정 시점부터 우주의 팽창 속도가 점점 더 빨라지고 있다.

ㄷ. 우주의 팽창을 가속하는 암흑 에너지의 존재를 알려주었다.

① ㄱ   ② ㄴ   ③ ㄱ, ㄷ
④ ㄴ, ㄷ   ⑤ ㄱ, ㄴ, ㄷ

06 그림은 Ia형 초신성(파란색 점)을 관측하여 적색 편이에 따른 거리 지수를 나타낸 것이다.

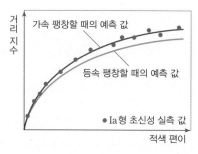

이에 대한 설명으로 옳은 것만을 〈보기〉에서 있는 대로 고른 것은?

보기

ㄱ. 적색 편이가 클수록 거리 지수가 크다.

ㄴ. 우주는 점점 빠르게 팽창하고 있다.

ㄷ. 미래에는 암흑 에너지의 역할이 점차 감소할 것이다.

① ㄱ   ② ㄷ   ③ ㄱ, ㄴ
④ ㄴ, ㄷ   ⑤ ㄱ, ㄴ, ㄷ

07 그림은 외부 은하에서 발견된 Ia형 초신성의 관측 자료와 우주 팽창을 설명하기 위한 두 모델 A와 B를, 표는 A와 B의 특징을 나타낸 것이다.

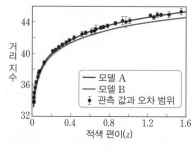

모델	특징
A	보통 물질, 암흑 물질, 암흑 에너지를 고려
B	보통 물질과 암흑 물질을 고려

이에 대한 설명으로 옳은 것만을 〈보기〉에서 있는 대로 고른 것은?

보기

ㄱ. Ia형 초신성의 최대 밝기는 거의 일정하다.

ㄴ. $z=1.2$인 Ia형 초신성의 거리 예측 값은 A가 B보다 크다.

ㄷ. 관측 자료에 나타난 우주의 팽창을 설명하기 위해서는 암흑 에너지도 고려해야 한다.

① ㄱ   ② ㄴ   ③ ㄱ, ㄷ
④ ㄴ, ㄷ   ⑤ ㄱ, ㄴ, ㄷ

08 그림 (가)~(다)는 우주 모형에 따른 공간의 곡률을 나타낸 것이다.

(가)   (나)   (다)

이에 대한 설명으로 옳은 것만을 〈보기〉에서 있는 대로 고른 것은?

보기

ㄱ. (가)에서 우주의 팽창 속도는 점점 감소한다.

ㄴ. (나)에서 우주의 크기는 계속 커진다.

ㄷ. (다)에서 우주의 밀도는 임계 밀도와 같다.

① ㄱ   ② ㄴ   ③ ㄷ
④ ㄱ, ㄴ   ⑤ ㄱ, ㄴ, ㄷ

09 그림은 서로 다른 A~D 우주 모형에서 우주의 상대적 크기를 나타낸 것이다.

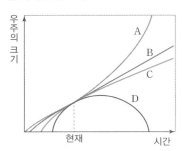

이에 대한 설명으로 옳은 것만을 〈보기〉에서 있는 대로 고른 것은?

┤ 보기 ├

ㄱ. A는 닫힌 우주이고, B는 열린 우주이다.
ㄴ. 우주의 평균 밀도는 B가 가장 크고, D가 가장 작다.
ㄷ. 빅뱅 이후 현재까지 A~D 우주는 계속 팽창하고 있다.

① ㄱ   ② ㄴ   ③ ㄷ
④ ㄱ, ㄴ   ⑤ ㄴ, ㄷ

 그림은 암흑 에너지 효과를 고려하지 않았을 때 시간에 따른 우주의 크기 변화를 예측한 세 가지 모형을 나타낸 것이다.

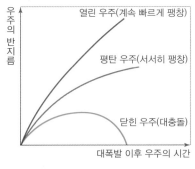

이에 대한 설명으로 옳은 것만을 〈보기〉에서 있는 대로 고른 것은?

┤ 보기 ├

ㄱ. 우주의 평균 밀도는 열린 우주가 가장 크다.
ㄴ. 평탄 우주는 팽창을 멈추고 정지한다.
ㄷ. 닫힌 우주는 수축할 것이다.

① ㄱ   ② ㄴ   ③ ㄷ
④ ㄱ, ㄴ   ⑤ ㄴ, ㄷ

서술형 문제

11 그림은 나선 은하의 회전 속도 곡선을 나타낸 것이다.

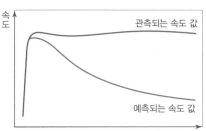

(1) 별을 비롯한 물질이 은하의 중심에 집중되어 있다고 가정하면 은하 중심부에서 멀어질수록 회전 속도는 어떻게 변하는지 예측하시오.

(2) 실제로 관측한 결과 은하 중심에서 멀어질수록 회전 속도는 어떻게 되는지 서술하시오.

(3) (2)와 같이 생각한 까닭을 우주의 구성 성분 관점에서 서술하시오.

12 그림은 어느 가속 팽창 우주 모형에서 시간에 따른 우주 구성 요소 A, B, C의 밀도를 나타낸 것이다. A, B, C는 각각 보통 물질, 암흑 물질, 암흑 에너지 중 하나이다.

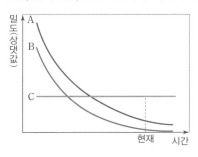

(1) 우주 구성 요소 A~C는 각각 무엇인지 쓰시오.

(2) 시간에 따른 보통 물질이 차지하는 비율과 우주에 존재하는 암흑 에너지의 총량의 변화를 서술하시오.

1. 은하의 분류

① 외부 은하를 모양에 따라 타원 은하, 나선 은하, 불규칙 은하로 분류한다.

② 은하의 모양은 은하의 진화와는 관련이 없다.

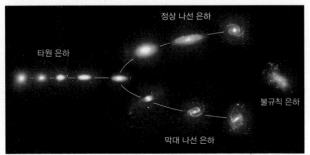

▲ 은하의 분류

2. 은하의 종류

타원 은하	• 타원 모양의 나선팔이 없는 은하 • 주로 나이가 많은 붉은색 별로 구성되어 있다. • 성간 물질이 적고 별의 탄생이 활발하지 않다. • 편평도에 따라 E0에서 E7까지 구분한다. 　예 NGC1132
나선 은하	• 은하 중심부를 나선팔이 감싸고 있는 은하 • 중심부는 주로 나이가 많은 붉은색 별로 구성되어 있다. • 나선팔에는 성간 물질이 많아 새로운 별이 태어나고 주로 나이가 젊은 파란색 별로 구성되어 있다. • 중심부에 막대 구조가 있는 막대 나선 은하와 중심부가 구형인 정상 나선 은하로 구분한다. • 나선팔이 감긴 정도와 은하핵의 크기에 따라 a, b, c로 세분된다. 　예 우리 은하, 안드로메다은하
불규칙 은하	• 특정한 모양을 갖추지 않아 나선 은하나 타원 은하로 분류하기 어려운 은하 • 주로 나이가 젊은 별을 많이 포함하고 있다. • 성간 물질이 많고 규모가 작다. 　예 마젤란은하

▲ 타원 은하

▲ 정상 나선 은하

▲ 막대 나선 은하

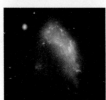

▲ 불규칙 은하

3. 특이 은하

① 전파 은하: 강한 전파를 방출하는 은하
  • 은하 중심에서 뻗어 나온 제트가 양쪽에 로브를 형성하는 대칭 구조를 이루고 있다.
  • 제트와 로브에서 강한 X선이 방출된다.

② 퀘이사: 거대한 은하지만 너무 멀리 떨어져 있어 하나의 별처럼 보이는 은하
  • 적색 편이가 매우 크게 나타난다.
  • 태양계 정도의 공간에서 모든 파장대에서 강한 에너지를 방출한다.

③ 세이퍼트은하: 중심부에서 매우 강한 방출선을 보이는 은하로, 대부분 나선 은하로 관측된다.
  • 방출선의 스펙트럼이 넓게 나타난다.
  • 중심부에 블랙홀의 존재 추정

4. 충돌 은하

① 은하가 중력의 영향으로 충돌하는 과정에서 형성된다.

② 충돌 은하에서 성간 물질의 밀도가 높아지고 새로운 별들이 탄생한다.

③ 은하의 충돌과 병합 과정을 통해 은하의 질량은 증가하고 더 큰 은하가 형성된다.

5. 허블 법칙

① 은하의 적색 편이량를 통해 후퇴 속도를 계산할 수 있다.

$$v = c \times \frac{\Delta \lambda}{\lambda} \begin{pmatrix} v: \text{은하의 후퇴 속도} \\ \lambda: \text{흡수선의 파장} \\ \Delta\lambda: \text{흡수선 파장의 변화량} \\ c: \text{광속}(3 \times 10^5 \, \text{km/s}) \end{pmatrix}$$

② 은하의 후퇴 속도는 은하의 거리에 비례한다.

$$v = H \cdot r$$
$$\begin{pmatrix} H: \text{허블 상수} \\ r: \text{은하까지 거리} \end{pmatrix}$$

③ 우주가 탄생한 이후 일정한 광속(c)으로 팽창하였다면 우주의 크기(R)와 나이(t)는 다음과 같다.

▲ 허블 법칙

$$\cdot R = \frac{c}{H} \qquad \cdot t = \frac{1}{H}$$

6. 대폭발 우주론(빅뱅 우주론)과 정상 우주론

대폭발 우주론(빅뱅 우주론)	정상 우주론
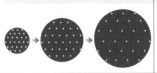	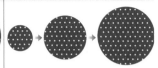
• 우주가 팽창하며, 천체와 천체 사이의 거리가 멀어진다. • 우주의 밀도와 온도는 계속 감소한다. • 에너지와 물질의 총량은 일정하게 유지된다.	• 우주가 팽창하며, 그 사이의 공간에 새로운 물질이 생성되었다. • 우주의 밀도와 온도는 일정하게 유지된다. • 시간이 지남에 따라 우주의 물질과 에너지는 증가한다.

7. 빅뱅 우주론의 증거 – 우주 배경 복사

- 대폭발 이후 38만 년이 되었을 때 전자와 원자핵이 원자를 형성하면서 빛이 우주 공간으로 퍼졌다.
- 원자 형성 당시 퍼져나간 3000 K의 흑체 복사가 현재는 파장이 길어져 우주 배경 복사로 관측될 것이다.

• 관측 결과: 모든 방향에서 2.7 K의 흑체 복사가 관측된다.

8. 빅뱅 우주론의 증거 – 수소와 헬륨의 질량비(약 3 : 1)

- 대폭발이 일어나기 전 모든 물질과 에너지는 작은 공간에 모여 있었다.
- 대폭발이 일어나면서 기본 입자가 생성되었다.
- 기본 입자가 물질을 형성할 때, 수소와 헬륨은 3:1의 질량비로 형성되었고 헬륨보다 무거운 물질은 거의 만들어지지 않았다.

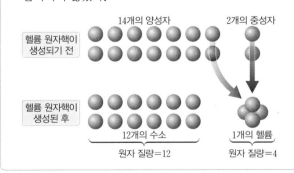

• 관측 결과: 우주 공간에 존재하는 원소들의 흡수 스펙트럼을 분석한 결과 수소와 헬륨이 약 3 : 1의 질량비로 존재한다.

9. 빅뱅 우주론의 한계

① 빅뱅 우주론의 문제
- 우주의 지평선 문제
- 우주의 평탄성 문제(편평성 문제)

② 급팽창 우주론: 우주 탄생 직후 우주는 광속보다 빠르게 팽창하였다. 현재 우주의 크기는 우주의 지평선보다 크다.

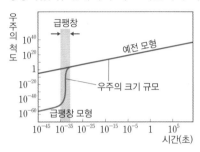

③ 가속 팽창 우주: 우주의 팽창 속도가 점점 빨라지고 있다.

10. 우주의 구성 성분

보통 물질	• 비교적 쉽게 관찰할 수 있는 대상을 구성하는 물질이다.
암흑 물질	• 관측되지 않지만 주위에 중력을 미치고 있어 존재를 추정할 수 있는 물질이다. • 암흑 물질은 우주 질량의 대부분을 차지한다.
암흑 에너지	• 우주를 팽창시키는 원인이 되는 에너지이다.
구성 비율	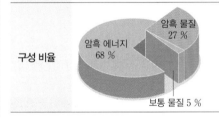

11. 우주의 미래

① 표준 우주 모형: 급팽창 이론을 포함한 빅뱅 우주론에 암흑 에너지까지 포함한 우주론

② 미래 우주 모형
- 열린 우주: 우주의 밀도 < 임계 밀도
- 닫힌 우주: 우주의 밀도 > 임계 밀도
- 평탄 우주: 우주의 밀도 = 임계 밀도

▲ 열린 우주　　　▲ 닫힌 우주　　　▲ 평탄 우주

01 그림 (가)~(라)는 여러 가지 외부 은하를 나타낸 것이다.

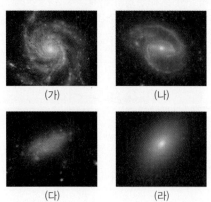

(가) (나)

(다) (라)

이에 대한 설명으로 옳은 것만을 〈보기〉에서 있는 대로 고른 것은?

│ 보기 │
ㄱ. (가)와 (나)에는 나선팔이 있다.
ㄴ. (다)는 모양이 일정하지 않은 타원 은하이다.
ㄷ. (가)~(라) 중 성간 물질은 (라)에 가장 많이 분포한다.

① ㄱ ② ㄴ ③ ㄷ
④ ㄱ, ㄴ ⑤ ㄴ, ㄷ

02 그림 (가), (나)는 서로 다른 두 은하의 가시광선 영상을 나타낸 것이다.

(가) (나)

이에 대한 설명으로 옳은 것만을 〈보기〉에서 있는 대로 고른 것은?

│ 보기 │
ㄱ. 파란색 별은 (가)보다 (나)에 많다.
ㄴ. (가)가 진화하면 나선팔이 형성된다.
ㄷ. 성간 물질은 (가)보다 (나)에 많이 분포한다.

① ㄱ ② ㄴ ③ ㄱ, ㄷ
④ ㄴ, ㄷ ⑤ ㄱ, ㄴ, ㄷ

03 그림은 퀘이사 3C 273의 가시광선 사진과 스펙트럼의 이동을 나타낸 것이다.

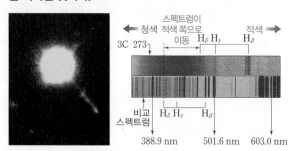

이에 대한 설명으로 옳은 것만을 〈보기〉에서 있는 대로 고른 것은?

│ 보기 │
ㄱ. 퀘이사는 수많은 별로 이루어진 은하이다.
ㄴ. 청색 편이 값이 크게 관측된다.
ㄷ. 스펙트럼선의 편이 값으로 퀘이사인지 판단한다.

① ㄱ ② ㄴ ③ ㄱ, ㄷ
④ ㄴ, ㄷ ⑤ ㄱ, ㄴ, ㄷ

04 그림 (가)는 자외선 영상으로 관측한 세이퍼트은하를 나타낸 것이고, (나)는 이 은하의 스펙트럼을 나타낸 것이다.

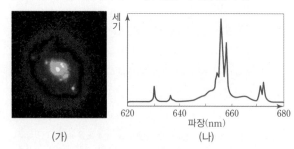

(가) (나)

이에 대한 설명으로 옳은 것만을 〈보기〉에서 있는 대로 고른 것은?

│ 보기 │
ㄱ. 중심핵이 매우 밝다.
ㄴ. 중심핵에서 강한 방출선을 내보낸다.
ㄷ. 중심핵 부근의 뜨거운 성운이 빠르게 회전하고 있다.

① ㄱ ② ㄷ ③ ㄱ, ㄴ
④ ㄴ, ㄷ ⑤ ㄱ, ㄴ, ㄷ

05 표는 외부 은하의 거리에 따른 적색 편이를 나타낸 것이다.

은하	사진	거리(Mpc)	스펙트럼
A		17	
B		210	
C		560	

이에 대한 설명으로 옳은 것만을 〈보기〉에서 있는 대로 고른 것은? (단, 화살표는 흡수선의 편이량 크기이다.)

┤ 보기 ├
ㄱ. 후퇴 속도가 가장 빠른 은하는 A이다.
ㄴ. 적색 편이가 가장 큰 은하는 C이다.
ㄷ. 거리가 먼 은하일수록 적색 편이가 크게 나타난다.

① ㄱ ② ㄷ ③ ㄱ, ㄴ
④ ㄴ, ㄷ ⑤ ㄱ, ㄴ, ㄷ

06 표는 우리 은하로부터 먼 거리에 있는 은하까지의 거리와 적색 편이량을 나타낸 것이고, 그림은 우주 팽창과 관련한 풍선 모형을 나타낸 것이다.

은하	거리 (Mpc)	적색 편이량 ($\times 10^{-4}$)
A	10.1	17
B	12.9	22
C	22.1	37
D	30.1	57

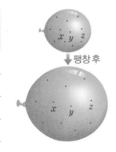

이에 대한 설명으로 옳은 것만을 〈보기〉에서 있는 대로 고른 것은? (단, x, y, z는 풍선 표면에 위치한 세 점이다.)

┤ 보기 ├
ㄱ. 은하 A~D는 우리 은하로부터 멀어지고 있다.
ㄴ. 멀리 있는 은하일수록 적색 편이량이 크다.
ㄷ. 풍선이 팽창할 때 x로부터 멀어지는 속력은 y가 z 보다 크다.

① ㄱ ② ㄷ ③ ㄱ, ㄴ
④ ㄴ, ㄷ ⑤ ㄱ, ㄴ, ㄷ

07 그림 (가)는 외부 은하의 스펙트럼을, 그림 (나)는 외부 은하의 거리와 후퇴 속도의 관계를 나타낸 것이다. 분광 관측 결과 파장이 410 nm인 어떤 흡수선이 418.2 nm에 나타났다. (단, 후퇴 속도는 $c \times \dfrac{\lambda - \lambda_0}{\lambda_0}$이고, 빛의 속도($c$)는 3×10^5 km/s이다.)

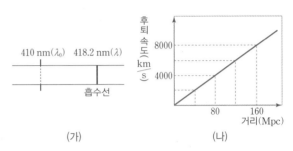

(가)　　　　　(나)

이에 대한 설명으로 옳은 것만을 〈보기〉에서 있는 대로 고른 것은?

┤ 보기 ├
ㄱ. 이 은하는 우리 은하로부터 6000 km/s로 멀어지고 있다.
ㄴ. 허블 상수 H는 1000 km/s/Mpc이다.
ㄷ. 거리가 먼 은하일수록 후퇴 속도가 커지는 것은 우주가 팽창하고 있음을 의미한다.

① ㄱ ② ㄴ ③ ㄱ, ㄷ
④ ㄴ, ㄷ ⑤ ㄱ, ㄴ, ㄷ

08 그림은 어떤 우주론의 변화 모습을 상상하여 나타낸 것이다.

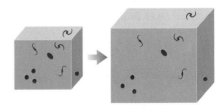

이에 대한 설명으로 옳은 것만을 〈보기〉에서 있는 대로 고른 것은?

┤ 보기 ├
ㄱ. 우리 은하는 우주의 중심에 있다.
ㄴ. 우주의 크기는 커지고, 우주의 밀도는 작아진다.
ㄷ. 모든 은하의 후퇴 속도는 일정하다.

① ㄱ ② ㄴ ③ ㄱ, ㄷ
④ ㄴ, ㄷ ⑤ ㄱ, ㄴ, ㄷ

09 그림은 은하 A에서 외부 은하들을 관측하여 각 은하들의 후퇴 속도(km/s)를 나타낸 것이다.

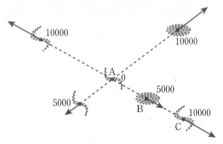

이에 대한 설명으로 옳은 것만을 〈보기〉에서 있는 대로 고른 것은?

┃보기┃

ㄱ. A는 우주의 중심이다.

ㄴ. B에서 C를 관측하면 청색 편이가 관측된다.

ㄷ. 외부 은하까지의 거리가 멀수록 후퇴 속도는 빠르다.

① ㄱ   ② ㄷ   ③ ㄱ, ㄴ

④ ㄴ, ㄷ   ⑤ ㄱ, ㄴ, ㄷ

10 그림은 천문학자 A, B가 구한 허블 상수 값을 나타낸 것이다.

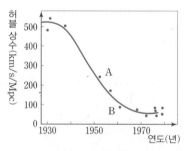

이에 대한 설명으로 옳은 것만을 〈보기〉에서 있는 대로 고른 것은?

┃보기┃

ㄱ. 허블 상수(H) $= \dfrac{\text{후퇴 속도}}{\text{외부 은하의 거리}}$ 의 관계에 있다.

ㄴ. A가 구한 값보다 B가 구한 값이 더 큰 것은 우주의 크기와 우주의 나이이다.

ㄷ. 지구에서 같은 속도로 멀어지는 외부 은하까지의 거리는 A가 구한 값이 B가 구한 값보다 더 크다.

① ㄱ   ② ㄷ   ③ ㄱ, ㄴ

④ ㄴ, ㄷ   ⑤ ㄱ, ㄴ, ㄷ

11 그림 (가)는 팽창 우주론을 모형으로 나타낸 것이고, (나)는 코비 위성에서 관측한 2.7 K의 우주 배경 복사 에너지 세기를 나타낸 것이다.

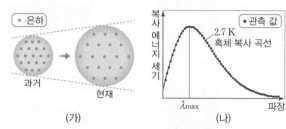

이에 대한 설명으로 옳은 것만을 〈보기〉에서 있는 대로 고른 것은?

┃보기┃

ㄱ. (가)에서 우주의 밀도는 증가한다.

ㄴ. (가)에서 우리 은하는 우주의 중심에 있다.

ㄷ. (나)의 복사는 하늘의 모든 방향에서 관측된다.

① ㄱ   ② ㄴ   ③ ㄷ

④ ㄱ, ㄴ   ⑤ ㄴ, ㄷ

12 그림은 우주 배경 복사의 파장에 따른 복사 강도를 나타낸 것이다.

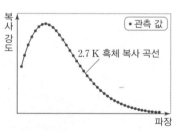

이에 대한 설명으로 옳은 것만을 〈보기〉에서 있는 대로 고른 것은?

┃보기┃

ㄱ. 우주 배경 복사는 빅뱅 우주론의 증거가 된다.

ㄴ. 우주 배경 복사가 방출되었던 시기에 우주의 온도는 2.7 K이었다.

ㄷ. 복사 강도가 최대인 파장은 우주 탄생 초기보다 현재가 짧다.

① ㄱ   ② ㄴ   ③ ㄷ

④ ㄱ, ㄴ   ⑤ ㄴ, ㄷ

13 그림 (가), (나)는 우주 배경 복사를 관측한 것이다.

(가) 지상 망원경   (나) WMAP 위성

이에 대한 설명으로 옳은 것만을 〈보기〉에서 있는 대로 고른 것은?

┃ 보기 ┃

ㄱ. 전파 영역에서 관측한 것이다.

ㄴ. 초기 우주 상태를 유추할 수 있다.

ㄷ. (가)는 (나)보다 더 정밀하게 관측된 것이다.

① ㄱ   ② ㄷ   ③ ㄱ, ㄴ

④ ㄴ, ㄷ   ⑤ ㄱ, ㄴ, ㄷ

14 그림은 시간에 따른 우주 진화 과정 중 우주의 나이 38만 년 (A) 이전과 이후의 우주 상태를 나타낸 것이다.

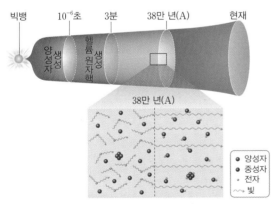

A 시기에 일어난 현상으로 옳은 것만을 〈보기〉에서 있는 대로 고른 것은?

┃ 보기 ┃

ㄱ. 우주의 온도가 이전보다 높아졌다.

ㄴ. 원자핵이 전자와 결합하였다.

ㄷ. 우주 배경 복사가 방출되었다.

① ㄱ   ② ㄷ   ③ ㄱ, ㄴ

④ ㄴ, ㄷ   ⑤ ㄱ, ㄴ, ㄷ

15 그림은 빅뱅 이후 시간에 따른 우주의 진화 과정을 나타낸 것이다.

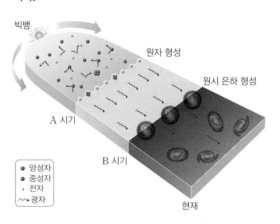

이에 대한 설명으로 옳은 것만을 〈보기〉에서 있는 대로 고른 것은?

┃ 보기 ┃

ㄱ. 빅뱅 이후 우주의 크기는 감소하였다.

ㄴ. 우주 배경 복사는 A와 B 중 A 시기에 방출되었다.

ㄷ. 우주의 온도는 현재가 B 시기보다 낮다.

① ㄱ   ② ㄷ   ③ ㄱ, ㄴ

④ ㄴ, ㄷ   ⑤ ㄱ, ㄴ, ㄷ

16 그림 (가)는 Ia형 초신성 관측 자료를 나타낸 것이고, (나)는 우주의 가속 팽창을 나타낸 것이다.

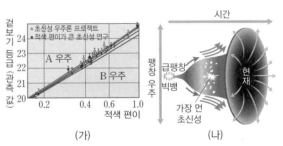

(가)   (나)

이에 대한 설명으로 옳은 것만을 〈보기〉에서 있는 대로 고른 것은?

┃ 보기 ┃

ㄱ. (가)의 A는 가속 팽창 우주, B는 감속 팽창 우주이다.

ㄴ. 빅뱅 이후 우주는 계속 가속 팽창하고 있다.

ㄷ. 우주의 팽창을 가속시키는 성분은 암흑 에너지이다.

① ㄱ   ② ㄴ   ③ ㄱ, ㄷ

④ ㄴ, ㄷ   ⑤ ㄱ, ㄴ, ㄷ

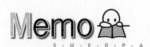

● 수험생에게 고 단 백 이란?

- 두렵지 않은 1교시
- 고효율 단기 학습
- 최신 출제 경향 반영
- 수능 국어 등급 상승

고효율 학습 단기간에 빠르게 백전백승

선택과 집중!
수능 단기 특강서

기본편 / 문학 / 현대시 / 고전시가 /
독서 / 언어와 매체 / 화법과 작문 /
고난도 독서·문학

실전 대비!
미니 모의고사

문학 / 독서 / 언어와 매체 /
화법과 작문

Sherpa

개념을 쌓아가는 기본서

고등 **셀파**

Sherpa

지구과학 I

김연귀 · 김익순 · 김진성 · 조광희

BOOK 1

개념 기본서 | **정답과 해설**

천재교육

개념을 쌓아가는 **기본서**

고등 **셀파**

정답과 해설

Sherpa

개념서 | 정답과 해설

Ⅰ 지권의 변동

01 | 대륙 이동과 판 구조론

탐구 대표 문제
p. 10

01 ①

01 ㄴ. 이 지역에서 주어진 그래프를 가로축에 대하여 대칭 이동 시키면 해령에 해당하는 지형이 존재함을 알 수 있다.

오답 피하기

ㄱ. 대륙붕은 대륙과 인접한 바다에서 수심이 200 m 이내인 지역이다. 이 자료에서는 기준점과 기준점으로부터 가장 먼 지점에서 초음파의 왕복 시간이 4초 이상이므로 양쪽으로 수심이 3000 m 이상인 지형이 존재한다. 이 지역은 대륙과 인접한 대륙붕으로 보기 어렵다.

ㄷ. 기준점으로부터의 거리가 10 km인 지점은 초음파의 왕복 시간이 가장 짧으므로 수심이 가장 얕은 곳이다.

기초 탄탄 문제
p. 13

01 ③   **02** ①   **03** ①   **04** ②   **05** ④   **06** ④

01 베게너의 대륙 이동설이 발표된 후 대륙 이동의 원동력을 설명하기 위해 맨틀 대류설이 제안되었다. 그 후 맨틀 대류에 의해 해저가 확장된다는 해저 확장설이 발표되었고, 이러한 학설들은 판 구조론이 출현할 수 있는 토대가 되었다.

02 ① 맨틀 내에서 열대류가 일어나 대륙이 이동한다는 주장은 맨틀 대류설의 내용이다.

오답 피하기

대륙 이동설에 의하면 고생대 말~중생대 초에는 여러 대륙들이 한 덩어리로 모여 판게아를 이루었고, 이후 대륙이 분리되고 이동하였다.

대륙 이동설의 증거는 다음과 같다.

해안선 모양의 유사성	아프리카 대륙 서해안과 남아메리카 대륙 동해안의 해안선 모양이 유사하다.
지질 구조의 연속성	멀리 떨어져 있는 두 대륙의 지질 구조가 연속적으로 나타난다.
같은 종의 고생물 화석 분포	멀리 떨어진 대륙에서 같은 종류의 화석이 발견된다.
빙하 흔적 분포의 연속성	고생대 후기에 쌓인 빙퇴석이나 빙하 흔적을 이어보면 남극과 연결된다.

03 ① 습곡 산맥은 판과 판이 충돌하는 조산 운동이 일어날 때 만들어졌다. 습곡 산맥의 형성은 판의 이동과 관계있으나 해저 확장의 직접적인 증거는 아니다.

오답 피하기

해저 확장설의 증거로는 해양 지각의 나이, 해저에 대칭적으로 나타나는 지자기 역전의 줄무늬, 변환 단층 등이 있다.

04 ② D−F 구간은 판이 생성되는 곳이다. 해령에서는 새로운 판이 생성된다.

오답 피하기

A−C 구간과 D−F 구간은 판과 판이 서로 멀어지고 있는 것으로 보아 발산형 경계인 해령이다. 변환 단층에 해당하는 곳은 C−D 구간이다. D−E 구간은 판의 경계가 아니므로 지진이 활발하게 일어나지 않는다.

문제 속 자료 해령 부근에서 판의 운동

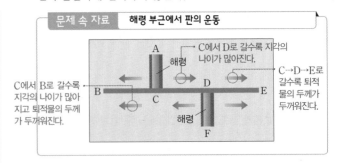

05 문제의 그림에서 B는 지각(해양 지각), D는 지각과 상부 맨틀의 일부를 포함하는 암석권, E는 암석권 아래에 분포하는 연약권이다.

06 ④ 대륙 지각을 포함하는 판을 대륙판, 해양 지각을 포함하는 판을 해양판이라고 하며, 대륙판은 해양판보다 두께가 두껍고 밀도는 작다.

오답 피하기

① 지구의 밀도는 지구 중심 쪽으로 갈수록 점점 증가한다. 암석권(판)보다 연약권의 밀도가 더 크다.

②, ⑤ 판의 두께는 100 km 정도로, 지각과 상부 맨틀의 일부를 포함한 부분이다.

③ 맨틀 대류가 일어나는 부분은 약간의 유동성을 갖는 연약권이다. 단단한 판은 맨틀 대류를 따라 이동한다.

문제 속 자료 판의 구조

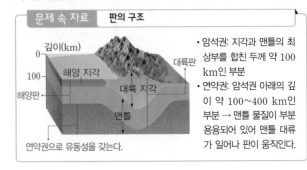

- 암석권: 지각과 맨틀의 최상부를 합친 두께 약 100 km인 부분
- 연약권: 암석권 아래의 깊이 약 100~400 km인 부분 → 맨틀 물질이 부분 용융되어 있어 맨틀 대류가 일어나 판이 움직인다.

02 정답과 해설

01 ㄱ. (가)는 맨틀 대류설, (나)는 해저 확장설, (다)는 대륙 이동설이므로 (다) → (가) → (나) 순으로 등장하였다.

ㄴ. (나)에 의하면 해령에서 생성된 해양 지각이 맨틀 대류를 따라 이동한 뒤 해구에서 침강하여 맨틀로 들어가므로, 해령에서 해구로 갈수록 해양 지각의 나이가 많아진다.

오답 피하기

ㄷ. 베게너는 대륙이 이동하였다는 여러 가지 증거를 제시하였으나 대륙 이동의 원동력을 명확하게 설명하지 못하였다.

02 ㄴ. 서로 붙어 있던 대륙이 이동한 것은 맨틀의 대류 때문이다.

오답 피하기

ㄱ. 맨틀 위에 대륙이 떠 있으므로 대륙의 밀도가 맨틀보다 작다.

ㄷ. 맨틀이 대류하기 때문에 A와 B 사이의 거리는 점점 멀어질 것이다.

03 ㄷ. 고생대 말의 빙하 퇴적층이 남아메리카, 아프리카, 오스트레일리아, 인도 등 여러 대륙에서 발견된다는 사실은 대륙 이동설의 증거가 된다. 고생대 말에 서식했던 육상 파충류인 메소사우루스 화석이 대서양을 사이에 두고 남아메리카와 아프리카 대륙에서 발견된다는 사실은 대륙 이동설의 증거가 된다.

오답 피하기

ㄱ. 고생대 말에 적도 지방의 기온이 0 ℃ 이하였다고 보기 힘들다. 고생대 말에 고위도 지방에서 생성된 빙하 퇴적층이 대륙 이동으로 현재 적도 지방에서도 발견된다고 보는 것이 타당하다.

ㄴ. 메소사우루스는 고생대 말 남아메리카 대륙과 아프리카 대륙이 하나의 대륙인 판게아로 모여 있을 당시에 육상에 서식하였다. 그 후 남아메리카 대륙과 아프리카 대륙이 분리되어 이동함에 따라 대서양을 사이에 둔 두 대륙에서 화석이 발견되는 것이다.

04 ㄱ은 대륙 이동설의 해결 방안이고, ㄴ은 해저 확장설의 해결 방안이다.

ㄱ. 판 구조론에 의하면, 연약권에서 맨틀의 대류가 일어나 그 위에 있는 암석권이 이동함으로써 대륙이 이동하게 된다.

ㄴ. 해령에서 새로운 해양 지각이 생성되는 만큼 해구에서 오래된 해양 지각이 소멸되기 때문에 해저가 무한히 확장되지는 않는다.

05 ㄴ. A의 가장 깊은 곳은 초음파의 왕복 시간이 약 10초이다. 수심 $\left(d=\frac{1}{2}v\cdot t\right)$은 초음파의 왕복 시간을 2로 나눈 값에 초음파의 속력을 곱해서 구할 수 있으므로 약 7500 m이다.

ㄷ. B는 V자형의 열곡이 발달해 있는 해령으로, 해령에서는 맨틀 대류가 상승하면서 새로운 해양 지각이 생성된다.

오답 피하기

ㄱ. A는 해구로 판의 수렴형 경계에 해당한다.

06 ㄷ. 해저 확장설은 해령에서 새로운 해양 지각이 형성되어 양쪽으로 이동하면서 확장되고, 해구에서 판이 섭입되어 소멸한다고 설명한다.

오답 피하기

ㄱ, ㄴ. 해령은 맨틀 대류가 상승하는 곳이다. 해령에서 멀어질수록 암석의 연령은 많아지고, 해저 퇴적물의 두께는 두꺼워진다.

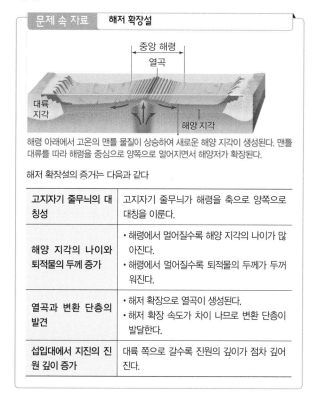

문제 속 자료   **해저 확장설**

해령 아래에서 고온의 맨틀 물질이 상승하여 새로운 해양 지각이 생성된다. 맨틀 대류를 따라 해령을 중심으로 양쪽으로 멀어지면서 해양저가 확장된다.

해저 확장설의 증거는 다음과 같다

고지자기 줄무늬의 대칭성	고지자기 줄무늬가 해령을 축으로 양쪽으로 대칭을 이룬다.
해양 지각의 나이와 퇴적물의 두께 증가	•해령에서 멀어질수록 해양 지각의 나이가 많아진다. •해령에서 멀어질수록 퇴적물의 두께가 두꺼워진다.
열곡과 변환 단층의 발견	•해저 확장으로 열곡이 생성된다. •해저 확장 속도가 차이 나므로 변환 단층이 발달한다.
섭입대에서 지진의 진원 깊이 증가	대륙 쪽으로 갈수록 진원의 깊이가 점차 깊어진다.

07 ㄱ. A는 해령이므로 열곡 아래에서 마그마가 상승하여 해양 지각이 만들어진다.

ㄴ. 해령을 축으로 고지자기 줄무늬가 대칭적이므로 B 지점의 암석 연령은 250만 년보다 오래되었다.

ㄹ. 고지자기 줄무늬가 대칭적으로 분포하는 것은 해저가 해령을 축으로 확장되었기 때문이다.

오답 피하기

ㄷ. 230만 년 전에는 역전기이므로 지구 자기장의 방향이 현재와 반대였다.

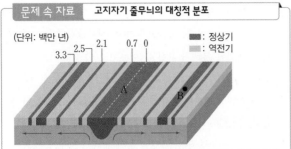

문제 속 자료 **고지자기 줄무늬의 대칭적 분포**

(단위: 백만 년)

3.3 2.5 2.1 0.7 0

■ : 정상기
□ : 역전기

- 해령에서 해양 지각이 생성될 때 광물이 당시 지구 자기장의 방향으로 배열된다.
- 지구 자기장 방향이 현재와 같은 시기에는 정상기(정자극기) 줄무늬가 생긴다.
- 해양 지각이 양쪽으로 이동하고 지구 자기장 방향이 현재와 반대인 시기에는 해령 부근에서 역전기(역자극기) 줄무늬가 생긴다.
- 이 과정이 반복되면 고지자기 줄무늬가 해령을 축으로 양쪽으로 대칭을 이룬다.

08 ㄴ. 해양 지각은 해령에서 생성되어 양쪽으로 확장되므로 해령에서 멀어질수록 해양 지각의 연령은 많아진다.

오답 피하기

ㄱ. 지구 자기장은 정상기와 역전기를 반복하지만 그 변화는 일정한 시간 간격으로 일어나지는 않았다.

ㄷ. 해양 지각의 이동 속도는 그래프의 기울기

$\left(= \dfrac{\text{해령으로부터의 거리}}{\text{해양 지각의 나이}} \right)$ 로부터 구할 수 있다. 문제의 그래프에서 네 지역 중 동태평양의 기울기가 가장 크다. 따라서 해저가 확장하는 속도는 동태평양에서 가장 **빠르다.**

09 ㄷ. B 부근에서 해양 지각의 연령이 가장 적고 퇴적물의 두께가 가장 얇다. B를 기준으로 양쪽이 대칭성을 보이므로 B 부근에 맨틀 대류가 상승하는 해령이 있다.

오답 피하기

ㄱ. 일반적으로 해령에서 멀어질수록 해저의 수심이 깊어지는 경향이 있으므로 A에서 B로 갈수록 해저의 수심은 얕아진다.

ㄴ. 해양 지각은 B를 기준으로 A와 C의 양쪽으로 이동한다.

10 ㄴ. 해령에서 멀어질수록 해양 지각의 나이가 많아지고 해저 퇴적물의 두께가 두꺼워진다.

ㄷ. 중앙 해령 부근의 해양 지각의 암석 나이가 가장 적으므로, 해령은 판이 양쪽으로 이동하여 생긴 지형임을 알 수 있다.

오답 피하기

ㄱ. 해령은 해양 지각이 생성되는 판의 경계이다.

11 ㄱ. B는 해령으로 맨틀 대류가 상승하는 곳이다. 이곳에서는 새로운 해양 지각이 생성된다.

ㄴ. B에서 생성된 판은 A쪽으로 이동한다. B에서 A쪽으로 갈수록 지각의 연령이 많아진다.

ㄷ. 해령에서 멀어질수록 해저 퇴적물의 두께는 두꺼워진다. 판은 B에서 A 방향으로 이동하므로 해저 퇴적물의 두께는 B보다 A에서 더 두꺼울 것이다.

12 문제의 그림에서 파란색 화살표가 이동하는 쪽으로 판의 섭입이 일어난다.

ㄴ. C판이 B판 아래로 섭입해 들어가므로, 밀도는 C판이 B판보다 클 것이다.

ㄷ. C판이 A판과 B판 쪽으로 섭입해 들어가고 있다.

오답 피하기

ㄱ. A판과 B판의 경계는 수렴형 경계이다.

ㄹ. 일본에서 동해 쪽으로 올수록 진원의 깊이가 깊어진다.

13 ㄱ. 판 구조론에 따르면 맨틀 대류가 상승하는 해령에서 새로운 해양 지각이 만들어진 후 양쪽으로 확장되어 해구에서 소멸된다.

오답 피하기

ㄴ. C에서 생성된 판은 B쪽으로 이동한다.

ㄷ. A, C는 발산형 경계이고, B는 수렴형 경계이다.

14 ㄴ. 태평양판과 유라시아판의 경계 지역에서는 판이 수렴(섭입)하므로 해구가 형성된다.

ㄹ. 대서양은 해령을 중심으로 해저가 확장되고 있다. 앞으로 대서양은 점차 넓어질 것이다.

오답 피하기

ㄱ. 지구의 표면은 10여 개의 크고 작은 판으로 이루어져 있다.

ㄷ. 판의 이동 방향과 속력은 판마다 서로 다르다.

문제 속 자료 **전 세계 판의 분포와 이동**

- 판의 경계에서는 판과 판이 서로 충돌하거나, 멀어지거나, 스쳐 지나간다.

아라비아판 유라시아판 북아메리카판
코코스판 카리브판
필리핀판
아프리카판 태평양판 나스카판
인도- 남아메리카판
오스트레일리아판
남극판

- 판 경계: 변동대와 대체로 일치한다. 태평양 주변에는 해구가 발달하고 지각 변동이 활발하지만, 대서양 주변에는 판의 경계가 발달하지 않으므로 지각 변동이 거의 발생하지 않는다.
- 판의 이동 속도: 판에 따라 다르지만 약 1~10 cm/년의 속도로 이동한다.

15 베게너는 대서양 양쪽에 있는 남아메리카 대륙과 아프리카 대륙의 해안선 모양의 유사성뿐만 아니라 빙하의 흔적, 지질 구조의 연속성, 화석 분포 등 대륙 이동을 뒷받침하는 여러 가지

증거들을 제시하였다.

[모범 답안] 대륙을 이동시키는 원동력을 설명하지 못하였기 때문이다.

채점 기준	배점
모범 답안과 같이 옳게 서술한 경우	100%
'대륙 이동의 원동력'이란 용어만 들어간 경우	50%

16 음파가 해저면에서 반사되어 되돌아오기까지 걸리는 시간을 t, 음파의 속도를 v라고 하면, 수심 $d = \dfrac{1}{2}v \cdot t$ 이다.

발사된 신호
반사된 신호

[모범 답안] 수심 $= \dfrac{1}{2} \times$ 초음파의 속력 $\times$ 왕복 시간

$= \dfrac{1}{2} \times 1500(\text{m/s}) \times 8(\text{s}) = 6000(\text{m})$이다.

채점 기준	배점
계산 과정을 밝혀 수심을 옳게 계산한 경우	100%
계산 과정은 맞았으나 답이 틀린 경우	30%

17 지난 400만 년 동안 해양 지각은 해령으로부터 양쪽으로 각각 40 km를 이동하였다.

[모범 답안] 판의 평균 이동 속력 $= \dfrac{40 \times 10^3 \times 10^2(\text{cm})}{4 \times 10^6(\text{년})}$

$= 1 \text{ cm/년이다.}$

채점 기준	배점
계산 과정을 밝혀 판의 평균 이동 속력을 옳게 계산한 경우	100%
계산 과정을 옳게 밝혔으나 계산 결과가 틀린 경우	30%

18 고지자기 분포는 해령에서 분출한 현무암질 용암이 냉각될 때 당시 지구 자기장 방향으로 자화된 후 양쪽으로 이동한 것이다.

[모범 답안] (1) 해령을 중심으로 고지자기 분포는 대칭적으로 나타난다.

(2) 정자극기와 역자극기는 각각 2회씩 있었다.

	채점 기준	배점
(1)	모범 답안과 같이 옳게 서술한 경우	50%
	대칭적으로 분포한다는 서술이 빠진 경우	0%
(2)	모범 답안과 같이 옳게 서술한 경우	50%
	정자극기와 역자극기 중 한 가지만 옳게 서술한 경우	25%

02 | 대륙의 분포와 변화

탐구 대표 문제 p. 20

01 ②

01 인도 대륙은 7100만 년 동안 30°S에서 20°N까지 위도 50°를 이동하였다. 인도 대륙의 평균 이동 속도 $= \dfrac{50 \times 1.1 \times 10^7(\text{cm})}{7.1 \times 10^7(\text{년})}$ $≒ 7.7 \text{ cm/년이다.}$

기초 탄탄 문제 p. 21

01 ② **02** ③ **03** ④ **04** ⑤ **05** ②

01 ② 자침이 수평면과 이루는 각은 복각이다.

오답 피하기

① 나침반의 N극은 북쪽을 향하고, S극은 남쪽을 향한다.

③ 고지자기의 복각과 편각을 측정하면 생성 당시 암석이 자북극에서 얼마나 떨어져 있었고 지리상 북극으로부터 어느 방향을 향하고 있었는지 알 수 있다. 그 결과 과거의 대륙 분포를 알 수 있다.

④ 저위도로 갈수록 복각의 크기가 대체로 작다.

⑤ 복각은 자북극에서 $+90°$, 자기 적도에서 $0°$, 자남극에서 $-90°$이다. 고지자기의 복각이 $+90°$이면 암석의 생성 당시 위치는 자북극이었다.

02 ③ 자북극에서는 자침의 N극이 수평면에 대해 수직 방향으로 아래로 향하므로, 자북극은 자석의 S극에 해당된다.

오답 피하기

① 편각은 자북과 진북 사이의 각으로 자기 적도와는 관계가 없다.

② 지리상 북극과 지자기 북극의 위치는 다르다.

④ 복각은 나침반의 자침이 수평면과 이루는 각이다.

⑤ 복각이 가장 큰 곳은 자북극과 자남극이다. 자기 적도에서는 복각이 $0°$이다.

03 ④ 자북극의 이동 경로를 분석하면 대륙이 이동하였음을 알 수 있다. 이러한 연구 결과는 대륙 이동설이 부활하는 계기가 되었다.

오답 피하기

① 자북극은 원래 1개였다.

② 자북극의 이동 경로는 대륙의 이동 경로에 따라 다르게 나타난다.

③ 자북극의 이동은 대륙이 이동하였기 때문에 나타난 결과이다.

⑤ 자북극의 이동 경로는 대륙이 이동한다는 증거가 될 수 있다.

04 ⑤ 지질 시대 동안 로디니아, 판게아 등 초대륙은 여러 번 있었다.

오답 피하기

고생대 말에 하나의 초대륙인 판게아가 형성된 이후에 대륙이 분리되기 시작하였다.

05 (가) 로디니아라는 초대륙이 형성된 것은 약 12억 년 전이고, (다) 판게아가 형성되면서 애팔래치아산맥이 형성된 것은 고생대 말이다. (라) 곤드와나 대륙과 로라시아 대륙이 분리되면서 대서양이 확장된 것은 중생대 중기~후기이고, (나) 인도 대륙이 유라시아 대륙과 충돌하여 히말라야산맥이 형성된 것은 신생대 초기~중기이다. 대륙 분포의 변화를 시간 순서대로 나열하면 (가) → (다) → (라) → (나)이다.

문제 속 자료 **지질 시대 대륙 분포의 변화**

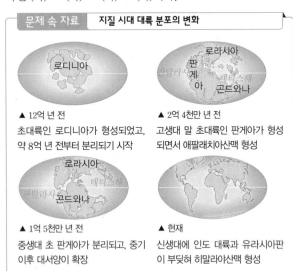

▲ 12억 년 전
초대륙인 로디니아가 형성되었고, 약 8억 년 전부터 분리되기 시작

▲ 2억 4천만 년 전
고생대 말 초대륙인 판게아가 형성되면서 애팔래치아산맥 형성

▲ 1억 5천만 년 전
중생대 초 판게아가 분리되고, 중기 이후 대서양이 확장

▲ 현재
신생대에 인도 대륙과 유라시아판이 부딪혀 히말라야산맥 형성

내신 만점 문제 p. 22 ~ 23

01 ② **02** ⑤ **03** ④ **04** ③ **05** ④ **06** ④

07~09 해설 참조

01 ㄴ. 복각은 자침이 수평면과 이루는 각으로 C에서 가장 크다.

오답 피하기

ㄱ. 편각은 자북과 진북 사이의 각이므로 C에서 가장 크다.

ㄷ. 복각은 자북극(+90°)과 자남극(−90°)에서 가장 크다.

문제 속 자료 **지구 자기장**

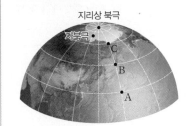

• 편각: 진북과 자북이 이루는 각이다. A → C로 갈수록 편각이 커진다.
• 복각: 자침이 수평면과 이루는 각이다. A → C로 갈수록 복각이 커진다.

02 ㄱ, ㄷ. 복각은 나침반의 자침이 수평면과 이루는 각으로 자극에서 최대이고, 자기 적도에서는 0°가 된다. (가) 지점의 복각은 0°(자기 적도), (나) 지점의 복각은 +45°, (다) 지점의 복각은 +90°(자북극)이다.

ㄴ. 우리나라는 자북극과 자기 적도의 중간이기 때문에 복각이 0°~ 90° 사이에 있다.

03 ㄴ. 문제의 그림 (나)를 보면 자북극의 위치는 지질 시대에 따라 변하였다.

ㄷ. 두 대륙에서 자북극의 이동 경로가 다르게 나타나는 것은 자극이 이동하는 동안 두 대륙의 이동 방향이나 속도가 각각 달랐기 때문이다.

오답 피하기

ㄱ. 같은 지질 시대에 2개의 자극이 있을 수 없다. 과거에는 자북극이 두 곳으로 분리되어 있었다가 현재에는 하나로 합쳐진 것이 아니라 하나의 대륙으로 붙어 있었던 북아메리카와 유럽이 갈라져 서로 다른 방향으로 이동하였기 때문이다.

문제 속 자료 **지질 시대 동안 자북극의 이동 경로로 대륙 분포 추정**

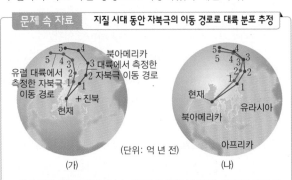

(단위: 억 년 전)

(가)   (나)

• 현재 유럽 대륙과 북아메리카 대륙의 암석에서 측정한 자북극의 이동 경로가 두 갈래로 나타난다. → 대륙이 이동했기 때문이다.
• 과거의 대륙 분포 추정: 자북극의 이동 경로를 일치시켜 보면 대륙이 모여 있는 모습이 되므로 과거에 대륙이 붙어 있었음을 알 수 있다.

04 ㄱ. 약 2억 5천만 년 전에는 대륙들이 하나로 모여 초대륙인 판게아를 이루고 있었다. 당시 아프리카 대륙은 남극 대륙 주변에 있었으며, 대서양은 존재하지 않았다.

ㄷ. 약 2억 5천만 년 전에는 아프리카 대륙이 남극 대륙과 연결

되어 곤드와나 대륙을 형성하였으므로 현재 아프리카 대륙의 남부에서는 약 2억 5천만 년 전 빙하의 흔적이 발견될 수 있다.

오답 피하기

ㄴ. 약 2억 5천만 년 전보다 현재 북반구에 위치한 대륙의 면적이 더 넓으므로 북반구 해양의 면적은 약 2억 5천만 년 전이 현재보다 넓었다.

05 문제의 그림은 고생대 말에 존재했던 판게아이다.

ㄴ. 북아메리카 동부 지역에 발달한 애팔래치아산맥은 판게아가 형성될 때 대륙 충돌에 의해 형성된 습곡 산맥이다.

ㄷ. A 대륙(남아메리카 대륙)과 B 대륙(아프리카 대륙)은 과거 곤드와나 대륙에 속하고, C 대륙은 과거 로라시아 대륙에 속한다.

오답 피하기

ㄱ. 약 12억 년 전에 존재했던 로디니아 초대륙이 이후 분리되어 이동하다가 다시 모여 고생대 말(약 2억 4천만 년 전)에 판게아를 형성하였다.

06 ㄴ. 판게아가 분리되면서 로라시아와 곤드와나 사이의 대서양이 먼저 벌어지고, 남아메리카와 아프리카 대륙 사이의 대서양이 벌어진 후, 남극 대륙에서 인도, 오스트레일리아 등의 대륙이 떨어져 나와 현재와 같은 대륙 분포를 이루었다. 시대 순으로 나열하면 (다) → (가) → (나)이다.

ㄷ. 판게아가 갈라진 이후 대서양이 형성되기 시작하였다. 이후, 대서양 중앙에 발산형 경계가 형성되어 대서양의 크기가 확장되었다.

오답 피하기

ㄱ. 판게아가 형성된 시기는 대륙이 모두 모여 있는 (다)이다.

문제 속 자료	지질 시대 대륙 분포의 변화

(가)   (나)   (다)

- 약 12억 년 전 로디니아라는 초대륙이 존재했으며, 이후 대륙이 분리되어 이동하다가 다시 모여 고생대 말(약 2억 4천만 년 전)에 판게아를 형성하였다. ⇨ 그림 (다)
- 약 2억 년 전(중생대 초)에 판게아가 분리되기 시작하였다.
- 로라시아 대륙이 유라시아 대륙과 북아메리카 대륙으로 분리되었다. → 로라시아 대륙이 곤드와나 대륙에서 거의 분리되었다. → 곤드와나 대륙에서 아프리카 대륙과 남아메리카 대륙이 분리되었다. ⇨ 그림 (가)
- 중생대 말기~신생대 초기에 남극 대륙, 인도 대륙, 오스트레일리아 대륙이 분리되었다.
- 신생대 초기~중기에 인도 대륙이 유라시아 대륙과 충돌하여 티베트고원과 히말라야산맥이 형성되었다. ⇨ 그림 (나)

07 복각은 지구 자기력선의 방향이 수평면과 이루는 각도이다. 북반구에서는 자기력선이 지표면 아래로 향하기 때문에 복각이

(+)의 값을 가지고, 남반구에서는 자기력선이 지표면 위로 향하여 (−)의 값을 가진다. 복각은 자북극에서 +90°이고 자기 적도에서 0°이므로, 자북극으로부터의 거리를 나타내는 지표가 된다.

[모범 답안] A: +50°, B: 0°

채점 기준	배점
A와 B의 복각을 옳게 쓴 경우	100%
A와 B 중 한 지역의 복각만 옳게 쓴 경우	50%

문제 속 자료	지구 자기장과 위도에 따른 복각

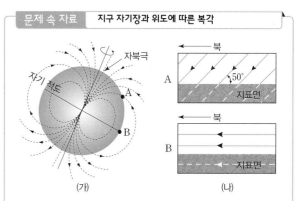

- 복각은 자기 적도에서 0°, 자북극에서 +90°, 자남극에서 −90°이다. 자기 적도에서 자북극(자남극)으로 갈수록 복각의 크기가 커진다.
- 암석에 기록된 고지자기의 복각으로 생성 당시의 위치, 자극의 위치를 추정할 수 있다.

08 인도 대륙은 이 기간 동안 남반구에 있다가 자기 적도를 통과하여 현재는 북반구에 있다. 복각은 자기 적도에서 자북극이나 자남극으로 갈수록 커진다.

서술형 Tip 어느 대륙이 남북 방향으로 이동하였다면 그 대륙에서 만들어진 암석은 생성 시기에 따라 복각의 크기가 다르다. 따라서 암석의 나이와 복각을 측정하면 암석이 생성될 당시의 위도를 알 수 있으므로 시간에 따른 대륙의 이동 경로를 복원할 수 있다. 따라서 과거 인도 대륙의 위도는 암석의 나이와 복각 자료를 이용해 복원할 수 있다.

[모범 답안] 복각은 남반구에서 자기 적도까지 감소하다가 북반구에서 북상할 때에는 다시 증가하였다.

채점 기준	배점
복각의 크기 변화를 옳게 서술한 경우	100%
그 외의 경우	0%

09 지질 시대에 대륙들은 모여서 초대륙을 형성하고 다시 분리되었다가 모이는 과정을 되풀이하였다.

[모범 답안] ㉠ 발바라 → 로디니아, ㉢ 칼레도니아산맥 → 애팔래치아산맥

채점 기준	배점
㉠~㉢ 중 잘못된 부분을 찾고 옳게 고친 경우	100%
㉠~㉢ 중 한 가지만 옳게 고친 경우	50%

03 | 맨틀 대류와 플룸 구조론

기초 탄탄 **문제**   p. 28

01 ②   **02** ③   **03** ①   **4** ③   **05** ①

01 ② 연약권은 맨틀 물질이 부분 용융되어 유동성이 있으므로 고체 상태이지만 대류가 느리게 일어날 수 있다.

오답 피하기

맨틀 대류의 상승부에서는 해령이 생성되고, 하강부에서는 해구가 생성되고 섭입대가 발달한다. 섭입대에서는 해양판이 중력을 받아 침강하면서 기존의 판을 잡아당기는 힘이 작용한다. 판을 이동시키는 힘에는 맨틀 대류가 끄는 힘 외에도 해구에서 섭입하는 판이 잡아당기는 힘, 해령에서 밀어내는 힘 등이 있다. 플룸 구조 운동으로도 판이 이동한다.

02 현재 아시아 지역에서는 차가운 플룸이 하강하고, 남태평양과 아프리카에서는 뜨거운 플룸이 상승한다.

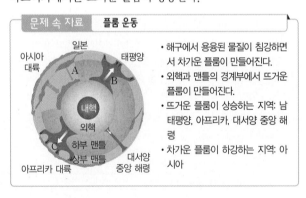

문제 속 자료 **플룸 운동**

- 해구에서 용융된 물질이 침강하면서 차가운 플룸이 만들어진다.
- 외핵과 맨틀의 경계부에서 뜨거운 플룸이 만들어진다.
- 뜨거운 플룸이 상승하는 지역: 남태평양, 아프리카, 대서양 중앙 해령
- 차가운 플룸이 하강하는 지역: 아시아

03 ① 플룸 구조론에서 맨틀 대류는 맨틀 전체에서 일어난다.

오답 피하기

판의 내부에서 일어나는 화산 활동은 플룸 구조론으로 설명할 수 있다. 플룸이 상승하는 곳에는 열점이 만들어진다. 판이 이동해도 열점의 위치는 변하지 않는다. 지진파가 상승 플룸을 통과할 때는 속도가 느려진다.

04 ③ 하와이 열도는 판의 경계가 아닌 열점에서 생성된 화산섬들로 이루어져 있다. 발산형 경계, 수렴형 경계, 보존형 경계 등

은 판의 경계에 해당한다.

오답 피하기

하와이섬은 열점에서 생성된 화산섬이다. 카우아이섬은 열점에서 생성된 후 약 5백만 년 동안 북서쪽으로 이동했다.

05 • 철수: 상부 맨틀의 연약권에서는 맨틀 내 방사성 물질의 붕괴에서 나오는 열과 상하부 깊이에 따른 온도 차이로 인해 대류가 일어난다.

오답 피하기

- 영희: 하와이섬을 형성한 마그마 물질은 연약권이 아닌 맨틀과 핵의 경계인 지하 약 2900 km에서 올라온다.
- 민수: 현재 아시아 지역에서는 거대한 차가운 플룸이 형성되어 하강하고 있다.

내신 만점 **문제**   p. 29 ~ 31

01 ④   **02** ⑤   **03** ②   **04** ⑤   **05** ④   **06** ③
07 ②   **08** ②   **09** ⑤   **10** ③   **11~13** 해설 참조

01 ㄴ. 물이 상승하는 A의 온도가 하강하는 B의 온도보다 높다.
ㄷ. A에서 대류하는 물은 상승하여 좌우로 퍼져 나가고, B에서는 대류하는 물이 모여서 하강하고 있으므로 A는 발산형 경계, B는 수렴형 경계에 해당한다.

오답 피하기

ㄱ. 물질은 온도가 높아지면 부피가 커지기 때문에 밀도가 작아진다.

02 ㄱ. A는 해구에서 무거워진 해양판이 중력을 받아 침강하여 섭입되면서 판을 잡아당기는 힘이다.
ㄴ. B는 맨틀 대류가 판을 이동해 가는 힘(맨틀 대류를 따라 판이 끌려가는 힘)이다.
ㄷ. C는 해령에서 고온, 저밀도의 물질이 상승하면서 새로운 판을 생성하고 그 과정에서 판을 양쪽으로 밀어내는 힘이다.

03 ㄴ. B는 열점으로 지구 내부에 고정되어 있다.
ㄹ. 맨틀 대류의 상승부는 발산형 경계, 맨틀 대류의 하강부는 수렴형 경계와 대체로 일치한다.

오답 피하기

ㄱ. A는 해령 아래의 마그마로, 해령에서는 새로운 판이 생성된다.
ㄷ. C는 대륙 지각의 내부에 해당한다. C에서는 새로운 판이 생성되지 않는다.

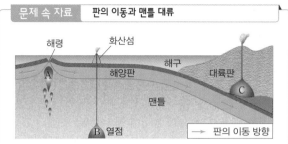

문제 속 자료 판의 이동과 맨틀 대류

• 맨틀에서 뜨거워진 물질은 가벼워져 상승하고, 차가워진 물질은 무거워
져 하강한다.
  — 맨틀 대류가 상승하는 곳: 대륙이 갈라져 이동하면서 해령이 형성된다.
  — 맨틀 대류가 하강하는 곳: 해양판이 맨틀 속으로 들어가 소멸되는 해
  구가 형성된다.
• 맨틀 대류를 따라 연약권 위에 놓인 판이 이동한다.

04 ㄱ. A에서는 차가운 플룸이 하강하고, B에서는 뜨거운 플룸
이 상승한다.

ㄴ. 차가운 플룸은 수렴형 경계에서 섭입된 판의 물질이 상부
맨틀과 하부 맨틀의 경계 부근에 쌓여 있다가 가라앉아 생성된다.

ㄷ. 차가운 플룸이 맨틀과 외핵의 경계에 도달하면 그 영향으
로 일부 맨틀 물질이 상승하여 뜨거운 플룸이 된다.

05 ㄴ. 차가운 플룸 지역은 주변보다 밀도가 크기 때문에 지진파
의 속도가 주변보다 빠르다.

ㄷ. 차가운 플룸이 맨틀과 핵의 경계까지 하강하면 온도 교란과
물질을 밀어 올리는 작용이 일어나 뜨거운 플룸이 생성된다.

오답 피하기

ㄱ. 수렴형 경계에서 판이 섭입하면서 차가운 플룸이 생성된다.

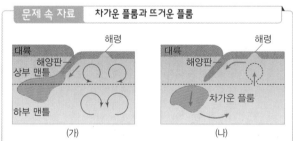

문제 속 자료 차가운 플룸과 뜨거운 플룸

• 수렴형 경계에서 섭입된 판의 물질이 상부 맨틀과 하부 맨틀 경계부에 쌓
여 있다가 밀도가 커지면 맨틀과 핵의 경계부까지 가라앉아 차가운 플룸
이 형성된다.
• 차가운 플룸이 맨틀 최하부에 도달하면서 온도 교란과 물질을 밀어 올리
는 작용이 일어나 뜨거운 플룸을 형성한다.

06 지진파의 속도는 매질의 온도가 높은 영역에서는 느리게 나타
나고, 온도가 낮은 영역에서는 빠르게 나타난다. 뜨거운 플룸
이 상승하는 곳은 주변 맨틀보다 온도가 높으므로 지진파의 속
도가 느리다.

ㄱ. 하와이섬은 뜨거운 플룸이 상승하여 지각을 뚫고 분출하는
열점 위에 위치한다.

ㄴ. 단층 촬영 영상에서 붉은색 영역은 뜨거운 플룸이 상승하

는 곳이다.

오답 피하기

ㄷ. 뜨거운 플룸은 맨틀과 핵의 경계에서 공급되는 열에 의해
상승하는 것으로 상부 맨틀의 대류에 의한 것이 아니다. 상부
맨틀의 대류는 연약권에서 일어난다.

07 ㄷ. 뜨거운 플룸이 상승하면서 압력이 낮아져 용융되면 마그마
가 모여 있는 열점이 생성된다.

오답 피하기

ㄱ. 열점은 플룸 상승류가 있는 곳에서 형성되므로 판의 경계
와 상관없이 분포한다.

ㄴ. 열점은 맨틀 하부에서 올라오는 뜨거운 플룸으로 형성되
고, 판은 상부 맨틀에 놓여 이동하므로 열점의 위치는 판의 이
동을 따라 변하지 않는다.

08 ㄴ. 열점에서는 뜨거운 플룸의 상승으로 새로운 화산섬이 생성
된다.

오답 피하기

ㄱ. 현재 화산 활동이 가장 활발한 섬은 열점에 가까운 E이다.

ㄷ. 화산섬의 위치와 생성 시기로 보아 최근 80만 년 동안 판
의 평균 이동 속도는 과거 2.6~5.1백만 년 전보다 빠르다.

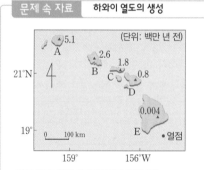

문제 속 자료 하와이 열도의 생성

• 화산 활동: 현재 하와이섬에서 일어난다.
• 화산섬의 나이: 하와이섬에서 멀수록 많다.
• 판의 이동 방향: 섬이 배열된 방향을 보면 태평양판은 북서쪽으로 이동하
였다.
• 하와이섬의 미래: 앞으로 태평양판을 따라 북서쪽으로 이동할 것이고, 하
와이섬이 있던 자리에 새로운 화산섬이 생성될 것이다.

09 ㄱ, ㄴ. 열점은 판 아래의 고정된 곳이므로 현재 열점은 C에
있고, 태평양판이 C에서 A 방향으로 이동함에 따라 화산섬은
A → B → C 순으로 생성되었다.

ㄷ. 열점이 있는 C의 지하에는 뜨거운 플룸이 존재한다.

10 ㄱ. 해령에서 형성된 새로운 지각은 맨틀의 대류를 따라 확장
된다.

ㄷ. 맨틀 대류는 판의 경계에서 일어나는 화산 활동을 설명할
수 있고, 판의 내부에서 일어나는 화산 활동은 설명할 수 없다.

판 내부의 대규모 화산 활동은 플룸 구조론에서 뜨거운 플룸의 운동으로 설명할 수 있다.

오답 피하기

ㄴ. 하와이 열도 중 하와이섬에서만 화산 활동이 일어나는 것은 기존의 상부 맨틀의 대류만으로는 설명할 수 없고 판 내부의 움직임을 이해해야 한다.

11 판은 맨틀 대류 외에 해령에서 판을 밀어내는 힘과 해구에서 섭입하는 판이 잡아당기는 힘에 의해서도 이동한다.

서술형 Tip 판을 이동시키는 힘에는 무엇이 있는지 생각하며 서술한다.

문제 속 자료 | 판의 경계와 판의 이동

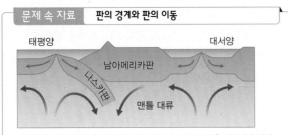

- 섭입대의 분포: 남아메리카판은 섭입대가 없고, 나스카판은 섭입대가 있다.
  → 남아메리카판: 해령에서 미는 힘은 존재하지만 해구에서 잡아당기는 힘은 존재하지 않는다.
  → 나스카판: 해령에서 미는 힘과 함께 해구에서 잡아당기는 힘이 존재한다.
- 판의 이동 속도: 남아메리카판보다 나스카판의 이동 속도가 더 빠르다.

[모범 답안] (1) 판의 이동 속도는 나스카판이 남아메리카판보다 빠르다.
(2) 나스카판은 해령에서 미는 힘과 함께 해구에서 잡아당기는 힘이 존재하기 때문이다. 반면 남아메리카판은 해령에서 미는 힘은 존재하지만 해구에서 잡아당기는 힘은 존재하지 않는다.

	채점 기준	배점
(1)	모범 답안과 같이 옳게 서술한 경우	50%
	판의 이동 속도를 잘못 비교한 경우	0%
(2)	모범 답안과 같이 옳게 서술한 경우	50%
	판의 이동 속도만 옳게 비교한 경우	30%

12 화산섬은 열점에서 생성된 후 판을 따라 이동하였으므로 열점에서 멀어질수록 암석의 연령이 많아진다. 암석의 연령이 많아지는 방향이 판의 이동 방향이다.

[모범 답안] 북서쪽으로 가면서 화산섬의 암석 연령이 많아지므로 화산섬이 생성되는 동안 판은 북서 방향으로 이동하였다.

채점 기준	배점
모범 답안과 같이 서술한 경우	100%
판의 이동 방향만 옳게 서술한 경우	30%

13 지진파의 속도는 매질의 온도가 높은 영역에서는 느리게 나타나고, 온도가 낮은 영역에서는 빠르게 나타난다. 플룸 상승류가 있는 곳은 주변 맨틀보다 온도가 높으므로 지진파의 속도가

느리다. 플룸 하강류가 있는 곳은 주변 맨틀보다 온도가 낮으므로 지진파의 속도가 빠르다.

[모범 답안] B, 뜨거운 플룸 지역은 주변보다 밀도가 작아 지진파의 속도가 느리기 때문이다.

채점 기준	배점
B를 옳게 고르고, 모범 답안과 같이 옳게 서술한 경우	100%
B만 옳게 고른 경우	30%

04 | 변동대와 화성암

기초 탄탄 문제   p. 36

01 ④   **02** ①   **03** ⑤   **04** ⑤   **05** ⑤

01 마그마는 화학 조성에 따라 현무암질 마그마, 안산암질 마그마, 유문암질 마그마로 구분한다. 마그마는 구성 광물의 종류와 비율에 따라 색이 달라진다.

오답 피하기

① 염기성암은 SiO_2 함량이 52 % 이하이고, 산성암은 SiO_2 함량이 63 % 이상이다.
② 화산암은 마그마가 지표 부근에서 굳어진 것이고, 심성암은 마그마가 지하 깊은 곳에서 굳어진 것이다.
③ 해령 하부에서는 현무암질 마그마가 생성된다.
⑤ 유문암질 마그마는 현무암질 마그마보다 낮은 온도에서 생성된다.

02 A 과정으로 맨틀 물질은 온도가 상승하여 맨틀의 용융 곡선에 도달하므로 부분 용융되어 마그마가 생성된다. 맨틀 물질이 녹으면 현무암질 마그마가 생성된다.

문제 속 자료 | 마그마의 생성 조건

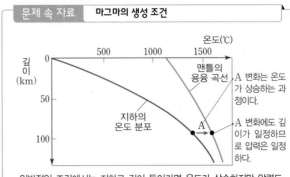

- 일반적인 조건에서는 지하로 깊이 들어가면 온도가 상승하지만 압력도 증가하므로 암석의 용융점이 상승한다. 이러한 지하에서는 마그마가 생성되기 어렵다.
- 지구 내부의 온도 상승, 압력 감소, 물의 공급으로 지하의 온도가 암석의 용융점보다 높아질 때, 암석이 부분 용융되면서 마그마가 생성된다.
- A와 같은 변화가 일어날 때 맨틀 물질의 온도가 상승하여 맨틀의 용융 곡선(용융점)에 도달하면 현무암질 마그마가 생성된다.

03 (가) 해령에서는 맨틀 물질이 상승하면서 압력이 감소하여 현무암질 마그마가 생성된다.

(나) 열점에서는 플룸이 상승하면서 압력이 감소하여 현무암질 마그마가 생성된다.

(다) 섭입대 부근에서는 섭입되는 판에서 빠져나온 물이 암석의 용융 온도를 낮추는 역할을 하여 현무암질 마그마가 생성된다. 이 현무암질 마그마가 상승하면서 지각 하부를 용융시켜 유문암질 마그마가 생성되고, 유문암질 마그마와 현무암질 마그마가 혼합되어 안산암질 마그마가 생성된다.

04 현무암은 화산암으로 지표 근처에서 빠르게 냉각되어 구성 광물의 입자가 작은 세립질 암석이다. 현무암은 감람석, 휘석 등의 유색 광물을 많이 포함하고 있어 어둡게 보인다.

05 A는 염기성암, B는 중성암, C는 산성암이다. 산성암은 석영, 장석, 사장석과 같은 무색 광물의 함량이 많다.

[오답 피하기]

① A는 주요 조암 광물이 감람석, 휘석, 사장석으로 어둡다.
② SiO_2 함량은 C가 가장 많다.
③ 밀도는 염기성암인 A가 가장 크다.
④ 현무암은 염기성암인 A에 해당한다.

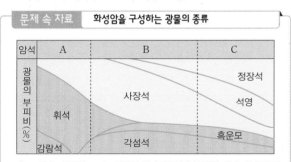

문제 속 자료 화성암을 구성하는 광물의 종류

- A → SiO_2 함량이 52 % 이하인 염기성암이다. 감람석, 휘석, 각섬석 등 유색 광물의 함량이 많아 어두운색을 띠며, 밀도가 크다.
- B → SiO_2 함량이 52~63 %인 중성암이다. 염기성암과 산성암의 중간적인 성질을 가진다.
- C → SiO_2 함량이 63 % 이상인 산성암이다. 사장석, 정장석, 석영 등 무색 광물의 함량이 많아 밝은색을 띠며, 밀도가 작다.

내신 만점 문제   p. 37 ~ 39

01 ②	02 ③	03 ④	04 ⑤	05 ③	06 ②
07 ②	08 ③	09 ⑤	10~12 해설 참조		

01 ㄷ. A 지점의 암석은 온도가 상승하거나 압력이 감소하면 맨틀의 용융 곡선과 만나게 되므로 마그마가 생성될 수 있다.

[오답 피하기]

ㄱ. 지하의 온도 분포 곡선의 기울기를 보았을 때 깊이에 따른 지구 내부의 온도 증가율은 A보다 B에서 크다.

ㄴ. 문제의 그림을 보면 물이 포함된 맨틀은 물이 포함되지 않은 맨틀보다 용융점이 낮다.

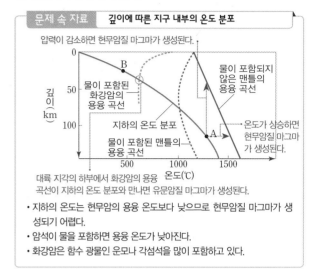

문제 속 자료 깊이에 따른 지구 내부의 온도 분포

- 지하의 온도는 현무암의 용융 온도보다 낮으므로 현무암질 마그마가 생성되기 어렵다.
- 암석이 물을 포함하면 용융 온도가 낮아진다.
- 화강암은 함수 광물인 운모나 각섬석을 많이 포함하고 있다.

02 ㄱ. A는 맨틀 대류의 상승부인 해령이다. 해령에서는 압력이 감소하여 현무암질 마그마가 생성된다.

ㄷ. C에서는 하부에서 상승하는 마그마의 영향으로 대륙 지각의 하부가 녹아서 유문암질 마그마가 생성된다.

[오답 피하기]

ㄴ. B에서는 해양 지각에 포함된 물이 빠져나와 암석의 용융점이 낮아지면서 마그마가 생성된다.

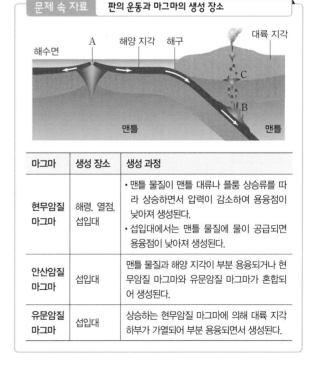

문제 속 자료 판의 운동과 마그마의 생성 장소

마그마	생성 장소	생성 과정
현무암질 마그마	해령, 열점, 섭입대	• 맨틀 물질이 맨틀 대류나 플룸 상승류를 따라 상승하면서 압력이 감소하여 용융점이 낮아져 생성된다. • 섭입대에서는 맨틀 물질에 물이 공급되면 용융점이 낮아져 생성된다.
안산암질 마그마	섭입대	맨틀 물질과 해양 지각이 부분 용융되거나 현무암질 마그마와 유문암질 마그마가 혼합되어 생성된다.
유문암질 마그마	섭입대	상승하는 현무암질 마그마에 의해 대륙 지각 하부가 가열되어 부분 용융되면서 생성된다.

03 해령에서는 깊이가 얕아질 때 압력이 감소하므로 현무암질 마그마가 생성된다. 물이 포함된 함수 광물은 화강암의 용융점을 낮춘다.

ㄴ. 해령에서는 B 과정에 의해 맨틀 물질이 상승하면서 압력이 감소하므로 현무암질 마그마가 형성된다.

ㄷ. 동일한 압력에서 물이 있으면 물을 포함한 화강암의 용융점이 물을 포함하지 않은 화강암의 용융점보다 낮다.

오답 피하기

ㄱ. 변환 단층에서는 판이 서로 어긋나면서 이동할 뿐 마그마가 생성되지는 않는다.

04 ㄱ. (가)에서 연약권으로 유입된 물은 암석의 용융점을 낮추어 현무암질 마그마(A)가 생성된다.

ㄴ. 현무암질 마그마가 상승하여 지각 하부에 도달하면 지각 물질을 녹여 유문암질 마그마(B)가 생성된다.

ㄷ. 현무암질 마그마와 유문암질 마그마가 혼합되면 안산암질 마그마(C)가 생성되어 지표로 분출한다.

05 ㄱ. 피나투보 화산은 유문암질 마그마가 분출하여 형성된 종상 화산이다. SiO_2 함량이 많고 점성이 크며 화산체의 경사가 급하다.

ㄷ. 피나투보 화산을 형성한 용암의 성질은 (나)의 B에 해당한다.

오답 피하기

ㄴ. A는 순상 화산, B는 종상 화산을 형성하는 용암의 종류이다. 순상 화산을 형성하는 용암은 SiO_2 함량이 낮고 점성이 작으며, 온도가 높고 유동성이 크다. 종상 화산을 형성하는 용암은 SiO_2 함량이 높고 점성이 크며, 온도가 낮고 유동성이 작다. X의 세로축으로는 점성이 적당하다. 유동성이 클수록 용암에 포함된 SiO_2의 함량은 적어진다.

06 ㄷ. SiO_2 함량이 적은 마그마일수록 온도가 높다. B는 C보다 저온의 마그마가 굳어서 생성되었다.

오답 피하기

ㄱ. SiO_2 함량이 많은 마그마가 굳어서 생성된 화성암일수록 밝은색 광물(무색 광물)의 함량이 많다. A는 B보다 밝은색 광물의 함량이 적다.

ㄴ. 마그마의 냉각 속도가 느릴수록 결정의 크기가 큰 조립질의 화성암이 생성된다. A는 D보다 광물 결정의 크기가 작다.

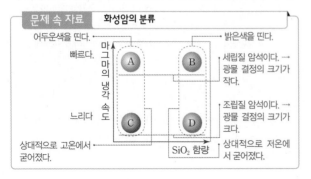

문제 속 자료 **화성암의 분류**

07 A는 B보다 유색 광물의 함량이 많다. A는 SiO_2 함량이 약 50 %이므로 염기성암, B는 SiO_2 함량이 63 %보다 많으므로 산성암이다.

ㄷ. A는 세립질, B는 조립질이므로 A는 B보다 마그마가 빠른 속도로 냉각되었을 것이다.

오답 피하기

ㄱ. A는 염기성암이면서 화산암인 현무암이고, B는 산성암이면서 심성암인 화강암이다.

ㄴ. 화성암은 화학 조성(SiO_2 함량)에 따라 염기성암, 중성암, 산성암으로 구분하고, 암석의 조직에 따라 화산암과 심성암으로 구분한다.

08 ㄱ. A는 SiO_2 함량이 적은 염기성암이다.

ㄴ. B는 세립질, C는 조립질이므로 B는 C보다 마그마가 빠르게 냉각되어 생성되었다.

오답 피하기

ㄷ. 밝은색 광물의 함량은 SiO_2 함량이 많은 C가 B보다 많다.

09 ㄱ. 화강암은 마그마가 천천히 냉각되어 생성되므로 결정의 크기가 큰 조립질이고, 현무암은 마그마가 빠르게 냉각되어 생성되므로 결정의 크기가 작은 세립질이다.

ㄴ. 밝은색을 띠는 화강암은 어두운색을 띠는 현무암보다 SiO_2 함량이 많다.

ㄷ. 서울의 북한산은 마그마가 지하 깊은 곳에서 천천히 굳어진 화강암으로 이루어져 있다. 제주도의 서귀포 해안은 마그마가 지표로 분출하여 급하게 굳어진 현무암으로 이루어져 있다.

10 해령은 발산형 경계에 해당하고, 여기에서 마그마는 맨틀 물질의 상승에 따른 압력 감소로 인해 맨틀 물질이 녹아 생성된다. A → B는 추가적인 열 공급에 의한 마그마 생성에 해당한다.

서술형 Tip 해령에서는 맨틀 물질의 상승류가 존재한다는 사실을 포함하여 서술한다.

[모범 답안] A → C, 맨틀 물질의 상승에 따른 압력 감소로 맨틀 물질이 녹아 현무암질 마그마가 생성된다.

채점 기준	배점
모범 답안과 같이 옳게 서술한 경우	100%
마그마의 생성 과정만 옳게 고른 경우	30%
해령에서의 마그마 발생 원인만 옳게 서술한 경우	50%

11 해령 하부에서는 압력 감소로 현무암질 마그마가 생성되며, 섭입대에서는 물을 포함한 함수 광물이 암석의 용융점을 낮추는 역할을 한다.

[모범 답안] 열점에서는 지하 깊은 곳에서 뜨거운 물질의 상승으로 압력이 감소하여 현무암질 마그마가 생성된다.

채점 기준	배점
모범 답안과 같이 옳게 서술한 경우	100%
열점에서 생성되는 마그마의 종류만 옳게 쓴 경우	50%
열점에서 마그마가 생성되는 과정만 옳게 서술한 경우	50%

12 (가) 현무암을 구성하는 광물들의 입자는 세립질이거나 유리질로, 마그마가 지표 부근에서 **빠르게** 냉각되어 생성된다. 반면 (나) 화강암을 구성하는 광물들의 입자는 조립질로, 마그마가 지하 깊은 곳에서 천천히 식어 생성된다.

[서술형 Tip] 마그마의 냉각 속도와 화성암의 조직의 관계, 염기성암과 산성암의 광물 조성(SiO_2 함량비)의 차이를 비교하면서 서술한다.

[모범 답안] 현무암은 화강암보다 유색 광물을 많이 포함하고 있으며, SiO_2 함량비는 적다.

채점 기준	배점
모범 답안과 같이 옳게 서술한 경우	100%
현무암의 유색 광물의 양과 SiO_2 함량비 중 한 가지만 옳게 비교한 경우	50%

단원 마무리하기 p. 42 ~ 45

01 ④ **02** ② **03** ③ **04** ③ **05** ③ **06** ③
07 ④ **08** ⑤ **09** ③ **10** ③ **11** ② **12** ③
13 ⑤ **14** ④ **15** ② **16** ③

01 ㄱ. 해저 확장설에 따르면 맨틀 대류의 상승부인 해령에서는 새로운 해양 지각이 생성되어 해저가 확장되고, 맨틀 대류의 하강부인 해구에서는 해양 지각이 맨틀로 섭입되어 소멸된다. 해양 지각을 이루는 암석의 연령은 해령에서 멀어질수록 증가한다.
ㄴ. 3백만 년 전 지구 자기장의 방향은 현재와 같은 (+)이다.
ㄷ. 지자기 역전 줄무늬는 해령을 축으로 양쪽으로 대칭을 이룬다.

문제 속 자료 **암석에 기록된 지자기의 변화**

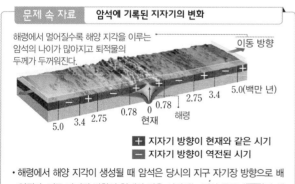

해령에서 멀어질수록 해양 지각을 이루는 암석의 나이가 많아지고 퇴적물의 두께가 두꺼워진다.

이동 방향

5.0 3.4 2.75 0.78 현재 0.78 2.75 3.4 5.0(백만 년)
해령

➕ 지자기 방향이 현재와 같은 시기
➖ 지자기 방향이 역전된 시기

· 해령에서 해양 지각이 생성될 때 암석은 당시의 지구 자기장 방향으로 배열된다. 지구 자기장 방향이 현재와 같은 시기에는 정상 줄무늬(➕)가 생긴다.
· 암석이 양쪽으로 이동하고, 해령에서 새로운 해양 지각이 생성될 때 지구 자기장의 방향이 현재와 반대인 시기에는 암석에 역전 줄무늬(➖)가 생긴다.

오답 피하기
ㄹ. 4백만 년 전에는 지자기 방향이 역전된 시기이므로 현재와는 반대로 나침반의 N극이 남쪽을 향하였다.

02 ㄷ. 음파의 왕복 시간 차이가 큰 1~2구간이 음파의 왕복 시간 차이가 작은 3~4구간보다 해저면의 평균 기울기가 급하다.

오답 피하기
ㄱ. 탐사 지점 1에서 음파의 왕복 시간이 6초이므로,
수심 $= \dfrac{1}{2} \times 1500 \times 6 = 4500\,(m)$이다.
ㄴ. 해령은 다른 곳보다 수심이 얕지만 탐사 지점 2는 다른 곳보다 수심이 깊으므로 해령이 아니다.

탐사 지점	1	2	3	4
음파 왕복 시간(초)	6.0	9.4	8.2	6.8
수심(m)	4500	7050	6150	5100

문제 속 자료 **음향 측심법**

발사된 신호
반사된 신호

정의	해수면에서 발사한 음파가 해저면에 반사되어 되돌아오는 데 걸린 시간을 측정하여 수심을 알아내는 방법
수심 측정	수심$(d) = \dfrac{1}{2} t \times v$ (t: 음파의 왕복 시간, v: 물속에서 음파의 속도) → 음파의 왕복 시간이 길수록 수심이 깊다.

03 ㄱ. A는 판의 경계가 아니고 B는 판의 경계(보존형 경계)에 위치한다. 지진은 A보다 B에서 자주 발생한다.
ㄴ. B는 변환 단층, C는 해령에 해당한다. 화산 활동은 B보다 C에서 활발하게 일어난다.

오답 피하기
ㄷ. 해령에서는 새로운 해양 지각이 생성되어 양쪽으로 이동하며, 해양 지각의 나이는 해령에서 멀어질수록 많아진다. D는 E보다 해령에서 떨어진 거리가 가까우므로 해양 지각의 나이가 적다.

04 ㄱ. (가)에서 현재 측정한 잔류 자기를 볼 때, 같은 대륙에서 형성된 잔류 자기의 방향은 한 점으로 수렴하는 것을 알 수 있다. 같은 시기에 형성된 잔류 자기의 방향은 그 시기의 자극으로 향한다.

ㄷ. 어떤 시기에도 지자기 북극은 하나이다. (나)의 두 대륙에서 측정한 과거의 지자기 북극이 다르게 나타나는 것은 과거의 수륙 분포가 현재와 같지 않았기 때문이다.

오답 피하기

ㄴ. (가)에서 A와 B 대륙은 현재 서로 떨어진 상태이고, 과거에는 두 대륙이 붙어 있었다. 대륙 사이에는 발산형 경계가 형성되어 있기 때문에 A와 B 대륙 사이에는 해령이나 열곡이 형성된다.

05 ㄱ. 지자기의 정상기와 역전기에는 자극의 방향이 반대였다. b와 c 지점의 자화 방향이 같고, a와 d 지점의 자화 방향이 같다. 따라서 a 지점과 b 지점의 암석이 형성될 당시 자북극의 위치가 달랐다.

ㄷ. 해령에서 맨틀 물질이 상승하여 새로운 지각이 생성될 때 그 당시의 지구 자기 방향으로 자화된다. 고지자기의 역전대는 해령을 중심으로 대칭적인 분포를 나타낸다.

오답 피하기

ㄴ. a, d 지점은 b, c 지점보다 해령에서 멀리 있으므로 수심이 깊고 암석의 연령이 많다.

06 ㄱ. 대륙판의 이동 방향을 고려할 때 해양 지각 A는 시간이 지나면 대륙판 아래로 섭입하여 사라진다.

ㄴ. 분리되었던 대륙들이 이동하여 한 개의 큰 대륙으로 합쳐졌으므로 B는 초대륙이다.

오답 피하기

ㄷ. 대륙 지각의 분리는 맨틀 대류의 상승부에서 열곡대가 형성되면서 일어난다. C 지역은 열곡대가 발달한다.

07 (가)는 약 5천만 년 전, (나)는 약 1억 5천만 년 전, (다)는 약 2억 4천만 년 전, (라)는 현재의 대륙 분포를 나타낸 것이다.

ㄴ. 상부 맨틀(연약권)의 대류와 플룸에 의한 대규모 대류는 판을 움직이게 하는 힘이다.

ㄷ. 판게아가 형성될 때 대륙과 대륙이 충돌하여 애팔래치아산맥과 같은 거대한 습곡 산맥이 형성되기도 하였다.

오답 피하기

ㄱ. 약 2억 4천만 년 전에 형성된 초대륙인 판게아가 분리되어 오늘날과 같은 대륙 분포가 만들어졌다. 따라서 대륙 분포 변화는 (다) → (나) → (가) → (라) 순이다.

08 맨틀 대류(A)와 판 자체에서 만들어진 힘(B, C)이 판을 이동시키는 힘이다.

ㄱ. A는 연약권 내에서 맨틀 대류로 형성된 힘이다.

ㄴ. B는 해령에서 판을 양쪽으로 밀어내는 힘이다.

ㄷ. C는 해구에서 섭입하는 판이 잡아당기는 힘으로, 침강하는 판 자체의 무게로 인해 나타난다.

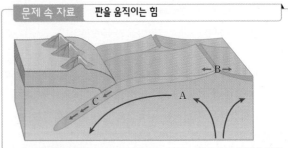

문제 속 자료 　판을 움직이는 힘

- A: 암석권과 연약권 사이에서 작용하는 힘으로, 맨틀이 대류하면서 판을 싣고 가는 힘이다.
- B: 해령에서 판을 밀어내는 힘이다.
- C: 해구에서 섭입하는 판이 잡아당기는 힘이다.

09 차가운 플룸과 뜨거운 플룸의 특징은 다음과 같다.

차가운 플룸	수렴형 경계에서 섭입된 판의 물질이 상부 맨틀과 하부 맨틀 경계부에 쌓여 있다가 밀도가 커지면 맨틀과 핵의 경계부까지 가라앉아 형성되는 하강류
뜨거운 플룸	차가운 플룸이 맨틀 최하부에 도달하면서 온도 교란과 물질을 밀어 올리는 작용이 일어나 형성되는 상승류

ㄱ. 냉각된 해양판이 섭입되어 만들어지는 것은 차가운 플룸이다.

ㄷ. 섭입대에서 형성된 플룸이 맨틀 상부와 하부의 경계에 쌓여 있다가 밀도가 높아지면 외핵 쪽으로 침강하여 흐름이 형성된다.

오답 피하기

ㄴ. 열점은 뜨거운 플룸의 위쪽에 형성된다.

10 ㄱ. 하와이 열도는 플룸 상승류에 의해 형성된 열점에서 마그마가 분출하여 형성되었다.

ㄷ. 약 4천 3백만 년 전을 기준으로 태평양판의 이동 방향은 북북서쪽에서 북서쪽으로 바뀌었다.

오답 피하기

ㄴ. 하와이 열도는 판의 경계가 아닌 태평양판의 내부에 위치하고 있다.

11 해령, 열점, 섭입대 등에서 온도와 압력의 변화, 물의 공급 등에 따라 마그마가 생성된다. A → C는 압력이 낮아지는 과정으로 맨틀 대류에 의해 맨틀 물질이 상승하면서 압력이 낮아져 마그마가 생성된다. A → B는 온도 상승으로 암석의 용융점에 도달하여 마그마가 생성된다.

ㄷ. ㉡의 열점과 ㉢의 해령에서는 주로 현무암질 마그마가 생성된다.

오답 피하기

ㄱ. ㉠에서는 맨틀 물질에 물이 공급되어 용융점이 낮아져 마그마가 생성된다.

ㄴ. 해령에서 맨틀 물질이 상승하면 압력은 하강하지만 그에 비해 온도는 서서히 내려가기 때문에 현무암의 용융 곡선과 만나게 된다. 따라서 해령의 마그마는 주로 A → C 과정에 의해 만들어진다.

12 ㄷ. C는 섭입대(베니오프대)에서 지하로 침강한 물질의 부분 용융에 의해 안산암질 마그마가 생성된다.

오답 피하기

ㄱ. A는 해령으로, 맨틀 대류의 상승류를 따라 맨틀 물질이 상승하면서 압력 감소로 현무암질 마그마가 생성된 것이다.

ㄴ. B는 열점으로, 맨틀 물질이 상승하면서 압력 감소로 현무암질 마그마가 생성된 것이다.

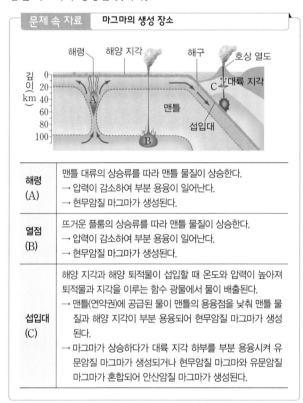

문제 속 자료	**마그마의 생성 장소**

해령 (A)	맨틀 대류의 상승류를 따라 맨틀 물질이 상승한다. → 압력이 감소하여 부분 용융이 일어난다. → 현무암질 마그마가 생성된다.
열점 (B)	뜨거운 플룸의 상승류를 따라 맨틀 물질이 상승한다. → 압력이 감소하여 부분 용융이 일어난다. → 현무암질 마그마가 생성된다.
섭입대 (C)	해양 지각과 해양 퇴적물이 섭입할 때 온도와 압력이 높아져 퇴적물과 지각을 이루는 함수 광물에서 물이 배출된다. → 맨틀(연약권)에 공급된 물이 맨틀의 용융점을 낮춰 맨틀 물질과 해양 지각이 부분 용융되어 현무암질 마그마가 생성된다. → 마그마가 상승하다가 대륙 지각 하부를 부분 용융시켜 유문암질 마그마가 생성되거나 현무암질 마그마와 유문암질 마그마가 혼합되어 안산암질 마그마가 생성된다.

13 ㄴ, ㄷ. (가), (나)는 모두 현무암질 마그마가 분출하였으므로 암석의 색도 비슷할 것이다. 현무암질 마그마는 SiO_2 함량이 52 % 이하이며 비교적 조용히 분출한다.

오답 피하기

ㄱ. 현무암질 마그마는 점성이 비교적 작다.

14 ㄴ. C는 염기성암으로 SiO_2 함량이 적으며 D는 산성암으로 SiO_2 함량이 많다. SiO_2 함량이 많을수록 암석의 색은 밝아진다. C에서 D로 갈수록 SiO_2 함량이 많아져 암석의 색은 밝아진다.

ㄷ. 유문암은 화산암, 반려암은 심성암으로 유문암보다 반려암이 더 깊은 곳에서 형성된다.

오답 피하기

ㄱ. 화산암인 A는 마그마가 지표 부근에서 빨리 식어 굳어져서 형성되므로 입자의 크기가 작다. 심성암인 B는 마그마가 지하 깊은 곳에서 천천히 식어 굳어지므로 입자의 크기가 크다. 입자의 크기는 A에서 B로 갈수록 크다.

15 ㄷ. 조립질의 화강암은 세립질의 현무암보다 광물 결정의 크기가 크다. 화강암(A)에서 값이 큰 물리량인 y에 광물 결정의 크기가 들어갈 수 있다.

오답 피하기

ㄱ. 현무암은 마그마의 냉각 속도가 빨라 결정의 크기가 작고, 유색 광물의 함량이 많아 어두운색을 띠는 염기성암이다. 화강암은 마그마의 냉각 속도가 느려 결정의 크기가 크고, 유색 광물의 함량이 적어 밝은색을 띠는 산성암이다. 따라서 A는 화강암이고, B는 현무암이다.

ㄴ. x는 현무암(B)에서 값이 큰 물리량인데, SiO_2 함량은 현무암보다 화강암에 많으므로 적절하지 않다.

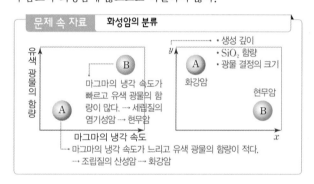

문제 속 자료	**화성암의 분류**

16 우리나라의 대표적인 화성암 지형은 다음과 같다.

화산암 지형	• 분포 지역: 백두산, 한탄강 일대, 제주도, 독도 등 • 형성 시기 및 구성 암석: 대부분 신생대에 현무암질 마그마가 분출하여 형성된 현무암으로 이루어져 있다.
심성암 지형	• 분포 지역: 북한산, 불암산, 계룡산, 월출산, 설악산 울산 바위 등 • 형성 시기 및 구성 암석: 대부분 중생대에 유문암질 마그마가 관입하여 형성된 화강암으로 이루어져 있다. → 지하 깊은 곳에서 형성된 화강암의 상부 지층이 풍화, 침식 작용을 받아 깎여 나간 후 융기하여 현재 지표로 드러나 있다.

ㄱ. (가)의 화강암은 중생대에 유문암질 마그마가 관입하여 형성되었다.

ㄴ. (나)의 현무암은 신생대에 지표로 분출된 현무암질 마그마의 빠른 냉각으로 형성되었다.

오답 피하기

ㄷ. (가)는 중생대, (나)는 신생대에 일어난 화성 활동으로 형성되었으므로, (가)가 (나)보다 먼저 형성되었다.

II 지구의 역사

01 | 퇴적 구조와 환경

기초 탄탄 **문제**   p. 52

01 ①   **02** ①   **03** ①   **04** ②   **05** ③

01 퇴적물이 쌓인 후 퇴적암이 되기까지의 전체 과정을 속성 작용이라고 하며, 속성 작용에는 다짐 작용과 교결 작용이 있다. 다짐 작용은 퇴적물이 오랫동안 쌓여 아랫부분의 퇴적물이 위에 쌓인 퇴적물에 눌리면서 퇴적물 입자 사이의 간격이 좁아져 치밀해지는 작용이다. 교결 작용은 지하수에 녹아 있던 탄산 칼슘, 규산염 광물, 산화 철 등이 퇴적물 사이에 침전되어 퇴적물 입자를 서로 붙여주고 굳어지게 하는 작용이다.

02 암염은 물속에서 NaCl의 침전으로 생성된 화학적 퇴적암이다. 역암은 주로 자갈이 모래, 점토와 함께 퇴적되어 굳어진 쇄설성 퇴적암이고, 응회암은 화산재가 쌓여서 굳어진 쇄설성 퇴적암이다. 따라서 A는 암염, B는 역암, C는 응회암이다.

03 암염은 건조 기후에서 호수나 육지에 있는 물이 증발하면서 물에 용해되어 있던 NaCl 성분이 침전되어 형성된다. 따라서 암염이 발견된 지역은 과거 물의 증발이 활발하게 일어났던 건조한 기후였음을 알 수 있다.

04 ② 사층리는 바람이나 물의 흐름으로 지층이 비스듬하게 퇴적되어 형성된다.

오답 피하기

퇴적 구조는 지층이 퇴적될 당시 환경을 알려주며 퇴적 구조를 확인하여 지층의 역전 여부를 알 수 있다. 점이 층리는 한 지층 내에서 위로 갈수록 퇴적물 입자가 작아지는 퇴적 구조로, 퇴적물의 입자 크기에 따라 퇴적 속도가 다르기 때문에 형성된다. 연흔은 얕은 물밑에서 흐르는 물이나 파도의 흔적이 물결 모양으로 지층에 남은 퇴적 구조이다. 건열은 습한 지층이 건조한 대기에 노출되었을 때 증발이 일어나면서 지층에 틈이 벌어져 형성된다.

05 퇴적 환경은 크게 육상 환경, 연안 환경, 해양 환경으로 구분한다. 선상지, 하천, 호수, 사막 등은 육상 환경, 삼각주, 석호, 모래톱(사주) 등은 연안 환경, 대륙붕, 대륙 사면, 대륙대, 심해저 등은 해양 환경에 속한다.

내신 만점 **문제**   p. 53 ~ 55

01 ③   **02** ④   **03** ①   **04** ④   **05** ③   **06** ③
07 ⑤   **08** ①   **09** ⑤   **10** ⑤   **11~12** 해설 참조

01 ㄱ. (가) → (나) 과정은 다짐 작용, (나) → (다) 과정은 교결 작용이다. 다짐 작용에서 퇴적물이 압축되고, 교결 작용에서 공극 사이에 물질이 채워지면서 공극이 감소한다.

ㄴ. (나) → (다)의 교결 작용은 공극 속의 물에 녹아 있는 탄산 칼슘, 규산염 광물, 산화 철 등이 침전되면서 일어난다.

오답 피하기

ㄷ. (가) → (나) → (다)는 퇴적암이 만들어지는 속성 작용이므로 쇄설성 퇴적암뿐만 아니라 유기적 퇴적암과 화학적 퇴적암에서도 일어난다.

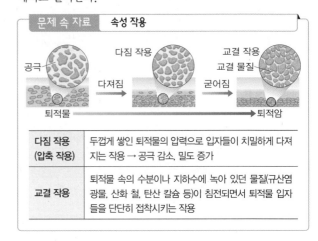

문제 속 자료	속성 작용
다짐 작용 (압축 작용)	두껍게 쌓인 퇴적물의 압력으로 입자들이 치밀하게 다져지는 작용 → 공극 감소, 밀도 증가
교결 작용	퇴적물 속의 수분이나 지하수에 녹아 있던 물질(규산염 광물, 산화 철, 탄산 칼슘 등)이 침전되면서 퇴적물 입자들을 단단히 접착시키는 작용

02 A는 화산 쇄설물이 퇴적된 쇄설성 퇴적암, B는 해수의 증발에 의한 염류가 침전된 증발암(예 암염), C는 생물체 유해가 퇴적된 유기적 퇴적암이다.

ㄴ. B는 생성 과정에서 해수의 증발이 일어나므로 증발이 잘 일어나는 건조한 환경에서 형성되었다.

ㄷ. C는 유기적 퇴적암으로 생물체 유해가 화석으로 존재할 수 있다.

오답 피하기

ㄱ. 석회암은 화산 쇄설물의 퇴적으로 생성될 수 없다. 석회암은 화학적 퇴적암의 생성 과정으로 생성될 수 있고 유기적 퇴적암의 생성 과정으로도 생성될 수 있다.

03 ㄱ. (가)는 주로 모래가 쌓여 생성된 쇄설성 퇴적암이고, (나)는 화산재가 쌓여 생성된 쇄설성 퇴적암이다.

오답 피하기

ㄴ. 화강암의 풍화로 생성된 쇄설물은 역암, 사암, 셰일을 형성할 수 있다. (나)는 화산 폭발 시 분출된 화산재가 퇴적되어 굳은 퇴적암이다.

ㄷ. (다)는 주로 점토가 쌓여 생성된 쇄설성 퇴적암이다.

04 ㄴ. 대륙 주변부의 얕은 바다에 퇴적된 물질이 해저 지진이나 화산 폭발이 일어날 때 한꺼번에 심해로 쓸려 내려가는 흐름을 저탁류라고 한다. 심해로 이동한 저탁류에는 크기가 다양한 입자들이 섞여 있어서 퇴적물이 쌓일 때 입자가 큰 것이 먼저 가라앉고, 입자가 작은 것이 나중에 가라앉는다. 퇴적물 입자의 크기에 따른 퇴적 속도 차이로 위로 갈수록 입자의 크기가 작아지는 점이 층리가 형성된다.

ㄷ. 점이 층리는 위로 갈수록 퇴적물 입자의 크기가 작아지는 퇴적 구조이므로 퇴적물 입자의 크기 분포로 지층의 역전 여부를 판단할 수 있다.

[오답 피하기]

ㄱ. 물이 흐르거나 바람이 부는 환경에서는 층리가 기울어진 사층리가 형성된다.

05 ㄱ. A는 점이 층리로 퇴적될 때 입자의 크기에 따라 퇴적 속도 차이가 나타나 형성되었다.

ㄷ. C층은 건조한 환경에서 지층 표면이 대기에 노출되어 만들어진 건열이다.

[오답 피하기]

ㄴ. B는 사층리로 물이 흐른 방향이나 바람의 방향에 따라 퇴적물이 기울어진 상태로 퇴적된다. 층리가 수평면을 기준으로 왼쪽으로 기울어져 있으므로 왼쪽 방향(㉠)으로 물이 흐르거나 바람이 불었다.

06 ㄱ. (가)는 수심이 얕은 물밑에서 형성된 연흔이다.

ㄷ. (가)는 뾰족한 부분이 위로 향할 때 역전이 일어나지 않은 지층이고, (나)는 위로 갈수록 퇴적물 입자가 작아질 때 역전이 일어나지 않은 지층이다. 따라서 두 퇴적 구조를 통해 지층의 역전 여부를 판단할 수 있다.

[오답 피하기]

ㄴ. (나)는 입자의 크기에 따라 퇴적물이 쌓여 형성된 점이 층리이다. 과거에 물이 흘렀던 방향이나 바람이 불었던 방향을 알려주는 퇴적 구조는 층리가 기울어져 있는 사층리이다.

07 ㄱ. (가)는 층리에 뾰족한 부분이 있는 연흔이다. 연흔은 수심이 얕은 물밑에서 형성된다.

ㄴ. (나)는 층리가 기울어져 있는 사층리이며 수평면을 기준으로 층리가 오른쪽으로 기울어져 있으므로 (나) 형성 당시 물은 a에서 b 쪽으로 흘렀다.

ㄷ. 연흔은 뾰족한 부분이 위쪽을 향하는 상태, 사층리는 층리가 아래쪽으로 오목한 상태, 건열은 벌어진 틈이 위로 갈수록 벌어진 상태인 경우에 역전되지 않은 지층이다. 문제의 그림에서 (가)는 뾰족한 부분이 아래쪽을 향하므로 (가)~(다) 중 역전된 지층은 (가)이다.

| 문제 속 자료 | 퇴적 구조 |

• 퇴적 구조를 조사하면 지층 형성 당시 환경을 추정할 수 있다.

뾰족한 부분이 아래를 향하므로 역전되었다. | 물 또는 바람의 방향 | 퇴적 후 공기 중에 노출되어 건조해져서 갈라졌다.

연흔 · 사층리 · 건열

08 ㄱ. A, B, C층은 모두 층리가 기울어져 있는 사층리이다. 세 층 모두 층리가 아래로 오목한 상태이므로 지층의 역전이 일어나지 않았고 아래층부터 순차적으로 퇴적되어 C → B → A 순으로 생성되었다.

[오답 피하기]

ㄴ. B와 C는 층리가 수평면을 기준으로 오른쪽으로 기울어져 있으므로 지층 형성 당시 오른쪽으로 바람이 불었거나 물이 흘렀다. 반면에 A는 층리가 수평면을 기준으로 왼쪽으로 기울어져 있으므로 지층 형성 당시 왼쪽으로 바람이 불었거나 물이 흘렀다.

ㄷ. 사층리는 얕은 물밑에서 퇴적되는 퇴적 구조이다.

09 ㄱ. A는 해저 깊이가 급격하게 깊어지는 대륙 사면이다.

ㄴ. B(삼각주)와 C(해빈)는 퇴적 환경 중 연안 환경에 해당한다.

ㄷ. D는 호수로 주로 육지에서 생성된 쇄설성 퇴적물이 퇴적된다.

10 A는 삼엽충 화석이 발견되는 태백시 구문소이고, B는 공룡 발자국 화석이 발견되는 고성군의 덕명리 해안이다.

ㄱ. A 지역에는 건열 구조가 나타나므로 과거에 이 지역은 건조한 환경에 노출된 적이 있었다.

ㄴ. B 지역의 지층은 셰일과 사암으로 구성되어 있으므로 주로 쇄설성 퇴적암이 퇴적되었다.

ㄷ. A 지역은 삼엽충 화석이 발견되므로 고생대에 형성되었고, B 지역은 공룡 발자국 화석이 발견되므로 중생대에 형성되었다. A 지역의 지층이 B 지역의 지층보다 먼저 형성되었다.

11 [모범 답안] (1) A: 다짐 작용(압축 작용), B: 교결 작용
(2) 퇴적물이 다짐 작용과 교결 작용을 받게 되면 공극은 줄어들고 밀도는 커진다.

	채점 기준	배점
(1)	모범 답안과 같이 쓴 경우	40%
	두 작용 중 한 가지만 옳게 쓴 경우	20%
(2)	밀도와 공극의 변화를 모두 옳게 서술한 경우	60%
	밀도와 공극의 변화 중 한 가지만 옳게 서술한 경우	30%

12 [모범 답안] (1) (가) 연흔, (나) 건열, (다) 점이 층리, (라) 사층리
(2) (가)는 얕은 물밑 환경에서 형성되며, (나)는 건조한 환경에 지표면이 수면 밖으로 노출되면서 만들어진다. (다)는 심해 환경에서 퇴적물의 크기에 따른 퇴적 속도 차이에 따라 형성되고, (라)는 사막이나 얕은 물밑에서 바람이나 물의 방향에 따라 층리가 기울어져 만들어진다.

	채점 기준	배점
(1)	퇴적 구조 명칭을 모두 옳게 쓴 경우	40%
	퇴적 구조의 명칭이 하나씩 틀린 경우	10%씩 감점
(2)	(가)~(라) 퇴적 구조의 형성 과정과 퇴적 환경을 모두 옳게 서술한 경우	60%
	(가)~(라) 퇴적 구조의 형성 과정과 퇴적 환경 중 두 가지 이상 옳게 서술한 경우	30%

02 | 지질 구조

기초 탄탄 **문제**　　　　　　　　　　　p. 60

01 ③　**02** ①　**03** ③　**04** ④　**05** ④　**06** ①

01 ③ 습곡과 역단층이 형성될 때 지층에 작용한 힘은 양쪽에서 미는 힘인 횡압력으로 같다. 습곡은 온도가 높은 지하 깊은 곳에서, 역단층은 상대적으로 온도가 낮은 지표 근처에서 형성된다. 정단층이 형성될 때 지층은 양쪽에서 잡아당기는 힘인 장력을 받는다.

　오답 피하기

지층이 힘을 받아 휘어진 것을 습곡, 끊어진 것을 단층이라고 한다. 지층이 시간적 단절 없이 연속적으로 쌓인 것을 정합, 두 지층 사이에 오랜 기간의 시간적 단절이 있으면 부정합이라고 한다. 지층에 남아 있는 지질 구조를 통해 과거 지층에 일어난 지각 변동을 알 수 있다.

02 습곡과 역단층은 지층에 양쪽에서 미는 힘인 횡압력이 작용하여 형성된다. 정단층은 지층에 양쪽에서 잡아당기는 힘인 장력이 작용하여 형성되고, 절리는 암석에 힘이 가해지거나 온도가 변하여 수축할 때 형성된다. 부정합은 지층이 융기와 침강하는 과정에서 침식과 퇴적 작용이 일어나 형성된다.

03 절리는 암석에 생긴 틈이나 균열로, 이 틈과 균열을 따라 암석이 이동하지 않는 지질 구조이다. 용암이 냉각될 때 수축하여 기둥 모양으로 틈이 벌어지는 지질 구조는 주상 절리이다.

　오답 피하기

지층에 균열이 생기고 그 균열을 따라 지층이 상대적으로 이동한 지질 구조는 단층이다.

04 문제의 지질 단면도에서 습곡, 정합, 부정합, 역단층은 나타나지만 정단층은 나타나지 않는다.

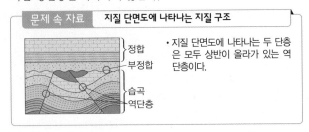

문제 속 자료　**지질 단면도에 나타나는 지질 구조**

- 지질 단면도에 나타나는 두 단층은 모두 상반이 올라가 있는 역단층이다.

（정합 / 부정합 / 습곡 / 역단층）

05 ④ (가)는 정습곡, (나)는 경사 습곡, (다)는 횡와 습곡이다.

　오답 피하기

① (가)에서 A는 위로 볼록한 배사이고, B는 아래로 오목한 향사이다.
② (나)는 습곡축면이 기울어져 있는 경사 습곡이다.
③ (다)에서는 습곡축면이 수평에 가깝게 기울어져 있으므로 먼저 퇴적된 지층이 나중에 퇴적된 지층보다 위에 놓이는 부분이 나타난다.
⑤ (가)~(다)는 모두 수평으로 퇴적된 지층이 횡압력을 받아 휘어진 습곡이다.

문제 속 자료　**습곡의 종류**

（습곡축면 A B / 습곡축면 / 습곡축면 지층 역전）

- 정습곡: 습곡축면이 수평면에 대해 거의 수직인 습곡
- 경사 습곡: 습곡축면이 수평면에 대해 기울어진 습곡
- 횡와 습곡: 습곡축면이 거의 수평으로 누워 있는 습곡

06 (가)는 지층에 횡압력이 작용하여 형성된 습곡과 역단층으로, 판의 수렴 경계인 히말라야산맥에서 잘 발달하는 지질 구조이다. (나)는 지층에 장력이 작용하여 여러 개의 정단층이 발달되어 있으므로 판의 발산 경계인 동아프리카 열곡대에서 잘 발달하는 지질 구조이다.

내신 만점 **문제**　　　　　　　　　　p. 61 ~ 63

01 ④　**02** ②　**03** ①　**04** ④　**05** ③　**06** ①
07 ④　**08** ①　**09** ③　**10** ⑤　**11~12** 해설 참조

01 ㄴ. 문제의 그림은 상반이 내려가고 하반이 올라간 정단층이다. 정단층은 지층에 장력이 작용할 때 형성된다.
ㄷ. 이 단층은 주향(수평) 방향과 경사 방향으로 모두 이동하였다.

　오답 피하기

ㄱ. A는 단층면의 아랫부분이므로 하반이고, B는 단층면의 윗부분이므로 상반이다.

02 ㄱ. 지질 단면도에서 습곡과 역단층이 나타나므로 이 지역 지층에는 횡압력이 작용하였다.

ㄷ. A층과 B층 사이에 기저 역암이 나타나므로 두 지층의 관계는 부정합이며 지층이 융기되어 침식이 일어나면서 퇴적이 오랫동안 중단된 시기가 있었다.

오답 피하기

ㄴ. A층의 습곡 지형이 단층으로 끊어져 있고, 습곡 작용을 받지 않은 B층이 단층으로 끊어져 있다. 따라서 이 지역은 A층이 퇴적된 상태에서 습곡 작용을 먼저 받고, B층이 퇴적된 이후에 단층이 생겼다.

문제 속 자료 **지질 단면도 해석**

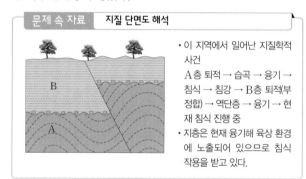

• 이 지역에서 일어난 지질학적 사건
  A층 퇴적 → 습곡 → 융기 → 침식 → 침강 → B층 퇴적(부정합) → 역단층 → 융기 → 현재 침식 진행 중
• 지층은 현재 융기해 육상 환경에 노출되어 있으므로 침식 작용을 받고 있다.

03 ㄱ. (가)는 기둥 모양으로 형성된 주상 절리이고, (나)는 얇은 판 모양으로 형성된 판상 절리이다.

오답 피하기

ㄴ. (가)는 지표로 분출한 용암이 중심 방향으로 빠르게 식으면서 수축하여 생성되었다.

ㄷ. (나)는 지하 깊은 곳에서 형성된 심성암이 융기하여 지표로 노출되는 동안 암석을 누르는 압력의 감소로 서서히 팽창하여 만들어졌다.

문제 속 자료 **절리의 종류**

주상 절리	판상 절리
• 기둥 모양의 절리	• 얇은 판 모양의 절리
• 화산암에서 잘 나타난다.	• 심성암에서 잘 나타난다.
• 용암이 중심 방향으로 빠르게 냉각되는 과정에서 수축하여 만들어진다.	• 지층이 융기할 때 암석을 누르는 압력이 감소하면서 서서히 팽창하여 만들어진다.

04 ㄱ. (가)는 정합으로 지층이 순차적으로 수평면과 평행하게 퇴적된다.

ㄴ. (나)와 (라)는 지반이 융기하여 지층이 해수면 위로 노출되고 침식 작용이 일어난다.

ㄷ. (나) → (다)에서 상하 지층의 층리가 나란한 평행 부정합이 형성된다.

오답 피하기

ㄹ. (라) → (마)에서 상하 지층의 경사가 다른 경사 부정합이 형성된다.

문제 속 자료 **부정합의 종류**

평행 부정합	경사 부정합	난정합
• 부정합면을 경계로 상하 지층의 층리가 나란한 부정합이다. • 조륙 운동을 받은 지층에서 나타난다.	• 부정합면을 경계로 상하 지층의 층리가 경사진 부정합이다. • 조산 운동을 받은 지층에서 나타난다.	• 부정합면의 아래에 화성암이나 변성암이 분포하는 부정합이다. • 부정합면을 경계로 상하 지층의 평행 여부를 판단하기 어렵다.

05 ㄱ. 이 지역의 지질 단면에는 습곡이 형성되어 있으므로 지층에 양쪽에서 미는 힘인 횡압력이 작용한 적이 있다.

ㄷ. 지질 단면에서 화성암이 아래쪽 부정합면을 관입하고 있다. 단층은 아래쪽 부정합면을 절단하고 있지 못하므로 관입은 부정합보다 나중에, 단층은 부정합보다 먼저 형성되었다.

오답 피하기

ㄴ. 이 지층에는 상반이 내려가 있고, 하반이 올라가 있는 정단층이 형성되어 있다. 지질 단면에서 역단층은 없다.

문제 속 자료 **지질 단면도 해석**

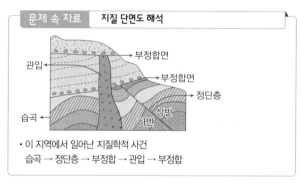

• 이 지역에서 일어난 지질학적 사건
  습곡 → 정단층 → 부정합 → 관입 → 부정합

06 ㄱ. (가)는 횡와 습곡으로 지층이 부분적으로 역전될 수 있다.

ㄴ. (나)는 상반이 내려가 있고, 하반이 올라가 있는 정단층이다. 정단층은 장력을 받아 형성된다.

오답 피하기

ㄷ. (다)는 기둥 모양으로 나타나는 주상 절리이다. 주상 절리는 용암이 냉각되면서 수축되어 생긴 균열이다.

ㄹ. (라)는 부정합으로 융기된 지층이 침식 작용을 받고 침강하여 퇴적 작용을 받아 형성된다.

07 ㄴ. A층이 퇴적된 후 지반이 융기하여 침식 작용을 받았다. 지층은 퇴적이 중단되었다가 다시 침강하여 B층이 퇴적되었으므로 두 지층 사이에는 퇴적 시간의 간격이 크다.

ㄷ. A층은 횡압력을 받아 습곡이 형성되었으며, 위로 볼록한 배사 구조가 나타난다.

오답 피하기

ㄱ. A층의 단층은 상반이 아래로 이동한 정단층으로, 장력을 받아 형성되었다.

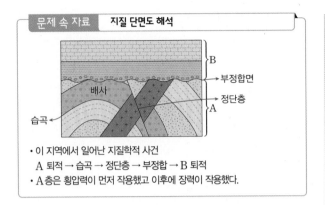

문제 속 자료 　지질 단면도 해석

• 이 지역에서 일어난 지질학적 사건
　A 퇴적 → 습곡 → 정단층 → 부정합 → B 퇴적
• A층은 횡압력이 먼저 작용했고 이후에 장력이 작용했다.

08 ㄱ. A층과 B층 사이에는 기저 역암이 존재하므로 두 층의 관계는 부정합이고 퇴적이 중단된 시기가 있었다.

오답 피하기

ㄴ. C층에서 D층의 포획암이 나타나므로 C층이 생성될 때 D층이 존재했다. C층은 D층 아래로 관입하여 생성된 심성암이다.

ㄷ. 지층 D가 퇴적된 이후에 C층의 관입이 일어났으므로 C층이 가장 나중에 생성되었다.

09 ㄱ. (가)에서 화강암 내에 포획암(포획된 셰일)이 존재하는 것으로 보아 화강암이 관입하는 과정에서 이전에 존재하던 셰일이 포획되었다. 따라서 (가)에서 포획된 셰일은 화강암보다 먼저 생성되었다.

ㄷ. 마그마 관입이 나타나는 (가)에서 암석의 생성 순서는 셰일 → 화강암이고, 부정합이 나타나는 (나)에서 암석의 생성 순서는 화강암 → 셰일이다. (가)와 (나)의 화강암의 생성 시기가 같으므로 셰일의 퇴적 시기는 (가)가 (나)보다 빠르다.

오답 피하기

ㄴ. (나)에서 화강암의 침식물(기저 역암)이 셰일에 들어 있는 것으로 보아 화강암이 셰일보다 먼저 생성되었다. 화강암과 셰일은 부정합 관계이다.

10 ㄱ. (나)는 지층이 휘어져 있는 습곡, 상반이 올라가 있고 하반이 내려가 있는 역단층이다.

ㄴ. 습곡과 역단층은 양쪽에서 미는 힘인 횡압력이 지층에 작용할 때 형성된다.

ㄷ. 판의 경계 중 횡압력이 작용하는 곳은 두 판이 서로 수렴하는 수렴형 경계인 해구와 습곡 산맥이다. A는 습곡 산맥인 히말라야산맥, B는 일본 해구, C는 해령, D는 변환 단층, E는 칠레 해구이다.

11 단층에서 상반이 내려가고 하반이 올라간 구조는 정단층, 상반이 올라가고 하반이 내려간 구조는 역단층이다.

[모범 답안] (1) (가) 정단층, (나) 역단층

(2) (나), 습곡은 횡압력을 받아 형성되므로 횡압력이 지층에 가해졌을 때 형성되는 역단층의 지하에서 습곡 구조가 형성될 수 있다.

	채점 기준	배점
(1)	모범 답안과 같이 쓴 경우	40%
	정단층과 역단층 중 한 가지만 옳게 쓴 경우	20%
(2)	습곡 구조가 형성될 수 있는 단층을 고르고, 그 때 작용하는 힘을 모두 옳게 서술한 경우	60%
	(나)만 고르거나 횡압력이 지층에 작용했기 때문이라고만 서술한 경우	30%

12 부정합면 상부 지층과 하부 지층의 층리가 평행하면 평행 부정합이고, 상부 지층과 하부 지층의 층리가 경사져 있다면 경사 부정합이다.

[모범 답안] (1) 경사 부정합, 부정합면을 기준으로 상부 지층과 하부 지층의 경사가 다르기 때문이다.

(2) 지층이 퇴적된 후 횡압력을 받아 습곡이 형성되고 역단층이 형성되었다. 이후 지층이 융기하여 윗부분이 침식되고 침강하여 새로운 지층이 퇴적되었다.

	채점 기준	배점
(1)	경사 부정합과 그 까닭을 모두 옳게 서술한 경우	30%
	경사 부정합이라고만 쓰고 그 까닭을 서술하지 못한 경우	20%
(2)	모범 답안과 같이 옳게 서술한 경우	70%
	서술한 내용은 맞았으나 주어진 단어가 하나씩 빠진 경우	10%씩 감점

03 l 지사 해석 방법

기초 탄탄 문제 　　　　　　　　　　　　p. 67

01 ①　　**02** ②　　**03** ③　　**04** ③　　**05** ②

01 현재 지구상에서 발생하는 지질학적 사건들이 과거에도 동일하게 일어났다는 지사학의 기본 원리는 동일 과정의 원리이다. 과거에 살았던 산호의 생장 환경은 현재 산호의 생장 환경과 같을 것임을 가정하고 지층의 생성 환경을 추정하므로 동일 과정의 원리에 해당한다.

02 ⑧ 현재 지층은 지상에 노출되어 있으며 풍화·침식 작용을 받아 지층의 상부가 깎여나간다.

오답 피하기

Ⓐ 현재 이 지역의 지층은 경사층이지만 수평 퇴적의 법칙에 의해 퇴적물이 수평으로 퇴적된 뒤 힘을 받아 지층은 경사지게 되었다.

ⓒ 이 지역에 지층의 침강이 일어나고 새로운 지층이 퇴적되면 부정합이 형성된다. 따라서 부정합의 법칙을 이용하여 지층의 선후 관계를 판단할 수 있다.

03 ③ 새로운 지층은 항상 기존에 존재하던 지층 위에 퇴적되므로 오래된 지층이 더 아래에 위치한다. 따라서 위쪽에 위치한 지층일수록 최근에 생성되었고 더욱 진화된 화석이 발견된다.

오답 피하기
지층은 중력의 영향으로 수평 방향으로 퇴적된다.

04 지층의 역전이 일어나지 않은 지역이므로 E, C, B 순으로 지층이 퇴적되었다. 이후 마그마의 관입으로 화성암 D가 생성되었으며 융기와 침식 작용을 거친 후 부정합면 위에 A가 퇴적되었다.

05 B와 C는 이웃한 두 지층으로 지층 누중의 법칙에 의해 아래에 있는 C가 위에 있는 B보다 먼저 퇴적되었음을 알 수 있다. 화강암 D는 B를 관입하였으므로, 관입의 법칙에 의해 관입당한 B가 먼저 생성되었고 이후 마그마의 관입으로 D가 생성되었음을 알 수 있다.

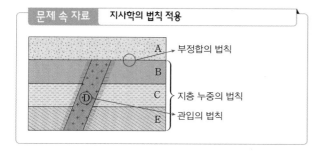

문제 속 자료 **지사학의 법칙 적용**

내신 만점 문제 p. 68 ~ 69

01 ② **02** ② **03** ④ **04** ② **05** ④ **06** ⑤
07~08 해설 참조

01 ㄴ. (나)의 지층은 현재는 기울어져 있지만 수평 퇴적의 법칙으로 퇴적 당시에는 수평면과 나란하게 퇴적되었다. 현재 층리가 기울어져 있는 까닭은 퇴적 이후 지층이 힘을 받아 지각 변동이 있었기 때문이다.

오답 피하기
ㄱ. 지층이 역전되지 않았고 A층이 C층보다 위에 존재하므로 지층 누중의 법칙으로 C층이 A층보다 먼저 생성되었다.
ㄷ. (나) 지역의 지층은 층리가 수평면과 나란하지 않으므로 퇴적 이후 지각 변동을 받았다.

02 ㄴ. 석회암층과 사암층 사이, 화강암층과 사암층 사이에 기저 역암이 존재하므로 두 지층은 부정합 관계이다. 이 지역은 석회암층의 퇴적 이후 마그마의 관입으로 화강암이 생성되었고, 이후 지층이 융기해 침식 작용을 받았다. 사암층은 지층의 침강이 일어난 뒤 퇴적되었다.

오답 피하기
ㄱ. 기저 역암은 부정합면 아래에 위치한 지층의 침식으로 생성된 쇄설물이다. 따라서 기저 역암인 A는 사암이 아닌 석회암이나 화강암이다.
ㄷ. 화강암은 마그마의 관입으로 생성되며 석회암층과 셰일층을 관입하면서 석회암층과 셰일층 중 마그마와 접해 있는 부분에서 열에 의한 변성 작용이 일어난다. 사암층은 화강암 생성 이후 침식과 퇴적을 거쳐 생성되었으므로 열에 의한 변성 작용을 받지 않았다.

문제 속 자료 **변성 작용 부분**

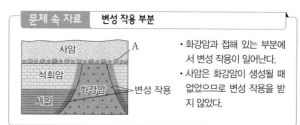

· 화강암과 접해 있는 부분에서 변성 작용이 일어난다.
· 사암은 화강암이 생성될 때 없었으므로 변성 작용을 받지 않았다.

03 ㄱ. 지층 A에서 산출되는 화석의 생물이 약 5000만 년 전과 3000만 년 전 사이에 생존했으므로 화석과 함께 퇴적된 지층도 같은 시기에 생성되었다.
ㄷ. 지층 B에서 산출되는 화석은 지층 A에서 발견되는 화석과 지층 C에서 발견되는 화석 사이에 퇴적되어 있으므로 두 화석이 생존했던 시기 사이에 퇴적되었다. 따라서 지층 B에서 산출되는 화석은 약 5억 4000만 년 이후에 생존했었다.

오답 피하기
ㄴ. 이 지역의 지층은 오래된 생물의 화석이 아래쪽 지층에서 발견되고, 비교적 최근에 생존한 생물의 화석이 위쪽 지층에서 발견되므로 지층이 역전되지 않았다.

04 ㄷ. (가)에서 ㉠과 지층 B 사이에 기저 역암이 존재하므로 두 층 사이 관계는 부정합이다. 따라서 ㉠ 생성 당시 지층 B는 존재하지 않았다. (나)에서 ㉡과 접하고 있는 지층 B에 변성 부분이 나타나므로 ㉡은 지층을 관입하여 생성되었다. ㉠은 생성 당시 대기에 노출되어 있었으므로 빠르게 냉각되었고, ㉡은 지하에서 천천히 냉각되었다.

오답 피하기
ㄱ. (가)에서 ㉠과 지층 B 사이에 기저 역암이 존재하므로 ㉠ 생성 당시 지층 B는 존재하지 않았다.
ㄴ. (나)에서 ㉡과 접하고 있는 지층 B에 변성 부분이 나타나므로 ㉡은 지층 B보다 나중에 생성되었다.

문제 속 자료	지질 단면도 해석	
구분	분출	관입
지층의 단면		
암석 생성 순서	A → ㉠ → B	A → B → ㉡
특징	지층 B에서 기저 역암이 나타난다.	지층 B에도 마그마의 열로 변성 작용의 흔적이 나타난다.

05 ㄴ. A는 부정합면 위에 있으므로 A~G 중 가장 최근에 퇴적된 지층은 A이다. E는 B, C, D, F, G를 관입하고 있으므로 이 지층들보다 나중에 생성되었다. 관입당한 지층들은 역전되지 않았으므로 지층 누중의 법칙에 의해 가장 아래에 있는 B가 지질 단면도에서 가장 오래된 지층이다.

ㄷ. 이 지역에는 부정합이 1개 존재하므로 융기와 침강이 최소 1회 있었다. 지층의 최상부가 침식을 받고 있으므로 현재는 지층이 융기하여 수면 위로 노출된 상태이다. 따라서 이 지역은 최소 2회 이상 융기가 일어났다. 이후 지층이 침강하여 새로운 퇴적물이 쌓이면 부정합이 생성될 것이다.

> **오답 피하기**
>
> ㄱ. E와 A는 부정합 관계이므로 화성암 E 관입 이후 융기, 침식, 침강이 일어나고 A가 퇴적되었다.

06 ㄱ. 부정합면의 아래에 위치한 지층에서 습곡이 나타나므로 이 지역의 지층은 과거에 횡압력을 받았다.

ㄴ. 부정합이 생성되기 위해서는 지층이 노출되어 침식 작용을 받아야 한다. 따라서 이 지역은 지층이 융기하여 해수면이 부정합면보다 낮았던 적이 있다.

ㄷ. 부정합면 아래에 위치한 지층은 습곡 작용을 받기 전 A 지점에 접해 있는 지층이 B 지점에 접해 있는 지층보다 아래에 위치하였다. 따라서 지층 누중의 법칙에 의해 A 지점에 접해 있는 지층이 먼저 퇴적되었고 부정합면 바로 위에 위치한 지층의 나이는 동일하므로 부정합면을 경계로 이웃한 두 지층이 생성된 시간 차이는 A가 B보다 크다.

07 [모범 답안] (1)

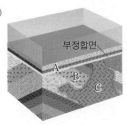

(2) 관입의 법칙, 지층 B를 마그마가 관입하면서 C가 생성되었으므로 관입당한 B가 관입한 C보다 먼저 생성되었다.

	채점 기준	배점
(1)	모범 답안과 같이 표시한 경우	40%
(2)	관입의 법칙을 쓰고 C층이 B층을 관입하였음을 모두 서술한 경우	60%
	관입의 법칙만 쓰고, B층과 C층의 관계로 관입의 법칙을 적용한 까닭을 서술하지 않은 경우	30%

08 부정합이 생성되기 위해서는 최소 1번의 융기와 1번의 침강을 거쳐야 한다.

> [서술형 Tip] 현재 이 지역의 최상층이 지표면(지상)에 노출되어 있음을 생각한다.

[모범 답안] (1) C 퇴적 → A 관입 → 부정합 → D 퇴적 → B 관입 → 부정합 → E 퇴적

(2) 최소 융기 3회, 침강 2회가 일어났다. 이 지역은 두 번의 부정합이 있었고 현재 최상층이 지표에 노출되어 있으므로 융기를 한 번 더 거쳤다.

	채점 기준	배점
(1)	부정합을 포함한 암석의 생성 순서를 옳게 나열한 경우	40%
	부정합 시기를 잘못 적고 암석의 생성 순서만 옳게 나열한 경우	20%
(2)	두 번의 부정합과 현재 최상층이 지표에 노출되어 있음을 포함하여 융기와 침강 횟수를 옳게 서술한 경우	60%
	융기와 침강의 횟수만 옳게 쓴 경우	30%

04 | 지층의 연령

탐구 대표 문제 p. 72

01 ③

01 ③ B가 생성된 이후 마그마의 관입으로 D가 생성되었으므로 생성 순서는 B가 D보다 먼저이다.

> **오답 피하기**
>
> ① 남아 있는 모원소의 양이 50 %가 될 때까지 걸린 시간이 1억 년이므로 반감기는 1억 년이다.
>
> ② 남아 있는 모원소의 양이 처음 양의 $\frac{1}{16} = \left(\frac{1}{2}\right)^4$ 이라면 반감기가 4번 지났다.
>
> ④ D와 B가 침식을 받은 후 C가 퇴적되었으므로 부정합의 생성 과정에서 오랫동안 퇴적이 중단된 시기가 있었다.
>
> ⑤ 화성암 D의 절대 연령은 5억 년, 화성암 E의 절대 연령은 2억 년이므로 D는 E보다 먼저 생성되었다.

01 ③	02 ③	03 ④	04 ②	05 ④	06 ②
07 ③	08 ①	09 ③	10 ②	11 ③	

01 ③ 암상에 의한 대비는 비교적 가까운 거리의 지층 대비에 이용되고, 화석에 의한 대비는 가까운 거리뿐만 아니라 멀리 떨어져 있는 지층의 대비에도 이용된다.

오답 피하기

지층이나 암석의 시간적인 선후 관계를 밝히는 것을 지층의 대비라고 한다. 지층의 대비에서 암석의 종류나 퇴적 구조 등을 이용하는 방법은 암상에 의한 대비이며, 표준 화석을 이용하는 방법은 화석에 의한 대비이다.

02 건층은 다른 지층과 뚜렷하게 구분되는 특징이 있어 지층 대비의 기준이 되는 층이다. 건층은 짧은 시간에 넓은 지역에 퇴적된 석탄층이나 응회암층이 주로 이용된다.

03 ④ 생존 기간이 긴 화석은 화석이 포함된 지층의 생성 시기를 정확하게 알 수 없기 때문에 지층의 대비에 적합하지 않다. 지층의 대비에 이용되는 화석은 생존 기간이 비교적 짧은 표준 화석이 주로 이용된다.

오답 피하기

절대 연령은 방사성 동위 원소를 이용하여 구한 암석이나 지층의 생성 시기를 수치로 나타낸 것이다. 상대 연령은 암상이나 화석을 이용하여 알아낸 상대적인 생성 순서이다. 암상에 의한 대비는 비교적 가까운 거리의 지층 대비에 이용되고, 화석에 의한 대비는 가까운 거리뿐만 아니라 멀리 떨어져 있는 지층의 대비에도 이용된다.

04 ② 지층의 대비에 이용되는 건층은 비교적 짧은 시간 동안 넓은 지역에 퇴적된 지층일수록 유리하며 대표적으로 석탄층이나 응회암층이 이용된다.

오답 피하기

①, ④ 이 지역의 지층은 역전되지 않았으므로, 아래에 있는 지층이 위에 있는 지층보다 먼저 생성된 것이다. 따라서 아래에 위치한 사암층 B의 절대 연령이 더 많고 위에 위치한 사암층 A가 가장 나중에 형성되었다.
③ 지층 대비에 기준이 되는 지층은 건층이다. 석회암층은 건층으로 이용되지 않는다.
⑤ 방사성 동위 원소를 이용한 절대 연령의 측정은 주로 화성암에서 이용된다. 셰일과 같은 퇴적암은 생성 시기가 다양한 입자들이 모여서 암석을 이루고 있으므로 방사성 동위 원소를 이용하더라도 암석의 정확한 생성 시기를 알기 어렵다.

05 ④ (다)에서 모원소는 최초의 25 %로 감소했으므로 반감기가 2번 지난 후의 모습이다.

오답 피하기

① (가)에서는 모원소만 존재하고 (나)에서는 모원소와 자원소의 개수비가 1:1, (다)에서는 모원소와 자원소의 개수비가 1:3이다. 따라서 모원소의 개수가 감소한 (가) → (나) → (다) 순으로 붕괴가 진행되었다.
② (나)에서 모원소와 자원소의 개수는 16개로 같다.
③ (나)는 반감기가 1번 지난 후의 상태이고, (다)는 반감기가 2번 지난 후의 상태이다. 따라서 (가) → (나)의 시간 간격과 (나) → (다)의 시간 간격은 모원소의 반감기에 해당하므로 서로 같다.
⑤ (다)에서 모원소와 자원소의 개수비가 1:3이므로 모원소는 최초의 25 %로 감소했다.

06 ② 반감기는 화학 변화를 포함한 다른 외부 요인의 영향으로 변하지 않는다.

오답 피하기

①, ③ 반감기는 시간이나 온도의 변화와 같은 물리적인 외부 요인에 상관없이 일정하다.
④ 반감기는 방사성 동위 원소마다 다르다.
⑤ 반감기가 1번 지나면 모원소와 자원소의 양이 동일(1:1)해지며, 반감기가 2번 지나면 모원소와 자원소의 비율이 1:3으로 된다.

07 암석 속에 모원소와 자원소의 비율은 1:7이다. 따라서 남아 있는 모원소는 처음 양의 $\frac{1}{8}=\left(\frac{1}{2}\right)^{3}$이므로 암석 생성 후 반감기는 3번 지났다.

08 ① 퇴적암은 여러 시기에 생성된 퇴적물들이 혼합되어 생성되기 때문에 방사성 동위 원소를 이용하여 암석의 절대 연령을 측정하는 방법에 적합하지 않다.

오답 피하기

방사성 동위 원소의 반감기와 모원소·자원소의 비율을 측정하면 암석의 정확한 생성 시기를 알 수 있다. 이때 암석의 대략적인 생성 시기에 비해 너무 길거나 너무 짧지 않은 반감기를 가지고 있는 동위 원소를 이용하여야 비교적 좁은 시간 범위 내에서 암석의 절대 연령을 알 수 있다. 반감기는 온도 변화와 같은 외부적 요인의 영향으로 변하지 않는다.

09 지질 단면도에서 지층 B가 퇴적된 이후에 지층이 습곡 작용을 받았고 이후에 C가 관입하였다. C 위에 기저 역암이 존재하는 것으로 보아 융기, 침식, 침강이 일어났고 A가 퇴적되었다.

10 방사성 동위 원소의 반감기는 방사성 원소의 붕괴 곡선으로 알 수 있다. 방사성 원소 X의 반감기는 모원소의 양이 50 %일 때의 시간인 2억 년이다.

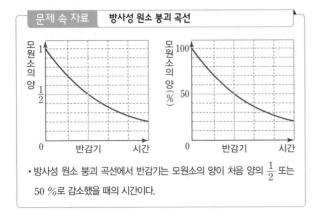

문제 속 자료 **방사성 원소 붕괴 곡선**

• 방사성 원소 붕괴 곡선에서 반감기는 모원소의 양이 처음 양의 $\frac{1}{2}$ 또는 50 %로 감소했을 때의 시간이다.

11 화성암 C에 방사성 원소 X가 25 %, 자원소가 75 % 있으므로 모원소의 양이 처음 양의 $\frac{1}{4}=\left(\frac{1}{2}\right)^{2}$ 이다. 따라서 반감기가 2번 지났고, 방사성 원소 X의 반감기가 2억 년이므로 화성암 C의 절대 연령은 4억 년이다.

내신 만점 문제 p. 75 ~ 77

01 ①	02 ⑤	03 ⑤	04 ①	05 ②	06 ③
07 ④	08 ④	09 ②	10 ③	11~13 해설 참조	

01 ㄱ. 표준 화석을 통해 (가)에서 A, B와 (나)에서 각각 a, d가 같은 시기에 생성된 지층임을 알 수 있다. (나)에서 b, c가 퇴적되는 동안 (가)에서는 퇴적이 일어나지 않았다. (가)에서 이 기간 동안 퇴적이 중단된 후 B가 나중에 퇴적되었다. 따라서 A와 B는 부정합 관계이다.

오답 피하기

ㄴ. (가)의 B와 (나)의 d가 같은 시기에 퇴적된 지층이므로, B는 d 아래에 있는 c보다 나중에 퇴적되었다.

ㄷ. (가)와 (나)에서 최상층과 최하층에서 산출되는 화석이 각각 같기 때문에 두 지층의 생성 시기가 같다. 따라서 두 지역의 지층이 모두 퇴적되는 데 걸린 시간은 거의 같다.

02 ㄱ. 이 지역의 지층을 표준 화석을 이용해서 대비해 보면 화석이 산출되는 순서는 ◆ → □ → ▼ → ● → ▲ → ⚑이다. 따라서 가장 오래된 표준 화석은 ◆이다.

ㄴ. (다) 지역에서는 가장 오래된 화석과 가장 최근의 화석이 모두 산출되므로 퇴적된 기간이 가장 길다.

ㄷ. □ 화석이 (가)와 (나)의 지층에서 산출되지만 (다)에서는 발견되지 않는 것으로 보아 이 시기에 (다) 지역은 융기로 인해 수면 위로 노출된 적이 있었을 것이다.

03 ㄱ. 지층 ㉠과 ㉢에서 발견되는 화석은 암모나이트로 중생대의 대표적인 표준 화석이다. 따라서 두 지층은 같은 지질 시대에 퇴적되었다.

ㄴ. (가)에서 ㉡과 ㉠ 사이에 퇴적된 지층은 1개로, (나)의 동일한 시기의 지층과 비교했을 때 지층의 개수가 적다. 따라서 (나)에는 존재하지만 (가)에는 존재하지 않는 지층이 퇴적될 때 (가)에서는 퇴적이 중단되었다.

ㄷ. 화석에 의한 대비를 통해 (가)에서 (나)보다 더 오래된 지층이 1개, 최근에 퇴적된 지층이 1개 더 있음을 알 수 있다. 따라서 (가)가 (나)보다 퇴적 기간이 길다.

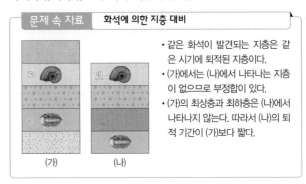

문제 속 자료 **화석에 의한 지층 대비**

• 같은 화석이 발견되는 지층은 같은 시기에 퇴적된 지층이다.
• (가)에서는 (나)에서 나타나는 지층이 없으므로 부정합이 있다.
• (가)의 최상층과 최하층은 (나)에서 나타나지 않는다. 따라서 (나)의 퇴적 기간이 (가)보다 짧다.

04 ㄱ. 남아 있는 모원소의 양이 처음 양의 50 %가 될 때까지 걸린 시간이 반감기이므로 이 방사성 동위 원소의 반감기는 5700년이다.

오답 피하기

ㄴ. 반감기가 약 5700년으로 매우 짧은 방사성 동위 원소는 ^{14}C이다. ^{14}C는 붕괴하여 ^{14}N로 바뀐다. 납으로 바뀌는 방사성 원소는 우라늄과 토륨이다.

ㄷ. ^{14}C는 반감기가 매우 짧은 원소이므로 비교적 가까운 지질 시대의 절대 연령 측정에 유리하다.

05 ㄷ. 시간이 지남에 따라 모원소가 붕괴하여 자원소로 바뀌므로 모원소 A의 양은 감소하고, 자원소 B의 양은 증가한다. 따라서 $\frac{\text{붕괴로 생성된 B의 양}}{\text{남아 있는 A의 양}}$의 값은 커진다.

오답 피하기

ㄱ. 시간이 지남에 따라 붕괴하는 모원소는 감소하고 생성되는 자원소는 증가한다. 따라서 ㉠은 자원소 B, ㉡은 모원소 A의 양이다.

ㄴ. 시간이 T만큼 지났을 때 남아 있는 모원소 A의 양이 25 %이므로 반감기가 두 번 지났다. 따라서 방사성 동위 원소 A의 반감기는 $\frac{T}{2}$이다.

06 ㄱ. 지질 단면도에서 나타난 지질학적 사건은 C 퇴적 → Q 관입 → 융기 → 침식 → 침강 → B 퇴적(부정합) → A 퇴적 → P 관입이다. 따라서 가장 오래된 지층은 C이다.

ㄷ. 지층 B와 C 사이에는 기저 역암이 존재하므로 두 지층의 관계는 부정합이다. 따라서 지층 B가 퇴적된 시기와 지층 C가 퇴적된 시기 사이에 지층이 융기하여 퇴적이 중단된 시기가 있었다.

오답 피하기

ㄴ. 방사성 원소 X의 붕괴 곡선을 통해 반감기가 7억 년임을 알 수 있다. 모원소 양이 처음의 $\frac{1}{4}$이 있는 Q는 반감기를 2번 지났고, 모원소 양이 처음의 $\frac{1}{2}$이 있는 P는 반감기를 1번 지났다. 따라서 Q의 절대 연령은 14억 년, P의 절대 연령은 7억 년이다. P와 Q 사이에 퇴적된 A와 B는 14억 년 전과 7억 년 전 사이에 퇴적되었다.

07 ㄴ. 반감기는 방사성 동위 원소의 붕괴 곡선에서 남아 있는 모원소의 양이 50 %일 때의 시간이므로 A ~ D의 반감기는 각각 5백만 년, 천만 년, 2천만 년, 3천만 년이다. 따라서 붕괴 속도는 반감기가 짧은 C가 D보다 빠르다.

ㄷ. A의 반감기가 5백만 년이므로 절대 연령이 5천만 년인 화성암은 10번의 반감기가 지났다. 따라서 남아 있는 A의 양은 처음 양의 $0.5^{10} \times 100$ %이므로 약 0.1 %이다.

오답 피하기

ㄱ. A의 반감기가 5백만 년이고 B의 반감기가 천만 년이므로 반감기는 A가 B보다 짧다.

문제 속 자료	방사성 붕괴에 따른 반감기와 남아 있는 모원소의 양	
반감기	암석에 분포하는 모원소와 자원소의 비	처음 양에 비해 현재의 암석에 남아 있는 모원소의 양
T	1:1	$\left(\frac{1}{2}\right)^1 = \frac{1}{2}$ (50 %)
$2T$	1:3	$\left(\frac{1}{2}\right)^2 = \frac{1}{4}$ (25 %)
$3T$	1:7	$\left(\frac{1}{2}\right)^3 = \frac{1}{8}$ (12.5 %)
$4T$	1:15	$\left(\frac{1}{2}\right)^4 = \frac{1}{16}$ (6.25 %)
$5T$	1:31	$\left(\frac{1}{2}\right)^5 = \frac{1}{32}$ (3.125 %)
$6T$	1:63	$\left(\frac{1}{2}\right)^6 = \frac{1}{64}$ (1.5625 %)

08 ㄴ. 반감기는 B가 D보다 짧다. 암석의 나이가 많을수록 반감기가 긴 방사성 동위 원소를 이용하는 것이 절대 연령을 구하는 과정에 유리하다. 반대로 나이가 적은 암석은 반감기가 짧은 동위 원소를 이용하는 것이 유리하다.

ㄷ. D는 반감기가 3천만 년, B의 반감기는 천만 년이다. 두 방사성 동위 원소의 반감기보다 긴 4천만 년이 지났을 때 남아 있는 B와 D의 양은 처음 양의 50 %보다 적다.

오답 피하기

ㄱ. B는 D보다 반감기가 짧아 붕괴 속도가 빠르다. 따라서 같은 양의 B와 D가 포함된 암석에서는 시간이 지남에 따라 항상 B의 양이 D의 양보다 적다.

09 ㄴ. 이 지역에 나타나는 부정합면은 X와 Y이다. 부정합면이 생성되는 과정에서는 융기가 일어나므로 이 지역은 최소 2회의 융기가 있었다.

오답 피하기

ㄱ. 화성암 C와 접촉하고 있는 주위의 모든 암석에서 변성 작용을 받은 부분이 나타난다. 따라서 마그마가 지층을 관입하고 화성암 C가 생성되었다.

ㄷ. ㉠은 마그마가 관입할 때 주변 지층의 암석 부스러기들이 떨어져 나와 마그마와 함께 굳어진 포획암이다. 화성암 E는 화성암 C가 생성된 이후에 생성되었으므로, ㉠은 화성암 E의 성분을 가진 암석으로 이루어질 수 없다. ㉠은 B 또는 D와 같은 암석이다.

10 ㄱ. 그래프에서 방사성 동위 원소 Z의 반감기는 남아 있는 모원소의 양이 50 %일 때인 4500만 년이다. 화성암 C는 모원소의 양이 처음 양의 $\frac{1}{16} = \left(\frac{1}{2}\right)^4$이 남아 있으므로 반감기가 4번 지났고 절대 연령은 1억 8000만 년이다. 화성암 E는 모원소의 양이 처음 양의 $\frac{1}{8} = \left(\frac{1}{2}\right)^3$이 남아 있으므로 반감기가 3번 지났고 절대 연령은 1억 3500만 년이다. 따라서 두 화성암이 생성된 시기의 차이는 약 4500만 년이다. 부정합 Y는 화성암 C보다 먼저 형성되었고 부정합 X는 화성암 E보다 나중에 형성되었으므로, 부정합 X와 부정합 Y의 생성 시간 차이는 4000만 년보다 길다.

ㄷ. 지층 D에서 화성암 C와 맞닿아 있는 부분이 변성 작용을 받았으므로 지층 D는 화성암 C보다 먼저 생성되었다. 따라서 지층 D의 절대 연령은 화성암 C의 절대 연령인 1억 8000만 년보다 많다.

오답 피하기

ㄴ. 화성암 C의 절대 연령은 1억 8000만 년이고, 화성암 E의 절대 연령은 1억 3500만 년이므로 암석의 절대 연령은 C가 E보다 2배 많지는 않다.

11 세 지역에서 나타나는 모든 지층을 지층 대비를 통해 순서를 파악하고 각 지역에서 나타나는 결층을 통해 부정합면을 파악할 수 있다.

[모범 답안] (1) F − E − D − C − A − B

(2) 2개, B와 C 사이에 A가 존재하지 않고, C와 E 사이에 D가 존재하지 않으므로 두 층의 경계는 각각 부정합면이다.

	채점 기준	배점
(1)	모범 답안과 같이 나열한 경우	40%
(2)	부정합면의 개수와 위치를 모두 옳게 서술한 경우	60%
	부정합면의 개수만 옳게 쓰고, 위치는 서술하지 못한 경우	30%

12 [모범 답안] 모원소와 자원소의 비율이 1:3이면 반감기가 두 번 지났으므로 화성암의 생성 시기는 ^{40}K의 반감기의 두 배인 약 26억 년 전이다.

채점 기준	배점
반감기가 지난 횟수와 화성암의 절대 연령을 모두 옳게 서술한 경우	100%
반감기가 지난 횟수와 화성암의 절대 연령 중 한 가지만 옳게 서술한 경우	50%

13 [서술형 Tip] 두 원소의 양을 구분하여 처음 양에 대비하여 얼마나 감소했는지 확인한다.

[모범 답안] X는 반감기가 4번 지났고, Y는 반감기가 2번 지났으므로 X는 처음 양의 $\frac{1}{16}$이, Y는 처음 양의 $\frac{1}{4}$이 남아 있다. 처음 두 원소가 같은 양이 포함되어 있었으므로 4억 년이 지난 후 X의 양이 Y의 양보다 적게 남아 있다.

채점 기준	배점
방사성 동위 원소 X와 Y가 반감기를 지난 횟수를 포함해 남아 있는 모원소의 양을 옳게 비교하여 서술한 경우	100%
방사성 동위 원소 X와 Y가 반감기를 지난 횟수는 옳게 적었지만 남아 있는 모원소의 양을 옳지 않게 서술한 경우	50%

05 | 지질 시대의 환경과 생물

탐구 대표 문제   p. 80

01 ②

01 ② 기온이 높으면 수온이 높아져 상대적으로 무거운 ^{18}O로 구성된 물 분자의 증발이 활발해지지만, 수온이 낮아지면 ^{18}O로 구성된 물 분자는 ^{16}O로 구성된 물 분자보다 증발이 잘 일어나지 않는다.

[오답 피하기]
빙하에 포함된 공기를 분석하여 당시의 대기 조성을 알 수 있으며 탄소 방사성 동위 원소의 반감기를 이용하여 석순의 생성 시기를 알 수 있다. 꽃가루 화석은 당시 서식했던 식물의 종류를 알려주며 나무의 생장이 활발할수록 나이테의 간격은 넓어진다.

기초 탄탄 **문제**   p. 83

01 ①   **02** ④   **03** ②   **04** ④   **05** ④   **06** ③

01 ① 화석은 퇴적물에 생물의 유해나 활동 흔적이 남아 있는 것이므로 퇴적암에서 발견된다. 마그마의 냉각에 의해 생성된 화성암이나 암석이 열과 압력을 받아 변성되어 생성된 변성암에서는 거의 발견되지 않는다.

[오답 피하기]
생물의 유해뿐만 아니라 활동 흔적도 화석에 포함된다. 생물체의 단단한 부분이 지층에 빨리 매몰되어 형태가 잘 유지될수록 화석이 생성될 가능성이 높다.

02 ④ 지진파를 조사하면 매질에 따른 지진파의 속도 차이로 지구 내부의 구조 등을 알아낼 수 있다.

[오답 피하기]
나무의 나이테, 꽃가루 화석, 빙하 및 빙하 속의 공기 방울, 화석 등을 분석하면 과거의 기온, 강수량, 서식 생물 등 지구의 환경 변화를 알 수 있다.

03 지질 시대를 구분하는 기준이 되는 표준 화석은 생존 기간이 짧고 분포 면적이 넓은 생물일수록 적합하다. 삼엽충은 고생대의 표준 화석이고, 화폐석은 신생대의 대표적인 표준 화석이다. 고사리와 산호 화석은 지층 형성 당시의 환경을 알 수 있는 대표적인 시상 화석이다.

문제 속 자료	시상 화석

화석	퇴적 환경
고사리	따뜻하고 습한 육지 환경
산호	수심이 얕고 따뜻한 해양 환경

04 지질 시대의 길이가 가장 긴 D 시기는 선캄브리아 시대이다. 현생 누대에서는 고생대(A)의 길이가 가장 길고 중생대(B), 신생대(C)로 올수록 그 길이가 짧아진다. 최초의 광합성 생명체가 출현한 시기(㉠)는 선캄브리아 시대인 D이며, 최초의 육상 식물이 출현한 시기(㉡)는 고생대인 A이다.

05 ④ 판게아는 대륙들이 하나로 모여 형성한 초대륙으로 고생대 말기인 페름기에 형성되었다.

[오답 피하기]
선캄브리아 시대는 고생대의 시작인 캄브리아기 이전의 시기로, 시생 누대와 원생 누대로 구분한다. 최초의 생명체가 출현한 시기이며 여러 종류의 다세포 동물 화석인 에디아카라 동물군 화석이 형성된 시기이다.

06 ③ 최초의 어류는 고생대에 출현하였다.

오답 피하기

시조새의 출현은 중생대이며, 속씨식물은 중생대에 출현하여 신생대에 번성하였다. 필석은 고생대 초의 대표적인 표준 화석이다. 남세균은 최초의 광합성 생명체로 선캄브리아 시대에 출현하였다.

내신 만점 **문제**　　　　　　　　　　　p. 84 ~ 87

01 ②	02 ①	03 ②	04 ③	05 ③	06 ②
07 ②	08 ①	09 ④	10 ⑤	11 ④	12 ④
13 ③	14 ②	15~17 해설 참조			

---

01 (가)의 화폐석, (나)의 삼엽충, (다)의 암모나이트는 각각 신생대, 고생대, 중생대의 표준 화석이다.

ㄷ. 화폐석, 삼엽충, 암모나이트 세 생물 모두 바다에서 서식한 해양 생물이다. 해양 생물의 화석은 바다에서 퇴적된 지층에서 발견된다.

오답 피하기

ㄱ. (가)의 화폐석은 신생대의 표준 화석이므로 고생대의 표준 화석인 (나)의 삼엽충보다 나중에 출현하였다.

ㄴ. 화폐석, 삼엽충, 암모나이트 세 생물 모두 지질 시대를 구분할 수 있는 표준 화석이다.

02 ㄱ. 지층 A는 삼엽충 화석이 발견되므로 고생대 바다 환경에서 퇴적된 지층이다. 지층 B는 공룡알 화석이 발견되므로 중생대 육지 환경에서 퇴적된 지층이다. 따라서 지층 A가 지층 B보다 먼저 생성되었다.

오답 피하기

ㄴ. 양치식물은 고생대에 출현하여 번성하였으므로 삼엽충과 같은 시기에 생존하였다. 양치식물은 육지에서 서식한 육상 식물이므로 바다에서 퇴적된 지층 A에서는 양치식물 화석이 발견될 수 없다.

ㄷ. 공룡이 번성했던 중생대는 온난한 기후가 지속되었으며 빙하기가 없었다.

03 ㄷ. 생존 기간이 짧고 분포 면적이 넓은 A는 표준 화석이다. 생존 기간이 길고 환경 변화에 민감하여 분포 면적이 좁은 B는 시상 화석이다. 시상 화석은 지층의 퇴적 환경 추정에 적합하고, 지층의 대비에는 표준 화석이 더 적합하다.

오답 피하기

ㄱ. A는 표준 화석, B는 시상 화석이다.

ㄴ. B의 예로는 고사리나 산호 등이 있다.

04 ㄱ. 빙하 속 공기 방울을 분석하면 빙하 형성 당시의 대기 조성을 알 수 있다.

ㄴ. 높은 수온에서 산호의 성장 속도가 빠르다. 산호의 성장률을 분석하면 산호 생존 당시의 수온 변화 경향을 알아낼 수 있다.

오답 피하기

ㄷ. 시상 화석을 이용하면 지질 시대 생물이 살았던 기후와 환경을 유추할 수 있다.

05 ㄱ. 기온이 높을수록 수온이 높아지며, 수온이 높아질수록 해수에서 증발한 수증기의 산소 동위 원소비$\left(\dfrac{^{18}O}{^{16}O}\right)$가 높아진다. 따라서 대기 중의 수증기가 응결하여 내리는 눈의 산소 동위 원소비$\left(\dfrac{^{18}O}{^{16}O}\right)$도 높아진다.

ㄷ. 눈의 산소 동위 원소비는 기온이 높을수록 높아지므로 여름인 8월이 겨울인 12월보다 산소 동위 원소비가 높을 것이다.

오답 피하기

ㄴ. 해수에서 증발한 수증기가 응결하여 눈의 형태로 내린다. 해수에서 증발한 수증기의 산소 동위 원소비$\left(\dfrac{^{18}O}{^{16}O}\right)$가 높을수록 내리는 눈의 산소 동위 원소비$\left(\dfrac{^{18}O}{^{16}O}\right)$도 높아진다.

06 ㄷ. (나)는 흩어져 있던 대륙들이 하나로 모여 초대륙인 판게아가 형성된 고생대 말의 수륙 분포이다. (가)는 판게아가 분리되고 있는 모습으로 중생대의 수륙 분포이고, (다)는 흩어진 대륙들이 현재와 비슷한 분포를 보이는 신생대의 수륙 분포이다. 히말라야산맥은 신생대에 인도 대륙이 북쪽으로 이동해 유라시아 대륙과 충돌하여 형성되었다.

오답 피하기

ㄱ. 수륙 분포는 (나) → (가) → (다) 순으로 변화하였다.

ㄴ. 삼엽충의 멸종은 고생대 말에 일어났으며 이 시기에는 판게아가 형성되었으므로 당시 수륙 분포는 (나)이다.

07 ㄷ. 지구 나이인 46억 년을 100 cm라고 했을 때, 약 5억 4100만 년 전인 고생대의 시작은 약 88.2 cm, 약 2억 5200만 년 전인 중생대의 시작은 약 94.5 cm, 약 6600만 년 전인 신생대의 시작은 약 98.6 cm이다. B 시기에는 고생대 중엽부터 중생대, 신생대가 포함되므로 삼엽충과 공룡, 매머드가 차례대로 번성하였다.

오답 피하기

ㄱ. 해양 무척추동물은 고생대 초에 번성하였으므로 이 시기는 A 시기 이후인 약 90 cm 부근에 해당한다.

ㄴ. A 시기는 선캄브리아 시대이다. 오존층이 형성되어 생물체가 육상으로 진출할 수 있었던 시기는 고생대이다.

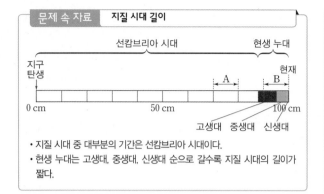

문제 속 자료 지질 시대 길이

- 지질 시대 중 대부분의 기간은 선캄브리아 시대이다.
- 현생 누대는 고생대, 중생대, 신생대 순으로 갈수록 지질 시대의 길이가 짧다.

08 ㄱ. 고생대는 약 5억 4100만 년 전 캄브리아기를 시작으로 약 2억 5200만 년 전 페름기까지의 기간이다. 고생대 말기의 석탄기와 페름기에는 빙하기가 있었다.

[오답 피하기]

ㄴ. 오존층의 형성으로 고생대 중기인 실루리아기에 육상 식물이 출현하였다.

ㄷ. 고생대에는 오르도비스기 말, 데본기 말, 페름기 말에 총 세 번의 대멸종이 일어났다.

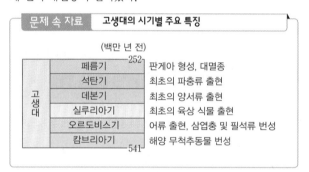

문제 속 자료 고생대의 시기별 주요 특징

(백만 년 전)

		252	
고생대	페름기		판게아 형성, 대멸종
	석탄기		최초의 파충류 출현
	데본기		최초의 양서류 출현
	실루리아기		최초의 육상 식물 출현
	오르도비스기		어류 출현, 삼엽충 및 필석류 번성
	캄브리아기	541	해양 무척추동물 번성

09 ㄴ. A 기간은 지구 탄생부터 삼엽충이 출현하기 이전까지의 기간으로 대부분 선캄브리아 시대이다. 따라서 A 기간 중 남세균의 광합성으로 대기 중 산소 농도가 증가하였다.

ㄷ. 오존층이 형성되면서 해양에서만 서식했던 생물들이 육상까지 서식지를 확장하였다. 따라서 육상 식물의 출현 이전인 B 시기에 오존층이 형성되었다.

[오답 피하기]

ㄱ. A는 지구 탄생부터 선캄브리아 시대를 포함한 고생대 초까지의 기간이며, C는 고생대부터 신생대 중엽까지이다. 현생 누대가 선캄브리아 시대보다 짧으므로 A가 C보다 길다.

10 ㄱ. 매머드가 번성한 시기인 A는 신생대이다.

ㄴ. 최초의 육상 식물은 고생대 중기에 출현하였으므로 B는 고생대이다. 판게아는 중생대 트라이아스기에 분리되기 시작하였으므로 C는 중생대이며, D는 선캄브리아 시대이다. 겉씨식물은 고생대에 출현하여 중생대에 번성하였으므로, B인 고생대와 C인 중생대 지층에서는 겉씨식물 화석이 발견될 수 있다.

ㄷ. 지질 시대의 길이는 선캄브리아 시대인 D가 가장 길다.

11 ㄴ, ㄷ. 속씨식물과 대형 포유류가 번성한 시기는 신생대이다. 신생대에 영장류가 출현하였으며 화폐석은 매머드와 함께 신생대를 대표하는 표준 화석이다.

[오답 피하기]

ㄱ. 지질 시대의 길이는 선캄브리아 시대가 가장 길며 현생 누대 중 고생대의 길이가 가장 길고 중생대, 신생대로 갈수록 지질 시대의 구분이 세분화되면서 그 길이가 짧아진다.

12 지질 시대 동안 동물은 무척추동물 → 어류 → 양서류 → 파충류 → 포유류 순으로 출현하였으며, 식물은 양치식물 → 겉씨식물 → 속씨식물 순으로 출현하였다.

ㄴ, ㄷ. 양서류는 고생대에 출현하여 현재까지 서식하고 있으며, 속씨식물은 중생대에 출현하여 현재까지 서식하고 있으므로 모두 중생대 지층에서 화석으로 발견될 수 있다.

[오답 피하기]

ㄱ. ㉠은 무척추동물과 양서류 사이에 출현하였으므로 어류이다. 파충류는 양서류보다 나중에 출현했다.

13 ㄱ. 고생대 초기는 대체로 온난했으나 고생대 말기인 석탄기와 페름기에는 빙하기가 있었다. 따라서 고생대 초기보다 말기의 지층에서 빙하 퇴적물이 많이 발견된다.

ㄷ. 신생대 초기는 온난했으나 후기로 가면서 기온이 하강하여 빙하기와 간빙기가 반복적으로 나타났다.

[오답 피하기]

ㄴ. 중생대는 온난한 기후가 지속되었으며 빙하기가 없었다.

14 ㄴ. 지질 시대 동안 대멸종은 다섯 차례 일어났으며, 고생대에 세 번, 중생대에 두 번 일어났다. 고생대 말인 C, 중생대 말인 E 시기에는 대(代) 단위의 지질 시대를 구분하는 경계가 될 정도로 대규모의 멸종이 일어났다.

[오답 피하기]

ㄱ, ㄷ. 삼엽충은 고생대 말인 C 시기에 멸종하였고, 이 시기에 판게아가 형성되었다.

15 표준 화석을 통해 화석이 발견되는 지층의 생성 시기를 알 수 있고, 시상 화석을 통해 화석이 발견되는 지층의 생성 당시 퇴적 환경을 알 수 있다.

[모범 답안] (1) A 지역의 석회암층은 암모나이트 화석이 발견되는 것으로 보아 중생대에 퇴적되었으며, 산호 화석이 발견되는 것으로 보아 따뜻하고 얕은 바다 환경에서 퇴적되었을 것이다.

(2) B 지역의 셰일층에서는 삼엽충과 완족류 화석이 발견되므로 이 지역의 지층은 고생대 해양 환경에서 퇴적되었다. C 지역의 셰일층에서는 공룡알 화석이 발견되므로 이 지역의 지층은 중생대 육상 환경에서 퇴적되었다.

채점 기준	배점
(1) 각각의 화석을 통해 A 지역 지층의 생성 시기와 퇴적 환경을 모두 옳게 서술한 경우	50%
화석을 이용하여 A 지역의 생성 시기와 퇴적 환경 중 한 가지만 옳게 서술한 경우	25%
(2) 화석을 이용하여 두 지역의 지층 생성 시기가 다르다는 사실을 서술한 경우	50%
두 지역에서 발견되는 화석의 차이만 서술한 경우	25%

16 [서술형 Tip] 선캄브리아 시대는 지구 탄생부터 시작되었으며 가장 오래된 지질 시대라는 점을 생각한다.

[모범 답안] 선캄브리아 시대는 오랜 시간 동안 지층이 심한 지각 변동을 많이 받았으며, 지층에 남아 있는 화석이 거의 없기 때문이다.

채점 기준	배점
모범 답안과 같이 옳게 서술한 경우	100%
선캄브리아 시대의 시간적 특징, 지각 변동의 정도 중 한 가지만 포함하여 서술한 경우	50%

17 지질 시대 중 대멸종은 다섯 차례 발생하였다. 고생대에 세 번의 대멸종이 있었고, 중생대에 두 번의 대멸종이 있었다.

[모범 답안] 고생대와 중생대를 구분하는 대멸종이 페름기 말에 발생하였으며 중생대와 신생대를 구분하는 대멸종이 백악기 말에 발생하였다.

채점 기준	배점
대멸종이 일어난 지질 시대(기)와 구분하는 지질 시대를 옳게 서술한 경우	100%
대멸종이 일어난 지질 시대를 대 수준에서만 서술하고 구분하는 지질 시대만 서술한 경우	50%

단원 마무리하기 p. 90 ~ 93

01 ⑤ 02 ⑤ 03 ③ 04 ③ 05 ③ 06 ②
07 ③ 08 ⑤ 09 ⑤ 10 ④ 11 ② 12 ①
13 ③ 14 ② 15 ④ 16 ③

01 ㄱ. (가) → (나) 과정에서 퇴적물의 무게로 압축이 일어나 공극이 감소한다.
ㄴ. (나) → (다) 과정에서 공극이 규산염 광물, 산화 철, 탄산 칼슘으로 채워지므로 밀도가 증가한다.
ㄷ. 퇴적물이 쌓인 후 퇴적암으로 되기까지 일어나는 모든 과정이 속성 작용이므로 (가), (나), (다)는 모두 속성 작용 과정에 포함된다.

02 (가)는 건열, (나)는 점이 층리, (다)는 사층리이다. 퇴적 당시 물이 흘렀던 방향이나 바람의 방향을 알 수 있는 것은 사층리이다. (가)~(다) 모두 퇴적 구조를 통해 지층의 상하 역전을 판단할 수 있다. (나)의 점이 층리 단면에서 입자가 큰 퇴적물이 위에 있으며 아래로 갈수록 입자가 작아지므로 이 지층은 역전되었다.

[오답 피하기]
사층리는 층리가 아래쪽으로 오목한 상태, 건열은 벌어진 틈이 위로 갈수록 벌어진 상태인 경우 역전되지 않은 지층이다. 따라서 (가)와 (다)는 정상층이다.

03 퇴적 당시의 환경에 따라 다양한 퇴적 구조의 특징이 나타난다. 점이 층리, 사층리, 연흔, 건열 등은 지층의 역전을 판단하는 기준이 된다.
ㄱ. A층에서 지층 표면이 갈라진 모습이 관찰되므로 건열이 나타난다. A층은 퇴적되는 동안 건조한 대기에 노출된 시기가 있었다.
ㄴ. B층은 층리가 기울어져 있는 사층리로, 층리의 오목한 부분을 통해 지층의 상하 판단을 할 수 있다.

[오답 피하기]
ㄷ. C층은 분급이 불량한 상태로 퇴적물이 쌓여 있다. C층에서 크기에 따라 퇴적물들이 층을 이루고 있는 점이 층리가 관찰되지 않는다.

04 ㄱ. A에서 응회암, 역암, 사암을 석탄, 석회암과 구분하므로 쇄설성 퇴적암과 관련된 질문이 들어갈 수 있다.
ㄴ. 응회암은 화산재가 퇴적되어 생성된 퇴적암이고, 역암과 사암은 암석의 풍화·침식으로 생성된 쇄설물이 쌓여 생성된 퇴적암이다. 따라서 암석을 구성하는 퇴적물의 종류로 퇴적암을 구분할 수 있다.

[오답 피하기]
ㄷ. 속성 작용은 모든 퇴적암이 퇴적물에서 암석으로 형성될 때 받는 작용이다. 석탄과 석회암은 생성 환경 관련 질문으로 구분할 수 있다. 석탄은 육지 환경에서 생성되고, 석회암은 해양 환경에서 생성된다.

문제 속 자료 퇴적암의 분류

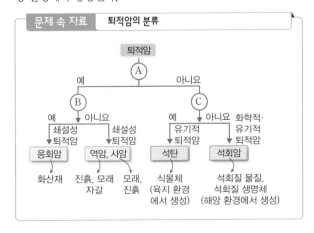

05 A는 사막, B는 삼각주에 대한 설명이다.

ㄱ. 사막에서 강한 바람으로 사층리가 형성되면 바람의 방향을 알 수 있다.

ㄴ. 삼각주는 강의 하구와 바다가 만나는 곳으로 유속이 점차 느려지면서 퇴적물 알갱이의 크기가 위로 갈수록 커진다.

오답 피하기

ㄷ. 대륙붕은 퇴적 환경 중 해양 환경이다. 삼각주는 퇴적 환경 중 연안 환경이다.

06 ㄴ. (나) 지역은 화강암 속에 사암 조각이 들어 있다. 사암이 퇴적된 후 화강암이 관입하면서 사암 조각 중 일부가 화강암 속에 포획되었다.

오답 피하기

ㄱ. (가) 지역은 사암 속에 화강암 조각이 들어 있으므로 이 지역은 화강암이 형성되고 그 위에 사암이 침식 작용을 받아 생긴 화강암 조각과 함께 퇴적되었다. 화강암은 심성암이므로 용암이 지표로 분출하여 생성된 것이 아니다.

ㄷ. 사암에 마그마의 열로 변성 작용이 일어날 수 있는 곳은 사암층 형성 이후 마그마의 관입이 일어난 (나) 지역이다.

문제 속 자료   기저 역암과 포획암

사암	사암
기저 역암	포획암
화강암	화강암
(가)	(나)

• 기저 역암: 융기된 지층이 침식 작용을 받아 지층의 일부 암석이 떨어져 나오고 지층 침강 후 떨어져 나온 암석이 새롭게 쌓이는 퇴적물과 함께 퇴적된다.

• 포획암: 마그마의 관입이 일어날 때 기존 지층의 암석 일부가 떨어져 나와 마그마에 포획되어 함께 굳어진다.

07 ㄱ. (가)는 습곡으로, 습곡에서 A는 지층이 아래로 휘어진 향사이다.

ㄴ. (나)는 횡압력을 받아 상반이 위로 올라간 역단층이다.

오답 피하기

ㄷ. 습곡과 역단층은 횡압력을 받아 형성된 지질 구조이다. 횡압력은 판의 수렴형 경계에서 작용하므로 (가)와 (나)는 판의 발산형 경계에서 나타나지 않는다. 판의 발산형 경계에서는 장력이 작용하기 때문에 정단층이 잘 형성된다.

08 ㄱ. A는 지층이 해수면 위로 드러나는 융기의 과정이고, B는 지층이 해수면 아래로 가라앉는 침강의 과정이다.

ㄴ. 지반이 융기하여 지표에 노출되면 침식 작용이 일어나고, 퇴적 작용은 중단된다. 따라서 A와 B 사이에 퇴적이 중단되는 현상이 나타난다.

ㄷ. (가)는 부정합면을 경계로 상층과 하층의 층리가 경사져 있는 경사 부정합이고, (나)는 부정합면을 경계로 상층과 하층의 층리가 나란한 평행 부정합이다.

09 ㄱ. 이 지역에서 지층의 역전이 없었으므로 지층 누중의 법칙에 따라 아래에 있는 사암이 위에 있는 석회암보다 먼저 퇴적되었다.

ㄴ. 화강암은 석회암, 셰일, 사암을 관입하고 있으므로 관입의 법칙을 이용하여 상대 연령을 알 수 있다. 관입한 화강암은 관입당한 석회암, 셰일, 사암보다 나중에 생성되었다.

ㄷ. 이 지층에서 암석은 사암 → 셰일 → 석회암 → 화강암 순으로 생성되었다. 같은 지층 내에서도 아래쪽으로 갈수록 암석의 나이는 많아진다.

문제 속 자료   암석의 연령

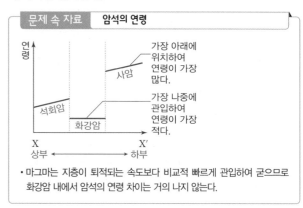

가장 아래에 위치하여 연령이 가장 많다.

가장 나중에 관입하여 연령이 가장 적다.

• 마그마는 지층이 퇴적되는 속도보다 비교적 빠르게 관입하여 굳으므로 화강암 내에서 암석의 연령 차이는 거의 나지 않는다.

10 ㄴ. (나)에서는 지층 A, B, C, D가 차례로 퇴적된 이후 양쪽에서 잡아당기는 힘인 장력을 받아 왼쪽의 상반이 아래로 이동하는 정단층이 형성되었다. 이후 융기와 침강이 일어나면서 부정합면이 생성되었고 그 위에 E와 F가 퇴적되었다.

ㄷ. 기저 역암이 존재하는 부분을 통해 부정합면의 위치를 알 수 있다. (가)에서는 D와 C, D와 화성암의 경계가 부정합면이고, (나)에서는 E와 D, E와 C의 경계가 부정합면이다.

오답 피하기

ㄱ. (가)에서 일어난 지질학적 사건은 다음과 같다.

A 퇴적 → B 퇴적 → C 퇴적 → 화성암 관입 → 융기 → 침식 → 침강 → D 퇴적(부정합)

화성암이 D를 관입하지 못하였으므로 화성암은 D보다 이전에 생성되었다.

11 (가)에서 암석의 생성 순서는 C → Q → B → P → A이다. (나)에서 방사성 원소 X의 반감기는 남아 있는 X의 양이 처음 양의 50 %가 될 때까지 걸린 시간이므로 1억 년이다. 화성암 P와 Q에 남아 있는 방사성 원소 X의 양이 각각 처음 양의 $\frac{1}{4}$, $\frac{1}{16}$이므로 반감기가 각각 2번, 4번이 지났고 화성암 P와 Q의 절대 연령은 각각 2억 년, 4억 년이다.

ㄴ. 중생대는 약 2억 5200만년 전부터 시작되었고, 고생대는 약 5억 4100만년 전부터 시작되었으므로 절대 연령이 2억 년인 화성암 P는 중생대, 절대 연령이 4억 년인 화성암 Q는 고생대에 관입하였다.

오답 피하기

ㄱ. A는 2억 년 전보다 나중인 중생대나 신생대에 퇴적되었으므로 고생대 말에 멸종한 삼엽충 화석은 발견되지 않는다.

ㄷ. C는 4억 년 전보다 더 이전에 퇴적되었다. 암모나이트는 중생대에 번성했던 생물이므로 C가 퇴적될 당시 번성하지 않았다.

12 ㄱ. 중생대는 3개의 '기'로 세분된다. 따라서 A는 트라이아스기, B는 쥐라기, C는 백악기이다.

오답 피하기

ㄴ. 중생대 대멸종은 트라이아스기 말과 백악기 말에 일어났다.

ㄷ. 중생대 전 기간에 걸쳐 온난한 기후가 지속되었으며 빙하기는 나타나지 않았다.

13 ㄱ. 수온이 낮은 시기에는 상대적으로 무거운 ^{18}O로 이루어진 물 분자의 증발이 어려워 해수 속의 산소 동위 원소비$\left(\dfrac{^{18}O}{^{16}O}\right)$가 커진다. 또한 해수를 이용하여 유기물을 만드는 심해 퇴적물 속 해양 생물의 산소 동위 원소비도 커진다. 반대로 대기 중 ^{18}O로 이루어진 물 분자의 비율이 적어지기 때문에 대기의 산소 동위 원소비는 작아지고 대기의 수증기가 응결하여 내리는 눈, 비, 눈과 비가 형성하는 빙하도 산소 동위 원소비가 작아진다.

ㄴ. 산소 동위 원소비가 상대적으로 높은 A 시기가 B 시기보다 수온이 낮고 빙하의 면적도 넓다.

오답 피하기

ㄷ. A 시기는 B 시기보다 해수의 산소 동위 원소비가 큰 시기이므로, B 시기보다 A 시기에 형성된 빙하의 산소 동위 원소비가 더 작다.

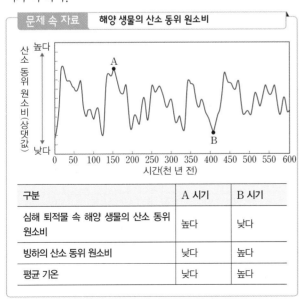

문제 속 자료 **해양 생물의 산소 동위 원소비**

구분	A 시기	B 시기
심해 퇴적물 속 해양 생물의 산소 동위 원소비	높다	낮다
빙하의 산소 동위 원소비	낮다	높다
평균 기온	낮다	높다

14 ㄷ. A 지역은 삼엽충, 필석 화석이 발견되고, 석회암층이 나타나는 것으로 보아 고생대에 바다에서 퇴적된 지층이다. B 지역은 공룡 발자국, 민물조개 화석이 발견되고 사암, 셰일이 나타나는 것으로 보아 중생대에 육지 환경에서 퇴적된 지층이다.

오답 피하기

ㄱ. 속씨식물은 신생대에 번성하였으며 중생대에 출현했다. A 지역의 지층은 속씨식물 출현 이전인 고생대에 퇴적되었다.

ㄴ. 암모나이트는 중생대 해양에서 번성했던 생물이다. B 지역의 지층은 육지 환경에서 퇴적되었으므로 해양 생물인 암모나이트 화석은 발견되지 않는다.

15 ㄴ. 삼엽충은 고생대에 출현하여 고생대 말에 멸종하였다. 지질 시대는 생물의 대량 멸종이나 새로운 출현 시기를 기준으로 나눈다. 따라서 지질 시대를 구분하는 기준으로 ⓒ이 가장 적합하다.

ㄷ. 고생대 바다에서 퇴적된 지층이라면 어류 화석과 삼엽충 화석은 같은 지층에서 발견될 수 있다.

오답 피하기

ㄱ. A는 포유류와 같은 시기에 번성한 식물이다. 포유류는 중생대에 출현하여 신생대에 번성한 생물이다. 포유류와 같은 시기에 번성한 식물은 속씨식물이다.

16 ㄱ. 지질 시대 동안 대멸종은 다섯 번 일어났으며 세 번은 고생대에, 두 번은 중생대에 일어났다. 따라서 C는 고생대와 중생대의 경계인 페름기 말 대멸종이며 A, B, C 대멸종은 고생대에 일어났고, D, E 대멸종은 중생대에 일어났다.

ㄷ. 지질 시대 중 가장 마지막인 백악기 말에 일어난 대멸종은 중생대와 신생대를 구분하는 대멸종이다.

오답 피하기

ㄴ. (나)는 고생대에 번성했던 삼엽충이다. 삼엽충은 고생대 페름기 말에 사라졌으므로 C 시기에 멸종했다. 삼엽충은 고생대 전 기간에 걸쳐 번성한 생물이므로 C와 D 시기 사이에 번성하지 않았다.

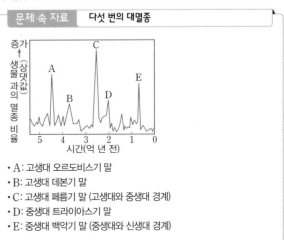

문제 속 자료 **다섯 번의 대멸종**

· A: 고생대 오르도비스기 말
· B: 고생대 데본기 말
· C: 고생대 페름기 말 (고생대와 중생대 경계)
· D: 중생대 트라이아스기 말
· E: 중생대 백악기 말 (중생대와 신생대 경계)

III 대기와 해양의 변화

01 | 기압과 날씨 변화

탐구 대표 문제
p. 101

01 ④　　**02** (나), 온대 저기압이 더 동쪽에 있으므로

---

01 ④ 그림은 가시 영상이므로 밝게 나타나는 부분에 두꺼운 구름이 존재하고 흐리게 나타나는 부분에 얇은 구름이 존재한다. 따라서 B보다 C에서 구름이 더 두껍다.

오답 피하기

① 가시 영상은 물체에 반사된 햇빛을 통해 자료를 얻으므로 햇빛이 없는 밤에는 자료를 얻을 수 없다.

② 강수량을 예측할 수 있는 일기 자료는 레이더 영상이다.

③ A는 구름이 없는 맑은 지역이므로 고기압이 위치할 가능성이 높다.

⑤ 지표에서 상승 기류가 활발한 지역은 구름이 높게 발달한다. 따라서 두꺼운 구름이 존재하는 C가 A보다 상승 기류가 활발하다.

02 온대 저기압은 중위도 지방에서 편서풍의 영향을 받아 서에서 동으로 이동한다. 따라서 일기도에서 온대 저기압이 더 동쪽에 위치한 (나)가 (가)보다 더 나중에 작성된 일기도이다.

기초 탄탄 문제
p. 102

01 ②　**02** ①　**03** ⑤　**04** ②　**05** ④　**06** ④

---

01 ② A는 주변보다 기압이 낮으므로 저기압이다. 저기압에서는 상승 기류가 나타난다.

오답 피하기

① 저기압 중심에서는 상승 기류로 구름이 잘 만들어지기 때문에 날씨가 흐리다.

③ 저기압 중심에서는 공기의 수렴이 일어난다.

④ 바람은 저기압 주변에서 중심으로 시계 반대 방향으로 회전하며 불어 들어오므로 B에서는 동풍 계열의 바람이 분다.

⑤ A의 기압은 1008 hPa보다 낮고, B의 기압은 1008 hPa과 1012 hPa 사이 값이다. 따라서 기압은 A가 B보다 낮다.

문제 속 자료　저기압 주변 풍향

· 저기압 주변에서 바람은 시계 반대 방향(북반구)으로 회전하면서 불어 들어간다.
· 고기압 주변에서 바람은 시계 방향(북반구)으로 회전하면서 불어 나간다.

---

02 찬 공기가 따뜻한 공기 아래로 파고들어 형성되는 전선은 한랭 전선이다. 한랭 전선은 전선 후면의 좁은 지역에서 적운형 구름이 발달하고 강한 소나기가 내린다.

03 중위도에서 온대 저기압은 편서풍의 영향을 받아 서에서 동으로 이동한다. 대기 대순환으로 위도 30°~60° 지역에는 편서풍이 분다.

04 ② 초여름 저위도에서 발달하는 고온 다습한 북태평양 기단과 고위도에서 발달하는 한랭 다습한 오호츠크해 기단이 만나 장마 전선을 형성한다.

오답 피하기

우리나라는 봄철, 가을철 온난 건조한 양쯔강 기단의 영향을 받으며 이동성 고기압의 영향으로 날씨가 자주 변한다. 여름철에는 고온 다습한 북태평양 기단의 영향으로 무더위가 발생하고, 겨울철에는 한랭 건조한 시베리아 기단의 영향으로 건조한 기후가 나타난다.

05 온대 저기압은 찬 공기와 따뜻한 공기가 동서 방향 경계를 이루고 존재하다가(라) 시계 반대 방향으로 공기가 회전하면서 남동쪽에 온난 전선, 남서쪽에 한랭 전선을 형성하며 발달한다(다). 한랭 전선의 이동 속도가 온난 전선보다 빠르기 때문에 두 전선의 간격이 좁아지고(가), 한랭 전선이 온난 전선을 따라잡아 폐색 전선을 이룬다(나).

06 ④ 일기 자료 중 레이더 영상은 강수 지역과 강수량을 파악할 때 이용한다.

오답 피하기

① 지상 일기도로 고기압과 저기압 위치, 태풍과 온대 저기압의 위치 등을 알 수 있다.

②, ③ 가시 영상과 적외 영상으로 구름의 두께와 구름 상부의 높이를 알 수 있다. 이를 통해 구름의 분포와 구름의 유형을 파악할 수 있다.

⑤ 풍속·풍향 분포도로 여러 지역의 바람 또는 시간에 따른 한 지역의 바람 변화를 알 수 있다.

내신 만점 **문제** p. 103~105

01 ③	02 ⑤	03 ③	04 ③	05 ④	06 ⑤
07 ①	08 ③	09 ④	10 ③	11~13 해설 참조	

01 ㄱ. A는 지상으로 공기가 수렴하는 저기압이고, B는 지상에서 공기가 발산하는 고기압이다.

ㄴ. A는 수렴한 공기가 상승하여 상승 기류가 나타나고 공기가 단열 팽창하면 기온이 하강한다. 기온이 하강하면 수증기가 응결되어 구름이 생성된다.

오답 피하기

ㄷ. 전선은 따뜻한 공기와 찬 공기가 수렴할 때 형성되므로 공기가 발산하는 B에서는 형성되지 않는다.

02 A 기단은 한랭 건조한 시베리아 기단, B 기단은 온난 건조한 양쯔강 기단, C 기단은 고온 다습한 북태평양 기단, D 기단은 한랭 다습한 오호츠크해 기단이다.

ㄱ. A 기단은 고위도에서 형성된 기단이므로 한랭한 성질을 가진다. A 기단의 영향을 받을 때 우리나라의 기온이 낮다.

ㄴ. B 기단은 대륙에서 형성된 기단이므로 건조한 성질을 가진다. B 기단은 주로 봄철과 가을철에 우리나라에 영향을 주므로, 이 기단의 영향을 받는 4월과 10월은 건조하고 강수량이 적다.

ㄷ. 초여름인 6, 7월에는 장마 전선의 영향으로 강수량이 다른 시기보다 많다. 장마 전선은 고온 다습한 C 기단과 한랭 다습한 D 기단이 만나 형성된다.

03 ㄱ. 겨울철에는 시베리아에서 발달한 고기압의 세력이 우리나라로 확장된다. 기단은 A에서 B로 이동하며 황해에서 열과 수증기를 공급받는다. 따라서 기단 하층부의 기온이 상승하고 불안정해진다.

ㄷ. 기단의 하층부가 불안정할 때 상승 기류가 잘 발달하고 적운형 구름이 생성되어 폭설이 내릴 가능성이 크다.

오답 피하기

ㄴ. 황해를 지나기 전(A) 기온 분포는 하층 기온이 더 낮은 Q이고, 황해를 지난 후 기온 분포는 하층 기온이 상승한 P이다.

04 ㄱ. 일기도에서 세력이 작은 고기압과 저기압이 부분적으로 나타나므로 고기압은 이동성 고기압이며 일기도는 봄과 가을철에 나타나는 일기도이다.

ㄴ. 우리나라는 현재 남해 상에 있는 이동성 고기압의 영향을 받고 있다.

오답 피하기

ㄷ. 편서풍은 서에서 동으로 불기 때문에 동해 상에 있는 온대

저기압은 이후 더 동쪽으로 이동하여 우리나라에 영향을 미치지 않는다.

문제 속 자료　일기도 분석

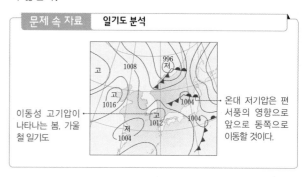

이동성 고기압이 나타나는 봄, 가을철 일기도

온대 저기압은 편서풍의 영향으로 앞으로 동쪽으로 이동할 것이다.

05 ㄴ. (나)→(다)로 가면서 한랭 전선이 온난 전선보다 더 빠르게 이동하여 두 전선이 겹쳐지면서 폐색 전선을 형성한다.

ㄷ. 온대 저기압의 지상에서 따뜻한 구역은 온난 전선과 한랭 전선 사이의 구역이다. 폐색 전선을 형성하게 되면 지상에 따뜻한 구역이 감소한다. 이때 따뜻한 공기는 찬 공기의 위로 올라간다.

오답 피하기

ㄱ. (가)의 전선은 찬 공기와 따뜻한 공기가 만나 형성된다. 따라서 찬 공기가 존재하지 않는 열대 지방의 해상에서는 발생하지 못한다. (가)의 전선은 중위도 지방에서 발생한다.

06 ㄱ. 기온이 08시경부터 급격하게 낮아지므로 이때 한랭 전선이 통과하였다.

ㄴ. 한랭 전선은 전선 후면에서 강한 소나기가 내릴 수 있으므로 한랭 전선이 통과한 08시 이후에 소나기가 내렸을 수 있다.

ㄷ. 온대 저기압이 통과하는 동안 풍향은 남풍(↑), 남서풍(↗), 서풍(→), 북서풍(↘)으로 변했으므로 시계 방향으로 변하였다.

07 ㄱ. 온대 저기압은 우리나라 상공에서 편서풍의 영향을 받아 서에서 동으로 이동한다. 따라서 온대 저기압이 더 동쪽으로 이동해 있는 (가)가 (나)보다 24시간 후의 일기도이다.

오답 피하기

ㄴ. 온대 저기압의 한랭 전선 후면 좁은 지역에서 적운형 구름이 발달하면서 소나기가 내릴 수 있다. 따라서 한랭 전선이 통과하고 있는 (가) 시기에 우리나라의 서울에서 소나기가 내릴 수 있다.

ㄷ. (가)에서 서울에 한랭 전선이 통과하였으므로 기온은 하강하고, 저기압의 중심이 서울로부터 멀어지므로 기압은 상승한다.

08 ㄱ. (나)에서 15시와 16시 사이에 기온이 급격히 하강하였으므로 이때 한랭 전선이 통과하였고 (가)에서 한랭 전선이 통과한 관측소는 B이다.

ㄷ. (나)에서 15시와 16시 사이에 한랭 전선이 통과하였고 전선 후면에서 소나기가 내렸을 가능성이 있다.

오답 피하기

ㄴ. (가)에서 B, C, D는 온난 전선과 한랭 전선의 북쪽에 있으므로 찬 공기의 영향을 받고 있는 관측소이고, A와 E는 온난 전선과 한랭 전선 사이에 있으므로 따뜻한 공기의 영향을 받고 있는 관측소이다. 따라서 A 관측소가 D 관측소보다 기온이 높다.

09 ㄱ. 레이더 영상은 강수 지역과 강수량을 알 수 있는 일기 자료이다. 문제의 그림에서 전선 북쪽이 전선 남쪽보다 강수 지역이 넓게 나타난다.

ㄷ. 문제의 그림에서 나타나는 전선은 장마 전선이다. 장마 전선은 북쪽의 한랭 다습한 오호츠크해 기단과 남쪽의 고온 다습한 북태평양 기단이 만나 형성된다. 따라서 제주 지방은 고온 다습한 북태평양 기단의 영향을 받고 있다.

오답 피하기

ㄴ. 우리나라에는 동서 방향으로 장마 전선(정체 전선)이 형성되어 있다.

10 ㄱ. (가)는 20시와 13시, 모든 시간대에서 자료를 얻을 수 있으므로 적외 영상이고, (나)는 13시에는 자료가 나타나지만 20시에는 자료가 나타나지 않으므로 밤에는 자료를 얻을 수 없는 가시 영상이다.

ㄴ. (가)는 고도가 높은 구름에서 밝게 나타나고 고도가 낮은 구름에서 흐리게 나타난다. 따라서 (가)를 통해 구름의 높이를 알 수 있다.

오답 피하기

ㄷ. 가시 영상인 (나)는 햇빛에 반사된 가시광선을 감지하여 나타내는 영상 자료이다. 물체의 온도를 감지하여 나타내는 영상은 적외 영상인 (가)이다.

문제 속 자료 | 가시 영상 특징

• 해가 지면 가시 영상 자료가 나타나지 않는다. 따라서 가시 영상에서는 해가 먼저 지는 동쪽부터 구름 자료가 나타나지 않는다.

11 온대 저기압 주변에서 풍향은 A에서 북동풍, B에서 북서풍, C에서 남서풍, D에서 남동풍이 분다. C 지역은 온대 저기압이 동쪽으로 이동하면서 한랭 전선이 통과할 것이다.

[모범 답안] (1) ㉠ D, ㉡ B

(2) 기온은 현재보다 낮아지고, 기압은 현재보다 높아진다. 풍향은 현재 남서풍에서 북서풍으로 변한다.

	채점 기준	배점
(1)	㉠과 ㉡의 위치를 모두 옳게 쓴 경우	30%
	㉠과 ㉡ 중 한 곳의 위치만 옳게 쓴 경우	15%
(2)	한랭 전선이 통과하면서 나타나는 기온, 기압, 풍향의 변화를 모두 옳게 서술한 경우	70%
	한랭 전선이 통과하면서 나타나는 기온, 기압, 풍향의 변화 중 두 가지만 옳게 서술한 경우	35%

12 겨울철 일기도는 서고 동저의 기압 분포를 보인다.
[모범 답안] (나), 시베리아 고기압의 세력이 강해지고 등압선이 조밀하게 나타나기 때문이다.

채점 기준	배점
겨울철 일기도를 옳게 고르고 그 까닭을 기압 배치와 등압선 간격으로 서술한 경우	100%
겨울철 일기도를 옳게 골랐지만 그 까닭을 타당하게 서술하지 못한 경우	50%

13 [모범 답안] 레이더 영상을 분석하면 강수 지역, 강수량, 강수를 일으키는 구름의 이동 경향을 알 수 있다.

채점 기준	배점
모범 답안과 같이 옳게 서술한 경우	100%
강수 지역, 강수량, 구름의 이동 경향 중 두 가지만 포함하여 서술한 경우	50%

02 | 태풍의 발생과 영향

기초 탄탄 문제   p. 110

01 ④   02 ③   03 ③   04 ①   05 ④

01 ④ 태풍은 지구 자전 효과(전향력)로 공기의 회전이 일어나면서 발생한다. 적도는 지구 자전 효과가 없는 위도이므로 태풍이 발생하지 못한다.

오답 피하기

태풍은 수온이 높은 열대 해상에서 열과 수증기가 대기 중으로 공급되면서 발생한다. 수증기가 응결하면서 방출하는 숨은열로 태풍이 발달하며 온대 저기압과 달리 전선을 동반하지 않는 저기압이다.

02 태풍의 에너지원은 수증기가 응결하면서 방출하는 숨은열이므로 수증기의 공급이 감소하면 태풍의 에너지원이 감소하므로 세력이 약화된다.

오답 피하기

①, ②, ⑤ 수온이 높은 해상에 태풍이 오래 머무르면 더 많은 수증기를 공급받고 태풍은 세력이 강화되면서 중심 기압이 낮아진다.

④ 태풍이 무역풍의 영향을 받다가 편서풍의 영향을 받게 되면 이동 방향이 변한다. 이때 태풍의 세력이 변하지는 않는다.

03 ③ 태풍(열대 저기압)과 온대 저기압은 모두 저기압으로 중심 기압이 주위보다 낮다. 태풍은 태풍의 눈에서 기압이 가장 낮고, 온대 저기압은 온난 전선과 한랭 전선이 맞닿은 곳에서 기압이 가장 낮다.

오답 피하기

① 태풍은 열대 해상에서 발생하고, 온대 저기압은 온대 지방에서 발생한다.

② 온대 저기압은 전선을 동반하고, 태풍은 전선을 동반하지 않는다.

④ 태풍은 저위도에서 고위도로 이동하고, 온대 저기압은 온대 지방에서 편서풍을 타고 동쪽으로 이동한다.

⑤ 태풍의 에너지원은 수증기가 응결할 때 방출하는 숨은열이고, 온대 저기압의 에너지원은 찬 공기와 따뜻한 공기의 위치 에너지이다.

04 ① 태풍은 이동 방향을 기준으로 오른쪽 영역은 위험 반원, 왼쪽 영역은 안전 반원이다. 따라서 서울은 안전 반원 영역에 있고, 부산은 위험 반원 영역에 있으므로 서울보다 부산에서 태풍의 피해가 크다.

오답 피하기

② A 지점에서 태풍은 북서쪽으로 이동하고 있으므로 무역풍의 영향을 받는다.

③ B 지점 이후부터 태풍은 한반도에 상륙한다. 육지는 바다보다 증발량이 적으므로 태풍은 수증기를 이전보다 적게 공급받아 세력이 약해진다.

④ 태풍의 중심 기압은 세력이 가장 강할 때 가장 낮다. C에서 태풍은 한반도를 지나면서 세력이 약해졌기 때문에 기압이 가장 낮다고 볼 수 없다.

⑤ 태풍이 지나는 동안 풍향은 안전 반원에서 시계 반대 방향, 위험 반원에서 시계 방향으로 변한다. 부산은 위험 반원의 영향을 받으므로 풍향은 시계 방향으로 변한다.

05 ④ 태풍의 중심으로 갈수록 꾸준하게 감소하는 X는 기압이고, 태풍의 중심으로 갈수록 증가하지만 중심 부근에서 급격하게 감소하는 Y는 풍속이다. 중심으로부터 동일한 거리에서 태풍의 동쪽이 서쪽보다 풍속이 빠르므로 태풍의 중심에서 동쪽이 위험 반원이고, 서쪽이 안전 반원이다.

오답 피하기

① X는 기압이고, Y는 풍속이다.

② 태풍의 중심에서는 하강 기류가 나타나기 때문에 구름이 발달하지 않는다. 구름은 풍속이 가장 빠르게 나타나는 곳에서 가장 두껍게 나타난다.

③ 태풍의 눈의 지름은 약 50 km이다.

⑤ 태풍의 단면에서 기압과 풍속의 변화 경향은 태풍 주변부에서 태풍의 중심 부근까지 기압이 낮을수록 풍속이 빨라지지만 태풍의 중심에서는 기압과 풍속이 함께 낮아진다.

내신 만점 문제 p. 111~113

01 ④   **02** ③   **03** ②   **04** ③   **05** ①   **06** ⑤
07 ①   **08** ④   **09** ①   **10** ④   **11~12** 해설 참조

01 ㄴ. 문제의 그림에서 남반구보다 북반구에서 더 많은 열대 저기압이 발생한다.

ㄷ. 열대 저기압은 수온 27 ℃ 이상의 열대 해상에서 발생한다. 지구 온난화가 진행되어 수온 27 ℃ 이상의 해역이 고위도 쪽까지 확장된다면 열대 저기압의 발생 지역도 고위도 쪽으로 확장될 것이다.

오답 피하기

ㄱ. 적도 해역은 수온이 매우 높지만 이곳에서 열대 저기압이 발생하지 않는 까닭은 적도에 지구 자전 효과가 없어 공기의 회전이 일어나지 않기 때문이다.

02 ㄱ. 태풍의 이동 경로를 기준으로 오른쪽 영역은 위험 반원, 왼쪽 영역은 안전 반원이다. 따라서 태풍이 이동하는 동안 서울은 위험 반원에 속했다.

ㄴ. 위험 반원에 속해 있는 서울은 태풍이 지나갈 때 풍향이 시계 방향으로 변한다. 반대로 안전 반원에 속해 있는 지역은 태풍이 지나갈 때 풍향이 시계 반대 방향으로 변한다.

오답 피하기

ㄷ. 태풍의 중심 기압은 태풍의 세기를 나타낸다. 중심 기압이 낮을수록 태풍의 세력이 강하다. 태풍은 소멸 직전에 세력이 가장 약하므로 이때 중심 기압은 가장 높다.

03 ㄷ. 태풍의 예상 진로에서 서울은 태풍 이동 경로의 왼쪽에 위치하고, 부산은 태풍 이동 경로의 오른쪽에 위치한다. 따라서 태풍이 예상 진로대로 이동할 경우 서울은 안전 반원, 부산은 위험 반원에 속하게 되고 풍속은 부산이 서울보다 더 빠르다.

오답 피하기

ㄱ. A 해역의 수온이 높으면 태풍은 A 해역을 지나는 동안 더 많은 수증기를 공급받고 태풍의 세력은 강화된다.

ㄴ. B는 주위보다 기압이 높은 고기압이다. 태풍은 고기압 가장자리를 따라 이동하기 때문에 B의 세력이 강해지면 태풍의 예상 진로는 더 서쪽으로 치우친다.

04 ㄱ. 문제의 그림에서 6월과 11월 사이에 발생한 태풍은 나중에 발생한 태풍일수록 이동 경로가 더 동쪽으로 치우쳐서 나타난다.

ㄴ. 봄철(3, 4, 5월)에 발생한 태풍은 우리나라까지 북상하지 못하고 위도 20° 부근에서 소멸한다.

오답 피하기

ㄷ. 북위 25° 이상의 해역에서 태풍이 발생하기 어려운 까닭은 수온이 충분히 높지 못해 대기 중으로 수증기 공급이 잘 일어나지 않기 때문이다.

05 ㄱ. A와 C는 태풍의 중심으로부터의 거리가 동일하지만 풍속은 A가 C보다 빠르다. 따라서 풍속이 더 빠른 A는 위험 반원, C는 안전 반원이다.

오답 피하기

ㄴ. 기압은 태풍의 중심으로 갈수록 낮아지고 태풍의 중심에서 가장 낮으므로 B에서 기압이 가장 낮다.

ㄷ. 태풍의 중심인 B에서는 하강 기류가 나타나기 때문에 구름이 발달하지 못한다. 구름은 풍속이 빠르게 나타나는 A와 C에서 높게 발달한다.

06 ㄱ. 태풍의 세력은 중심 기압을 통해 알 수 있다. 태풍의 중심 기압이 낮을수록 태풍의 세력은 강하다. 우리나라를 통과하기 시작할 무렵 970 hPa이었던 태풍의 중심 기압이 우리나라를 통과한 후 998 hPa로 상승하였으므로 태풍의 세력은 약해졌다.

ㄴ. 무역풍의 영향을 받아 북서쪽으로 이동하던 태풍은 북위 30°를 통과한 후 편서풍의 영향을 받아 이동 방향이 북동쪽으로 변하였다.

ㄷ. 대전은 태풍의 이동 방향을 기준으로 오른쪽에 위치하므로 위험 반원의 영향을 받았다. 따라서 대전 지역의 풍향은 시계 방향으로 변했다.

07 ㄱ. 제주 지방은 태풍의 이동 방향을 기준으로 오른쪽에 위치하므로 위험 반원의 영향을 받았다.

오답 피하기

ㄴ. (가)에서 태풍의 중심 기압은 태풍이 발생할 때 1000 hPa이었다. 태풍의 중심 기압이 가장 낮은 때는 26일 15시로 이때 중심 기압은 920 hPa이었다.

ㄷ. 제주 지방은 위험 반원의 영향을 받으므로 태풍이 통과하

는 동안 풍향이 시계 방향으로 변한다. 따라서 제주 지방의 풍향은 27일 15시 ㉠→28일 03시 ㉡→28일 15시 ㉢ 순으로 변했다.

08 ㄴ. 태풍이 통과하는 동안 16시에 기압이 가장 낮았으므로 태풍은 16시까지 관측소에 가까워졌고, 16시 이후로는 관측소에서 멀어졌다. 강수량은 태풍이 통과한 후 더 많았다.

ㄷ. 태풍이 통과하는 동안 풍향이 시계 반대 방향으로 변했으므로 관측 지역은 안전 반원의 영향을 받았고 피해가 상대적으로 적었다.

오답 피하기

ㄱ. 기압이 가장 낮은 시간은 16시이며 이때 풍속은 상대적으로 빨랐다. 따라서 기압이 가장 낮으면서 풍속이 느린 태풍의 눈이 관측소를 통과하지 않고 비껴갔음을 알 수 있다.

09 ㄱ. 0시부터 18시까지는 동풍 계열의 바람이 불었고, 18시 이후로는 서풍 계열의 바람이 불었다.

오답 피하기

ㄴ. 태풍의 눈에서 기상 요소는 기압이 낮고 풍속이 느리다. 18~19시 사이에 목포의 풍속은 빠르므로 이때 태풍의 눈이 목포를 지나지 않았다.

ㄷ. 태풍이 통과하는 동안 목포의 풍향이 북동풍(╱), 북서풍(╲), 남서풍(╱)으로 변하였으므로 시계 반대 방향으로 변했다. 따라서 목포는 태풍의 진행 경로에서 안전 반원의 영향을 받았다. 안전 반원은 태풍의 이동 경로를 기준으로 왼쪽 영역이므로 태풍은 황해가 아닌 목포 동쪽, 한반도를 가로질러 북상하였다.

10 ㄱ. 수온이 낮은 바다에서는 증발량이 적다. 태풍은 수온이 낮은 바다에서 수증기를 충분히 공급받지 못하여 세력이 점차 약해진다.

ㄴ. 태풍의 예상 경로에서 우리나라는 예상 경로의 왼쪽, 일본 해안은 오른쪽에 위치하고 있다. 따라서 우리나라는 안전 반원의 영향을 받는 지역이고, 일본 해안은 위험 반원의 영향을 받는 지역이므로 우리나라보다 일본 해안에서 바람의 세기가 강할 것이다.

오답 피하기

ㄷ. 태풍이 예상 경로로 진행한다면 서울 지방은 안전 반원의 영향을 받는 지역이므로 풍향이 시계 반대 방향으로 변할 것이다.

11 **서술형 Tip** 태풍 중심으로부터 거리에 따른 기압과 풍속의 변화 그래프를 떠올리며 서술한다.

[모범 답안] ⑴ A, 하강 기류가 나타나 구름이 없고 맑은 날씨를 보인다.

(2) 기압은 태풍의 눈에 가까워질수록 낮아지므로 A가 가장 낮고, B, C로 갈수록 높아진다. 풍속은 태풍의 눈에서 느리고 바깥쪽에서 눈벽으로 가까워질수록 빨라지므로 B, C, A 순으로 빠르다.

	채점 기준	배점
(1)	태풍의 눈인 지역과 해당 지역의 날씨를 모두 옳게 적은 경우	40%
	태풍의 눈인 지역만 옳게 적은 경우	20%
(2)	세 지역의 기압과 풍속을 모두 옳게 비교하여 서술한 경우	60%
	세 지역의 기압과 풍속 중 두 지역만 옳게 비교하여 서술한 경우	30%

12 태풍 주변에서 바람의 방향과 태풍의 이동 방향이 같은 부분과 다른 부분이 나타나 태풍 주변 영역은 위험 반원과 안전 반원으로 구분된다.

[모범 답안] (1) 서쪽 지역에서는 강수량이 상대적으로 적고, 동쪽 지역에서는 강수량이 상대적으로 많다.

(2) 강릉과 대구는 위험 반원의 영향을 받았고, 인천과 군산은 안전 반원의 영향을 받았기 때문이다. 따라서 서쪽 지역의 강수량이 동쪽 지역보다 적다.

	채점 기준	배점
(1)	모범 답안과 같이 서술한 경우	50%
	서쪽 지역과 동쪽 지역 중 한 지역의 강수량만 옳게 서술한 경우	25 %
(2)	위험 반원의 영향을 받는 지역과 안전 반원의 영향을 받는 지역을 옳게 구분하여 서술한 경우	50%

03 | 우리나라의 주요 악기상

탐구 대표 문제
p. 117

01 ②　　02 ③

01 ㄷ. 우리나라에 영향을 미치는 황사의 발원지는 주로 중국 내륙 지역이다. 중국 내륙 지역의 사막화가 진행될수록 우리나라에 발생하는 황사가 심해진다.

오답 피하기

ㄱ. 우리나라에 발생하는 황사는 시기별로 증가와 감소가 반복적으로 나타난다. 전체적으로는 증가하는 추세를 보이지만 매년 황사 발생이 꾸준하게 증가한다고 보기는 어렵다.

ㄴ. 황사가 가장 많이 발생하는 계절은 봄이다.

02 황사는 중국과 몽골 내륙 지역에서 발생하여 우리나라로 이동한다. 따라서 중국 내륙에서 발달하는 양쯔강 기단의 세력이 강해질 때 서풍 계열의 바람이 강해져 우리나라에 황사가 발생한다.

기초 탄탄 문제
p. 118

01 ④　　02 ②　　03 ②　　04 ⑤　　05 ④　　06 ⑤

01 ④ 국지성 호우는 짧은 시간 동안 좁은 지역에 많은 비가 내리는 현상이다.

오답 피하기

뇌우와 우박은 강한 상승 기류로 높게 발달한 적란운에서 발생한다. 고위도에서 발달한 한랭한 시베리아 기단이 우리나라까지 확장되면 한파가 발생하며 황사는 주로 양쯔강 기단이 발달하는 봄철에 자주 발생한다.

02 뇌우는 국지적으로 지표면이 가열되어 대기가 불안정해지면 강한 상승 기류가 나타나 발달한다. 따라서 지표면의 가열이 가장 활발하게 일어나는 여름에 자주 발생한다.

03 ② 우박은 상승 기류와 하강 기류가 동시에 나타나는 (나)에서 내릴 수 있다.

오답 피하기

뇌우는 상승 기류가 나타나는 (다), 상승 기류와 하강 기류가 동시에 나타나는 (나), 하강 기류만 나타나는 (가) 순으로 발달한다. 강한 상승 기류가 나타나는 (다)에서 구름이 수직으로 발달하고, 상승 기류와 하강 기류가 동시에 나타나는 (나)에서 천둥과 번개가 동반될 수 있다. 뇌우는 지표가 가열되고 기단의 하층이 불안정해지는 한여름에 자주 나타난다.

04 ⑤ 황사는 우리나라에 하강 기류가 나타날 때 대기 상층을 지나는 모래 먼지가 지상에 낙하하여 발생한다.

오답 피하기

수직으로 높게 발달한 적란운에서는 뇌우, 우박, 집중 호우, 폭설이 나타날 수 있다.

05 ④ 문제의 그림은 시베리아 기단이 남동쪽으로 이동하면서 황해를 지날 때 구름이 발달한 모습이다. 한랭 건조한 시베리아 기단이 따뜻한 황해를 지나면서 열과 수증기를 공급받아 성질이 변한다.

오답 피하기

① 우리나라는 황해를 지나면서 성질이 변한 시베리아 기단의 영향을 받는다.

② 시베리아 고기압의 세력이 확장되어 우리나라에 영향을 미치고 있다. 우리나라는 저기압의 영향을 받고 있지 않다.

③ 동해안 지역에는 동풍이 불 때 폭설이 내린다. 문제의 그림에서는 북서풍이 불고 있다.

⑤ 문제의 그림에서 한반도 주변은 성질이 다른 공기가 만난

것이 아니라, 기단이 따뜻한 바다를 지나면서 변질되어 상승 기류가 발달한 것이다.

06 ⑤ 관개 사업과 목축은 황사 발원지의 사막화를 가속시키므로 황사 피해가 커진다.

> **오답 피하기**
> 황사는 발원지와 피해 지역이 다를 수 있기 때문에 국제 협력 사업을 추진하여 해결해야 한다.

내신 만점 문제   p. 119~121

01 ③	**02** ⑤	**03** ⑤	**04** ③	**05** ⑤	**06** ③
07 ①	**08** ③	**09** ⑤	**10** ②	**11~13** 해설 참조

01 ㄱ. 문제의 그림은 집중 호우로 도로가 침수된 모습이다.
ㄴ. 집중 호우는 높게 발달한 적운형 구름에서 나타나므로 강수 기간 중 하늘은 적운형 구름으로 흐렸을 것이다.

> **오답 피하기**
> ㄷ. 짧은 시간 동안 내리는 집중 호우는 반지름이 수 km에서 수십 km로 좁은 지역에서 나타난다.

02 A는 상승 기류로 구름이 발달하는 적운 단계, B는 상승 기류와 하강 기류가 동시에 나타나면서 강한 강수 현상이 있는 성숙 단계, C는 하강 기류만 나타나면서 구름이 사라지는 소멸 단계이다.
ㄱ. A 단계는 국지적으로 지표가 가열되어 지표 부근 공기가 불안정해진다. 하층이 불안정해진 공기는 상승 기류가 나타나고 구름이 발달한다.
ㄴ. B 단계에서 강한 강수 현상과 함께 돌풍, 소나기, 우박 등의 악기상이 동반될 수 있다.
ㄷ. C 단계에서 하강 기류가 나타나고, 약한 비가 내리면서 구름이 소멸한다.

03 ㄴ. 번개는 성숙 단계의 뇌우에서 나타난다. 성숙 단계의 뇌우에서는 상승 기류와 하강 기류가 동시에 나타난다.
ㄷ. A~C 중 A에는 적운형 구름이 발달하고, B에는 맑은 날씨가 나타나며, C에는 층운형 구름이 발달한다. 뇌우는 적운형 구름에서 나타나므로 (가)와 같은 현상이 관측될 가능성이 가장 높은 곳은 A이다.

> **오답 피하기**
> ㄱ. (가)는 주로 강한 상승 기류로 높게 발달한 적운형 구름에서 나타난다.

04 문제의 그림은 지상에 떨어진 우박이다.
ㄱ. 우박은 비, 눈, 진눈깨비 등과 함께 대기에서 지표로 물이 떨어지는 강수 현상이다.
ㄴ. 우박은 상승 기류와 하강 기류가 동시에 나타나는 구름 내부에서 빙정이 상승과 하강을 반복하면서 크기가 성장하여 발생한다.

> **오답 피하기**
> ㄷ. 한여름은 기온이 높기 때문에 우박이 지표로 떨어지는 도중 녹아 비로 내린다. 겨울은 대기가 건조하여 수증기량이 부족하기 때문에 우박이 잘 나타나지 않는다.

05 ㄱ. 우리나라에 한파는 고위도에서 발달하는 시베리아 고기압의 세력이 강해져 한랭한 기단의 영향을 받게 될 때 나타난다.
ㄴ. 한파가 발생했을 때 우리나라 주변 일기도는 등압선이 매우 조밀하며 풍속이 강하다.
ㄷ. 황해의 수온이 높으면 황해 상공을 지나는 시베리아 기단이 변질되어 서해안 지역에 폭설이 내릴 수 있다.

06 ㄱ. 집중 호우는 수직으로 높게 발달한 적란운에서 나타나므로 우박, 돌풍, 번개를 동반하기도 한다.
ㄷ. 가시 영상은 두껍게 발달한 구름에서 밝게 나타난다. 집중 호우가 나타나는 경기, 강원 지역에는 두껍고 높게 발달한 적란운이 존재하므로 적외 영상과 가시 영상 모두에서 밝게 나타난다.

> **오답 피하기**
> ㄴ. 높은 구름이 발달해 있는 경기, 강원 지역에는 지상에서 공기가 수렴하여 상승하는 저기압이 존재할 것이다. 우리나라 부근에 고기압이 배치되어 있었다면 경기, 강원 지역에 구름이 없는 맑은 날씨를 보였을 것이다.

07 ㄱ. 겨울철에 시베리아 기단이 황해를 지나면서 황해로부터 열과 수증기를 공급받는다.

> **오답 피하기**
> ㄴ. 황해로부터 열을 공급받은 시베리아 기단은 하층의 기온이 상승하여 불안정해진다.
> ㄷ. 황해의 수온이 낮으면 증발량이 감소하여 대기 중으로 열과 수증기가 원활하게 공급되지 못한다. 따라서 시베리아 기단의 변질이 일어나지 않아 서해안에 폭설은 발생하지 않는다.

08 ㄱ. 문제의 그림은 동해안 지방에 동풍이 강하게 불어서 영동 지방에 폭설이 내릴 때 위성 영상이다.
ㄴ. 태백산맥을 타고 기단이 상승하면서 강설 현상이 나타난다. 기단이 태백산맥을 넘으면 고온 건조해지고, 눈이 많이 내리지 않는다.

ㄷ. 시베리아 기단의 세력이 강해지면 북서풍 계열의 바람이 강해지고 동해안에 동풍이 약해져 영동 지방에 폭설 현상이 잘 나타나지 않는다.

문제 속 자료 한반도 폭설 시 위성 영상

 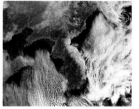

▲ 서해안 폭설 시   ▲ 영동 지방 폭설 시

• 서해안에 폭설이 내릴 때는 황해 상공 구름이 북서쪽에서 남동쪽으로 배열되어 있으며 이 구름이 서해안까지 이어진다.
• 영동 지방에 폭설이 내릴 때는 영동 지방에 구름이 나타나며 태백산맥을 경계로 구름의 경계가 비교적 뚜렷하다.

09 ㄴ. 황사는 편서풍을 타고 발원지에서 동쪽으로 이동한다. 우리나라는 주로 우리나라의 서쪽에 있는 중국과 몽골 내륙에서 발생한 황사의 영향을 받는다.

ㄷ. 우리나라에 고기압이 형성되면 하강 기류가 나타나고 높은 고도에서 이동 중인 모래 먼지 입자가 지상으로 낙하하여 황사가 심해진다.

ㄱ. 발원지 부근에 저기압이 형성되어 있으므로 상승 기류가 나타난다.

10 ㄴ. 황사는 지권에 존재하는 모래, 먼지 입자들이 강한 바람이나 상승 기류로 대기 중으로 유입되어 발생한다. 따라서 황사는 지권과 기권의 상호 작용으로 발생한다.

ㄱ. 봄철 황사 일수는 서울이 부산보다 많다.

ㄷ. 황사의 발원지는 우리나라의 서쪽에 위치하고 있으며 우리나라 서쪽에 있는 양쯔강 기단의 영향력이 커질 때 황사가 관측된다. 따라서 온난 건조한 기단의 세력이 강해질 때 황사가 주로 관측된다. 우리나라 주변의 기단 중 한랭 건조한 기단은 시베리아 기단이며 겨울철에 세력이 강해진다.

11 뇌우의 발달 단계는 뇌우에서 나타나는 상승 기류와 하강 기류의 특징으로 구분할 수 있다.

[모범 답안] (1) 뇌우의 성숙 단계에서는 구름 내부에서 상승 기류와 하강 기류가 동시에 나타나며 강한 비가 내린다.

(2) 성숙 단계, 뇌우에서 우박이 생성되기 위해서는 빙정이 구름 내에서 상승과 하강을 반복하며 성장해야 한다. 따라서 구름 내부에 상승 기류와 하강 기류가 동시에 나타나는 성숙 단

계에서 우박이 생성될 수 있다.

	채점 기준	배점
(1)	모범 답안과 같이 옳게 서술한 경우	40%
	강한 비가 내린다고만 서술한 경우	20%
(2)	성숙 단계를 적고 우박의 성장 조건을 옳게 서술한 경우	60%
	성숙 단계만 적고 우박의 성장 조건을 정확하게 서술하지 못한 경우	30%

12 [모범 답안] 시베리아 기단이 황해를 지나면서 열과 수증기를 공급받아 하층이 불안정해지면 기단의 변질이 일어난다. 이 과정에서 눈구름이 만들어지고 서해안에 폭설이 발생한다.

채점 기준	배점
주어진 단어 세 가지를 모두 포함하여 서해안에 폭설이 내리는 과정을 옳게 서술한 경우	100%
주어진 단어 중 두 가지만 포함하여 옳게 서술한 경우	50%

13 [모범 답안] 발원지에 저기압이 형성되고 우리나라에 고기압이 형성되었을 때 발원지에서 모래 먼지가 상승 기류를 타고 상공으로 올라가고 우리나라에서 하강 기류를 타고 지상으로 내려와 황사가 심해진다.

채점 기준	배점
발원지에 저기압, 상승 기류가 나타나고 우리나라에 고기압, 하강 기류가 나타났을 때를 옳게 서술한 경우	100%
상승 기류와 하강 기류의 설명 없이 발원지에 저기압, 우리나라에 고기압이 나타났을 때라고만 서술한 경우	50%

04 | 해수의 성질

탐구 대표 문제   p. 126

01 ③

01 ③ 우리나라 강수량이 대부분 여름에 집중되어 있기 때문에 여름에 표층 염분이 겨울보다 낮다.

① 동해는 황해보다 수심이 깊고 해수의 부피가 크기 때문에 겨울철 동해안의 수온은 같은 위도의 서해안의 수온보다 높다.

② 동해는 남쪽에서 동한 난류가 흐르고 북쪽에서 북한 한류가 흐르기 때문에 난류와 한류가 만나는 조경 수역이 형성된다. 조경 수역에서 등수온선은 조밀하다.

④ 해수의 밀도는 수온이 낮고 염분이 높을수록 크다. 여름철인 8월의 해수가 겨울철인 2월보다 수온이 높고 염분이 낮기 때문에 밀도가 더 작다.

⑤ 황해의 연안 지역은 우리나라와 중국의 하천수 유입으로 먼바다보다 염분이 낮다.

기초 탄탄 문제

p. 127

01 ④   02 ①   03 ④   04 ②   05 ③   06 ①
07 ④

01 태평양 서쪽 가장자리가 동쪽 가장자리보다 표층 수온이 높은 까닭은 저위도에서 고위도로 흐르는 난류의 영향을 받기 때문이다. 태평양 동쪽 가장자리는 고위도에서 저위도로 흐르는 한류의 영향을 받아 표층 수온이 낮다.

02 ① A층은 혼합층으로, 혼합층은 바람의 영향으로 수심에 따라 수온이 일정한 층이다. 바람의 세기가 강해지면 혼합층의 두께는 두꺼워진다.

오답 피하기
② B층은 수온 약층으로 수심이 깊어짐에 따라 수온이 급격하게 낮아지는 층이다. 수온이 낮은 해수가 아래에 있고 수온이 높은 해수가 위에 있으므로 수온 약층은 안정하여 해수의 연직 운동이 거의 일어나지 않는다.
③ B층은 해수의 연직 운동이 일어나지 않으므로 상하층의 열과 물질 교환을 차단한다.
④ C층은 깊은 수심에서 수온이 일정한 심해층이다. 태양 복사 에너지는 표층에서 거의 흡수되고 심해층에는 태양 복사 에너지가 거의 도달하지 못한다.
⑤ 심해층은 위도와 계절에 따른 수온 변화가 거의 없다.

03 표층 염분은 담수가 유입되면 낮아진다. 따라서 강수량 증가, 증발량 감소, 하천수의 유입, 극지방 빙하 융해의 영향을 받으면 염분이 낮아진다. 해상에 고온 건조한 기단이 이동하면 해수의 증발량이 많아진다.

04 해수의 표층 염분은 증발량이 많고 강수량이 적을 때 높아진다. 따라서 (증발량−강수량) 값의 변화 경향은 표층 염분의 변화 경향과 대체로 비슷하다.

05 ③ 해수의 수온과 염분이 다르더라도 밀도가 같을 수 있다.

오답 피하기
해수의 밀도는 수온이 낮을수록, 염분이 높을수록 크다. 수온과 염분을 알고 있다면 수온 염분도를 이용하여 해수의 밀도를 알 수 있다. 고위도에서는 해수의 수온이 거의 일정하므로 수온보다 염분에 따라 해수의 밀도가 결정된다. 반대로 저위도와 중위도는 표층 수온이 심해층 수온과 차이가 크기 때문에 해수의 밀도가 수온의 영향을 더 많이 받는다. 수온 약층에서는 수심에 따라 수온이 하강하므로 밀도는 커진다. 이렇게 수심에 따라 밀도가 급격하게 증가하는 층을 밀도 약층이라고 한다.

06 용존 산소량은 해양 생물의 광합성의 영향을 크게 받는다. 광합성에는 빛이 필요하고 태양의 빛은 대부분 표층 해수에서 흡수되어 심층까지 도달하지 못한다. 따라서 광합성은 해수 표층에서 가장 많이 일어나고 용존 산소량도 표층에서 가장 높게 나타난다.

07 ④ 여름철 우리나라 주변 염분이 낮은 까닭은 강수량이 많기 때문이다. 우리나라는 연중 강수량이 대부분 여름에 집중되어 있어 여름철 강수량이 특히 많고 표층 염분은 낮다.

오답 피하기
우리나라 주변 해역에서 황해는 수심이 얕고 해수의 부피가 작기 때문에 열용량이 작아 수온의 연교차가 크다. 남해는 연중 쿠로시오 해류의 영향을 받아 수온이 높고 동해는 동한 난류와 북한 한류가 만나 조경 수역을 형성한다. 황해는 우리나라와 중국에서 흘러 들어오는 하천수의 영향 때문에 세 해역 중 가장 염분이 낮다.

내신 만점 문제

p. 128~131

01 ③   02 ③   03 ④   04 ②   05 ⑤   06 ③
07 ④   08 ③   09 ③   10 ③   11 ②   12 ⑤
13 ④   14 ③   15~16 해설 참조

01 A층은 수심에 따라 수온이 일정한 혼합층, B층은 수심이 깊어질수록 수온이 급격하게 하강하는 수온 약층, C층은 심해에서 수온이 일정한 심해층이다.
ㄱ. 혼합층은 바람의 영향으로 해수가 혼합되어 수온이 일정한 층이다. 바람이 강하면 표층부터 해수의 혼합이 일어나는 깊이가 깊어져 혼합층의 두께가 두꺼워진다.
ㄴ. B층에서 수온은 수심이 깊어질수록 낮아진다. 해수의 밀도는 수온이 낮을수록 크므로 수온 약층에서 해수의 밀도는 반대로 수심이 깊어질수록 커진다.

오답 피하기
ㄷ. 태양 복사 에너지는 대부분 표층에서 흡수된다. C층은 태양 복사 에너지의 영향을 받지 않는 층이므로 C층의 수온은 위도에 상관없이 거의 일정하다. 반면에 A층의 수온은 태양 복사 에너지에 따라 결정되므로 단위 면적당 태양 복사 에너지의 양이 적은 고위도에서는 수온이 낮게 나타난다.

02 ㄱ. 해수의 밀도는 해수의 연직 분포와 위도에 따른 표층 분포에서 대체로 수온이 낮을수록 높고, 수온이 높을수록 낮다.

ㄷ. 해수의 온도 분포가 적도에서 높고 고위도로 갈수록 낮아지는 까닭은 단위 면적당 입사하는 태양 복사 에너지양이 적도에서 많고 고위도로 갈수록 적어지기 때문이다.

오답 피하기

ㄴ. 해수의 밀도는 대체로 온도 분포와 반대로 고위도로 갈수록 증가하지만 북반구 고위도의 경우 북극에 가까워질수록 해수의 밀도가 낮아진다. 이러한 변화가 나타나는 까닭은 북극 부근에서 해빙으로 염분이 낮아지기 때문이다.

문제 속 자료   해수의 온도와 밀도의 관계

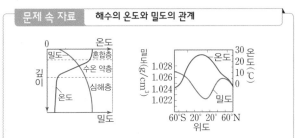

• 대체로 온도가 높은 해수는 밀도가 작고, 온도가 낮은 해수는 밀도가 크다.
• 북극 부근 해역에서 해수의 온도와 밀도 변화 경향이 같게 나타나므로 이 해역에서는 염분의 변화가 밀도에 더 큰 영향을 준다.

03 ㄴ. 해수의 표층 수온 분포는 태양 복사 에너지의 영향을 가장 많이 받기 때문에 단위 면적당 태양 복사 에너지의 입사량이 많은 저위도에서 수온이 높고, 단위 면적당 태양 복사 에너지의 입사량이 적은 고위도에서 수온이 낮다. 따라서 대체로 위도와 표층 수온 분포가 나란하게 나타난다.

ㄷ. 대륙의 주변부의 표층 수온은 수륙 분포나 난류 또는 한류의 영향을 받으므로 같은 위도의 대양 중앙부와 수온이 다르게 나타난다.

오답 피하기

ㄱ. 강수량과 수온 분포는 큰 관련이 없다. 강수량이 많은 해역에서는 표층 염분이 낮게 나타난다.

04 ㄴ. 등온선이 올라가 있는 A 해역은 동일 위도의 다른 해역보다 수온이 높고 난류가 흐른다. 등온선이 아래로 치우쳐 있는 B 해역은 동일 위도의 다른 해역보다 수온이 낮고 한류가 흐른다.

오답 피하기

ㄱ. 서태평양은 고위도로 갈수록 등온선의 간격이 좁아지므로 위도에 따른 수온 변화가 커진다.

ㄷ. 용존 산소량은 수온이 낮은 해역에서 높으므로 수온이 24 ℃인 A 해역보다 수온이 18 ℃인 B 해역에서 용존 산소량이 더 많다.

05 ㄱ. 대륙 주변은 하천수가 바다로 유입되기 때문에 표층 해수의 염분이 낮게 나타난다. 대양 한가운데는 대륙에서 하천수가 유입되기 어려우므로 대륙 주변보다 표층 염분이 높다.

ㄴ. 표층 염분이 적도가 아닌 중위도에서 가장 높은 까닭은 적도에서 증발량이 높지만 강수량이 중위도보다 적도에서 높기 때문이다.

ㄷ. 같은 위도에서 대서양의 표층 염분(34 ~ 37.3 psu)은 대체로 태평양(32 ~ 35.5 psu)보다 높다.

06 ㄱ. 표층부터 수심이 일정하게 나타나는 혼합층의 두께로 보아 혼합층의 두께가 더 두꺼운 2월이 8월보다 바람이 강하게 불었다.

ㄴ. 강수량이 많아지면 표층 염분이 낮아진다. 2월보다 8월에 표층 해수의 염분이 낮게 나타나므로 8월에 강수의 영향이 크게 나타난다.

오답 피하기

ㄷ. 수온 약층에서는 깊이에 따라 수온이 감소하고 염분이 증가한다. 따라서 수온 약층에서 해수의 밀도는 깊이에 따라 급격하게 증가할 것이다.

07 ㄴ. 표층 염분은 강수량이 적을수록, 증발량이 많을수록 높게 나타난다. 따라서 (강수량−증발량) 값이 클수록 표층 염분은 낮다.

ㄷ. 대체로 저위도로 갈수록 증가하는 증발량이 적도에서 소폭 감소하는 까닭은 적도 상공 대기가 습하여 증발이 잘 일어나지 않기 때문이다.

오답 피하기

ㄱ. 표층 염분은 강수량이 적고 증발량이 많은 위도 30° 부근에서 가장 높다. 수온이 가장 높은 위도는 적도이다.

08 ㄷ. 구간 B에서 수심은 100 m 깊어졌고 밀도는 1.0255 g/cm³에서 1.0265 g/cm³로 0.001 g/cm³ 증가했다. 구간 C에서 수심은 구간 B와 동일하게 100 m 깊어졌고 밀도는 1.0265 g/cm³에서 약 1.0272 g/cm³로 약 0.0007 g/cm³ 증가했다. 따라서 밀도 변화는 구간 B보다 구간 C에서 작다.

오답 피하기

ㄱ. 수온 염분도에서 가로축은 염분, 세로축은 수온을 나타낸다. 따라서 해수 표면의 수온은 20 ℃이며 염분은 33 psu이다.

ㄴ. 구간 A에서 염분은 33 psu에서 약 34.2 psu로 약 1.2 psu 증가하였고, 구간 B에서 염분은 약 34.2 psu에서 34 psu로 약 0.2 psu 감소하였다. 따라서 염분 변화는 구간 A보다 구간 B에서 작다.

09 A는 수온이 10 ℃이고 염분이 35 psu이다. B는 수온이 0 ℃이고 염분이 35 psu이다. 따라서 수온은 A가 B보다 높고 염분은 A와 B가 같다. 해수의 밀도는 수온이 낮을수록, 염분이 높을수록 크다. 두 해수의 염분이 같으므로 수온이 더 낮은 B가 A보다 해수의 밀도가 더 크다.

10 ㄱ. 표층부터 수심이 깊어질수록 수온은 감소한다. 따라서 이 해역에서 표층부터 수온이 일정한 혼합층은 거의 나타나지 않는다.

ㄴ. 표층부터 수심 800 m까지 깊이가 깊어지는 동안 수온은 약 17 ℃에서 약 5 ℃로 감소하였고, 염분은 약 35.8 psu에서 약 34.5 psu로 감소하였다.

오답 피하기

ㄷ. 수온 염분도에서 수심이 깊어질 때 해수 자료에서 깊이에 따라 밀도가 급격하게 감소한 구간이 없다.

11 표층에서 가장 높은 값을 가지는 A는 용존 산소량이고, B는 용존 이산화 탄소량이다.

ㄱ. A의 농도는 표층에서 가장 높다.

ㄴ. B의 농도가 500 m 부근부터 급격히 증가하는 까닭은 생물의 광합성이 일어나지 않는 구간에서 생물의 호흡만 일어나기 때문이다.

오답 피하기

ㄷ. 심해층에서 A와 B의 농도는 극지방에서 형성되는 심층 해수의 영향을 받는다.

12 해수 표층에서 기체 양이 많고 깊이에 따라 급격히 감소하다가 서서히 증가하는 기체는 산소이다.

ㄱ. 해수에 녹아 있는 산소는 대부분 해양 생물의 광합성으로 생성된다. 따라서 용존 산소량이 높은 표층에서 광합성이 가장 많이 일어나고 광합성을 하는 식물성 플랑크톤도 수심 100 m 이내에 대부분 존재한다.

ㄴ. 광합성에는 빛이 필요하다. 따라서 빛이 도달하는 깊이까지 광합성이 일어나고 용존 산소량이 높다. 용존 산소량이 낮은 수심 200 m보다 깊은 곳에는 햇빛이 잘 도달하지 못하기 때문에 광합성이 일어나지 않는다.

ㄷ. 수심 800 m보다 깊은 곳에 있는 해수는 극지방에서 침강하여 형성된 해수이다. 심층 해수는 수온이 낮고 수압이 높아 기체 용해도가 높다. 또한 용존 산소량이 많은 표층 해수가 침강하여 형성되었으므로 수심이 깊어질수록 용존 산소량이 증가한다.

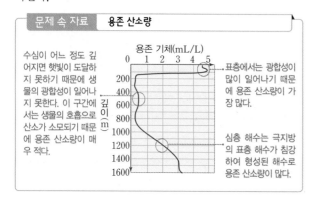

문제 속 자료 | 용존 산소량

수심이 어느 정도 깊어지면 햇빛이 도달하지 못하기 때문에 생물의 광합성이 일어나지 못한다. 이 구간에 깊서는 생물의 호흡으로 산소가 소모되기 때문에 용존 산소량이 매우 적다.

용존 기체(mL/L)

표층에서는 광합성이 많이 일어나기 때문에 용존 산소량이 가장 많다.

심층 해수는 극지방의 표층 해수가 침강하여 형성된 해수로 용존 산소량이 많다.

13 ㄴ. 표층 수온의 연교차는 해수의 깊이가 얕고 부피가 작은 황해가 동해보다 크다.

ㄷ. 동해의 수온 범위는 2월에 2~12 ℃, 8월에 21~26 ℃이므로 위도별 표층 수온 차이는 2월이 8월보다 크다.

오답 피하기

ㄱ. 고위도로 갈수록 단위 면적당 태양 복사 에너지양이 감소하므로 표층 수온은 대체로 위도가 높아질수록 낮아진다.

14 ㄷ. 남해는 연중 쿠로시오 해류의 영향을 받는다. 쿠로시오 해류는 수온과 염분이 높은 난류이므로 남해는 연중 수온과 염분이 높게 나타난다.

오답 피하기

ㄱ. 2월보다 8월에 표층 염분이 낮은 까닭은 8월 강수량이 2월 강수량보다 많기 때문이다.

ㄴ. 중국과 한반도에서 하천수가 황해로 유입되기 때문에 대체로 황해의 표층 염분이 동해나 남해보다 낮다.

15 수온 염분도를 이용하여 해수의 성질을 파악할 수 있고, 수온과 염분의 연직 분포를 알 수 있다.

[모범 답안] (1) 동해에서 혼합층은 겨울인 2월에 발달한다. 이때 혼합층의 두께는 약 50 m이다.

(2) 해수의 깊이가 깊어질수록 염분 차이는 점차 감소하며 수심 500 m에서는 2월과 8월의 염분이 같다.

(3) 심층 해수의 경우 빛이 거의 도달하지 않기 때문에 태양 복사 에너지의 영향을 거의 받지 않고 극지방에서 형성된 심층 해류의 영향을 받는다. 극지방에서 형성된 심층 해류는 계절별로 큰 차이를 보이지 않기 때문에 동해의 심층에서 계절별 해수의 성질이 비슷하다.

채점 기준		배점
(1)	모범 답안과 같이 옳게 쓴 경우	20%
	혼합층이 발달하는 계절과 혼합층의 두께 중 한 가지만 옳게 쓴 경우	10%
(2)	해수의 깊이가 깊어질수록 염분 차이가 감소함을 쓴 경우	20%
(3)	모범 답안과 같이 옳게 서술한 경우	60%
	위도별, 계절별 해수 성질 차이를 보이지 않는 심해층의 해수 특징만을 서술한 경우	30%

16 [모범 답안] 우리나라와 중국에 있는 하천수는 주로 황해로 흘러 들어간다. 담수의 유입이 많을수록 표층 염분은 감소하므로 황해의 표층 염분은 동해나 남해보다 낮다.

채점 기준	배점
황해로 유입되는 하천수가 많으며 하천수의 유입이 표층 염분의 감소로 이어진다고 옳게 서술한 경우	100%
하천수 유입에 따른 염분 변화를 설명하지 않고 황해로 유입되는 하천수가 많다는 것만을 서술한 경우	50%

01 ①	02 ④	03 ③	04 ③	05 ②	06 ④
07 ⑤	08 ④	09 ②	10 ⑤	11 ⑤	12 ③
13 ③	14 ①	15 ④	16 ③		

01 ㄱ. A는 주위보다 기압이 낮은 저기압, B는 주위보다 기압이 높은 고기압이다.

오답 피하기

ㄴ. C는 정체 전선(장마 전선)이다.

ㄷ. 우리나라는 고기압의 동쪽에 위치하고 있으므로 서풍 계열의 바람이 불 것이다.

02 (가)는 찬 기단이 따뜻한 기단 아래를 파고드는 한랭 전선이고, (나)는 따뜻한 기단이 찬 기단 위로 타고 올라가는 온난 전선이다.

ㄴ. (나)는 전선의 전면에 층운형 구름이 넓게 형성된다. (가)는 전선의 후면에 적운형 구름이 좁게 형성된다.

ㄷ. (가)는 (나)보다 이동 속도가 빠르다. 한랭 전선이 온난 전선을 따라잡으면 폐색 전선이 형성된다.

오답 피하기

ㄱ. A는 찬 기단, B는 따뜻한 기단이다. 따라서 A는 B보다 기온이 낮다.

03 가시 영상에서 두꺼운 구름은 밝게, 얇은 구름은 흐리게 나타난다. 적외 영상에서 높은 구름은 밝게, 낮은 구름은 흐리게 나타난다.

ㄱ. A는 적외 영상에서 밝게, 가시 영상에서 흐리게 나타나므로 높고 얇은 구름이다.

ㄴ. 강수 가능성이 큰 구름은 수직으로 높게 솟은 적운형 구름이다. 따라서 가시 영상과 적외 영상 모두에서 밝게 나타나는 C에서 강수 가능성이 가장 크다.

오답 피하기

ㄷ. 적외 영상에서 B는 흐리고, C는 밝게 나타난다. 구름 상부의 고도는 C가 B보다 더 높다.

04 A 지역은 5월 1일과 5월 2일 사이에 온난 전선이 통과하였고 5월 2일과 5월 3일 사이에 한랭 전선이 통과하였다.

ㄱ. 저기압 중심은 온난 전선과 한랭 전선이 닿아 있는 부분이므로 A 지역보다 북쪽 지역을 통과하였다.

ㄴ. 5월 2일에서 3일 사이에 A 지역에 한랭 전선이 통과하였으므로 기온이 낮아졌다.

오답 피하기

ㄷ. 5월 2일에 A 지역은 온난 전선과 한랭 전선 사이에 있으므로 남서풍이 분다.

문제 속 자료   온대 저기압 통과 시 날씨 변화

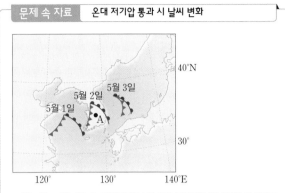

• 5월 1일~5월 2일: A 지역에 온난 전선이 통과하면서 기온이 상승하고 기압이 낮아진다. 풍향이 남동풍에서 남서풍으로 변하고 전선 통과 전 약한 비가 내릴 수 있다.

• 5월 2일~5월 3일: A 지역에 한랭 전선이 통과하면서 기온이 하강하고 기압이 높아진다. 풍향이 남서풍에서 북서풍으로 변하고 전선 통과 후 소나기가 내릴 수 있다.

05 ㄷ. 온대 저기압의 중심이 관측소의 남쪽으로 통과하면 풍향은 시계 반대 방향(북동풍 → 북풍 → 북서풍)으로 변하고, 관측소의 북쪽으로 통과하면 풍향은 시계 방향(남동풍 → 남서풍 → 북서풍)으로 변한다. (나)에서 온대 저기압이 관측소를 통과하는 동안 북풍과 북동풍 계열의 바람이 불지 않았으므로 온대 저기압의 중심은 관측소의 북쪽을 통과하였다.

오답 피하기

ㄱ. 온대 저기압이 관측소를 통과하는 동안 풍향은 시계 방향인 ㉢ 남동풍 → ㉡ 남서풍 → ㉠ 북서풍으로 변한다. 따라서 ㉢은 6시, ㉡은 12시, ㉠은 18시에 관측한 바람이다.

ㄴ. 온난 전선은 기온이 높아지기 시작하는 6시경에 통과하였다.

06 ㄴ. (나)는 온대 저기압의 이동 경로이다. 저기압의 중심이 A 지역의 북쪽으로 통과하므로 저기압 중심의 남쪽에 있는 A 지역에 온난 전선과 한랭 전선이 통과하였다.

ㄷ. (가)와 (나) 모두 저기압이 이동하는 방향의 오른쪽에 A 지역이 위치하므로 풍향은 시계 방향으로 변한다.

오답 피하기

ㄱ. (가)는 태풍의 이동 경로를 나타낸 것이다.

07 ㄱ. 12일 밤에 태풍은 A 지역 상공을 지났고 태풍의 영향으로 해수면 높이가 평소보다 더 높게 상승하였다.

ㄴ. 11일 09시 이전까지 무역풍의 영향을 받아 북서쪽으로 이동했던 태풍이 11일 09시 이후 편서풍의 영향을 받아 북동쪽으로 이동한다.

ㄷ. 우리나라는 태풍 이동 경로의 왼쪽에 위치하고 있으므로 안전 반원의 영향을 받고, 풍향이 시계 반대 방향으로 변했을 것이다.

08 ㄴ. 태풍은 육지 상공을 지나면 수증기 공급량이 적어지고 세력이 약해진다.

ㄷ. 산바 접근 시보다 볼라벤 접근 시 북태평양 고기압의 세력이 더 커졌고 태풍의 이동 경로는 볼라벤이 산바보다 더 서쪽으로 밀려났다. 따라서 태풍의 이동 경로는 북태평양 고기압에 의해 밀려나는 경향이 있다.

오답 피하기

ㄱ. 태풍 이동 경로의 왼쪽이 안전 반원, 오른쪽이 위험 반원이다. 볼라벤이 황해를 지날 때 서울은 위험 반원에 속한다.

09 ㄷ. 우리나라를 통과한 태풍은 육지를 통과하면서 수증기 공급량이 감소하고 고위도로 이동하면서 수온이 낮은 해상에 도달하여 태풍의 세력은 약해졌을 것이다.

오답 피하기

ㄱ. 4~6시에 기압이 가장 낮았지만 풍속이 빨랐으므로 태풍의 눈에 근접했고 태풍의 눈이 관측 지점 상공을 지나지는 않았다.

ㄴ. 태풍이 지나는 동안 풍향은 동풍(←), 북풍(↓), 서풍(→)으로 변했다. 풍향이 시계 반대 방향으로 변했으므로 관측 지점은 태풍 이동 경로의 왼쪽에 위치하였다.

10 ㄱ, ㄴ. 우리나라는 편서풍의 영향을 받으므로 낙뢰를 동반한 비구름이 동쪽으로 이동하여 남해안을 지나갔을 것이다.

ㄷ. 강한 소나기와 낙뢰는 수직으로 높게 발달한 적란운에서 나타나는 현상이다.

11 ㄱ. 중국 내륙에서 발생한 황사가 4월 13일 미국 서부 지역까지 도달하여 영향을 주었다.

ㄴ. 황사는 중위도에서 부는 편서풍의 영향으로 동쪽으로 이동하여 영향을 준다.

ㄷ. 4월 7일과 4월 8일의 황사 분포 지역으로 보아 중부 지방이 남부 지방보다 황사의 영향을 더 많이 받았을 것이다.

12 ㄷ. (가)에서 부산 상공에 높게 솟은 구름이 발달하였다.

오답 피하기

ㄱ. (나)의 자료에서 부산 지역에 비는 비교적 짧은 시간인 7시와 10시 사이에 집중적으로 강하게 내렸다.

ㄴ. (가)에서 구름 분포를 보아 비는 경상남도 일부 지방에만 내렸을 것이다.

13 ㄱ. A 지점의 표층 수온은 약 24 ℃, 표층 염분은 약 32.5 psu이다. B 지점의 표층 수온은 약 26 ℃, 표층 염분은 약 33 psu이다. 따라서 표층 수온과 염분은 A 지점이 B 지점보다 낮다.

ㄴ. 수온 염분도에서 등밀도선은 염분이 높고 수온이 낮은 쪽인 오른쪽 아래에 있는 선일수록 밀도가 크다. 따라서 수심 40 m에서 해수 자료가 더 높은 등밀도선에 가까운 A 지점 해수가 B 지점 해수보다 밀도가 크다.

오답 피하기

ㄷ. 혼합층은 해수 표면부터 수온이 일정한 부분이다. A, B 두 지점 모두에서 표층부터 수온이 감소하므로 혼합층이 발달해 있지 않다.

14 ㄱ. B와 D는 해수의 밀도가 1.027 g/cm³로 같고, C는 1.026~1.027 g/cm³ 사이이며 A는 1.025~1.026 g/cm³ 사이이다. 따라서 해수의 밀도는 B=D>C>A이다.

오답 피하기

ㄴ. 해수의 밀도는 수온과 염분으로 결정되므로 수온 차이가 같더라도 밀도 차이가 같지 않을 수 있다.

ㄷ. 해수는 밀도가 비슷한 다른 해수와 혼합이 잘 일어난다. 따라서 D는 밀도가 같은 B와 가장 잘 혼합된다.

15 ㄱ. 수온은 깊이에 따라 값이 증가하지 않으므로, 약 300 m보다 깊어질 때 값이 증가하는 자료는 염분이다. 따라서 ㉠은 수온을 나타낸다.

ㄴ. 표층 수온은 16 ℃이고, 표층 염분은 34.0 psu이다. 이 값을 (나)의 수온 염분도에 표시하면 해수의 밀도는 약 1.025 g/cm³이다.

오답 피하기

ㄷ. 해수의 밀도는 수온이 낮을수록, 염분이 높을수록 크다. 수심 1~2 km에서는 수심이 깊어질수록 수온이 일정하지만 염분이 증가하고 있으므로 해수의 밀도도 증가한다.

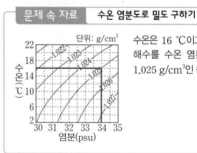

문제 속 자료　**수온 염분도로 밀도 구하기**

수온은 16 ℃이고, 염분이 34.0 psu인 해수를 수온 염분도에 표시하면 값이 1.025 g/cm³인 등밀도선과 만난다.

16 ㄱ. 동해는 남쪽에서 동한 난류가 흐르고 북쪽에서 북한 한류가 흐르기 때문에 남북 간 수온 차가 가장 크다.

ㄴ. 황해는 수심이 얕고 해수의 부피가 작기 때문에 수온이 쉽게 상승하고 하강한다. 따라서 수온의 연교차가 가장 크다.

오답 피하기

ㄷ. 남해의 수온이 연중 높은 까닭은 연중 수온이 높은 쿠로시오 해류의 영향을 받기 때문이다.

Ⅳ 대기와 해양의 상호 작용

01 | 대기 대순환과 해양의 표층 순환

기초 탄탄 문제   p. 144

01 ⑤   **02** ③   **03** ③   **04** ④   **05** ②

01 ⑤ 지구 전체가 받는 태양 복사 에너지양과 방출하는 지구 복사 에너지양은 같다. 따라서 저위도의 남는 에너지양(A의 면적)과 고위도의 부족한 에너지양(B의 면적)이 같고, 에너지 수송이 이루어지면 각 위도는 에너지 평형을 이룬다.

오답 피하기
태양 복사 에너지와 지구 복사 에너지는 모두 저위도로 갈수록 증가하여 적도에서 최댓값을 가지고 극에서 최솟값을 가진다. 저위도에서는 태양 복사 에너지가 지구 복사 에너지보다 많으므로 A는 남는 에너지이다. 고위도에서는 태양 복사 에너지가 지구 복사 에너지보다 적으므로 B는 부족한 에너지이다. 저위도의 남는 에너지가 대기와 해양의 순환을 통해 고위도로 수송되고 지구의 각 위도는 에너지 평형을 이룬다.

02 A는 쿠로시오 해류로 저위도의 수온이 높은 해수가 고위도로 흐르는 난류이다. C는 캘리포니아 해류로 고위도의 수온이 낮은 해수가 저위도로 흐르는 한류(㉠)이다. B는 편서풍의 영향을 받아 서에서 동으로 흐르는 북태평양 해류(㉡)이다. D는 무역풍의 영향을 받아 동에서 서로 흐르는 북적도 해류이다. A, B, C, D는 시계 방향으로 흐르면서 북태평양 아열대 순환을 형성한다.

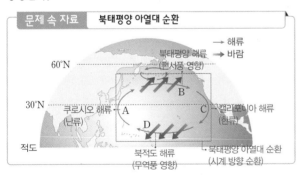

문제 속 자료 **북태평양 아열대 순환**

03 ③ A와 C에서는 극동풍과 무역풍이 불어 북동풍이 우세하고, B에서는 편서풍이 불어 남서풍이 우세하다.

오답 피하기
①, ⑤ (가)는 극순환, (나)는 페렐 순환, (다)는 해들리 순환이다. (가)는 극 냉각으로 하강 기류가 발달하여 형성된 직접 순환, (다)는 적도 가열로 상승 기류가 발달하여 형성된 직접 순환이다.

② 지구가 자전하지 않았다면 (가)와 (다)가 연결되어 하나의 순환을 이루었을 것이다. (나)는 지구 자전의 영향으로 (가)와 (다) 순환이 따로 형성되어 나타난 간접순환이다.

④ (㉠)에서는 편서풍과 극동풍이 만나 공기의 수렴이 일어나고, (㉡)에서는 편서풍과 무역풍이 불어 나가면서 공기의 발산이 일어난다.

04 ④ 중위도 아열대 순환에서 난류는 대양의 서쪽에서 흐르고, 한류는 대양의 동쪽에서 흐른다.

오답 피하기
① 한류는 수온이 낮고, 난류는 수온이 높다.
② 한류는 염분이 낮고, 난류는 염분이 높다.
③ 한류는 영양 염류와 용존 산소량이 많고, 난류는 영양 염류와 용존 산소량이 적다.
⑤ 한류에는 캘리포니아 해류, 페루 해류 등이 있고, 난류에는 쿠로시오 해류, 멕시코 만류 등이 있다.

05 조경 수역은 한류와 난류가 만나 형성된다. 우리나라는 동해에서 동한 난류(㉢)와 북한 한류(㉡)가 만나 조경 수역을 이룬다.

문제 속 자료 **우리나라 주변 해류**

㉠ 연해주 한류
㉡ 북한 한류
㉢ 동한 난류
㉣ 황해 난류
㉤ 쓰시마 난류
㉥ 쿠로시오 해류
• 우리나라에 흐르는 난류의 근원은 쿠로시오 해류이다.

내신 만점 문제   p. 145 ~ 147

01 ①   **02** ③   **03** ⑤   **04** ③   **05** ③   **06** ⑤
07 ⑤   **08** ④   **09** ③   **10** ⑤   **11~12** 해설 참조

01 A는 해들리 순환, B는 페렐 순환, C는 극순환이다. 적도와 60°N은 저압대, 북극과 30°N은 고압대이다.
ㄱ. A 순환은 적도의 가열로 상승 기류가 나타나고 상승한 공기가 전향력의 영향으로 위도 30°에서 지표로 하강하여 다시 적도로 돌아오면서 형성된다. 위도 30°에서 적도로 공기가 이동할 때 부는 바람은 북반구에서는 북동 무역풍, 남반구에서는 남동 무역풍이다.

ㄴ. 적도의 가열로 상승 기류가 나타나 형성되는 A 순환과 극의 냉각으로 하강 기류가 나타나 형성되는 C 순환은 열대류인 직접 순환이다. B 순환은 전향력의 영향을 받아 A 순환에서 나타나는 하강 기류와 C 순환에서 나타나는 상승 기류가 이어져서 형성된 간접순환이다.

ㄷ. 30°N 지역은 하강 기류가 우세하게 나타나고 60°N 지역은 상승 기류가 나타난다. 상승 기류가 나타나는 지역에서 구름이 잘 발생하고 강수량이 많으므로 60°N 지역은 30°N 지역보다 강수량이 많다.

02 A는 해들리 순환, B는 페렐 순환, C는 극순환이다.

ㄱ. B는 A 순환의 영향으로 위도 30°에서 형성되는 하강 기류와 C 순환의 영향으로 위도 60°에서 형성되는 상승 기류가 이어져 형성된다. 따라서 B는 두 대기 순환 세포 사이에서 형성되는 간접순환이다.

ㄴ. 대기 대순환은 저위도의 남는 열에너지를 에너지가 부족한 고위도로 수송하는 역할을 한다.

ㄷ. B와 C 사이의 지상에는 공기의 수렴이 일어나고 상승 기류가 나타나므로 저압대가 위치한다.

03 ㄱ. A는 쿠로시오 해류로 저위도에서 고위도로 흐르는 난류이다. C는 페루 해류로 고위도에서 저위도로 흐르는 한류이다. 따라서 수온은 난류인 A가 한류인 C보다 높다.

ㄴ. B와 D는 모두 편서풍의 영향을 받아서 서에서 동으로 흐르는 해류이다.

ㄷ. 북반구 아열대 순환은 시계 방향으로 형성되고, 남반구 아열대 순환은 시계 반대 방향으로 형성된다. 해양의 표층 순환은 적도를 기준으로 북반구와 남반구가 대칭이다.

04 ㄱ. 해양의 표층 해류는 대기 대순환의 지상 바람과 마찰로 형성된다. 대기 대순환으로 위도별 지상에 우세하게 부는 바람이 나타나고 바람과의 마찰로 위도별 일정한 방향으로 흐르는 표층 해류가 나타나 표층 순환을 형성한다.

ㄴ. 북반구와 남반구의 해수 순환은 적도를 기준으로 대칭으로 나타난다.

ㄷ. 아열대 순환과 아한대 순환 모두에서 고위도에서 저위도로 흐르는 한류와 저위도에서 고위도로 흐르는 난류가 나타나므로 두 순환은 한류와 난류로 이루어져 있다.

05 ㄷ. D는 남극 대륙 주변을 순환하는 남극 순환 해류이다. 편서풍의 영향을 받아 서에서 동으로 흐르며 주변에 대륙이 없기 때문에 남북 방향으로는 거의 흐르지 않는다.

ㄱ. 난류는 수온이 상대적으로 높은 저위도에서 수온이 상대적으로 낮은 고위도로 흐르는 해류이다. B는 고위도에서 저위도로 흐르므로 주위 해수보다 수온이 상대적으로 낮은 한류이다.

ㄴ. A는 편서풍의 영향을 받아 서에서 동으로 흐르는 북태평양 해류이다. C는 무역풍의 영향을 받아 동에서 서로 흐르는 북적도 해류이다. 남반구에도 무역풍의 영향을 받아 남적도 해류가 흐른다. 북적도 해류와 남적도 해류 사이에서 서에서 동으로 흐르는 해류가 적도 반류이다.

06 A와 C는 저위도에서 고위도로 흐르는 난류이고, B와 D는 고위도에서 저위도로 흐르는 한류이다.

ㄱ. 동일 위도에서 저위도의 따뜻한 해수가 흐르는 A가 고위도의 차가운 해수가 흐르는 B보다 수온이 높다.

ㄴ. 용존 산소량은 수온이 낮은 해수에서 높다. 따라서 한류가 흐르는 B와 D에서 용존 산소량이 A와 C에서보다 많다.

ㄷ. 한류가 흐르는 해역은 동일 위도의 다른 지역보다 온도가 낮고, 난류가 흐르는 해역은 온도가 높다. A~D는 모두 대륙 연안에서 남북 방향으로 흐르는 난류와 한류이므로 한류와 난류는 연안 지역 기후에 영향을 미친다.

문제 속 자료	한류와 난류	
구분	한류	난류
이동	고위도 → 저위도	저위도 → 고위도
수온	낮다	높다
염분	낮다	높다
용존 산소량	많다	적다
영양 염류	많다	적다

07 A는 캘리포니아 해류, B는 멕시코 만류이다.

ㄱ. A와 B 모두 아열대 순환의 일부이다. A는 북태평양 아열대 순환 중 대양 동쪽에서 흐르는 한류이다. B는 북대서양 아열대 순환 중 대양 서쪽에서 흐르는 난류이다.

ㄴ. B 해류는 북대서양 해류로 이어지며 카나리아 해류, 북적도 해류와 함께 북대서양의 아열대 순환을 이룬다.

ㄷ. 용존 산소량과 영양 염류는 난류보다 한류에 많다. 따라서 난류인 B보다 한류인 A에 많다.

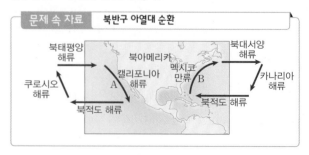
문제 속 자료   북반구 아열대 순환

08 ㄴ. C와 D는 북대서양 아열대 순환이 형성되는 해역으로 C에서는 멕시코 만류가 흐르고, D에서는 카나리아 해류가 흐른다. 북반구 아열대 순환의 서쪽에서는 저위도에서 고위도로 난류가 흐르고, 동쪽에서는 고위도에서 저위도로 한류가 흐른다.
ㄷ. A 해역은 아열대 순환과 아한대 순환의 경계로, 두 순환을 이루는 북태평양 해류가 흐른다.

오답 피하기

ㄱ. A 해역에는 편서풍의 영향으로 형성된 북태평양 해류가 흐르고 B 해역에는 무역풍의 영향으로 형성된 북적도 해류가 흐른다. 북태평양 해류와 북적도 해류는 동서 방향으로 흐르는 해류로 위도별 열 수송이 활발하게 일어나지 않는다. 난류와 한류가 흐르는 지역에서는 위도별로 열 수송이 일어난다.

09 ㄱ. A는 고위도에서 저위도로 흐르는 한류이고, B는 저위도에서 고위도로 흐르는 난류이다.
ㄴ. B는 쿠로시오 해류로, 우리나라 주변을 흐르는 동한 난류와 황해 난류의 근원이다.

오답 피하기

ㄷ. C는 북적도 해류이고, B는 쿠로시오 해류이다. 쿠로시오 해류는 북태평양 해류로 이어지고 캘리포니아 해류로 이어진 후 북적도 해류로 연결되어 북태평양 아열대 순환을 이룬다. A는 북태평양 해류로 이어지고 시계 반대 방향으로 순환하여 아한대 순환을 형성한다.

10 A는 쿠로시오 해류, B는 황해 난류, C는 동한 난류, D는 북한 한류이다.
ㄱ. 우리나라 주변 해류인 B와 C는 A에서 갈라져 나온 난류이다.
ㄴ. 영양 염류는 한류에서 많고 난류에서 적다. A~D 중 고위도에서 저위도로 흐르는 D에서 영양 염류가 가장 풍부하다.
ㄷ. A는 저위도에서 고위도로 흐르는 난류로, 대양의 서안을 흐르는 서안 경계류이다. 북대서양에서 저위도에서 고위도로 흐르며, 서안 경계류인 해류는 멕시코 만류이다.

11 **[모범 답안]** ⑴ 북태평양 해류는 편서풍의 영향으로, 북적도 해류는 무역풍의 영향으로 발생한다.
⑵ (가)는 한류로 고위도에서 저위도로 흐른다. 수온과 염분이 낮으며 영양 염류와 용존 산소량이 많다. 유속이 느리고 해류 폭이 넓다.

	채점 기준	배점
⑴	모범 답안과 같이 옳게 서술한 경우	40%
	북태평양 해류와 북적도 해류 중 한 가지만 옳게 서술한 경우	20%
⑵	(가)의 특징을 3가지 이상 옳게 서술한 경우	60%
	(가)의 특징을 하나씩 부족하게 서술한 경우	20%씩 감점

12 해류는 연안 지역 기후에 영향을 미친다. 동일한 위도의 다른 지역보다 난류의 영향을 받는 지역은 평균 기온이 높고, 한류의 영향을 받는 지역은 평균 기온이 낮다.
[모범 답안] 멕시코 만류가 북대서양 해류로 이어져 유럽의 북서쪽 해안을 따라 흐르기 때문에 유럽 북서쪽 지역은 난류의 영향을 받아 다른 지역보다 따뜻한 기후가 형성된다.

채점 기준	배점
멕시코 만류의 이동 경로와 난류의 영향을 모두 서술한 경우	100%
멕시코 만류의 이동 경로와 난류의 영향 중 한 가지만 서술한 경우	50%

02 | 해양의 심층 순환

기초 탄탄 문제 p. 152

01 ① **02** ④ **03** ⑤ **04** ④ **05** ⑤

01 ① 심층 순환은 표층 순환과 연결되어 전 지구 해양을 흐른다.

오답 피하기

해양의 심층 순환은 해수의 밀도 차이로 흐르는 해류가 형성하는 순환이다. 극지방에서 해수의 결빙으로 염분과 밀도가 증가하고, 표층 해수의 침강이 일어나면서 심층 해수가 형성된다. 차가운 극지방의 표층 해수에는 용존 산소와 영양 염류가 많기 때문에 표층 해수의 침강으로 심층 해류가 형성되면 표층과 심층 사이에서 용존 산소와 영양 염류가 이동한다.

02 ④ (다)처럼 표층 해수의 침강이 일어나려면 해수의 밀도가 높아야 한다. 해수의 밀도는 수온이 낮을수록, 염분이 높을수록 크다.

오답 피하기

①, ② 해수는 심층에서 저위도로 흐르고 표층에서 고위도로 흐르며 전 지구적 순환을 이룬다.
③ 지구는 위도별 단위 면적당 태양 복사 에너지의 입사량이 다르기 때문에 저위도 해역에서는 열을 흡수하고 고위도 해역에서는 열을 잃는다.
⑤ 해양의 해수는 대부분 심층을 흐른다. 표층을 흐르는 해수의 양은 심층을 흐르는 해수보다 매우 적다.

03 해수의 연직 분포에서 밀도가 더 높은 수괴일수록 아래쪽에 위치한다. 따라서 대양의 가장 아래에서 흐르는 남극 저층수는 밀도가 가장 큰 수괴이다. 수온 염분도에서 등밀도선은 오른쪽 아래에 있을수록 큰 값이므로 가장 밀도가 큰 해수인 E가 남극 저층수이다.

04 ④ 심층 순환은 고위도 해역에서 수온이 낮고 염분이 높은 해수가 침강하면서 일어난다.

오답 피하기

① 심층 순환은 표층 순환보다 느리게 나타난다. 그러나 심층 순환을 이루는 해수는 표층 순환을 이루는 해수보다 해수의 양이 많기 때문에 두 순환을 흐르는 해수의 양이 균형을 이룬다.
② 표층 순환은 지상에 부는 바람과 해수의 마찰로 일어나고, 심층 순환은 해수의 밀도 차로 일어난다.
③ 심층 순환과 표층 순환은 서로 연결되어 있으며 전 지구적인 해수의 순환을 형성한다.
⑤ 심층 순환은 표층 순환과 함께 저위도의 남는 에너지를 고위도로 수송하는 역할을 한다. 심층 순환이 약화되면 위도별 에너지 불균형이 심화되어 기후 변화에 영향을 미친다.

05 전 지구적 해수의 순환에서 해수의 침강은 주로 극지방 해역에서 일어난다. 해수의 침강은 그린란드 주변 해역과 남극 대륙 주변 웨델해에서 일어난다. 해수의 용승은 북태평양과 인도양에서 일어난다.

내신 만점 **문제**
p. 153 ~ 155

01 ④   **02** ①   **03** ③   **04** ③   **05** ⑤   **06** ⑤
07 ①   **08** ⑤   **09** ①   **10** ②   **11~12** 해설 참조

---

01 ㄴ. 해수의 결빙이 일어나면 물의 양은 감소하지만 염류의 양은 변하지 않으므로 빙하 주변 해수는 염분이 증가한다.
ㄷ. A와 C가 층을 이룰 때, C가 A보다 해수의 밀도가 더 크므로 C가 A 아래로 내려간다.

오답 피하기

ㄱ. 해수의 밀도는 수온이 낮을수록, 염분이 높을수록 크다. A는 염분이 가장 낮고, 수온이 C와 함께 가장 높기 때문에 세 해역 중 밀도가 가장 작은 해수이다.

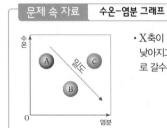

> **문제 속 자료**   **수온-염분 그래프**
>
> • X축이 염분, Y축이 수온이므로 수온이 낮아지고 염분이 높아지는 오른쪽 아래로 갈수록 해수의 밀도가 증가한다.

02 ㄱ. 해수의 연직 분포에서 밀도가 더 큰 수괴가 아래에 위치한다. 따라서 해수는 더 깊은 곳에 있는 C, B, A 순으로 밀도가 크다.

오답 피하기

ㄴ. B는 북대서양 심층수로 북극 주변인 그린란드 해역에서 침강하여 남쪽으로 흐른다.

ㄷ. 전체 해수 중 일부가 표층 순환을 하고 있고, 대부분의 해수는 심층 순환을 하고 있다.

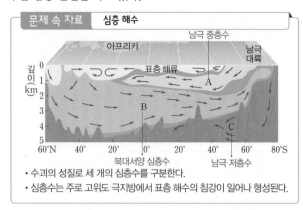

> **문제 속 자료**   **심층 해수**
>
> • 수괴의 성질로 세 개의 심층수를 구분한다.
> • 심층수는 주로 고위도 극지방에서 표층 해수의 침강이 일어나 형성된다.

03 ㄱ. 밀도는 수온이 낮을수록, 염분이 높을수록 크다.
ㄷ. 실험에서 침강은 수조의 물과 종이컵에 부은 물의 밀도 차이가 클수록 잘 일어난다. 따라서 종이컵에 밀도가 더 큰 차가운 소금물을 부으면 침강이 더 잘 일어난다.

오답 피하기

ㄴ. 수조에 찬물을 채우면 수조 물의 밀도가 높아지고 종이컵의 물과 밀도 차이가 작아진다. 따라서 침강이 잘 일어나지 않게 된다. 수조에 따뜻한 물을 채우면 침강이 더 잘 일어난다.

04 ㄱ. 수온 염분도에서 등밀도선은 오른쪽 아래에 있을수록(수온이 낮을수록, 염분이 높을수록) 밀도 값이 크다. 따라서 밀도가 가장 큰 수괴는 남극 저층수이다.
ㄴ. 지중해 중층수는 북대서양 중앙 표층수보다는 밀도가 크고 북대서양 심층수보다는 밀도가 작다. 해수는 밀도가 큰 수괴부터 깊은 곳에 존재하므로 지중해 중층수는 북대서양 중앙 표층수와 북대서양 심층수 사이에서 흐를 것이다.

오답 피하기

ㄷ. 북대서양 수괴에서 염분이 34.1 psu인 해수는 남극 중층수이다.

05 ㄱ. 북대서양 그린란드 주변 해역은 표층 해수가 침강하여 심층 해수가 형성되는 해역으로 북대서양 표층수가 열을 잃고 침강하여 북대서양 심층수로 변화한다.
ㄴ. 해수의 연직 분포에서 수괴는 밀도가 높을수록 아래에 존재한다. 남극 저층수는 북대서양 심층수보다 아래에 존재하기 때문에 북대서양 심층수보다 남극 저층수의 밀도가 크다.
ㄷ. 남극 저층수는 남극 대륙 주변 해역에서 형성되어 적도를 지나 북반구 심해까지 이동한다.

06 ㄱ. 수심 400 m 해수의 연령은 대체로 대서양에서는 1000년 미만이고 태평양에서는 1000년 이상이다.
ㄴ. 표층 해수의 침강이 일어난 곳은 해수의 연령이 적을 것이

다. A 해역에서 해수의 연령이 가장 적으므로 주로 표층 해수의 침강은 A 해역 주변에서 일어난다.

ㄷ. 250년 동안 해수의 이동 거리가 C 해역보다 B 해역에서 길기 때문에 해수의 흐름은 B 해역이 C 해역보다 빠르다.

> **문제 속 자료** | **심층 해수의 연령**
>
>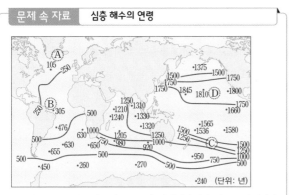
>
> • 수심 4000 m 해수의 연령 분포는 A 해역에서 가장 적고 D 해역에서 가장 많다.
> • A 해역에서 심층 해수가 형성되어 D 해역까지 이동한다.

07 ㄱ. 전 지구적인 해수의 순환은 표층 순환과 심층 순환이 이어져 흐른다. 이 순환은 저위도의 에너지를 고위도로 수송하여 위도 간 에너지 불균형을 해소하는 역할을 한다.

> **오답 피하기**

ㄴ. 인도양과 태평양에서는 심층수가 표층수로 변화한다.

ㄷ. A 해역에서 침강이 약화되면 심층 순환이 약해지고 심층 순환과 이어져 있는 표층 순환도 약해진다.

08 ㄱ. 심층수는 고위도에서 수온이 낮은 표층 해수가 염분이 높아져 해저로 침강하면서 형성된다.

ㄴ. 염분의 연직 분포에서 등염분선이 늘어진 정도를 비교해 보면 해류의 이동 거리를 알 수 있다. 표층보다 심층에서 등염분선이 더 늘어져 있으므로 심층 해류가 표층 해류보다 남북 간 이동 거리가 더 길다.

ㄷ. 태평양과 대서양 모두 가장 저층을 이루는 심층 해류는 남극 대륙 주변에서 이동해 오는 남극 저층수이다.

09 ㄱ. (나)에서 북대서양은 기온이 낮아졌고, 남대서양은 기온이 높아졌다.

> **오답 피하기**

ㄴ. 고위도에서 기온이 하강하고 저위도에서 기온이 상승한 까닭은 심층 순환이 약해져 위도 간 에너지 수송량이 줄고 위도별 에너지 불균형이 심해졌기 때문이다. 따라서 대서양의 심층 해류는 약해졌다.

ㄷ. 심층 해류와 표층 해류는 이어져 있으므로 심층 해류가 약해졌다면 B에서 A로 흐르는 표층 해류도 약해졌을 것이다.

10 ㄴ. 실험 결과에서 A 소금물과 B 소금물이 만났을 때 B 소금물이 A 소금물 위로 흐른다. 따라서 소금물의 밀도는 A가 B

보다 크다.

> **오답 피하기**

ㄱ. 소금물은 수온이 낮을수록 밀도가 높다. 수온이 더 낮고 밀도가 더 높은 4 °C 소금물이 A 소금물이고, 수온이 더 높고 밀도가 더 낮은 15 °C의 소금물이 B 소금물이다.

ㄷ. 밀도가 더 큰 A가 남극 저층수, 상대적으로 밀도가 작은 B가 북대서양 심층수이다. 수돗물은 A, B 소금물보다 밀도가 작으므로 북대서양 표층수에 해당한다.

11 해수의 단면에서 밀도가 더 큰 수괴가 아래에 위치한다.

[모범 답안] (1)

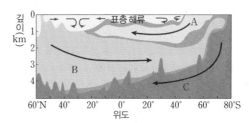

(2) A는 남극 중층수, B는 북대서양 심층수, C는 남극 저층수이다. 수심이 깊은 해수일수록 밀도가 크므로 남극 저층수, 북대서양 심층수, 남극 중층수 순으로 밀도가 크다.

	채점 기준	배점
(1)	각 심층 해류의 이동 방향을 옳게 표시한 경우	30%
(2)	심층 해수의 명칭을 모두 적고 각 심층 해수의 밀도를 옳게 비교한 경우	70%
	심층 해수의 명칭을 모두 적지 못했지만 해수의 밀도를 옳게 비교한 경우	35%

12 심층 해류에 변화가 일어나면 여러 환경 변화를 일으켜 전 지구적 기후에 영향을 미칠 수 있다.

[모범 답안] (1) B 지역이 A 지역에 비해 수온이 더 높다. 멕시코 만류와 북대서양 해류가 고위도까지 이동하여 B 지역이 난류의 영향을 받기 때문이다.

(2) 지구 온난화가 진행되면 B 해역 수온이 높아져 해수의 결빙이 일어나지 않아 해수의 밀도가 낮아진다. 이러한 변화는 고위도에서의 심층수 형성을 약화시키기 때문에 전 지구적인 해수의 순환이 약해진다. 따라서 멕시코 만류 또한 약화되어 B 지역은 난류의 영향을 받지 못하면서 기온이 낮아질 수 있다.

	채점 기준	배점
(1)	B 지역의 기온이 더 높다는 것과 멕시코 만류의 영향을 받는다는 사실을 모두 옳게 서술한 경우	40%
	B 지역의 기온이 더 높다는 것은 적었지만 그 까닭을 옳게 서술하지 못한 경우	20%
(2)	B 지역의 해수 밀도가 낮아진다는 사실부터 멕시코 만류의 약화까지 환경 변화를 순서대로 옳게 서술한 경우	60%
	B 지역의 해수 밀도가 낮아진다는 사실부터 멕시코 만류의 약화를 서술하였지만 환경 변화가 일어나는 과정이 논리적으로 타당하지 못한 경우	30%

03 | 엘니뇨와 남방 진동

기초 탄탄 문제 p. 160

01 ④ **02** ③ **03** ① **04** ③ **05** ④

01 ④ 용승이 일어나 영양 염류가 많아진 해역에서는 플랑크톤 증가로 해양 생물이 살기 좋은 환경이 만들어진다. 따라서 좋은 어장이 형성되고 어획량이 증가한다.

[오답 피하기]

용승이 일어나는 해역은 심층 해수의 특징이 표층 해수에서 나타난다. 용승이 일어나면 표층 수온이 하강하고 영양 염류량이 증가한다. 표층 수온이 하강하면 기층의 하부가 냉각되고 안정해진다. 기층이 안정해지면서 하강 기류가 형성되면 강수량이 감소하고 건조한 기후가 나타난다.

02 해수의 평균 이동 방향은 북반구에서 풍향의 오른쪽 90° 방향이고, 남반구에서 풍향의 왼쪽 90° 방향이다. 연안 용승이 발생하는 경우는 (가)와 (라)이다.

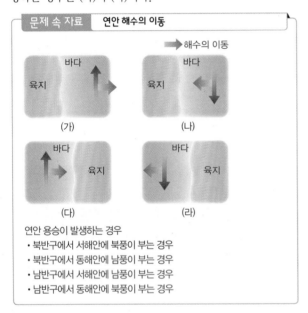

문제 속 자료 **연안 해수의 이동**

연안 용승이 발생하는 경우
• 북반구에서 서해안에 북풍이 부는 경우
• 북반구에서 동해안에 남풍이 부는 경우
• 남반구에서 서해안에 남풍이 부는 경우
• 남반구에서 동해안에 북풍이 부는 경우

03 엘니뇨는 무역풍 약화로 서쪽으로 흐르는 남적도 해류와 적도 부근 동태평양 해역의 용승이 약화되면서 발생한다. 동태평양 페루 연안은 표층 수온이 평년보다 높아지고, 서태평양 인도네시아 연안 해역은 표층 수온이 평년보다 낮아진다. 인도네시아 연안은 표층 수온 하강으로 증발량이 감소하고 기층 하부가 안정해지면서 강수량이 감소한다. 동태평양 해역은 용승 약화로 표층 해수의 영양 염류량이 감소하고 어획량도 감소한다.

04 라니냐 시기에 적도 부근의 동태평양 해역은 표층 수온이 하강하고, 서태평양 해역은 표층 수온이 상승한다.

①, ② 동태평양의 표층 수온 하강으로 기층 하부가 냉각되고 안정해진다. 안정한 기층 내에서 하강 기류가 나타나면서 고기압이 형성된다. 고기압이 형성된 동태평양 지역은 맑고 건조한 날씨가 나타난다.

③, ④, ⑤ 서태평양의 표층 수온 상승으로 기층 하부가 가열되고 불안정해진다. 불안정한 기층 내에서 상승 기류가 나타나면서 저기압이 형성된다. 저기압이 형성된 서태평양 지역은 구름이 잘 발달하면서 강수량이 증가한다.

05 표층 수온이 상승하면 대기 하층 기온이 상승하면서 기층이 불안정해진다. 불안정한 기층에서 상승 기류가 나타나고 저기압이 형성된다.

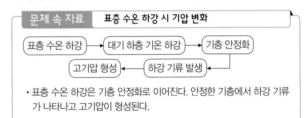

문제 속 자료 **표층 수온 하강 시 기압 변화**

표층 수온 하강 → 대기 하층 기온 하강 → 기층 안정화

고기압 형성 ← 하강 기류 발생 ←

• 표층 수온 하강은 기층 안정화로 이어진다. 안정한 기층에서 하강 기류가 나타나고 고기압이 형성된다.

내신 만점 문제 p. 161 ~ 163

01 ① **02** ⑤ **03** ② **04** ③ **05** ② **06** ⑤
07 ③ **08** ① **09** ② **10** ⑤ **11~12** 해설 참조

01 ㄱ. 무역풍의 영향으로 적도 지역에서 해수는 북반구에서 북쪽, 남반구에서 남쪽으로 이동하며 해수의 발산이 일어난다.

[오답 피하기]

ㄴ. 해수의 발산이 일어나는 적도에서는 심층 해수가 올라오는 용승이 일어난다.

ㄷ. 무역풍이 강해지면 해수의 발산이 더 많이 일어나고 용승이 강화된다. 용승이 강화되면 수온 약층이 형성되는 깊이가 얕아진다.

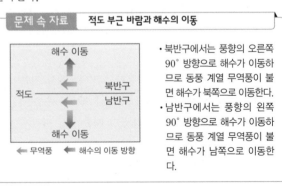

문제 속 자료 **적도 부근 바람과 해수의 이동**

• 북반구에서는 풍향의 오른쪽 90° 방향으로 해수가 이동하므로 동풍 계열 무역풍이 불면 해수가 북쪽으로 이동한다.
• 남반구에서는 풍향의 왼쪽 90° 방향으로 해수가 이동하므로 동풍 계열 무역풍이 불면 해수가 남쪽으로 이동한다.

02 ㄱ. 울산 앞바다에서 연안 용승이 일어났기 때문에 울산 연안에서 주위보다 수온이 매우 낮게 나타날 것이다.

ㄴ, ㄷ. 울산 연안에서 용승이 일어나려면 외해로 해수의 발산이 일어나야 한다. 해수가 먼 바다 방향인 동쪽으로 이동할 때 발산이 일어난다. 북반구에서 해수는 풍향의 오른쪽 90° 방향으로 이동하므로 해수가 동쪽으로 이동하려면 남풍 계열의 바람이 불어야 한다.

03 ㄴ. A 해역은 수온이 높아 기층 하부가 가열되고 상승 기류가 나타나면서 저기압이 형성된다. B 해역은 수온이 낮아 기층 하부가 냉각되고 하강 기류가 나타나면서 고기압이 형성된다.

오답 피하기

ㄱ. 평상시 남적도 해류가 따뜻한 해수를 서쪽으로 이동시키고 동태평양 연안에서 용승이 일어나면서 B 해역의 수온은 낮아진다.

ㄷ. 상승 기류가 나타나는 A 해역에서는 구름이 형성되고 강수량이 많다. 하강 기류가 나타나는 B 해역에서는 맑고 건조한 기후가 나타난다.

04 ㄱ. 동태평양 적도 부근 해역에서 A 시기는 관측 수온이 평균 수온보다 높으므로 엘니뇨 시기이다.

ㄷ. 엘니뇨 발생 시 동태평양 적도 부근 해역은 평년보다 수온이 높고, 따뜻한 해수층이 두꺼워진다. 용승이 약해져 수온이 급격히 하강하는 수온 약층이 나타나는 깊이가 깊어진다.

오답 피하기

ㄴ. 엘니뇨가 발생한 시기에는 남적도 해류가 약하고, 적도 반류가 강하다.

05 (가)는 평상시보다 무역풍이 약하게 나타나는 엘니뇨 시기, (나)는 평상시보다 무역풍이 강하게 나타나는 라니냐 시기이다.

ㄴ. 라니냐 시기에는 페루 연안에서 찬 해수가 더 많이 상승하여 표층에 용존 산소량이 많아진다.

오답 피하기

ㄱ. 라니냐 시기에는 인도네시아 연안의 표층 수온은 상승하고, 기층 하부가 불안정해지면서 저기압이 형성되어 강수량이 많아진다.

ㄷ. 남적도 해류가 따뜻한 해수를 서쪽으로 수송해 인도네시아 연안에서 따뜻한 해수층이 두껍게 나타난다.

06 ㄱ. (가)에서 2015년 1월부터 11월까지 수온 편차가 지속적으로 높아졌다. (나)에서 서태평양인 A 지역이 건조할 것으로 예측되므로 2015년에 엘니뇨가 발생했다.

ㄴ. 엘니뇨 시기에는 무역풍이 약해지므로 남적도 해류가 약해지고 적도 반류가 강해진다.

ㄷ. 엘니뇨가 발생하면 서태평양 수온이 하강하고 기층 하부가 안정해지면서 고기압이 형성된다. 고기압 지역에서는 맑고

건조한 날씨가 지속되므로 A 지역에 산불이 발생할 가능성이 높아진다.

07 ㄷ. (가)는 동·서태평양에서 표층 수온 차이가 거의 나타나지 않는다. (나)는 표층 수온이 서태평양에서 29 ℃보다 높고, 동태평양에서 20~22 ℃이므로 동·서태평양 표층 수온 차이가 약 7~9 ℃이다. 동·서태평양 표층 수온 차이가 거의 나지 않는 (가)는 엘니뇨 시기이고, 동·서태평양 표층 수온 차이가 크게 나타나는 (나)는 라니냐 시기이다.

ㄹ. 평상시 남적도 해류가 따뜻한 해수를 서태평양 쪽으로 수송하기 때문에 서태평양의 해수면이 동태평양의 해수면보다 높게 나타난다. 라니냐 시기에는 남적도 해류가 강화되어 동·서태평양의 해수면 높이 차이가 더 커지고 엘니뇨 시기에는 남적도 해류가 약화되어 동·서태평양의 해수면 높이 차이가 작아진다.

오답 피하기

ㄱ. 동태평양의 표층 수온은 (가)에서 28 ℃, (나)에서 20~22 ℃이다.

ㄴ. 동태평양의 14 ℃ 등온선의 깊이는 (가)에서 약 250 m, (나)에서 200 m보다 얕다.

문제 속 자료	엘니뇨와 라니냐가 발생할 때의 현상	
구분	(가) 엘니뇨 발생 시	(나) 라니냐 발생 시
무역풍	• 약하다	• 강하다
인도네시아 연안 (열대 서태평양)	• 하강 기류 우세 • 가뭄, 산불 피해	• 상승 기류 우세 • 홍수, 폭우 피해
페루 연안 (열대 동태평양)	• 용승 약화 • 수온 상승 • 강수량 증가	• 용승 강화 • 수온 하강 • 강수량 감소
해류	• 남적도 해류 약화 • 적도 반류 세력 확장	• 남적도 해류 강화 • 적도 반류 세력 축소

08 ㄱ. 문제의 그래프에서 11월을 제외한 모든 달에 엘니뇨 시 강수량이 평상시 강수량보다 높게 나타난다.

오답 피하기

ㄴ, ㄷ. 강수량이 증가하는 지역은 저기압이 형성되어 상승 기류가 평소보다 강해진 지역이다. 상승 기류가 강해지려면 대기 하층이 불안정해져야 하고 수온이 높은 해역으로부터 열을 공급받아야 한다. 따라서 강수량이 증가하는 지역은 수온이 상승한 지역이다. 엘니뇨 발생 시 수온이 상승하는 지역은 열대 태평양 동쪽 연안이다.

09 ㄴ. 평상시에는 남적도 해류가 따뜻한 해수를 서쪽으로 수송하고 동태평양에서 용승이 일어난다. 남적도 해류와 용승의 영향으로 서태평양의 수온은 높고 동태평양의 수온은 낮다. 엘니뇨가 발생하면 무역풍이 약해져 남적도 해류가 약화되고

동태평양에서 용승이 잘 일어나지 않게 되면서 서태평양 수온은 하강하고, 동태평양 수온은 상승한다. 따라서 A와 B 지역의 표층 수온 차이는 감소한다.

[오답 피하기]

ㄱ. A 지역은 표층 수온이 하강하여 기층 하부의 가열이 약해진다. 기층이 안정해지고 하강 기류가 나타나면서 기압이 상승한다.

ㄷ. 엘니뇨가 발생하면 전 지구적 대기와 해양의 성질에 변화가 일어나면서 태평양 지역을 포함한 전 세계의 기후 변화가 초래된다.

10 ㄱ. 문제의 그림에서 페루 연안에 이상 건조 기후가 나타나므로 이곳의 강수량 편차는 (−)이고, 이때는 라니냐 시기이다.

ㄴ, ㄷ. 라니냐 시기에 무역풍이 더 강하게 불어 남적도 해류가 강화되면서 서태평양으로 수송되는 따뜻한 해수의 양이 많아진다. 남적도 해류의 영향으로 서태평양의 따뜻한 해수층이 두꺼워지고 수온은 상승한다. 서태평양의 높은 수온은 기층 하부를 가열해 기층을 불안정한 상태로 만들고 서태평양에는 저기압이 형성된다.

11 엘니뇨 시기에 페루 연안 해역의 수온은 상승하고, 라니냐 시기에 페루 연안 해역의 수온은 하강한다. 수온 편차 그래프를 통해 엘니뇨 발생 시기와 라니냐 발생 시기를 알 수 있다.

[모범 답안] (1) 무역풍이 약해졌다.

(2) 적도 부근 동태평양 표층 수온은 평상시보다 높아지고, 적도 부근 서태평양의 표층 수온은 평상시보다 낮아진다.

(3) 수온이 평년보다 낮은 B 시기에는 기층 하부 기온이 낮아져 기층이 안정해진다. 안정해진 기층 내에서 하강 기류가 우세하게 나타나면서 고기압이 형성된다.

	채점 기준	배점
(1)	모범 답안과 같이 옳게 서술한 경우	10%
(2)	동태평양과 서태평양의 수온 변화를 옳게 서술한 경우	30%
(3)	수온 하강부터 기층 안정화, 기류 발달, 고기압 형성까지의 작용을 순서대로 옳게 서술한 경우	60%
	수온 하강과 고기압 형성을 서술하였지만 중간 과정이 논리적으로 타당하지 못한 경우	30%

12 동태평양 적도 부근 해역은 엘니뇨 발생 시 남적도 해류가 약화되고 용승이 잘 일어나지 않게 되어 수온이 하강한다.

[서술형 Tip] 수온 분포 그림에서 엘니뇨와 라니냐를 구분할 수 있는 영역을 찾아 서술한다.

[모범 답안] (가), 엘니뇨 시기에는 동태평양 적도 부근 해역의 수온이 높아지고, 서태평양 적도 부근 해역의 수온은 낮아진다. 따라서 따뜻한 해수의 영역이 더 동쪽으로 확장되어 있는 (가)가 엘니뇨가 발생한 시기의 수온 분포 자료이다.

채점 기준	배점
엘니뇨가 발생한 시기를 옳게 고르고, 그 까닭을 표층 수온에서 찾아 서술한 경우	100%
엘니뇨가 발생한 시기를 옳게 고르고, 그 까닭이 그림에 제시되지 않은 자료일 경우	60%
엘니뇨가 발생한 시기만 옳게 고르고, 그 까닭을 서술하지 못한 경우	30%

04 | 기후 변화

탐구 대표 문제   p. 168

01 ②

01 ② 관측 기온은 모든 요인을 함께 고려했을 때의 기온 변화와 가장 잘 일치한다.

[오답 피하기]

①, ⑤ 온실 기체의 영향으로 1960년 이전보다 1960년 이후 온도 상승률이 더 크다.

③ 1960년 이후 온실 기체 증가만 고려했을 때 기온이 관측 기온보다 높게 나타나며 자연적 요인만 고려했을 때 기온은 관측 기온과 차이가 커진다.

④ 관측 기온은 모든 요인을 복합적으로 고려했을 때 예측한 기온 변화와 가장 잘 일치한다. 기온은 여러 요인이 함께 작용하여 결정된다.

탐구 대표 문제   p. 169

01 ③   02 ⑤

01 ③ 지난 30년 동안 강수량 변화율은 대체로 북한 관측점에서 작고 남한 관측점에서 크게 나타나지만 남북 방향으로 특별한 변화 경향을 보이지는 않는다.

[오답 피하기]

한반도 대부분의 지역은 지난 30년 동안 기온이 상승하였으며 서울, 경기, 영남 등 지역에서 높은 기온 상승을 보인다. 서울의 기온 상승률은 전 지구 평균 기온 상승인 0.16 ℃/10년보다 높게 나타난다. 지난 30년 동안 강수량이 감소한 지역은 드물게 나타난다.

02 서울은 인구 밀집도가 매우 높은 도시로 교통량이 많고 사람들의 경제 활동으로 온실 기체 배출량이 높다. 도시화로 산림 지역이 좁기 때문에 기온 상승 경향이 다른 지역보다 높게 나타난다.

01 ②　**02** ⑤　**03** ②　**04** ③　**05** ①

01 ② 온실 기체인 이산화 탄소와 메테인은 적외선을 잘 흡수하는 기체이다. 따라서 두 기체의 양이 더 많았던 B 시기가 A 시기보다 적외선 흡수량이 크다.

　오답 피하기

이산화 탄소와 메테인은 모두 온실 기체이다. 따라서 두 기체의 양이 많았던 B 시기에 지구 평균 기온이 높았고, 두 기체의 양이 적었던 A 시기에 지구 평균 기온이 낮았다. 빙하는 평균 기온이 낮을수록 면적이 넓어지므로 B 시기보다 A 시기에 더 넓게 분포했다. 빙하의 지표 반사율이 높으므로 극지방 반사율은 B 시기보다 A 시기에 더 크다.

02 ⑤ 지구 공전 궤도가 변하면 태양과 지구 사이의 거리가 변하여 지구가 태양으로부터 받는 복사 에너지양이 변한다.

　오답 피하기

① 태양 흑점 수가 많았던 시기에 태양 활동이 활발하여 태양이 방출하는 복사 에너지양이 많았기 때문에 지구 기온은 높았다.
② 지구 자전축 경사각이 작을수록 태양의 남중 고도는 여름철에 낮아지고, 겨울철에 높아져 기온 연교차가 감소한다.
③ 현재 북반구는 지구가 근일점에 있을 때 겨울, 원일점에 있을 때 여름이다. 남반구는 북반구와 계절이 반대로 나타난다.
④ 지구 공전 궤도가 원형인 경우에도 자전축 경사로 인해 지구의 상대적 위치에 따라 태양 복사 에너지의 입사각이 달라지므로 계절 변화가 나타난다.

03 초대륙이 형성되면 대륙에서 건조한 기단이 발달하여 건조한 대륙성 기후 지역이 확대된다.

　오답 피하기

⑤ 초대륙이 형성되어 수륙 분포가 단순화되면 해류의 경로도 단순하게 변한다. 반대로 대륙이 갈라져 수륙 분포가 복잡해지면 해류 경로도 복잡해진다. 또한 한류와 난류의 영향을 받는 지역이 많아지고 습하고 연교차가 작게 나타나는 해양성 기후 지역이 넓어진다.

04 ③ C는 지표가 방출하고 대기가 흡수하는 지구 복사 에너지로, 주로 적외선 형태로 이동한다.

　오답 피하기

① A는 태양 복사 에너지 중 지표가 흡수하는 에너지로 주로 가시광선 형태이다.
② B는 지표가 방출하고 우주로 나가는 지구 복사 에너지이다.
④ 지표가 받은 에너지와 방출하는 에너지의 양은 같으므로 A와 D의 합이 B와 C, 대류·전도·증발로 이동하는 에너지의

합과 같다.
⑤ E는 대기가 방출하고 우주로 나가는 복사 에너지로 주로 적외선 형태이다.

05 ① 지구 온난화가 진행되면 열대 지방이 넓어지면서 열대성 질병이 확산된다.

　오답 피하기

지구 온난화가 진행되면 해수의 온도가 상승하고 극지방 빙하가 녹아 면적이 감소한다. 해수의 부피가 증가해 해수면이 상승하고 저지대가 침수된다. 위도별 평균 기온이 높아져 식생대가 전반적으로 고위도로 이동한다.

01 ③　**02** ②　**03** ③　**04** ②　**05** ②　**06** ③
07 ⑤　**08** ④　**09** ④　**10** ①　**11~13** 해설 참조

01 ㄱ. 빙하 내 공기 방울에는 과거 공기가 포함되어 있다. 빙하 속 공기 방울을 분석하면 대기 중 이산화 탄소의 농도를 알 수 있다.
ㄴ. 기온 편차 변화 경향과 이산화 탄소 농도 변화 경향은 비슷하게 나타난다. 기온 편차가 높은 시기에 이산화 탄소 농도도 높았다.

　오답 피하기

ㄷ. 빙하의 면적은 기온이 높을수록 좁아지고 기온이 낮을수록 넓어진다. 현재는 5만 년 전보다 평균 기온이 높으므로 빙하의 면적이 더 좁다.

02 ㄷ. 지구의 자전축 경사각이 현재보다 커지면 중위도 지역에서 태양의 남중 고도가 여름에 높아지고, 겨울에 낮아져 남·북반구 기온의 연교차가 모두 커진다.

　오답 피하기

ㄱ. 지구의 자전축 경사각이 변하면 태양 복사 에너지의 입사각이 변하기 때문에 태양의 남중 고도가 변한다.
ㄴ. 지구 자전축 경사각이 현재보다 작아지면 우리나라의 겨울철 태양의 남중 고도가 높아져 기온이 상승한다.

문제 속 자료　**지구 자전축 경사각 변화의 영향(중위도 지역)**

구분	지구 자전축 경사각 증가	지구 자전축 경사각 감소
여름철 태양의 남중 고도	높아진다	낮아진다
여름철 평균 기온	상승	하강
겨울철 태양의 남중 고도	낮아진다	높아진다
겨울철 평균 기온	하강	상승
기온의 연교차	증가	감소

03 ㄱ. 자전축이 기울어지지 않았다면 1년 동안 태양의 남중 고도는 변하지 않는다. 따라서 우리나라는 모든 시기에 태양의 남중 고도가 같다.

ㄷ. 지구의 공전 궤도가 원 궤도라면 지구의 위치에 따른 태양 복사 에너지의 입사량 차이가 나타나지 않는다. 1년 동안 태양의 남중 고도와 태양으로부터 받는 복사 에너지양이 변하지 않으므로 지구에서 계절 변화가 나타나지 않는다.

오답 피하기

ㄴ. 자전축이 기울어져 있지 않지만 지구가 구형이므로 위도에 따라 태양 복사 에너지 입사각이 다르고 태양의 남중 고도가 다르다(적도: 90°, 극: 0°). 따라서 위도별 단위 면적당 태양 복사 에너지 입사량이 다르고 지역에 따른 기온 차이가 나타난다.

04 ㄷ. 지구 전체가 받는 태양 복사 에너지양은 태양과 지구 사이의 거리가 가까울수록 커진다. 1만 년 후 태양과 지구 사이의 거리는 현재보다 가까워지므로 하짓날 지구 전체가 받는 태양 복사 에너지양은 현재보다 많다.

오답 피하기

ㄱ. 세차 운동은 지구 자전축이 기울어진 방향이 달라지면서 회전하는 운동이다.

ㄴ. 3만 년 전 지구 자전축의 기울기는 현재보다 작았다. 따라서 하짓날 중위도 지역 태양의 남중 고도는 현재보다 낮았다. 반대로 동짓날 중위도 지역 태양의 남중 고도는 현재보다 높았다.

05 ㄷ. 하루 동안 지구가 받는 태양 복사 에너지양은 지구와 태양 사이의 거리가 가까울수록 많다. 따라서 A보다 B에서 지구와 태양 사이의 거리가 더 가까우므로 하루 동안 지구가 받는 태양 복사 에너지양은 A보다 B에서 많다.

오답 피하기

ㄱ. A 위치에서 태양은 남반구보다 북반구를 비추는 면적이 더 넓으므로 북반구는 여름이다.

ㄴ. (나) 시기에는 지구의 공전 궤도가 원궤도이므로 원일점과 근일점이 없어진다. 반면에 지구의 자전축은 여전히 기울어져 있으므로 우리나라는 계절 변화가 없어지지 않는다.

06 ㄱ. 빙하의 총 부피가 감소했으므로 빙하의 면적이 감소했다.

ㄴ. 빙하는 반사율이 높은 지표 상태이므로 빙하의 면적이 감소한 극지방의 평균 반사율은 감소하였을 것이다. 반사율이 감소했으므로 반대로 태양 복사 에너지의 흡수량은 증가했을 것이다.

오답 피하기

ㄷ. 극지방 빙하가 녹으면 해수의 염분과 밀도가 감소한다. 표층 해수의 밀도가 감소하면 침강이 약화된다.

07 ㄱ. A는 대류, 전도, 숨은열(잠열)의 형태로 전달되는 에너지의 양을 합한 것이다. 지표가 흡수한 에너지양과 방출한 에너

지양은 같으므로 A는 88＋45－104＝29이다.

ㄴ. 대기는 태양 복사로부터 25를 흡수하고 A에서 29를 흡수한다. 지표 방출 104 중 4가 우주로 빠져 나가므로 100의 에너지가 대기로 흡수된다. 따라서 대기는 25＋29＋100＝154의 에너지를 흡수한다.

ㄷ. 대기 중 온실 기체 농도가 증가하면 지표에서 방출하는 에너지 중 대기가 흡수하는 비율이 더 증가한다. 대기는 더 많은 에너지를 흡수하고 더 많은 에너지를 방출하게 되므로 대기에서 지표로 방출하는 에너지양도 증가한다. 따라서 대기 중 온실 기체 농도가 증가하면 지표가 대기로부터 흡수하는 에너지양도 늘어나고, 지표가 방출하는 에너지양도 증가한다.

08 ㄴ. 북극 지역의 기온 편차가 가장 크게 나타나므로 기온 변화 경향이 남극보다 크다.

ㄷ. 수권에서 해수의 양은 빙하의 면적과 관련이 있다. 지구 평균 기온이 상승해 빙하의 면적이 줄어들면 해수의 양이 증가한다. 반대로 지구 평균 기온이 하강해 빙하의 면적이 늘어나면 해수의 양이 감소한다. 2000년은 지구 평균 기온이 1920년보다 높았던 시기이므로 2000년에 해수의 양이 1920년보다 많다.

오답 피하기

ㄱ. 기온 변화 경향은 북극 지역이 열대 지역보다 크고, 남극 지역은 열대 지역과 비슷하다.

09 ㄴ. (나)에서 시간이 지날수록 화석 연료에 계속 의존하는 경우와 청정에너지 기술을 적용하는 경우 지표면 온도 변화량 차이는 커진다.

ㄷ. 2100년은 현재보다 지표면 온도가 높으므로 빙하가 녹고 해수의 열팽창이 일어나 평균 해수면 높이는 현재보다 높아질 것이다.

오답 피하기

ㄱ. 청정에너지 기술을 적용하는 경우에도 이산화 탄소의 농도는 증가하고 지표면 온도도 상승한다.

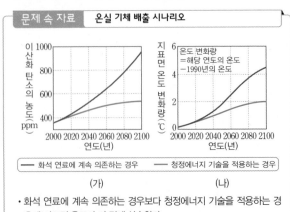

문제 속 자료 온실 기체 배출 시나리오

━ 화석 연료에 계속 의존하는 경우   ━ 청정에너지 기술을 적용하는 경우

(가) (나)

• 화석 연료에 계속 의존하는 경우보다 청정에너지 기술을 적용하는 경우에 지표면 온도가 더 적게 상승한다.
• 청정에너지 기술을 적용하는 경우 대기 중 이산화 탄소 농도가 증가하는 정도와 지표면 온도가 상승하는 정도가 감소한다.

10 ㄱ. 해수 온도가 상승하면 기체의 용해도가 감소하고 해수에서 대기 중으로 이산화 탄소가 방출되어 대기 중 이산화 탄소 농도가 증가한다.

ㄴ. 대기 중 이산화 탄소 농도 증가의 원인인 B에는 화석 연료 사용이 해당된다.

오답 피하기

ㄷ. 지구 온난화로 지구 평균 기온이 상승하면 해수의 온도가 상승하여 빙하 면적이 축소된다.

ㄹ. 빙하는 반사율이 높은 지표 상태이므로 빙하의 면적이 감소하면 지표의 평균 반사율이 감소한다.

11 한 지역에 단위 면적당 입사하는 태양 복사 에너지양은 지구 －태양 거리와 태양 복사 에너지의 입사각에 따라 결정된다.

[모범 답안] (1) 하루 동안 지구 전체에 입사하는 태양 복사 에너지양은 태양과 지구 사이의 거리로 결정된다. 태양과 지구 사이의 거리는 $C < A = B < D$이므로 지구 전체가 하루 동안 입사하는 태양 복사 에너지양은 $C > A = B > D$이다.

(2) 우리나라는 A와 D에서 겨울이고, B와 C에서 여름이다.

	채점 기준	배점
(1)	지구 전체에 하루 동안 입사하는 태양 복사 에너지양을 결정하는 요인을 적고, 각 위치에서 태양 복사 에너지양을 옳게 비교한 경우	70%
	지구 전체에 하루 동안 입사하는 태양 복사 에너지양을 결정하는 요인과 각 위치에서 태양 복사 에너지양 비교 중 한 가지만 옳게 서술한 경우	35%
(2)	여름과 겨울에 해당하는 위치를 옳게 적은 경우	30%
	여름과 겨울에 해당하는 위치 중 한 계절만 옳게 적은 경우	15%

12 지구의 대기와 지표면은 에너지 흡수량과 방출량이 같은 에너지 평형 상태이다.

[모범 답안] 88, 지구의 각 영역은 복사 평형을 이루고 있으므로 유입되는 에너지양과 유출되는 에너지양이 같다. 따라서 $45 + A = 104 + 8 + 21$이므로 A는 88이다.

채점 기준	배점
A의 수치와 그 값을 구하는 과정을 옳게 서술한 경우	100%
A의 수치만 적고 값을 구하는 과정을 정확하게 서술하지 못한 경우	50%

13 온실 효과는 복사 에너지의 파장에 따라 온실 기체의 에너지 흡수율이 다르기 때문에 발생한다.

[모범 답안] 대기 중 온실 기체의 농도가 증가하면 대기가 지구 복사 에너지 중 흡수하는 양이 증가하고 대기가 더 많은 에너지를 지표로 재복사하여 지구의 평균 기온이 상승한다.

채점 기준	배점
모범 답안과 같이 옳게 서술한 경우	100%
주어진 단어 중 두 가지만 포함하여 옳게 서술한 경우	50%

단원 마무리하기 p. 176~179

01 ①	02 ③	03 ④	04 ①	05 ③	06 ③
07 ②	08 ①	09 ⑤	10 ④	11 ②	12 ①
13 ⑤	14 ③	15 ①	16 ④		

01 ㄱ. A~C 중 태양의 고도가 가장 높은 지역은 가장 저위도인 A 지역이다.

오답 피하기

ㄴ. P는 지구가 방출하는 지구 복사 에너지양이고 Q는 태양으로부터 지구가 흡수하는 태양 복사 에너지양이다. Q보다 P가 큰 고위도에서는 흡수하는 에너지양은 적고 방출하는 에너지양이 많으므로 에너지가 부족하다.

ㄷ. P와 Q 모두 고위도로 갈수록 에너지양이 감소한다. 따라서 Q는 A에서 가장 크다.

02 (가)는 지구가 자전할 때 대기 대순환 모형이고, (나)는 지구가 자전하지 않을 때 대기 대순환 모형이다.

ㄱ. 지구의 자전 유무와 상관없이 적도는 태양 복사 에너지로 가열이 가장 잘 일어나는 곳이므로 상승 기류가 발달하고 저압대가 나타난다.

ㄷ. 지구의 자전 유무와 상관없이 극은 단위 면적당 태양 복사 에너지가 가장 적게 입사되므로 지표면이 냉각된다. 따라서 극에는 하강 기류가 발달하고 고압대가 나타난다.

오답 피하기

ㄴ. 지구가 자전하면 적도에서 상승한 공기가 고위도로 이동하다가 전향력의 영향으로 위도 30°에서 더 이상 이동하지 못하고 하강해서 고압대를 형성한다. 지구의 자전이 없다면 적도에서 상승한 공기가 극까지 이동하기 때문에 위도 30°에 고압대를 형성하지 않을 것이다.

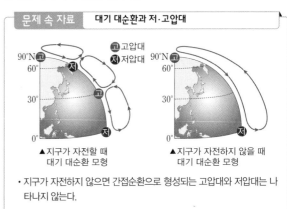

문제 속 자료 대기 대순환과 저·고압대

▲지구가 자전할 때 대기 대순환 모형 ▲지구가 자전하지 않을 때 대기 대순환 모형

• 지구가 자전하지 않으면 간접순환으로 형성되는 고압대와 저압대는 나타나지 않는다.

03 ㄱ. A는 난류이고, B는 한류이다. 용존 산소량은 수온이 낮은 한류에서 더 많으므로 A는 B보다 용존 산소량이 적다.

ㄴ. C는 북동 무역풍의 영향을 받아 형성된 북적도 해류이다.

오답 피하기

ㄷ. C는 쿠로시오 해류, 북태평양 해류, 캘리포니아 해류와 함께 북태평양 아열대 순환을 형성하고, 적도 반류와 이어질 때는 북태평양 열대 순환을 형성한다.

04 ㄱ. A 해류는 편서풍의 영향으로 형성되어 남극 대륙 주위를 순환하는 남극 순환 해류이다.

오답 피하기

ㄴ. B 해류는 위도 60°보다 고위도에서 극동풍의 영향을 받아 남극 순환 해류와 반대 방향으로 흐르는 해류이다.

ㄷ. A와 B 해류 모두 동서 방향으로만 흐른다. 남북 방향으로 흐르는 해류가 아니기 때문에 난류나 한류로 구분할 수 없다.

문제 속 자료 | **남극 주변에서 형성되는 해류**

• 편서풍의 영향으로 남극 순환 해류가 서에서 동으로 흐른다.
• 위도 60°보다 고위도 지역은 대부분 남극 대륙으로 막혀 있어 극동풍으로 형성된 해류는 눈에 띄게 나타나지는 않는다.

05 B와 C는 저위도에서 고위도로 흐르는 난류이고, A와 D는 고위도에서 저위도로 흐르는 한류이다.

ㄷ. C는 난류이므로 D보다 염분이 높고, 대양의 서쪽에서 흐르므로 유속이 빠르다.

오답 피하기

ㄱ. A에는 한류가, B에는 난류가 흐른다.

ㄴ. 용존 산소량은 수온이 낮을수록 많다. 고위도 해역에 위치한 A가 C보다 수온이 낮고 용존 산소량이 많다.

06 ㄱ. 쿠로시오 해류는 우리나라 주변을 흐르는 난류의 근원인 해류이다. 쿠로시오 해류의 세력이 강해지면 황해를 포함한 우리나라 주변 해역의 평균 수온이 상승한다.

ㄷ. 동해의 조경 수역은 동한 난류와 북한 한류가 수렴하여 형성된다. 쿠로시오 해류의 세력이 강해지면 쿠로시오 해류에서 뻗어 나온 동한 난류의 세력도 강해져 조경 수역이 북쪽으로 이동한다.

오답 피하기

ㄴ. 남해의 여름철 염분이 겨울철보다 낮은 까닭은 여름철 강수량이 겨울철보다 훨씬 많기 때문이다. 쿠로시오 해류의 세

력이 강해져도 계절별 염분 차이는 변하지 않는다.

07 ㄴ. A는 북대서양 심층수보다 위에 있고, B는 북대서양 심층수보다 아래에 있다. 따라서 A의 밀도는 북대서양 심층수보다 작고 B의 밀도는 북대서양 심층수보다 크다.

오답 피하기

ㄱ. A는 남극 중층수로 남극 주변에서 형성되어 북쪽으로 흐른다.

ㄷ. B는 대양 가장 아래를 흐르는 남극 저층수로 북대서양에서는 표층으로 올라오지 않지만 인도양, 태평양까지 순환하며 표층으로 올라온다.

08 ㄱ. A와 B에서 표층 해류가 심층 해류로 변하므로 표층 해수의 침강이 일어나는 해역이다. 그린란드 주변 해역인 A, B에서 북대서양 심층수가 형성된다.

오답 피하기

ㄴ. 해수의 밀도는 수온이 낮을수록, 염분이 높을수록 크다. (나)에서 A와 B 해역 모두에서 염분이 낮아지는 경향을 보이므로 두 해역 모두 표층 해수의 밀도가 감소하고 있다. 극지방에 빙하가 녹으면 표층 해수의 염분이 낮아진다.

ㄷ. 표층 해수의 밀도가 감소하면 해수의 침강이 잘 일어나지 않게 되면서 심층 해수가 잘 형성되지 못한다. 따라서 심층 순환도 잘 일어나지 않게 되어 전 지구적 해수의 순환은 앞으로 약화될 것이다.

09 ㄱ. 그림은 남반구이므로 바람이 부는 방향의 왼쪽 90° 방향으로 해수가 이동한다. 서쪽 해안에서 남풍이 불면 해수가 서쪽으로 이동하여, 해수의 발산이 일어나고 연안 용승이 발생한다.

ㄴ. 연안 용승이 발생하면 수온이 낮아진다. 낮은 수온의 표층 해수가 기층 하부를 냉각하면 대기가 안정해진다.

ㄷ. 낮은 수온으로 날씨가 서늘해지고 안정한 기단이 서늘한 지역에 머무르면 안개가 자주 발생한다.

10 ㄴ. 등밀도선이 연안에서 올라와 있으며 연안 표층 해수는 외해의 표층 해수보다 심층 해수와 밀도가 더 비슷하게 나타난다. 따라서 이 지역은 연안 용승이 일어나고 있다. 용승이 일어나고 있으므로 해안선에 가까울수록 수온이 낮다.

ㄷ. 해수의 수온이 낮으므로 기층 하부가 냉각되고 안정해진다. 안정한 기층 내에서 하강 기류가 우세하게 나타나고 고기압이 형성된다. 따라서 해안 지역은 구름이 잘 발달하지 못하여 맑고 건조한 날씨가 나타난다.

오답 피하기

ㄱ. 이 지역은 남반구 지역이므로 해수가 풍향의 왼쪽 90° 방향으로 이동한다. 따라서 해수가 서쪽으로 이동해 발산이 일어나려면 남풍이 불어야 한다.

문제 속 자료 연안 용승

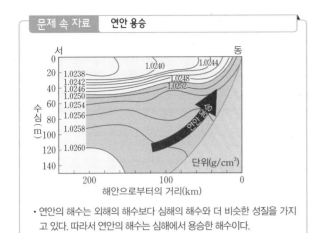

• 연안의 해수는 외해의 해수보다 심해의 해수와 더 비슷한 성질을 가지고 있다. 따라서 연안의 해수는 심해에서 용승한 해수이다.

11 해양의 플랑크톤 양은 영양 염류의 양에 비례한다. 평상시 페루 연안은 연안 용승이 일어나고, 해수에 영양 염류가 많아 플랑크톤 양이 많다. 반면에 엘니뇨가 발생하면 연안 용승이 약화되면서 플랑크톤 양이 감소한다. 따라서 표층 수온이 높고 플라크톤 양이 적은 (가)는 엘니뇨 시기, 표층 수온이 낮고 플랑크톤 양이 많은 (나)는 평상시 자료이다.

ㄷ. 동태평양 페루 연안의 해수면은 남적도 해류가 강하게 나타날 때 따뜻한 해수가 서쪽으로 이동하므로 높이가 낮게 나타난다. 남적도 해류는 엘니뇨 시기에 약화되어 해수가 동쪽에 축적되므로 (가) 시기에 페루 연안 해수면이 (나) 시기보다 더 높다.

> **오답 피하기**

ㄱ. 엘니뇨가 발생하면 무역풍 세기는 약해진다. 따라서 평상시인 (나) 시기가 엘니뇨 발생 시인 (가) 시기보다 무역풍 세기가 강하다.

ㄴ. (나) 시기 해역 표층에 플랑크톤이 많은 까닭은 평상시 페루 연안에서 연안 용승이 일어나 영양 염류가 많이 포함되어 있는 심층 해수가 용승하기 때문이다.

12 A 해역은 적도 부근 동태평양 해역으로 이곳의 관측 수온이 평균 수온보다 높은 2010년 1월은 엘니뇨가 발생한 시기이다.

ㄱ. 엘니뇨가 발생하면 A 해역의 날씨는 습해지고 강수량이 증가한다.

> **오답 피하기**

ㄴ. 엘니뇨가 발생하면 무역풍 약화로 따뜻한 해수를 서쪽으로 수송하는 남적도 해류가 약해진다. 페루 연안은 해수의 발산이 일어나지 않아 연안 용승이 억제된다.

ㄷ. 엘니뇨가 발생하면 적도 부근의 동태평양 해역은 수온이 상승하고, 적도 부근의 서태평양 해역은 수온이 하강한다. 하지만 동태평양의 수온이 서태평양보다 항상 높다고 할 수 없다. 두 해역의 수온을 비교하려면 적도 부근 서태평양 해역의 수온 자료가 필요하다.

13 ㄱ. (가)는 기후 변화의 지구 외적 요인이고, (나)와 (다)는 기후 변화의 지구 내적 요인이다.

ㄴ. 초대륙인 판게아가 형성되었을 때에는 내륙에 건조한 성질을 가진 거대한 기단이 형성되어 대륙성 기후 지역이 넓어졌을 것이다.

ㄷ. 화산 폭발로 화산재가 성층권으로 유입되면 태양 복사 에너지가 지표로 입사하지 못하기 때문에 지구 평균 기온이 일시적으로 하강한다.

14 ㄱ. 지구 자전축 경사각이 감소하면 우리나라는 여름에 태양의 남중 고도가 낮아져 기온이 하강한다. 반대로 겨울에 태양의 남중 고도가 높아져 기온이 상승한다. 따라서 기온의 연교차는 (가)보다 (다)일 때 작다.

ㄴ. (가)는 북반구가 여름일 때 지구가 원일점에 위치한다. (나)는 세차 운동으로 지구 자전축 경사 방향이 180° 회전하였으므로 지구가 근일점에 위치할 때 북반구가 여름이다. 따라서 태양과의 거리가 더 가까운 (나)의 경우에 북반구 중위도 여름 기온이 더 높다.

> **오답 피하기**

ㄷ. 지구 전체가 하루 동안 받는 태양 복사 에너지양은 태양과 지구 사이 거리에 따라 결정된다. A, B, C에서 태양과 지구 사이 거리가 같으므로 지구 전체가 하루 동안 받는 태양 복사 에너지양도 같다.

15 ㄱ. (가)에서 북극의 빙하 면적은 감소하고 있다. 빙하는 반사율이 높은 지표 상태이므로 빙하 면적이 감소하면 북극의 평균 반사율은 감소한다. 따라서 북극에서 A의 값이 감소한다.

> **오답 피하기**

ㄴ. 지표는 복사 평형을 이루므로 지표가 흡수하는 에너지양과 방출하는 에너지양이 같아야 한다. C가 증가하면 지표가 받는 에너지양이 증가한 것이므로 지표가 방출하는 B의 양도 증가한다.

ㄷ. 지구가 태양으로부터 흡수한 에너지양과 방출하는 에너지양은 같다. 1980년과 2010년에 우주 공간에서 오는 태양 복사 에너지양에 변화가 없으므로 지구 반사와 지구 복사의 합도 같다.

16 ㄴ. 5만 년 전은 현재보다 지구 평균 기온이 낮았으므로 빙하 면적이 넓었고, 해수면의 높이는 낮을 것이다.

ㄷ. 지구의 기후 변화는 인위적인 요인(인간 활동 등)이 기후에 큰 영향을 미치기 이전에도 자연적인 요인의 영향으로 계속해서 변화하였다.

> **오답 피하기**

ㄱ. 과거 지질 시대 동안 현재보다 지구의 평균 기온이 높았던 시기가 있었다.

V 별과 외계 행성계

01 | 별의 물리량

01 ②   **02** ⑤   **03** ①   **04** ②   **05** ⑤   **06** ④

01 흑체는 입사된 모든 복사 에너지를 흡수하고, 흡수한 에너지를 완전히 방출하는 이상적인 물체이다. 흑체와 가장 유사한 천체는 별이다.

[오답 피하기]

① 흑체는 반사율이 0 %인 물체이다.

③ 흑체는 모든 파장의 빛을 흡수하고, 다시 방출한다.

⑤ 흑체가 방출하는 복사 에너지양은 표면 온도의 4제곱에 비례한다.

02 ⑤ 표면 온도가 10000 K인 별의 색지수는 0이다.

[오답 피하기]

별은 표면 온도가 높을수록 색지수가 작다. 색지수는 사진 등급(별을 사진으로 찍었을 때의 밝기 등급)에서 안시 등급(별을 맨눈으로 관측했을 때의 밝기 등급)을 뺀 값이다.

03 (가)에는 연속적인 띠 모양의 스펙트럼, (나)에는 어두운 흡수선, (다)에는 밝은 방출선이 나타난다.

04 ② O형 별은 표면 온도가 가장 높은 파란색 별이고, M형 별은 표면 온도가 가장 낮은 붉은색 별이다.

[오답 피하기]

하버드 분광 분류법은 별의 표면 온도에 따라 스펙트럼에 나타나는 흡수선을 기준으로 별을 분류한 것이다. 별의 표면 온도 순서로 O, B, A, F, G, K, M형으로 분류하였다. 수소 흡수선이 가장 강하게 나타나는 별은 A형 별이고, 분자 흡수선이 강하게 나타나는 별은 M형 별이다.

05 ⑤ 절대 등급이 작은 별일수록 광도가 크다.

06 흑체가 단위 시간 동안 단위 면적에서 방출하는 복사 에너지양은 표면 온도의 4제곱에 비례한다. 광도는 별의 전체 면적에서 단위 시간 동안 방출하는 에너지에 해당하는데, 이것은 별의 단위 면적에서 단위 시간 동안 방출하는 에너지의 양(A)과 별의 전체 표면적을 곱한 값과 같다. 따라서 광도(L)는 다음과 같이 나타낼 수 있다.

$$L = \text{별의 표면적} \times A = 4\pi R^2 \times A \ (R: \text{별의 반지름})$$

01 ③   **02** ②   **03** ①   **04** ③   **05** ④   **06** ④
07 ⑤   **08** ④   **09** ③   **10** ②   **11** ①   **12** ④
13 ③   **14** ①   **15~16** 해설 참조

01 ㄱ, ㄷ. B는 A보다 최대 에너지 세기를 갖는 파장이 짧으므로 표면 온도가 더 높다. A는 B보다 표면 온도가 더 낮으므로 별의 색깔은 A가 B보다 붉게 보인다.

[오답 피하기]

ㄴ. 별의 표면 온도는 A가 B보다 낮다.

02 ㄴ. 최대 에너지 세기를 갖는 파장은 표면 온도에 반비례한다. A는 B보다 최대 에너지 세기를 갖는 파장이 $\frac{1}{2}$배이므로 표면 온도는 2배이다.

[오답 피하기]

ㄱ. 색지수는 표면 온도가 높을수록 작은 값을 갖는다. 색지수가 가장 큰 것은 표면 온도가 가장 낮은 C이다.

ㄷ. 슈테판·볼츠만 법칙에 의해 별이 단위 시간 동안 단위 면적에서 방출하는 에너지양은 표면 온도의 4제곱에 비례한다. B는 C보다 표면 온도가 3배 높으므로 단위 시간 동안 단위 면적에서 방출하는 에너지양은 81배 많다.

03 ㄱ. 표면 온도는 최대 에너지 세기를 갖는 파장이 짧은 (가)가 (나)보다 더 높다.

[오답 피하기]

ㄴ. U 필터 영역에서 입사되는 빛의 상대적 에너지양이 (가)가 (나)보다 많다. (가)는 (나)보다 U 등급이 작다.

ㄷ. 색지수($B-V$)는 표면 온도가 더 높은 (가)가 (나)보다 작다.

04 온도가 높고, 밀도가 작은 기체의 스펙트럼에서는 방출선이 관측된다.

ㄱ. 백열등 빛을 파장에 따라 분해하면 (가)와 같은 연속 스펙트럼이 나타난다.

ㄷ. 형광등 빛을 간이 분광기로 관찰하면 (다)와 같은 방출 스펙트럼이 관측된다.

[오답 피하기]

ㄴ. 흑체는 모든 파장의 빛을 방출하므로 (가)와 같은 연속 스펙트럼이 나타난다.

05 ㄴ. 태양 스펙트럼을 보면 어두운 흡수선들이 보인다.

ㄷ. 태양 스펙트럼에서 많은 흡수선을 관찰할 수 있는데, 이 선들은 태양의 대기층과 지구의 대기층에서 형성된 것이다.

[오답 피하기]

ㄱ. 태양의 흡수 스펙트럼을 나타낸 것이다.

06 ㄱ. 고온의 별인 O형과 B형 별에서 헬륨 흡수선이 뚜렷하게 나타난다.

ㄴ. 분자 흡수선은 붉은색 별인 M형 별에서 잘 나타난다.

오답 피하기

ㄷ. 수소 흡수선이 가장 강한 별은 A형 별이므로 태양보다 표면 온도가 더 높다.

문제 속 자료 **별의 분광형에 따른 흡수선의 종류 및 세기**

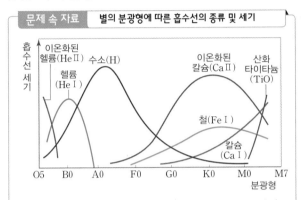

- 로마 숫자 'I'은 중성 상태를, 'II'는 +1가의 이온화된 상태를, 'III'은 +2가의 이온화된 상태를 의미한다.
- O형, B형: He II, He I 흡수선이 뚜렷하다.
- A형: H 흡수선이 가장 잘 나타난다.
- G형, K형: 철(Fe I), 칼슘(Ca I, Ca II) 등의 금속 흡수선이 뚜렷하다.
- M형: 분자 흡수선(TiO)이 뚜렷하다.

07 ㄱ. (가)는 분광형이 B0이므로 청백색 별이다.

ㄴ. 별의 표면 온도는 분광형이 B0인 (가)에서 가장 높고, M0인 (나)에서 가장 낮다.

ㄷ. 태양의 분광형은 G2이므로 스펙트럼형은 세 별 중 (다)와 가장 비슷하며, 노란색으로 보인다.

08 ㄱ. 별은 표면 온도에 따라 스펙트럼이 다르게 나타난다.

ㄴ. 별의 B 등급과 V 등급의 차를 $(B-V)$ 색지수라고 하며, 이 값이 작을수록 표면 온도가 높다.

오답 피하기

ㄷ. 표면 온도가 낮은 별의 흡수 스펙트럼에는 여러 가지 분자선이 나타난다.

09 5등급 차이가 날 때 밝기 100배 차이 나므로, 1등급 사이에는 $100^{\frac{1}{5}}$배($≒2.5$배)의 밝기 차이가 있다. 등급이 m_1, m_2인 경우 등급과 밝기의 비를 다음과 같이 나타낼 수 있다.

$$m_2 - m_1 = -2.5 \log \frac{l_2}{l_1}$$

오답 피하기

ㄷ. 밝기와 등급과의 관계를 설명한 이 공식을 포그슨 공식이라고 한다.

10 별의 광도를 L, 표면 온도를 T, 반지름을 R라고 하면, 슈테판·볼츠만 법칙으로부터 $L = 4\pi R^2 \times \sigma T^4$이다. 별의 반지름 R를 구하려면, 별의 광도 L과 표면 온도 T를 알아야 한다.

11 ㄱ. 별의 표면 온도는 분광형이 B1형인 (가)가 가장 높다.

오답 피하기

ㄴ. 별이 단위 시간 동안 단위 면적에서 방출하는 에너지양을 별의 전체 표면적에 곱한 값을 광도라고 한다. 광도는 절대 등급이 작을수록 크므로 (나)보다 (다)가 크다.

ㄷ. 별의 반지름은 광도가 크고, 표면 온도가 낮은 (다)가 가장 크다.

12 ㄴ. A는 B보다 표면 온도가 2배 높으므로 슈테판·볼츠만 법칙에 의해 단위 시간 동안 단위 면적에서 방출되는 에너지양은 A가 B의 16배이다.

ㄷ. 별의 반지름 R는 $L = 4\pi R^2 \cdot \sigma T^4$, $R = \dfrac{\sqrt{L}}{\sqrt{4\pi\sigma} \cdot T^2}$을 이용하여 구할 수 있다. 광도($L$)는 A가 B보다 100배 크고, 표면 온도(T)는 2배 높으므로, 반지름은 2.5배 크다.

오답 피하기

ㄱ. A와 B는 절대 등급이 5등급 차이 나므로 밝기는 100배 차이 난다. 별의 광도는 A가 B보다 100배 크다.

13 ㄱ. 가장 밝게 보이는 별은 겉보기 등급이 가장 작은 (가)이다.

ㄴ. 가장 많은 에너지를 방출하는 별은 절대 등급이 가장 낮은 (나)이다.

오답 피하기

ㄷ. 별의 반지름은 광도가 높을수록, 표면 온도가 낮을수록 크다. (나)는 광도가 가장 높고, 색지수가 가장 커서 표면 온도가 낮으므로 반지름이 가장 크다.

14 ㄱ. A는 최대 에너지 세기를 갖는 파장이 B의 2배이므로 표면 온도는 B의 $\dfrac{1}{2}$배이다. 표면 온도는 A가 B보다 낮다.

오답 피하기

ㄴ. 광도 $L = 4\pi R^2 \cdot \sigma T^4$이므로, 광도는 A가 B의 $\dfrac{1}{4}$배이다. 광도는 A가 B보다 낮다.

ㄷ. 단위 시간 동안 단위 면적에서 별이 방출하는 에너지양은 표면 온도의 4제곱에 비례하므로 A는 B의 $\dfrac{1}{16}$배이다.

15 빈의 변위 법칙에 따르면 플랑크 곡선에서 최대 에너지 세기를 갖는 파장은 물체의 표면 온도에 반비례한다. 색지수는 서로 다른 파장 영역에서 측정한 등급의 차로, 주로 $(B-V)$ 또는 $(U-B)$를 사용하고 있다. 밝게 보일수록 등급이 작으므로, 색지수가 작을수록 표면 온도가 높은 별이다.

[모범 답안] (1) 빈의 변위 법칙에 따르면 최대 에너지 세기를 갖는 파장은 표면 온도에 반비례한다. 그림에서 최대 에너지 세기를 갖는 파장이 (가)가 (나)보다 짧으므로 표면 온도는 (가)가 (나)보다 높다.

(2) (가)는 V 영역보다 B 영역에서 밝게 보이므로 $(B-V)$ 등급이 $(-)$가 된다. (나)는 B 영역보다 V 영역에서 밝게 보이므로 $(B-V)$ 등급이 $(+)$가 된다.

	채점 기준	배점
(1)	빈의 변위 법칙을 적용하여 두 별의 표면 온도를 옳게 비교하여 서술한 경우	40%
	두 별의 표면 온도만 옳게 비교한 경우	20%
(2)	B 등급과 V 등급의 차를 $(B-V)$ 색지수와 관련지어 옳게 서술한 경우	60%
	(가)와 (나)의 색지수 크기만 옳게 비교한 경우	30%

16 (1) 겉보기 등급이 각각 m_1, m_2인 두 별의 겉보기 밝기를 각각 l_1, l_2라고 하면, 다음과 같은 관계가 성립한다.

$$100^{\frac{1}{5}(m_2-m_1)}=10^{\frac{2}{5}(m_2-m_1)}=\frac{l_1}{l_2}$$

이 식에 태양의 광도($L_\odot$)와 절대 등급($M_\odot$)을 대입하면, 별의 절대 등급(M)과 광도(L) 사이에는 다음과 같은 관계식이 성립한다.

$$M-M_\odot=-2.5\log\frac{L}{L_\odot}$$

(2) 별의 광도 L과 별의 표면 온도 T를 알면 별의 반지름 R를 다음과 같이 구할 수 있다.

$$L=4\pi R^2\cdot\sigma T^4,\ R=\frac{\sqrt{L}}{\sqrt{4\pi\sigma}\cdot T^2}$$

[모범 답안] (1) B의 절대 등급을 M이라고 하면,
$M-(5.0)=-2.5\log\left(\frac{10}{1}\right)$, $M=2.5$이다. 따라서 B의 절대 등급은 $+2.5$이다.

(2) 별의 광도를 L, 표면 온도를 T, 반지름을 R라고 하면,
$L=4\pi R^2\cdot\sigma T^4$, $\therefore R=\frac{\sqrt{L}}{\sqrt{4\pi\sigma}\cdot T^2}$이다. 따라서 A의 광도는 B의 $\frac{1}{10}$배이고, A의 표면 온도는 B의 $\frac{1}{2}$배이므로 A의 반지름은 B의 $\frac{2\sqrt{10}}{5}$배가 된다.

	채점 기준	배점
(1)	포그슨 공식을 이용하여 별 A의 절대 등급을 구하는 과정을 옳게 서술한 경우	50%
	별 B의 절대 등급을 구하는 과정을 부분적으로만 서술한 경우	25%
(2)	슈테판·볼츠만 법칙을 이용하여 별 B의 반지름을 구하는 과정을 옳게 서술한 경우	50%
	별 B의 반지름을 구하는 과정을 부분적으로만 서술한 경우	25%

02 | H−R도와 별의 진화

탐구 대표 문제   p. 194

01 ⑤

01 ⑤ H−R도에서 왼쪽 아래로 갈수록 평균 밀도가 크다.

오답 피하기
① H−R도에서 가로축의 물리량은 별의 표면 온도이다.
② H−R도에서 위로 갈수록 광도가 큰 별이다.
③ H−R도에서 대부분의 별들은 왼쪽 위에서 오른쪽 아래로 이어지는 대각선 위에 분포한다.
④ 초거성은 주계열성보다 반지름이 크다.

기초 탄탄 문제   p. 199
01 ③   **02** ①   **03** ④   **04** ③   **05** ①   **06** ①

01 H−R도에서 왼쪽 아래로 갈수록 반지름이 작고, 평균 밀도가 크다. 별의 평균 밀도는 초거성<적색 거성<주계열성<백색 왜성 순으로 크다.

오답 피하기
① 오른쪽에 위치한 별일수록 표면 온도가 낮다.
② 위쪽으로 갈수록 별의 광도가 크다.(절대 등급이 작다.)
④ H−R도에서 오른쪽 상단에 위치한 별일수록 반지름이 크다.
⑤ 별이 가장 많이 분포하는 영역은 왼쪽 위부터 오른쪽 아래로 이어지는 대각선 영역이다. 이 영역에 주계열성이 분포한다.

02 (가)는 백색 왜성, (나)는 적색 거성, (다)는 주계열성, (라)는 초거성이다. 별의 평균 크기는 초거성>적색 거성>주계열성>백색 왜성 순이다. 별의 약 90 %는 주계열성에 속한다.

03 H−R도에서 가로축에는 분광형, 표면 온도, 색지수를 사용하고 세로축에는 광도, 절대 등급을 사용한다.

04 ③ 원시별의 질량이 클수록 중력 수축이 빠르게 일어나고 진화 속도가 빠르므로 주계열성에 빨리 도달한다.

오답 피하기
성운 내에서 밀도가 높고, 온도가 낮은 곳에서 중력 수축이 쉽게 일어나 원시별이 잘 탄생한다.

05 주계열 단계의 별은 중심부에서 안정적으로 수소 핵융합 반응이 일어나 수명의 대부분을 주계열 단계에서 보낸다.

오답 피하기
②, ③, ④, ⑤ 질량이 큰 주계열성일수록 표면 온도가 높고, 광도와 반지름이 크다. 주계열성은 크기가 거의 일정하게 유지되는 단계이다.

06 ① 별의 진화 속도는 질량에 의해 결정된다. 특히 태양보다 질량이 훨씬 큰 별은 진화 속도가 매우 빠르고, 진화 단계에서 초신성 폭발을 일으킨다.

② 별은 주계열 단계에서 보내는 시간이 가장 길다.

③ 태양의 진화 순서는 주계열성→ 적색 거성 → 행성상 성운, 백색 왜성 순이다.

④ 태양보다 질량이 큰 별은 초신성 폭발을 일으킨 후 최종 단계에서는 중성자별이나 블랙홀이 된다.

⑤ 별의 밀도는 H−R도에서 왼쪽 아래로 갈수록 크다. 따라서 주계열성보다 백색 왜성의 밀도가 더 크다.

내신 만점 문제					p. 200 ~ 203
01 ④	02 ③	03 ①	04 ⑤	05 ⑤	06 ③
07 ①	08 ④	09 ⑤	10 ②	11 ②	12 ⑤
13 ①	14 ②	15~17 해설 참조			

01 ㄴ, ㄷ. (가)와 (나) 과정에서 모두 중력 수축이 일어나면서 온도가 상승한다.

ㄱ. (가)는 주로 온도가 낮고 밀도가 높은 곳에서 잘 일어난다. 원시별은 저온, 고밀도 성운의 성간 물질이 중력 수축하여 별이 형성될 수 있을 만큼 밀도가 높은 기체 덩어리이다.

02 ㄱ. 광도 계급 I형은 II형보다 H−R도의 상단에 분포하므로 크기가 크다. 별의 크기는 I형이 II형보다 대체로 크다.

ㄴ. 태양은 주계열성이므로 광도 계급 V형에 속한다.

ㄷ. 별의 표면 온도가 같더라도 광도에 따라 스펙트럼에 나타나는 특징이 서로 다르다.

문제 속 자료 별의 광도 계급과 특징

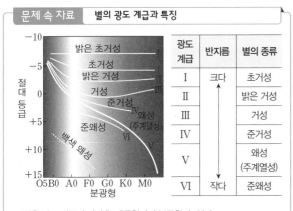

- 별은 광도 계급에 따라 I~VI형까지 분류할 수 있다.
- I형에서 VI형으로 갈수록 반지름이 작아진다.
- 태양을 표면 온도와 광도 계급에 따라 분류하면 G2V형 별이다.

03 문제의 H−R도에서 a, 태양, d는 주계열성, b는 초거성, c는 백색 왜성에 해당한다.

ㄱ. 별의 표면 온도는 H−R도의 왼쪽에 위치할수록 높다.

ㄴ. 주계열성은 H−R도에서 왼쪽 상단에서 오른쪽 하단으로 대각선 상에 분포한다. a, d, 태양은 주계열성이다.

ㄷ. 별의 밀도는 반지름이 작을수록 크므로 b< 태양<c이다.

04 (가)는 초거성, (나)는 적색 거성, (다)는 주계열성, (라)는 백색 왜성이다.

ㄱ. 별들 중에는 주계열성인 (다)가 가장 많다.

ㄴ. 질량은 (가) 초거성이 (나) 적색 거성보다 크다.

ㄷ. 별의 크기는 백색 왜성인 (라)가 가장 작다.

05 ㄱ. (가)는 원시별이 주계열성에 처음으로 도달했을 때의 위치이므로 영년 주계열에 해당한다.

ㄴ. 원시별이 진화하는 동안 중력 수축에 의해 반지름이 감소한다.

ㄷ. 원시별의 질량이 클수록 진화 속도가 빨라 주계열성이 되기까지 걸리는 시간이 짧다.

06 ㄱ. 현재 태양은 주계열성이다.

ㄴ. 태양의 탄생 후 약 100억 년이 지나 적색 거성이 되면 표면 온도가 현재보다 낮아진다.

ㄷ. 태양의 탄생 후 약 120억 년이 지나 백색 왜성이 되면 표면 온도가 현재보다 더 높아지지만 크기가 작아지므로 광도는 현재보다 작아질 것이다.

문제 속 자료 태양의 진화

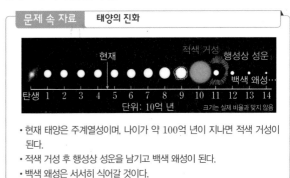

- 현재 태양은 주계열성이며, 나이가 약 100억 년이 지나면 적색 거성이 된다.
- 적색 거성 후 행성상 성운을 남기고 백색 왜성이 된다.
- 백색 왜성은 서서히 식어갈 것이다.

07 ㄱ. 주계열성은 질량이 클수록 광도가 크므로, 절대 등급이 작다.

ㄴ, ㄷ. 주계열성의 질량이 클수록 표면 온도가 높고, 진화 속도가 빨라 주계열 단계에서 머무는 시간이 짧다.

08 A는 적색 거성을 거쳐 행성상 성운과 백색 왜성으로 진화하고, B는 초거성 단계를 거쳐 초신성 폭발을 일으킨 후 중성자별로 진화한다.

ㄱ. A는 적색 거성, B는 초거성 단계를 거치므로 별의 질량은

B가 A보다 크다.

ㄷ. 주계열성이 (가)를 거쳐 적색 거성이 되거나 (나)를 거쳐 초거성 단계로 진화하면 반지름이 증가한다.

ㄹ. A별은 태양 정도의 별이 진화하는 단계로 주계열성 → 적색 거성 → 행성상 성운 → 백색 왜성의 단계를 거친다.

B별은 태양보다 질량이 큰 별이 진화하는 단계로 주계열성 → 초거성 → 초신성 폭발 → 중성자별 또는 블랙홀의 단계를 거친다.

오답 피하기

ㄴ. 별의 질량이 A가 B보다 작으므로 수명은 A가 B보다 길다.

09 별의 색지수가 작을수록 표면 온도가 높은 별이다. 주계열성은 질량이 클수록 광도가 크고, 색지수가 작고, 수명이 짧다.

10 태양과 비슷한 질량의 별은 주계열성 단계 이후 적색 거성으로 진화한다. 적색 거성의 중심부에서는 헬륨 핵융합 반응이 일어나며, 중심부를 둘러싼 수소 외곽층에서 수소 핵융합 반응이 일어난다.

ㄷ. H−R도에서 적색 거성은 주계열성인 태양보다 위쪽에 위치한다.

오답 피하기

ㄱ, ㄴ. 이 별은 적색 거성이므로 태양보다 표면 온도가 낮다.

11 ㄱ. 원시별이 주계열성이 되는 동안 크기가 작아지면서 광도가 감소한다.

ㄹ. 별의 밀도는 H−R도에서 왼쪽 아래로 갈수록 크므로, A∼D 중에서 D에서 가장 크다.

오답 피하기

ㄴ. 주계열성(B)이 적색 거성(C)으로 진화할 때 표면 온도는 감소한다.

ㄷ. 행성상 성운은 적색 거성 단계 이후인 (다) 과정에서 형성된다.

12 ㄱ. 이 별은 초신성 폭발을 일으키므로 질량이 태양보다 크고, 수명은 태양보다 짧다.

ㄴ. 중심부에서 수소 핵융합 반응이 일어나는 단계는 주계열 단계인 B이다.

ㄷ. 초신성 폭발 후 중심부는 급격하게 수축하여 중성자별 또는 블랙홀이 된다.

13 ㄱ. A는 H−R도에서 왼쪽 위에서 오른쪽 아래 영역에 분포하므로 주계열성이다.

ㄷ. C는 태양보다 절대 등급이 10등급 작다. 5등급의 밝기 차는 100배이므로, C는 태양보다 10000배 밝은 별이다.

오답 피하기

ㄴ. B와 C는 광도가 같고, 표면 온도는 C가 더 낮다. 반지름은 표면 온도가 낮은 C가 B보다 크다.

ㄹ. D는 백색 왜성이다. 백색 왜성에서는 핵융합 반응이 일어나지 않는다.

14 (가)는 행성상 성운이고, (나)는 초신성 폭발로 남겨진 초신성 잔해이다.

ㄴ. (가)의 중심부는 더욱 수축되어 백색 왜성이 된다.

오답 피하기

ㄱ. 별의 질량은 초신성 폭발을 일으킨 (나)가 (가)보다 더 크다.

ㄷ. (가)는 적색 거성 단계에서 별의 외곽층이 분출되어 형성된 것이고, (나)는 초거성 단계에서 격렬한 폭발을 일으켜 형성된다.

15 (가)의 별들은 대부분 주계열성이고, (나)의 별들 중 질량이 큰 주계열성들은 모두 거성 단계로 진화하였다. 성단을 이루는 별들은 대부분 동시에 탄생한 후 시간이 흐름에 따라 질량이 큰 별부터 거성 단계로 진화한다. 주계열성으로 남아 있는 별의 질량을 비교하면 성단의 나이를 추정할 수 있다. (가)는 질량이 큰 별도 주계열 단계에 머물러 있지만, (나)는 질량이 작은 별만 주계열 단계에 머물러 있으므로 성단의 나이는 (나)가 (가)보다 많다는 것을 알 수 있다.

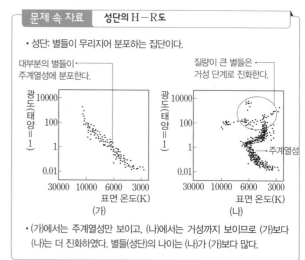

문제 속 자료 성단의 H−R도

• 성단: 별들이 무리지어 분포하는 집단이다.

대부분의 별들이 주계열성에 분포한다.

질량이 큰 별들은 거성 단계로 진화한다.

광도(태양=1) 10000 / 100 / 1 / 0.01

표면 온도(K) 30000 10000 6000 3000

(가)

광도(태양=1) 10000 / 100 / 1 / 0.01 ← 주계열성

표면 온도(K) 30000 10000 6000 3000

(나)

• (가)에서는 주계열성만 보이고, (나)에서는 거성까지 보이므로 (가)보다 (나)는 더 진화하였다. 별들(성단)의 나이는 (나)가 (가)보다 많다.

[모범 답안] (나), (가)는 진화 속도가 빠른 질량이 큰 별도 주계열성으로 남아 있으므로 (나)보다 나이가 적다는 것을 알 수 있다.

채점 기준	배점
나이가 더 많은 성단을 옳게 고르고, 질량에 따른 진화 속도와 성단의 나이를 옳게 서술한 경우	100%
나이가 더 많은 성단만 옳게 고른 경우	30%
질량에 따른 진화 속도와 성단의 나이와의 관계만 옳게 서술한 경우	50%

16 태양의 예상 진화 경로는 원시별 → 주계열성 → 적색 거성 → 행성상 성운, 백색 왜성이다. H−R도에서 별의 반지름은 오른쪽 위쪽으로 갈수록 커진다. 별의 반지름은 (다)>(가)>(나)>(라) 순이다.

[모범 답안] (가)의 원시별에서 (나)의 주계열성으로 진화하는 동안 반지름은 감소하고, (나)에서 (다)의 적색 거성으로 진화하는 동안 반지름이 증가한다. (다)에서 (라)의 백색 왜성으로 진화하는 동안 반지름은 감소한다.

채점 기준	배점
모범 답안과 같이 옳게 서술한 경우	100%
(가)~(라)의 진화 단계 중 두 가지 단계만 옳게 서술한 경우	70%
(가)~(라)의 진화 단계 중 한 가지 단계만 옳게 서술한 경우	40%

17 (가)에는 원시별의 경우 '예', 주계열성과 적색 거성의 경우 '아니요'에 해당하는 질문이 제시되어야 한다. 원시별은 중력 수축에 의해 크기가 작아진다. 주계열성은 정역학 평형에 의해 크기가 일정하게 유지된다.

[모범 답안] 별의 크기가 감소하는가? (또는 중심부의 온도가 1000만 K 이하인가?)

채점 기준	배점
(가)에 들어갈 적절한 질문 내용을 옳게 서술하였거나 원시별, 주계열성, 적색 거성을 구분할 수 있는 적절한 질문을 제시한 경우	100%

03 | 별의 에너지원과 내부 구조

기초 탄탄 문제   p. 208
01 ④   02 ⑤   03 ③   04 ④   05 ③   06 ②

01 원시별의 에너지원은 중력 수축 에너지이고, 주계열성의 에너지원은 수소 핵융합 반응에 의해 생성된 에너지이다.

02 ⑤ 질량이 작은 주계열성에서는 P−P 반응이 CNO 순환 반응보다 우세하다.

오답 피하기
수소 핵융합 반응은 별의 중심부 온도가 1000만 K 이상일 때 수소 원자핵 4개가 융합하여 헬륨 원자핵 1개를 생성하는 반응이다. 반응 경로에 따라 크게 양성자·양성자 반응과 CNO 순환 반응으로 나눌 수 있다.

03 양성자·양성자 반응은 태양과 질량이 비슷한 주계열성의 중심부에서 우세하게 일어난다.

오답 피하기
①, ②, ⑤ 양성자·양성자 반응(P−P 반응)은 태양 정도의 질량을 가진 별의 중심부에서 일어나는 수소 핵융합 반응이다. 수소 핵융합 반응 중 CNO 순환 반응은 태양보다 질량이 큰 별에서 우세하다.
④ 반응이 진행될 때 질량 결손이 일어나며, 감소한 질량만큼 에너지로 전환된다.

04 주계열성은 팽창하려는 기체 압력 차에 의한 힘과 기체 자체의 중력이 평형을 이루어 일정한 크기를 유지한다.

05 ③ 주계열성은 중심부에서 수소 핵융합 반응이 안정적으로 일어나는 별이다.

오답 피하기
①, ② 태양 질량의 약 2배 이하인 별은 중심핵, 복사층, 대류층으로 이루어져 있으며, 태양 질량의 약 2배 이상인 별은 중심핵(대류핵)과 복사층으로 이루어져 있다.
④ 주계열성은 핵융합 과정이 일어나도 크기가 일정하게 유지되는 별이다.
⑤ 초거성은 양파껍질과 같은 내부 구조를 가지며, 최종적으로 철핵이 생성된다.

06 (가)는 중심부에서 수소 핵융합 반응이 진행되는 주계열성이고, (나)는 질량이 매우 크고, 중심부의 온도가 높아서 무거운 원소들의 핵융합 반응이 진행되는 초거성이다.

내신 만점 문제   p. 209~211
01 ②   02 ⑤   03 ②   04 ④   05 ④   06 ③
07 ④   08 ②   09 ②   10 ③   11~13 해설 참조

01 주계열성의 주요 에너지원은 수소 핵융합 반응에 의해 생성된 에너지이다. 원시별의 주요 에너지원은 중력 수축 에너지이다. 헬륨 핵융합 반응은 거성 단계의 별에서 일어난다.
ㄷ. 헬륨 핵융합 결과 적색 거성 내부에 탄소핵이 형성된다.

오답 피하기
ㄱ, ㄴ. A는 (나) 수소 핵융합 반응, B는 (가) 중력 수축 에너지, C는 (다) 헬륨 핵융합 반응이다.

02 이 반응은 별 내부의 온도가 1000만 K 이상인 영역에서 일어날 수 있는 수소 핵융합 반응이다. 수소 핵융합 반응이 일어날 때 질량 결손이 일어나며, 이때 감소된 질량만큼 에너지로 바뀐다.

03 ㄴ. 이 반응은 탄소, 질소, 산소가 촉매 역할을 하면서 일어나는 수소 핵융합 반응으로, CNO 순환 반응이라고 한다.

오답 피하기

ㄱ. CNO 순환 반응은 수소 핵융합 반응이다.

ㄷ. CNO 순환 반응은 태양 질량의 약 2배 이상인 주계열성의 중심부에서 우세하게 일어나는 반응이다.

04 ㄱ, ㄴ. 주계열성은 중력 B와 기체 압력 차에 의한 힘 A가 평형을 이루고 있으며, 이를 정역학 평형 상태라고 한다. 주계열성의 내부는 중력과 기체 압력 차로 발생한 힘이 평형을 이루고 있으므로 주계열성의 크기가 일정하게 유지된다.

오답 피하기

ㄷ. 힘 B가 힘 A보다 커지면 중력 수축이 일어나 별의 크기가 감소한다.

05 ㄴ. 적색 거성은 태양보다 반지름과 광도가 크다.

ㄷ. 중심부에서 헬륨 핵융합 반응이 진행되므로 중심부의 온도가 태양보다 높다.

오답 피하기

ㄱ. 이 별은 중심부에서 헬륨 핵융합 반응이 일어나 탄소핵이 생성되고 있는 적색 거성이다.

06 (가)에서 베텔게우스는 초거성이고, 알데바란A는 적색 거성이다. 레굴루스와 태양은 주계열성이고, 프로키온B는 백색 왜성이다.

ㄱ, ㄴ. (나)는 중심부에서 헬륨 연소가 일어나는 적색 거성이므로 (가)의 알데바란A와 내부 구조가 가장 비슷할 것이다.

오답 피하기

ㄷ. 적색 거성은 진화의 최후 단계에서 백색 왜성이 된다.

07 이 별의 중심부에서는 핵융합 반응에 의해 철이 생성되고 있다. 이 별은 태양보다 질량이 훨씬 큰 초거성이다.

ㄴ. 초거성은 중심부에 가까울수록 온도가 높아져 더 무거운 원자핵이 생성된다.

ㄷ. 질량이 커서 별의 수명이 태양보다 짧다.

오답 피하기

ㄱ. 별의 중심부에 가까울수록 온도가 높기 때문에 더 무거운 원소의 핵융합 반응이 일어날 수 있다.

08 ㄴ. (가)는 (나)보다 질량이 크고, 중심부의 온도가 높아서 CNO 순환 반응이 우세하게 일어난다.

오답 피하기

ㄱ. 질량은 대류핵이 존재하는 (가)가 (나)보다 더 크다.

ㄷ. 주계열성인 (나)의 중심부에서는 수소 핵융합 반응이 일어난다.

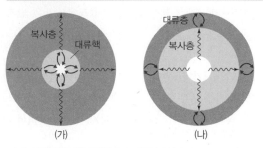

문제 속 자료 　주계열성의 내부 구조

(가)　　　　(나)

• (가): 중심핵(대류핵), 복사층으로 이루어져 있다.
• (나): 중심핵(핵), 복사층, 대류층으로 이루어져 있다.
• 질량이 큰 주계열성에서는 CNO 순환 반응이 우세하다. CNO 순환 반응은 온도에 민감하여 중심부로 갈수록 에너지 생산량이 급격하게 높아진다.
  → 중심핵에서 깊이에 따른 온도 차가 크고, 온도 차가 클 경우에는 대류에 의한 에너지 전달이 활발해진다.

09 ㄷ. 초신성 폭발 시 중심핵의 질량이 태양 질량의 3배 이상인 별은 빛조차 빠져나갈 수 없는 블랙홀이 되고, 중심핵의 질량이 태양 질량의 1.4~3배인 별은 중성자별이 된다. 블랙홀로 진화하는 별은 중성자별로 진화하는 별보다 질량이 크다.

오답 피하기

ㄱ. (나)의 별은 주계열성이다.

ㄴ. 초거성 내부에서는 별의 핵융합 반응으로 철(Fe)까지 만들어지고, 더 무거운 원소는 초신성 폭발로 만들어진다.

10 ㄱ. (가)는 질량이 큰 별이 거성 단계로 진화하는 초기의 모습이며, (나)는 주계열 단계의 모습이다. (다)는 중심부에 철이 존재하는 초거성 단계의 후기 모습이다. 따라서 별의 진화 순서는 (나) → (가) → (다)이다.

ㄴ. 이 별은 질량이 매우 큰 별이므로 주계열성인 (나) 단계에서 중심부에 대류핵이 존재한다.

오답 피하기

ㄷ. (다)에서 중심부에 가까운 무거운 원자핵일수록 연속적인 핵융합 반응에 의해 나중에 생성된 것이다.

11 (1) (나)의 계산 과정에서 0.007을 곱하는 까닭은 태양 전체 질량의 10 %에 해당하는 수소에서 질량 감소율이 0.7 %이기 때문이다. 즉, 수소 핵융합에 참여하는 중심핵의 질량은 태양 전체 질량의 약 10 %이고, 반응이 일어날 때 질량 결손은 약 0.7 %이다.

(2) 태양은 진화 과정의 대부분을 주계열성으로 보내므로, 주계열 단계의 수명을 전체 수명이라고 근사할 수 있다.

[모범 답안] (1) 0.7

(2) 수명 $= \dfrac{\text{총 에너지양}}{\text{광도}} = \dfrac{1.26 \times 10^{44}\,(\text{J/s})}{3.9 \times 10^{26}\,(\text{J/s})}$

$= 3.23 \times 10^{17}$ s $\approx 1.0 \times 10^{10}$년이다.

따라서 태양의 수명은 약 100억 년이다.

	채점 기준	배점
(1)	질량 결손 비율을 옳게 쓴 경우	30%
(2)	태양의 수명을 옳게 계산한 경우	70%
	태양의 수명을 계산하는 과정만 옳게 쓴 경우	30%

12 태양과 질량이 비슷한 주계열성의 내부 구조는 중심핵, 복사층, 대류층으로 이루어져 있다.

[모범 답안] A층에서는 대류에 의해 에너지가 전달되고, B층에서는 복사에 의해 에너지가 전달된다.

채점 기준	배점
A층과 B층의 에너지 전달 방식을 모두 옳게 서술한 경우	100%
A층과 B층의 에너지 전달 방식 중 한 가지만 옳게 서술한 경우	50%

13 [모범 답안] 초거성은 별 중심부의 온도가 높을수록 무거운 원소의 핵융합 반응이 일어나 최종적으로 철로 구성된 중심핵이 만들어진다. 따라서 중심으로 갈수록 더 무거운 원소로 이루어진 양파껍질 같은 구조가 나타난다.

채점 기준	배점
모범 답안과 같이 옳게 서술한 경우	100%
중심부의 온도 분포와 무거운 원자핵 원소의 분포 중 한 가지만 옳게 서술한 경우	50%

04 | 외계 행성계와 외계 생명체 탐사

탐구 대표 문제   p. 214

01 ⑤   **02** 케플러

01 ⑤ 발견된 외계 행성들은 대체로 크기와 질량이 지구보다 크고, 공전 궤도 반지름은 지구보다 작다.

오답 피하기

① 외계 행성은 대부분 지구 규모보다 큰 행성이다.
② 생명 가능 지대에서 발견된 외계 행성은 매우 드물다.
③, ④ 질량과 반지름이 큰 외계 행성일수록 발견될 가능성이 크다.

02 케플러 우주 망원경은 식 현상을 이용하여 외계 행성 탐사를 전문적으로 수행하는 망원경이다. 2009년 이후 케플러 우주 망원경에 의해 발견된 행성의 수가 급격히 많아졌다.

탐구 대표 문제   p. 215

01 ④   **02** 질량, 광도, 표면 온도

01 ④ 태양계에서 생명 가능 지대는 금성 궤도와 화성 궤도 사이에 존재하며, 지구가 이 영역에 위치한다.

오답 피하기

① 생명 가능 지대는 액체 상태의 물이 존재할 수 있는 영역이다. 태양계의 경우 고체 또는 기체 상태의 물은 일부 천체에서 발견되기도 한다.
②, ③ 별의 질량이 클수록 별의 광도가 커지므로 생명 가능 지대는 별에서 멀어지고, 폭이 넓어진다.
⑤ 별의 질량이 클수록 진화 속도가 빠르기 때문에 행성에서 생명체가 탄생하고 진화하기에 부적합하다.

02 주계열성은 질량이 클수록 광도가 크고, 표면 온도가 높다.

기초 탄탄 문제   p. 216

01 ③   **02** ③   **03** ③   **04** ⑤   **05** ④

01 외계 행성을 탐사하는 방법에는 직접 관측, 식 현상을 이용하는 방법, 미세 중력 렌즈 효과를 이용하는 방법, 중심별의 시선 속도 변화를 이용하는 방법 등이 있다.

02 ③ 행성의 반지름이 클수록 중심별이 많이 가려져 밝기 변화가 크게 나타난다. 따라서 행성의 존재를 확인하기 쉬워진다.

03 ③ 행성의 공전 궤도면이 시선 방향에 수직하면 스펙트럼의 파장 변화가 관측되지 않는다.

오답 피하기

중심별이 행성과의 공통 질량 중심을 중심으로 회전할 때 중심별의 시선 속도 변화가 나타난다. 이때 도플러 효과에 의해 스펙트럼에 파장 변화가 생기는데, 이를 이용하여 행성의 존재를 확인할 수 있다.

04 지구에 가까이 있는 별의 중력 때문에 멀리 있는 별빛이 굴절되어 밝아지는 현상을 미세 중력 렌즈 현상이라고 한다.

05 주계열성의 질량이 클수록 광도가 크므로 생명 가능 지대의 거리는 중심별로부터 멀어지고, 폭은 넓어진다.

내신 만점 문제   p. 217~219

01 ④   **02** ②   **03** ②   **04** ③   **05** ③   **06** ①
07 ①   **08** ④   **09** ④   **10** ③   **11~13** 해설 참조

01 ㄴ. 별의 시선 속도 변화로 별빛 스펙트럼의 파장 변화를 관측하여 행성의 존재를 확인할 수 있다.

ㄷ. 행성의 식 현상에 의한 별의 밝기 변화를 관측하여 행성의 존재를 확인할 수 있다.

오답 피하기

ㄱ. 별까지 떨어진 거리를 측정하는 것으로 행성의 존재 여부를 확인할 수는 없다.

02 ㄴ. X 주변에 행성이 없을 경우 별 Y의 시간에 따른 밝기 변화는 대체로 규칙적으로 나타난다. 하지만 X 주변에 행성이 존재할 경우에는 Y의 밝기 변화에 행성에 의한 변화가 추가되어 불규칙하게 나타난다.

오답 피하기

ㄱ. ⓒ일 때 굴절된 빛이 관측자에게 가장 많이 입사되므로 Y의 밝기는 최대가 된다.

ㄷ. 별빛의 굴절량은 X의 질량에 따라 달라진다. X와 Y의 거리는 별빛의 굴절량에 거의 영향을 미치지 않는다.

03 ㄴ. 별빛 스펙트럼에서 청색 편이가 반복하여 나타나는 주기는 행성의 공전 주기와 같다.

오답 피하기

ㄱ. 별과 행성이 공통 질량 중심을 중심으로 회전하는 주기는 같다.

ㄷ. 중심별의 질량이 작고, 행성의 질량이 클수록 스펙트럼의 파장 변화량이 커진다.

04 ㄷ. 반지름이 2배로 커지면 중심별이 가려지는 면적이 4배로 증가한다. 따라서 a는 4배로 커진다.

오답 피하기

ㄱ. 행성의 공전 궤도면은 관측자의 시선 방향에 거의 나란하다.

ㄴ. 행성에 의한 식 현상이 반복되는 주기가 약 6일이므로, 행성의 공전 주기도 약 6일이다.

05 ㄱ, ㄴ. 태양이 진화함에 따라 광도가 조금씩 증가한다. 이로 인해 생명 가능 지대는 태양에서 멀어지고, 폭은 넓어진다.

오답 피하기

ㄷ. 앞으로 20억 년 후에 태양계의 생명 가능 지대는 1 AU보다 먼 곳에 위치한다. 따라서 지구는 생명 가능 지대에 위치하지 않을 것이다.

06 ㄱ. 문제에 제시된 자료에서 외계 행성의 크기는 거의 대부분 지구보다 크다. 외계 행성의 질량도 지구보다 큰 경우가 더 많다는 것을 추론할 수 있다.

오답 피하기

ㄴ. 별은 대부분 멀리 위치해 있으므로 직접 촬영하여 발견된

외계 행성의 수는 매우 적다.

ㄷ. 별 주변의 전체 공간과 비교할 때 생명 가능 지대의 영역은 매우 좁다. 따라서 외계 행성이 생명 가능 지대에 위치할 가능성이 매우 적다.

07 ㄱ. 지금까지 발견된 외계 행성들의 질량은 대부분 지구보다 질량이 크다. 지구의 질량은 목성 질량의 약 $\frac{1}{300}$이다.

오답 피하기

ㄴ. 시선 속도 변화로 발견된 행성들은 도플러 효과를 이용한 것이다. 도플러 효과를 이용하여 발견된 행성의 수가 가장 많다.

ㄷ. 식 현상에 의해 발견된 행성들의 공전 궤도 반지름이 매우 짧으므로 공전 주기도 짧다.

08 오답 피하기

ㄱ. 달과 지구는 모두 생명 가능 지대에 위치하고 있다. 하지만 달은 지구와 달리 액체 상태의 물과 대기가 존재하지 않는다.

09 ㄴ. 행성 A는 생명 가능 지대에 위치하므로 액체 상태의 물이 존재할 수 있다.

ㄷ. 생명 가능 지대의 거리를 보면 태양이 별 S보다 질량이 크다는 것을 알 수 있다. 별 S는 태양보다 진화 속도가 느리므로 행성 A는 지구보다 생명 가능 지대에 오래 머문다.

오답 피하기

ㄱ. 생명 가능 지대의 거리는 별 S가 태양보다 가깝다. 별의 표면 온도는 별 S가 태양보다 낮다.

10 ㄱ. 주계열성의 질량이 클수록 수명이 짧다.

ㄷ. 별의 수명이 짧으면 행성이 생명 가능 지대에 머물 수 있는 시간도 짧아진다.

오답 피하기

ㄴ. 생명 가능 지대의 폭은 광도가 큰 A가 태양보다 넓다.

11 (1) 식 현상이 지속된 시간은 중심별의 밝기 감소가 지속되는 시간과 같다. A보다 B에 의한 식 현상이 더 오래 지속되었다.

(2) 밝기 감소량은 행성의 면적에 비례하므로 반지름의 제곱에 비례한다. 행성 A에 의한 별의 밝기 감소량은 B에 의한 밝기 감소량의 3배이므로 행성 A는 B보다 약 $\sqrt{3}$배 크다.

[모범 답안] (1) A < B

(2) A는 B보다 반지름이 약 $\sqrt{3}$배 크다.

	채점 기준	배점
(1)	식 현상의 지속 시간을 옳게 비교한 경우	50%
(2)	모범 답안과 같이 옳게 서술한 경우	50%
	반지름 비교가 잘못된 경우	0%

12 [모범 답안] (1) B

(2) 태양계에서 생명 가능 지대는 1 AU 부근에 위치하고, 별의 질량이 클수록 생명 가능 지대는 별에서 멀어진다. 세 행성 중 생명 가능 지대에 존재할 가능성은 B가 가장 높으므로 생명체가 존재할 가능성도 B에서 가장 높다.

채점 기준	배점
(1) B라고 옳게 고른 경우	30%
(2) 모범 답안과 같이 옳게 서술한 경우	70%
별의 질량이 클수록 생명 가능 지대는 멀어진다는 서술이 빠진 경우	0%

13 [모범 답안] 물은 비열이 커서 온도가 급격하게 변하지 않는다. 다양한 물질을 잘 녹일 수 있어서 생명 활동에 필요한 물질을 쉽게 흡수할 수 있다. 고체가 될 때 부피가 팽창하므로 얼음층 아래의 물이 쉽게 얼지 않는다.

채점 기준	배점
모범 답안과 같이 옳게 서술한 경우	100%
세 가지 중 두 가지만 옳게 서술한 경우	70%
세 가지 중 한 가지만 옳게 서술한 경우	40%

단원 마무리하기　p. 222~225

01 ⑤	02 ③	03 ⑤	04 ③	05 ②	06 ①
07 ②	08 ④	09 ①	10 ①	11 ②	12 ⑤
13 ③	14 ①	15 ⑤	16 ②		

01 주계열성은 절대 등급이 작을수록 질량과 반지름이 크다. 별의 질량은 절대 등급이 가장 작은 (가)가 가장 크다. (나)는 분광형이 A0형이므로 분광형이 G2형인 태양보다 표면 온도가 높다. (다)는 분광형이 F5로, (가), (나)보다 표면 온도가 낮다.

02 ㄱ. ㉠은 수소에 의해 형성된 흡수선이고, ㉡은 이온화된 +1가의 칼슘에 의해 형성된 흡수선이다.

ㄷ. 붉은색 별은 표면 온도가 낮다. 붉은색 별의 스펙트럼에서는 수소 흡수선 ㉠보다 칼슘 흡수선 ㉡이 상대적으로 더 뚜렷하다.

오답 피하기

ㄴ. 수소 흡수선이 가장 강한 분광형은 A0형이며, 표면 온도가 높아짐에 따라 수소 흡수선이 점점 약해진다. ㉠은 표면 온도가 가장 높은 O형보다 B형 별에서 상대적으로 강하다.

03 ㄱ. (가)는 최대 에너지 세기를 갖는 파장이 (나)보다 짧으므로 표면 온도가 (나)보다 높다.

ㄴ. B 필터를 통과한 에너지는 (가)가 (나)보다 많으므로 B 등급은 (가)가 (나)보다 작다(밝게 보인다).

ㄷ. (나)는 B 필터보다 V 필터를 통과한 빛이 더 많으므로 등급은 V 등급이 더 작다. 따라서 (나)는 $(B-V)$ 색지수가 (+)이다.

04 ㄱ. A는 C보다 5등급 작다. 5등급 간의 밝기비는 100배이므로 A는 C보다 100배 밝다.

ㄷ. 표면 온도는 A가 C보다 2배 높고, 광도는 A가 C보다 100배 크므로, 반지름은 A가 C보다 2.5배 크다.

오답 피하기

ㄴ. 세 별의 겉보기 등급이 모두 같으므로 광도가 작은 별이 가까운 별이다. 별의 거리는 C가 가장 가깝다.

05 초거성 (가)는 질량이 큰 별이 진화한 것이고, 백색 왜성 (라)는 태양 정도의 질량을 가진 별이 진화하여 형성된 것이다.

ㄷ. 질량이 클수록 진화 속도가 빠르므로 별의 나이는 (가) 집단보다 (라) 집단이 많다.

오답 피하기

ㄱ. 태양은 주계열성이므로 (다) 집단에 속한다.

ㄴ. 별의 반지름은 적색 거성인 (나) 집단보다 주계열성인 (다) 집단이 작다.

문제 속 자료　별의 종류와 특징

구분		특징
초거성	(가)	H-R도에서 가장 위쪽에 분포하며, 광도와 반지름이 가장 큰 집단이다.
적색 거성	(나)	H-R도에서 주계열의 오른쪽 위에 분포하며, 표면 온도가 낮아 붉은색으로 보인다.
주계열성	(다)	H-R도의 왼쪽 위에서 오른쪽 아래로 이어지는 영역에 분포하며, 별의 약 90 %가 여기에 속한다.
백색 왜성	(라)	H-R도에서 주계열의 왼쪽 아래에 분포하는 별로, 크기가 가장 작고 밀도가 매우 큰 별이다.

06 ㄱ. 적색 거성인 (가) 단계에서 헬륨으로 이루어진 중심핵의 수축이 일어난다. 이때 온도가 충분히 상승하면 헬륨 핵융합 반응이 시작된다. 이후 별이 불안정해져 팽창과 수축을 반복하여 (나) 단계에서 행성상 성운이 형성된다. 별의 중심부는 고밀도로 수축하여 (다)의 백색 왜성이 된다.

오답 피하기

ㄴ. (나) 단계에서 행성상 성운이 형성된다.

ㄷ. (다) 백색 왜성에서는 핵융합 반응이 일어나지 않는다.

07 ㄴ. A 단계는 행성상 성운이 만들어지기 이전이므로 적색 거성 단계이다. 적색 거성 단계에서는 별의 중심부에서 헬륨 핵융합 반응이 일어난다.

오답 피하기

ㄱ. 진화 단계에서 (가)는 행성상 성운을 형성하고, (나)는 초신성이 된다. (나)는 (가)보다 질량이 큰 별의 진화 과정에 해당한다.

ㄷ. (나)는 최후 단계에서 중성자별 또는 블랙홀을 형성한다.

08 ㄱ. 시간이 흐를수록 점차 질량이 작은 주계열성도 거성 단계로 진화한다. (가)는 질량이 매우 큰 별만 거성 단계로 진화했고, (나)는 태양과 질량이 비슷한 별이 거성 단계로 진화하려고 한다. (다)는 별의 대부분이 주계열성이다. 따라서 시간 순서는 (다) → (가) → (나)이다.

ㄴ. (나)는 (가)보다 거성 단계로 더 진화했으므로 성단의 나이가 더 많다.

오답 피하기

ㄷ. 질량이 큰 별이 먼저 진화하므로 성단의 나이가 많을수록 질량이 작고 표면 온도가 낮은 붉은색 별의 비율이 크다.

09 ㄱ. 이 별은 중심핵에서 수소 핵융합 반응이 일어나고 있으므로 주계열성이다.

오답 피하기

ㄴ. (가)는 수소 원자핵 4개의 질량이고, (나)는 헬륨 원자핵 1개의 질량이다. 핵융합 반응이 일어날 때 질량 결손에 의해 에너지가 발생하므로 (가)의 질량이 (나)의 질량보다 크다.

ㄷ. CNO 순환 반응은 온도가 높아질수록 수소 핵융합 반응의 효율이 높아진다.

10 ㄱ. (가)와 (나)는 모두 중심부로 갈수록 온도가 높아지고, 더 무거운 원자핵의 핵융합 반응이 일어난다.

오답 피하기

ㄴ. (나)는 초거성의 내부 구조이며, 진화 단계에서 초신성 폭발을 일으킨다.

ㄷ. 온도가 높을수록 더 무거운 원자핵이 생성된다. 중심부 온도는 (가)보다 (나)가 높다.

11 ㄷ. C층의 중심에는 수소 핵융합 반응에 의해 생성된 헬륨 원자핵이 쌓인다. C층은 B층보다 무거운 원소의 비율이 높다.

오답 피하기

ㄱ. A층은 대류층으로, 주로 대류에 의해 에너지가 전달된다.

ㄴ. B층은 복사의 형태로 중심핵에서 생성된 에너지가 전달된다. 온도가 1000만 K보다 높은 영역은 수소 핵융합 반응이 일어나고 있는 C층이다.

12 중심부의 온도가 더 높은 별에서 탄소·질소·산소 순환 반응이 더 우세하다. ㉠은 양성자·양성자 반응, ㉡은 탄소·질소·산소 순환 반응이다. 태양에서는 ㉠이 더 우세하며, 질량이 큰 주계열성에서는 ㉡이 우세하게 일어난다. ㉡이 우세한 별의 중심부에는 온도 차이가 커져 대류핵이 형성된다.

문제 속 자료 ‖ 수소 핵융합 반응의 에너지 생성 효율

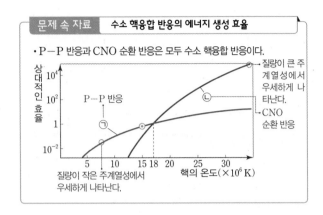

• P−P 반응과 CNO 순환 반응은 모두 수소 핵융합 반응이다.

13 ㄱ. 공통 질량 중심에 가까운 천체가 질량이 더 크다. A는 별, B는 행성이다.

ㄷ. 행성의 질량이 클수록 중심별의 시선 속도 변화가 크게 나타난다. 이로 인해 스펙트럼에 나타나는 파장 변화량이 크다.

오답 피하기

ㄴ. 별과 행성은 공통 질량 중심을 중심으로 같은 주기로 회전한다.

14 ㄱ. a는 행성이 중심별의 앞면을 가리기 시작하여 행성 전체가 중심별의 앞면으로 들어가는 데 걸리는 시간에 해당한다. 따라서 행성의 반지름이 클수록 a가 길어진다.

오답 피하기

ㄴ. b 구간에서 중심별과 행성이 관측자의 시선 방향에 나란하게 위치한다. 이때 행성과 별은 시선 방향에 거의 수직하게 움직이고, 중심별의 시선 속도는 거의 0이 된다.

ㄷ. 중심별의 반지름이 클수록 행성에 의해 별이 가려지는 비율이 감소하므로 c가 줄어든다.

15 ㄱ. A의 중심별에서 생명 가능 지대까지의 거리는 1 AU보다 가까운 곳에 위치한다. A의 중심별은 태양보다 광도가 작다.

ㄴ. 액체 상태의 물이 존재할 수 있는 영역을 생명 가능 지대라고 한다. B에서 생명 가능 지대는 1 AU보다 멀리 위치하므로 생명 가능 지대의 폭도 태양계보다 넓다.

ㄷ. 행성 ㉠은 생명 가능 지대에 위치하고, 행성 ㉡은 생명 가능 지대보다 중심별에 가깝게 위치한다. 중심별에서 행성의 단위 면적에 입사되는 에너지양은 행성 ㉠보다 ㉡이 많다.

16 ㄴ. 중심별의 질량이 태양 질량의 0.5~1.5배 사이인 행성계의 행성이 많이 발견되었다.

오답 피하기

ㄱ. 외계 행성의 크기가 클수록 관측하기 쉽다. 문제의 자료에서 지구보다 크기가 작은 행성도 많지만 관측이 어렵고, 지구보다 반지름이 6배 이상인 행성은 관측이 어렵다기보다는 큰 규모의 행성 수가 상대적으로 적기 때문이다.

ㄷ. 발견된 외계 행성들 중 생명 가능 지대에 위치한 행성은 매우 드물다.

VI 외부 은하와 우주 팽창

01 | 외부 은하의 종류와 특징

탐구 대표 문제
p. 231

01 ②

01 ② 나선팔과 중심부에 막대 구조를 가지고 있는 은하는 막대 나선 은하이다.

오답 피하기

① 행성상 성운은 태양 규모의 별이 진화 마지막 단계에서 고온의 가스를 분출하여 형성된다.

③ 불규칙 은하는 일정한 모양을 갖추지 않은 은하이다.

④ 정상 나선 은하는 은하핵과 나선팔이 있는 나선 모양의 은하이다.

⑤ 타원 은하는 타원 모양의 은하로 내부에 성간 물질을 거의 가지고 있지 않다.

기초 탄탄 문제
p. 232

01 ③ **02** ① **03** ⑤ **04** ⑤ **05** ② **06** ①

01 허블은 외부 은하를 모양(형태)에 따라 크게 타원 은하, 나선 은하, 불규칙 은하로 분류하였다. 나선 은하는 중심부의 막대 구조 유무에 따라 정상 나선 은하와 막대 나선 은하로 나뉜다.

오답 피하기

③ 허블은 외부 은하를 관측된 형태에 따라 타원 은하, 나선 은하, 불규칙 은하로 분류하였다.

02 타원 은하에서 나타나는 특징을 설명한 것이다.

오답 피하기

②, ③은 정상 나선 은하, ④는 불규칙 은하, ⑤는 행성상 성운이다.

03 나선 은하는 납작한 원반 형태로 중앙 팽대부에는 나이가 많은 붉은색 별들이 분포하고, 나선팔에는 성간 물질이 많이 존재한다.

오답 피하기

①, ③ 나선 은하의 나선팔에는 성간 물질이 많이 존재하며, 새로운 별들이 많이 태어난다.

② 편평도에 따라 은하를 E0에서 E7까지 분류하는 것은 타원 은하이다. 나선 은하는 나선팔이 감긴 정도와 은하핵의 크기

에 따라 다양하게 세분된다.

④ 나선 은하의 크기는 다양하다.

04 ⑤ 타원 은하는 현재 비교적 늙은 별들로 이루어져 있으므로 은하 형성 초기보다 별의 탄생이 활발하지 않다.

오답 피하기

은하는 형태에 따라 타원 은하, 나선 은하, 불규칙 은하로 분류된다. 타원 은하는 편평도에 따라 E0에서 E7으로 나뉜다.

문제 속 자료 허블의 은하 분류

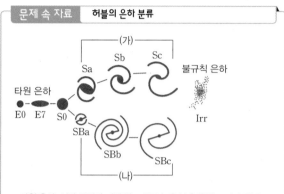

- 타원 은하: 성간 물질이 거의 없고 주로 늙은 붉은색 별로 되어 있다.
- 나선 은하: 중심부의 막대 구조의 유무에 따라 정상 나선 은하와 막대 나선 은하로 나뉜다. 은하핵과 나선팔이 있는 것이 특징이다.
- 불규칙 은하: 특정한 모양을 띠지 않는 은하이다.

05 ② 제트로 연결된 로브가 핵의 양쪽에 대칭적으로 나타나는 특이 은하는 전파 은하이다.

오답 피하기

은하의 중심 영역에서 보통의 광도를 넘어서는 에너지가 방출되는 은하를 특이 은하라고 한다. 특이 은하에는 전파 은하, 퀘이사, 세이퍼트은하가 있다.

06 ① 전파 은하에서 관측되는 제트는 회전하는 원반에서 수직으로 뿜어져 나오는 물질 흐름이다.

오답 피하기

거대 블랙홀로 물질이 공급되면 블랙홀의 강한 중력 때문에 물질이 빠르게 가속되어 원반을 형성하고 막대한 양의 에너지를 방출하는 은하를 특이 은하라고 한다. 충돌 은하는 은하끼리의 충돌과 병합 과정으로 형성되었다.

내신 만점 문제
p. 233~235

01 ③ **02** ① **03** ⑤ **04** ④ **05** ① **06** ⑤
07 ⑤ **08** ① **09** ② **10** ③ **11~12** 해설 참조

01 B는 불규칙 은하, C는 타원 은하, D는 나선 은하, E는 정상 나선 은하, F는 막대 나선 은하이다.

ㄱ. A는 특정한 모양이 있는 은하이고, B는 특정한 모양을 띠지 않는 은하이다.

ㄴ. C는 나선팔이 없는 은하이고, D는 은하핵과 나선팔이 있는 은하이다.

[오답 피하기]

ㄷ. E와 F의 분류 기준은 막대 구조의 유무이다. 나선 은하는 막대 구조가 없는 정상 나선 은하(E)와 막대 구조가 있는 막대 나선 은하(F)로 나뉜다.

02 (가)는 타원 은하, (나)는 막대 나선 은하, (다)는 불규칙 은하이다.

ㄱ. 타원 은하는 내부에 성간 물질이 거의 없어 별이 거의 탄생하지 않는다. 성간 물질은 나선 은하의 나선팔과 불규칙 은하에 많이 분포한다.

[오답 피하기]

ㄴ. 허블의 은하 분류 체계는 은하의 진화 순서와는 상관이 없는 형태적인 분류이다.

ㄷ. 우리 은하와 가장 유사한 은하는 (나)이다.

03 은하는 형태에 따라 타원 은하(A), 정상 나선 은하(B), 막대 나선 은하(C), 불규칙 은하로 분류한다.

ㄱ. 타원 은하의 경우 편평도에 따라 E0에서 E7까지 구분한다. 숫자가 커질수록 편평도가 크다.

ㄴ. 나선 은하에서 a형은 나선팔이 팽팽하게 감겨 있고, c형은 나선팔이 느슨하게 감겨 있다.

ㄷ. 막대 나선 은하는 중심부에 막대 구조가 나타나고, 나선팔이 감긴 정도에 따라 a, b, c로 세분된다.

04 ㄱ. A는 불규칙 은하, B는 타원 은하, C는 정상 나선 은하, D는 막대 나선 은하이다.

ㄴ. 타원 은하에는 성간 물질이 거의 없다.

ㄹ. 우리 은하는 막대 나선 은하에 해당한다.

[오답 피하기]

ㄷ. 타원 은하는 편평도에 따라 E0에서 E7까지 나뉜다. 나선 은하는 중심부의 막대 구조 유무에 따라 정상 나선 은하와 막대 나선 은하로 나뉜다.

05 나선 은하는 중심부의 막대 구조의 유무에 따라 정상 나선 은하와 막대 나선 은하로 나뉜다.

ㄱ. (가)는 중심부에 막대 구조가 나타나고, 이곳에서 나선팔이 뻗어 나간 모양이다. (나)는 나선팔이 핵과 직접 연결되어 뻗어 나간 모양이다.

[오답 피하기]

ㄴ. 우리 은하의 형태는 막대 나선 은하로, (나)보다 (가)의 구조에 가깝다.

ㄷ. (가)는 막대 나선 은하, (나)는 정상 나선 은하이다.

문제 속 자료	나선 은하의 특징

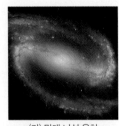 

(가) 막대 나선 은하　　(나) 정상 나선 은하

• 은하핵과 나선팔이 있다.
• 중앙 팽대부에는 나이가 많은 붉은색의 별들이 많다.
• 나선팔이 감긴 정도에 따라 a, b, c로 나뉜다. a형은 나선팔이 거의 원형을 이루며 핵 주위를 단단히 감고 있고, c형은 핵이 작고 나선팔이 벌어져 있다.

06 ㄱ. (가)는 타원 은하, (나)는 막대 나선 은하이다.

ㄴ. 우리 은하는 형태적으로 분류할 때 막대 나선 은하에 속한다.

ㄷ. A는 나선팔, B는 헤일로이다. 나선팔에는 주로 젊은 별과 성간 물질이 많고, 헤일로에는 별들이 적고 성간 물질이 거의 없다.

문제 속 자료	타원 은하와 막대 나선 은하

 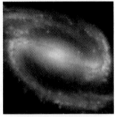

(가) 타원 은하　　(나) 막대 나선 은하

• 타원 은하에는 성간 물질이 거의 없고, 나선 은하의 나선팔에는 성간 물질이 많다.
• 나선팔의 유무에 따라 타원 은하와 나선 은하로 나뉜다.
• 헤일로: 은하의 원반을 둥근 회전 타원체 모양으로 둘러싸고 있는 부분이다. 주로 붉은색의 늙은 별들이 분포한다.

07 전자기파는 파장에 따라 전파, 적외선, 가시광선, 자외선, X선, 감마선으로 구분할 수 있다. 전자기파를 이용하여 천체를 관측할 수 있다.

ㄱ. 안드로메다은하는 우리 은하로부터 약 250만 광년 떨어져 있는 외부 은하로 나선 은하에 속한다.

ㄴ. 높은 온도의 별은 고온의 빛을 내므로 파장이 짧은 영상에서 관측하기에 적합하다.

ㄷ. 파장은 자외선＜가시광선＜적외선 순으로 길다.

08 ㄱ. 세이퍼트은하는 다른 은하들보다 밝은 핵과 넓은 방출선을 보인다. 스펙트럼에서 넓은 방출선을 보인다는 것은 방출 원인 가스가 매우 빠른 속도로 움직이고 있음을 의미한다.

오답 피하기

ㄴ. 세이퍼트은하는 선 스펙트럼의 폭이 넓은 영역에서 나타난다.

ㄷ. 세이퍼트은하는 중심부에 블랙홀이 있을 것으로 추정되는 특이 은하(활동 은하)이다.

09 전파 은하는 특이 은하 중 강한 전파를 방출하는 은하이다.

ㄴ. 전파 은하의 중심에는 핵이 있고 양쪽에 로브라고 불리는 거대한 돌출부가 있다. 로브와 핵은 제트로 연결되어 있다.

오답 피하기

ㄱ. (가)는 가시광선 영상, (나)는 전파 영상을 나타낸 것이다.

ㄷ. 전파 은하는 허블의 은하 분류 체계로 분류되지 않는 유형의 은하(특이 은하)이다. 전파 은하는 가시광선 영상으로 보았을 때 대부분 타원 은하로 관측된다.

10 ㄱ. 전파 은하는 강한 전파를 방출하는 은하이다.

ㄴ. 중심의 핵과 양쪽의 로브 사이는 제트로 연결되어 있다.

오답 피하기

ㄷ. 가시광선 영상으로 보았을 때 이 전파 은하는 타원 은하로 관측된다.

11 퀘이사는 수많은 별들로 이루어진 거대 은하이지만 너무 멀리 있어 하나의 별처럼 보인다. 퀘이사의 스펙트럼은 적색 편이가 매우 큰데, 이것으로 퀘이사가 보통 은하보다 훨씬 더 먼 곳에서 빠른 속도로 멀어져 가고 있다는 것을 알 수 있다. 세이퍼트은하는 다른 은하들보다 아주 밝은 핵과 넓은 방출선을 보이는 은하이다. 전체 나선 은하 중 약 2 %가 세이퍼트은하로 분류된다.

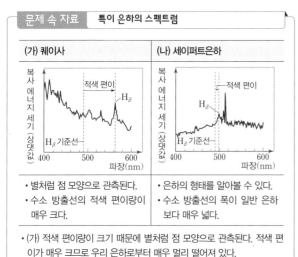

문제 속 자료 특이 은하의 스펙트럼

(가) 퀘이사	(나) 세이퍼트은하
• 별처럼 점 모양으로 관측된다. • 수소 방출선의 적색 편이량이 매우 크다.	• 은하의 형태를 알아볼 수 있다. • 수소 방출선의 폭이 일반 은하보다 매우 넓다.

• (가) 적색 편이량이 크기 때문에 별처럼 점 모양으로 관측된다. 적색 편이가 매우 크므로 우리 은하로부터 매우 멀리 떨어져 있다.

• H$_\beta$선은 수소 원자가 방출하는 스펙트럼으로, 모두 방출선으로 되어 있다.

[모범 답안] (1) (가) 퀘이사, (나) 세이퍼트은하

(2) (ㄱ) 적색 편이량이 매우 크다.

(ㄴ) 폭이 일반 은하보다 매우 넓다.

채점 기준	배점
(1) (가), (나)를 모두 옳게 쓴 경우	40%
두 가지 중 한 가지만 옳게 쓴 경우	20%
(2) (가), (나) 스펙트럼의 특징을 모두 옳게 서술한 경우	60%
두 가지 중 한 가지 스펙트럼의 특징만 옳게 서술한 경우	30%

12 충돌 은하는 은하와 은하의 상호 작용으로 서로 충돌하는 과정에서 생겨났다. 충돌하고 병합하는 과정에서 두 은하는 서로 작용하는 중력 때문에 형태가 변하기도 한다.

[모범 답안] (1) 은하들이 충돌해도 은하에 속한 별들끼리 충돌하는 경우는 거의 없다. 별의 크기에 비해 별들 사이의 공간이 너무 크기 때문이다.

(2) 거대한 가스 및 먼지 구름들이 충돌하면 그 속에서 기체가 압축되므로 많은 별들이 한꺼번에 탄생할 수 있다.

채점 기준	배점
(1) 모범 답안과 같이 옳게 서술한 경우	50%
별들끼리 충돌하는 경우는 거의 없다는 서술이 빠진 경우	0%
(2) 모범 답안과 같이 옳게 서술한 경우	50%
기체가 압축되어 많은 별이 탄생한다는 서술이 빠진 경우	0%

02 | 빅뱅 우주론

탐구 대표 문제  p. 239

01 ④

01 ④ 멀리 있는 은하일수록 더 빨리 멀어지므로 적색 편이 값은 크게 나타난다.

오답 피하기

은하의 후퇴 속도와 거리의 관계 그래프에서 기울기는 허블 상수를 의미한다. 허블 상수의 역수는 우주의 나이에 해당한다. 팽창하는 우주에서 특별한 중심은 없다.

기초 탄탄 문제 p. 240

01 ⑤ 　 02 ② 　 03 ⑤ 　 04 ② 　 05 ③

01 우주로부터 멀리 있는 은하일수록 후퇴 속도가 크게 관측된다.

오답 피하기

① 팽창하는 우주에 특정한 중심은 없다.

② 모든 은하는 서로 멀어지고 있는 것처럼 관측된다.

③ 가로축이 거리, 세로축이 후퇴 속도인 그래프에서 기울기는 허블 상수이다.

허블 상수의 역수는 은하의 나이이다.

④ 은하의 스펙트럼선의 이동량과 거리 사이에는 특별한 관계가 없다.

02 관측자로부터 멀리 있는 은하일수록 적색 편이가 크고 후퇴 속도가 빠르다. ②번 그림에서 관측자로부터 멀어질수록 화살표의 길이가 길어진다.

03 ⑤ 우주 나이 약 38만 년에 수소 원자핵과 전자, 헬륨 원자핵과 전자가 결합하여 중성 수소와 중성 헬륨을 만들었다. 우주 배경 복사는 우주 나이 약 38만 년에 우주의 입자가 반으로 줄어들 때 빠져나온 빛이다.

> **오답 피하기**

우주가 팽창함에 따라 우주의 평균 밀도와 온도가 점점 낮아지고 있다. 우주 배경 복사는 빅뱅 우주론을 지지하는 가장 강력한 증거이다.

04 문제의 그림은 대폭발 우주론을 나타낸 것이다. 대폭발 우주론에서는 우주가 팽창하여 우주의 밀도와 온도가 계속 감소하지만 에너지와 물질의 총량은 일정하게 유지된다.

문제 속 자료	정상 우주론과 빅뱅 우주론
정상 우주론	**빅뱅 우주론**
• 우주는 팽창하고 진화하지만 전체적인 밀도와 온도는 일정하게 영원히 계속된다. • 우주가 팽창하면 그 사이의 공간에 새로운 물질이 생성된다. • 온도와 밀도는 일정하고, 질량은 증가한다.	• 우주는 초고온, 초고압, 초고밀도 상태에서 폭발한 후 팽창하여 현재 상태가 되었다. • 온도와 밀도는 감소하고, 질량은 일정하다.

05 외부 은하들의 거리와 후퇴 속도 사이에는 비례 관계가 성립한다는 것이 허블 법칙이다.

> **오답 피하기**

① 멀리 있는 은하일수록 더 빠르게 멀어진다.

② 팽창하는 우주에서 특별한 중심은 없다.

④ 빅뱅 우주론에서 예측하는 수소와 헬륨의 질량비는 약 3 : 1 이다.

⑤ 급팽창 우주론은 기존의 빅뱅 우주론이 설명하지 못하는 지평선 문제와 편평선 문제를 설명하고 있다. 우주 배경 복사는 대폭발 우주론(빅뱅 우주론)의 가장 확실한 증거이다.

내신 만점 **문제**					p. 241 ~ 243
01 ④	**02** ③	**03** ③	**04** ①	**05** ③	**06** ②
07 ⑤	**08** ②	**09** ④	**10** ③	**11~12** 해설 참조	

01 ㄴ. B 은하는 A 은하보다 2배 멀리 떨어져 있으므로 후퇴 속도 역시 2배 빠르다.

ㄷ. 우리 은하로부터 멀리 떨어질수록 적색 편이량(적색 편이의 정도)은 커진다. 지구에서 관측된 적색 편이량은 은하 B가 은하 A보다 크다.

> **오답 피하기**

ㄱ. 팽창하는 우주에 중심은 없다. 우리 은하(지구)는 우주의 중심이 아니다.

02 ㄷ. C의 적색 편이량은 0.3, B의 적색 편이량은 0.2이므로 C가 B보다 1.5배 멀리 떨어져 있다.

> **오답 피하기**

ㄱ. 모든 은하는 특정 은하를 중심으로 멀어지는 것이 아니므로, 팽창하는 우주에 특정한 중심이 있는 것은 아니다.

ㄴ. 지구에서 거리가 먼 은하일수록 더 빠른 속도로 지구로부터 멀어지고, 적색 편이량(z)도 커진다.

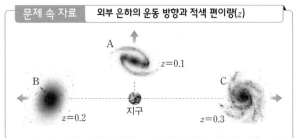

| 문제 속 자료 | 외부 은하의 운동 방향과 적색 편이량(z) |

• 그림에서 지구를 중심에 두었으나, 우주의 중심이 지구라는 뜻은 아니다. → 우주가 팽창할 때 특정한 중심(은하나 지구)은 없다.

• A~C 중 C의 적색 편이량이 가장 크므로 지구로부터 가장 멀리 떨어져 있다.

03 허블은 외부 은하들의 거리와 적색 편이를 측정하여 외부 은하까지의 거리와 후퇴 속도가 비례함을 알아냈다. 이것을 허블 법칙이라고 한다.

ㄱ. 지구에서 멀리 있는 은하일수록 후퇴 속도가 더 빠르다. 즉, 더 빠른 속도로 멀어지고 있다.

ㄷ. 지구에서 멀리 있는 은하일수록 스펙트럼의 적색 편이가 더 크게 나타난다.

> **오답 피하기**

ㄴ. 적색 편이가 나타나는 것은 각각의 은하가 움직여 지구에서 멀어지는 것이 아니라 우주 공간이 팽창하여 나타나는 현상이다.

04 ㄱ. 문제의 그림에서 기울기는 허블 상수를 나타낸다. 허블 상수는 B보다 A에서 크게 계산된다.

ㄴ. 우주의 나이는 허블 상수의 역수이기 때문에 B보다 A에서 구한 값이 더 작다.

ㄷ. 같은 거리에 있는 외부 은하의 경우 A에서 관측한 후퇴 속도가 B에서 관측한 것보다 빠르므로 A의 적색 편이의 정도(적색 편이량)가 B보다 더 크다.

05 ㄱ. 빅뱅 이후 우주가 팽창하는 동안 우주 물질의 양은 일정하므로 밀도는 감소한다.

ㄷ. 빅뱅 이후 약 38만 년 후에 우주의 온도가 약 3000 K이었을 때 방출된 우주 배경 복사는 현재 약 2.7 K으로 관측된다.

ㄴ. 우주의 팽창으로 우주의 온도가 감소되어 우주 배경 복사의 파장은 점점 길어졌다.

문제 속 자료 대폭발 우주론(빅뱅 우주론)

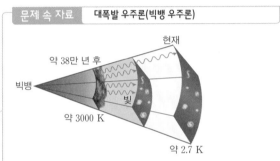

- 빅뱅이 일어나고 약 38만 년 후에 우주의 온도가 약 3000 K일 때 우주 배경 복사가 물질에서 빠져나왔다.
  → 우주는 부피가 계속 팽창하여 온도가 낮아졌다.
- 우주 배경 복사는 온도가 낮아지면서 파장이 길어졌다.
  → 약 2.7 K 온도를 나타내는 파장으로 관측된다.
  → 우주의 온도가 약 3000 K에서 약 2.7 K으로 낮아졌다.
- 우주 배경 복사는 우주 전체에 퍼져 있다.
  → 우주의 모든 방향에서 거의 같은 세기로 관측된다.

---

06 ㄴ. 우주 배경 복사의 미세한 온도 차이는 우주 초기에 미세한 밀도의 불균일이 존재했다는 증거이다. 이러한 밀도 차이로 물질이 뭉쳐졌다.

ㄱ. 빅뱅이 발생한 직후 우주는 급팽창으로 온도가 낮아진 이후에 기본 입자가 만들어졌다.

ㄷ. 우주 배경 복사의 불균일성은 나중에 별과 은하를 형성하는 계기가 되었다. 온도 차이가 크던 우주가 균질하게 혼합된 것이 아니다.

07 이 실험에서 풍선 표면은 우주를 나타내고, 풍선이 커지는 것은 우주 팽창을 나타낸다.

ㄱ. 팽창하는 우주에 중심이 없듯이 풍선 표면의 팽창에서 팽창의 중심이 없다.

ㄴ. 어떤 은하를 기준으로 하더라도 한 은하를 기준으로 다른 은하는 서로 멀어져 간다. 가까이 있는 은하보다 멀리 있는 은

하일수록 더 빠른 속도로 멀어져 간다.

ㄷ. 허블 법칙에 따라 외부 은하들의 거리와 후퇴 속도는 비례 관계에 있다. 멀리 있는 은하일수록 더 빠른 속도로 멀어지므로 우주는 팽창한다.

08 ㄴ. 우주는 초고온, 초고밀도 상태에서 팽창하기 시작했다. 우주가 팽창하면서 우주의 온도가 낮아졌다.

ㄷ. 우주 배경 복사는 약 2.7 K 흑체 복사 곡선과 거의 일치한다. 하늘의 모든 방향에서 약 2.7 K에 해당하는 복사 에너지가 검출된다고 생각하면 된다.

ㄱ. 대폭발 우주론(빅뱅 우주론)에서 우주가 팽창하면 우주의 밀도는 감소한다.

ㄹ. 우주 팽창의 증거인 우주 배경 복사는 공간 분포에 미세한 차이가 있다.

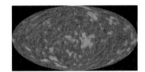
▲ 코비 위성 관측

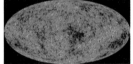
▲ 더블유맵 위성 관측

09 (가)는 은하의 개수 밀도가 일정하므로 정상 우주론이고, (나)는 은하의 개수 밀도가 감소하므로 대폭발 우주론(빅뱅 우주론)이다.

ㄴ. 대폭발 우주론에서 우주의 총 질량은 일정하게 유지되면서 크기가 증가하므로 우주의 밀도는 감소한다.

ㄷ. 대폭발 우주론에서 우주의 온도는 우주가 팽창함에 따라 점점 낮아진다.

ㄱ. 정상 우주론에서는 새로운 은하가 계속 생성되므로 우주의 질량은 증가한다.

10 ㄱ. (가)는 대폭발 우주론으로, 우주의 모든 물질과 에너지가 한 점에 모여 있다가 폭발을 일으켜 팽창하면서 냉각되어 현재와 같은 우주가 되었다는 이론이다. (나)는 급팽창 우주론으로, 우주 탄생 직후 극히 짧은 시간 동안 우주가 급격히 팽창하였다는 이론이다.

ㄴ. 빅뱅 순간 우주가 편평하지 않더라도 급팽창으로 현재 관측 가능한 우주는 편평할 수 있다. 급팽창이 일어나기 전에는 우주의 크기가 작아 우주 지평선의 정반대 방향에서 오는 물질 정보를 충분히 교환할 수 있었다.

ㄷ. 급팽창 우주론에서 우주의 크기는 급팽창 이전에는 우주의 지평선보다 작았고, 급팽창 이후에는 우주의 지평선보다 크다고 설명한다.

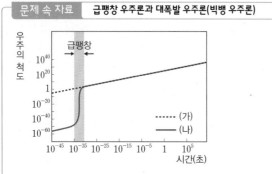

문제 속 자료　**급팽창 우주론과 대폭발 우주론(빅뱅 우주론)**

• 대폭발 이후 $10^{-35} \sim 10^{-32}$초 사이에 우주가 급격히 팽창하였다. 이때 팽창은 빛보다 빠른 속도였고, 우주의 크기는 10^{50}배 이상 커졌다.

• 우주의 지평선은 빅뱅 이후 빛이 지구에 도달할 수 있는 지역과 도달할 수 없는 바깥 지역 사이의 경계이다.

• 지평선 안쪽 영역을 '관측 가능한 우주'라고 한다.

11 허블은 외부 은하들의 거리와 적색 편이를 측정하여 외부 은하까지의 거리와 후퇴 속도 사이에 비례 관계가 있음을 밝혀냈다.

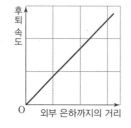

[모범 답안] (1) 커진다.

(2) 후퇴 속도 = 빛의 속도 × $\dfrac{\Delta\lambda}{\lambda_0}$

　　 = 빛의 속도 × $\dfrac{20 \text{ nm}}{400 \text{ nm}}$ = 3×10^5 (km/s) × $\dfrac{1}{20}$이다.

따라서 X의 후퇴 속도는 15000 km/s이다.

(3) 허블 법칙(후퇴 속도 = 허블 상수 × 거리)으로부터
15000 km/s = 허블 상수 × 300 Mpc이다. 따라서 허블 상수는 50 km/s/Mpc이다.

	채점 기준	배점
(1)	모범 답안과 같이 옳게 쓴 경우	20%
	답이 틀린 경우	0%
(2)	X의 후퇴 속도를 계산하는 과정과 답을 모두 옳게 쓴 경우	40%
	X의 후퇴 속도를 계산하는 과정은 맞았으나, 답이 틀린 경우	20%
(3)	허블 상수를 계산하는 과정과 답을 모두 옳게 쓴 경우	40%
	허블 상수를 계산하는 과정은 맞았으나, 답이 틀린 경우	20%

12 우주가 팽창함에 따라 우주의 밀도는 감소하였다. 우주의 나이가 약 38만 년일 때 우주의 온도는 약 3000 K으로 낮아졌고, 이때 방출된 빛이 오늘날 약 2.7 K의 우주 배경 복사로 관측되고 있다. 우주 배경 복사는 $\dfrac{1}{10만}$ K 정도의 미세한 온도 차이가 있다.

[모범 답안] (가) 우주가 팽창할수록 새로운 공간이 생성되지만, 새로운 물질은 만들어지지 않으므로 우주의 밀도는 점차 감소한다.

(나) 우주가 팽창하는 동안 온도가 낮아지고 파장이 길어져 우주 배경 복사는 현재의 2.7 K보다 낮아질 것이다.

	채점 기준	배점
(가)	모범 답안과 같이 옳게 서술한 경우	50%
	우주의 밀도가 감소한다는 서술이 빠진 경우	0%
(나)	모범 답안과 같이 옳게 서술한 경우	50%
	우주 배경 복사가 계속 낮아진다고만 서술한 경우	20%

03 | 암흑 물질과 암흑 에너지

기초 탄탄 문제　　　　　　　　　　　　p. 246

01 ②　**02** ④　**03** ③　**04** ④　**05** ③

01 ② 우주를 구성하는 물질 중 보통 물질은 전자기파를 통해 확인할 수 있다.

오답 피하기

우주 배경 복사의 온도 차이를 이용해서 우주의 밀도 분포와 구성 성분을 알아낼 수 있다.

③, ⑤ 우주의 팽창 속도는 우주 내부 물질의 중력 때문에 시간이 가면서 감소할 것이라고 예상하였지만, 우주의 팽창 속도는 점차 빨라지고 있다. 가속 팽창의 원인은 중력의 반대 방향으로 척력을 일으키는 암흑 에너지 때문일 것으로 추정하고 있다.

02 우주의 구성 성분은 보통 물질이 약 5 %, 암흑 물질이 약 27 %, 암흑 에너지가 약 68 %이다. ㉠은 암흑 에너지, ㉡은 암흑 물질, ㉢은 보통 물질이다.

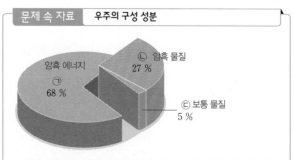

문제 속 자료　**우주의 구성 성분**

• 우주의 구성 물질들을 정확하게 측정한 것은 아니므로 상대적인 비율 관계에 초점을 맞추도록 한다.

• 암흑 물질은 천체의 운동에 미치는 중력 효과에 의해 그 존재를 확인할 수 있다.

• 보통 물질은 전자기파를 통해 확인할 수 있다.

03 암흑 에너지는 중력의 반대 방향으로 작용하여 우주의 팽창을 가속시키는 원인 물질이다.

오답 피하기

① 암흑 에너지는 우주 질량의 대부분을 차지한다.

② A 시기의 우주 팽창률은 현재보다 느렸다.

④ 현재 우주는 물질에 의한 수축 효과보다 암흑 에너지에 의한 팽창 효과가 더 우세하다.

⑤ 우주의 크기는 현재보다 A 시기에 더 작았다.

04 ④ 암흑 에너지는 중력과 반대 방향(척력)으로 작용하여 우주를 가속 팽창시키고 있다.

오답 피하기

우주의 구성 성분 중 가장 많은 양을 차지하는 것은 암흑 에너지이다.

05 ③ 우주는 초기에 팽창 속도가 느려지다가 약 70억 년이 지나면서 현재까지 가속 팽창하고 있다.

오답 피하기

② Ia형 초신성은 거의 일정한 질량에서 폭발하기 때문에 절대 밝기가 일정하다. Ia형 초신성의 겉보기 밝기를 구하면 멀리 있는 은하까지의 거리를 구할 수 있다.

④ 우주의 밀도와 임계 밀도가 같을 때를 평탄 우주, 우주의 밀도가 임계 밀도보다 작을 때를 열린 우주, 우주의 밀도가 임계 밀도보다 클 때를 닫힌 우주라고 한다.

문제 속 자료 **우주의 팽창과 Ia형 초신성 관측**

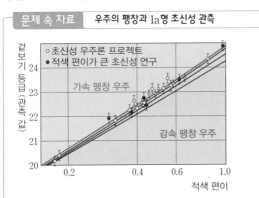

• Ia형 초신성들의 겉보기 밝기는 멀리 있을수록 이론적인 값보다 더 어둡게 관측되었다.
→ 초신성들이 예상했던 것보다 더 멀리 떨어져 있다.
→ 멀리 있는 초신성이 예상보다 더 어둡다는 것은 우주의 팽창 속도가 이론으로 예상했던 것보다 더 빠르다는 것을 의미한다.
• Ia형 초신성 관측으로 우주를 가속 팽창시키는 원인 물질은 암흑 에너지 때문일 것으로 추정하고 있다.
• Ia형 초신성은 하나의 은하에서 수백 년에 한 번 정도 발생하지만 은하의 수가 매우 많으므로 충분한 자료를 얻어낼 수 있다.

내신 만점 문제   p. 247~249

01 ③   02 ①   03 ②   04 ②   05 ④   06 ③

07 ⑤   08 ③   09 ③   10 ③   11~12 해설 참조

---

01 ㄱ. 현재 우주는 암흑 물질이 약 27 %, 보통 물질이 약 5 %를 차지한다.

ㄴ. 115억 년 후에는 현재보다 암흑 에너지가 많아지므로 우주의 팽창 속도가 빨라질 것이다.

오답 피하기

ㄷ. 우주의 팽창에 의해 245억 년 후에 우주의 밀도는 현재보다 작아질 것이다.

02 A는 암흑 에너지, B는 암흑 물질, C는 보통 물질이다.

ㄱ. 중력의 반대 방향으로 작용하여 우주 팽창을 일으키는 원인 물질은 암흑 에너지이다.

오답 피하기

ㄴ. 전자기파를 방출하거나 흡수하는 물질은 보통 물질이다.

ㄷ. 암흑 물질은 빛(전자기파)을 방출하지 않기 때문에 중력적인 효과에 의해서만 그 존재를 알 수 있다.

03 ㄷ. 우주의 가속 팽창은 암흑 에너지의 비율 증가와 관련이 있다. 암흑 에너지가 계속 증가하고 있으므로, 우주의 팽창 속도도 증가하고 있다.

오답 피하기

ㄱ. 팽창하는 우주에서 우주의 평균 밀도는 A 시점보다 현재가 작다.

ㄴ. 암흑 물질의 비율은 A 시점보다 현재가 작다.

문제 속 자료 **시간에 따른 우주의 크기와 우주를 구성하는 요소**

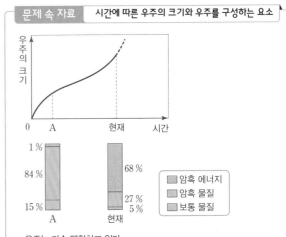

• 우주는 가속 팽창하고 있다.
• A 시점과 비교할 때 현재 암흑 에너지의 비율이 크게 증가하였다.
→ 중력과 반대 방향으로 작용하는 암흑 에너지는 우주를 가속 팽창시키는 물질이다.

04 ㄴ. 우주를 구성하는 성분은 암흑 에너지 > 암흑 물질 > 보통 물질 순으로 분포한다.

A는 약 27 %, B는 약 5 %이다.

오답 피하기

ㄱ. (가)는 암흑 에너지, (나)는 암흑 물질이다.

ㄷ. 우주를 가속 팽창시키는 성분은 암흑 에너지이다.

05 ㄴ. 실제 관측 결과에 따르면, 초기에는 우주의 팽창 속도가 감소했지만 일정 시점(빅뱅 후 약 70억 년)부터 우주의 팽창 속도가 점차 빨라지고 있다.

ㄷ. 가속 팽창의 원인은 중력의 반대 방향으로 척력을 일으키는 암흑 에너지 때문일 것으로 추정하고 있다.

[오답 피하기]

ㄱ. 멀리 있는 초신성일수록 예상 값보다 관측 값의 적색 편이가 더 크므로 더 멀리 있다.

06 ㄱ. 적색 편이가 클수록 멀리 있는 천체이므로 거리 지수가 크게 나타난다.

ㄴ. 초신성에 대한 관측 값은 가속 팽창하는 우주에 적당하다.

[오답 피하기]

ㄷ. 우주가 팽창할수록 중력과 반대 방향으로 작용하는 암흑 에너지의 역할이 증가할 것이다.

07 Ia형 초신성은 별이 폭발하면서 밝게 빛나는 현상으로, 가장 밝을 때에는 은하의 밝기와 거의 비슷하다. 이러한 특징 때문에 아주 먼 거리에서도 쉽게 관측할 수 있다.

ㄱ. Ia형 초신성은 일정한 질량에서 폭발하기 때문에 최대 밝기는 거의 일정하다.

ㄴ. 문제의 그림에서 적색 편이 $z=1.2$인 위치에서 Ia형 초신성의 거리 예측 값은 A가 B보다 크다.

ㄷ. 멀리 있는 초신성이 예상보다 더 어둡게 관측되는 것은 우주의 팽창 속도가 이론으로 생각했던 것보다 더 빠르다는 뜻이므로 팽창을 가속시키는 물질이 필요하게 되었다. 관측 자료에 나타난 우주의 팽창을 설명하기 위해서는 암흑 에너지를 고려해야 한다.

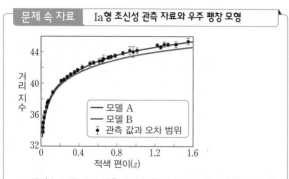

문제 속 자료 Ia형 초신성 관측 자료와 우주 팽창 모형

- 모델 A는 보통 물질, 암흑 물질, 암흑 에너지를 모두 고려한 우주 팽창 모형이다.
- 모델 B는 보통 물질과 암흑 물질만 고려한 우주 팽창 모형이다.
- 우주를 가속 팽창시키는 물질인 암흑 에너지의 존재를 설명할 수 있다.

08 ㄷ. (다)는 평탄 우주로 우주의 밀도가 임계 밀도와 같다.

[오답 피하기]

ㄱ. (가)는 열린 우주로 우주는 계속 팽창한다.

ㄴ. (나)는 닫힌 우주로 먼 미래에 우주는 다시 수축한다.

09 ㄷ. 빅뱅 이후 우주는 팽창하고 있다.

[오답 피하기]

ㄱ. A는 가속 팽창 우주, B는 열린 우주, C는 평탄 우주, D는 닫힌 우주이다.

ㄴ. B는 우주의 평균 밀도가 임계 밀도보다 작고, D는 우주의 평균 밀도가 임계 밀도보다 크다.

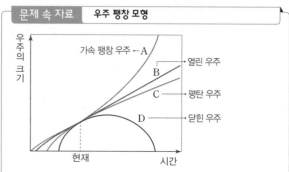

문제 속 자료 우주 팽창 모형

- 평탄 우주라도 암흑 에너지의 양이 많으면 우주는 가속 팽창한다.
- 팽창 초기에는 중력이 세기 때문에 우주가 감속 팽창하지만, 팽창에 따라 물질의 밀도가 점점 낮아지므로 상대적으로 중력이 우주 팽창에 미치는 영향은 적어진다.

10 ㄷ. 닫힌 우주는 우주의 밀도>임계 밀도이므로 우주는 수축할 것이다.

[오답 피하기]

ㄱ. 열린 우주는 우주의 밀도가 임계 밀도보다 작고, 평탄 우주는 우주의 밀도와 임계 밀도가 같다. 닫힌 우주는 우주의 밀도가 임계 밀도보다 크다. 우주의 평균 밀도는 열린 우주<평탄 우주<닫힌 우주 순으로 크다.

ㄴ. 평탄 우주는 팽창 속도가 점차 줄어들지만 우주 팽창이 멈추지는 않는다.

11 우리 은하의 회전 속도와 중력을 이용하여 계산하면 우리 은하의 질량은 태양 질량의 약 3×10^{12}배로 추정된다. 즉, 빛을 방출하지 않는 막대한 양의 암흑 물질이 우리 은하의 헤일로에 분포하고 있는 것이다. 암흑 물질에 대한 증거는 대부분 은하 집단을 연구하여 얻을 수 있다.

[모범 답안] (1) 회전 속도가 느려질 것이다.

(2) 회전 속도가 거의 일정하게 나타난다.

(3) 은하의 질량이 중심부에만 집중되어 있지 않고 은하 외곽에도 상당히 분포하며 이 물질이 은하의 회전 속도에 영향을 미친 것이다. 은하 외곽에 분포하는 암흑 물질의 질량 때문에 회전 속도가 감소하지 않는 것이다.

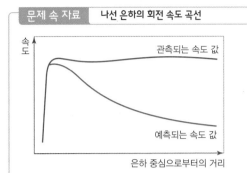

- 은하의 회전 운동을 계산하고 관측하면서 그 회전 속도가 눈에 보이는 물질의 중력만으로 다 설명되지 않는다는 점을 발견했다.
- 은하 중심에서 먼 곳일수록 느리게 회전해야 하는데도 실제 관측된 회전 속도는 거의 일정하게 나타났다. 정체가 밝혀지지 않은 암흑 물질의 중력이 눈에 보이는 보통 물질의 중력만으로 다 설명되지 않는 은하의 회전 속도에 작용했을 것으로 추정할 수 있다.

	채점 기준	배점
(1)	모범 답안과 같이 옳게 서술한 경우	30%
	회전 속도가 느려진다는 의미의 서술이 포함된 경우	15%
(2)	모범 답안과 같이 옳게 서술한 경우	30%
	회전 속도가 거의 일정하다는 의미의 서술이 포함된 경우	15%
(3)	모범 답안과 같이 옳게 서술한 경우	40%
	암흑 물질이 분포하기 때문이라고만 서술한 경우	20%

12 보통 물질, 암흑 물질, 암흑 에너지의 비율은 현재를 기준으로 판단한다. 보통 물질과 암흑 물질은 시간에 따라 밀도가 감소하였다. 암흑 에너지의 비율은 시간에 상관없이 밀도가 일정하므로 그 양이 증가하였을 것이다.

[모범 답안] (1) A: 암흑 물질, B: 보통 물질, C: 암흑 에너지
(2) 보통 물질이 차지하는 비율은 감소하고, 암흑 에너지의 총량은 증가한다.

문제 속 자료	가속 팽창 우주 모형

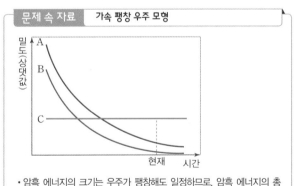

- 암흑 에너지의 크기는 우주가 팽창해도 일정하므로, 암흑 에너지의 총량은 증가하고 그 영향력은 상대적으로 더 커진다.

	채점 기준	배점
(1)	A, B, C를 모두 옳게 쓴 경우	30%
	세 가지 중 한 가지씩 빠진 경우	10%씩 감점
(2)	모범 답안과 같이 옳게 서술한 경우	70%
	보통 물질이 차지하는 비율과 암흑 에너지의 총량의 변화 중 한 가지만 옳게 서술한 경우	40%

01 ㄱ. (가)는 정상 나선 은하, (나)는 막대 나선 은하로 두 은하 모두 나선팔이 존재한다.

[오답 피하기]

ㄴ. (다)는 불규칙 은하로 일정한 모양이나 형태가 없다.

ㄷ. (라)는 타원 은하로, 나선 은하나 불규칙 은하와 비교할 때 성간 물질이 거의 없다.

02 ㄱ. (가)는 타원 은하, (나)는 나선 은하이다. 타원 은하는 대부분 늙은 별로 이루어져 있어 붉은색으로 보인다.

ㄷ. 나선 은하의 나선팔에는 성간 물질이 많이 분포하고 있어 새로운 별의 형성이 활발하고 파란색 별이 많다.

[오답 피하기]

ㄴ. 외부 은하는 형태에 따라 타원 은하, 나선 은하, 불규칙 은하로 분류할 수 있다. 이러한 은하의 분류는 은하의 진화 정도와는 관계가 없다. 나선팔은 나선 은하에만 나타난다.

03 ㄱ. 퀘이사는 수많은 별들로 이루어진 거대한 은하이지만 너무 멀리 있어 하나의 별처럼 보인다. 퀘이사가 방출하는 에너지는 우리 은하의 수백~수천 배에 이른다. 퀘이사의 중심부에는 블랙홀이 있을 것으로 추정된다.

ㄷ. 퀘이사는 별처럼 보이지만 보통의 별과는 달리 매우 큰 적색 편이가 나타나는 은하로, 후퇴 속도가 매우 빠르다.

[오답 피하기]

ㄴ. 퀘이사는 우주 탄생 초기의 천체로, 매우 큰 적색 편이가 나타난다.

문제 속 자료	퀘이사의 모습과 스펙트럼

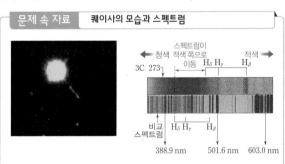

- 퀘이사는 하나의 별처럼 보이지만 확대해서 보면 여러 개의 은하가 모여 있다.
- 퀘이사는 우리가 관측할 수 있는 가장 먼 거리에 있는 천체이다.
- 퀘이사는 우리 은하 밖에 있는 천체이다.

04 ㄱ. 세이퍼트은하는 크기는 작지만 강한 방출선을 내는 중심핵을 가지고 있다.

ㄴ. 세이퍼트은하의 스펙트럼에서 넓은 방출선이 나타나는데, 방출선은 세이퍼트은하의 중심핵 부근에 뜨거운 성운이 있다는 것을 의미한다.

ㄷ. 방출선의 폭이 넓다는 것은 세이퍼트은하 내의 성운이 빠른 속도로 회전하고 있다는 뜻이다.

05 ㄴ. 후퇴 속도가 가장 빠른 은하 C에서 적색 편이가 가장 크다.

ㄷ. 거리가 먼 은하일수록 더 빠르게 후퇴하므로 적색 편이가 더 크게 나타난다.

[오답 피하기]

ㄱ. 멀리 있는 은하일수록 후퇴 속도가 빠르므로, 후퇴 속도가 가장 빠른 은하는 C이다.

문제 속 자료 외부 은하의 후퇴 속도

은하	사진	거리(Mpc)	스펙트럼
A		17	
B		210	
C		560	

• 스펙트럼의 붉은색 화살표는 적색 편이되는 정도(적색 편이량)를 나타낸다.
• A → B → C로 갈수록 거리가 멀어지고 적색 편이가 크게 나타난다.

---

06 ㄱ. 은하 A~D에서는 적색 편이가 나타나는 것으로 보아 우리 은하로부터 멀어지고 있다.

ㄴ. 멀리 있는 은하일수록 적색 편이량이 크고 후퇴 속도가 빠르다.

[오답 피하기]

ㄷ. 멀리 있는 은하일수록 더 빠른 속도로 멀어져 간다. x로부터 멀어지는 속력은 z가 y보다 크다.

07 ㄱ. 후퇴 속도(v)는 스펙트럼 흡수선의 적색 편이량으로부터 구할 수 있다.

$$v = \frac{\lambda - \lambda_0}{\lambda_0} \times c = \frac{8.2}{410} \times 3 \times 10^5 \,(km/s) = 6 \times 10^3 \,(km/s)$$

ㄷ. 허블 법칙에 따라 후퇴 속도가 클수록 거리가 멀고 적색 편이가 크게 나타난다. 거리가 먼 은하일수록 후퇴 속도가 커지는 것은 우주가 팽창하고 있음을 의미한다.

[오답 피하기]

ㄴ. 허블 상수 $H = \dfrac{\text{후퇴 속도}}{\text{거리}}$ 이므로 $H = 50 \,km/s/Mpc$ 이다.

문제 속 자료 외부 은하의 분광 관측 결과와 후퇴 속도

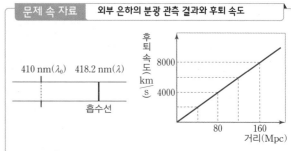

• 거리와 후퇴 속도와의 관계를 이용하여 은하까지의 거리를 알아볼 수 있다.
• 후퇴 속도가 6000 km/s에 해당하는 은하까지의 거리는 120 Mpc 이다.

---

08 ㄴ. 우주는 하나의 점으로부터 대폭발하여 생성되었고, 계속 팽창하면서 냉각되었다. 우주의 팽창 과정에서 우주의 밀도는 작아지고 있다.

[오답 피하기]

ㄱ. 팽창하는 우주에서 특정한 중심은 없다. 우리 은하는 우주의 중심이 아니다.

ㄷ. 멀어지는 천체에서 방출된 빛은 적색 편이 현상이 나타난다. 은하의 후퇴 속도는 거리에 비례하여 빨라진다.

09 ㄷ. 허블 법칙에 따르면 은하의 후퇴 속도와 거리는 비례 관계에 있다.

[오답 피하기]

ㄱ. 팽창하는 우주에서 중심은 없다. A는 우주의 중심이라고 할 수 없다.

ㄴ. B에서 C를 관측하면 적색 편이가 관측된다.

문제 속 자료 외부 은하의 후퇴 속도

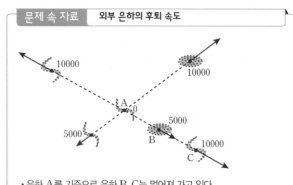

• 은하 A를 기준으로 은하 B, C는 멀어져 가고 있다.
• C가 멀어지는 속도는 B가 멀어지는 속도보다 빠르다.
• 은하 A, B, C 중 어느 은하를 기준으로 하더라도 다른 은하는 기준 은하로부터 멀어져 간다. 팽창하는 우주에서 중심은 없다.

---

10 ㄱ. 허블 법칙에 따르면 은하의 후퇴 속도(V)는 그 은하까지의 거리(r)에 비례한다.

$$V = H(\text{허블 상수}) \times r, \quad \therefore H = \frac{V}{r} \text{이다.}$$

ㄴ. 천문학자 A보다 B가 구한 허블 상수가 작으므로 우주의

크기는 B가 구한 값이 더 크다. 우주의 나이는 허블 상수의 역수이므로 천문학자 A보다 B가 구한 우주의 나이가 많다.

오답 피하기

ㄷ. B의 허블 상수가 A보다 작으므로 지구에서 같은 속도로 멀어지는 외부 은하까지의 거리는 A보다 B가 더 멀다.

11 ㄷ. (나)에서 2.7 K의 우주 배경 복사는 대폭발 후 약 38만 년에 방출된 빛이 우주 팽창으로 낮은 온도의 복사 에너지로 변한 것으로 우주의 모든 방향에서 관측된다.

오답 피하기

ㄱ. (가)에서 우주가 팽창하여 부피가 증가하므로 우주의 밀도는 감소한다.

ㄴ. 우주 어디에서나 다른 은하가 후퇴하는 것으로 관측되므로 팽창의 중심은 없다.

12 ㄱ. 우주 배경 복사는 대폭발 이후 우주의 온도가 약 3000 K으로 식었을 때 우주를 채우고 있던 복사 에너지로, 대폭발 우주론의 가장 강력한 증거이다.

오답 피하기

ㄴ. 우주 배경 복사가 방출되었던 시기는 빅뱅 이후 약 38만 년이었고, 이 시기에 우주의 온도는 약 3000 K이었다.

ㄷ. 복사 강도가 최대인 파장은 우주 탄생 초기보다 현재가 더 길다.

13 ㄱ. (가)는 펜지어스와 윌슨이 지상 망원경으로 전파 영역을 관측한 것이고, (나)는 WMAP 위성이 전파 영역을 관측한 것이다.

ㄴ. 우주 배경 복사는 초기 우주 상태를 유추하는 데 결정적인 단서를 제공하였다.

오답 피하기

ㄷ. (나)는 (가)보다 더 정밀하게 관측되었다.

문제 속 자료 우주 배경 복사 관측

(가) 지상 망원경 　　(나) WMAP 위성

• 우주 배경 복사는 우주를 균일하게 가득 채우고 있는 열복사를 나타낸 것이다.
• 1989년 발사된 COBE 위성은 우주 배경 복사를 관측하여 스펙트럼 분포가 약 2.7 K의 흑체 복사 특성과 거의 일치한다는 것을 밝혀 내었다.
• WMAP 위성은 $\frac{1}{10^5}$ K 수준에서 우주 배경 복사의 미세한 차이를 감지하여 초기 우주에 밀도 차가 있었음을 증명했다. 이 발견으로 빅뱅 우주론은 은하의 형성을 설명할 수 있게 되었다.

14 ㄴ. 우주의 팽창으로 온도가 낮아지면서 원자핵은 전자와 결합하였다.

ㄷ. 우주의 온도가 약 3000 K으로 낮아지고 전자가 원자핵과 결합하여 중성 원자(수소, 헬륨)가 형성되면서 빛이 전자의 방해를 받지 않아 우주가 맑아졌고 우주 배경 복사가 방출되었다.

오답 피하기

ㄱ. 우주가 팽창하면서 우주의 온도는 계속 낮아졌다.

15 ㄴ. 원자가 형성(A 시기)되면서 빛이 자유롭게 이동하여 우주 배경 복사가 방출되었다.

ㄷ. 우주의 크기가 커지면서 우주의 온도는 감소하였으므로 현재의 온도는 B 시기보다 낮다.

오답 피하기

ㄱ. 빅뱅 이후 우주의 크기는 지속적으로 증가하였다.

16 ㄱ. Ia형 초신성을 관측한 자료는 우주가 가속 팽창을 하고 있다는 것을 보여준다. (가)의 A는 가속 팽창 우주, B는 감속 팽창 우주이다.

ㄷ. 우주의 팽창을 가속시키는 우주의 성분은 암흑 에너지이다.

오답 피하기

ㄴ. (나)에서 우주는 빅뱅 이후 급팽창하였고 이후 감속 팽창하였으며 이어서 현재까지는 가속 팽창하고 있다.

문제 속 자료 Ia형 초신성 관측과 우주의 가속 팽창

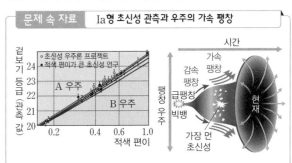

• 우주는 빅뱅 직후 급팽창(인플레이션)이 있었고, 팽창 속도가 조금씩 줄어들다가 약 70억 년이 지난 후부터 현재까지 가속 팽창하고 있다.
• Ia형 초신성 관측으로 최근 우주 팽창 속도가 가속화되고 있다는 것을 알 수 있다.

Memo

S·H·E·R·P·A

Memo

S·H·E·R·P·A

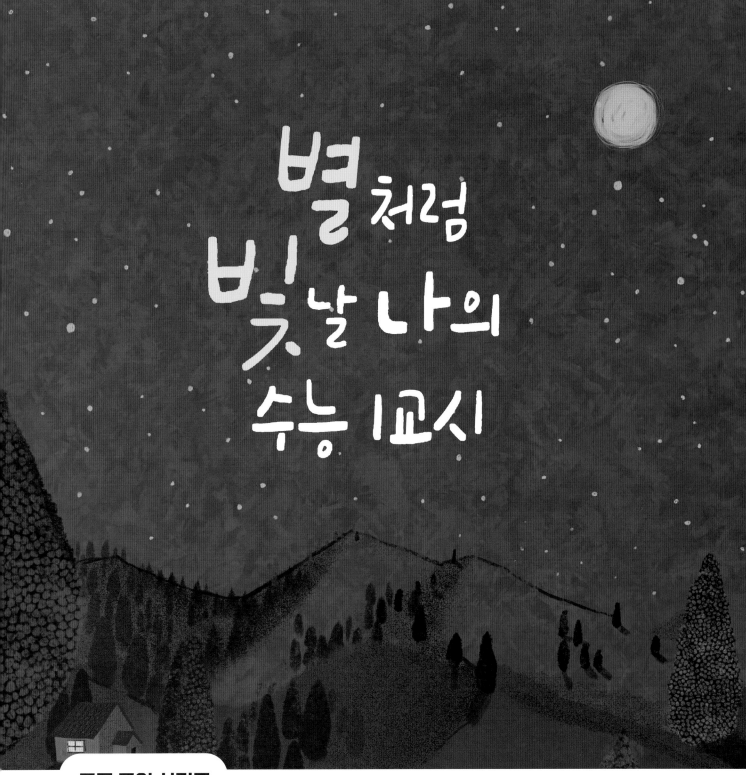

별처럼
빛날 나의
수능 1교시

고등 국어 시리즈

내신&수능의 출제(예상) 작품과 국어 공부의 비법을 담은 국어 영역 필수템

문학 종합서 | 해법문학

17년간 부동의 1위 문학 참고서
교과서 문학작품 875편 최다 수록

국어 기본서 | 100인의 지혜

단 한 명의 고등학생에게 바치는
국어 명강사 100인의 노하우 수록

개념을 쌓아가는 기본서

고등 **셀파**

BOOK 1
개념 기본서|정답과 해설

지구과학 I

개념을 쌓아가는 **기본서**

고등 **셀파**

Sherpa 지구과학 I

STRUCTURE
S · H · E · R · P · A

고등 셀파 지구과학 I 문제 기본서의 52유형은 최근 10년간 기출 문제 중 다음과 같은 과정을 거쳐 선정하였습니다.
시험에 잘 나오는 유형을 학습하고 학교 시험에 대비하도록 하세요.

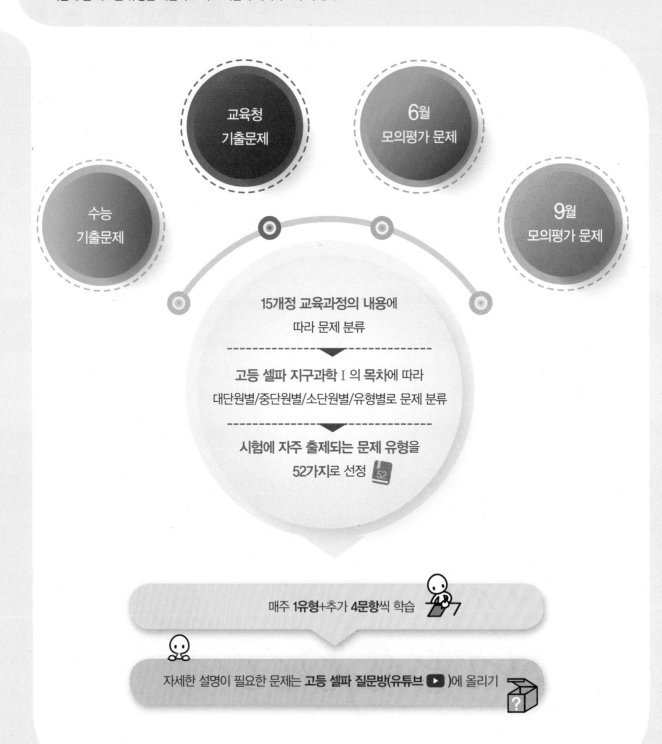

교육청
기출문제

6월
모의평가 문제

수능
기출문제

9월
모의평가 문제

15개정 교육과정의 내용에
따라 문제 분류

고등 셀파 지구과학 I 의 목차에 따라
대단원별/중단원별/소단원별/유형별로 문제 분류

시험에 자주 출제되는 문제 유형을
52가지로 선정 52

매주 1유형+추가 4문항씩 학습

자세한 설명이 필요한 문제는 고등 셀파 질문방(유튜브 ▶)에 올리기

52

유형 | 한눈에 짚어보기

기출 분석

01 유형

❓ **출제 의도**

해저 확장의 증거를 알아보고 해저 확장으로 나타나는 현상을 설명할 수 있는지를 묻는 문제이다.

〰️ **이렇게 대비하자!**

해저가 확장할 때 정상기(정자극기)와 역전기(역자극기)를 구분하고, 지구 자기장의 방향을 비교하도록 한다.

■ **연관 기출 문제 키워드**

\# 해저 암석 \# 해령

\# 해저 확장설 \# 해양 지각

\# 고지자기 \# 고지자기 줄무늬

문제 분석

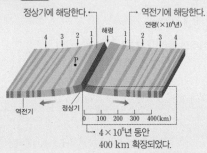

정상기에 해당한다. 역전기에 해당한다.

→ 4 × 10⁶년 동안 400 km 확장되었다.

- 해양판의 평균 이동 속도= $\dfrac{\text{이동한 거리}}{\text{이동한 시간}}$

- 해령을 기준으로 할 때, 정상기→역전기 → 정상기 → 역전기(P점) → 정상기→역전기…, 순으로 해양판이 확장된다.

그림은 어느 해령 부근의 고지자기 줄무늬를 나타낸 모식도이다.

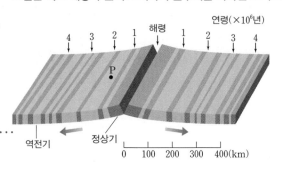

이에 대한 옳은 설명을 〈보기〉에서 모두 고른 것은?

┤ 보기 ├

ㄱ. 해양판의 평균 이동 속도는 약 10 cm/년이다.

ㄴ. P점이 해령에 위치하였을 때 지자기는 정상기이다.

ㄷ. 고지자기 줄무늬 대칭은 해저 확장설의 증거가 된다.

① ㄱ   ② ㄴ   ✓③ ㄱ, ㄷ   ④ ㄴ, ㄷ   ⑤ ㄱ, ㄴ, ㄷ

■ **문항별 해설**

ㄱ. (○) 해양판의 평균 이동 속도는 해령으로부터 떨어진 거리와 그 지점의 암석 연령을 이용하여 계산한다. 즉, 해양판의 평균 이동 속도= $\dfrac{4 \times 10^7 \text{ cm}}{4 \times 10^6 \text{ 년}}$ =10 cm/년이다.

ㄴ. (×) 고지자기는 해령에서 생성될 당시의 자기장을 유지한다. P점이 해령에 위치하였을 때 지자기는 역전기에 해당한다.

ㄷ. (○) 고지자기 줄무늬는 해령을 기준으로 양쪽으로 대칭적으로 확장되어 나가므로, 해저 확장설의 증거가 된다.

🖥️ **개념 알기**

고지자기는 마그마가 식어서 굳을 때나 퇴적물이 쌓일 때 기록된 과거의 지구 자기장이다. 암석이 생성될 때 자성을 띠는 광물은 생성 당시 지구 자기장 방향에 따라 배열된다.

■ **오류 피하기**

⋯ 고지자기 줄무늬는 정상기와 역전기가 반복되므로, 그림에서 순차적으로 판단하도록 한다.

⋯ 속도= $\dfrac{\text{거리}}{\text{시간}}$ 이다. 문제에서 시간은 해양 지각의 연령이고, 거리는 판이 확장된 길이(이동한 거리)에 해당한다.

기출 문제

정답과 해설 3쪽

001 그림은 어느 해령 부근의 고지자기 분포와 세 지점 A~C
의 위치를 나타낸 것이다.

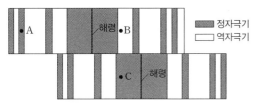

정자극기
역자극기

이에 대한 설명으로 옳은 것만을 〈보기〉에서 있는 대로 고
른 것은?

┤ 보기 ┤

ㄱ. A 지점의 지각이 생성될 당시 지구 자기장의 방
  향은 현재와 같았다.
ㄴ. 지각의 나이는 B가 A보다 많다.
ㄷ. B가 위치한 판과 C가 위치한 판의 이동 방향은
  서로 같다.

① ㄱ ② ㄴ ③ ㄱ, ㄷ ④ ㄴ, ㄷ ⑤ ㄱ, ㄴ, ㄷ

002 그림은 해양 지각의 연령과 고지자기 분포를 나타낸 모식
도이다.

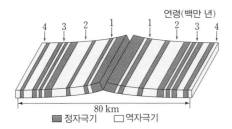

정자극기   역자극기

이 자료에 대한 설명으로 옳은 것만을 〈보기〉에서 있는 대
로 고른 것은?

┤ 보기 ┤

ㄱ. 발산형 경계에서 나타나는 고지자기 분포이다.
ㄴ. 판의 평균 이동 속도는 2 cm/년이다.
ㄷ. 지자기 역전 주기는 일정하다.

① ㄱ ② ㄴ ③ ㄷ ④ ㄱ, ㄴ ⑤ ㄴ, ㄷ

003 그림은 과거 500만 년 동안 해령 부근의 암석에 기록된 변
화를 나타낸 것이다.

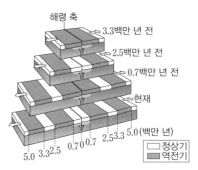

정상기
역전기

이에 대한 옳은 설명을 〈보기〉에서 모두 고른 것은? (단,
정상기는 지구 자기장의 방향이 현재와 같았던 시기이다.)

┤ 보기 ┤

ㄱ. 해령을 중심으로 고지자기의 분포가 대칭적이다.
ㄴ. 이 기간 동안 지구 자기장의 역전기는 4번 있었다.
ㄷ. 150만 년 전의 지구 자기장 방향은 현재와 반대
  였다.

① ㄱ ② ㄴ ③ ㄱ, ㄴ ④ ㄱ, ㄷ ⑤ ㄴ, ㄷ

004 그림 (가)는 대서양 중앙 해령 부근의 고지자기 분포의 일
부를, (나)는 고지자기 줄무늬가 형성되는 과정을 모식적으
로 나타낸 것이다.

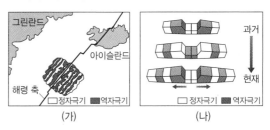

정자극기 역자극기   정자극기 역자극기
    (가)   (나)

이에 대한 설명으로 옳은 것만을 〈보기〉에서 있는 대로 고
른 것은?

┤ 보기 ┤

ㄱ. 해령에서는 현무암질 지각이 생성된다.
ㄴ. 아이슬란드는 발산형 경계에 위치한다.
ㄷ. 해령에서는 해양 지각 생성 당시의 지구 자기장
  방향이 기록된다.

① ㄱ ② ㄴ ③ ㄱ, ㄷ ④ ㄴ, ㄷ ⑤ ㄱ, ㄴ, ㄷ

기출 분석

02 유형

? 출제 의도
우리나라 부근의 판의 경계의 특징을 이해하고 판의 경계에서 나타나는 현상을 묻는 문제이다.

〰 이렇게 대비하자!
판의 경계에서 밀도가 큰 쪽을 찾아보고 어느 쪽으로 섭입이 일어나는지를 파악한다. 우리나라 주변 판의 밀도를 비교하도록 한다.

■ 연관 기출 문제 키워드

판 경계 # 섭입 경계
우리나라 주변 판의 분포
유라시아판 # 태평양판 # 필리핀판
대륙판 # 해양판
진원 # 진앙

문제 분석

· A는 대륙판, A′는 해양판이므로 A′에서 A 방향으로 판이 섭입한다.

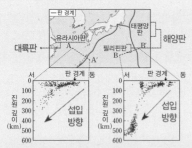

· B와 B′는 해양판에 위치한다.

· 진원 분포를 보면, B′에서 B 방향으로 판이 섭입하므로 B′(태평양판)의 밀도가 B(필리핀판)보다 크다.

그림은 우리나라 부근의 판 경계와 A−A′, B−B′ 지역에서 발생한 지진의 진원 분포를 나타낸 것이다.

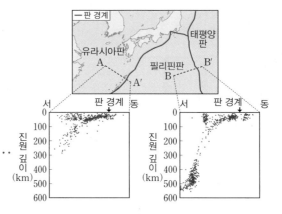

이에 대한 설명으로 옳은 것만을 〈보기〉에서 있는 대로 고른 것은?

┤ 보기 ├

ㄱ. A−A′ 지역에서 화산 활동은 필리핀판보다 유라시아판에서 활발하다.

ㄴ. B−B′ 지역은 맨틀 대류의 상승부에 위치한다.

ㄷ. 판의 밀도는 태평양판＞필리핀판＞유라시아판이다.

① ㄱ   ② ㄴ   ✓③ ㄱ, ㄷ   ④ ㄴ, ㄷ   ⑤ ㄱ, ㄴ, ㄷ

■ 문항별 해설

ㄱ. (○) 진원 분포를 나타낸 그림을 보면 A−A′ 지역에서는 필리핀판(A′)이 유라시아판(A) 아래로 섭입한다. 이때 판의 섭입이 일어나는 유라시아판 아래에서 마그마가 생성되므로 화산 활동은 필리핀판보다 유라시아판에서 활발하다.

ㄴ. (×) B−B′ 지역은 태평양판(B′)이 필리핀판(B) 아래로 섭입하므로 수렴형 경계가 나타난다. 따라서 이 지역은 맨틀 대류의 하강부에 해당한다.

ㄷ. (○) 밀도가 큰 판이 밀도가 작은 판 아래로 섭입하므로 판의 밀도는 태평양판＞필리핀판＞유라시아판이다.

📺 개념 알기

진원은 지구 내부에서 지진이 발생한 지점이고, 진앙은 진원 바로 위의 지표면의 지점이다.

■ 오류 피하기

···▸ 판이 확장하는 곳은 맨틀 대류의 상승부에 해당하고, 판이 섭입하는 곳은 맨틀 대류의 하강부에 해당한다.

···▸ 판의 경계에서는 밀도가 큰 판이 밀도가 작은 판 아래로 섭입한다.

기출 문제

정답과 해설 3~4쪽

005 그림은 우리나라와 일본 주변에서 발생한 지진의 진원 분포를 나타낸 것이다. 이에 대한 설명으로 옳은 것만을 〈보기〉에서 있는 대로 고른 것은?

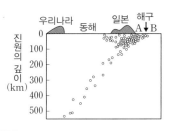

┤ 보기 ├
ㄱ. 우리나라와 일본은 서로 다른 판에 위치한다.
ㄴ. 우리나라에서 일본 쪽으로 갈수록 진원의 깊이는 얕아진다.
ㄷ. 화산 활동은 A 지역이 B 지역보다 활발하다.

① ㄱ　② ㄴ　③ ㄷ　④ ㄱ, ㄷ　⑤ ㄴ, ㄷ

006 그림은 쿠릴 열도 부근에서 일정 기간 동안 발생한 지진의 진원 분포를 나타낸 것이다.

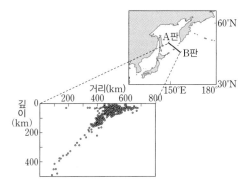

이에 대한 설명으로 옳은 것만을 〈보기〉에서 있는 대로 고른 것은?

┤ 보기 ├
ㄱ. 이 지역에는 판의 수렴형 경계가 나타난다.
ㄴ. 판의 밀도는 A가 B보다 크다.
ㄷ. 호상 열도는 A판에 위치한다.

① ㄱ　② ㄴ　③ ㄱ, ㄴ　④ ㄱ, ㄷ　⑤ ㄴ, ㄷ

007 그림은 최근 10여 년 동안 일본 주변에서 일어난 규모 5.0 이상인 지진의 진앙과 규모, 진원 깊이를 나타낸 것이다.

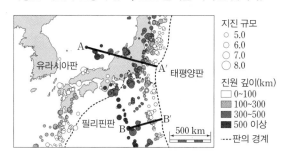

이에 대한 설명으로 옳은 것만을 〈보기〉에서 있는 대로 고른 것은?

┤ 보기 ├
ㄱ. 필리핀판이 유라시아판 아래로 섭입한다.
ㄴ. 섭입하는 판의 경사는 A−A′가 B−B′보다 크다.
ㄷ. 일본에서 측정된 규모 6.0의 지진은 우리나라에서는 더 작은 규모로 측정된다.

① ㄱ　② ㄷ　③ ㄱ, ㄴ　④ ㄱ, ㄷ　⑤ ㄴ, ㄷ

008 그림 (가)는 태평양 주변 판의 분포를, (나)는 두 지역 A, B의 진원을 나타낸 것이다.

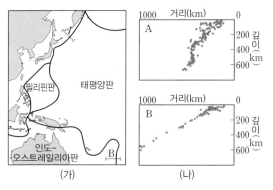

(가)　　　　(나)

이에 대한 설명으로 옳은 것만을 〈보기〉에서 있는 대로 고른 것은?

┤ 보기 ├
ㄱ. 두 지역은 모두 수렴형 경계이다.
ㄴ. (가)에서 A는 B보다 판의 경계로부터 더 먼 곳까지 진앙이 분포한다.
ㄷ. B에서 태평양판의 밀도는 인도-오스트레일리아판보다 크다.

① ㄱ　② ㄴ　③ ㄱ, ㄷ　④ ㄴ, ㄷ　⑤ ㄱ, ㄴ, ㄷ

기출 분석

03 유형

■ **연관 기출 문제　키워드**

\# 고지자기 \# 자극

\# 자극의 이동 경로

\# 대륙 이동 \# 자기 북극

\# 대륙 이동의 증거

? 출제 의도

고지자기 북극의 이동 경로를 나타낸 자료를 이해하는지를 묻는 문제이다.

∧∧ 이렇게 대비하자!

고지자기 북극의 이동 경로를 분석하고, 대륙 이동과 연관지어 설명할 수 있도록 한다. 과거에 지자기 북극은 하나였음을 기억하도록 한다.

그림 (가)는 북아메리카와 유라시아 대륙에서 측정한 고지자기 북극의 이동 경로를 나타낸 것이고, (나)는 두 대륙에서 측정한 자극의 이동 경로를 일치시켰을 때 나타나는 대륙 분포이다.

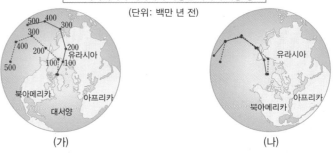

이에 대한 설명으로 옳은 것만을 〈보기〉에서 있는 대로 고른 것은?

─┤ 보기 ├─
ㄱ. 과거에 두 개의 자기 북극이 존재했다.
ㄴ. 북아메리카 대륙에서 발견되는 습곡 산맥이 유라시아 대륙에 연속적으로 분포할 수 있다.
ㄷ. (가)와 (나)를 통해 대륙이 이동했음을 알 수 있다.

① ㄱ　　② ㄴ　　③ ㄱ, ㄷ　　✔ ㄴ, ㄷ　　⑤ ㄱ, ㄴ, ㄷ

문제 분석

• 현재 유라시아 대륙과 북아메리카 대륙에서 측정한 자극의 이동 경로는 서로 다르다.

2개의 자극이 이동한 것처럼 보인다.

하나하나의 점이 자기 북극의 이동 경로를 나타낸다.

• 자기 북극은 원래 하나이므로 유라시아 대륙과 북아메리카 대륙에서 측정된 자극의 이동 경로를 합치면 흩어져 있던 대륙이 모아진다.

자극을 하나로 모아보면 대륙이 붙어 있었음을 알 수 있다.

■ 문항별 해설

ㄱ. (×) 과거에도 자기 북극은 하나였다. 그림과 같이 지자기 북극이 이동한 것처럼 보이는 것은 대륙이 이동하였기 때문이다.

ㄴ. (○) 북아메리카 대륙과 유라시아 대륙은 과거에 붙어 있었던 적이 있으므로 두 대륙에서 연속적인 지질 구조가 분포할 수 있다.

ㄷ. (○) 암석에 남아 있는 잔류 자기를 연구하여 과거부터 현재까지 대륙이 이동하였다는 사실을 알 수 있다.

🖥 개념 알기

지자기 북극은 지구 자기장(지구의 자기력이 미치는 공간)의 북극 방향이다. 우리가 북극이라고 말하는 것은 지리상 북극을 의미한다.

■ 오류 피하기

⋯➔ 자기 북극의 이동 방향만 따라가다 보면 자기 북극을 여러 개로 생각할 수 있다. 그러나 현재와 같이 과거에도 자기 북극은 하나였고, 자기 북극의 이동으로 대륙이 이동한 과정을 알 수 있다.

기출 문제

정답과 해설 4~5쪽

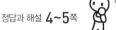

009 그림 (가)는 5억 년 전부터 현재까지 유럽과 북아메리카 대륙에서 측정한 고지자기 북극의 이동 경로를 나타낸 것이고, (나)는 두 대륙의 자극 이동 경로를 일치시켰을 때 나타나는 대륙의 분포이다.

(단위: 억 년 전)

이에 대한 설명으로 옳은 것만을 〈보기〉에서 있는 대로 고른 것은?

| 보기 |
ㄱ. 5억 년 전에는 2개의 자기 북극이 존재했다.
ㄴ. 과거에 두 대륙은 붙어 있었던 적이 있다.
ㄷ. 고지자기 북극의 이동은 대륙의 이동 없이 자극만 이동한 결과이다.

① ㄱ　② ㄴ　③ ㄱ, ㄷ　④ ㄴ, ㄷ　⑤ ㄱ, ㄴ, ㄷ

010 그림은 세 대륙에서 측정한 고지자기 북극의 이동 경로 A~C를 나타낸 것이다. 이에 대한 설명으로 옳은 것만을 〈보기〉에서 있는 대로 고른 것은?

| 보기 |
ㄱ. 고지자기 북극의 위치는 암석의 잔류 자기로 알아낸 것이다.
ㄴ. 과거에 지자기 북극은 세 개였다.
ㄷ. A와 B를 통하여 북아메리카와 유라시아 대륙의 이동을 추정할 수 있다.

① ㄱ　② ㄴ　③ ㄱ, ㄷ　④ ㄴ, ㄷ　⑤ ㄱ, ㄴ, ㄷ

011 그림 (가)는 약 3억 년 전에 육상에 서식했던 메소사우루스 화석 분포를, (나)는 유럽(실선)과 북아메리카(점선)에서 측정한 고지자기 북극의 위치를 연대별로 나타낸 것이다.

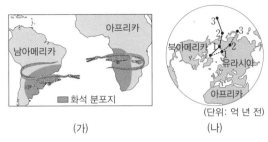

(가)　(나)

이 자료에 대한 해석으로 옳은 것만을 〈보기〉에서 있는 대로 고른 것은?

| 보기 |
ㄱ. 대륙이 함몰되어 대서양이 형성되었다.
ㄴ. 약 3억 년 전에도 지자기 북극은 하나였다.
ㄷ. 유럽과 북아메리카 대륙은 서로 분리되어 이동하였다.
ㄹ. 메소사우루스가 바다를 건너 이동하여 양쪽 대륙에 서식하였다.

① ㄱ, ㄹ　② ㄴ, ㄷ　③ ㄴ, ㄹ
④ ㄱ, ㄴ, ㄷ　⑤ ㄱ, ㄷ, ㄹ

012 그림 (가)는 잔류 자기를 이용하여 과거의 지자기 북극을 찾는 방법을 모식적으로 나타낸 것이고, (나)는 유럽과 북아메리카 대륙에서 측정한 지자기 북극의 겉보기 이동 경로를 나타낸 것이다.

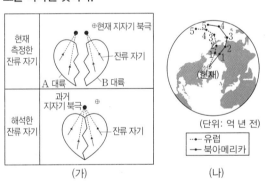

(가)　(나)

이에 대한 설명으로 옳은 것만을 〈보기〉에서 있는 대로 고른 것은?

| 보기 |
ㄱ. 같은 시기에 하나의 대륙에서 형성된 잔류 자기의 방향은 한 점으로 수렴된다.
ㄴ. (가)에서 A와 B 대륙 사이에는 습곡 산맥이 형성된다.
ㄷ. (나)에서 3.5억 년 전 지자기 북극은 하나였다.

① ㄱ　② ㄴ　③ ㄱ, ㄷ　④ ㄴ, ㄷ　⑤ ㄱ, ㄴ, ㄷ

기출 분석

04 유형

이렇게 대비하자!

열점은 고정된 위치로, 이곳에서 마그마가 분출하여 새로운 화산섬들이 계속 생겨나고, 판의 운동에 따라 화산섬들이 이동해 간다는 사실을 알아두도록 한다.

■ 연관 기출 문제　키워드

하와이 열도　# 하와이섬

대륙 이동　# 화산섬

열점　# 고정된 점　# 판의 이동

화산 활동과 지진

판의 이동 방향이 바뀌는 지점

문제 분석

• 현재 화산이 분출되는 하와이섬에서는 계속 새로운 화산섬이 생겨나고 있다.

• 하와이섬에서 북북서쪽 방향에 있는 화산섬들이 먼저 형성되었고, 약 4천 2백만 년 전을 기준으로 이동 방향이 바뀌었다.

그림은 하와이 열도의 분포와 암석의 연령을 나타낸 것이다.

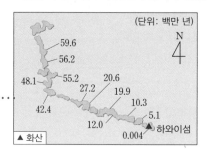

이에 대한 옳은 설명이나 추론만을 〈보기〉에서 있는 대로 고른 것은?

┤ 보기 ├

ㄱ. 하와이섬은 판의 경계로 화산과 지진이 자주 발생하는 변동대이다.

ㄴ. 앞으로 생성될 화산섬은 이동해 간 하와이섬의 남동쪽에 위치할 것이다.

ㄷ. 약 4천 2백만 년 전부터 마그마를 공급하는 열점의 이동 방향이 바뀌었다.

① ㄱ　　✔ ㄴ　　③ ㄱ, ㄷ　　④ ㄴ, ㄷ　　⑤ ㄱ, ㄴ, ㄷ

■ 문항별 해설

ㄱ. (✕) 하와이섬은 판의 내부에서 형성된 열점으로, 판의 경계에 해당하지 않는다.

ㄴ. (○) 하와이섬에서는 계속 새로운 화산섬이 생겨나고 있는데, 하와이 열도의 분포를 보면 시간이 지남에 따라 화산섬들의 위치가 계속 달라진다.
현재 북서쪽 방향으로 화산섬들이 이동하므로 앞으로 생성될 화산섬은 이동해 간 하와이섬을 기준으로 할 때 남동쪽에 생기게 된다.

ㄷ. (✕) 약 4천 2백만 년 전부터 화산섬의 방향이 바뀐 것은 판의 이동 방향이 바뀌었기 때문이다. 마그마를 공급하는 열점은 이동하지 않는다.

개념 알기

하와이섬에서 분출하는 마그마는 지하 약 2900 km에서 올라온 하부 맨틀로부터 형성된다. 맨틀과 핵의 경계에서 올라오는 이러한 상승류인 플룸의 활동을 통해 하와이섬의 형성 과정과 지구 내부 움직임을 이해하게 되었다.

■ 오류 피하기

⋯➡ 열점은 지구 내부의 고정된 위치에서 마그마를 분출하는 곳이다. 즉 움직이지 않는 지점이다. 화산섬이 이동한다고 해서 열점이 이동한다고 생각하지 않도록 한다.

기출 문제

정답과 해설 **5**쪽

013 그림은 태평양판에 위치하는 하와이 열도 및 해산의 연령 분포를 나타낸 모식도이다.
이에 대한 옳은 설명을 〈보기〉에서 모두 고른 것은?

E(59.6) (단위: 백만 년)
D(56.2)
C(42.4) B(12.0)
A(0.1)
하와이섬

┤ 보기 ├
ㄱ. 열점은 E 지점 아래에 위치할 것이다.
ㄴ. C 부근을 경계로 판의 이동 방향이 바뀌었다.
ㄷ. 태평양판은 E에서 A 방향으로 이동했을 것이다.

① ㄱ ② ㄴ ③ ㄱ, ㄷ ④ ㄴ, ㄷ ⑤ ㄱ, ㄴ, ㄷ

014 다음은 하와이 열도와 엠퍼러 해산군의 분포 및 이와 관련한 자료이다.

- 현재 화산 활동은 주로 하와이섬에서 일어난다.
- 하와이섬으로부터 멀어질수록 화산섬의 나이는 증가한다.
- 미드웨이섬은 약 2700만 년 전에 형성되었다.
- 하와이섬에서 미드웨이섬까지 거리는 약 2700 km이다.

엠퍼러 해산군
하와이 열도
미드웨이섬 하와이섬

이에 대한 설명으로 옳은 것만을 〈보기〉에서 있는 대로 고른 것은?

┤ 보기 ├
ㄱ. 열점은 하와이섬의 하부에 존재한다.
ㄴ. 미드웨이섬이 형성된 이후 태평양판의 평균 이동 속도는 약 10 cm/년이다.
ㄷ. 엠퍼러 해산군이 형성되는 동안 태평양판의 이동 방향은 현재와 같았다.

① ㄱ ② ㄷ ③ ㄱ, ㄴ ④ ㄴ, ㄷ ⑤ ㄱ, ㄴ, ㄷ

015 그림은 태평양판에서 하와이 열도의 위치와 각 섬들의 분포 및 연령을 나타낸 것이다.

태평양판

5.1 카우아이 오아후
3.7 2.6 몰로카이
1.8
1.3 아우이
0.8 0.43
0.38
하와이
킬라우에 화산
0.004
▲ 사화산
△ 활화산
단위: 백만 년

이에 대한 설명으로 옳은 것만을 〈보기〉에서 있는 대로 고른 것은?

┤ 보기 ├
ㄱ. 태평양판의 이동 속도는 일정하였다.
ㄴ. 열점은 킬라우에 화산 부근 깊은 곳에 위치한다.
ㄷ. 하와이 열도를 형성한 열점은 해령에서 멀어지고 있다.

① ㄱ ② ㄴ ③ ㄱ, ㄷ ④ ㄴ, ㄷ ⑤ ㄱ, ㄴ, ㄷ

016 그림 (가)는 화산 활동으로 형성된 하와이 열도의 위치와 절대 연령을, (나)는 판의 운동과 화산 활동이 일어나는 대표적인 지역을 나타낸 것이다.

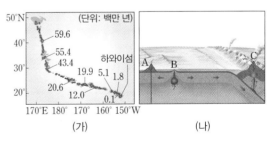

50°N
40°
30°
20°
59.6
55.4
43.4
19.9 5.1 1.8
20.6
12.0
0.1
하와이섬
(단위: 백만 년)
170°E 180° 170° 160° 150°W
(가)

A B C
(나)

이에 대한 옳은 설명만을 〈보기〉에서 있는 대로 고른 것은?

┤ 보기 ├
ㄱ. 하와이 열도가 속한 판의 이동 방향은 대체로 북서 방향이다.
ㄴ. (나)의 A와 C에서는 모두 안산암질 용암이 분출한다.
ㄷ. 하와이 열도는 (나)의 B와 같은 곳에서 만들어졌다.

① ㄱ ② ㄷ ③ ㄱ, ㄴ ④ ㄴ, ㄷ ⑤ ㄱ, ㄴ, ㄷ

기출 분석

05 유형

❓ 출제 의도

마그마의 생성 조건과 생성 장소를 연관지어 설명할 수 있는지를 묻는 문제이다.

🐛 이렇게 대비하자!

발산형 경계, 섭입형 경계, 지구 내부(열점)에서 생성되는 마그마의 종류와 특징을 비교하여 알아두도록 한다.

■ 연관 기출 문제　키워드

\# 마그마 # 마그마 생성 장소

\# 맨틀 대류 # 섭입

\# 현무암질 마그마

\# 화강암질 마그마

\# 섭입대 # 지하의 온도 분포

문제 분석

• 지하의 온도 분포선을 보면, 지하로 내려갈수록 경사가 급해진다. 따라서 지온 상승률은 감소한다.

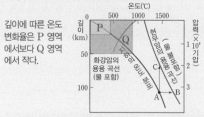

깊이에 따른 온도 변화율은 P 영역에서보다 Q 영역에서 작다.

• A→B로 이동하면 온도가 상승하고, A→C로 이동하면 압력이 하강한다.

• 판의 경계와 판의 내부에서 생성되는 마그마의 종류가 조금씩 다르다.

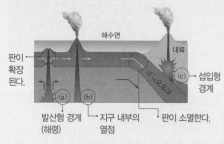

그림 (가)는 마그마의 생성 조건을, (나)는 마그마가 생성되는 장소를 나타낸 것이다.

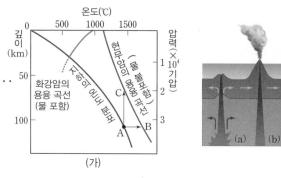

(가)　　(나)

이 자료에 대한 설명으로 옳은 것은?

① 지하로 들어갈수록 지온 상승률은 증가한다.

② (a) 지점의 마그마는 A→B 조건에서 생성된다.

③ (b) 지점의 마그마는 물을 공급받아 생성된다.

✓④ 화강암질 마그마는 현무암질보다 저온 상태에서 생성된다.

⑤ (c) 지점의 마그마는 대륙판이 해양판 밑으로 섭입되면서 발생하는 마찰열에 의해서 생성된다.

■ 문항별 해설

❶ (×) 지하로 들어갈수록, 깊이가 증가할수록 지온 상승률은 감소한다.

❷ (×) (a) 지점은 해령 부근으로 이곳에서의 마그마는 압력 하강(A→C)으로 생성된다.

❸ (×) (b) 지점은 열점 부근으로 이곳에서의 마그마는 맨틀 하부에서 올라온 물질의 상승으로 압력이 낮아져 생성된다.

❹ (○) 그림 (가)를 보면 화강암의 용융 곡선은 현무암의 용융 곡선보다 저온 상태에서 만들어진다. 따라서 화강암질 마그마는 현무암질 마그마보다 저온 상태에서 생성된다.

❺ (×) (c) 지점의 마그마는 해양판이 대륙판 아래로 섭입되면서 해수와 함수 광물에 의한 물의 촉매 작용으로 용융점이 낮아져 마그마가 생성된다.

💻🐛 개념 알기

지온 상승률은 지하로 내려가면서 온도가 높아지는 비율을 나타낸 것이다. 베니오프대는 섭입대로, 해양판이 대륙판 아래로 미끄러져 들어가면서 생기는 경계면이다.

기출 문제

정답과 해설 5~6쪽

017 그림은 지하의 온도 곡선과 두 암석의 용융 곡선을 나타낸 것이다. 용융 곡선 ㉠과 ㉡ 중 하나는 현무암, 다른 하나는 물을 포함하는 화강암에 해당한다.

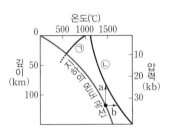

이에 대한 설명으로 옳은 것만을 〈보기〉에서 있는 대로 고른 것은?

┤ 보기 ├

ㄱ. 물을 포함하는 화강암의 용융 곡선은 ㉠에 해당한다.

ㄴ. 마그마는 지하 100 km보다 깊은 곳에서만 생성된다.

ㄷ. 해령 아래에서 만들어지는 마그마는 b와 같은 과정으로 생성된다.

① ㄱ　② ㄴ　③ ㄱ, ㄷ　④ ㄴ, ㄷ　⑤ ㄱ, ㄴ, ㄷ

018 그림 (가)는 지하의 온도 분포와 암석의 용융 곡선을, (나)는 마그마의 생성 장소 X와 Y를 나타낸 것이다.

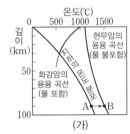 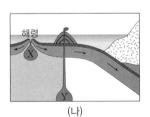

이에 대한 설명으로 옳은 것만을 〈보기〉에서 있는 대로 고른 것은?

┤ 보기 ├

ㄱ. 20 km 깊이에서 암석의 용융 온도는 물을 포함하지 않은 현무암이 물을 포함한 화강암보다 높다.

ㄴ. X에서는 A→B와 같은 과정으로 마그마가 생성된다.

ㄷ. Y에서는 화강암질 마그마가 생성된다.

① ㄱ　② ㄴ　③ ㄱ, ㄷ　④ ㄴ, ㄷ　⑤ ㄱ, ㄴ, ㄷ

019 그림 (가)는 깊이에 따른 지하의 온도 분포와 암석의 용융 곡선을, (나)는 해령 부근의 단면을 나타낸 것이다.

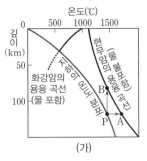 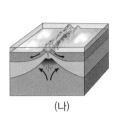

이에 대한 설명으로 옳은 것만을 〈보기〉에서 있는 대로 고른 것은?

┤ 보기 ├

ㄱ. 물을 포함한 화강암은 압력이 커질수록 용융점이 높아진다.

ㄴ. 현무암질 마그마는 화강암질 마그마보다 높은 온도에서 생성된다.

ㄷ. 해령 하부의 마그마는 (가)의 P→A 과정을 통해 생성된다.

① ㄱ　② ㄴ　③ ㄷ　④ ㄱ, ㄷ　⑤ ㄴ, ㄷ

020 그림 (가)는 마그마의 생성 조건을, (나)는 생성 장소가 다른 세 마그마를 나타낸 것이다.

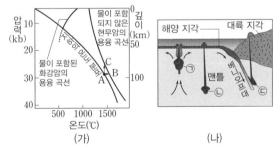

이에 대한 설명으로 옳은 것만을 〈보기〉에서 있는 대로 고른 것은?

┤ 보기 ├

ㄱ. ㉠은 A→C 과정으로 생성되는 마그마이다.

ㄴ. 일본 열도는 ㉡에 의해 생성되었다.

ㄷ. 물에 의한 용융점 하강으로 생성되는 마그마는 ㉢이다.

① ㄱ　② ㄴ　③ ㄱ, ㄷ　④ ㄴ, ㄷ　⑤ ㄱ, ㄴ, ㄷ

기출 분석

06 유형

? 출제 의도
화산의 모습을 용암의 성질과 관련지어 설명할 수 있는지를 묻는 문제가 출제된다.

ﾐ 이렇게 대비하자!
용암의 성질을 나타내는 물리량(온도, 점성, SiO₂ 함량, 유동성, 휘발성 기체의 양 등)에 따라 화산의 모양이 달라진다는 사실을 알아두도록 한다.

■ 연관 기출 문제 키워드

\# 화산 분출 \# 화산 가스

\# 마그마 \# 용암 \# 순상 화산

\# 종상 화산 \# SiO_2 함량

\# 격렬한 분출 \# 조용한 분출

문제 분석

• 화산 가스의 양이 많을수록 화산이 분출할 때 압력이 강해지므로 격렬한 폭발형 화산 활동이 일어난다.

• 용암의 특징으로 화산의 모양을 구분하기 위해서는 온도, 유동성, 점성, 휘발성 기체의 양 등이 이용된다.

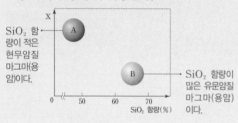

SiO_2 함량이 적은 현무암질 마그마(용암)이다.

SiO_2 함량이 많은 유문암질 마그마(용암)이다.

그림 (가)는 피나투보 화산의 폭발 모습을, (나)는 서로 다른 용암 A, B를 나타낸 것이다.

(가)

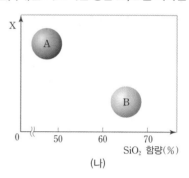

(나)

이에 대한 설명으로 옳은 것만을 〈보기〉에서 있는 대로 고른 것은?

┤ 보기 ├

ㄱ. 화산 가스는 대부분 이산화 탄소이다.

ㄴ. 온도는 (나)의 X 물리량으로 적절하다.

ㄷ. (가)에서 분출된 용암은 (나)의 A보다 B에 가깝다.

① ㄱ   ② ㄴ   ③ ㄱ, ㄷ   ✔ ㄴ, ㄷ   ⑤ ㄱ, ㄴ, ㄷ

■ 문항별 해설

ㄱ. (×) 화산 가스의 약 60~90 %는 수증기이다.

ㄴ. (○) SiO_2 함량이 많은 용암은 온도가 낮고 유동성이 작은 반면 점성은 큰 편이다. 온도는 (나)의 X 물리량으로 적절하다.

ㄷ. (○) 피나투보 화산은 격렬한 폭발 모습으로 보아 SiO_2 함량이 많고 온도가 낮은 성질의 용암이 분출된 것임을 알 수 있다. 따라서 (가)에서 분출된 용암은 (나)의 B에 가깝다. 용암의 성질이 A와 같을 때는 조용하게 분출하므로 순상 화산이나 용암 대지가 형성된다.

📺 개념 알기

규산(SiO_2)은 용융점(녹는점)이 매우 낮은 물질로, 온도가 낮을수록 용암에 포함된 SiO_2 함량이 많아진다.

■ 오류 피하기

⋯ 화산 가스를 '가스' 성분으로만 생각하고 이산화 탄소로 체크하는 경우가 있다. 화산 가스의 대부분은 수증기로 되어 있고, 이산화 탄소, 이산화 황, 황화 수소 등의 성분이 포함되어 있다.

기출 문제

정답과 해설 6~7쪽

021 그림은 서로 다른 두 용암 A, B의 온도와 점성을 나타낸 것이다.

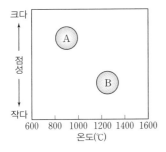

이에 대한 옳은 설명만을 〈보기〉에서 있는 대로 고른 것은?

┃ 보기 ┃

ㄱ. 유동성은 A가 B보다 작다.

ㄴ. SiO_2 함량은 A가 B보다 적다.

ㄷ. A는 B보다 경사가 완만한 화산체를 형성한다.

① ㄱ ② ㄷ ③ ㄱ, ㄴ ④ ㄴ, ㄷ ⑤ ㄱ, ㄴ, ㄷ

022 그림 (가)는 제주도 한라산을, (나)는 두 용암의 온도에 따른 유동성을 나타낸 것이다.

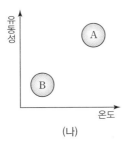

| (가) | (나) |

이에 대한 설명으로 옳은 것만을 〈보기〉에서 있는 대로 고른 것은?

┃ 보기 ┃

ㄱ. (가)는 순상 화산이다.

ㄴ. SiO_2 함량비는 A > B이다.

ㄷ. 한라산을 만든 용암은 B이다.

① ㄱ ② ㄴ ③ ㄱ, ㄷ ④ ㄴ, ㄷ ⑤ ㄱ, ㄴ, ㄷ

023 그림 (가)는 2015년 칠레의 칼부코 화산이 분출하는 모습을, (나)는 서로 다른 종류의 용암 A, B의 성질을 나타낸 것이다.

| (가) | (나) |

이에 대한 설명으로 옳은 것만을 〈보기〉에서 있는 대로 고른 것은?

┃ 보기 ┃

ㄱ. (가)에서 화산 가스의 대부분은 수증기이다.

ㄴ. (나)에서 용암 속에 포함된 SiO_2 함량은 A가 B보다 적다.

ㄷ. (가)에서 분출된 용암은 (나)의 A보다 B에 가깝다.

① ㄱ ② ㄷ ③ ㄱ, ㄴ ④ ㄴ, ㄷ ⑤ ㄱ, ㄴ, ㄷ

024 그림 (가)의 암석은 용암이 멀리 떨어진 도로까지 흘러내려와 굳은 것으로 표면에 기공이 많고 검은색을 띠고 있으며, (나)는 SiO_2 함량과 점성에 따라 용암을 구분하여 나타낸 것이다.

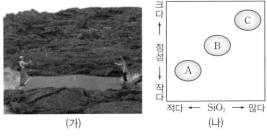

| (가) | (나) |

이에 대한 설명으로 옳은 것만을 〈보기〉에서 있는 대로 고른 것은?

┃ 보기 ┃

ㄱ. (가)의 암석을 만든 용암은 순상 화산을 형성했을 것이다.

ㄴ. (나)에서 온도가 가장 높은 용암은 C이다.

ㄷ. (가)에서 분출된 용암은 (나)의 A에 해당한다.

① ㄱ ② ㄴ ③ ㄱ, ㄷ ④ ㄴ, ㄷ ⑤ ㄱ, ㄴ, ㄷ

기출 분석

07 유형

❓ 출제 의도

화산의 분출 형태에 따라 화산이 형성되는 위치를 묻는 문제이다.

〽️ 이렇게 대비하자 !

화산의 분출 모습과 용암(마그마)의 특징을 비교하여 알아두도록 한다. 시험에 자주 출제되는 대표적인 화산과 용암의 특징을 정리하도록 한다.

■ 연관 기출 문제 키워드

\# 종상 화산 \# 순상 화산

\# 화산체 경사 \# SiO_2 함량비

\# 마그마 온도 \# 점성

문제 분석

• 화산 A가 위치한 곳은 화산 활동의 약 90 %가 발생하는 환태평양 화산대이다.

• 휘발성 기체가 많으면 화산 가스가 많아 격렬하게 분출한다. 용암의 온도가 낮을수록 SiO_2 함량이 많다.

• 화산 B는 용암이 멀리까지 흘러가므로 점성이 작고 유동성이 크다.

그림은 서로 다른 화산 A, B의 위치와 분출하는 모습을 나타낸 것이다.

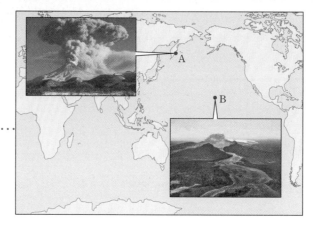

이에 대한 설명으로 옳은 것만을 〈보기〉에서 있는 대로 고른 것은?

┤ 보기 ├

ㄱ. A와 B는 판 경계에 위치한다.

ㄴ. 용암의 유동성은 A보다 B가 크다.

ㄷ. 화산 쇄설물의 양은 B보다 A가 많다.

① ㄱ   ② ㄴ   ③ ㄱ, ㄷ   ✔ ㄴ, ㄷ   ⑤ ㄱ, ㄴ, ㄷ

■ 문항별 해설

ㄱ. (×) A는 환태평양 화산대에서 폭발하였으므로 판 경계에 위치한 화산이고, B는 판(태평양판)의 중앙부에 위치한 화산이다.

ㄴ. (○) A는 격렬하게 분출하는 화산 형태이고, B는 비교적 조용하게 분출하는 화산 형태이다. 따라서 A의 용암은 B의 용암보다 점성이 크고 유동성은 작다.

ㄷ. (○) A는 B보다 많은 양의 화산 분출물(화산 가스 등)을 분출하였다. 화산 가스의 양이 많을수록 격렬하게 분출한다.

 개념 알기

용암의 성질을 판단할 때 유동성과 점성을 비교하여 알아둘 필요가 있다. 유동성은 잘 흘러가는 성질이고, 점성은 끈적끈적하여 잘 흘러가지 않는 성질이다.

■ 오류 피하기

⋯ 태평양 중심부에 위치한 하와이섬은 판의 경계 지역이 아니다. 하와이섬에서 분출하는 화산의 형태와 특징은 판의 이동과 연관지어 자주 출제되므로 그 성질을 기억하도록 한다.

⋯ 화산 활동은 판의 경계 지역에서 활발하다. 특히 불의 고리로 일컬어지는 환태평양 화산대에서 대부분의 화산 활동이 일어난다.

기출 문제

정답과 해설 **7**쪽

025 그림 (가)와 (나)는 서로 다른 두 화산체의 모양을 모식적으로 나타낸 것이다.

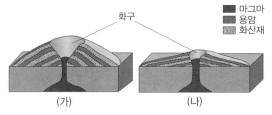

이 자료에 대한 옳은 설명을 〈보기〉에서 모두 고른 것은?

┌─ 보기 ─
ㄱ. 용암의 점성은 (가)가 (나)보다 크다.
ㄴ. 화산 활동은 (나)가 (가)보다 폭발적이다.
ㄷ. 경사가 완만한 화산체일수록 화구 주위에 화산재가 많다.
└─

① ㄱ ② ㄴ ③ ㄱ, ㄷ ④ ㄴ, ㄷ ⑤ ㄱ, ㄴ, ㄷ

026 그림 (가), (나)는 용암의 성질이 다른 두 종류의 화산체를 나타낸 것이다.

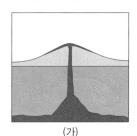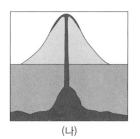

(가)　　　　　　　(나)

이에 대한 설명으로 옳은 것만을 〈보기〉에서 있는 대로 고른 것은?

┌─ 보기 ─
ㄱ. SiO_2 함량은 (가) > (나)이다.
ㄴ. 용암의 점성은 (가) < (나)이다.
ㄷ. 화산체를 만든 용암의 온도는 (가) > (나)이다.
└─

① ㄱ ② ㄷ ③ ㄱ, ㄴ ④ ㄴ, ㄷ ⑤ ㄱ, ㄴ, ㄷ

027 그림은 두 화산체의 모습을 나타낸 것이다.

(가) 마우나로아 화산　　(나) 세인트헬렌스 화산

이들 화산체를 만든 용암에 대한 설명으로 옳은 것만을 〈보기〉에서 있는 대로 고른 것은?

┌─ 보기 ─
ㄱ. SiO_2 함량은 (가)가 (나)보다 많다.
ㄴ. 유동성은 (가)가 (나)보다 크다.
ㄷ. 휘발 성분의 양은 (가)가 (나)보다 많다.
└─

① ㄱ ② ㄴ ③ ㄱ, ㄷ ④ ㄴ, ㄷ ⑤ ㄱ, ㄴ, ㄷ

028 그림 (가)와 (나)는 분출 형태가 다른 두 화산의 모습을 나타낸 것이다.

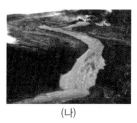

(가)　　　　　　　(나)

이에 대한 옳은 설명만을 〈보기〉에서 있는 대로 고른 것은?

┌─ 보기 ─
ㄱ. 용암의 온도는 (가)가 (나)보다 높다.
ㄴ. 용암의 점성은 (가)가 (나)보다 작다.
ㄷ. 화산 쇄설물의 양은 (가)가 (나)보다 많다.
└─

① ㄱ ② ㄷ ③ ㄱ, ㄴ ④ ㄴ, ㄷ ⑤ ㄱ, ㄴ, ㄷ

기출 분석

08 유형

❓ 출제 의도

생성 과정에 따라 세 종류로 구분되는 퇴적 암의 특징과 각 퇴적암의 예를 묻는 문제이다.

🐛 이렇게 대비하자!

각 생성 과정별 퇴적암의 예를 암기하고 문제에서 나오는 자료의 빈 공간을 채우면 서 퇴적암의 분류를 학습하여 대비한다.

■ 연관 기출 문제 키워드

\# 쇄설성 퇴적암 \# 유기적 퇴적암

\# 화학적 퇴적암 \# 퇴적물

\# 퇴적암

문제 분석

- 유기적 퇴적암(A): 생물의 유해나 분비 물이 쌓여 형성된 퇴적암을 유기적 퇴적 암이라고 한다.
  예 석탄, 처트, 석회암 등
- 화학적 퇴적암(B): 물속의 침전물이나 증발 잔류물이 가라앉아 만들어진 퇴적 암을 화학적 퇴적암이라고 한다.
  예 암염, 석고, 석회암 등
- 쇄설성 퇴적암(C): 풍화·침식으로 생성 된 쇄설물이 쌓여 굳어진 퇴적암을 쇄 설성 퇴적암이라고 한다.
  예 역암, 사암, 이암, 셰일, 응회암 등

그림은 퇴적암이 생성되는 주요 과정을 나타낸 것이다.

이에 대한 설명으로 옳은 것만을 〈보기〉에서 있는 대로 고른 것은?

┤ 보기 ├

ㄱ. 석회암은 주로 A와 B 과정에 의해서 생성된다.

ㄴ. 암염은 B 과정에 의해서 생성된다.

ㄷ. C 과정에 의해서 생성된 퇴적암은 입자의 크기에 따라 분류된다.

① ㄱ ② ㄴ ③ ㄱ, ㄷ ④ ㄴ, ㄷ ✓⑤ ㄱ, ㄴ, ㄷ

■ 문항별 해설

ㄱ. (○) 석회암은 해수에 녹아 있는 탄산 이온이 해양 생물에 흡수되었다가 생물의 유해나 분비 물이 퇴적되어 형성되거나, 해수에 녹아 있는 탄산 이온이 칼슘 이온과 결합하고 침전되어 형 성된다.

ㄴ. (○) 암염은 해수에 녹아 있는 나트륨 이온과 염화 이온이 결합하여 해수의 증발이 일어날 때 잔류물이 가라앉아 형성된다.

ㄷ. (○) 지표에 노출된 암석은 풍화, 침식 작용으로 자갈, 모래, 실트, 점토 등의 쇄설물이 되어 다 른 곳으로 운반되고, 퇴적되어 쇄설성 퇴적암으로 된다. 이때 퇴적물의 입자 크기에 따라 자 갈이 퇴적되어 생성되는 역암, 모래가 퇴적되어 생성되는 사암, 실트나 점토가 퇴적되어 생성 되는 이암과 셰일로 분류된다.

🐛 개념 알기

암염은 해수가 증발하고 남은 잔류물이 쌓여 형성되므로 암석이 생성될 당시에 매우 건조한 환경이었음을 알 수 있다.

■ 오류 피하기

⟶ 쇄설성 퇴적암을 형성하는 입자로는 쇄설성 퇴적물 이외에도 응회암을 형성하는 화산재가 있다.

기출 문제

정답과 해설 **8**쪽

029 그림은 세 가지 퇴적암을 특징에 따라 구분하는 과정을 나타낸 것이다.

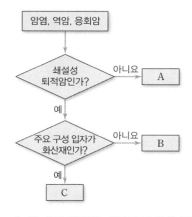

A, B, C에 해당하는 암석으로 옳은 것은?

	A	B	C
①	암염	역암	응회암
②	암염	응회암	역암
③	역암	암염	응회암
④	역암	응회암	암염
⑤	응회암	역암	암염

030 표는 퇴적암 A, B, C의 생성 원인을 나타낸 것이다.

퇴적암	생성 원인
A	화산 쇄설물의 퇴적
B	해수의 증발에 의한 염류의 침전
C	생물체 유해의 퇴적

이에 대한 설명으로 옳은 것만을 〈보기〉에서 있는 대로 고른 것은?

┤ 보기 ├
ㄱ. A는 석회암이다.
ㄴ. B는 건조한 환경에서 형성되었다.
ㄷ. C에서 화석이 발견될 수 있다.

① ㄱ ② ㄷ ③ ㄱ, ㄴ ④ ㄴ, ㄷ ⑤ ㄱ, ㄴ, ㄷ

031 그림은 퇴적암을 쇄설성, 유기적, 화학적 퇴적암으로 분류하고, 그 예를 나타낸 것이다.

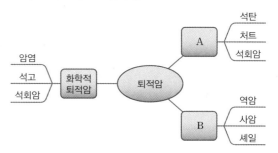
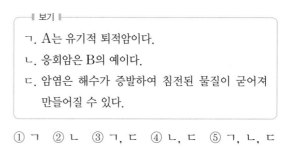

이에 대한 설명으로 옳은 것만을 〈보기〉에서 있는 대로 고른 것은?

┤ 보기 ├
ㄱ. A는 유기적 퇴적암이다.
ㄴ. 응회암은 B의 예이다.
ㄷ. 암염은 해수가 증발하여 침전된 물질이 굳어져 만들어질 수 있다.

① ㄱ ② ㄴ ③ ㄱ, ㄷ ④ ㄴ, ㄷ ⑤ ㄱ, ㄴ, ㄷ

032 그림은 퇴적암이 형성되는 과정의 일부를 나타낸 것이다.

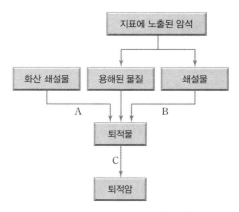

이에 대한 설명으로 옳은 것만을 〈보기〉에서 있는 대로 고른 것은?

┤ 보기 ├
ㄱ. 석회암은 A와 C를 거쳐 형성된 암석이다.
ㄴ. C에서는 퇴적물의 공극이 감소하고 밀도가 증가한다.
ㄷ. B와 C를 거쳐 형성된 암석은 구성 입자의 크기에 따라 분류된다.

① ㄱ ② ㄴ ③ ㄷ ④ ㄱ, ㄴ ⑤ ㄴ, ㄷ

기출 분석

유형

■ **연관 기출 문제 키워드**

\# 점이 층리 \# 사층리

\# 건열 \# 연흔

\# 지층의 역전

문제 분석

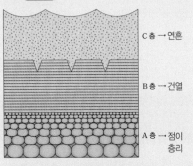

C층 → 연흔

B층 → 건열

A층 → 점이 층리

• 퇴적 구조: 표면에 물결 자국이 보이는 C층은 연흔, 표면에 갈라짐 현상이 보이는 B층은 건열, 위로 갈수록 퇴적물의 입자가 작아지는 A층은 점이 층리이다.

• 퇴적 환경: 이 지역은 처음에 깊은 호수나 바다에서 퇴적되었고 이후 융기하여 건조한 시기에 수면 밖으로 노출되었다. 최근에는 다시 침강하여 수심이 얕은 물 밑에서 퇴적이 이루어졌다.

? 출제 의도

각 퇴적 구조에 따라 퇴적 당시 환경의 특징을 추정하고 지층의 상하와 역전 여부를 파악하는 문제이다.

이렇게 대비하자!

퇴적 구조가 나타나는 모식도와 실제 사진을 함께 학습한다. 퇴적 구조로 퇴적 환경과 지층의 역전 여부를 판단할 수 있도록 대비한다.

그림은 어느 지역의 지질 단면도에 퇴적 구조를 함께 표시한 것이다.

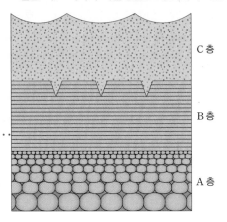

C층

B층

A층

이 자료에 대한 설명으로 옳은 것만을 〈보기〉에서 있는 대로 고른 것은?

┤ 보기 ├

ㄱ. A층의 퇴적 구조로부터 퇴적될 당시의 물이 흐른 방향을 알 수 있다.

ㄴ. B층의 퇴적 구조는 점토질 퇴적물에서 잘 형성된다.

ㄷ. C층의 퇴적 구조는 수심이 얕은 곳에서 잘 형성된다.

① ㄱ   ② ㄷ   ③ ㄱ, ㄴ   ✓ ㄴ, ㄷ   ⑤ ㄱ, ㄴ, ㄷ

■ **문항별 해설**

ㄱ. (✕) A층에서는 점이 층리가 나타난다. A층이 퇴적될 당시 환경은 수심이 깊은 물속이었다. 점이 층리로 퇴적 당시 물이 흐른 방향을 알 수 없다.

ㄴ. (○) B층에서는 건열이 나타난다. 건열은 퇴적 도중에 지층이 수면 위로 노출될 때 만들어진다. 특히 알갱이가 작은 점토질 퇴적물의 공극 속 물이 증발할 때 잘 형성된다.

ㄷ. (○) C층에서는 연흔이 나타난다. 연흔은 수심이 얕은 물밑에서 물의 흐름에 의해 표면에 물결 자국이 나타나는 퇴적 구조이다.

■ **오류 피하기**

⋯▶ 퇴적 당시 물이 흐른 방향을 알 수 있는 퇴적 구조는 사층리이다.

개념 알기

지층의 층리가 평행하지 않고 경사져 있는 퇴적 구조를 사층리라고 한다. 사층리는 수심이 얕은 곳이나 바람이 부는 사막 환경에서 잘 나타나며 퇴적 구조를 통해 물이 흐른 방향이나 바람의 방향을 알 수 있다.

물이나 바람의 방향

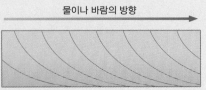

기출 문제

정답과 해설 8~9쪽

033 그림 (가), (나), (다)는 퇴적 구조를 나타낸 것이다.

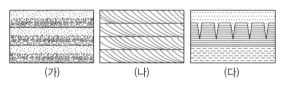

| (가) | (나) | (다) |

이에 대한 설명으로 옳은 것만을 〈보기〉에서 있는 대로 고른 것은?

┃ 보기 ┃

ㄱ. (가)는 점이 층리이다.

ㄴ. (나)에서는 퇴적물의 공급 방향을 알 수 있다.

ㄷ. (다)에서는 역전된 지층이 발견된다.

① ㄱ   ② ㄷ   ③ ㄱ, ㄴ   ④ ㄴ, ㄷ   ⑤ ㄱ, ㄴ, ㄷ

034 그림 (가)~(다)는 여러 퇴적 구조를 나타낸 것이다.

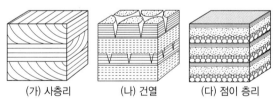

(가) 사층리   (나) 건열   (다) 점이 층리

이에 대한 설명으로 옳지 않은 것은?

① (가)에서 퇴적 당시 퇴적물이 공급된 방향을 알 수 있다.

② (나)는 건조한 환경에서 형성되었다.

③ (다)는 입자 크기에 따른 퇴적 속도 차이에 의해 형성되었다.

④ (가)와 (다)는 심해 환경에서 형성되었다.

⑤ (가)~(다)는 지층의 역전 여부를 판단하는 데 이용될 수 있다.

035 그림은 사층리와 건열이 나타나는 지층의 단면이다.

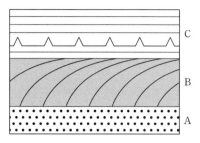

지층 A, B, C에 대한 설명으로 옳은 것만을 〈보기〉에서 있는 대로 고른 것은?

┃ 보기 ┃

ㄱ. A가 가장 오래 전에 형성되었다.

ㄴ. B에서 퇴적 당시 유체의 이동 방향을 알 수 있다.

ㄷ. C가 형성되는 동안 건조한 시기가 있었다.

① ㄱ   ② ㄷ   ③ ㄱ, ㄴ   ④ ㄴ, ㄷ   ⑤ ㄱ, ㄴ, ㄷ

036 그림은 어느 지역의 퇴적암과 퇴적 구조를 나타낸 것이다.

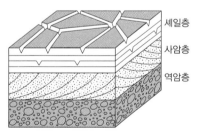

셰일층
사암층
역암층

이에 대한 설명으로 옳은 것만을 〈보기〉에서 있는 대로 고른 것은?

┃ 보기 ┃

ㄱ. 역암층을 이루는 자갈은 둥글고 크기가 같다.

ㄴ. 사암층에서는 퇴적 당시의 퇴적물 이동 방향을 알 수 있다.

ㄷ. 셰일층이 형성되는 동안에 수면 밖으로 노출된 시기가 있었다.

① ㄱ   ② ㄴ   ③ ㄷ   ④ ㄱ, ㄴ   ⑤ ㄴ, ㄷ

기출 분석

10 유형

? 출제 의도

각 지질 구조가 형성되는 과정과 지질 구조를 통해 추정할 수 있는 지질학적 사건을 묻는 문제이다.

😊 이렇게 대비하자!

정단층과 역단층을 구분하는 방법을 학습하고, 부정합의 형성 과정으로 알 수 있는 지층의 융기와 침강 과정을 이해한다.

■ **연관 기출 문제 키워드**

단층 # 습곡 # 부정합 # 절리

문제 분석

(가) 정단층

(나) 습곡

(다) 부정합

그림 (가)~(다)는 서로 다른 지질 구조를 나타낸 것이다.

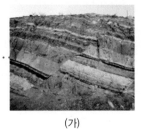
(가)

(나)

(다)

이에 대한 설명으로 옳은 것만을 〈보기〉에서 있는 대로 고른 것은?

┤ 보기 ├

ㄱ. (가)는 단층 구조가 발달되어 있다.

ㄴ. (나)는 횡압력에 의해 형성되었다.

ㄷ. (다)는 퇴적이 중단된 시기가 있었다.

① ㄱ ② ㄴ ③ ㄱ, ㄷ ④ ㄴ, ㄷ ✔⑤ ㄱ, ㄴ, ㄷ

■ **문항별 해설**

ㄱ. (○) (가)는 장력이 작용하여 상반이 내려가고 하반이 올라간 정단층이 발달되어 있다.

ㄴ. (○) (나)는 지층이 휘어져 있는 습곡이 발달되어 있다. 습곡은 양쪽에서 미는 횡압력이 작용할 때 형성된다.

ㄷ. (○) (다)에서 아랫부분 지층은 층리가 기울어져 있고, 윗부분 지층은 층리가 수평으로 나타난다. 따라서 두 지층의 관계는 경사 부정합이며 (다)는 퇴적이 연속적으로 이루어지지 않고 퇴적이 중단된 시기가 있었다.

💻😊 개념 알기

암석에 힘이 가해지거나 온도 변화 등으로 부피가 변하면 암석이 갈라지거나 쪼개져 틈이 생기는데 이 틈을 절리라고 한다.

■ **오류 피하기**

⋯▶ 주변으로부터 힘을 받아 기울어진 지층이 융기, 침식, 침강의 과정을 거쳐 퇴적물이 쌓이면 경사 부정합이 형성된다.

기출 문제

정답과 해설 **9**쪽

037 그림 (가)~(다)는 서로 다른 지역에서 발견되는 지질 구조를 나타낸 것이다.

(가) 습곡　　　(나) 역단층　　　(다) 정단층

이에 대한 설명으로 옳은 것만을 〈보기〉에서 있는 대로 고른 것은?

┤ 보기 ├
- ㄱ. (가)에서는 배사 구조가 나타난다.
- ㄴ. (다)는 상반이 단층면을 따라 아래로 내려간 단층이다.
- ㄷ. (가)와 (나)는 모두 횡압력을 받아 형성되었다.

① ㄱ　② ㄷ　③ ㄱ, ㄴ　④ ㄴ, ㄷ　⑤ ㄱ, ㄴ, ㄷ

038 그림 (가), (나), (다)는 지질 구조의 연직 단면을 나타낸 것이다.

(가)　　　　　(나)　　　　　(다)

이에 대한 설명으로 옳은 것만을 〈보기〉에서 있는 대로 고른 것은?

┤ 보기 ├
- ㄱ. (가)는 정단층이다.
- ㄴ. (나)는 횡압력을 받아 형성되었다.
- ㄷ. (다)는 판의 충돌대에서 잘 발달한다.

① ㄱ　② ㄷ　③ ㄱ, ㄴ　④ ㄴ, ㄷ　⑤ ㄱ, ㄴ, ㄷ

039 그림 (가)는 습곡을, (나)는 단층을 나타낸 것이다.

(가)　　　　　　　　(나)

이에 대한 설명으로 옳은 것만을 〈보기〉에서 있는 대로 고른 것은?

┤ 보기 ├
- ㄱ. (가)에는 횡압력이 작용하였다.
- ㄴ. (나)에서는 상반이 위로 이동하였다.
- ㄷ. (가)와 (나)는 모두 층리가 발달한 암석에서 잘 관찰된다.

① ㄱ　② ㄴ　③ ㄱ, ㄷ　④ ㄴ, ㄷ　⑤ ㄱ, ㄴ, ㄷ

040 그림 (가)와 (나)는 서로 다른 지질 구조가 나타나는 두 지역을 나타낸 것이다.

(가)　　　　　　　　(나)

이에 대한 설명으로 옳은 것만을 〈보기〉에서 있는 대로 고른 것은?

┤ 보기 ├
- ㄱ. (가)는 경사 부정합이 관찰된다.
- ㄴ. (나)의 지질 구조는 판의 수렴형 경계보다 발산형 경계에서 잘 발달한다.
- ㄷ. (가)와 (나)의 지질 구조는 장력에 의해 형성되었다.

① ㄱ　② ㄷ　③ ㄱ, ㄴ　④ ㄴ, ㄷ　⑤ ㄱ, ㄴ, ㄷ

기출 분석

11 유형

❓ 출제 의도

주어진 지질 단면도를 해석하여 지층 구조의 특징을 파악하고 지사학 법칙을 이용하여 지층의 선후 관계를 구분하는 문제이다.

🐛 이렇게 대비하자!

지사학 법칙은 지질 단면도의 선후 관계를 반복적으로 해석하면서 대비한다. 관입의 법칙과 관련된 보기 문항은 틀리기 쉬우므로 관입 당한 지층과 관입 당하지 않은 지층을 구분한다.

■ **연관 기출 문제   키워드**

수평 퇴적의 법칙 # 지층 누중의 법칙

동물군 천이의 법칙 # 관입의 법칙

부정합의 법칙

문제 **분석**

지층의 생성 과정은 다음과 같다.

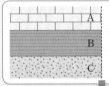
C, B, A 순으로 퇴적된다.

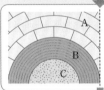
횡압력을 받아 습곡이 형성된다. → 지층이 휘어진다.

D의 관입이 발생한다.

장력을 받아 정단층이 형성된다. → A~D가 끊어진다.

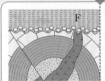
지층이 융기하여 A와 D가 침식되고 지층이 침강하여 F가 퇴적된다.

모든 지층을 관통하는 E가 관입한다.

그림은 어느 지역의 지질 단면도이다.

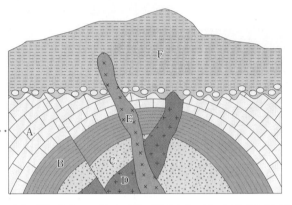

이에 대한 설명으로 옳지 <u>않은</u> 것은? (단, 지층의 역전은 없다.)

① A는 B보다 나중에 퇴적되었다.

✓② 이 지역에는 역단층이 존재한다.

③ F가 퇴적된 후 E가 관입하였다.

④ D가 관입한 후 단층 활동이 일어났다.

⑤ 이 지역은 과거에 침식을 받은 적이 있다.

■ **문항별 해설**

❶ (○) 지층의 역전이 없었으므로 지층 누중의 법칙에 의해 A는 B보다 나중에 퇴적되었다.

❷ (✕) 이 지역에는 상반이 내려가 있고 하반이 올라간 정단층이 존재한다.

❸ (○) E가 F를 관입하였으므로 F가 퇴적된 후 E가 관입하였다.

❹ (○) D가 단층으로 끊어져 있으므로 D가 관입한 후 단층 활동이 일어났다.

❺ (○) F층과 아래층이 부정합을 이루고 있으므로 이 지역은 과거에 침식을 받은 적이 있다.

 개념 알기

평행 부정합의 경우 부정합면 아래층과 위층의 경사 방향이 같아 부정합을 확인하기 어렵다. 이러한 경우 침식된 흔적, 지층의 대비, 기저 역암의 유무로 부정합을 판단할 수 있다.

기저 역암

기출 문제

정답과 해설 9~10쪽

041

그림은 어느 지역의 지질 단면도이다.

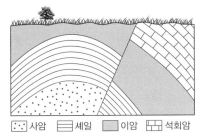

:::: 사암　☰ 셰일　▨ 이암　▦ 석회암

이에 대한 설명으로 옳은 것만을 〈보기〉에서 있는 대로 고른 것은? (단, 지층의 역전은 없었다.)

┃ 보기 ┃

ㄱ. 단층이 관찰된다.

ㄴ. 습곡 구조가 나타난다.

ㄷ. 사암층이 셰일층보다 먼저 형성되었다.

① ㄱ　② ㄴ　③ ㄱ, ㄷ　④ ㄴ, ㄷ　⑤ ㄱ, ㄴ, ㄷ

042

그림은 어느 지역의 지질 단면도이다.

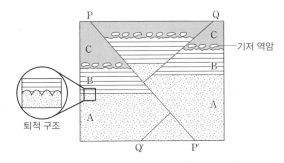

이에 대한 설명으로 옳은 것만을 〈보기〉에서 있는 대로 고른 것은?

┃ 보기 ┃

ㄱ. 기저 역암은 C와 동일한 암석이다.

ㄴ. 지층의 퇴적 순서는 B→A→C이다.

ㄷ. 단층 P−P′는 정단층, Q−Q′는 역단층이다.

① ㄱ　② ㄴ　③ ㄱ, ㄷ　④ ㄴ, ㄷ　⑤ ㄱ, ㄴ, ㄷ

043

그림은 어느 지역의 지질 단면을 나타낸 것이다.

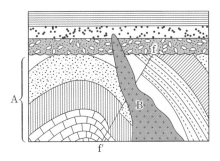

이에 대한 옳은 설명만을 〈보기〉에서 있는 대로 고른 것은?

┃ 보기 ┃

ㄱ. A층이 퇴적된 후 오랫동안 퇴적이 중단된 적이 있다.

ㄴ. A층은 퇴적된 후 횡압력을 받았다.

ㄷ. 단층 f−f′는 화성암 B보다 나중에 생성되었다.

① ㄱ　② ㄷ　③ ㄱ, ㄴ　④ ㄴ, ㄷ　⑤ ㄱ, ㄴ, ㄷ

044

그림은 어느 지역의 지질 단면도이다.

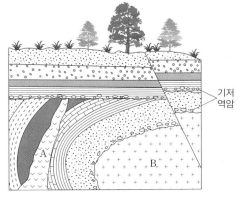

이에 대한 해석으로 옳은 것만을 〈보기〉에서 있는 대로 고른 것은?

┃ 보기 ┃

ㄱ. 화성암 B는 A보다 먼저 관입하였다.

ㄴ. 습곡은 단층보다 먼저 형성되었다.

ㄷ. 최소한 3번의 융기가 있었다.

① ㄱ　② ㄴ　③ ㄱ, ㄷ　④ ㄴ, ㄷ　⑤ ㄱ, ㄴ, ㄷ

기출 분석

12 유형

? 출제 의도

서로 떨어져 있는 지역의 지질 단면을 제시하고 이를 비교하여 상대적인 퇴적 시기나 생성 순서를 묻는 문제이다.

~ 이렇게 대비하자!

각 지질 시대의 표준 화석을 암기하여 화석에 의한 대비에 적용한다. 화석이 없는 지층을 대비할 때 기준이 되는 건층을 정하는 방법을 알아둔다.

■ 연관 기출 문제 키워드

\# 암상에 의한 대비 \# 건층
\# 화석에 의한 대비 \# 표준 화석

문제 분석

중생대 · **(가)** 지역은 고생대와 중생대에 퇴적된 지층이 있으며 신생대에 퇴적된 지층이 없다.
고생대
고생대

(가)

신생대 · **(나)** 지역은 고생대와 신생대에 퇴적된 지층이 있으며 중생대에 퇴적된 지층은 없다. 따라서 고생대와 신생대 지층은 부정합 관계에 있다.
고생대

(나)

신생대 · **(다)** 지역은 고생대, 중생대, 신생대 지층이 분포하고 있다.
중생대

고생대

(다)

그림은 세 지역 (가), (나), (다)의 지질 주상도와 각 지층에서 산출되는 화석을 나타낸 것이다.

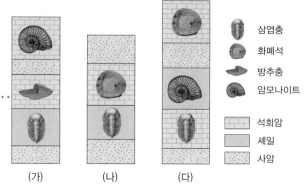

삼엽충
화폐석
방추충
암모나이트

석회암
셰일
사암

(가)   (나)   (다)

이에 대한 설명으로 옳은 것만을 〈보기〉에서 있는 대로 고른 것은?

┤ 보기 ├

ㄱ. (나)에는 중생대에 쌓인 지층이 없다.
ㄴ. 세 지역의 셰일은 동일한 시기에 퇴적되었다.
ㄷ. 세 지역에서 화석이 산출되는 지층은 모두 해성층이다.

① ㄱ　　② ㄴ　　✓③ ㄱ, ㄷ　　④ ㄴ, ㄷ　　⑤ ㄱ, ㄴ, ㄷ

■ 문항별 해설

ㄱ. (○) 화폐석은 신생대를 대표하는 표준 화석이고, 삼엽충은 고생대를 대표하는 표준 화석이다. 화폐석이 산출되는 석회암과 삼엽충이 산출되는 셰일 사이에 퇴적된 지층이 없으므로 (나)에서는 중생대에 쌓인 지층이 없다.

ㄴ. (×) (가)와 (나)의 셰일에서는 삼엽충 화석이 발견되므로 (가)와 (나)의 셰일은 고생대에 퇴적된 지층이다. 반면에 (다)의 셰일에서는 암모나이트 화석이 발견된다. 암모나이트는 중생대를 대표하는 표준 화석이므로 (다)의 셰일은 중생대에 퇴적된 지층이다.

ㄷ. (○) 세 지역에서 산출되는 화석은 모두 바다에서 살았던 생물의 화석이므로 화석이 산출되는 지층은 모두 해성층이다.

개념 알기

지층에 화석이 나타나지 않는 경우 지층을 대비할 때 기준이 되는 지층을 건층이라고 한다. 건층은 보통 응회암층, 석탄층 같이 짧은 시기 동안 넓은 영역에 분포하는 퇴적층으로 정한다.

■ 오류 피하기

⋯➔ 화석에 의한 대비에는 표준 화석을 이용한다. 세 지역의 셰일에서 동일하게 시상 화석인 산호 화석이 발견되더라도 같은 시기에 퇴적된 지층이라 할 수 없다.

기출 문제

정답과 해설 10~11쪽

045 그림은 인접한 두 지역의 지질 단면과 지층에서 발견되는 화석을 나타낸 것이다.

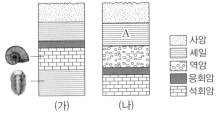

사암
셰일
역암
응회암
석회암

(가)   (나)

이에 대한 설명으로 옳은 것만을 〈보기〉에서 있는 대로 고른 것은? (단, 두 지역에서 지층의 역전은 없었다.)

┤ 보기 ├

ㄱ. (가) 지역은 과거에 퇴적이 중단된 시기가 있었다.

ㄴ. A에서는 삼엽충 화석이 발견될 수 있다.

ㄷ. 두 지역 모두 화산 활동의 영향을 받았다.

① ㄱ   ② ㄴ   ③ ㄱ, ㄷ   ④ ㄴ, ㄷ   ⑤ ㄱ, ㄴ, ㄷ

046 그림은 인접한 세 지역 A, B, C의 지질 주상도이다. 이 지역에는 동일한 시기에 분출된 화산재가 쌓여 만들어진 암석이 있다.

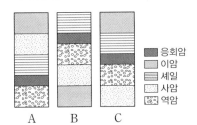

응회암
이암
셰일
사암
역암

A   B   C

이 지역에 대한 설명으로 옳은 것만을 〈보기〉에서 있는 대로 고른 것은?

┤ 보기 ├

ㄱ. A와 C의 사암층은 같은 시기에 퇴적되었다.

ㄴ. 가장 오래된 암석층은 B에 있다.

ㄷ. 이 지역에는 화학적 퇴적암이 존재한다.

① ㄱ   ② ㄴ   ③ ㄱ, ㄷ   ④ ㄴ, ㄷ   ⑤ ㄱ, ㄴ, ㄷ

047 그림은 인접한 두 지역 (가)와 (나)의 지질 주상도와 지층에서 산출되는 화석을 나타낸 것이다.

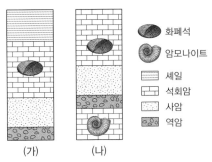

화폐석
암모나이트
셰일
석회암
사암
역암

(가)   (나)

이에 대한 설명으로 옳은 것만을 〈보기〉에서 있는 대로 고른 것은?

┤ 보기 ├

ㄱ. 가장 나중에 형성된 지층은 (가)의 셰일층이다.

ㄴ. (나)에는 고생대 퇴적층이 있다.

ㄷ. (가)와 (나)의 석회암층은 해성층이다.

① ㄱ   ② ㄴ   ③ ㄱ, ㄷ   ④ ㄴ, ㄷ   ⑤ ㄱ, ㄴ, ㄷ

048 그림은 인접한 세 지역의 지층 단면과 지층에서 산출되는 화석을 나타낸 것이다.

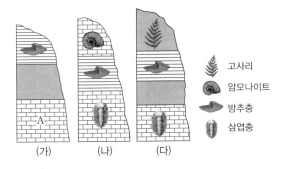

고사리
암모나이트
방추충
삼엽충

(가)   (나)   (다)

이에 대한 설명으로 옳은 것만을 〈보기〉에서 있는 대로 고른 것은?

┤ 보기 ├

ㄱ. A층에서는 암모나이트가 산출될 수 있다.

ㄴ. (나)에서 부정합이 발견된다.

ㄷ. (다)에는 육성층이 존재한다.

① ㄱ   ② ㄴ   ③ ㄱ, ㄷ   ④ ㄴ, ㄷ   ⑤ ㄱ, ㄴ, ㄷ

기출 분석

13 유형

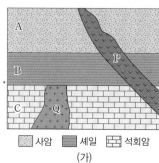

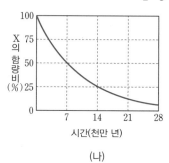

❓ 출제 의도

암석에 포함되어 있는 방사성 동위 원소의 반감기와 모원소−자원소의 비율을 통해 암석의 절대 연령을 묻는 문제이다.

👀 이렇게 대비하자!

반감기 곡선 그래프를 해석하여 절대 연령을 구하는 방법을 익히고 지질 단면도를 해석할 때 반감기 곡선 그래프를 이용하므로 11 유형과 함께 학습하여 대비한다.

■ 연관 기출 문제 키워드

\# 방사성 동위 원소

\# 반감기

\# 모원소−자원소의 비율

문제 분석 ·········

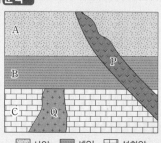

- 지층은 'C 퇴적 → Q 관입 → 융기 및 침식 → 침강 및 B, A 퇴적 → P 관입' 순으로 형성되었다.

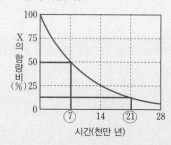

- P의 X 함량비는 50 %이고 Q의 X 함량비는 12.5 %이다. 따라서 P의 절대 연령은 7천만 년, Q의 절대 연령은 2억 1천만 년이다.

그림 (가)는 어느 지역의 지질 단면을, (나)는 방사성 원소 X의 붕괴 곡선을 나타낸 것이다. (가)의 화성암 P와 Q에 포함된 방사성 원소 X의 양은 각각 처음의 $\frac{1}{2}$, $\frac{1}{8}$이다.

이에 대한 설명으로 옳은 것만을 〈보기〉에서 있는 대로 고른 것은?

┤ 보기 ├

ㄱ. A는 신생대 지층이다.

ㄴ. B에서는 삼엽충이 발견될 수 있다.

ㄷ. Q가 관입한 시기는 약 2억 1천만 년 전이다.

① ㄱ   ✓ ㄷ   ③ ㄱ, ㄴ   ④ ㄴ, ㄷ   ⑤ ㄱ, ㄴ, ㄷ

■ 문항별 해설

ㄱ. (×) A와 B는 Q의 관입 시기와 P의 관입 시기 사이에 퇴적된 지층이다. Q와 P의 관입 시기가 각각 2억 1천만 년 전, 7천만 년 전이므로 약 6600만 년 전에 시작된 신생대 지층이 퇴적될 수 없다.

ㄴ. (×) A와 B는 중생대에 퇴적된 지층이다. B에서 삼엽충이 발견될 수 없다.

ㄷ. (○) Q에 포함된 방사성 원소 X의 양은 처음의 $\frac{1}{8}$이므로 X의 함량비는 12.5 %이다. 반감기 곡선 그래프에서 X의 함량비가 12.5 %와 만나는 가로축 값은 2억 1천만 년이다.

📺 개념 알기

반감기가 주어지지 않고 반감기 곡선 그래프만 주어진 경우 방사성 동위 원소의 반감기는 모원소의 함량이 $\frac{1}{2}$ 또는 50 %일 때 시간 축과 만나는 값이다.

■ 오류 피하기

⇢ A와 B는 중생대에 퇴적된 지층이며 이곳에서는 공룡 또는 암모나이트 화석이 발견될 수 있다.

049 그림은 방사성 동위 원소인 ^{14}C가 ^{14}N로 붕괴될 때 두 원소의 양의 변화를 나타낸 것이다. 이에 대한 옳은 설명만을 〈보기〉에서 있는 대로 고른 것은?

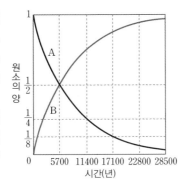

┤ 보기 ┠

ㄱ. A는 ^{14}C, B는 ^{14}N의 곡선이다.

ㄴ. ^{14}C의 반감기는 약 5700년이다.

ㄷ. ^{14}C가 11400년 동안 붕괴되지 않고 남아 있을 확률은 약 25 %이다.

① ㄱ ② ㄷ ③ ㄱ, ㄴ ④ ㄴ, ㄷ ⑤ ㄱ, ㄴ, ㄷ

050 그림은 방사성 동위 원소 ㉠과 ㉡의 붕괴 곡선을 각각 나타낸 것이다.

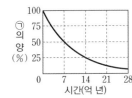 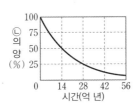

이에 대한 설명으로 옳은 것만을 〈보기〉에서 있는 대로 고른 것은?

┤ 보기 ┠

ㄱ. 암석이 생성되어 14억 년이 지나면 ㉠의 양은 처음의 $\frac{1}{4}$로 줄어든다.

ㄴ. ㉡은 유기물의 절대 연령을 측정하는 데 이용하는 ^{14}C이다.

ㄷ. ㉠의 반감기는 ㉡의 2배이다.

① ㄱ ② ㄷ ③ ㄱ, ㄴ ④ ㄴ, ㄷ ⑤ ㄱ, ㄴ, ㄷ

051 그림 (가)는 어느 지역의 지질 단면도를, (나)는 방사성 원소 X의 붕괴 곡선을 나타낸 것이다. (가)의 화성암 P와 Q에 포함된 방사성 원소 X의 양은 각각 암석이 생성될 당시의 25 %, 50 %이다.

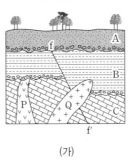 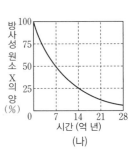

(가) (나)

이에 대한 설명으로 옳은 것만을 〈보기〉에서 있는 대로 고른 것은?

┤ 보기 ┠

ㄱ. 화성암 Q는 지층 B보다 먼저 생성되었다.

ㄴ. 이 지역은 최소한 3회 이상 융기했다.

ㄷ. 단층 f−f′는 고생대에 형성된 것이다.

① ㄱ ② ㄴ ③ ㄷ ④ ㄱ, ㄴ ⑤ ㄱ, ㄷ

052 그림 (가)는 어느 지역의 지질 단면도이고, (나)는 방사성 원소 X의 붕괴 곡선을 나타낸 것이다. 그림 (가)의 A와 C에 포함된 방사성 원소 X의 양은 각각 처음의 $\frac{1}{8}$, $\frac{1}{4}$이다.

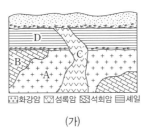 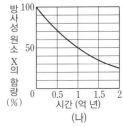

(가) (나)

이에 대한 설명으로 옳은 것만을 〈보기〉에서 있는 대로 고른 것은?

┤ 보기 ┠

ㄱ. A의 절대 연령은 2억 년이다.

ㄴ. B와 D는 부정합 관계이다.

ㄷ. D에서 화폐석이 산출될 수 있다.

① ㄱ ② ㄴ ③ ㄱ, ㄷ ④ ㄴ, ㄷ ⑤ ㄱ, ㄴ, ㄷ

기출 분석

14 유형

? **출제 의도**

화석을 통해 지질 시대를 구분하고 해당 지질 시대의 환경과 살았던 생물을 묻는 문제이다.

이렇게 대비하자!

표준 화석과 시상 화석을 구분한다. 표준 화석은 화석을 통해 알 수 있는 지질 시대를, 시상 화석은 화석을 통해 알 수 있는 환경의 특징을 표로 정리한다.

■ 연관 기출 문제 키워드

표준 화석

시상 화석

지질 시대

문제 분석

A. 공룡 발자국

· 공룡은 중생대의 표준 화석이며, 육지에서 퇴적된 지층에서 나타난다.

B. 삼엽충

· 삼엽충은 고생대의 표준 화석이며, 바다에서 퇴적된 지층에서 나타난다.

C. 산호

· 산호는 시상 화석으로 산호가 포함된 지층은 따뜻하고 얕은 바다에서 퇴적되었다.

D. 화폐석

· 화폐석은 신생대의 표준 화석이며, 바다에서 퇴적된 지층에서 나타난다.

다음은 서로 다른 지역의 지층 A～D에서 산출되는 화석을 나타낸 것이다.

지층	A	B	C	D
화석	공룡 발자국	삼엽충	산호	화폐석

이에 대한 설명으로 옳은 것만을 〈보기〉에서 있는 대로 고른 것은?

┤ 보기 ├

ㄱ. A～D 중 가장 오래된 지층은 D이다.

ㄴ. A 지층에서는 암모나이트가 함께 산출된다.

ㄷ. C는 따뜻하고 얕은 바다 환경에서 퇴적된 지층이다.

① ㄱ　　② ㄴ　　✔ ㄷ　　④ ㄱ, ㄴ　　⑤ ㄴ, ㄷ

■ 문항별 해설

ㄱ. (×) A는 중생대, B는 고생대, D는 신생대에 형성된 지층이며, C는 퇴적된 시기를 알 수 없다. 따라서 가장 오래된 지층은 D가 아니다.

ㄴ. (×) A 지층에서 공룡 발자국이 산출되므로 A 지층은 중생대 육지에서 형성되었다. 암모나이트는 공룡과 같은 중생대를 대표하는 표준 화석이지만, 바다에서 살았던 생물이므로 바다에서 퇴적된 지층에서 산출될 수 있다. 따라서 육지에서 형성된 A 지층에서 암모나이트 화석이 함께 산출될 수 없다.

ㄷ. (○) 산호는 지금까지도 생존해 있는 생물로 따뜻하고 얕은 바다에서 서식하고 있다. 과거에 살았던 산호도 동일한 환경에서 살았을 것으로 예측할 수 있으며 산호가 발견되는 지층 또한 같은 환경에서 퇴적되었을 것이다.

개념 알기

표준 화석은 지질 시대의 구분과 지층 대비에 이용한다. 특정 생물의 화석이 표준 화석으로 이용되기 위해서는 지리적으로 넓게 분포해야 하며, 개체 수가 많고 생존 기간이 짧아야 한다.

■ 오류 피하기

⋯▸ 육지에서 퇴적된 화석으로는 공룡, 매머드 등이 있고, 바다에서 퇴적된 화석으로는 삼엽충, 암모나이트, 화폐석, 방추충 등이 있다.

기출 문제

정답과 해설 11~12쪽

053 그림은 강원도 어느 하천가에 있는 지층에서 발견된 화석의 모습을 나타낸 것이다.

이 지층에 대한 옳은 설명만을 〈보기〉에서 있는 대로 고른 것은?

┤ 보기 ├

ㄱ. 바다에서 퇴적되었다.

ㄴ. 생성 시기는 고생대이다.

ㄷ. 생성된 이후 심한 변성 작용을 받았다.

① ㄱ ② ㄷ ③ ㄱ, ㄴ ④ ㄴ, ㄷ ⑤ ㄱ, ㄴ, ㄷ

054 그림 (가)~(다)는 암모나이트, 삼엽충, 고사리 화석을 순서 없이 나타낸 것이다.

(가)　　　　(나)　　　　(다)

이에 대한 설명으로 옳은 것만을 〈보기〉에서 있는 대로 고른 것은?

┤ 보기 ├

ㄱ. (가)는 (다)보다 먼저 생성되었다.

ㄴ. (나)가 발견된 지층은 한랭 건조한 지역에서 형성되었다.

ㄷ. (다)가 번성했던 지질 시대의 기후는 대체로 온난하였다.

① ㄴ ② ㄷ ③ ㄱ, ㄴ ④ ㄱ, ㄷ ⑤ ㄱ, ㄴ, ㄷ

055 그림은 어느 지역의 동일 지층에서 발견된 화석이다.

〈공룡 발자국〉　　　　〈공룡 알〉

이에 대한 해석으로 옳게 말한 학생만을 〈보기〉에서 있는 대로 고른 것은?

┤ 보기 ├

철수: 이 지층이 생성된 시기는 중생대야.

영희: 이 지층은 바다에서 퇴적되었을 거야.

민수: 이 지층에서는 암모나이트 화석도 발견되겠구나.

① 철수　　　　② 영희　　　　③ 철수, 민수

④ 영희, 민수　　⑤ 철수, 영희, 민수

056 다음은 지질 시대에 생존했던 생물의 화석과 특징을 나타낸 것이다.

구분	(가)	(나)	(다)
화석			
특징	고생대 후기에 해양 환경에서 광범위하게 번성하였으나 고생대 말에 멸종	중생대 초기에 출현하여 육성 환경에서 번성하였으며 중생대 말에 멸종	고생대부터 따뜻하고 습한 환경에서 번성하였으며, 중생대 말까지 같은 종의 식물이 생존

(가)~(다)에 대한 옳은 설명을 〈보기〉에서 모두 고른 것은?

┤ 보기 ├

ㄱ. (가), (나)를 통하여 지층의 생성 시대를 알 수 있다.

ㄴ. (다)는 지층의 생성 환경을 알아내는 데 사용될 수 있다.

ㄷ. 지질 시대 구분에는 (가), (나)보다 (다)가 주로 사용된다.

① ㄱ ② ㄷ ③ ㄱ, ㄴ ④ ㄴ, ㄷ ⑤ ㄱ, ㄴ, ㄷ

기출 분석

15. 유형

❓ **출제 의도**

지질 시대 동안 생물 수의 변화를 통해 지질 시대를 구분하고 각 지질 시대에 일어났던 사건을 묻는 문제이다.

🐛 **이렇게 대비하자!**

생물 수의 변화 그래프에서 생물 수가 급감한 시기를 기준으로 지질 시대를 구분하고, 당시 지구 환경 변화와 멸종한 생물을 암기하여 대비한다.

■ 연관 기출 문제 키워드

지질 시대 구분 # 대멸종
번성 생물

문제 분석

- 생물 수 변화: 현생 이언 동안 생물 속의 수는 대체로 증가하는 추세를 보이며, 약 2억 5100만 년 전과 약 6500만 년 전에 생물 속의 수가 크게 감소하는 대멸종이 일어났다.

- 지질 시대 구분: 생물 속의 수가 크게 감소한 시기를 기준으로 지질 시대를 구분한다. A 시기는 고생대, B 시기는 중생대, C 시기는 신생대이다.

- 멸종 생물: 약 2억 5100만 년 전에 발생한 대멸종으로 삼엽충을 비롯한 대부분의 해양 생물이 멸종하였고 약 6500만 년 전에 발생한 대멸종으로 공룡을 포함한 대형 파충류가 멸종하였다.

📺 개념 알기

지질 시대 동안 고생대에 세 번, 중생대에 두 번, 총 다섯 번의 대멸종이 있었다. 이 중 세 번째 대멸종으로 고생대와 중생대를 구분하고, 다섯 번째 대멸종으로 중생대와 신생대를 구분한다. 다섯 번의 대멸종 중 가장 규모가 컸던 대멸종은 세 번째 대멸종이다.

그림은 현생 이언 동안 생물 속의 수 변화를 나타낸 것이다.

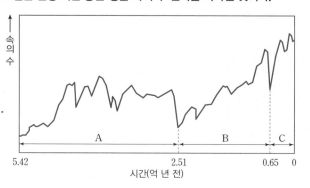

이에 대한 설명으로 옳은 것만을 〈보기〉에서 있는 대로 고른 것은?

┤ 보기 ├
ㄱ. A 시기 말에 최초의 육상 식물이 출현하였다.
ㄴ. B 시기 말 생물 속의 급격한 감소는 초대륙 형성과 관련이 있다.
ㄷ. C 시기 표준 화석으로 화폐석과 매머드가 있다.

① ㄱ ✔ ㄷ ③ ㄱ, ㄴ ④ ㄴ, ㄷ ⑤ ㄱ, ㄴ, ㄷ

■ 문항별 해설

ㄱ. (×) A 시기는 고생대이다. 최초의 육상 식물은 고생대 중기에 출현하였다.

ㄴ. (×) B 시기는 중생대이다. 중생대 말 생물 속의 급격한 감소의 원인으로 가장 유력한 가설은 운석 충돌설이다.

ㄷ. (○) C 시기는 신생대이다. 화폐석과 매머드는 신생대의 대표적인 표준 화석이다.

■ 오류 피하기

⤷ 초대륙 형성은 A 시기인 고생대와 B 시기인 중생대 사이에 발생한 대멸종의 원인 중 하나이다.

기출 문제

정답과 해설 **12**쪽

057 그림은 현생 이언 동안 해양 무척추동물과 육상 식물의 과의 수 변화를 나타낸 것이다.

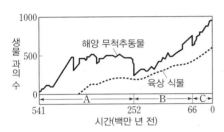

이에 대한 설명으로 옳은 것만을 〈보기〉에서 있는 대로 고른 것은?

┤ 보기 ├

ㄱ. 육상 식물이 해양 무척추동물보다 먼저 출현하였다.

ㄴ. 해양 무척추동물의 과의 수는 A 시기 말이 B 시기 말보다 적었다.

ㄷ. C 시기에는 화폐석이 번성하였다.

① ㄱ ② ㄷ ③ ㄱ, ㄴ ④ ㄴ, ㄷ ⑤ ㄱ, ㄴ, ㄷ

058 그림은 지질 시대 동안 해양 동물과 육상 척추동물 과(科)의 수를 순서 없이 나타낸 것이다.

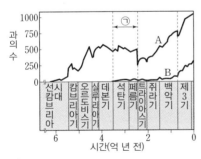

이에 대한 설명으로 옳은 것만을 〈보기〉에서 있는 대로 고른 것은?

┤ 보기 ├

ㄱ. A는 해양 동물을 나타낸 것이다.

ㄴ. ㉠ 시기에 번성한 육상 척추동물은 주로 포유류이다.

ㄷ. 백악기 말에 판게아가 형성되었다.

① ㄱ ② ㄴ ③ ㄷ ④ ㄱ, ㄴ ⑤ ㄱ, ㄷ

059 그림은 현생 이언에 생존했던 생물 종류의 수와 생물 A, B, C의 생존 시기를 나타낸 것이다.

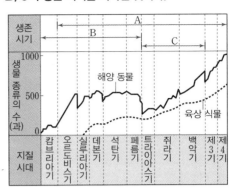

이에 대한 설명으로 옳은 것만을 〈보기〉에서 있는 대로 고른 것은?

┤ 보기 ├

ㄱ. 판게아의 형성은 페름기 말 생물 종류의 수를 감소시켰다.

ㄴ. A~C 중 중생대의 표준 화석으로 적합한 생물은 C이다.

ㄷ. 지질 시대의 구분 기준으로는 육상 식물보다 해양 동물 종류의 수 변화가 더 적합하다.

① ㄱ ② ㄷ ③ ㄱ, ㄴ ④ ㄴ, ㄷ ⑤ ㄱ, ㄴ, ㄷ

060 그림은 현생 이언에 생존했던 생물 종류의 수와 육상 식물의 생존 시기를 나타낸 것이다.

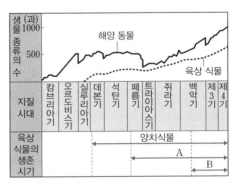

이에 대한 설명으로 옳은 것만을 〈보기〉에서 있는 대로 고른 것은?

┤ 보기 ├

ㄱ. A는 속씨식물, B는 겉씨식물이다.

ㄴ. 육상 식물 출현의 원인은 오존층의 형성과 관계가 있다.

ㄷ. 백악기 말에 해양 동물 종류의 수가 감소한 이유는 판게아가 형성되었기 때문이다.

① ㄱ ② ㄴ ③ ㄱ, ㄷ ④ ㄴ, ㄷ ⑤ ㄱ, ㄴ, ㄷ

기출 분석

16 유형

? 출제 의도

지질 시대 동안 수륙 분포 변화를 통해 지질 시대를 구분하고 수륙 분포의 변화가 생물계에 미쳤던 영향을 묻는 문제이다.

이렇게 대비하자!

각 지질 시대의 수륙 분포를 암기하고 판게아의 형성과 분리 시기, 대륙 이동에 따른 생물 서식지 변화를 관련지어 학습한다.

■ 연관 기출 문제 키워드

\# 지질 시대 구분 \# 초대륙(판게아)

\# 수륙 분포

문제 분석

여러 대륙이 모여 하나의 초대륙인 판게아를 형성하였다.

(가) 고생대 말

• 전 지구적으로 해안선이 짧아져 해안 지역이 감소하고 대륙의 충돌로 습곡 산맥이 형성되었다.

유라시아 대륙

인도 대륙

(나) 중생대

• 판게아가 분리되기 시작하면서 발산형 경계에서 화산 활동이 활발하게 일어났다. 대서양이 확장되기 시작하였고 해안 지역이 많아지면서 다양한 생물의 서식 환경이 만들어졌다.

(다) 신생대

• 각 대륙이 더 멀어져 현재와 비슷한 수륙 분포를 이루었다.

개념 알기

육지의 이점과 바다의 이점을 모두 얻을 수 있는 해안 지역은 생물이 살기 적합한 서식지이다. 따라서 해안 지역에서의 생물 다양성은 다른 지역에서보다 높다. 판게아가 형성되면 해안 지역이 좁아지고 생물의 다양성이 감소한다.

그림은 현생 이언의 어느 시기 동안 대륙이 이동한 모습을 시간 순으로 나타낸 것이고, 표는 주요 지질학적 사건을 시간 순서 없이 나타낸 것이다.

(가)   (나)   (다)

사건	내용
A	육상 식물의 출현
B	히말라야산맥의 형성
C	공룡의 번성

이에 대한 설명으로 옳은 것을 〈보기〉에서 모두 고른 것은?

┤ 보기 ├

ㄱ. (가)는 고생대 말~중생대 초에 존재한 판게아의 모습이다.

ㄴ. B 사건은 (나)와 (다) 시기 사이에 일어났다.

ㄷ. 사건이 일어난 순서는 A→C→B이다.

① ㄱ   ② ㄷ   ③ ㄱ, ㄴ   ④ ㄴ, ㄷ   ✔ ㄱ, ㄴ, ㄷ

■ 문항별 해설

ㄱ. (○) (가)에서 지구에는 1개의 초대륙인 판게아가 존재한다. 판게아는 고생대 말에 형성되어 중생대 초까지 대륙이 분리되지 않고 존재하였다.

ㄴ. (○) 히말라야산맥은 신생대에 인도 대륙과 유라시아 대륙이 충돌하면서 형성되었다. 따라서 두 대륙이 떨어져 있는 (나) 시기와 두 대륙이 붙어 있는 (다) 시기 사이에 일어났다.

ㄷ. (○) 육상 식물은 고생대에 최초로 출현하였고, 공룡은 중생대에 번성하였다. 따라서 사건은 A, C, B 순으로 일어났다.

■ 오류 피하기

→ 히말라야산맥은 신생대에 형성되었다. 과거 유라시아 대륙과 인도 대륙 사이에 바다가 있었으므로 히말라야산맥에서 해양 퇴적물이 발견된다.

기출 문제

정답과 해설 **12~13**쪽

061 그림은 판게아의 분리로 수륙 분포가 (가)에서 (나)로 변하는 모습을 나타낸 것이다.

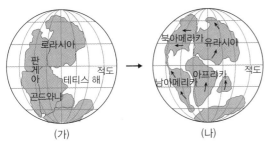

(나)의 지질 시대에 대한 설명으로 옳은 것만을 〈보기〉에서 있는 대로 고른 것은?

┤ 보기 ├

ㄱ. 해양 생물은 서식지가 좁아져서 종의 수가 감소하였다.

ㄴ. 대체로 온난하였으며 빙하기는 없었다.

ㄷ. 공룡과 암모나이트가 번성했다.

① ㄱ ② ㄷ ③ ㄱ, ㄴ ④ ㄴ, ㄷ ⑤ ㄱ, ㄴ, ㄷ

062 그림 (가)와 (나)는 서로 다른 지질 시대의 수륙 분포이다.

수륙 분포가 (가)에서 (나)로 변하는 동안 지구상에서 일어난 변화에 대한 설명으로 옳은 것만을 〈보기〉에서 있는 대로 고른 것은?

┤ 보기 ├

ㄱ. 대서양이 형성되기 시작했다.

ㄴ. 해안선의 길이가 길어졌다.

ㄷ. 해류의 분포가 단순해졌다.

① ㄱ ② ㄷ ③ ㄱ, ㄴ ④ ㄴ, ㄷ ⑤ ㄱ, ㄴ, ㄷ

063 그림은 고생대 말기 이후 수륙 분포의 변천 과정을 나타낸 것이다.

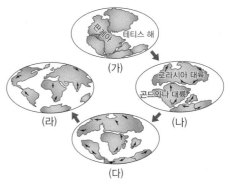

이 자료에 대한 설명으로 옳은 것만을 〈보기〉에서 있는 대로 고른 것은?

┤ 보기 ├

ㄱ. (가)보다 (라)에서 생물 종이 다양하다.

ㄴ. 히말라야산맥에서는 바다 생물 화석이 발견된다.

ㄷ. (가)→(라)로 가면서 해안선이 길어지고 해류의 흐름이 복잡해진다.

① ㄴ ② ㄷ ③ ㄱ, ㄴ ④ ㄱ, ㄷ ⑤ ㄱ, ㄴ, ㄷ

064 그림 (가), (나), (다)는 현생 이언 어느 시기의 수륙 분포를 시간순으로 나타낸 것이다.

이에 대한 설명으로 옳은 것만을 〈보기〉에서 있는 대로 고른 것은?

┤ 보기 ├

ㄱ. (가)의 판게아 형성은 해양 무척추동물을 대규모로 멸종시키는 중요한 요인이었다.

ㄴ. (나)에는 히말라야산맥이 형성되어 있다.

ㄷ. (다)의 육지에는 겉씨식물이 속씨식물보다 번성하였다.

① ㄱ ② ㄷ ③ ㄱ, ㄴ ④ ㄴ, ㄷ ⑤ ㄱ, ㄴ, ㄷ

기출 분석

17 유형

? 출제 의도

지질 시대 동안 기온 변화를 통해 예측되는 환경과 환경에 적응하여 변화한 생물계의 특징을 묻는 문제이다.

~ 이렇게 대비하자!

기온 변화 자료와 번성한 생물의 종류, 산소 또는 이산화 탄소의 농도 변화 등이 함께 제시되므로 각 지질 시대의 기온 변화와 전반적인 환경 변화를 같이 암기한다.

■ 연관 기출 문제 키워드

\# 지질 시대 구분 \# 초대륙(판게아)

\# 수륙 분포

문제 분석

• **고생대**: 대체로 온난한 기후였으나 말기에 빙하기가 있었다.

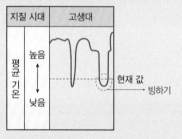

• **중생대**: 온난한 기후가 지속되었으며 빙하기가 없었다.

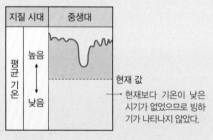

• **신생대**: 초기에는 온난했으나 점차 기온이 하강하여 제4기에는 빙하기와 간빙기가 여러 차례 나타났다.

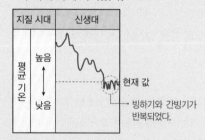

개념 알기

현재는 약 만 년 전부터 간빙기가 지속되고 있다.

그림은 지질 시대의 평균 기온 변화와 생물계의 번성 순서를 나타낸 것이다.

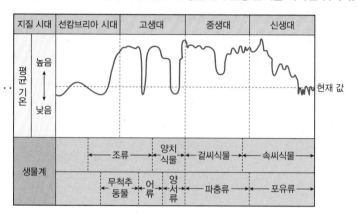

이에 대한 설명으로 옳은 것만을 〈보기〉에서 있는 대로 고른 것은?

┤ 보기 ├

ㄱ. 신생대 말기에는 빙하기와 간빙기가 반복되었다.

ㄴ. 겉씨식물이 번성한 시대는 현재보다 온난하였다.

ㄷ. 오존층은 양서류가 번성하기 이전에 형성되었다.

① ㄱ   ② ㄷ   ③ ㄱ, ㄴ   ④ ㄴ, ㄷ   ✔ ㄱ, ㄴ, ㄷ

■ 문항별 해설

ㄱ. (○) 그래프를 보면 신생대 말기의 평균 기온이 현재 값을 기준으로 상승과 하강을 반복하였음을 알 수 있다. 이를 통해 신생대 말기에는 빙하기와 간빙기가 반복되었음을 알 수 있다.

ㄴ. (○) 겉씨식물이 번성한 시기는 중생대이다. 중생대에는 현재보다 기온이 높은 온난한 시기가 지속되었다.

ㄷ. (○) 최초의 생물은 자외선으로부터 보호받을 수 있는 물속에서 탄생하였다. 이후 오존층이 형성되기 전까지 모든 생물은 물속에서 살았으며 오존층이 생성되어 지표로 들어오는 자외선이 차단되자 육상 식물과 양서류를 포함한 육상 생물이 나타나기 시작하였다.

■ 오류 피하기

⋯ 각 지질 시대에 번성한 식물은 해당 지질 시대 이후에 멸종하지 않았으므로 표준 화석은 아니다.

지질 시대	번성한 식물
고생대	양치식물
중생대	겉씨식물
신생대	속씨식물

기출 문제

정답과 해설 **13~14**쪽

065 그림은 위도 $40°~90°N$ 지역의 지질 시대에 따른 기온과 강수량의 변화 및 생물계의 번성을 나타낸 것이다.

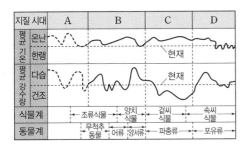

이에 대한 설명으로 옳은 것만을 〈보기〉에서 있는 대로 고른 것은?

┤ 보기 ├

ㄱ. A 시기는 육상 생물이 최초로 출현하였다.
ㄴ. B 시기는 바다에 암모나이트가 번성하였다.
ㄷ. C 시기는 D 시기보다 대체로 온난하였다.
ㄹ. 양치식물은 온난 다습한 환경에서 번성하였다.

① ㄱ, ㄴ   ② ㄴ, ㄷ   ③ ㄷ, ㄹ
④ ㄱ, ㄴ, ㄹ   ⑤ ㄱ, ㄷ, ㄹ

066 그림은 현생 이언 동안 지구의 평균 강수량과 평균 기온을 시간에 따라 나타낸 것이다.

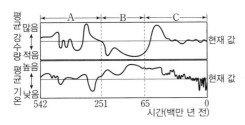

시대 A, B, C에 대한 설명으로 옳은 것만을 〈보기〉에서 있는 대로 고른 것은?

┤ 보기 ├

ㄱ. A에 가장 긴 빙하기가 있었다.
ㄴ. B는 현재보다 온난하였다.
ㄷ. C에 속씨식물이 번성하였다.

① ㄱ ② ㄴ ③ ㄱ, ㄷ ④ ㄴ, ㄷ ⑤ ㄱ, ㄴ, ㄷ

067 그림은 현생 이언 동안 지구의 평균 해수면과 평균 기온의 변화를 나타낸 것이다.

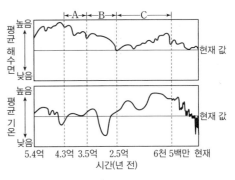

이에 대한 설명으로 옳은 것만을 〈보기〉에서 있는 대로 고른 것은?

┤ 보기 ├

ㄱ. 빙하의 분포 면적은 A 시기가 B 시기보다 넓었을 것이다.
ㄴ. 중생대는 신생대 말기보다 온난하였다.
ㄷ. C 시기에는 빙하기와 간빙기가 여러 차례 반복되었다.

① ㄱ ② ㄴ ③ ㄱ, ㄷ ④ ㄴ, ㄷ ⑤ ㄱ, ㄴ, ㄷ

068 그림은 현생 이언 동안 대기 중 이산화 탄소의 농도와 생물계의 변화를 나타낸 것이다.

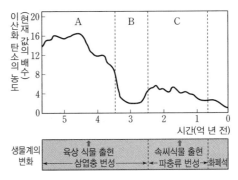

이에 대한 설명으로 옳은 것만을 〈보기〉에서 있는 대로 고른 것은?

┤ 보기 ├

ㄱ. A 기간 중 해양에는 암모나이트가 번성하였다.
ㄴ. B 기간 초기에 육상 식물의 번성은 대기 중 이산화 탄소의 농도를 급격히 감소시켰다.
ㄷ. C 기간의 기후는 현재보다 따뜻하였다.

① ㄱ   ② ㄴ   ③ ㄷ   ④ ㄱ, ㄷ   ⑤ ㄴ, ㄷ

기출 분석

18 유형

? 출제 의도

온대 저기압의 특징과 일기도를 해석하여 온대 저기압의 영향을 받고 있는 지역의 날씨를 묻는 문제이다.

🌊 이렇게 대비하자!

온대 저기압 주변의 날씨를 해석하고 편서풍의 영향으로 온대 저기압이 서에서 동으로 이동하는 동안 한 지역에서 나타나는 날씨 변화를 이해한다.

■ **연관 기출 문제 키워드**

온대 저기압 # 편서풍
온난 전선 # 한랭 전선

문제 분석 ·········

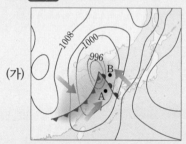

(가)

- B 지역의 날씨: 온난 전선이 통과하기 전이므로 남동풍이 불고 있으며 기온이 낮다. 층운형 구름이 하늘을 덮고 있어 날씨가 흐리다. 약한 강수 현상이 나타날 수 있다.

- A 지역의 날씨: 온난 전선이 통과하고 한랭 전선이 통과하기 전이다. 남서풍이 불고 있으며 기온이 높다. 구름이 없는 맑은 날씨를 보인다.

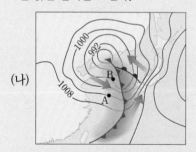

(나)

- A, B 지역의 날씨: 한랭 전선이 통과하였으므로 북서풍이 불고 기온이 낮다. 적운형 구름이 하늘을 덮고 있으며 강한 강수 현상이 나타날 수 있다.

그림 (가)와 (나)는 우리나라 주변을 온대 저기압이 통과할 때 12시간 간격으로 작성된 일기도를 순서 없이 나타낸 것이다.

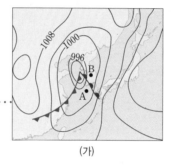   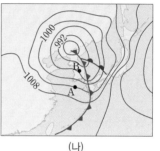
(가)   (나)

이에 대한 설명으로 옳은 것만을 〈보기〉에서 있는 대로 고른 것은?

┤ 보기 ├
ㄱ. (가)는 (나)보다 먼저 작성된 일기도이다.
ㄴ. A 지역의 기온은 (나)보다 (가)일 때 높다.
ㄷ. 이 기간 동안 B 지역의 풍향은 북서풍에서 남동풍으로 변한다.

① ㄱ   ② ㄴ   ③ ㄷ   ✔ ㄱ, ㄴ   ⑤ ㄴ, ㄷ

■ **문항별 해설**

ㄱ. (○) 우리나라는 편서풍의 영향을 받는 위도 30°~60°에 위치하고 있다. 우리나라 주변에 있는 온대 저기압은 편서풍의 영향을 받아 서쪽에서 동쪽으로 이동하므로 온대 저기압의 위치가 더 서쪽에 있는 (가)가 (나)보다 먼저 작성된 일기도이다.

ㄴ. (○) (가)에서 A 지역은 온난 전선이 통과하였고 한랭 전선이 통과하기 이전이므로 따뜻한 공기의 영향을 받고 있다. (나)에서 A 지역은 한랭 전선이 통과하였으므로 찬 공기의 영향을 받고 있다. 따라서 A 지역의 기온은 (나)보다 (가)일 때 더 높다.

ㄷ. (×) (가)에서 B 지역은 온대 저기압의 온난 전선 전면에 있으므로 남동풍이 불고, (나)에서 B 지역은 한랭 전선 후면에 있으므로 북서풍이 분다. 이 기간 동안 B 지역의 풍향은 남동풍에서 북서풍으로 변하였다.

■ **오류 피하기**

⋯ 온대 저기압 통과 시 저기압 중심보다 남쪽에 있는 지역의 풍향은 시계 방향인 남동풍→남서풍→북서풍으로 변한다.

기출 문제

069 그림 (가)와 (나)는 어느 해 9월 하루 간격으로 작성된 일기도를 순서 없이 나타낸 것이다.

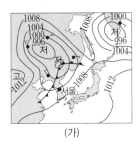
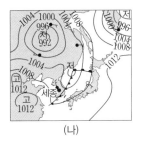

(가)   (나)

이에 대한 설명으로 옳은 것만을 〈보기〉에서 있는 대로 고른 것은?

┤ 보기 ├
ㄱ. 이 기간에 세종의 기온은 낮아졌다.
ㄴ. 서울의 풍향은 북서풍에서 남서풍으로 변했다.
ㄷ. (가)가 (나)보다 나중에 작성된 일기도이다.

① ㄱ   ② ㄷ   ③ ㄱ, ㄴ   ④ ㄴ, ㄷ   ⑤ ㄱ, ㄴ, ㄷ

070 그림 (가)는 어느 날 우리나라 주변의 일기도이고, (나)는 A, B, C 중 한 지역에 나타나는 구름의 모습이다.

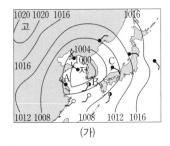

(가)   (나)

A, B, C 세 지역의 날씨에 대한 해석으로 옳은 것은?

① A는 한랭 전선 후면이다.
② B의 풍향은 북서풍이다.
③ B의 온도가 가장 낮을 것이다.
④ 풍속은 C가 A보다 더 크다.
⑤ (나)는 B에서 주로 관측된다.

071 그림 (가)는 어느 날 우리나라 주변의 일기도를, (나)는 A, B, C 중 어느 한 곳의 날씨를 일기 기호로 나타낸 것이다.

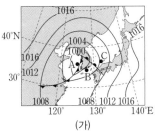
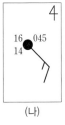

(가)   (나)

이에 대한 설명으로 옳은 것만을 〈보기〉에서 있는 대로 고른 것은?

┤ 보기 ├
ㄱ. A 지역에서 강수 현상이 잘 나타난다.
ㄴ. B의 기온은 16 ℃보다 높다.
ㄷ. A, B, C 중에서 기압이 가장 높은 곳은 A이다.

① ㄱ   ② ㄷ   ③ ㄱ, ㄴ   ④ ㄴ, ㄷ   ⑤ ㄱ, ㄴ, ㄷ

072 그림 (가)는 어느 날 우리나라 주변의 지상 일기도이고, (나)는 이때 A, B, C 지점의 풍향과 풍속을 점(·)으로 나타낸 것이다.

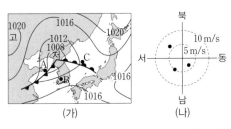

(가)   (나)

이에 대한 설명으로 옳은 것만을 〈보기〉에서 있는 대로 고른 것은?

┤ 보기 ├
ㄱ. 기압은 B가 A보다 높다.
ㄴ. C의 풍속은 5 m/s보다 크다.
ㄷ. 온난 전선이 C를 통과하는 동안 이 지점의 풍향은 반시계 방향으로 바뀐다.

① ㄱ   ② ㄴ   ③ ㄱ, ㄷ   ④ ㄴ, ㄷ   ⑤ ㄱ, ㄴ, ㄷ

기출 유형 분석 **039**

기출 분석

19 유형

\# 태풍 \# 중심 기압

\# 이동 경로 \# 풍향 변화

문제 분석

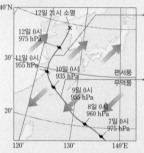

태풍은 11일 새벽에 위도 30°를 지났으며 편서풍의 영향을 받아 북동쪽으로 이동한다.

태풍은 7일부터 11일까지 위도 30°보다 저위도에 위치하고 있으며 무역풍의 영향을 받아 북서쪽으로 이동하고 있다.

- 태풍의 에너지원은 수증기가 응결할 때 방출하는 숨은열(잠열)이다. 태풍이 상륙하거나 저온의 해상에 이르면 수증기를 공급받지 못해 태풍은 세기가 약해지고 소멸한다. 태풍의 세기는 중심 기압을 통해 알 수 있다.

- 태풍의 중심 기압은 7일부터 10일까지 975 hPa에서 935 hPa까지 낮아졌고, 10일 이후 중국 해안에 가까워지면서 중심 기압이 상승하였다. 태풍이 12일 21시에 소멸할 때 중심 기압은 12일 0시의 중심 기압인 975 hPa보다 높았을 것이다.

개념 알기

태풍은 이동하는 방향을 기준으로 오른쪽 영역은 위험 반원, 왼쪽 영역은 안전 반원이다. 북반구를 기준으로 할 때 태풍의 이동 경로 오른쪽에 있는 지역의 풍향은 시계 방향으로 바뀌고, 태풍의 이동 경로 왼쪽에 있는 지역의 풍향은 시계 반대 방향으로 바뀐다.

? 출제 의도

태풍의 특징과 태풍이 이동 경로를 따라 이동하는 동안 각 지역의 날씨 변화와 태풍의 영향을 묻는 문제이다.

이렇게 대비하자!

태풍의 이동 경로와 관련된 자료에서 태풍 세기의 변화와 영향을 미치는 지역, 태풍이 통과하는 동안 한 지역에서 변하는 풍향을 파악한다.

그림은 2015년 7월 우리나라 주변을 통과한 태풍 찬홈의 이동 경로와 중심 기압의 변화를 나타낸 것이다.

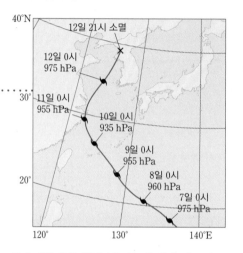

이에 대한 옳은 설명만을 〈보기〉에서 있는 대로 고른 것은?

┤ 보기 ├

ㄱ. 8일에 태풍의 이동 방향은 무역풍의 영향을 받았을 것이다.

ㄴ. 12일 0시 이후 태풍의 중심 기압은 낮아졌을 것이다.

ㄷ. 태풍이 황해를 지나는 동안 서울 지역의 풍향은 시계 방향으로 바뀌었을 것이다.

① ㄴ　　　② ㄷ　　　③ ㄱ, ㄴ　　　✓ ㄱ, ㄷ　　　⑤ ㄱ, ㄴ, ㄷ

■ 문항별 해설

ㄱ. (○) 8일에 태풍은 위도 약 20° 부근에 위치하고 있다. 적도부터 위도 30°까지는 무역풍이 불고 있는 지역이며 태풍은 무역풍의 영향을 받아 북서쪽으로 이동하고 있다.

ㄴ. (×) 12일 0시 이후 태풍은 한반도에 상륙했고 수증기를 공급받지 못해 태풍의 세기가 약해지다가 21시에 소멸하였다. 따라서 12일 0시 이후 태풍의 중심 기압은 높아졌을 것이다.

ㄷ. (○) 태풍 주변의 바람은 시계 반대 방향으로 돌며 태풍 중심으로 불어 들어간다. 따라서 서울 지역은 12일 0시에 동풍이 불고, 태풍이 황해를 지나는 동안 남동풍이 불며 소멸 직전에는 남풍이 불어 풍향이 시계 방향으로 바뀌었을 것이다.

▲ 동풍　　　　　▲ 남동풍　　　　　▲ 남풍

073 그림은 어느 해 발생한 태풍의 이동 경로와 두 지점에서 태풍의 위성 사진을 나타낸 것이다.

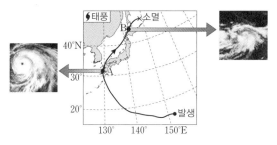

이에 대한 설명으로 옳은 것만을 〈보기〉에서 있는 대로 고른 것은?

┤ 보기 ┝

ㄱ. A의 태풍 눈에서는 상승 기류가 활발하다.

ㄴ. 태풍의 중심 기압은 A가 B보다 낮다.

ㄷ. A→B 구간에서 우리나라는 위험 반원에 위치한다.

① ㄱ ② ㄴ ③ ㄱ, ㄷ ④ ㄴ, ㄷ ⑤ ㄱ, ㄴ, ㄷ

074 그림은 어느 해 9월에 발생한 태풍의 이동 경로와 8일 15시에 제주에서 관측된 날씨를 일기 기호로 나타낸 것이다. 이에 대한 설명으로 옳은 것만을 〈보기〉에서 있는 대로 고른 것은?

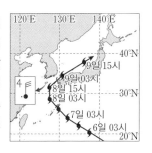

┤ 보기 ┝

ㄱ. 8일 15시 이후 태풍은 이동 속도가 빨라졌다.

ㄴ. 제주는 8일 15시에 15 m/s의 북풍이 불고 비가 내렸다.

ㄷ. 8일 15시 이후 부산의 풍향은 반시계 방향으로 변했다.

① ㄱ ② ㄷ ③ ㄱ, ㄴ ④ ㄴ, ㄷ ⑤ ㄱ, ㄴ, ㄷ

075 그림 (가)는 어느 태풍의 이동 경로와 중심 기압을 나타낸 것이고, a와 b 중 하나는 실제 이동 경로이다. (나)는 이 태풍이 우리나라를 통과하는 동안 P에서 관측된 기압과 풍향 변화를 시간에 따라 나타낸 것이다.

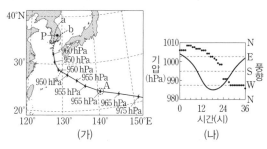

이에 대한 설명으로 옳은 것만을 〈보기〉에서 있는 대로 고른 것은?

┤ 보기 ┝

ㄱ. 이 태풍은 편서풍대에서 발생하였다.

ㄴ. 태풍은 A 해역으로 접근하면서 세력이 강해졌다.

ㄷ. (가)에서 태풍의 실제 이동 경로는 a이다.

① ㄱ ② ㄴ ③ ㄷ ④ ㄱ, ㄴ ⑤ ㄴ, ㄷ

076 그림 (가)는 어느 태풍의 이동 경로를, (나)는 이 태풍의 중심 기압과 최대 풍속의 변화를 나타낸 것이다.

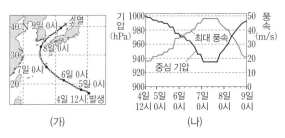

이에 대한 설명으로 옳은 것만을 〈보기〉에서 있는 대로 고른 것은?

┤ 보기 ┝

ㄱ. 5일에는 편서풍의 영향을 받았다.

ㄴ. 태풍 발생 이후 세력이 가장 강한 시기는 7일이었다.

ㄷ. 태풍이 남해상을 통과하는 동안 제주도의 풍향은 시계 반대 방향으로 변했다.

① ㄱ ② ㄴ ③ ㄱ, ㄷ ④ ㄴ, ㄷ ⑤ ㄱ, ㄴ, ㄷ

기출 분석

20유형

? 출제 의도

태풍의 풍속 분포를 통해 위험 반원과 안전 반원을 구분하고 그에 따른 태풍의 특징을 묻는 문제이다.

〰 이렇게 대비하자!

위험 반원과 안전 반원이 형성되는 원인, 태풍의 눈에서의 날씨 특징을 이해하고 태풍의 단면과 구조적 특징을 반복 학습하여 대비한다.

■ **연관 기출 문제 키워드**

\# 태풍 \# 태풍의 눈
\# 위험 반원 \# 안전 반원

문제 분석

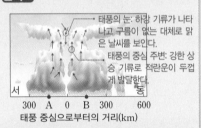

태풍의 눈: 하강 기류가 나타나고 구름이 없는 대체로 맑은 날씨를 보인다.
태풍의 중심 주변: 강한 상승 기류로 적란운이 두껍게 발달한다.

• 태풍의 단면을 통해 태풍의 가장 중심에는 구름이 없고 중심 주위에 높게 발달한 구름이 있음을 알 수 있다. 여기서 구름이 없는 태풍의 중심이 태풍의 눈이다.

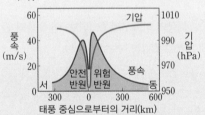

• 태풍 동쪽의 풍속이 서쪽의 풍속보다 큰 값을 가지므로 태풍의 동쪽 영역은 위험 반원, 서쪽 영역은 안전 반원이다.

🖥 **개념 알기**

태풍에서 위험 반원에서는 태풍의 이동 방향과 태풍 중심으로 불어 들어가는 바람의 방향이 같아 풍속이 빠르다. 반면에 안전 반원에서는 태풍의 이동 방향과 태풍 중심으로 불어 들어가는 바람의 방향이 반대이기 때문에 풍속이 느리다.

그림 (가)는 북반구 중위도에서 북상하는 어느 태풍의 단면을, (나)는 이 태풍의 풍속과 기압 분포를 개략적으로 나타낸 것이다.

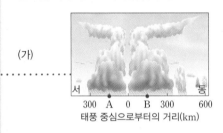

(가)

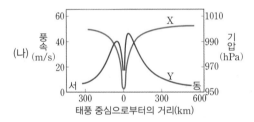

(나)

이 태풍에 대한 설명으로 옳은 것만을 〈보기〉에서 있는 대로 고른 것은? (단, A와 B는 태풍 중심으로부터의 거리가 같은 지점이다.)

┤ 보기 ├

ㄱ. (나)의 X는 풍속, Y는 기압이다.
ㄴ. 풍속은 (가)의 B 지점이 A 지점보다 빠르다.
ㄷ. 태풍의 눈에서는 하강 기류가 나타난다.

① ㄱ　　② ㄴ　　③ ㄱ, ㄷ　　✓ ㄴ, ㄷ　　⑤ ㄱ, ㄴ, ㄷ

■ **문항별 해설**

ㄱ. (✗) 태풍은 열대 저기압으로 저기압의 한 종류이다. 태풍의 중심으로 갈수록 값이 계속 감소해 태풍의 눈에서 최소인 값을 가지는 자료(X)는 기압이다. 반면에 태풍의 중심으로 갈수록 값이 증가하다가 태풍의 눈벽에서 최대인 값을 가지고 이후 감소하는 자료(Y)는 풍속이다.

ㄴ. (○) (나)의 풍속를 보면 풍속이 더 빠른 태풍의 동쪽 영역은 위험 반원, 풍속이 더 느린 서쪽 영역은 안전 반원임을 알 수 있다. 따라서 A는 안전 반원 영역, B는 위험 반원 영역이므로 풍속은 B 지점이 A 지점보다 빠르다.

ㄷ. (○) 태풍의 눈에서는 하강 기류가 나타나므로 태풍의 중심은 (가)에서 구름이 없고 (나)에서 풍속이 느리다.

기출 문제

정답과 해설 15~16쪽

077 그래프는 약 3 km 고도에서 4일 동안 측정한 어느 태풍의 풍속을 중심으로부터의 거리에 따라 나타낸 것이다.

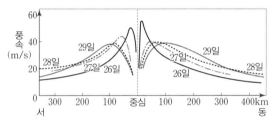

이에 대한 해석으로 옳은 것만을 〈보기〉에서 있는 대로 고른 것은?

┃ 보기 ┃
ㄱ. 26일 태풍의 눈은 반지름이 100 km보다 크다.
ㄴ. 최대 풍속이 나타나는 곳에는 하강 기류가 발달한다.
ㄷ. 중심에서 150 km 지점의 풍속은 점점 강해졌다.

① ㄱ　② ㄷ　③ ㄱ, ㄴ　④ ㄱ, ㄷ　⑤ ㄴ, ㄷ

078 그림 (가)는 북반구에서 이동 중인 태풍을, (나)는 X—Y 방향의 풍속 분포를 나타낸 모식도이다.

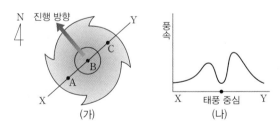

이 자료에 대한 설명으로 옳은 것만을 〈보기〉에서 있는 대로 고른 것은?

┃ 보기 ┃
ㄱ. A는 위험 반원, C는 가항(안전) 반원에 속한다.
ㄴ. A~C 중 기압이 가장 낮은 곳은 B이다.
ㄷ. C 지역의 기상을 일기 기호로 나타내면 ⦿〜 이다.

① ㄱ　② ㄴ　③ ㄴ, ㄷ　④ ㄱ, ㄷ　⑤ ㄱ, ㄴ, ㄷ

079 그림은 우리나라를 향해 북상해 오고 있는 태풍의 중심을 지나는 직선을 따라 측정한 지상 풍속을 모식적으로 나타낸 것이다.

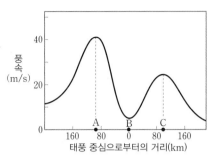

지점 A, B, C에 대한 설명으로 옳은 것만을 〈보기〉에서 있는 대로 고른 것은?

┃ 보기 ┃
ㄱ. A는 태풍 진행 방향의 오른쪽에 위치한다.
ㄴ. B에서 적란운이 가장 두껍게 발달한다.
ㄷ. C에서 기압이 가장 낮다.

① ㄱ　② ㄴ　③ ㄷ　④ ㄱ, ㄴ　⑤ ㄴ, ㄷ

080 그림은 북반구 중위도에서 북상하는 태풍의 동서 방향 단면과 기상 요소의 변화를 나타낸 것이다.

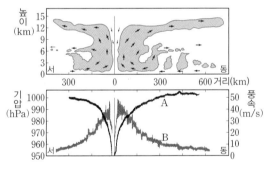

이에 대한 설명으로 옳은 것만을 〈보기〉에서 있는 대로 고른 것은?

┃ 보기 ┃
ㄱ. 태풍의 눈에서는 하강 기류에 의해 단열 압축이 일어난다.
ㄴ. A는 기압, B는 풍속이다.
ㄷ. 태풍 중심에서 동쪽으로 150 km 떨어진 지점은 위험 반원에 속한다.

① ㄱ　② ㄴ　③ ㄱ, ㄷ　④ ㄴ, ㄷ　⑤ ㄱ, ㄴ, ㄷ

기출 분석

21 유형

■ 연관 기출 문제 키워드

\# 가시 영상 # 적외 영상
\# 구름의 높이 # 적란운

문제 분석

구분	적외 영상	가시 영상
A		
B		
C		

- A 지역: 적외 영상에서는 밝게 보이고 가시 영상에서는 흐리게 보인다. 이 지역에는 높고 얇은 구름이 하늘을 덮고 있다.
- B 지역: 적외 영상에서는 흐리게 보이고 가시 영상에서는 밝게 보인다. 이 지역에는 낮고 두꺼운 구름이 하늘을 덮고 있다.
- C 지역: 적외 영상과 가시 영상 모두에서 밝게 보인다. 이 지역에는 수직으로 두꺼운 구름이 하늘을 덮고 있다.

💻 개념 알기

적외 영상은 물체의 온도를 탐지하여 영상으로 나타내므로 밤에도 영상 자료를 얻을 수 있다. 반면에 가시 영상은 물체가 반사한 햇빛을 탐지하여 영상으로 나타내므로 태양이 없는 밤에는 영상 자료를 얻을 수 없다.

❓ 출제 의도

가시 영상과 적외 영상을 통해 구름의 위치와 형태를 파악하고 해당 지역의 날씨를 묻는 문제이다.

👀 이렇게 대비하자!

가시 영상과 적외 영상을 구분하고 다양한 문제를 통해 위성 영상에서 태풍, 전선, 적란운의 위치 등을 파악할 수 있도록 한다.

다음은 기상위성 영상에 나타나는 구름의 특징에 대한 설명이고, 그림은 같은 시각에 다른 파장으로 관측한 기상위성 영상이다.

- 적외선 영상에서는 적란운이나 권운 등 구름 상부의 고도가 높을수록 밝게 보이며, 안개와 하층운은 어둡게 보인다.
- 가시광선 영상에서는 구름 입자가 클수록, 그리고 구름 입자의 수가 많을수록 태양광의 반사가 커서 밝게 보인다.

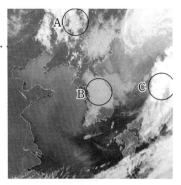
적외선 영상

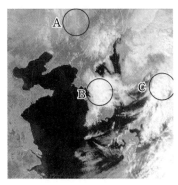
가시광선 영상

이 자료에 대한 설명으로 옳은 것은?

① A 지역은 비가 내릴 가능성이 크다.
② A 지역과 B 지역에 있는 구름은 같은 종류이다.
③ B 지역이 C 지역보다 구름 상부의 고도가 높다.
✔ C 지역은 적운형 구름에 덮여 있다.
⑤ 위성 영상 자료로는 중층운을 관찰할 수 없다.

■ 문항별 해설

❶ (×) A 지역은 높은 구름으로 하늘이 덮여 있기 때문에 강수 현상이 나타나지 않는다.
❷ (×) A 지역은 높이가 높은 구름이 있고, B 지역은 높이가 낮은 구름이 있다.
❸ (×) 적외 영상에서 더 밝게 보이는 C 지역이 B 지역보다 구름 상부의 고도가 높다.
❹ (○) C 지역은 적외 영상과 가시 영상 모두에서 밝게 보이므로 수직으로 두껍게 발달한 적운형 구름으로 덮여 있다.
❺ (×) 위성 영상 자료로 중층운을 관찰할 수 있다.

■ 오류 피하기

⋯ 중층운의 경우 적외 영상에서는 상층운보다는 흐리고 하층운보다는 밝게 나타난다.

기출 문제

정답과 해설 **16**쪽

081 그림 (가)와 (나)는 인공위성에서 적외선으로 구름 분포와 표층 수온 분포를 관측한 것이다.

 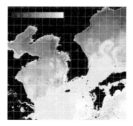

(가) 구름 분포   (나) 표층 수온 분포

이에 대한 설명으로 옳은 것만을 〈보기〉에서 있는 대로 고른 것은?

┤ 보기 ├

ㄱ. 연속된 (가)와 같은 사진으로 구름의 이동 모습을 알 수 있다.

ㄴ. (나)를 이용하여 조경 수역의 위치를 알 수 있다.

ㄷ. (가), (나)의 자료를 얻기 위한 탐사 활동은 밤에도 가능하다.

① ㄱ   ② ㄷ   ③ ㄱ, ㄴ   ④ ㄴ, ㄷ   ⑤ ㄱ, ㄴ, ㄷ

082 그림은 폐색 전선을 동반한 온대 저기압의 모습을 인공위성에서 촬영한 가시광선 영상이다.
A, B, C 지역의 날씨에 대한 설명으로 옳은 것만을 〈보기〉에서 있는 대로 고른 것은?

┤ 보기 ├

ㄱ. 기온은 A가 C보다 낮다.

ㄴ. B에는 층운형 구름이 발달한다.

ㄷ. C에는 북풍이 우세하다.

① ㄱ   ② ㄴ   ③ ㄷ   ④ ㄱ, ㄷ   ⑤ ㄴ, ㄷ

083 그림 (가)는 어느 태풍이 우리나라로 접근하고 있을 때, (나)는 우리나라 서해안 지역에서 폭설이 내릴 때 우리나라와 주변 지역을 촬영한 적외선 영상을 나타낸 것이다.

(가)   (나)

이에 대한 설명으로 옳은 것만을 〈보기〉에서 있는 대로 고른 것은?

┤ 보기 ├

ㄱ. (가)의 A 지역에서 부는 바람은 남동풍 계열이다.

ㄴ. (가)의 B 지역에는 오호츠크해 기단이 발달해 있다.

ㄷ. (나)의 C 지역(황해) 상공에는 적운형 구름이 발달해 있다.

① ㄱ   ② ㄴ   ③ ㄷ   ④ ㄱ, ㄷ   ⑤ ㄴ, ㄷ

084 다음은 2011년 1월 어느 날의 위성 영상과 이날 서해안에 눈이 내린 원인을 설명한 보도 자료이다.

한기를 동반한 대륙 고기압이 확장하며 서해안에 많은 눈이 내렸다. 일반적으로 겨울철 한파가 내습할 때에 위성 영상에 나타나는 구름 분포를 보면, 한기가 남하하면서 해상을 통과할 때 구름이 바람 방향을 따라 발생한다. 이번에 서해안에 많은 눈을 내리게 한 구름은 이러한 과정을 통해서 만들어진 것이다.

이에 대한 옳은 설명만을 〈보기〉에서 있는 대로 고른 것은?

┤ 보기 ├

ㄱ. 이날 황해에 보이는 구름은 대부분 권층운이다.

ㄴ. 눈을 만든 수증기는 대부분 대륙 고기압의 발원지에서 공급된 것이다.

ㄷ. 대륙 고기압의 확장에 의해 황해를 지나는 공기는 하층이 불안정해진다.

① ㄱ   ② ㄷ   ③ ㄱ, ㄴ   ④ ㄴ, ㄷ   ⑤ ㄱ, ㄴ, ㄷ

기출 분석

22 유형

❓ 출제 의도

황사의 발원지 위치와 발원지에서 우리나라까지 황사가 이동하는 과정을 묻는 문제이다.

〰️ 이렇게 대비하자!

우리나라에 영향을 미치는 황사의 발원지가 중국과 몽골 내륙 사막 지대임을 알고, 황사가 편서풍의 영향으로 우리나라까지 이동하는 과정을 학습한다.

■ 연관 기출 문제 키워드

\# 황사

\# 황사 발원지

\# 편서풍

문제 분석

• 황사의 발원지 근처에 저기압이 위치해 있고 이곳에서 발생하는 상승 기류를 통해 모래 먼지가 높은 상공으로 상승할 수 있다.

• 우리나라와 중국은 모두 편서풍의 영향을 받으므로 상승한 모래 먼지는 편서풍을 타고 동쪽으로 이동해 우리나라까지 도달한다.

그림 (가)는 황사가 발원한 2009년 어느 날 우리나라 주변의 일기도를, (나)는 이로부터 며칠 후 우리나라의 상층 대기에 나타난 황사 모습을 나타낸 것이다.

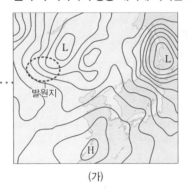
(가)

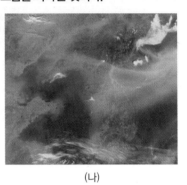
(나)

이에 대한 설명으로 옳은 것만을 〈보기〉에서 있는 대로 고른 것은?

┤ 보기 ├

ㄱ. (가)의 발원지에서는 우리나라보다 강한 바람이 불었다.

ㄴ. (나)의 황사는 발원지 주변에서 상승 기류에 의해 상층으로 이동하였다.

ㄷ. (나)의 황사는 동풍 계열의 바람을 따라 이동해왔다.

① ㄱ   ② ㄷ   ✔③ ㄱ, ㄴ   ④ ㄴ, ㄷ   ⑤ ㄱ, ㄴ, ㄷ

■ 문항별 해설

ㄱ. (○) 일기도에서 황사 발원지 주변의 등압선 간격이 우리나라 주변의 등압선 간격보다 좁으므로 발원지에서 우리나라보다 강한 바람이 불었다.

ㄴ. (○) 황사 발원지 주변에 저기압이 위치해 있고 저기압에서 공기의 수렴이 일어나 상승 기류가 발생하므로 황사는 여기서 발생하는 상승 기류를 타고 상층으로 이동했다.

ㄷ. (×) 황사는 발원지에서 우리나라까지 편서풍을 타고 동쪽으로 이동하였다.

개념 알기

풍향은 바람이 불어오는 방향을 가리킨다. 따라서 동풍 계열의 바람은 동쪽에서 서쪽으로 부는 바람이고, 서풍 계열의 바람은 서쪽에서 동쪽으로 부는 바람이다.

■ 오류 피하기

⋯ 일기도에서 등압선 사이의 간격이 좁을수록 풍속이 빠르고, 등압선 사이의 간격이 넓을수록 풍속이 느리다.

⋯ 우리나라가 편서풍의 영향을 받는 지역임을 알지 못하더라도 황사의 발원지가 우리나라보다 서쪽에 위치하고 있으므로 황사가 서풍 계열의 바람을 타고 동쪽으로 이동하였음을 알 수 있다.

기출 문제

정답과 해설 16~17쪽

085 그림은 황사의 이동 과정을 나타낸 것이다.

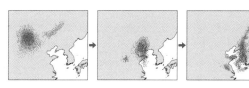

이에 대한 설명으로 옳은 것만을 〈보기〉에서 있는 대로 고른 것은?

┤ 보기 ├

ㄱ. 황사는 편서풍에 의해 이동한다.

ㄴ. 우리나라에서 황사는 주로 봄철에 나타난다.

ㄷ. 중국과 몽골의 사막화가 진행될수록 우리나라에 황사가 자주 나타날 것이다.

① ㄱ ② ㄴ ③ ㄱ, ㄷ ④ ㄴ, ㄷ ⑤ ㄱ, ㄴ, ㄷ

086 표는 최근 10년 간 서울에서 관측한 3, 4, 5월 및 연간 황사 발생 일수를, 그림은 우리나라에 영향을 주는 황사의 발원지를 나타낸 것이다.

구분	3월	4월	5월	연간
2003년	1	2	·	3
2004년	4	1	·	6
2005년	1	9	·	12
2006년	3	7	1	11
2007년	4	2	4	12
2008년	3	2	2	11
2009년	3	·	·	9
2010년	4	1	2	15
2011년	3	·	6	9
2012년	·	·	·	1

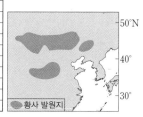

서울에서의 황사 발생에 대한 옳은 설명만을 〈보기〉에서 있는 대로 고른 것은?

┤ 보기 ├

ㄱ. 연간 황사 발생 일수는 점차 증가하고 있다.

ㄴ. 황사는 주로 봄철에 발생한다.

ㄷ. 황사의 이동은 편서풍의 영향을 받는다.

① ㄱ ② ㄷ ③ ㄱ, ㄴ ④ ㄴ, ㄷ ⑤ ㄱ, ㄴ, ㄷ

087 그림은 최근 10년 동안 우리나라에 영향을 준 황사의 발원지와 이동 경로를 나타낸 것이다.

우리나라에서의 황사 현상에 대한 설명으로 옳은 것만을 〈보기〉에서 있는 대로 고른 것은?

┤ 보기 ├

ㄱ. 주로 여름철에 발생한다.

ㄴ. 편서풍의 영향을 받는다.

ㄷ. 중국과 몽골의 사막화가 진행될수록 심해진다.

① ㄱ ② ㄴ ③ ㄷ ④ ㄱ, ㄴ ⑤ ㄴ, ㄷ

088 그림 (가)는 어느 해 우리나라에 영향을 미친 황사가 발원한 3월 4일의 일기도를, (나)는 3월 4일부터 8일까지 백령도에서 관측된 황사 농도를 나타낸 것이다.

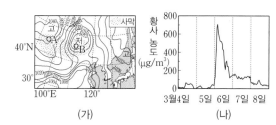

(가)   (나)

이에 대한 설명으로 옳은 것만을 〈보기〉에서 있는 대로 고른 것은?

┤ 보기 ├

ㄱ. (가)에서 황사의 발원지는 B 지역보다 A 지역일 가능성이 크다.

ㄴ. 3월 6일에 백령도에는 하강 기류가 상승 기류보다 강했을 것이다.

ㄷ. 사막의 면적이 줄어들면 황사의 발생 횟수는 감소할 것이다.

① ㄱ ② ㄴ ③ ㄱ, ㄷ ④ ㄴ, ㄷ ⑤ ㄱ, ㄴ, ㄷ

기출 분석

23유형

? 출제 의도

깊이에 따른 해수 물리량의 변화를 제시하고, 제시된 자료를 분석하여 해수의 성질과 깊이별 해수의 특성을 묻는 문제이다.

〰 이렇게 대비하자!

깊이에 따른 해수의 물리량 그래프를 눈으로 익히고 표층의 해수 물리량에 영향을 주는 요소들(바람, 위도, 강수·증발, 결빙·해빙, 광합성 등)을 학습한다.

■ 연관 기출 문제　키워드

\# 수온 \# 염분
\# 용존 기체 \# 해수의 층상 구조

문제 분석

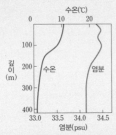

- **(가):** 해수의 층상 구조가 혼합층, 수온약층, 심해층으로 비교적 뚜렷하게 구분된다. 염분의 경우 수심에 따른 변화가 크게 나타나지 않는다.

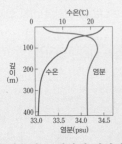

- **(나):** 혼합층이 뚜렷하게 나타나지 않으며 표층 수온이 (가) 시기보다 높다. 염분의 경우 표층에서는 (가) 시기보다 낮으며, 약 20～80 m 수심에서 급격하게 증가한다.

🖥 개념 알기

우리나라의 기후 특성상 1년 동안 내리는 강수량이 대부분 여름에 집중되어 있고 겨울에는 시베리아 기단의 영향으로 바람이 강하므로 (가) 시기는 겨울, (나) 시기는 여름으로 추정할 수 있다.

그림 (가)와 (나)는 우리나라 동해의 어느 해역에서 서로 다른 계절에 측정한 수온과 염분을 깊이에 따라 나타낸 것이다.

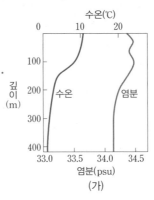

(가)

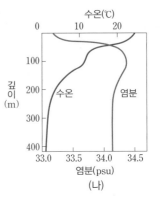

(나)

이에 대한 설명으로 옳은 것만을 〈보기〉에서 있는 대로 고른 것은?

> ── 보기 ──
> ㄱ. 혼합층은 (가)가 (나)보다 두껍다.
> ㄴ. (증발량－강수량) 값은 (가)가 (나)보다 크다.
> ㄷ. 표층 해수의 밀도는 (가)가 (나)보다 크다.

① ㄱ　　② ㄴ　　③ ㄱ, ㄷ　　④ ㄴ, ㄷ　　✔ ㄱ, ㄴ, ㄷ

■ 문항별 해설

ㄱ. (○) 혼합층은 바람의 혼합으로 표층부터 수심이 깊어지는 동안 수온이 비교적 일정하게 유지되는 구간이다. 따라서 혼합층은 약 100 m까지 수온 변화가 거의 없는 (가) 시기가 표층부터 급격하게 수온이 하강하는 (나) 시기보다 두껍다.

ㄴ. (○) 동일한 장소에서 표층 염분이 다르게 나타날 경우 가장 크게 영향을 미치는 요소는 강수량과 증발량이다. 증발량보다 강수량이 많을수록 표층 염분은 낮아지고, 증발량보다 강수량이 적을수록 표층 염분은 높아진다. 따라서 (증발량－강수량) 값은 표층 염분이 더 높은 (가) 시기가 (나) 시기보다 크다.

ㄷ. (○) 해수의 밀도는 주로 수온과 염분으로 결정된다. 수온이 낮을수록, 염분이 높을수록 해수의 밀도가 크다. 따라서 (가) 시기의 표층 해수 밀도가 (나) 시기의 표층 해수 밀도보다 크다.

■ 오류 피하기

⋯ 같은 시기 다른 장소에서 표층 염분을 관측한다면 육지에서 멀어서 하천수의 유입이 적을수록, 대기 대순환으로 고압대가 형성되는 위도에 가까울수록 표층 염분이 높다.

기출 문제

정답과 해설 **17~18**쪽

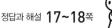
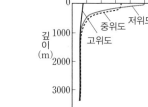

089 그림은 2005년부터 2009년까지 2년 간격으로 동해에서 2월에 측정한 연직 수온 분포를 나타낸 것이다.

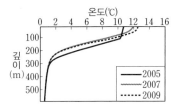

이 자료에 대한 해석으로 옳은 것만을 〈보기〉에서 있는 대로 고른 것은?

┤ 보기 ├

ㄱ. 바람은 2007년에 가장 강하게 불었다.

ㄴ. 수온 약층은 2005년보다 2009년이 더 뚜렷하다.

ㄷ. 수심 200 m에서는 물질과 에너지 교환이 활발하다.

① ㄱ ② ㄴ ③ ㄱ, ㄷ ④ ㄴ, ㄷ ⑤ ㄱ, ㄴ, ㄷ

091 그림 (가)는 저위도, 중위도, 고위도 해역에서 깊이에 따른 수온을, (나)는 깊이에 따른 용존 산소(O_2)와 이산화 탄소(CO_2)의 농도를 나타낸 것이다.

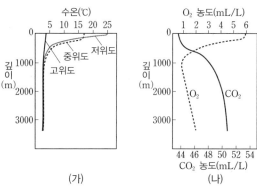

(가)   (나)

이에 대한 설명으로 옳은 것만을 〈보기〉에서 있는 대로 고른 것은?

┤ 보기 ├

ㄱ. 수온 약층은 저위도가 고위도보다 뚜렷하다.

ㄴ. 혼합층에서는 광합성의 영향으로 이산화 탄소의 농도가 낮다.

ㄷ. 심해층에서 용존 산소의 농도가 증가하는 것은 고위도 표층에서 침강한 찬 해수 때문이다.

① ㄱ ② ㄷ ③ ㄱ, ㄴ ④ ㄴ, ㄷ ⑤ ㄱ, ㄴ, ㄷ

090 다음은 태평양의 A, B, C 지점에서 측정한 수온과 염분의 연직 분포를 나타낸 것이다.

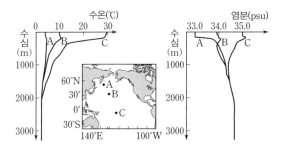

세 지점 해수의 성질에 대한 설명 중 옳은 것만을 〈보기〉에서 있는 대로 고른 것은?

┤ 보기 ├

ㄱ. A에서 C로 갈수록 수온 약층이 뚜렷하게 나타난다.

ㄴ. 2000 m보다 깊은 곳에서는 세 지점 모두 수온과 염분의 변화가 거의 없다.

ㄷ. 세 지점 모두 1000 m보다 2000 m의 해수 밀도가 크다.

① ㄱ ② ㄷ ③ ㄱ, ㄴ ④ ㄴ, ㄷ ⑤ ㄱ, ㄴ, ㄷ

092 그림 (가)와 (나)는 동해의 어느 해역에서 측정한 염분과 수온의 연직 분포를 순서 없이 나타낸 것이다. 점선과 실선 중 하나는 2월, 다른 하나는 8월에 해당한다.

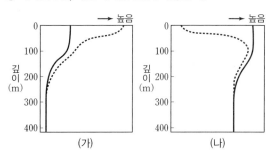

(가)   (나)

이에 대한 설명으로 옳은 것만을 〈보기〉에서 있는 대로 고른 것은?

┤ 보기 ├

ㄱ. (가)는 염분 분포, (나)는 수온 분포이다.

ㄴ. 표면에서 수심 100 m까지 염분의 변화량은 2월이 8월보다 크다.

ㄷ. 표층 해수의 밀도는 2월이 8월보다 크다.

① ㄱ ② ㄴ ③ ㄷ ④ ㄱ, ㄴ ⑤ ㄴ, ㄷ

기출 분석

24 유형

■ 연관 기출 문제 키워드

\# 수온 # 염분
\# 용존 기체 # 표층 해류

문제 분석

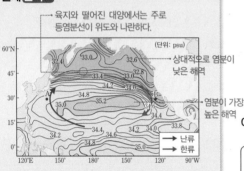

육지와 떨어진 대양에서는 주로 등염분선이 위도와 나란하다.

(단위: psu)

상대적으로 염분이 낮은 해역

염분이 가장 높은 해역

→ 난류
→ 한류

- 표층 염분은 위도 20°~30°에서 가장 높게 나타나고 그 다음으로 적도에서 높게 나타난다. 위도 30°보다 고위도에서는 표층 염분이 낮게 나타난다.

- 동일한 위도에서 볼 때, 표층 염분은 육지와 가까운 바다에서 낮게 나타나고 육지와 먼 바다는 높게 나타난다.

- 북태평양 동쪽 해역의 표층 염분이 서쪽 해역의 표층 염분보다 낮게 나타난다. A 해역의 표층 염분은 34.6~34.8 psu이고, B 해역의 표층 염분은 33.6~33.8 psu로 A 해역의 표층 염분이 B 해역의 표층 염분보다 약 1.0 psu 더 높다.

개념 알기

표층 염분은 강수량과 증발량, 결빙과 해빙, 담수의 유입 등에 의해 달라진다. 육지에 가까운 해역에서는 하천수가 지속적으로 유입되기 때문에 표층 염분이 낮다.

? 출제 의도

외해와 연안 또는 위도별 해수의 물리적 특징과 대양 전체의 물리량 분포의 경향을 묻는 문제이다.

🔊 이렇게 대비하자!

표층 해수의 물리량 분포와 해수의 표층 순환을 연관지어 묻는 문제가 많다. 한류와 난류가 흐르는 해역에서 수온, 염분, 밀도 등의 변화를 학습한다.

그림은 북태평양의 표층 염분 분포를 나타낸 것이다.

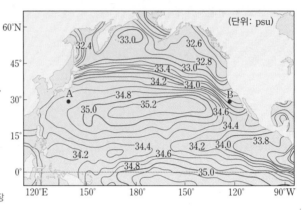

이에 대한 설명으로 옳은 것만을 〈보기〉에서 있는 대로 고른 것은?

┤ 보기 ├

ㄱ. 염분은 5°N 해역이 가장 높다.

ㄴ. (증발량−강수량) 값은 20°~30°N 해역에서 가장 낮다.

ㄷ. A의 염분이 B보다 높은 이유는 A에는 난류가, B에는 한류가 흐르기 때문이다.

① ㄱ   ② ㄷ ③ ㄱ, ㄴ ④ ㄴ, ㄷ ⑤ ㄱ, ㄴ, ㄷ

■ 문항별 해설

ㄱ. (×) 5°N 해역에서 가장 높은 염분은 35.0 psu이다. 북태평양의 25°~30°N 해역에 염분이 35.2 psu인 해역이 존재하므로 염분은 5°N 해역에서 가장 높지 않다.

ㄴ. (×) 표층 해수는 증발량이 많고 강수량이 적을수록 표층 염분이 높게 나타난다. 따라서 (증발량−강수량) 값이 높은 해역에서 표층 염분이 높게 나타난다. 20°~30°N 해역은 표층 염분이 높게 나타나는 해역이므로 (증발량−강수량) 값이 높다.

ㄷ. (○) 북태평양의 표층 해류는 시계 방향으로 순환하므로 A에는 난류가, B에는 한류가 흐른다. A에는 상대적으로 염분이 높은 저위도 해수가 유입되고, B에는 상대적으로 염분이 낮은 고위도의 해수가 유입된다.

■ 오류 피하기

┅▸ 위도 30° 부근은 대기 대순환으로 고압대가 형성되는 지역으로 하강 기류가 우세하여 구름이 거의 없고 비가 잘 내리지 않는다. 따라서 증발량보다 강수량이 적으므로 표층 해수의 염분이 다른 위도보다 높다.

기출 문제

정답과 해설 **18**쪽

093 그림은 북태평양의 표층 수온 분포를 나타낸 것이다.

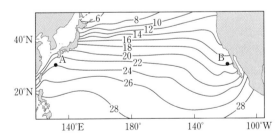

이에 대한 해석으로 옳은 것만을 〈보기〉에서 있는 대로 고른 것은?

┤ 보기 ├

ㄱ. 중위도에서 등온선은 대체로 위도와 나란하게 분포한다.

ㄴ. 표층 수온의 분포는 태양 복사 에너지의 영향을 받는다.

ㄷ. A 해역보다 B 해역에서 위도에 따른 수온 변화가 크다.

① ㄱ ② ㄷ ③ ㄱ, ㄴ ④ ㄴ, ㄷ ⑤ ㄱ, ㄴ, ㄷ

094 그림은 북태평양의 연평균 표층 수온(℃) 분포를 나타낸 것이다.

이에 대한 옳은 설명만을 〈보기〉에서 있는 대로 고른 것은?

┤ 보기 ├

ㄱ. 염분은 A 해역이 B 해역보다 높다.

ㄴ. 용존 산소량은 A 해역이 B 해역보다 많다.

ㄷ. B 해역에서 표층 해류는 고위도로 흐른다.

① ㄱ ② ㄴ ③ ㄱ, ㄷ ④ ㄴ, ㄷ ⑤ ㄱ, ㄴ, ㄷ

095 그림은 북태평양 표층 해수의 용존 산소량 분포를 나타낸 것이다.

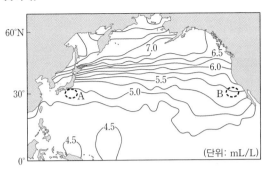

이에 대한 설명으로 옳은 것만을 〈보기〉에서 있는 대로 고른 것은?

┤ 보기 ├

ㄱ. 용존 산소량은 고위도로 갈수록 대체로 증가한다.

ㄴ. 표층 수온은 A 해역이 B 해역보다 높을 것이다.

ㄷ. 쿠로시오 해류의 세력이 강해지면 A 해역의 용존 산소량은 증가할 것이다.

① ㄱ ② ㄷ ③ ㄱ, ㄴ ④ ㄴ, ㄷ ⑤ ㄱ, ㄴ, ㄷ

096 그림은 태평양 표층 염분의 연평균 분포를 나타낸 것이다.

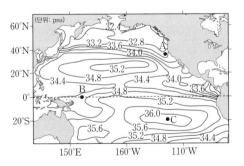

해역 A, B, C에 대한 설명으로 옳은 것만을 〈보기〉에서 있는 대로 고른 것은?

┤ 보기 ├

ㄱ. A는 한류의 영향을 받는다.

ㄴ. (증발량－강수량) 값은 B가 C보다 작다.

ㄷ. A, B, C의 해수에 녹아 있는 주요 염류의 질량비는 일정하다.

① ㄱ ② ㄴ ③ ㄱ, ㄷ ④ ㄴ, ㄷ ⑤ ㄱ, ㄴ, ㄷ

기출 유형 분석 **051**

기출 분석

25 유형

❓ 출제 의도
우리나라 주변 바다의 물리량 분포 자료를 통해 동해, 황해, 남해의 해수의 물리적 특징과 물리량 분포의 경향을 묻는 문제이다.

〰 이렇게 대비하자!
우리나라 주변 바다는 규모가 작기 때문에 계절별, 해역별 물리량 분포가 다양하게 나타난다. 동해, 황해, 남해의 특징을 여름철과 겨울철로 구분하여 학습한다.

■ 연관 기출 문제 키워드

수온 # 염분 # 용존 기체
쿠로시오 해류 # 조경 수역

문제 분석

→ 용존 산소량의 연교차는 황해가 동해보다 크다.

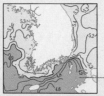

(가)   (나) 여름철 남해의 용존
산소량이 가장 낮다.

• 우리나라 주변의 바다에서 표층 용존 산소량은 (가) 시기에 5.5~7.3의 값을 가지고, (나) 시기에 4.6~5.4의 값을 가진다. → (가) 시기가 (나) 시기보다 표층 용존 산소량이 많다.

• 동해, 황해, 남해 중 남해의 표층 용존 산소량이 가장 낮다.

• 동해와 황해의 경우 (나) 시기에는 비슷한 값을 가지고 (가) 시기에는 황해가 동해보다 높은 값을 가진다.

그림 (가), (나)는 우리나라 주변의 바다에서 여름철과 겨울철에 측정한 표층 용존 산소량의 분포를 순서 없이 나타낸 것이다.

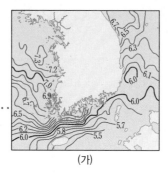
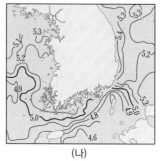

(가)   (나)

이에 대한 설명으로 옳은 것만을 〈보기〉에서 있는 대로 고른 것은?

┤ 보기 ├

ㄱ. (가)는 겨울철, (나)는 여름철에 해당한다.

ㄴ. (가)일 때 동일 위도에서의 용존 산소량은 동해가 서해보다 크다.

ㄷ. 용존 산소량의 연교차는 동해가 서해보다 크다.

✔① ㄱ   ② ㄷ   ③ ㄱ, ㄴ   ④ ㄴ, ㄷ   ⑤ ㄱ, ㄴ, ㄷ

■ 문항별 해설

ㄱ. (○) 기체의 용해도는 수온이 낮을수록 증가하므로 용존 산소량은 수온이 낮은 해역에서 높게 나타난다. 따라서 표층 용존 산소량이 더 많은 (가) 시기가 표층 수온이 더 낮다. 표층 수온이 낮은 (가) 시기가 겨울철, (나) 시기가 여름철에 해당한다.

ㄴ. (✕) (가) 시기에 표층 용존 산소량은 황해, 동해, 남해 순으로 높다.

ㄷ. (✕) 동해의 표층 용존 산소량은 겨울철에 6.0~6.7, 여름철에 5.0~5.4로, 연교차는 약 1.0~1.3이다. 황해의 표층 용존 산소량은 겨울철에 6.7~7.3, 여름철에 4.9~5.3으로 연교차는 약 1.8~2.0이다. 용존 산소량의 연교차는 황해가 동해보다 크다.

개념 알기

남해는 쿠로시오 해류의 영향으로 수온의 연교차가 동해나 황해보다 작은 편이다. 동해와 황해는 남해보다는 쿠로시오 해류의 영향을 적게 받는다.

■ 오류 피하기

⋯→ 황해와 동해의 가장 큰 차이는 수심 차이이다. 동해는 수심이 매우 깊은 바다이고 황해는 동해보다 수심이 얕은 바다이다. 따라서 열용량의 차이 때문에 수온의 연교차가 황해에서 동해보다 큰 편이므로 겨울철에 황해의 수온이 더 낮고 여름철에 황해의 수온이 더 높다.

기출 문제

정답과 해설 **18~19**쪽

097

그림은 인공위성을 이용하여 측정한 2007년 3월 초순의 해수면 수온 분포를 나타낸 것이다.

이 자료에 대한 설명으로 옳은 것을 〈보기〉에서 모두 고른 것은?

┨ 보기 ┠

ㄱ. 적외선 관측을 통하여 얻은 것이다.

ㄴ. 인천 앞바다에 조경 수역이 형성되어 있다.

ㄷ. 쿠로시오 해류의 일부가 황해로 유입되고 있다.

① ㄱ ② ㄴ ③ ㄱ, ㄷ ④ ㄴ, ㄷ ⑤ ㄱ, ㄴ, ㄷ

098

그림은 우리나라 부근에서 8월과 2월의 표층 염분 분포를 나타낸 것이다.

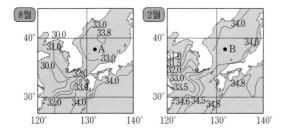

이에 대한 설명으로 옳은 것만을 〈보기〉에서 있는 대로 고른 것은?

┨ 보기 ┠

ㄱ. 황해의 표층 염분은 대체로 8월보다 2월에 높다.

ㄴ. 해수 1 kg에 녹아 있는 Cl⁻의 염류들 사이 성분비는 A<B이다.

ㄷ. 표층 염분은 육지에서 멀어질수록 점차 낮아진다.

① ㄱ ② ㄴ ③ ㄷ ④ ㄱ, ㄴ ⑤ ㄴ, ㄷ

099

그림 (가)는 우리나라 주변의 2월 해수면 수온 분포를, (나)는 우리나라 주변 바다의 수심 분포를 나타낸 것이다.

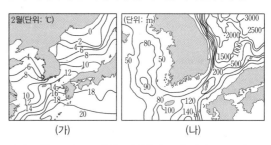

(가)　　　　　　　(나)

이에 대한 설명으로 옳은 것만을 〈보기〉에서 있는 대로 고른 것은?

┨ 보기 ┠

ㄱ. 황해가 동해보다 수온이 낮은 이유는 수심이 얕고, 대륙의 영향을 받기 때문이다.

ㄴ. 동해, 남해, 황해에 모두 나타나는 지형은 대륙붕이다.

ㄷ. 동해에서는 등수온선이 위도와 나란한 경향을 보인다.

① ㄱ ② ㄴ ③ ㄷ ④ ㄴ, ㄷ ⑤ ㄱ, ㄴ, ㄷ

100

그림은 우리나라 주변 바다의 표층 수온을 나타낸 것이다.

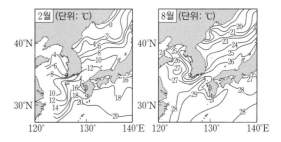

이 자료에 대한 설명으로 옳은 것만을 〈보기〉에서 있는 대로 고른 것은?

┨ 보기 ┠

ㄱ. 남북 간의 수온 차이는 여름철이 겨울철보다 크다.

ㄴ. 동해보다 서해의 수온이 육지의 영향을 많이 받는다.

ㄷ. 남해는 쿠로시오 난류의 영향으로 수온 연교차가 작다.

① ㄱ ② ㄷ ③ ㄱ, ㄴ ④ ㄴ, ㄷ ⑤ ㄱ, ㄴ, ㄷ

기출 분석

26 유형

❓ 출제 의도

수온–염분도(T–S도)에 기입된 해수의 수온, 염분, 밀도를 해석하여 해수의 성질을 알아보는 문제이다.

〰️ 이렇게 대비하자!

수온–염분도에서 수온, 염분, 밀도를 독립적으로 해석할 수 있어야 한다. 다양하게 제시된 수온–염분도를 해석하며 해수의 성질을 이해한다.

■ 연관 기출 문제 키워드

\# 수온–염분도(T–S도)
\# 수온 # 염분 # 밀도

문제 분석

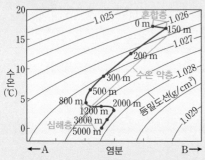

• 수온은 0~150 m까지 거의 변화가 없다가 150~800 m에서 10 ℃ 이상 하강하였다. 800~2000 m까지 수온 변화가 없다가 2000~5000 m에서 약 3 ℃ 하강하였지만 1000 m 당 약 1 ℃ 하강한 경우이므로 거의 변화가 없었다고 할 수 있다.

🖥️ 개념 알기

수온과 염분이 각각 다르고 밀도가 1.028 g/m³로 같은 두 해수 a와 b를 같은 양으로 혼합하면 수온과 염분은 중간값을 가지지만 수온–염분도에서 등밀도선은 곡선이므로 혼합 해수의 밀도는 혼합 전보다 증가하여 1.028 g/m³보다 높은 값을 가지게 된다.

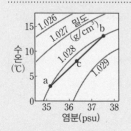

그림은 어느 해역에서 측정한 깊이에 따른 수온과 염분의 분포를 나타낸 것이다.

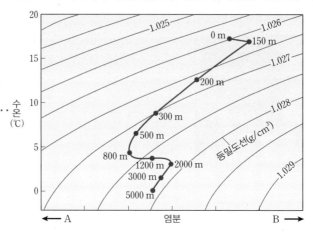

이에 대한 옳은 설명만을 〈보기〉에서 있는 대로 고른 것은?

┤ 보기 ├
ㄱ. 염분은 B 방향으로 갈수록 높아진다.
ㄴ. 수온 약층은 800~2000 m 구간에서 뚜렷하게 나타난다.
ㄷ. 밀도 변화는 150~500 m 구간이 2000~5000 m 구간보다 크다.

① ㄱ　　② ㄴ　　✔ ㄱ, ㄷ　　④ ㄴ, ㄷ　　⑤ ㄱ, ㄴ, ㄷ

■ 문항별 해설

ㄱ. (○) 해수의 밀도는 수온이 낮을수록, 염분이 높을수록 크다. 그래프에서 수온은 아래로 갈수록 낮아지고, 밀도는 오른쪽 아래로 갈수록 커지므로 염분은 오른쪽인 B 방향으로 갈수록 높아진다.

ㄴ. (×) 수온 약층은 수심이 깊어질수록 수온이 하강하는 층이므로 150~800 m 구간이 수온 약층이다. 800~2000 m 구간은 수온 변화가 거의 없으므로 심해층이다.

ㄷ. (○) 150~500 m 구간에서 밀도는 약 1.0262 g/cm³에서 약 1.0272 g/cm³로 0.001 g/cm³정도 상승했지만, 2000~5000 m 구간에서 밀도는 거의 변화가 없다.

■ 오류 피하기

⋯→ 자료에서 점과 점 사이의 거리는 위치상 거리가 아닌 수온과 염분의 차이가 클수록 멀다. 깊이 자료는 따로 숫자로 기입되어 있으므로 이 점에 유의하면서 그래프를 해석한다.

101 그림은 수심에 따른 해수의 온도와 염분 및 밀도 분포를 나타낸 것이다.

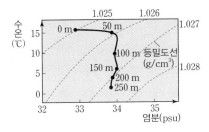

이에 대한 설명으로 옳은 것만을 〈보기〉에서 있는 대로 고른 것은?

| 보기 |

ㄱ. 수심이 깊어짐에 따라 해수의 밀도는 커진다.

ㄴ. 0~50 m에서는 바람에 의한 혼합 작용이 활발하다.

ㄷ. 50~150 m에서의 밀도 변화는 염분보다 수온의 영향을 많이 받는다.

① ㄱ ② ㄷ ③ ㄱ, ㄴ ④ ㄴ, ㄷ ⑤ ㄱ, ㄴ, ㄷ

102 그림은 어느 해역에서 측정한 수심에 따른 수온과 염분을 수온－염분도에 나타낸 것이다.

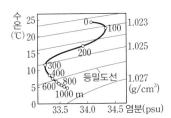

이에 대한 설명으로 옳은 것만을 〈보기〉에서 있는 대로 고른 것은?

| 보기 |

ㄱ. 0~100 m 구간은 100~200 m 구간보다 온도 변화량이 크다.

ㄴ. 100~300 m 구간에서는 수심이 깊어질수록 염분이 높아진다.

ㄷ. 수심이 깊어질수록 밀도는 커진다.

① ㄴ ② ㄷ ③ ㄱ, ㄴ ④ ㄱ, ㄷ ⑤ ㄴ, ㄷ

103 그림은 세 해역 A, B, C의 해수 표층과 수심 50 m에서 수온과 염분을 측정하여 수온－염분도에 나타낸 것이다.

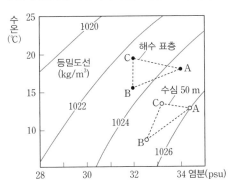

A, B, C 해역의 해수에 대한 설명으로 옳은 것만을 〈보기〉에서 있는 대로 고른 것은?

| 보기 |

ㄱ. 표층 염분이 가장 높은 곳은 A이다.

ㄴ. 수심 50 m에서 수온이 가장 낮은 곳은 B이다.

ㄷ. 해수 밀도는 세 해역 모두 표층보다 수심 50 m에서 더 크다.

① ㄱ ② ㄴ ③ ㄱ, ㄷ ④ ㄴ, ㄷ ⑤ ㄱ, ㄴ, ㄷ

104 그림 (가)는 투명관으로 연결한 두 개의 플라스틱 병에 같은 양의 소금물을 넣은 것이고, (나)는 수온과 염분에 따른 해수의 밀도 변화를 나타낸 것이다.

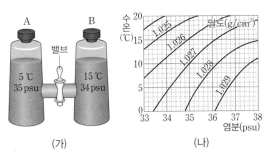

이 실험에 대한 설명으로 옳은 것은? (단, 실험하는 동안 외부와의 열 교환은 없었다.)

① 소금물 B의 밀도는 1.027 g/cm^{3}이다.

② A와 B에 들어 있는 소금물의 밀도는 같다.

③ 위 실험으로 표층 해류의 발생 원리를 설명할 수 있다.

④ 밸브를 열면 투명관 아랫 부분에서는 A→B로 흐름이 생긴다.

⑤ 충분한 시간이 흐른 후 소금물 A의 밀도는 처음보다 더 커진다.

기출 분석

27 유형

■ 연관 기출 문제 키워드

태양 복사 에너지 # 지구 복사 에너지
대기 대순환 # 해양의 순환

문제 분석

![A 태양 복사 에너지 입사량 / 에너지 과잉량 / 지구 복사 에너지 방출량 / 에너지 부족량 그래프]

- 태양 복사 에너지의 입사량과 지구 복사 에너지의 방출량 모두 저위도에서 높고 고위도로 갈수록 낮아지는 경향을 보인다.
- 태양 복사 에너지의 입사량과 지구 복사 에너지의 방출량은 위도 38°에서 같다. 위도 38°를 기준으로 저위도인 지역은 에너지 입사량이 에너지 방출량보다 많은 에너지 과잉 상태이고, 고위도인 지역은 에너지 방출량이 에너지 입사량보다 많은 에너지 부족 상태이다.

⚡ 개념 알기

저위도의 에너지 과잉량과 고위도의 에너지 부족량은 같다. 그래프에서 에너지 과잉을 나타내는 면적은 에너지 부족을 나타내는 두 면적의 합과 같다.

❓ 출제 의도

지구의 에너지 출입 그래프 해석과 위도별 에너지 불균형을 해소하기 위해 지구에서 일어나는 현상을 묻는 문제이다.

〰️ 이렇게 대비하자!

지구의 에너지 출입 그래프를 해석하여 태양 복사 에너지 입사량, 지구 복사 에너지 방출량, 에너지 과잉량, 에너지 부족량을 위도별로 파악한다.

그림은 위도별 지구 복사 에너지양과 태양 복사 에너지양을 나타낸 것이다.

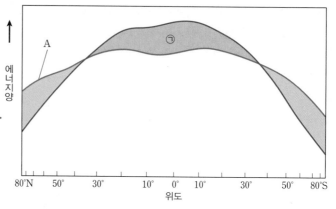

이에 대한 옳은 설명만을 〈보기〉에서 있는 대로 고른 것은?

| 보기 |
ㄱ. A는 태양 복사 에너지양이다.
ㄴ. ㉠은 에너지 과잉량이다.
ㄷ. 대기와 해수의 순환에 의하여 고위도와 저위도 사이의 에너지 불균형이 해소된다.

① ㄱ　　② ㄴ　　③ ㄱ, ㄷ　　✔ ㄴ, ㄷ　　⑤ ㄱ, ㄴ, ㄷ

■ 문항별 해설

ㄱ. (✗) 고위도에서 지구 복사 에너지양이 태양 복사 에너지양보다 많고, 저위도에서 지구 복사 에너지양이 태양 복사 에너지양보다 적다. 따라서 A는 지구 복사 에너지양이고 붉은색 실선은 태양 복사 에너지양이다.

ㄴ. (○) ㉠은 입사하는 태양 복사 에너지양이 방출하는 지구 복사 에너지양보다 많으므로 에너지 과잉량이다.

ㄷ. (○) 대기와 해수의 순환으로 저위도의 남는 에너지가 에너지가 부족한 고위도로 이동한다.

■ 오류 피하기

⋯▸ 대기와 해수의 순환으로 저위도의 남는 에너지가 고위도로 이동될 때, 에너지 이동량이 가장 많은 곳은 태양 복사 에너지양과 지구 복사 에너지양이 같은 위도 38° 부근이다.

기출 문제

정답과 해설 20쪽

105 그림 (가)는 복사 에너지의 위도별 분포를, (나)는 위도에 따른 에너지 이동량을 나타낸 것이다.

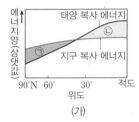
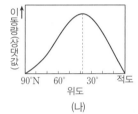

(가)　　　　　(나)

이에 대한 옳은 설명만을 〈보기〉에서 있는 대로 고른 것은?

| 보기 |

ㄱ. ㉠은 에너지 과잉량, ㉡은 에너지 부족량이다.
ㄴ. 적도에서는 태양 복사 에너지 흡수량이 지구 복사 에너지 방출량보다 많다.
ㄷ. 에너지 이동량은 약 38°N에서 최대이다.

① ㄱ　② ㄴ　③ ㄱ, ㄷ　④ ㄴ, ㄷ　⑤ ㄱ, ㄴ, ㄷ

106 그림은 위도별 열수지와 에너지 이동을 나타낸 것이다.
이에 대한 설명으로 옳지 않은 것은?

① A는 에너지 부족, B는 에너지 과잉이다.

② (가)는 지구가 방출하는 복사 에너지양이다.

③ 대기와 해수의 순환에 의해 에너지가 이동한다.

④ 에너지 이동량은 위도 38° 부근에서 가장 많다.

⑤ 지구가 구형이므로 위도별 태양 복사 에너지양의 차이가 난다.

107 그림 (가)와 (나)는 지구가 복사 평형을 이룰 때, 위도별 복사 에너지 수지와 에너지 수송량을 각각 나타낸 것이다.

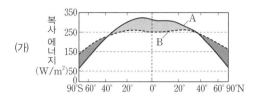

(가)

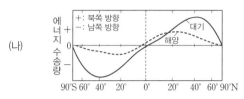

(나)

이에 대한 설명으로 옳은 것은?

① A는 지구 복사 에너지이다.

② B는 적도 지역에서 최대이다.

③ 대기에 의한 에너지 수송량은 해양보다 크다.

④ A와 B의 차이가 가장 큰 위도에서 에너지 수송량이 최대이다.

⑤ 에너지 수송량이 최대인 위도에서 해양에 의한 수송량이 대기보다 크다.

108 그림 (가)는 위도에 따른 태양 복사 에너지 입사량과 지구 복사 에너지 방출량을 모식적으로 나타낸 것이고, (나)는 태풍의 위성 사진을 나타낸 것이다.

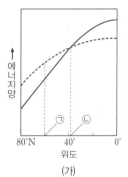
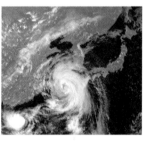

(가)　　　　　(나)

이에 대한 설명으로 옳은 것만을 〈보기〉에서 있는 대로 고른 것은?

| 보기 |

ㄱ. ㉠에서 지구 복사 에너지 방출량은 태양 복사 에너지 입사량보다 많다.
ㄴ. 남북 방향 에너지 수송량은 ㉡에서 가장 적다.
ㄷ. (나)의 태풍은 저위도의 과잉 에너지를 고위도 방향으로 이동시킨다.

① ㄱ　② ㄴ　③ ㄱ, ㄷ　④ ㄴ, ㄷ　⑤ ㄱ, ㄴ, ㄷ

기출 분석

28 유형

■ 연관 기출 문제 키워드

\# 대기 대순환 순환 세포
\# 고압대 \# 저압대
\# 직접 순환 \# 간접순환

문제 분석

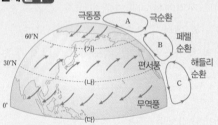

• 대기 순환 세포: A는 극에서 찬 공기의 하강으로 형성된 극순환, C는 적도의 따뜻한 공기가 상승하여 형성된 해들리 순환이다. B는 두 순환 세포 사이에서 만들어진 페렐 순환이다.

• 지상 바람: 극순환 영역의 지상에는 극동풍, 페렐 순환 영역의 지상에는 편서풍, 해들리 순환 영역의 지상에는 무역풍이 분다.

• 고압대와 저압대: 대기 대순환으로 (가)와 (다)에는 저압대가 형성되고, (나)에는 고압대가 형성된다.

👀 개념 알기

지구가 자전하지 않는다면 극에서 하강 기류가 나타나고 적도에서 상승 기류가 나타나는 하나의 순환 세포로 이루어진 대기 순환이 형성되었을 것이다.

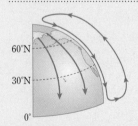

❓ 출제 의도

대기 대순환의 각 세포의 특징과 순환 세포가 지상의 기후에 미치는 영향을 묻는 문제이다.

〰️ 이렇게 대비하자!

대기 대순환으로 형성되는 세 개의 순환 세포, 지상 바람, 고압대와 저압대를 지구 반구 모형 그림으로 그려보면서 암기한다.

그림은 북반구의 대기 대순환을 나타낸 것이다.

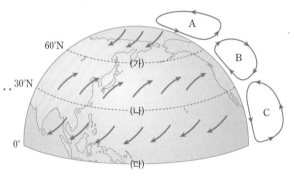

이에 대한 설명으로 옳은 것만을 〈보기〉에서 있는 대로 고른 것은?

┤ 보기 ├

ㄱ. A와 C는 간접순환이고 B는 직접 순환이다.

ㄴ. (가)의 지상에는 수렴대가 발달한다.

ㄷ. (나)는 (다)보다 연평균 강수량이 적다.

① ㄱ   ② ㄴ   ③ ㄱ, ㄷ   ✓④ ㄴ, ㄷ   ⑤ ㄱ, ㄴ, ㄷ

■ 문항별 해설

ㄱ. (✕) C는 적도의 따뜻한 공기가 상승하여 형성된 순환이고, A는 극의 찬 공기가 하강하여 형성된 순환이다. A와 C는 모두 온도 차이에 의해 형성되는 직접 순환이다. B는 A와 C의 영향으로 형성된 간접순환이다.

ㄴ. (○) (가)에서는 A의 영향으로 고위도에서 남쪽으로 극동풍이 불어오고, B의 영향으로 저위도에서 편서풍이 북쪽으로 불어와 수렴대가 발달한다.

ㄷ. (○) 대기 대순환의 영향으로 (나)는 하강 기류가 우세한 고압대이고, (다)는 상승 기류가 우세한 저압대이다. 고압대인 (나)에서 건조한 기후가 나타나므로 연평균 강수량이 (다)보다 (나)에서 더 적다.

■ 오류 피하기

⋯ 상승 기류가 우세한 저압대는 고압대보다 구름이 발달하기 쉽고 비가 자주 내린다. 하강 기류가 우세한 고압대는 맑고 건조한 기후가 나타난다.

기출 문제

정답과 해설 20~21쪽

109 그림은 북반구의 대기 대순환을 간단히 나타낸 것이다.

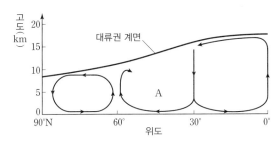

이에 대한 설명으로 옳은 것만을 〈보기〉에서 있는 대로 고른 것은?

| 보기 |

ㄱ. 대류권의 두께는 고위도로 갈수록 두꺼워진다.

ㄴ. 사막은 적도 지역보다 30°N 지역에 더 많이 분포한다.

ㄷ. 지구가 자전하지 않는다면 A 순환은 형성되지 않을 것이다.

① ㄱ ② ㄷ ③ ㄱ, ㄴ ④ ㄴ, ㄷ ⑤ ㄱ, ㄴ, ㄷ

110 그림은 대기 대순환을 모식적으로 나타낸 것이다.

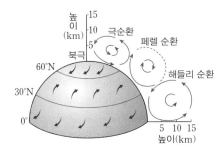

이에 대한 설명으로 옳은 것만을 〈보기〉에서 있는 대로 고른 것은?

| 보기 |

ㄱ. 30°N 부근은 증발량보다 강수량이 많다.

ㄴ. 해들리 순환의 지상에는 무역풍이 분다.

ㄷ. 극순환과 페렐 순환 경계의 지상에는 한대 전선대가 형성된다.

① ㄱ ② ㄷ ③ ㄱ, ㄴ ④ ㄴ, ㄷ ⑤ ㄱ, ㄴ, ㄷ

111 그림 (가)와 (나)는 북반구에서 지구가 자전하지 않을 때와 자전할 때의 대기 대순환을 순서 없이 나타낸 것이다.

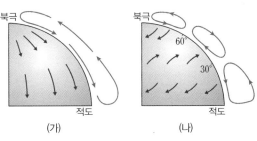

이에 대한 옳은 설명만을 〈보기〉에서 있는 대로 고른 것은?

| 보기 |

ㄱ. (가)는 지구가 자전하지 않을 때이다.

ㄴ. (나)의 중위도 지상에서는 편서풍이 분다.

ㄷ. (가)와 (나)는 모두 적도 지역에서 상승 기류가 발달한다.

① ㄱ ② ㄴ ③ ㄱ, ㄷ ④ ㄴ, ㄷ ⑤ ㄱ, ㄴ, ㄷ

112 그림은 북반구의 대기 대순환을 나타낸 것이다.

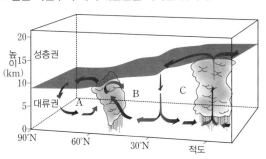

이에 대한 설명으로 옳은 것만을 〈보기〉에서 있는 대로 고른 것은?

| 보기 |

ㄱ. 한대 전선대는 A와 B 순환의 경계에서 형성된다.

ㄴ. 대류권 계면의 높이는 고위도보다 저위도에서 높다.

ㄷ. 지표의 냉각과 가열에 의해 형성된 직접 순환은 A와 C이다.

① ㄱ ② ㄴ ③ ㄱ, ㄷ ④ ㄴ, ㄷ ⑤ ㄱ, ㄴ, ㄷ

기출 분석

29유형

■ 연관 기출 문제 키워드

표층 해류 # 한류 # 난류
아열대 순환 # 열대 순환

문제 분석

· 해류의 명칭: A는 북태평양 해류, B는 캘리포니아 해류, C는 북적도 해류, D는 남극 순환 해류이다.
· 대기 대순환의 영향: A와 D는 편서풍의 영향을 받아 동쪽으로 흐르고, C는 무역풍의 영향을 받아 서쪽으로 흐른다.

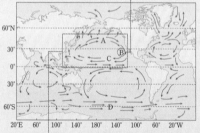

B는 고위도에서 저위도로 흐르는 한류이다. 저위도에서 고위도로 흐르는 해류는 난류이다.

A, B, C는 쿠로시오 해류와 함께 북태평양 아열대 순환을 형성하며 시계 방향으로 순환한다. 남태평양 아열대 순환은 시계 반대 방향으로 순환하며 적도를 기준으로 북태평양과 대칭을 이룬다.

? 출제 의도
해양 표층 순환의 방향, 해류의 명칭, 대기 대순환 및 기후와의 상호 작용을 묻는 문제이다.

〰 이렇게 대비하자 !
북태평양 아열대 순환을 이루는 해류와 순환 방향, 편서풍과 무역풍의 영향을 받아 형성되는 해류, 한류와 난류가 기후에 미치는 영향을 학습한다.

그림은 해양에서의 표층 해류와 대기 대순환에 의한 지표 부근의 바람을 나타낸 것이다.

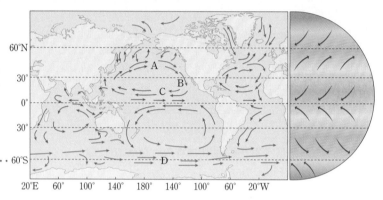

이에 대한 설명으로 옳은 것을 〈보기〉에서 모두 고른 것은?

┤ 보기 ├
ㄱ. 편서풍의 영향을 받는 해류는 A와 D이다.
ㄴ. B는 극동풍의 영향을 받는 알래스카 해류이다.
ㄷ. C는 무역풍의 영향을 받는 북적도 해류이다.
ㄹ. D는 남극 대륙 주위를 순환하는 남극 순환 해류이다.

① ㄱ, ㄴ ② ㄱ, ㄹ ③ ㄴ, ㄹ ✓ ㄱ, ㄷ, ㄹ ⑤ ㄴ, ㄷ, ㄹ

■ 문항별 해설
ㄱ. (○) 편서풍의 영향을 받는 해류는 중위도에서 동쪽으로 흐르는 A와 D이다.
ㄴ. (✕) B는 북태평양의 동쪽 연안을 따라 저위도로 흐르는 한류로, 캘리포니아 해류이다.
ㄷ. (○) C는 적도 북쪽 부근에서 무역풍의 영향을 받아 서쪽으로 흐르는 북적도 해류이다.
ㄹ. (○) D는 편서풍의 영향으로 동쪽으로 흐르는 남극 순환 해류이며, 대륙에 가로막혀 있지 않기 때문에 남극 대륙 주위를 순환하고 있다.

⊡ 개념 알기
표층 해류는 주변 지역의 기후에 영향을 미친다. 한류의 영향을 받는 연안 지역은 동일한 위도의 다른 지역보다 한랭한 기후를 보이고, 난류의 영향을 받는 연안 지역은 동일한 위도의 다른 지역보다 온난한 기후를 보인다.

■ 오류 피하기
⋯ 북태평양 해류가 북아메리카 대륙 연안까지 흐른 뒤 저위도로 남하하는 해류는 캘리포니아 해류이고, 고위도로 북상하는 해류는 알래스카 해류이다.

기출 문제

정답과 해설 21~23쪽

113 그림은 북태평양의 아열대 순환을 나타낸 모식도이다.

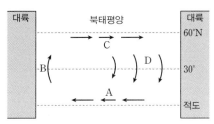

해류 A~D에 대한 옳은 설명만을 〈보기〉에서 있는 대로 고른 것은?

┤ 보기 ├

ㄱ. A는 북적도 해류이다.

ㄴ. B는 D보다 염분이 높다.

ㄷ. C는 편서풍에 의해 형성된 해류이다.

① ㄱ　② ㄴ　③ ㄱ, ㄷ　④ ㄴ, ㄷ　⑤ ㄱ, ㄴ, ㄷ

114 그림은 북태평양의 평균 표층 수온 분포와 아열대 순환을 나타낸 것이다.

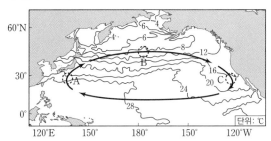

A~C 해역에 대한 설명으로 옳은 것만을 〈보기〉에서 있는 대로 고른 것은?

┤ 보기 ├

ㄱ. A에는 쿠로시오 해류가 흐른다.

ㄴ. B의 해류는 편서풍에 의해 형성된다.

ㄷ. C에 흐르는 해류는 한류이다.

① ㄱ　② ㄷ　③ ㄱ, ㄴ　④ ㄴ, ㄷ　⑤ ㄱ, ㄴ, ㄷ

115 그림은 북태평양의 주요 해류를 나타낸 것이다.

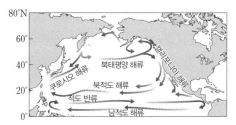

이에 대한 설명으로 옳은 것만을 〈보기〉에서 있는 대로 고른 것은?

┤ 보기 ├

ㄱ. 우리나라에 영향을 주는 난류는 쿠로시오 해류이다.

ㄴ. 북태평양 해류는 편서풍의 영향을 받고 있다.

ㄷ. 적도 반류는 무역풍에 의해 형성되었다.

① ㄱ　② ㄷ　③ ㄱ, ㄴ　④ ㄴ, ㄷ　⑤ ㄱ, ㄴ, ㄷ

116 그림은 북태평양의 세 해역 A, B, C와 대기 대순환에 의한 바람의 방향을 나타낸 것이다.

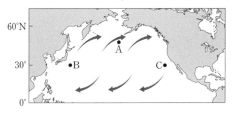

이에 대한 옳은 설명만을 〈보기〉에서 있는 대로 고른 것은?

┤ 보기 ├

ㄱ. 30°N 부근에는 고압대가 형성된다.

ㄴ. A 해역의 표층 해류는 편서풍의 영향으로 동쪽으로 흐른다.

ㄷ. 표층 해류가 수송하는 열량은 C 해역보다 B 해역에서 많다.

① ㄱ　② ㄴ　③ ㄱ, ㄷ　④ ㄴ, ㄷ　⑤ ㄱ, ㄴ, ㄷ

117 그림은 어느 해 같은 기간 해류 관측 장치 A~C의 이동 경로를 나타낸 것이다.

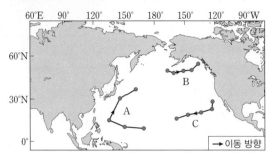

이에 대한 설명으로 옳은 것만을 〈보기〉에서 있는 대로 고른 것은?

> 보기
>
> ㄱ. A는 난류를 따라 이동하였다.
> ㄴ. B의 평균 속력이 가장 느렸다.
> ㄷ. C의 이동은 북태평양 해류의 영향을 받았다.

① ㄱ ② ㄷ ③ ㄱ, ㄴ ④ ㄴ, ㄷ ⑤ ㄱ, ㄴ, ㄷ

118 그림은 북태평양에서 일어나는 해수의 표층 순환을 나타낸 것이다.

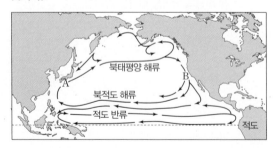

이 자료에 대한 옳은 설명을 〈보기〉에서 모두 고른 것은?

> 보기
>
> ㄱ. A는 한류이고, B는 난류이다.
> ㄴ. 북적도 해류를 형성하는 바람은 서풍 계열이다.
> ㄷ. 북반구의 아열대 해역에서 표층 해류는 시계 방향으로 순환한다.

① ㄱ ② ㄴ ③ ㄷ ④ ㄱ, ㄷ ⑤ ㄴ, ㄷ

119 그림은 태평양에서 해수의 표층 순환과 대기 대순환에 의한 바람의 방향을 나타낸 것이다.

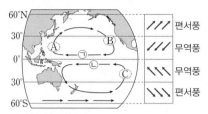

이에 대한 옳은 설명만을 〈보기〉에서 있는 대로 고른 것은?

> 보기
>
> ㄱ. 해류 ㉠, ㉡은 모두 무역풍의 영향으로 형성된다.
> ㄴ. A 해역에는 난류가, B 해역에는 한류가 흐른다.
> ㄷ. 열대 저기압의 발생 빈도는 A 해역이 C 해역보다 높다.

① ㄱ ② ㄷ ③ ㄱ, ㄴ ④ ㄴ, ㄷ ⑤ ㄱ, ㄴ, ㄷ

120 그림은 전 세계의 표층 해류를 나타낸 것이다.

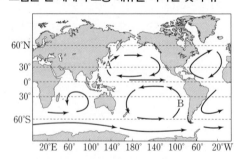

이에 대한 옳은 설명만을 〈보기〉에서 있는 대로 고른 것은?

> 보기
>
> ㄱ. 해류 A와 B는 모두 난류이다.
> ㄴ. 아열대 순환은 무역풍과 편서풍에 의해 형성된다.
> ㄷ. 북반구와 남반구의 아열대 순환은 서로 같은 방향이다.

① ㄱ ② ㄴ ③ ㄱ, ㄷ ④ ㄴ, ㄷ ⑤ ㄱ, ㄴ, ㄷ

121 그림은 전 세계에서 일어나는 해수의 표층 순환을 나타낸 것이다.

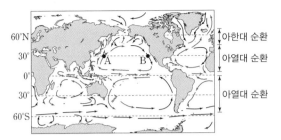

이에 대한 설명으로 옳은 것만을 〈보기〉에서 있는 대로 고른 것은?

┌─ 보기 ├─
ㄱ. 용존 산소량은 A 부근의 해수가 B 부근의 해수보다 많다.
ㄴ. 북태평양과 남태평양의 아열대 순환은 서로 반대 방향으로 회전한다.
ㄷ. 남반구에 아한대 순환이 나타나지 않는 것은 극동풍의 방향이 북반구와 다르기 때문이다.

① ㄱ ② ㄴ ③ ㄱ, ㄷ ④ ㄴ, ㄷ ⑤ ㄱ, ㄴ, ㄷ

122 그림은 태평양의 표층 해류와 대기 대순환에 의한 지표 부근의 바람을 나타낸 것이다.

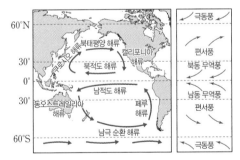

이에 대한 옳은 설명만을 〈보기〉에서 있는 대로 고른 것은?

┌─ 보기 ├─
ㄱ. 남적도 해류는 편서풍에 의해 발생한다.
ㄴ. 북태평양의 중위도 해역에서 해류는 시계 반대 방향으로 순환한다.
ㄷ. 우리나라에 가장 큰 영향을 주는 해류는 쿠로시오 해류이다.

① ㄱ ② ㄷ ③ ㄱ, ㄴ ④ ㄴ, ㄷ ⑤ ㄱ, ㄴ, ㄷ

123 그림은 2010년 4월 멕시코만 원유 유출 사고가 발생했을 당시, 오염의 심각성을 알리기 위해 컴퓨터로 예측한 오염 물질의 확산 정도를 40일 간격으로 나타낸 것이다.

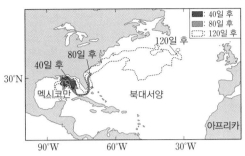

대서양에서의 아열대 순환을 고려하여, 이 자료를 바르게 해석한 학생들을 있는 대로 고른 것은?

┌─────────────────────────────────┐
철수: 멕시코만 내에서보다 북대서양에서 오염 물질이 빠르게 확산되겠구나.
영희: 80일 후 북상하고 있는 오염 물질은 난류에 의해 이동하고 있겠네.
민수: 만약 북대서양에서 오염 물질의 이동이 계속된다면, 주된 이동 방향은 반시계 방향일 거야.
└─────────────────────────────────┘

① 철수 ② 민수 ③ 철수, 영희
④ 영희, 민수 ⑤ 철수, 영희, 민수

124 그림은 남반구의 세 해역 A, B, C를 나타낸 것이다.

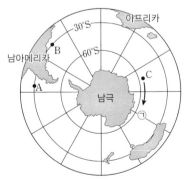

이에 대한 옳은 설명만을 〈보기〉에서 있는 대로 고른 것은?

┌─ 보기 ├─
ㄱ. A 해역에는 난류가 흐르고 있다.
ㄴ. 표층 염분은 A 해역이 B 해역보다 높다.
ㄷ. C 해역에서 표층 해류는 ㉠ 방향으로 흐른다.

① ㄱ ② ㄷ ③ ㄱ, ㄴ ④ ㄴ, ㄷ ⑤ ㄱ, ㄴ, ㄷ

기출 분석

 유형

? 출제 의도

우리나라 주변에 흐르는 해류의 특징과 계절별 변화, 해수의 물리량에 미치는 영향을 묻는 문제이다.

〰 이렇게 대비하자!

동한 난류, 황해 난류, 북한 한류의 명칭과 흐르는 경로를 학습하고, 여름철, 겨울철의 조경 수역 위치가 한류와 난류의 세력에 따라 다르게 나타난다는 점을 이해한다.

■ 연관 기출 문제 키워드

\# 쿠로시오 해류 # 동한 난류

\# 북한 한류 # 황해 난류

\# 조경 수역

문제 분석

· A는 북한 한류, B는 동한 난류, C는 황해 난류, D는 쿠로시오 해류이다.

동한 난류와 황해 난류는 쿠로시오 해류에서 갈라져 나온다.

동해에는 북한 한류와 동한 난류가 만나 조경 수역이 형성되어 있다.

그림 (가)와 (나)는 우리나라 근해의 2월 표층 염분과 해류의 분포를 각각 나타낸 것이다.

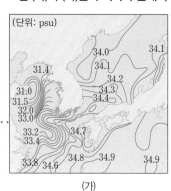

(가)

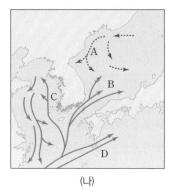

(나)

이에 대한 설명으로 옳은 것만을 〈보기〉에서 있는 대로 고른 것은?

┤ 보기 ├

ㄱ. B와 C의 근원이 되는 해류는 D이다.

ㄴ. A와 B 해류가 만나는 곳에 조경 수역이 형성된다.

ㄷ. 남해의 염분 분포는 해류의 영향을 크게 받고 있다.

① ㄱ　　② ㄴ　　③ ㄱ, ㄴ　　④ ㄱ, ㄷ　　✔⑤ ㄱ, ㄴ, ㄷ

■ 문항별 해설

ㄱ. (○) 해류 분포를 통해 C와 B가 D에서 뻗어 나왔음을 알 수 있다.

ㄴ. (○) A는 고위도에서 저위도로 남하하는 한류이고, B는 저위도에서 고위도로 북상하는 난류이다. 두 해류가 만나는 곳에서는 한류와 난류가 만나는 조경 수역이 형성된다.

ㄷ. (○) (가)의 표층 염분 분포에서 우리나라 연안은 C를 따라 등염분선이 올라가고, 중국 앞바다에서는 중국 연안류를 따라 등염분선이 내려와 있다. 따라서 남해의 염분은 중국 연안 해수보다 C가 시작되는 해역의 해수와 더 유사한 경향을 보인다. 남해의 염분 분포는 C의 영향을 크게 받고 있다.

📺 개념 알기

동해에서 한류와 난류의 세력은 계절에 따라 달라진다. 여름에는 동한 난류의 세력이 강해져 조경 수역이 평상시보다 북쪽에 형성되고, 겨울에는 북한 한류의 세력이 강해져 조경 수역이 평상시보다 남쪽에 형성된다.

■ 오류 피하기

⋯▸ 황해 난류의 근원인 쿠로시오 해류는 수온과 염분이 높다. 반면에 중국 연안류로 흐르는 황해의 해수는 염분이 낮다. 황해의 염분이 낮은 까닭은 우리나라와 중국에서 하천수가 유입되기 때문이다.

기출 문제

정답과 해설 23쪽

125 그림은 우리나라 동해와 그 주변의 표층 해류 분포를 나타낸 것이다. 해류 A, B, C에 대한 설명으로 옳은 것만을 〈보기〉에서 있는 대로 고른 것은?

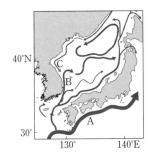

◀ 보기 ▶
ㄱ. A는 북태평양 아열대 표층 순환의 일부이다.
ㄴ. B는 겨울에 주변 대기로 열을 공급한다.
ㄷ. 용존 산소량은 C가 B보다 적다.

① ㄱ ② ㄷ ③ ㄱ, ㄴ ④ ㄴ, ㄷ ⑤ ㄱ, ㄴ, ㄷ

126 그림은 북태평양 서쪽 연안의 표층 해류를 나타낸 것이다. 이에 대한 옳은 설명만을 〈보기〉에서 있는 대로 고른 것은?

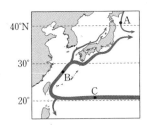

◀ 보기 ▶
ㄱ. A 해역에는 한류, B 해역에는 난류가 흐른다.
ㄴ. C 해역의 해류는 무역풍에 의해 형성된다.
ㄷ. 북태평양에서 아열대 순환 방향은 시계 방향이다.

① ㄱ ② ㄴ ③ ㄷ ④ ㄴ, ㄷ ⑤ ㄱ, ㄴ, ㄷ

127 그림 (가)는 인공위성에서 관측한 우리나라 주변 바다의 수온 영상을, (나)는 우리나라 주변 바다의 해류를 나타낸 것이다.

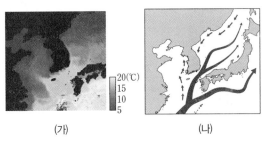

(가)　　　　　　　　(나)

이에 대한 설명으로 옳은 것만을 〈보기〉에서 있는 대로 고른 것은?

◀ 보기 ▶
ㄱ. (가)는 적외선을 이용하여 관측한 것이다.
ㄴ. 동해에는 조경 수역이 형성된다.
ㄷ. 서해의 수온이 낮은 이유는 한류의 영향 때문이다.

① ㄱ ② ㄴ ③ ㄷ ④ ㄱ, ㄴ ⑤ ㄱ, ㄴ, ㄷ

128 그림은 우리나라 주변 해류와 태평양의 해류 분포를 나타낸 것이다.

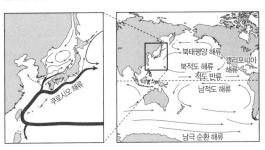

이에 대한 설명으로 옳지 <u>않은</u> 것은?

① 아열대 해역의 표층 순환(아열대 순환)은 북반구와 남반구가 대칭적이다.
② 우리나라 해역의 난류는 쿠로시오 해류에서 유입된다.
③ 동해에는 난류와 한류가 만나는 조경 수역이 형성된다.
④ 남극 순환 해류는 극동풍에 의해 형성된다.
⑤ 캘리포니아 해류는 한류이다.

기출 분석

31 유형

❓ 출제 의도

심층 해수의 종류와 심층 해수가 형성되는 위치적 특징, 심층 순환의 역할 등을 묻는 문제이다.

〰️ 이렇게 대비하자!

심층 해수와 심층 순환에 대한 일반적인 개념을 묻는 보기가 많이 나오므로 자주 나오는 보기 위주로 학습하여 대비한다.

■ 연관 기출 문제 키워드

\# 밀도류 \# 침강

\# 북대서양 심층수 \# 남극 저층수

문제 분석

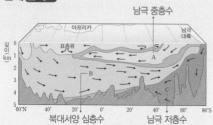

북대서양 심층수   남극 저층수

· 심층 해수는 주로 극지방에서 해수의 침강으로 형성되며 심층에서 흐르는 해류의 규모가 표층에서 흐르는 해류의 규모보다 매우 크다. 반면에 표층 해류의 유속이 매우 빠르기 때문에 표층 해류와 심층 해류를 흐르는 해수의 양은 균형을 이룬다.

· 해수의 연직 밀도 분포는 수심이 깊어질수록 커지므로 아래에 있는 해수일수록 밀도가 크다.

그림은 대서양의 심층 순환을 나타낸 것이다.

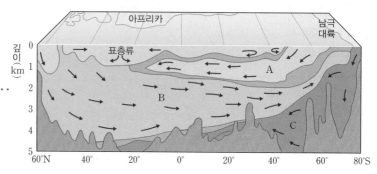

해류 A, B, C에 대한 옳은 설명만을 〈보기〉에서 있는 대로 고른 것은?

┤ 보기 ├

ㄱ. A는 C보다 밀도가 작다.

ㄴ. B는 북극을 향해 흐른다.

ㄷ. A, B, C의 유속은 표층류에 비해 대체로 빠르다.

✔① ㄱ   ② ㄴ   ③ ㄱ, ㄷ   ④ ㄴ, ㄷ   ⑤ ㄱ, ㄴ, ㄷ

■ 문항별 해설

ㄱ. (○) 해수의 밀도는 깊이가 깊을수록 크다. 해수의 깊이가 C, B, A 순으로 깊으므로, 해수의 밀도는 C, B, A 순으로 크다.

ㄴ. (✕) B는 북위 60° 부근에서 형성되며 침강하여 저위도를 향해 흐른다. 적도를 지난 B는 남반구 고위도를 향해 흐르다가 남극 주변에서 용승이 일어난다.

ㄷ. (✕) 심층 순환은 바람으로부터 물리적 힘을 받아 형성되는 표층 순환과 달리 해수의 밀도 차로 형성되기 때문에 매우 느리게 순환한다. 물이 표층에서 침강한 뒤 다시 표층으로 돌아오는데 수백 년에서 1000년에 가까운 시간이 걸린다.

🖥️ 개념 알기

심층 순환은 유속이 매우 느리고 심층에서 일어나 관측하기 어렵다. 따라서 심층 해수의 수온, 염분, 밀도를 관측하여 해수의 덩어리인 수괴를 나누고 같은 수괴 내에서 등밀도선을 따라 심층 해수의 수평 흐름을 관측한다. 각 심층수는 서로 구별되는 뚜렷한 성질과 밀도가 다르기 때문에 서로 맞닿아 있어도 쉽게 섞이지 않는다.

■ 오류 피하기

⟶ 심층 순환은 태양 에너지가 거의 영향을 미치지 못하는 심해층에서 흐르기 때문에 대기 대순환이나 해양의 표층 순환처럼 적도를 기준으로 대칭인 순환이 일어나지 않는다. 북대서양 심층수는 저위도 지방을 지나 밀도가 더 큰 남극 저층수와 맞닿았을 때 용승이 일어난다.

129

그림은 대서양의 심층 순환을 나타낸 모식도이다.

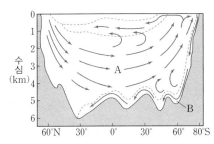

이에 대한 설명으로 옳은 것만을 〈보기〉에서 있는 대로 고른 것은?

┤ 보기 ├

ㄱ. 밀도는 해수 A가 B보다 크다.

ㄴ. 남위 65° 부근 해역에서 용승 현상이 나타난다.

ㄷ. 지구 온난화가 진행되면 북위 60° 부근에서 해수의 침강이 강화될 것이다.

① ㄱ ② ㄴ ③ ㄷ ④ ㄱ, ㄴ ⑤ ㄴ, ㄷ

130

그림 (가)는 대서양의 심층 순환을, (나)는 북대서양 어느 지점의 수심에 따른 용존 산소의 농도를 나타낸 것이다.

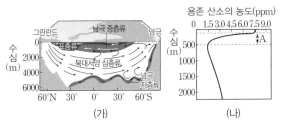

이에 대한 설명으로 옳은 것만을 〈보기〉에서 있는 대로 고른 것은?

┤ 보기 ├

ㄱ. 남극 저층류는 북대서양 심층류보다 밀도가 크다.

ㄴ. 해수의 심층 순환은 표층 순환과 연결되어 열에너지를 수송하는 역할을 한다.

ㄷ. A에서 용존 산소의 농도가 감소하는 것은 생물의 호흡 및 분해 활동과 관련 있다.

① ㄴ ② ㄷ ③ ㄱ, ㄴ ④ ㄱ, ㄷ ⑤ ㄱ, ㄴ, ㄷ

131

그림은 대서양에서 수온과 염분의 분포 및 심층 순환을 나타낸 것이다.

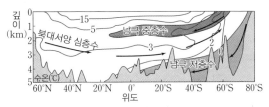

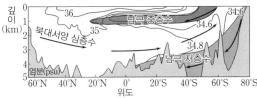

이 자료에 대한 설명으로 옳은 것만을 〈보기〉에서 있는 대로 고른 것은?

┤ 보기 ├

ㄱ. 남극 저층수의 밀도가 가장 크다.

ㄴ. 심층 순환으로 위도별 에너지 불균형이 심화된다.

ㄷ. 해수의 밀도는 염분보다 수온의 영향을 많이 받는다.

① ㄱ ② ㄴ ③ ㄱ, ㄷ ④ ㄴ, ㄷ ⑤ ㄱ, ㄴ, ㄷ

132

그림은 대서양 심층 순환의 단면을 나타낸 것이다.

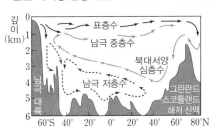

이 자료에 대한 설명으로 옳은 것만을 〈보기〉에서 있는 대로 고른 것은?

┤ 보기 ├

ㄱ. 북대서양 표층수가 침강하여 심해에 산소를 공급한다.

ㄴ. 남극의 빙하가 녹아 유입되면 남극 저층수의 흐름은 약화될 것이다.

ㄷ. 심층 해류의 흐름은 수온과 염분을 조사하여 간접적으로 알아낼 수 있다.

① ㄱ ② ㄷ ③ ㄱ, ㄴ ④ ㄴ, ㄷ ⑤ ㄱ, ㄴ, ㄷ

기출 분석

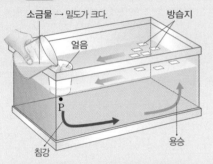

32유형

? 출제 의도

표층 순환과 심층 순환을 포함하는 전 지구적 해수의 순환 자료를 해석하여 해수 순환의 역할과 지구 시스템에 미치는 영향을 묻는 문제이다.

🐛 이렇게 대비하자!

전 지구적 해수의 순환에서 주요 침강·용승 해역을 알아두고, 해수 순환의 원리와 역할을 학습하여 대비한다.

■ 연관 기출 문제 키워드

\# 표층 순환 \# 심층 순환
\# 에너지 수송

문제 분석

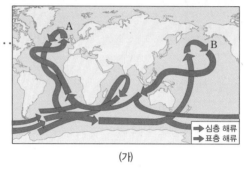

그림 (가)는 표층 해류와 심층 해류의 순환을, (나)는 얼음이 들어있는 종이컵에 소금물을 부어 물의 순환을 알아보기 위한 실험을 나타낸 것이다.

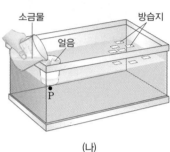

(가)   (나)

이에 대한 설명으로 옳은 것만을 〈보기〉에서 있는 대로 고른 것은?

┃ 보기 ┃

ㄱ. 해류의 순환으로 저위도의 열이 고위도로 이동된다.
ㄴ. (나)의 P 지점은 (가)의 B 해역에 해당한다.
ㄷ. (나)에서 수면의 방습지는 얼음이 담긴 컵 쪽으로 이동한다.

① ㄴ   ② ㄷ   ③ ㄱ, ㄴ   ✔ ㄱ, ㄷ   ⑤ ㄱ, ㄴ, ㄷ

- **침강**: 얼음이 들어 있는 종이컵에서 나오는 소금물은 수조에 있는 물보다 수온이 낮고 염분이 높기 때문에 밀도가 크다. 따라서 수조 바닥을 따라 흐를 것이다.
- **용승**: 수조 바닥을 따라 이동하던 소금물은 반대편 수조 벽에 닿으면 표면으로 상승하게 되고, 수조 수면의 물과 방습지가 종이컵 쪽으로 이동한다.
- (나)에서 소금물의 침강이 일어나는 P 지점은 표층 순환이 심층 순환으로 이어지는 해역에 해당하며, 소금물의 상승이 일어나는 반대편 수조 벽 쪽은 심층 순환이 표층 순환으로 이어지는 해역에 해당한다.

■ 문항별 해설

ㄱ. (○) 해류의 순환으로 저위도의 열이 고위도로 수송된다.
ㄴ. (×) (나)의 P 지점은 소금물의 침강이 일어나는 지역이기 때문에 표층 해류가 심층 해류로 이어지는 A 해역에 해당한다.
ㄷ. (○) (나)에서 방습지는 수면의 흐름에 따라 이동한다. 소금물이 침강하면 수조 안의 물은 순환을 형성하게 되고 수면의 물은 얼음이 담긴 컵 쪽으로 이동한다.

💻 개념 알기

고위도로 갈수록 입사하는 태양 복사 에너지양이 감소하기 때문에 극지방의 해수는 수온이 낮고 결빙이 일어나면 염분이 높아져 해수의 밀도가 커진다. 극지방에 형성된 고밀도의 해수가 침강하면서 심층 순환이 형성된다. 이러한 심층 해수의 흐름을 밀도류라고 한다.

■ 오류 피하기

⋯ A 해역에서 표층 해류가 심층 해류로 연결되므로 해수의 침강이 일어나고, B 해역에서 심층 해류가 표층 해류로 연결되므로 해수의 용승이 일어난다.

기출 문제

정답과 해설 **24**쪽

133 그림은 전 지구적인 해수 순환을 모식적으로 나타낸 것이다.

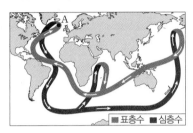

이에 대한 설명으로 옳은 것만을 〈보기〉에서 있는 대로 고른 것은?

┤ 보기 ├
- ㄱ. A 해역에서 침강이 강해지면 이 순환이 약화된다.
- ㄴ. 이 순환은 열에너지를 고위도로 수송한다.
- ㄷ. 이 순환의 변화는 지구의 기후에 영향을 준다.

① ㄱ　② ㄴ　③ ㄷ　④ ㄱ, ㄴ　⑤ ㄴ, ㄷ

134 그림은 전 지구적인 해수의 순환을 나타낸 것이다. 이에 대한 설명으로 옳은 것만을 〈보기〉에서 있는 대로 고른 것은?

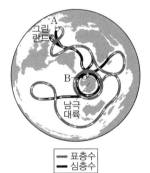

┤ 보기 ├
- ㄱ. A 해역에서 해수의 침강은 심해층에 산소를 공급한다.
- ㄴ. B 해역에서 침강한 해수는 남극 저층수를 형성할 것이다.
- ㄷ. 지구 온난화가 심해지면 A 해역에서 침강이 강해질 것이다.

① ㄱ ② ㄷ ③ ㄱ, ㄴ ④ ㄴ, ㄷ ⑤ ㄱ, ㄴ, ㄷ

135 그림은 대양에서의 해수의 표층 순환과 심층 순환을 나타낸 것이다.

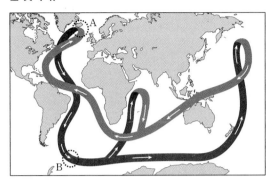

이에 대한 설명으로 옳은 것만을 〈보기〉에서 있는 대로 고른 것은?

┤ 보기 ├
- ㄱ. 북극 지방의 빙하가 녹으면 A 해역에서 해수의 침강이 약화된다.
- ㄴ. B 해역에서는 수온 상승으로 인해 밀도가 작아진 해수의 용승이 일어난다.
- ㄷ. 해수의 심층 순환이 강해지면 표층 순환은 약화된다.

① ㄱ　② ㄷ　③ ㄱ, ㄴ　④ ㄱ, ㄷ　⑤ ㄴ, ㄷ

136 그림 (가)는 전 지구적인 해수 순환을, (나)는 (가) 순환의 세기가 변하여 발생한 지표 기온의 변화량을 나타낸 것이다. (나)에서 양의 값은 기온 상승을, 음의 값은 기온 하강을 의미한다.

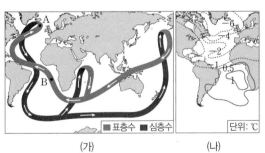

(가)　　　　(나)

(나)와 같이 변하는 과정에서 나타난 현상으로 옳은 것만을 〈보기〉에서 있는 대로 고른 것은?

┤ 보기 ├
- ㄱ. A 해역에서 침강이 강해졌다.
- ㄴ. B에서 A로의 열 수송이 약해졌다.
- ㄷ. A와 B 사이의 기온 차가 감소하였다.

① ㄱ ② ㄴ ③ ㄱ, ㄷ ④ ㄴ, ㄷ ⑤ ㄱ, ㄴ, ㄷ

기출 분석

33 유형

■ 연관 기출 문제　키워드

\# 수온 편차 \# 엘니뇨 \# 라니냐

\# 무역풍 세기 \# 동태평양 기후

? 출제 의도

수온 편차 자료를 통해 엘니뇨 시기와 라니냐 시기를 구분하고 해당 시기에 적도 부근 해역에서 나타나는 현상과 기후를 묻는 문제이다.

〰️ 이렇게 대비하자!

엘니뇨와 라니냐의 발생 과정과 각 시기에 페루, 인도네시아 연안의 기후를 표로 정리하여 대비한다.

문제 분석

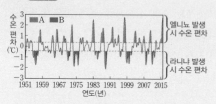

- A 시기는 동태평양 적도 부근 해역의 수온이 평소보다 약 0.5 ℃ 이상 높으므로 엘니뇨 시기이고, B 시기는 동태평양 적도 부근 해역의 수온이 평소보다 약 0.5 ℃ 이상 낮으므로 라니냐 시기이다.
- 동태평양 적도 부근 해역의 수온은 무역풍의 세기와 관련이 있다.

엘니뇨 시기	라니냐 시기
무역풍 약화	무역풍 강화
→ 남적도 해류 약화	→ 남적도 해류 강화
→ 용승 약화	→ 용승 강화
→ 수온 상승	→ 수온 하강

그림은 동태평양 적도 부근 해역의 수온 편차(관측 수온−평균 수온)를 나타낸 것이다. A와 B는 각각 엘니뇨 시기와 라니냐 시기 중 하나이다.

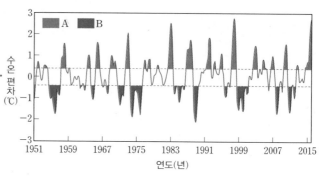

B와 비교했을 때 A의 동태평양 적도 부근 해역에 대한 설명으로 옳은 것만을 〈보기〉에서 있는 대로 고른 것은?

보기

ㄱ. 무역풍의 세기가 강하다.

ㄴ. 평균 해수면이 높다.

ㄷ. 따뜻한 해수층이 두껍다.

① ㄱ　　② ㄴ　　③ ㄱ, ㄷ　　✔④ ㄴ, ㄷ　　⑤ ㄱ, ㄴ, ㄷ

■ **문항별 해설**

ㄱ. (✕) 무역풍의 세기는 동태평양 적도 부근 해역의 수온이 더 낮은 라니냐 시기(B)에 더 강하다.

ㄴ. (○) 무역풍이 약한 엘니뇨 시기에는 남적도 해류의 흐름이 약해지고, 동태평양 부근에 해수가 축적되어 평균 해수면이 높다.

ㄷ. (○) 엘니뇨 시기에 동태평양 적도 부근 해역에서 차가운 심층 해수의 용승이 약해지고 따뜻한 해수층이 두꺼워진다.

🖥️ 개념 알기

서태평양 적도 부근 해역의 수온은 동태평양 적도 부근 해역과 반대로 나타난다. 엘니뇨 시기에 수온이 평소보다 낮게 나타나고 라니냐 시기에 수온이 평소보다 높게 나타난다.

■ **오류 피하기**

⋯ 무역풍의 세기가 더 강한 라니냐 시기에는 강한 무역풍으로 남적도 해류의 흐름이 강해져 적도 부근 동태평양 따뜻한 표층 해수가 서쪽으로 이동하고 차가운 심층 해수의 용승이 강해진다. 따라서 평균 해수면이 낮아지고 따뜻한 표층 해수층은 얇아진다.

기출 문제

정답과 해설 25쪽

137 그림은 1949년부터 1987년까지 페루 연안의 수온 편차를 나타낸 것이다.

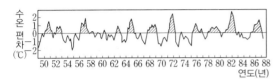

이에 대한 설명으로 옳은 것만을 〈보기〉에서 있는 대로 고른 것은?

┤ 보기 ├

ㄱ. 1972년은 엘니뇨 현상이 나타난 해이다.

ㄴ. 1975년은 평년보다 난류성 어류가 증가했을 것이다.

ㄷ. 빗금 친 부분은 무역풍이 평년보다 강하게 나타난 해이다.

① ㄱ ② ㄴ ③ ㄱ, ㄷ ④ ㄴ, ㄷ ⑤ ㄱ, ㄴ, ㄷ

138 그림은 동태평양 적도 부근 해역의 수온 편차를 나타낸 것이다.

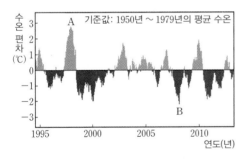

이에 대한 옳은 설명만을 〈보기〉에서 있는 대로 고른 것은?

┤ 보기 ├

ㄱ. A 시기에는 엘니뇨가 발생하였다.

ㄴ. 무역풍의 풍속은 A 시기보다 B 시기에 작았다.

ㄷ. B 시기에는 동태평양 페루 해역의 강수량이 평년보다 많았다.

① ㄱ ② ㄷ ③ ㄱ, ㄴ ④ ㄴ, ㄷ ⑤ ㄱ, ㄴ, ㄷ

139 그림은 어느 해 3월부터 다음 해 10월까지 동태평양의 빗금 친 해역에서 관측한 해수면의 수온 편차(관측 수온 − 평균 수온)를 나타낸 것이다.

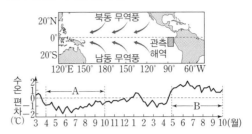

이에 대한 옳은 설명만을 〈보기〉에서 있는 대로 고른 것은?

┤ 보기 ├

ㄱ. 관측 해역의 해수면 수온은 A 기간보다 B 기간에 높았다.

ㄴ. 무역풍의 세기는 A 기간보다 B 기간에 강했을 것이다.

ㄷ. A 기간에 엘니뇨가 발생했을 것이다.

① ㄱ ② ㄴ ③ ㄱ, ㄷ ④ ㄴ, ㄷ ⑤ ㄱ, ㄴ, ㄷ

140 그림 (가)는 태평양의 엘니뇨 감시 해역을, (나)는 1980년부터 10년 간 다윈과 타히티에서의 기압 편차와 감시 해역의 표층 수온 편차를 나타낸 것이다.

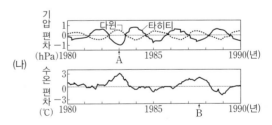

이에 대한 해석으로 옳은 것을 〈보기〉에서 모두 고른 것은?

┤ 보기 ├

ㄱ. 다윈과 타히티의 기압 변화 경향은 서로 반대이다.

ㄴ. 타히티에서 음(−)의 기압 편차가 컸던 A 시기에 페루 연안에서는 용승이 활발했을 것이다.

ㄷ. 수온 편차로 보아 B 시기는 엘니뇨 기간일 것이다.

① ㄱ ② ㄴ ③ ㄱ, ㄷ ④ ㄴ, ㄷ ⑤ ㄱ, ㄴ, ㄷ

기출 분석

34 유형

출제 의도
대기 순환 자료와 해양의 연직 단면 자료를 통해 엘니뇨 시기와 라니냐 시기를 구분하고 해당 시기에 적도 부근 해역에서 나타나는 현상과 기후를 묻는 문제이다.

이렇게 대비하자!
엘니뇨와 라니냐 발생 시 나타나는 대기 순환의 변화, 해양 환경의 변화를 학습하고 자료에서 이러한 변화를 나타내는 방식을 살펴보며 대비한다.

■ 연관 기출 문제 키워드
무역풍 세기 # 워커 순환
수온 약층 기울기 # 용승

문제 분석
평상시에는 따뜻한 표층 해수가 서쪽으로 강하게 흐르고 엘니뇨 발생 시에는 동쪽으로 약하게 흐른다.

대기 순환의 상승 기류가 평상시에는 A 해역 상공에서 일어나고 엘니뇨 발생 시에는 평상시보다 B 해역 쪽으로 이동한다.

A 해역과 B 해역 사이의 따뜻한 해수와 찬 해수의 경계면 기울기가 평상시에는 가파르게 나타나고 엘니뇨 발생 시에는 완만하게 나타난다.

B 해역에서 찬 해수가 상승하는 현상은 평상시에는 강하게 일어나고 엘니뇨 발생 시에는 약하게 일어난다.

• 해양의 표층 수온이 상승하면 대기 하층이 가열되고 기층이 불안정해진다. 불안정한 기층에서 상승 기류와 공기의 수렴이 일어나 저기압이 발생하고, 구름이 발달하여 강수량이 증가한다.

그림 (가)와 (나)는 평상시와 엘니뇨 발생 시에 태평양 적도 부근의 대기와 해수의 이동을 나타낸 것이다.

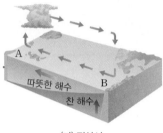　

(가) 평상시　　　　　(나) 엘니뇨 발생 시

이에 대한 옳은 설명만을 〈보기〉에서 있는 대로 고른 것은?

| 보기 |
ㄱ. (가)에서 강수량은 A 해역보다 B 해역에서 적다.
ㄴ. 무역풍의 세기는 (가)보다 (나)에서 강하다.
ㄷ. B 해역의 해수면 온도는 (가)보다 (나)에서 낮다.

① ㄱ　　② ㄷ　　③ ㄱ, ㄴ　　④ ㄴ, ㄷ　　⑤ ㄱ, ㄴ, ㄷ

■ 문항별 해설
ㄱ. (○) 강수 현상은 상승 기류가 일어나 구름이 발달하는 해역에서 발생한다. 따라서 평상시에는 상승 기류가 나타나는 A 해역보다 하강 기류가 나타나는 B 해역에서 강수량이 적다.

ㄴ. (×) 엘니뇨 발생 시에는 A 해역 지표 근처에서 바람이 B 해역 쪽으로 불고 있기 때문에 B 해역에서 A 해역까지 대기 순환이 형성되는 평상시보다 무역풍이 약하다.

ㄷ. (×) 엘니뇨 발생 시 찬 해수의 용승이 일어나지 않고 따뜻한 해수가 B 해역 쪽으로 이동한다. 따라서 B 해역의 따뜻한 해수의 두께는 두꺼워지고, 해수면의 온도는 평상시보다 높아진다.

개념 알기
엘니뇨 발생 시 남적도 해류가 약해지면서 적도 부근 서태평양 해역의 해수면 높이는 낮아지고 적도 부근 동태평양 해역의 해수면 높이는 높아진다.

■ 오류 피하기
⋯ A는 서태평양 적도 부근(인도네시아 연안), B는 동태평양 적도 부근(페루 연안)이다.
⋯ 평상시에는 따뜻한 해수가 서쪽으로 이동하여 B 해역에 해수의 발산이 일어나고 용승이 발생한다.

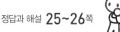

141 그림 (가)와 (나)는 평상시와 엘니뇨 발생 시에 태평양 적도 부근 해역의 대기 순환을 순서 없이 나타낸 것이다.

이에 대한 옳은 설명만을 〈보기〉에서 있는 대로 고른 것은?

보기
ㄱ. (가)는 평상시의 대기 순환 모습이다.
ㄴ. 무역풍의 세기는 (가) 시기가 (나) 시기보다 강하다.
ㄷ. A 해역과 B 해역의 표층 수온 차이는 (가) 시기가 (나) 시기보다 크다.

① ㄱ ② ㄷ ③ ㄱ, ㄴ ④ ㄴ, ㄷ ⑤ ㄱ, ㄴ, ㄷ

142 그림은 평상시와 엘니뇨 시에 태평양 적도 해상에서 나타나는 대기와 표층 해수의 이동 모습을 각각 나타낸 것이다.

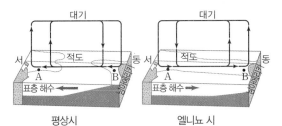

이에 대한 설명으로 가장 옳은 것은?

① 평상시에 무역풍은 엘니뇨 시보다 약하다.
② 평상시에 수온은 A 지역이 B 지역보다 낮다.
③ 엘니뇨 시에 기압은 A 지역이 B 지역보다 낮다.
④ 엘니뇨 시에 남아메리카 지역은 가뭄이 발생한다.
⑤ 엘니뇨는 기권과 수권의 상호 작용으로 발생한다.

143 그림은 엘니뇨가 발생했을 때 태평양 적도 부근 해수의 연직 단면을 나타낸 것이다.

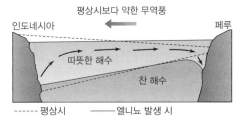

평상시와 비교하여 엘니뇨가 발생했을 때 나타나는 현상만을 〈보기〉에서 있는 대로 고른 것은?

보기
ㄱ. 인도네시아 연안에서 해수면의 높이는 높아진다.
ㄴ. 페루 연안에서 수온 약층이 나타나는 깊이는 깊어진다.
ㄷ. 페루 연안에서 표층수의 용존 산소량은 증가한다.

① ㄱ ② ㄴ ③ ㄱ, ㄷ ④ ㄴ, ㄷ ⑤ ㄱ, ㄴ, ㄷ

144 그림은 태평양 적도 해역에서 엘니뇨 시기와 평상시의 해수면과 수온 약층을 모식적으로 나타낸 것이다.

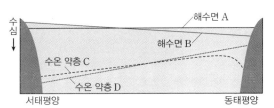

엘니뇨 시기에 대한 설명으로 옳은 것만을 〈보기〉에서 있는 대로 고른 것은?

보기
ㄱ. 해수면은 A이다.
ㄴ. 수온 약층은 C이다.
ㄷ. 동태평양의 연안 용승이 평상시보다 더 활발하다.

① ㄱ ② ㄷ ③ ㄱ, ㄴ ④ ㄴ, ㄷ ⑤ ㄱ, ㄴ, ㄷ

기출 분석

35 유형

? **출제 의도**
표층 해수의 물리량 분포 자료를 통해 엘니뇨 시기와 라니냐 시기를 구분하고 해당 시기에 적도 부근 해역에서 나타나는 현상과 기후를 묻는 문제이다.

이렇게 대비하자!
해수의 물리량 분포 자료에서 위·경도에 따른 수온, 염분, 기압, 풍속 등 다양한 자료의 변화 경향을 파악하여 엘니뇨 시기와 라니냐 시기를 구분한다.

■ 연관 기출 문제 키워드

\# 수온 편차 \# 수온 약층 깊이 편차
\# 무역풍 세기 편차 \# 강수량 편차
\# 해수면 높이 편차

문제 분석

• 동태평양 적도 부근 해역의 수온 변화에 따라 엘니뇨 시기와 라니냐 시기를 구분한다.

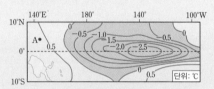

• (가) 시기는 동태평양 적도 부근 해역의 수온 편차가 $-0.5 \sim -2.5\,°C$로 평소보다 수온이 낮은 라니냐 시기이다.

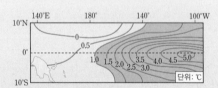

• (나) 시기는 동태평양 적도 부근 해역의 수온 편차가 $1.0 \sim 5.0\,°C$로 평소보다 수온이 높은 엘니뇨 시기이다.

그림 (가)와 (나)는 서로 다른 시기에 관측된 태평양 적도 부근 해역의 수온 편차를 나타낸 것이다. 편차는 (관측값−평년값)이다.

(가)
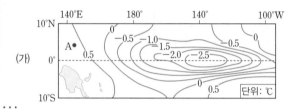

(나)
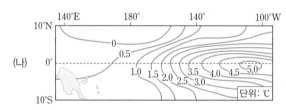

이에 대한 설명으로 옳은 것만을 〈보기〉에서 있는 대로 고른 것은?

┤ 보기 ├
ㄱ. (가) 시기에 A 해역의 강수량 편차는 (+)값이다.
ㄴ. (나) 시기에 동태평양 적도 부근 해수면 높이 편차는 (−)값이다.
ㄷ. 동태평양 적도 부근 해역의 용승은 (나) 시기가 (가) 시기보다 강하다.

✔ㄱ   ② ㄷ   ③ ㄱ, ㄴ   ④ ㄴ, ㄷ   ⑤ ㄱ, ㄴ, ㄷ

■ 문항별 해설

ㄱ. (○) (가) 시기는 동태평양 해역의 수온이 하강한 라니냐 시기이므로 서태평양 해역인 A 해역에 강수량이 평상시보다 많고 강수량 편차는 (+)값이다.

ㄴ. (×) (나) 시기는 동태평양 해역의 수온이 상승한 엘니뇨 시기이므로 남적도 해류가 약하다. 동태평양 적도 부근에 해수가 축적되어 해수면 높이가 평상시보다 높고 해수면 높이 편차는 (+)값이다.

ㄷ. (×) 동태평양 적도 부근 해역의 용승은 라니냐 시기가 엘니뇨 시기보다 강하다.

개념 알기

엘니뇨 발생 시 동태평양 적도 부근 해역의 편차 값 변화

• (+): 수온, 증발량, 강수량, 해수면 높이, 수온 약층 깊이, 따뜻한 해수의 두께

• (−): 기압, 무역풍 세기, 용승

■ 오류 피하기

⋯➤ (나) 시기에 A 해역의 강수량 편차는 (−)값이다.
⋯➤ (가) 시기에 동태평양 적도 부근 해수면 높이 편차는 (−)값이다.

기출 문제

정답과 해설 26쪽

145 그림 (가)는 엘니뇨, (나)는 라니냐 발생 시 태평양에서 측정한 표층 수온을 평년과의 편차로 나타낸 것이다.

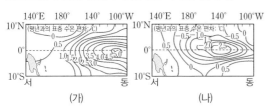

이에 대한 설명으로 옳은 것만을 〈보기〉에서 있는 대로 고른 것은?

─ 보기 ─
ㄱ. 동태평양의 연안 용승은 (나)보다 (가)일 때 약했다.
ㄴ. (나)일 때 평년보다 무역풍이 강했을 것이다.
ㄷ. 적도 부근 서태평양의 강수량은 (가)>(나)이다.

① ㄱ　② ㄷ　③ ㄱ, ㄴ　④ ㄴ, ㄷ　⑤ ㄱ, ㄴ, ㄷ

146 그림 (가)는 동태평양 적도 부근 해역 표층 해류의 평년 속도를, (나)는 엘니뇨 또는 라니냐가 일어난 어느 시기 표층 해류의 속도 편차(관측 속도−평년 속도)를 나타낸 것이다.

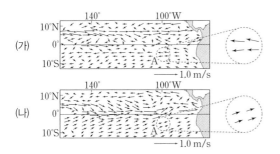

(나)의 A 해역에 대한 설명으로 옳은 것만을 〈보기〉에서 있는 대로 고른 것은?

─ 보기 ─
ㄱ. 해류는 평년보다 약하다.
ㄴ. 해수면은 평년보다 높다.
ㄷ. 표층 수온은 평년보다 낮다.

① ㄱ　② ㄴ　③ ㄷ　④ ㄱ, ㄴ　⑤ ㄴ, ㄷ

147 그림은 엘니뇨 또는 라니냐 시기에 태평양 적도 부근 해역에서 관측된, 수온 약층이 나타나기 시작하는 깊이의 편차(관측 깊이−평년 깊이)를 나타낸 것이다.

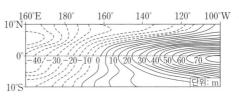

이 시기에 대한 설명으로 옳은 것만을 〈보기〉에서 있는 대로 고른 것은?

─ 보기 ─
ㄱ. 엘니뇨 시기이다.
ㄴ. 평년에 비해 동태평양 적도 해역에서 혼합층의 두께는 증가한다.
ㄷ. 평년에 비해 동태평양 적도 해역에서 표층 수온은 낮아진다.

① ㄱ　② ㄴ　③ ㄷ　④ ㄱ, ㄴ　⑤ ㄴ, ㄷ

148 그림은 서로 다른 시기에 태평양 적도 부근 해역에서 관측된 바람의 동서 방향 풍속을 나타낸 것이고, (+)는 서풍, (−)는 동풍에 해당한다. (가)와 (나)는 각각 엘니뇨와 라니냐 시기 중 하나이다.

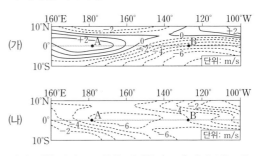

이에 대한 설명으로 옳은 것만을 〈보기〉에서 있는 대로 고른 것은?

─ 보기 ─
ㄱ. (가)의 풍속과 (나)의 풍속의 차는 해역 A가 B보다 크다.
ㄴ. 해역 A와 B의 표층 수온 차는 (나)보다 (가)일 때 크다.
ㄷ. 무역풍으로 인해 발생하는 상승 기류는 (나)보다 (가)일 때 더 동쪽에 위치한다.

① ㄱ　② ㄴ　③ ㄱ, ㄷ　④ ㄴ, ㄷ　⑤ ㄱ, ㄴ, ㄷ

기출 분석

36 유형

■ 연관 기출 문제   키워드

\# 기온 변화 \# CO_2 농도 변화

\# 산소 동위 원소비 변화

\# 해수면 높이 변화

문제 분석

• CO_2 농도와 기온 편차는 시간에 따른 변화 경향이 같다. 반면에 해양 생물의 산소 동위 원소비와 기온 편차는 시간에 따른 변화 경향이 반대이다.

• 대기 중 CO_2 농도가 높아지면 대기의 온실 효과가 강화되어 기온이 상승한다. 반대로 대기 중 CO_2 농도가 낮아지면 대기의 온실 효과가 약화되어 기온이 하강한다. 따라서 CO_2 농도 변화 경향과 기온 변화 경향은 비슷하게 나타난다.

? 출제 의도
과거부터 현재까지 기온 변화, 온실 기체 농도 변화 등 다양한 자료를 통해 과거 기후 해석과 기후 변화에 영향을 미치는 요인을 묻는 문제이다.

이렇게 대비하자!
기온 변화 자료와 다른 자료의 비례 또는 반비례 관계를 해석하고 기온 변화에 따른 지구 환경 변화를 '지질 시대', '지구 온난화'와 함께 공부하여 대비한다.

그림 (가)와 (나)는 남극의 빙하 연구를 통해 알아낸 과거 42만 년 동안의 대기 중 CO_2 농도와 기온 편차를, (다)는 해양 생물의 껍질에서 측정한 이 기간 동안의 산소 동위 원소비를 나타낸 것이다.

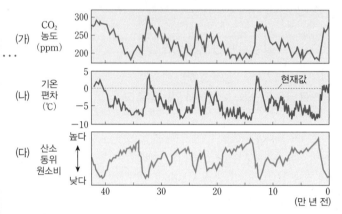

이에 대한 설명으로 옳은 것만을 〈보기〉에서 있는 대로 고른 것은?

┤ 보기 ├
ㄱ. 이 기간 동안에 대기 중의 CO_2 평균 농도는 현재보다 높다.
ㄴ. 35만 년 전에 빙하의 면적은 현재보다 넓었다.
ㄷ. 해양 생물의 산소 동위 원소비는 간빙기가 빙하기보다 높았다.

① ㄱ   ✓② ㄴ   ③ ㄱ, ㄷ   ④ ㄴ, ㄷ   ⑤ ㄱ, ㄴ, ㄷ

개념 알기

산소 동위 원소비는 산소의 동위 원소인 ^{18}O와 ^{16}O의 비율인 $\frac{^{18}O}{^{16}O}$ 값을 말한다. 물 분자를 이루는 산소에는 ^{18}O와 ^{16}O가 있다. 기온이 높을 때는 ^{18}O를 가진 물 분자와 ^{16}O를 가진 물 분자 모두 증발이 잘 일어나지만 기온이 낮을 경우 상대적으로 무거운 ^{18}O를 가진 물 분자의 증발량이 감소한다. 따라서 기온이 낮을 때 해수의 산소 동위 원소비는 증가하고 반대로 기온이 높을 때 해수의 산소 동위 원소비는 감소한다. 해양 생물의 껍질은 당시 해수를 이용하여 형성되었으므로 해양 생물 껍질에서 측정한 산소 동위 원소비를 통해 당시 기온을 추정할 수 있다.

■ 문항별 해설

ㄱ. (✗) 과거 42만 년 동안 대기 중의 CO_2 농도는 대체로 250 ppm보다 낮았다. 따라서 과거 42만 년 동안 대기 중의 CO_2 평균 농도는 현재 CO_2 농도인 약 270 ppm보다 낮다.

ㄴ. (○) 35만 년 전 기온은 현재보다 낮았다. 따라서 수온도 현재보다 낮았고 빙하 면적은 현재보다 넓었을 것이다.

ㄷ. (✗) 해양 생물의 산소 동위 원소비는 기온 편차와 시간에 따른 자료의 변화가 반비례 관계에 있다. 따라서 해양 생물의 산소 동위 원소비는 기온이 상대적으로 낮았던 빙하기에 높았고, 기온이 상대적으로 높았던 간빙기에 낮았다.

■ 오류 피하기

⋯ 과거 42만 년 동안 빙하의 면적 변화 그래프를 그린다면 시간에 따른 변화 경향이 해양 생물의 산소 동위 원소비 그래프와 비슷하게 나타날 것이다.

기출 문제

정답과 해설 **27**쪽

149 그림은 남극 빙하를 분석하여 알아낸 과거 40만 년 동안의 대기 중 CO_2 농도와 지구의 기온 편차를 나타낸 것이다.

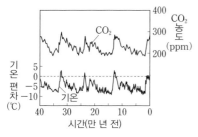

이에 대한 설명으로 옳은 것만을 〈보기〉에서 있는 대로 고른 것은?

┃ 보기 ┃

ㄱ. 지구의 기온이 낮을 때 CO_2 농도가 높게 나타난다.

ㄴ. 과거 40만 년 동안 기온은 현재 지구의 기온보다 대체로 낮았다.

ㄷ. 전체 수권 중 육수가 차지하는 비율은 3만 년 전이 현재보다 높았다.

① ㄱ   ② ㄴ   ③ ㄷ   ④ ㄱ, ㄴ   ⑤ ㄴ, ㄷ

150 그림은 지질 시대에 따른 해양 생물 화석의 산소 동위 원소비 $\frac{^{18}O}{^{16}O}$ 를 나타낸 것이다.

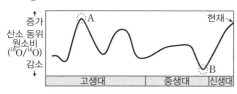

이에 대한 설명으로 옳은 것만을 〈보기〉에서 있는 대로 고른 것은?

┃ 보기 ┃

ㄱ. 극지방 빙하의 산소 동위 원소비 $\frac{^{18}O}{^{16}O}$ 는 A 시기가 B 시기보다 높았을 것이다.

ㄴ. A 시기는 B 시기에 비해 대체로 온난했을 것이다.

ㄷ. 해수면의 높이는 현재가 B 시기보다 낮을 것이다.

① ㄱ   ② ㄴ   ③ ㄱ, ㄴ   ④ ㄱ, ㄷ   ⑤ ㄴ, ㄷ

151 그림은 남극 빙하 연구를 통해 알아낸 과거 12만 년 동안의 기온 편차와 빙하의 산소 동위 원소비 $\frac{^{18}O}{^{16}O}$ 를 나타낸 것이다.

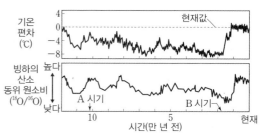

이에 대한 설명으로 옳은 것만을 〈보기〉에서 있는 대로 고른 것은?

┃ 보기 ┃

ㄱ. 과거 12만 년 동안의 평균 기온은 현재보다 낮았다.

ㄴ. 해수에서 증발되는 물 분자의 산소 동위 원소비는 A 시기가 B 시기보다 컸을 것이다.

ㄷ. 빙하의 면적은 B 시기가 현재보다 넓었을 것이다.

① ㄱ   ② ㄷ   ③ ㄱ, ㄴ   ④ ㄴ, ㄷ   ⑤ ㄱ, ㄴ, ㄷ

152 그림은 남극 빙하를 분석하여 알아낸 과거 40만 년 동안의 기온 편차, 이산화 탄소 농도, 먼지 농도 변화를 나타낸 것이다.

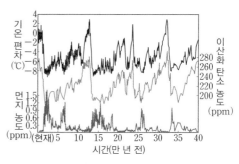

이에 대한 설명으로 옳은 것만을 〈보기〉에서 있는 대로 고른 것은?

┃ 보기 ┃

ㄱ. 시간에 따른 기온 편차와 먼지 농도는 대체로 비례한다.

ㄴ. 이 기간 동안에 이산화 탄소 농도의 평균은 현재보다 낮았다.

ㄷ. 전체 수권 중 육수가 차지하는 비율은 35만 년 전이 현재보다 높았을 것이다.

① ㄱ   ② ㄴ   ③ ㄷ   ④ ㄱ, ㄴ   ⑤ ㄴ, ㄷ

기출 분석

37유형

■ **연관 기출 문제 키워드**

지구의 공전 궤도 변화 # 세차 운동
지구 자전축 경사각 변화
근일점 # 원일점

출제 의도

지구의 자전축 및 공전 궤도의 변화가 지구의 기후에 미치는 영향을 묻는 문제이다.

이렇게 대비하자!

지구 자전축 경사각과 경사 방향, 공전 궤도 이심률 변화가 일어났을 때 기후 변화를 학습하고, 그림 자료를 해석하는 방법을 익힌다.

그림은 현재와 미래 어느 시점의 지구 공전 궤도, 자전축의 경사 방향과 경사각을 각각 나타낸 것이다.

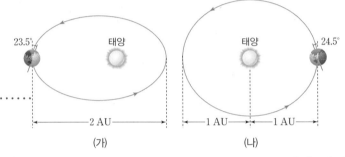

(나) 시기에 나타날 수 있는 현상에 대한 설명으로 옳은 것만을 〈보기〉에서 있는 대로 고른 것은? (단, 공전 궤도 이심률, 자전축의 경사 방향과 경사각의 변화 이외의 요인은 변하지 않는다고 가정한다.)

| 보기 |

ㄱ. 우리나라 기온의 연교차는 (가)보다 작아진다.
ㄴ. 북반구 여름 동안 대륙 빙하의 면적은 (가)보다 좁아진다.
ㄷ. 지구에 입사하는 태양 복사 에너지양은 7월이 1월보다 많다.

① ㄱ   ✓ ㄴ   ③ ㄷ   ④ ㄱ, ㄴ   ⑤ ㄴ, ㄷ

문제 분석

• 미래가 되었을 때 자전축 경사각은 23.5°에서 24.5°로 변하였고 세차 운동으로 지구 자전축 경사 방향이 180° 회전하였다. 지구의 공전 궤도 이심률은 작아져 원일점과 근일점이 없어지고, 모든 궤도에서 태양과 지구의 거리가 동일하게 되었다.

자전축 경사각만 고려한다면 기울기가 더 커졌으므로 중위도에서 기온의 연교차가 커진다.

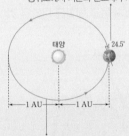

지구의 공전 궤도 이심률과 세차 운동을 고려한다면 여름에는 태양과의 거리가 더 가까워져 더 더운 여름이 될 것이고, 겨울에는 태양과의 거리가 더 멀어져 더 추운 겨울이 될 것이다. 따라서 기온의 연교차가 커진다.

■ 문항별 해설

ㄱ. (×) 지구 자전축 경사각이 더 커지며 태양과 지구 사이 거리가 북반구 기준 여름일 때 더 가까워지고 겨울일 때 더 멀어지므로 우리나라 기온의 연교차는 현재보다 커진다.

ㄴ. (○) 미래 북반구는 여름에 태양이 현재보다 더 가까운 위치에서 더 높은 남중 고도로 에너지를 방출하기 때문에 기온이 현재보다 높을 것이고 대륙 빙하의 면적은 좁아질 것이다.

ㄷ. (×) (가) 시기에는 지구에 입사하는 태양 복사 에너지양이 7월보다 지구와 태양 사이의 거리가 더 가까운 1월에 많다. (나) 시기에는 모든 기간에 태양과 지구 사이의 거리가 동일하므로 지구로 입사하는 태양 복사 에너지양도 동일하다.

개념 알기

세차 운동으로 지구 자전축 경사 방향이 180° 회전한다면 북반구 기준 여름이 근일점, 겨울이 원일점이 될 것이다.

■ 오류 피하기

⋯ 미래가 되었을 때, 지구에 입사하는 태양 복사 에너지양은 지구의 공전 궤도가 원이므로 모든 시기에 같다. 반면에 지구 자전축은 현재와 동일하게 기울어져 있으므로 계절이 사라지지는 않는다.

기출 문제

정답과 해설 27~29쪽

153 그림은 지구 공전 궤도의 변화를 나타낸 것이다.

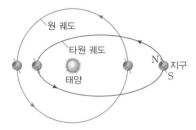

지구 공전 궤도가 현재의 타원 궤도에서 원 궤도로 변화한다고 할 때, 일어날 수 있는 현상으로 옳은 것만을 〈보기〉에서 있는 대로 고른 것은? (단, 지구 공전 궤도 변화 이외의 다른 요인은 현재와 같다고 가정한다.)

| 보기 |
ㄱ. 북반구의 기온 연교차는 작아질 것이다.
ㄴ. 남반구의 겨울철 평균 기온은 상승할 것이다.
ㄷ. 우리나라의 여름은 현재보다 더워질 것이다.

① ㄱ   ② ㄴ   ③ ㄷ   ④ ㄱ, ㄴ   ⑤ ㄴ, ㄷ

154 그림 (가)는 현재 지구 자전축의 방향을, (나)는 지구 자전축의 방향이 바뀐 모습을 나타낸 것이다.

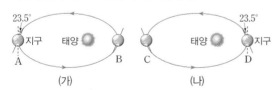

우리나라에서 받는 태양 복사 에너지에 관련된 설명으로 옳은 것만을 〈보기〉에서 있는 대로 고른 것은? (단, 지구 자전축의 방향 이외의 다른 조건은 변화가 없다.)

| 보기 |
ㄱ. A~D 중 겨울철에 해당하는 것은 A와 C이다.
ㄴ. 연교차는 (나)가 (가)보다 크다.
ㄷ. A~D 중 우리나라에서 하루 동안 태양 복사 에너지를 가장 많이 받는 위치는 D이다.

① ㄱ ② ㄷ ③ ㄱ, ㄴ ④ ㄴ, ㄷ ⑤ ㄱ, ㄴ, ㄷ

155 그림 (가)는 현재의 지구 자전축 기울기를, (나)는 현재를 기준으로 5만 년 전~5만 년 후의 지구 자전축 기울기 변화를 나타낸 것이다.

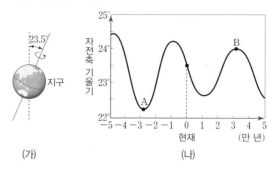

(가)   (나)

이 자료를 근거로 판단한 우리나라에서의 기후 변화에 대한 설명으로 옳은 것만을 〈보기〉에서 있는 대로 고른 것은?

| 보기 |
ㄱ. 지구 자전축의 기울기가 커지면 여름철의 태양 고도는 낮아진다.
ㄴ. A 시기에는 현재보다 여름철의 평균 기온이 낮았을 것이다.
ㄷ. B 시기에는 현재보다 기온의 연교차가 커질 것이다.

① ㄱ ② ㄴ ③ ㄱ, ㄷ ④ ㄴ, ㄷ ⑤ ㄱ, ㄴ, ㄷ

156 그림은 현재 지구 자전축의 방향과 공전 궤도를 나타낸 것이다. 세차 운동의 방향은 지구 자전 방향과 반대이고 주기는 약 26000년이다.

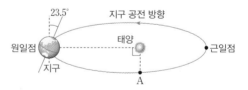

이에 대한 설명으로 옳은 것만을 〈보기〉에서 있는 대로 고른 것은? (단, 세차 운동 이외의 요인은 변하지 않는다고 가정한다.)

| 보기 |
ㄱ. 현재 지구가 근일점에 위치할 때 우리나라는 낮의 길이가 가장 길다.
ㄴ. 약 6500년 후 지구가 A 부근에 있을 때 우리나라는 겨울이다.
ㄷ. 우리나라에서 기온의 연교차는 현재보다 약 13000년 후에 더 크다.

① ㄱ   ② ㄴ   ③ ㄷ   ④ ㄱ, ㄴ   ⑤ ㄴ, ㄷ

157 그림은 기후 변화를 일으키는 천문학적 요인 중 지구 자전축의 경사각 변화를 나타낸 것이다. 이에 대한 옳은 설명만을 〈보기〉에서 있는 대로 고른 것은? (단, 현재의 경사각은 23.5°이고, 다른 모든 요인은 동일하다.)

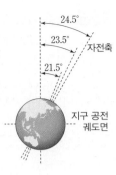

┤ 보기 ├

ㄱ. 자전축의 경사각이 작아지면 여름철 우리나라 지표면에 도달하는 일사량은 현재보다 적어진다.

ㄴ. 자전축의 경사각이 커지면 우리나라 기온의 연교차가 작아진다.

ㄷ. 자전축의 경사각이 커지면 지구 전체가 받는 연간 태양 복사 에너지양은 현재보다 많아진다.

① ㄱ ② ㄴ ③ ㄷ ④ ㄱ, ㄴ ⑤ ㄴ, ㄷ

158 그림 (가)는 지구의 같은 지점에서 1월과 7월 정오에 촬영한 태양 상의 크기를 비교한 것이고, (나)는 지구 공전 궤도의 모양 변화를 나타낸 모식도이다.

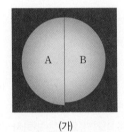
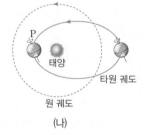

(가)   (나)

이에 대한 설명으로 옳은 것만을 〈보기〉에서 있는 대로 고른 것은? (단, 지구 자전축 경사의 크기와 방향은 변하지 않는다고 가정한다.)

┤ 보기 ├

ㄱ. B를 촬영할 때 북반구는 여름이다.

ㄴ. 지구가 P에 위치할 때 촬영한 상은 A이다.

ㄷ. (나)에서 공전 궤도가 타원에서 원으로 변하면 북반구 기온의 연교차는 커진다.

① ㄴ ② ㄷ ③ ㄱ, ㄴ ④ ㄱ, ㄷ ⑤ ㄱ, ㄴ, ㄷ

159 그림은 지구 공전 궤도와 현재부터 1만 년 후의 자전축 기울기 변화를 나타낸 것이다.

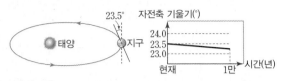

1만 년 후에 우리나라에서 나타날 수 있는 변화로 옳은 것만을 〈보기〉에서 있는 대로 고른 것은? (단, 지구 자전축 기울기 변화 이외의 천문학적 요인은 현재와 같다고 가정한다.)

┤ 보기 ├

ㄱ. 여름철 일사량이 증가한다.

ㄴ. 기온의 연교차가 작아진다.

ㄷ. 여름과 겨울의 별자리가 서로 바뀐다.

① ㄱ ② ㄴ ③ ㄷ ④ ㄱ, ㄷ ⑤ ㄴ, ㄷ

160 그림 (가)와 (나)는 각각 현재와 1만 3천 년 후의 지구 공전 궤도와 지구 자전축의 방향을 나타낸 것이다.

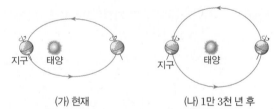

(가) 현재   (나) 1만 3천 년 후

이에 대한 설명으로 옳은 것만을 〈보기〉에서 있는 대로 고른 것은? (단, 지구의 공전 궤도 이심률과 자전축 방향의 변화 외의 요인은 고려하지 않는다.)

┤ 보기 ├

ㄱ. (가)에서 지구가 근일점에 위치할 때 북반구는 여름이다.

ㄴ. 북반구에서 기온의 연교차는 (나)가 (가)보다 크다.

ㄷ. 근일점에서 지구 전체가 받는 태양 복사 에너지양은 (가)가 (나)보다 많다.

① ㄱ ② ㄷ ③ ㄱ, ㄴ ④ ㄱ, ㄷ ⑤ ㄴ, ㄷ

161 그림 (가)는 현재와 13000년 후의 지구 공전 궤도와 세차 운동에 의한 자전축 경사 방향 변화를, (나)는 시간에 따른 지구 자전축 경사각의 변화를 나타낸 것이다.

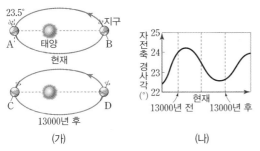

이에 대한 설명으로 옳은 것만을 〈보기〉에서 있는 대로 고른 것은? (단, 지구 자전축 경사 방향과 경사각 변화 이외의 요인은 고려하지 않는다.)

┃ 보기 ┃

ㄱ. (가)에서 A ~ D 중 북반구가 겨울철인 위치는 A와 D이다.

ㄴ. 북반구 겨울의 평균 기온은 현재가 13000년 전 보다 높다.

ㄷ. 남반구 기온의 연교차는 13000년 후가 현재보 다 클 것이다.

① ㄱ ② ㄷ ③ ㄱ, ㄴ ④ ㄴ, ㄷ ⑤ ㄱ, ㄴ, ㄷ

162 그림은 기후 변동을 유발할 수 있는 지구 운동의 변화를 나타 낸 모식도이다. (가)는 공전 궤도 모양이 변한 경우를, (나) 는 자전축의 방향과 기울기가 변한 경우를 나타낸 것이다.

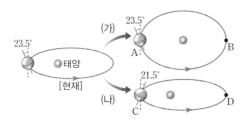

이에 대한 설명으로 옳은 것만을 〈보기〉에서 있는 대로 고 른 것은?

┃ 보기 ┃

ㄱ. 우리나라가 여름인 위치는 B와 D이다.

ㄴ. (가)의 경우 북반구는 연교차가 증가한다.

ㄷ. (나)의 경우 우리나라에서 겨울철 태양의 남중 고도가 높아진다.

① ㄱ ② ㄴ ③ ㄱ, ㄷ ④ ㄴ, ㄷ ⑤ ㄱ, ㄴ, ㄷ

163 그림 (가)는 지구 자전축의 경사각 변화를, (나)는 지구 공 전 궤도의 이심률 변화를 나타낸 것이다.

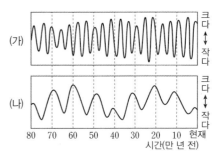

이에 대한 설명으로 옳은 것만을 〈보기〉에서 있는 대로 고 른 것은? (단, 위 두 가지 이외의 지구 기후 변화 요인은 일 정하다고 가정한다.)

┃ 보기 ┃

ㄱ. 주기는 (가)가 (나)보다 짧다.

ㄴ. 60만 년 전 우리나라는 현재보다 기온의 연교차 가 컸을 것이다.

ㄷ. 10만 년 전에는 현재보다 원일점 거리와 근일점 거리 차가 컸을 것이다.

① ㄱ ② ㄷ ③ ㄱ, ㄴ ④ ㄱ, ㄷ ⑤ ㄴ, ㄷ

164 그림 (가)는 현재를 기준으로 5만 년 전~5만 년 후의 지 구 자전축의 기울기 변화를, (나)는 북반구 여름철의 태양 과 지구 사이의 거리 변화를 나타낸 것이다.

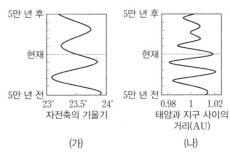

이 자료를 근거로 판단한 북반구의 기후 변화에 대한 설명 으로 옳은 것만을 〈보기〉에서 있는 대로 고른 것은?

┃ 보기 ┃

ㄱ. (가)만을 고려할 때, 1만 년 전의 기온의 연교차 는 현재보다 컸을 것이다.

ㄴ. (나)만을 고려할 때, 1만 년 후의 여름 기온은 현 재보다 높아질 것이다.

ㄷ. (가)와 (나)를 모두 고려할 때, 3만 년 후의 계절 변화는 현재보다 뚜렷해질 것이다.

① ㄱ ② ㄷ ③ ㄱ, ㄴ ④ ㄴ, ㄷ ⑤ ㄱ, ㄴ, ㄷ

기출 분석

38 유형

■ 연관 기출 문제 키워드

반사율 # 온실 효과 # 복사 평형

문제 분석

태양 복사 에너지 100 중 30은 반사되어 바로 우주로 되돌아가고 70이 지구로 흡수된다.

지구에서 우주로 방출되는 에너지양은 70이다. 이 에너지양은 최초에 태양으로부터 지구가 흡수하는 에너지양과 동일하며 지구는 에너지 평형 상태에 있다.

- 지구가 흡수하는 에너지 70 중 45가 지표면에 흡수되는데 지표면이 방출하는 총 에너지양은 133으로 태양으로부터 받은 에너지양보다 많은 양의 에너지를 방출한다.
- 온실 효과: 지표면이 더 많은 에너지를 방출할 수 있는 까닭은 대기의 재복사로 88의 에너지가 다시 지표면으로 돌아가기 때문이다. 이러한 현상을 온실 효과라고 하며 온실 효과로 지표의 온도는 대기가 없을 때보다 높게 유지된다.

🖥 개념 알기

지구는 흡수하는 에너지와 방출하는 에너지가 같은 에너지 평형 상태에 있기 때문에 위도별 에너지 불균형이 일어나더라도 저위도의 에너지 과잉량과 고위도의 에너지 부족량이 같고 이것이 대기와 해수의 순환으로 해소된다.

❓ 출제 의도

지구의 열수지 자료를 통해 우주, 대기, 지표에서의 에너지 출입량과 지구의 기온이 대기가 없을 때보다 높게 유지되는 까닭을 묻는 문제이다.

🌊 이렇게 대비하자!

지표, 대기, 우주 공간이 받는 에너지양과 방출하는 에너지양이 같음을 이해한다. 대기와 지표가 교환하는 에너지양을 확인하고 온실 효과를 학습하여 대비한다.

그림은 지구에 도달하는 태양 복사 에너지를 100 단위라고 할 때 지구의 열수지를 나타낸 것이다.

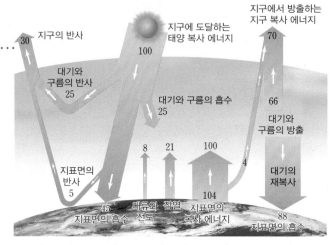

이에 대한 옳은 설명만을 〈보기〉에서 있는 대로 고른 것은?

───┤ 보기 ├───

ㄱ. 지구의 반사율은 30 %이다.

ㄴ. 물의 상태 변화를 통해 지표에서 방출되는 에너지는 29 단위이다.

ㄷ. 대기가 없다면 지표면의 복사 에너지는 104 단위보다 적을 것이다.

① ㄱ   ② ㄴ   ✓ ㄱ, ㄷ   ④ ㄴ, ㄷ   ⑤ ㄱ, ㄴ, ㄷ

■ 문항별 해설

ㄱ. (○) 지구에 도달하는 태양 복사 에너지 100 중 대기와 구름의 반사로 25, 지표면의 반사로 5의 에너지가 반사되므로 지구의 반사율은 30 %이다.

ㄴ. (✕) 물의 상태 변화를 통해 지표에서 방출되는 에너지는 잠열(숨은열)로 21 단위이다.

ㄷ. (○) 지구에 대기가 없다면 온실 효과가 일어나지 않게 되어 지표면이 방출하는 총 에너지양은 지구에 도달하는 태양 복사 에너지양인 100보다 커질 수 없다.

■ 오류 피하기

⋯ 지표의 물은 태양 에너지를 받아 수증기로 증발하고 상승해 대기 중에서 응결하여 액체 상태의 물방울이 되면서 에너지를 방출한다. 이때 수증기가 방출하는 에너지를 숨은열(잠열)이라고 하고 이러한 과정으로 지표의 에너지가 대기 중으로 이동한다.

기출 문제

정답과 해설 **30**쪽

165 그림은 지구 대기와 지표면에서 태양 복사 에너지와 지구 복사 에너지의 평형을 나타낸 모식도이다.

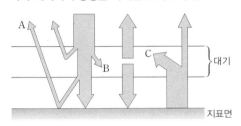

이에 대한 설명으로 옳은 것만을 〈보기〉에서 있는 대로 고른 것은?

┤ 보기 ├
ㄱ. 빙하 면적이 넓어지면 A 과정이 활발해진다.
ㄴ. B 과정은 대부분 이산화 탄소에 의해 나타난다.
ㄷ. C 과정이 활발해지면 지표면 기온은 상승한다.

① ㄱ ② ㄴ ③ ㄷ ④ ㄱ, ㄷ ⑤ ㄴ, ㄷ

166 그림은 지구에 도달하는 태양 복사 에너지양을 100이라고 할 때 복사 평형을 이루고 있는 지구의 열수지를 나타낸 것이다.

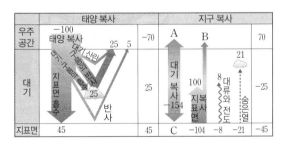

이에 대한 설명으로 옳은 것만을 〈보기〉에서 있는 대로 고른 것은?

┤ 보기 ├
ㄱ. A~C 중 C값이 가장 크다.
ㄴ. 온실 기체의 증가는 C를 증가시킨다.
ㄷ. 물의 상태 변화로 이동한 에너지양은 8이다.

① ㄴ ② ㄷ ③ ㄱ, ㄴ ④ ㄱ, ㄷ ⑤ ㄱ, ㄴ, ㄷ

167 그림은 복사 평형을 이루고 있는 지구의 열수지 관계를 나타낸 모식도이다.

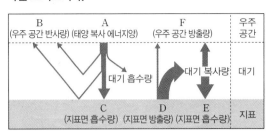

이에 대한 설명으로 옳은 것만을 〈보기〉에서 있는 대로 고른 것은?

┤ 보기 ├
ㄱ. A는 C와 같다.
ㄴ. D에서 복사 에너지의 대부분은 적외선으로 방출된다.
ㄷ. 온실 기체가 증가하면 E가 증가한다.

① ㄱ ② ㄴ ③ ㄱ, ㄷ ④ ㄴ, ㄷ ⑤ ㄱ, ㄴ, ㄷ

168 그림은 지구에 입사하는 태양 복사 에너지양을 100으로 할 때 지구의 복사 평형을 나타낸 것이다.

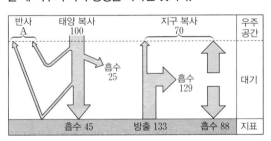

이에 대한 설명으로 옳지 **않은** 것은?

① 지표와 대기에서 반사되는 양(A)은 30이다.
② 지표가 흡수하는 복사 에너지의 총량은 133이다.
③ 지표는 태양보다 대기로부터 에너지를 많이 흡수한다.
④ 대기는 흡수하는 에너지와 방출하는 에너지가 평형을 이룬다.
⑤ 대기가 지표로 방출하는 에너지양은 우주 공간으로 방출하는 에너지양보다 적다.

기출 분석

39 유형

? 출제 의도

지구 기온 변화 자료를 통해 최근 지구 온난화의 경향과 원인, 지구 온난화가 지구 환경에 미치는 영향을 묻는 문제이다.

이렇게 대비하자!

지구 평균 기온과 대기 중 이산화 탄소 농도 변화 경향을 비교하고 온실 효과를 학습하여 두 자료의 관계를 이해한다.

■ 연관 기출 문제 키워드

\# 평균 기온 \# 이산화 탄소 농도
\# 온실 기체

문제 분석

• 이산화 탄소 농도: 지난 100년 동안 지구 대기 중의 이산화 탄소 농도는 꾸준히 상승하고 있으며, 특히 1960년대부터 상승폭이 증가하였다. 이것은 18세기 중엽에 일어난 산업 혁명으로 화석 연료의 사용량이 크게 늘어났기 때문이다.

• 평균 기온: 지난 100년 동안 지구의 평균 기온은 상승과 하강을 반복해서 나타나지만 전체적으로 상승하는 경향을 보인다.

• 북극해 얼음 면적: 1979년부터 2005년까지의 북극해 얼음 면적은 대체로 감소하였다.

그림 (가)와 (나)는 지난 100년 동안의 지구 대기 이산화 탄소 농도와 평균 기온을 각각 나타낸 것이고, (다)는 1979년부터 2005년까지의 북극해 얼음 면적을 나타낸 것이다.

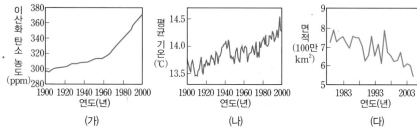

(가)   (나)   (다)

이에 대한 설명으로 옳은 것만을 〈보기〉에서 있는 대로 고른 것은?

┤ 보기 ├

ㄱ. (가)에서 1960년 이후의 이산화 탄소 농도 증가율은 1960년 이전에 비해 감소하였다.

ㄴ. 대기 중 이산화 탄소 농도의 증가는 (나)에 나타난 시간에 따른 평균 기온 상승에 기여하였다.

ㄷ. (다)의 경향이 지속되면 북극해의 표면 반사율이 커질 것이다.

① ㄱ ② ㄴ ③ ㄱ, ㄷ ④ ㄴ, ㄷ ⑤ ㄱ, ㄴ, ㄷ

■ 문항별 해설

ㄱ. (×) (가)에서 1960년대 이후의 이산화 탄소 농도는 이전보다 빠르게 증가하였다.

ㄴ. (○) 대기 중 이산화 탄소는 대표적인 온실 기체로 지구 평균 기온을 높인다. 온실 기체는 지표에서 방출되는 복사 에너지를 흡수하여 지표로 다시 재복사한다.

ㄷ. (×) (다)에서는 북극해 얼음 면적이 감소하는 경향이 나타난다. 얼음은 반사율이 높은 지표 상태이므로 북극해 얼음 면적이 감소하면 북극해의 반사율은 감소할 것이다.

개념 알기

대표적인 온실 기체로 수증기(H_2O), 이산화 탄소(CO_2), 메테인(CH_4)이 있다. 이 중 수증기의 온실 효과 기여도가 가장 높지만 수증기는 인위적인 활동으로 대기 중 농도가 높아지지 않는다. 이산화 탄소와 메테인의 대기 중 농도는 산업 혁명 이후 크게 증가했으며 기온 변화 그래프와 비교하면 비슷한 변화 경향성을 보인다.

■ 오류 피하기

⋯▸ 얼음의 반사율은 80 % 이상이다. 반면에 바다의 반사율은 10 % 미만이기 때문에 북극해의 얼음이 녹으면 반사율이 낮은 바다가 넓어지면서 북극해의 표면 반사율이 작아진다.

기출 문제

정답과 해설 30~31쪽

169 그림은 최근 100년 간 대기 중 이산화 탄소 농도와 지구의 평균 기온 변화를 나타낸 것이다.

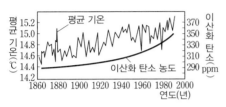

이에 대한 설명으로 옳은 것만을 〈보기〉에서 있는 대로 고른 것은?

┤ 보기 ├
ㄱ. 지구의 평균 기온은 전반적으로 상승하고 있다.
ㄴ. 지구의 평균 기온 변화는 이산화 탄소 농도 변화와 상관관계가 있다.
ㄷ. 화석 연료 사용량의 증가는 지구의 평균 기온을 높인다.

① ㄱ ② ㄱ, ㄴ ③ ㄱ, ㄷ ④ ㄴ, ㄷ ⑤ ㄱ, ㄴ, ㄷ

170 그림은 1855∼2005년의 지구의 연평균 기온을 나타낸 것이다.

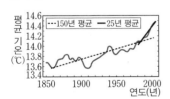

이에 대한 옳은 설명만을 〈보기〉에서 있는 대로 고른 것은?

┤ 보기 ├
ㄱ. 연평균 기온은 상승하는 추세이다.
ㄴ. 연평균 기온의 변화율은 150년 평균보다 25년 평균이 크다.
ㄷ. 이 기간 동안 평균 해수면의 높이는 낮아졌을 것이다.

① ㄱ ② ㄷ ③ ㄱ, ㄴ ④ ㄴ, ㄷ ⑤ ㄱ, ㄴ, ㄷ

171 그림은 1900년부터 2000년까지 평균 기온과 평균 해수면 높이의 편차를 나타낸 것이다.

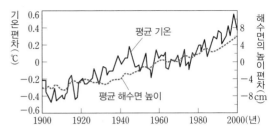

이에 대한 설명으로 옳은 것만을 〈보기〉에서 있는 대로 고른 것은?

┤ 보기 ├
ㄱ. 평균 해수면은 이 기간에 약 6 cm 상승하였다.
ㄴ. 이러한 변화 경향이 지속되면 극지방의 반사율은 감소할 것이다.
ㄷ. 대기 중 이산화 탄소의 농도가 증가할 경우 나타나는 현상이다.

① ㄱ ② ㄷ ③ ㄱ, ㄴ ④ ㄴ, ㄷ ⑤ ㄱ, ㄴ, ㄷ

172 그림은 1920년부터 2015년까지 북반구와 남반구에서의 기온 편차(관측값−평균값)를 나타낸 것이다.

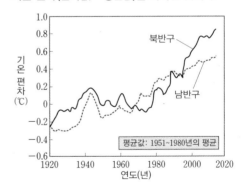

이에 대한 옳은 설명만을 〈보기〉에서 있는 대로 고른 것은?

┤ 보기 ├
ㄱ. 이 기간 동안의 지구 평균 기온은 대체로 상승하였다.
ㄴ. 이 기간 동안의 기온 변화는 남반구보다 북반구에서 더 크다.
ㄷ. 1960년 이후 극지방의 반사율은 대체로 감소하였을 것이다.

① ㄱ ② ㄴ ③ ㄱ, ㄷ ④ ㄴ, ㄷ ⑤ ㄱ, ㄴ, ㄷ

기출 분석

40 유형

? 출제 의도

구조화된 그림을 통해 지구 온난화의 원인과 영향, 지구 환경 변화가 다시 지구 온난화에 미치는 영향을 묻는 문제이다.

🐛 이렇게 대비하자!

제시된 자료에서 각 부분의 인과관계를 파악하고 스스로 지구 온난화의 원인과 영향을 구조화시켜 보며 대비한다.

■ 연관 기출 문제 키워드

해수면 높이 # 육지의 면적
빙하의 면적 # 지표면의 반사율

문제 분석

· 화석 연료의 연소는 대기 중 온실 기체의 농도를 증가시키고, 증가된 온실 기체는 온실 효과를 강화하여 지구 온난화가 진행된다.

· 지구 온난화로 지구의 평균 기온이 상승하면 대륙 빙하의 면적이 줄어든다. 빙하는 반사율이 높은 편에 속하는 지표 상태이므로 대륙 빙하의 면적이 감소하면 지표면의 반사율이 감소한다.

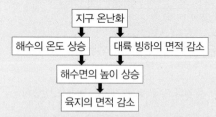

· 대륙 빙하가 융해되어 해수로 유입되고 해수의 온도가 상승하여 해수의 열팽창이 일어나면 해수의 부피가 증가한다. 해수의 부피가 증가하면 해수면의 높이가 상승하고 비교적 낮은 지대의 육지가 침수되면서 육지의 면적이 감소한다.

그림은 지구 온난화의 원인과 그로 인한 지구 환경 변화 과정의 일부를 나타낸 것이다.

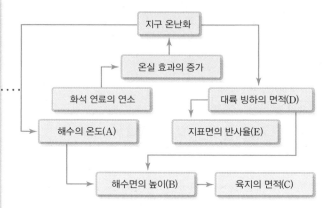

이 자료에 대한 설명으로 옳은 것만을 〈보기〉에서 있는 대로 고른 것은?

┤ 보기 ├
ㄱ. A가 증가하면 C는 감소하게 된다.
ㄴ. D가 감소하면 B도 감소하게 된다.
ㄷ. 지구 온난화가 지속되면 E가 증가하게 된다.

✓① ㄱ   ② ㄷ   ③ ㄱ, ㄴ   ④ ㄴ, ㄷ   ⑤ ㄱ, ㄴ, ㄷ

■ 문항별 해설

ㄱ. (○) 해수의 온도가 상승하면 해수의 열팽창이 일어나 해수면의 높이가 상승하고 육지 중 저지대가 침수되면서 육지의 면적이 감소한다.

ㄴ. (✕) 대륙 빙하의 면적이 감소하면 빙하가 녹은 담수가 바다로 유입되어 해수의 부피가 증가하고 해수면의 높이가 상승한다.

ㄷ. (✕) 지구 온난화가 지속되면 반사율이 높은 대륙 빙하의 면적이 감소하므로 지표면의 반사율은 감소하게 된다.

💻 개념 알기

대륙 빙하의 면적 감소는 지표면 반사율 감소로 이어진다. 지표면의 반사율이 감소하면 지표의 태양 복사 에너지 흡수율이 증가하여 지구가 더 많은 에너지를 받게 되어 지구의 평균 기온이 상승한다.

기출 문제

정답과 해설 **31**쪽

173 그림은 화석 연료의 사용량 증가에 따른 지구 환경 변화를 나타낸 것이다.

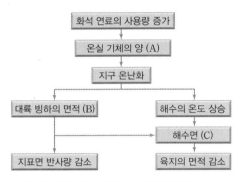

A, B, C에 들어갈 내용으로 옳은 것은?

	A	B	C		A	B	C
①	증가	증가	상승	②	증가	감소	하강
③	증가	감소	상승	④	감소	증가	상승
⑤	감소	감소	하강				

174 그림은 지구 온난화와 관련하여 연쇄적으로 일어나는 현상을 나타낸 것이다.

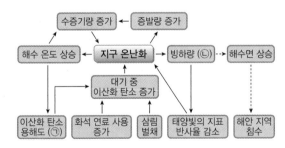

㉠, ㉡에 들어갈 내용으로 옳은 것은?

	㉠	㉡		㉠	㉡
①	증가	증가	②	증가	감소
③	감소	증가	④	감소	감소
⑤	일정	일정			

175 다음은 북극권의 다양한 기후 피드백 작용을 나타낸 것이다.

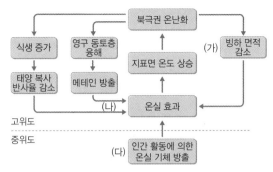

이에 대한 설명으로 옳은 것만을 〈보기〉에서 있는 대로 고른 것은?

┤ 보기 ├

ㄱ. (가)의 결과, 지표면의 반사율이 증가한다.

ㄴ. (나)는 북극권의 온난화를 강화시키는 작용이다.

ㄷ. (다)의 온실 기체 중 가장 많은 양을 차지하는 것은 메테인이다.

① ㄱ   ② ㄴ   ③ ㄱ, ㄷ   ④ ㄴ, ㄷ   ⑤ ㄱ, ㄴ, ㄷ

176 표는 지구의 평균 기온 상승이 지구 환경 변화에 미치는 영향을 예상하여 나타낸 것이다.

상승한 기온(℃)	기온 상승에 따른 영향
1	희귀종 멸종, 산호 멸종, 해수에 의한 섬나라 침수
2	그린란드 빙하 소멸, 북극곰 멸종, 식수 공급 악영향
3	환경 난민 발생, 식량 부족, 아마존 밀림 소멸
4	영구 동결층 융해로 메테인 방출, 방글라데시 $\frac{1}{3}$ 침수
5	지구 환경의 대부분이 주거에 부적당함, 해일 발생
6	생명체의 95 % 사멸

기온 상승에 따른 추론으로 옳은 것만을 〈보기〉에서 있는 대로 고른 것은?

┤ 보기 ├

ㄱ. 육지에서 주거 가능한 면적이 감소할 것이다.

ㄴ. 빙하가 소멸되면 지구의 반사율은 감소할 것이다.

ㄷ. 메테인 방출로 지구의 온실 효과는 더 심해질 것이다.

① ㄱ   ② ㄷ   ③ ㄱ, ㄴ   ④ ㄴ, ㄷ   ⑤ ㄱ, ㄴ, ㄷ

기출 분석

41 유형

? 출제 의도

별의 물리적 특성을 이용하여 H−R도를 해석할 수 있는지를 묻는 문제이다.

이렇게 대비하자!

H−R도에 나타난 주계열성, 초거성, 거성, 백색 왜성의 물리적 특성을 비교하여 알아두도록 한다. H−R도에 각 별의 위치를 직접 찍어보도록 한다.

■ **연관 기출 문제 키워드**

\# H−R도 \# 주계열성

\# 적색 거성 \# 거성

\# 수소 핵융합 반응 \# 분광형

\# 연주 시차 \# 거리 지수

문제 분석 ·············

• 반지름이 크고 밀도가 작다. → ㉠, ㉣

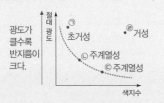

광도가 클수록 반지름이 크다.

초거성 ㉠, ㉣ 거성, ㉡ 주계열성, ㉢ 주계열성

• 반지름이 작고 밀도가 크다. → ㉡, ㉢

[1~2] 표는 별 (가)~(라)의 특성을, 그림은 별 (가)~(라)를 H−R도에 순서 없이 나타낸 것이다. 그림에서 점선은 주계열을 나타낸다.

별	분광형	거리(pc)
(가)	B	260
(나)	A	2.6
(다)	G	1.3
(라)	M	100

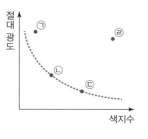

1 (가)~(라)의 특성으로 옳은 것만을 〈보기〉에서 있는 대로 고른 것은?

┤ 보기 ├

ㄱ. 표면 온도는 (가)가 가장 낮다.

ㄴ. 연주 시차는 (나)가 (다)의 2배이다.

ㄷ. 거리 지수는 (가)가 (라)보다 크다.

① ㄱ   ② ㄴ   ✔③ ㄷ   ④ ㄱ, ㄴ   ⑤ ㄴ, ㄷ

2 H−R도에 표시된 ㉠~㉣에 대한 설명으로 옳은 것은?

① ㉠은 별 (나)에 해당한다.   ② ㉡은 ㉢보다 질량이 작다.

✔③ ㉢은 진화 단계를 거쳐 백색 왜성이 된다.   ④ 부피는 ㉣이 가장 작다.

⑤ 네 별 모두 중심부에서는 수소 핵융합 반응이 일어난다.

개념 알기

• 연주 시차는 지구에서 6개월 간격으로 어느 별을 관측할 때 천구에서 이동한 거리(시차)의 $\frac{1}{2}$에 해당한다. 연주 시차는 별까지의 거리에 반비례한다.

• 거리 지수는 겉보기 등급(m)과 절대 등급(M)의 차이로, 거리 지수를 이용하여 별까지의 거리를 구할 수 있다.

① $m-M < 0$인 경우 10 pc보다 가깝다.

② $m-M = 0$인 경우 10 pc의 거리에 있다.

③ $m-M > 0$인 경우 10 pc보다 멀다.

■ **문항별 해설 1**

ㄱ. (×) 표면 온도는 분광형이 O>B>A>F>G>K>M 순이다. 표면 온도가 가장 높은 별은 (가)이다.

ㄴ. (×) 거리가 2.6 pc인 (나)와 거리가 1.3 pc인 (다)의 거리 비는 2 : 1이므로 연주 시차의 비는 1 : 2이다. 연주 시차는 (다)가 (나)의 2배이다.

ㄷ. (○) 거리 지수는 별까지의 거리가 멀수록 크므로 (가)가 (라)보다 크다.

■ **문항별 해설 2**

❶ (×) (가)는 ㉠, (나)는 ㉡, (다)는 ㉢, (라)는 ㉣에 해당한다.

❷ (×) 주계열성은 질량과 광도가 비례한다. ㉡은 ㉢보다 질량이 크다.

❸ (○) ㉢은 적색 거성으로 진화한 후 여러 단계를 거쳐 백색 왜성이 된다.

❹ (×) H−R도의 오른쪽 위에 있을수록 부피가 크다. ㉣은 ㉡과 ㉢보다 부피가 크다.

❺ (×) 중심에서 수소 핵융합 반응이 일어나는 별은 주계열성이다. 수소 핵융합 반응이 일어나는 별은 ㉡, ㉢이다.

기출 문제

정답과 해설 **32**쪽

177 그림은 H−R도 상에 별 (가)~(라)를 표시한 것이다.

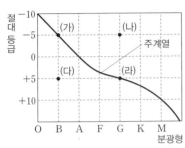

이에 대한 설명으로 옳은 것만을 〈보기〉에서 있는 대로 고른 것은?

┃ 보기 ┃

ㄱ. (가)는 (라)보다 질량이 작다.

ㄴ. (나)는 (다)보다 반지름이 크다.

ㄷ. (다)는 (라)보다 푸른색 빛을 많이 방출한다.

① ㄱ ② ㄷ ③ ㄱ, ㄴ ④ ㄴ, ㄷ ⑤ ㄱ, ㄴ, ㄷ

178 그림은 별 A~D를 H−R도에 나타낸 것이다. (단, 별 A 와 C는 주계열성이다.)

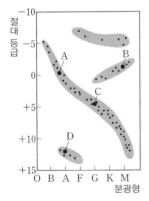

이에 대한 설명으로 옳은 것은?

① 진화가 가장 많이 진행된 별은 A이다.

② 질량은 A가 C보다 작다.

③ 반지름이 가장 큰 별은 B이다.

④ 표면 온도가 가장 높은 별은 B이다.

⑤ 광도가 가장 큰 별은 D이다.

179 그림 (가)는 H−R도에서 별들을 특성에 따라 세 그룹으로 묶은 것이고, (나)는 어느 별의 내부 구조를 나타낸 것이다.

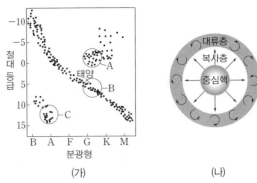

(가)   (나)

A~C 그룹에 대한 설명으로 옳은 것만을 〈보기〉에서 있는 대로 고른 것은?

┃ 보기 ┃

ㄱ. A의 별은 B의 별보다 반지름이 작다.

ㄴ. 진화 단계를 가장 많이 거친 것은 C이다.

ㄷ. (나)와 같은 내부 구조를 갖는 별은 B에 속한다.

① ㄱ ② ㄷ ③ ㄱ, ㄴ ④ ㄴ, ㄷ ⑤ ㄱ, ㄴ, ㄷ

180 표는 별 A와 B의 측광 관측 결과이고, 그림은 두 별이 포함된 H−R도이다.

별	A	B
절대 등급	2.5	0.5
색지수 (B−V)	0.2	1.2

별 A와 비교할 때, 별 B의 특징으로 옳은 것은?

① 반경이 작다.

② 광도가 낮다.

③ 표면 온도가 높다.

④ 평균 밀도가 크다.

⑤ 더 붉은 색깔을 띤다.

기출 분석

42 유형

■ 연관 기출 문제 키워드

\# H-R도 \# 주계열성
\# 별의 내부 구조 \# 별의 진화
\# 거성 \# 백색 왜성

문제 분석

• 백색 왜성에서 거성으로 갈수록 광도가 커지고, 표면 온도는 낮아진다.

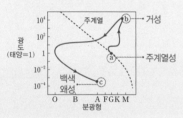

• 문제의 그림에서 별의 내부 구조는 중심에서부터 핵, 복사층, 대류층 순으로 되어 있다. 그림은 질량(M)이 태양 질량($M_\odot$)의 2배 이하인 주계열성의 내부 구조에 해당한다.

개념 알기

별의 내부 구조는 별의 질량(M)에 따라 달라진다. $M < 2M_\odot$인 주계열성은 핵융합 반응이 일어나는 중심핵이 있고 그 주위로 복사층, 대류층이 있다. $M > 2M_\odot$인 주계열성은 중심에 대류핵이 있고 그 주위로 복사층이 있다.

? 출제 의도

별의 진화 과정에 따른 별의 특성을 설명할 수 있는지를 묻는 문제이다.

이렇게 대비하자!

원시별의 진화 과정에서 나타나는 특징을 이해하도록 한다. 별의 진화 경로와 질량에 따른 별의 내부 구조를 서로 연관지어 학습한다.

그림 (가)는 태양 정도의 질량을 가진 별의 진화 경로를, (나)는 어떤 별의 내부 구조를 나타낸 것이다.

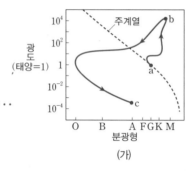

(가)   (나)

이에 대한 옳은 설명만을 〈보기〉에서 있는 대로 고른 것은?

┤ 보기 ├

ㄱ. 별은 a 단계에서 일생 중 가장 오랜 시간을 보낸다.
ㄴ. 별의 반지름은 a 단계보다 b 단계에서 크다.
ㄷ. (나)는 c 단계에 있는 별의 내부 구조이다.

① ㄱ   ② ㄷ   ③ ㄱ, ㄴ   ④ ㄴ, ㄷ   ⑤ ㄱ, ㄴ, ㄷ

■ 문항별 해설

ㄱ. (○) 별은 일생의 대부분을 주계열성(a)으로 보낸다.
ㄴ. (○) 별은 일생 중 주계열성으로 가장 오랜 시간을 보내다가 b 단계에 이르면 표면 온도는 낮아지고 광도가 커지므로 반지름이 커진다.
ㄷ. (×) (나)는 주계열성(a)의 내부 구조이다.

■ 오류 피하기

⋯▶ 질량이 매우 큰 별은 중심부에서 더 무거운 원소로 계속 핵융합 반응이 일어나 마치 양파껍질과 같은 내부 구조가 나타난다.

기출 문제

정답과 해설 32~33쪽

181 그림은 태양의 진화 경로를 H−R도에 나타낸 것이다.

이에 대한 설명으로 옳은 것만을 〈보기〉에서 있는 대로 고른 것은?

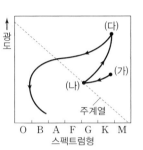

▪ 보기 ▪

ㄱ. 현재 태양의 진화 단계는 (나)이다.

ㄴ. 태양의 진화 과정에서 절대 밝기가 가장 밝을 때는 (다)이다.

ㄷ. (가)에서 (나)까지 진화하는 동안 주요 에너지원은 수소 핵융합 반응이다.

① ㄱ ② ㄴ ③ ㄷ ④ ㄱ, ㄴ ⑤ ㄴ, ㄷ

182 그림은 주계열성 A와 B가 각각 거성 C와 D로 진화하는 경로를 H−R도에 나타낸 것이다.

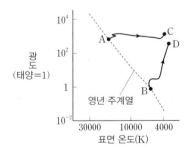

이에 대한 설명으로 옳은 것은?

① 색지수는 A가 C보다 크다.

② 질량은 B가 A보다 크다.

③ 절대 등급은 D가 B보다 크다.

④ 주계열에 머무는 기간은 B가 A보다 길다.

⑤ B의 중심핵에서는 헬륨 핵융합 반응이 일어난다.

183 그림은 질량이 다른 여러 원시별의 진화 경로를 나타낸 것이다.

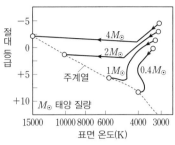

이에 대한 옳은 설명만을 〈보기〉에서 있는 대로 고른 것은?

▪ 보기 ▪

ㄱ. 질량이 큰 원시별일수록 광도가 큰 주계열성이 된다.

ㄴ. 질량이 $1M_\odot$인 원시별이 주계열에 도달하는 동안 표면 온도는 점차 낮아진다.

ㄷ. 원시별이 주계열에 도달하는 동안 중력 수축이 일어난다.

① ㄱ ② ㄴ ③ ㄱ, ㄷ ④ ㄴ, ㄷ ⑤ ㄱ, ㄴ, ㄷ

184 그림 (가)는 질량이 다른 두 주계열성 A, B가 원시별에서 주계열성이 되기까지의 경로를, (나)는 A와 B 중 어느 한 별의 내부 구조를 나타낸 것이다.

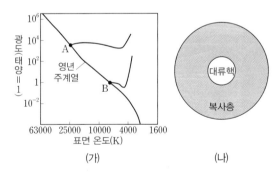

이에 대한 옳은 설명만을 〈보기〉에서 있는 대로 고른 것은?

▪ 보기 ▪

ㄱ. 원시별에서 주계열성이 되기까지 걸린 시간은 A가 B보다 짧다.

ㄴ. A의 중심핵에서는 P−P 연쇄 반응이 우세하게 일어난다.

ㄷ. (나)는 B의 내부 구조이다.

① ㄱ ② ㄷ ③ ㄱ, ㄴ ④ ㄴ, ㄷ ⑤ ㄱ, ㄴ, ㄷ

기출 분석

43유형

❓ 출제 의도

질량에 따른 별의 진화 과정을 설명할 수 있는지를 묻는 문제이다.

〰️ 이렇게 대비하자!

태양 정도의 질량을 가진 별의 진화 과정과 에너지원, 태양보다 질량이 매우 큰 별의 진화 과정과 에너지원을 비교하여 학습한다.

■ 연관 기출 문제 키워드

\# 별의 진화 과정
\# 태양과 질량이 비슷한 별의 진화 과정
\# 주계열성 # 적색 거성
\# 행성상 성운 # 백색 왜성
\# 태양보다 질량이 매우 큰 별의 진화 과정
\# 초거성 # 초신성 # 블랙홀

문제 분석

• 수소 핵융합 반응은 별 중심부의 온도가 1000만 K 이상인 주계열성의 중심부에서 주로 일어난다.

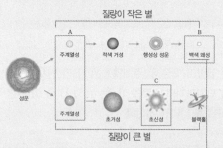

더 이상 에너지를 생성하지 않고 매우 느린 속도로 식어간다.

• 수소 핵융합 반응이 끝나면 3개의 헬륨 원자핵이 모여 1개의 탄소 원자핵을 만드는 헬륨 핵융합 반응이 일어난다. 질량이 작은 별은 헬륨이 소진된 중심핵이 수축하여 백색 왜성이 된다.

그림은 질량이 다른 별의 진화 과정을 나타낸 것이다.

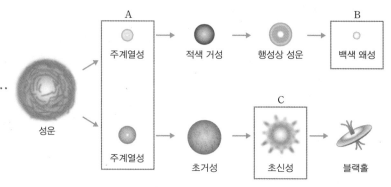

이에 대한 설명으로 옳은 것만을 〈보기〉에서 있는 대로 고른 것은?

┤ 보기 ├

ㄱ. A의 중심부에서는 수소 핵융합 반응이 일어난다.

ㄴ. 태양과 질량이 비슷한 별은 B에 도달한다.

ㄷ. C에서는 철보다 무거운 원소가 만들어진다.

① ㄱ   ② ㄴ   ③ ㄱ, ㄷ   ④ ㄴ, ㄷ   ✔⑤ ㄱ, ㄴ, ㄷ

■ 문항별 해설

ㄱ. (○) 주계열성의 중심부에서는 4개의 수소 원자핵이 융합하여 1개의 헬륨 원자핵을 만드는 수소 핵융합 반응이 일어난다.

ㄴ. (○) 별은 질량에 따라 진화 과정이 달라진다. 태양 정도의 질량을 가진 별은 주계열성 → 적색 거성 → 행성상 성운 → 백색 왜성의 과정을 거쳐 진화한다.

ㄷ. (○) 블랙홀을 만들 수 있는 질량이 큰 별은 초신성 폭발 과정을 거쳐 철보다 무거운 원소를 만든다. 마지막 단계의 핵융합이 끝나면 급격한 중력 수축이 일어나 물질들이 중심핵에 부딪혀 강력한 폭발을 일으킨다. 이것이 초신성이다.

🖥️ 개념 알기

수소 핵융합 반응이 일어난 후 줄어든 질량은 에너지로 전환된다. 이 에너지는 주계열성의 에너지원으로 쓰인다.

■ 오류 피하기

⟶ 원시별의 에너지원은 중력 수축 에너지이고, 주계열성의 에너지원은 수소 핵융합 에너지이다.

⟶ 질량이 큰 별은 초신성 폭발 후 중심에 중성자별이 남거나 블랙홀이 되기도 한다.

기출 문제

정답과 해설 33~34쪽

185 그림은 별의 탄생과 진화 경로를 나타낸 것이다.

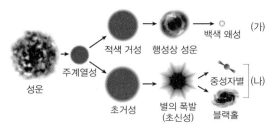

이에 대한 옳은 설명만을 〈보기〉에서 있는 대로 고른 것은?

┃ 보기 ┃

ㄱ. 태양 정도의 질량을 가진 별은 (가)의 경로를 거친다.

ㄴ. 철보다 무거운 원소는 (나)의 경로에서 만들어진다.

ㄷ. 주계열성으로 있는 시간은 (가)보다 (나)의 경로를 거치는 별들이 더 길다.

① ㄱ　② ㄷ　③ ㄱ, ㄴ　④ ㄴ, ㄷ　⑤ ㄱ, ㄴ, ㄷ

186 그림은 별의 질량에 따른 진화 과정 A~C를 나타낸 것이다.

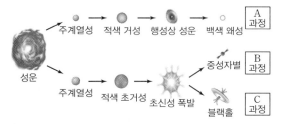

이에 대한 설명으로 옳은 것만을 〈보기〉에서 있는 대로 고른 것은?

┃ 보기 ┃

ㄱ. 질량이 가장 작은 별의 진화 과정은 C이다.

ㄴ. 철(Fe)보다 무거운 원소는 A 과정에서 만들어진다.

ㄷ. 별의 중심부에서 수소 핵융합 반응이 일어나는 단계는 주계열성이다.

① ㄴ　② ㄷ　③ ㄱ, ㄴ　④ ㄱ, ㄷ　⑤ ㄱ, ㄴ, ㄷ

187 그림은 별이 진화하는 과정을 나타낸 것이다.

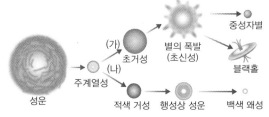

이에 대한 설명으로 옳은 것만을 〈보기〉에서 있는 대로 고른 것은?

┃ 보기 ┃

ㄱ. (가)는 (나)보다 질량이 더 큰 별의 진화 경로이다.

ㄴ. 태양의 진화 경로는 (가)이다.

ㄷ. 질량이 큰 별일수록 더 무거운 원소를 생성할 수 있다.

① ㄱ　② ㄴ　③ ㄱ, ㄴ　④ ㄱ, ㄷ　⑤ ㄴ, ㄷ

188 그림은 질량에 따른 별의 진화 과정을 나타낸 것이다.

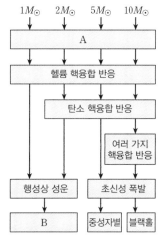

이에 대한 설명으로 옳은 것만을 〈보기〉에서 있는 대로 고른 것은? (단, 1 $M_\odot$은 태양 질량이다.)

┃ 보기 ┃

ㄱ. A는 수소 핵융합 반응이다.

ㄴ. B는 백색 왜성이다.

ㄷ. 별의 질량이 클수록 더 무거운 원소를 만들 수 있다.

① ㄱ　② ㄷ　③ ㄱ, ㄴ　④ ㄴ, ㄷ　⑤ ㄱ, ㄴ, ㄷ

기출 분석

44 유형

? 출제 의도

중심별의 시선 속도 변화(도플러 효과)를 이용하여 외계 행성을 탐사하는 방법을 설명할 수 있는지를 묻는 문제이다.

∿ 이렇게 대비하자!

중심별과 외계 행성이 공통 질량 중심을 기준으로 공전할 때, 지구에서 멀어지는 방향과 지구에 가까워지는 방향을 찾을 수 있도록 한다.

■ 연관 기출 문제　키워드

\# 도플러 효과 # 적색 편이

\# 공통 질량 중심 # 별빛의 스펙트럼

\# 외계 행성 탐사 방법

\# 파장이 긴 쪽 # 파장이 짧은 쪽

문제 분석

• 별 A의 스펙트럼 변화를 나타낸 것이 그림 (나)이다. 별과 행성은 공통 질량 중심을 기준으로 같은 방향으로 공전하고 있다.

(가)

• ㉠은 중심별이 지구에 가까워지는 방향이고, ㉡은 중심별이 지구로부터 멀어지는 방향이다.

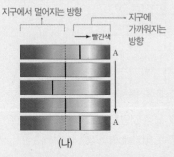

(나)

• 지구로부터 멀어질 때 적색 편이가 나타나고, 지구에 가까워질 때 청색 편이가 나타난다.

그림 (가)는 외계 행성 탐사 방법 중 한 가지를, (나)는 A 위치부터 1회 공전하는 동안 관측한 중심별의 스펙트럼을 나타낸 것이다.

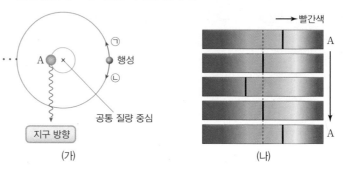

(가)　　　　　　　　　　　　(나)

이에 대한 설명으로 옳은 것만을 〈보기〉에서 있는 대로 고른 것은?

┤ 보기 ├

ㄱ. 도플러 효과를 이용한 방법이다.

ㄴ. A 위치일 때 별빛의 파장이 길게 관측되었다.

ㄷ. 행성은 ㉠ 방향으로 공전하고 있다.

① ㄱ　　　② ㄷ　　　✓③ ㄱ, ㄴ　　　④ ㄴ, ㄷ　　　⑤ ㄱ, ㄴ, ㄷ

■ 문항별 해설

ㄱ. (○) (가)는 도플러 효과(중심별의 시선 속도 변화)를 이용한 외계 행성 탐사 방법이다.

ㄴ. (○) (나)의 A 위치일 때 별빛 스펙트럼이 파장이 긴 빨간색 쪽으로 치우쳐 있으므로 적색 편이가 나타난다.

ㄷ. (×) A일 때 적색 편이가 나타나므로 중심별은 지구로부터 멀어지는 방향으로 공전하고 있다. 공통 질량 중심을 중심으로 공전하는 별은 외계 행성과 같은 방향으로 공전하므로 행성은 ㉡ 방향으로 공전하고 있다.

■ 오류 피하기

⋯ 중심별 A가 지구로부터 멀어지는 방향(㉡, 문제 분석에서 ㉡')과 지구에 가까워지는 방향(㉠, 문제 분석에서 ㉠')을 화살표로 그려보면 이해하기가 쉽다. 별빛이 지구로부터 멀어질 때 적색 편이가 나타난다.

개념 알기

빛이나 소리와 같은 파동을 내는 물체가 관측자와 가까워지거나 멀어질 때 본래의 파장보다 짧거나 길게 관측되는 현상을 도플러 효과라고 한다. 별빛 스펙트럼의 편이 현상은 별이 지구와 가까워지거나 멀어지기 때문에 나타나는 도플러 효과에 해당한다.

기출 문제

정답과 해설 **34**쪽

189 그림은 별빛의 도플러 효과가 나타날 때 이를 이용하여 우리 은하 내의 외계 행성을 탐사하는 방법을 모식적으로 나타낸 것이다. 이에 대한 설명으로 옳은 것만을 〈보기〉에서 있는 대로 고른 것은?

┤ 보기 ├
ㄱ. 행성이 A에 있을 때 청색 편이가 관측된다.
ㄴ. 별빛의 파장 변화는 별까지의 거리에 비례한다.
ㄷ. 행성의 질량이 클수록 별빛의 편이량이 커진다.

① ㄱ   ② ㄴ   ③ ㄷ   ④ ㄱ, ㄴ   ⑤ ㄴ, ㄷ

190 그림은 도플러 효과를 이용한 외계 행성 탐사 방법을 모식적으로 나타낸 것이다.

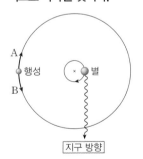

이에 대한 설명으로 옳은 것만을 〈보기〉에서 있는 대로 고른 것은?

┤ 보기 ├
ㄱ. 행성은 A 방향으로 공전한다.
ㄴ. 현재 위치에서 별빛은 청색 편이한다.
ㄷ. 같은 조건에서 질량이 큰 행성일수록 별빛의 편이량은 커진다.

① ㄱ   ② ㄷ   ③ ㄱ, ㄴ   ④ ㄴ, ㄷ   ⑤ ㄱ, ㄴ, ㄷ

191 그림은 어느 시점에 관측한 중심별의 스펙트럼과 이때 외계 행성계의 모습을 나타낸 것이다.

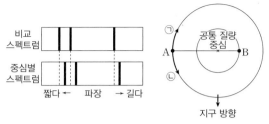

이에 대한 설명으로 옳은 것만을 〈보기〉에서 있는 대로 고른 것은?

┤ 보기 ├
ㄱ. 중심별은 B이다.
ㄴ. A는 ⓛ 방향으로 공전한다.
ㄷ. 행성의 질량이 작을수록 공통 질량 중심은 별에 가까워진다.

① ㄱ   ② ㄷ   ③ ㄱ, ㄴ   ④ ㄴ, ㄷ   ⑤ ㄱ, ㄴ, ㄷ

192 그림 (가)와 (나)는 외계 행성을 탐사하는 서로 다른 방법을 나타낸 것이다.

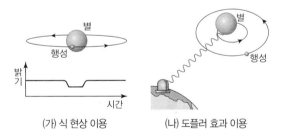

(가) 식 현상 이용   (나) 도플러 효과 이용

이에 대한 옳은 설명만을 〈보기〉에서 있는 대로 고른 것은?

┤ 보기 ├
ㄱ. (가)에서는 별의 밝기 변화를 관측한다.
ㄴ. (나)에서는 별의 스펙트럼을 분석한다.
ㄷ. (가)와 (나) 모두 행성의 공전 궤도면이 관측자의 시선 방향에 수직이다.

① ㄱ   ② ㄴ   ③ ㄷ   ④ ㄱ, ㄴ   ⑤ ㄴ, ㄷ

기출 분석

45 유형

■ **연관 기출 문제 키워드**

\# 식 현상 # 외계 행성 탐사 방법
\# 중심별의 겉보기 밝기 변화

문제 분석

• 행성이 중심별 앞쪽을 지날 때 별의 겉 보기 밝기 변화가 일어난다.

• 행성이 중심별의 앞쪽에 있을 때는 겉 보기 밝기 변화가 일어나지 않는다.

• c에서는 겉보기 밝기 변화가 크게 나타 난다. a와 b 중 이와 같은 밝기 변화 폭 이 나타나는 구간은 a이다.

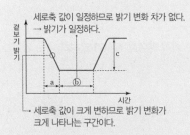

• b는 중심별의 크기 안에서 행성이 움직 일 경우 나타나는 밝기 변화이다.
  → 밝기 변화가 일정하다.

그림은 외계 행성에 의한 중심별의 겉보기 밝기 변화를 나타낸 것이다.

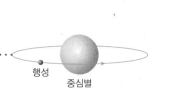 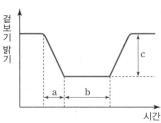

이에 대한 옳은 설명만을 〈보기〉에서 있는 대로 고른 것은?

┤ 보기 ├

ㄱ. 중심별의 반지름이 클수록 a 구간이 길어진다.

ㄴ. 중심별의 스펙트럼 편이량은 b 구간에서 가장 크다.

ㄷ. c의 크기는 행성의 반지름이 클수록 크다.

① ㄱ   ✓ ㄷ   ③ ㄱ, ㄴ   ④ ㄴ, ㄷ   ⑤ ㄱ, ㄴ, ㄷ

■ **문항별 해설**

ㄱ. (×) a 구간은 중심별의 겉보기 밝기 변화가 크게 나타나는 곳이다. 이 구간은 행성의 반지름 이 클수록, 공전 속도가 느릴수록 길어진다.

ㄴ. (×) b 구간은 중심별의 겉보기 밝기 변화가 일정하게 나타나는 곳이다. 이 구간은 행성과 중 심별이 시선 방향에 나란하게 위치하므로 스펙트럼 편이량은 나타나지 않는다.

ㄷ. (○) c 구간은 중심별의 겉보기 밝기 변화가 크게 나타나는 곳이다. 행성의 크기가 클수록 식 현상에 의해 중심별을 가리는 면적이 커지므로 c의 크기도 커진다.

개념 알기

편이는 한 쪽으로 치우치는 현상을 말한다. 별 빛의 적색 편이라고 하면 별빛의 파장이 붉은 색 쪽으로 치우치는 현상이다. 이때 편이가 되 는 양(정도)을 편이량이라고 한다.

■ **오류 피하기**

⋯ 중심별의 겉보기 밝기 변화를 나타낸 그래프에서 a는 겉보기 밝기 변화가 크게 나타나는 구간 이고, b는 겉보기 밝기 변화가 일정한 구간이다. a 구간은 행성이 별의 일부를 가리는 상태이 고, b 구간은 행성 전체가 별의 일부를 가렸으므로 별의 밝기가 가장 어둡게 관측된다.

⋯ 밝기 변화가 일정하다는 것은 밝기 차가 나타나지 않는 것이다. 밝은 상태를 유지하거나 어두 운 상태를 유지하면 밝기 차는 나타나지 않는다.

기출 문제

정답과 해설 **34~35**쪽

193 그림은 어느 외계 행성에 의한 중심별의 밝기 변화를 나타 낸 것이다.

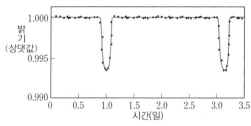

이에 대한 옳은 설명만을 〈보기〉에서 있는 대로 고른 것은?

─ 보기 ─

ㄱ. 중심별의 밝기가 감소하는 것은 행성에 의한 식 현상 때문이다.

ㄴ. 행성의 공전 주기는 3일보다 길다.

ㄷ. 행성의 반지름이 지금보다 크다면 밝기 변화는 커질 것이다.

① ㄱ ② ㄴ ③ ㄱ, ㄷ ④ ㄴ, ㄷ ⑤ ㄱ, ㄴ, ㄷ

194 그림 (가)는 어느 외계 행성이 별 주위를 공전하는 모습을, (나)는 이 별의 겉보기 밝기를 시간에 따라 나타낸 것이다.

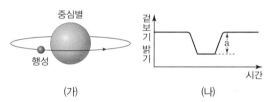

이에 대한 설명으로 옳은 것만을 〈보기〉에서 있는 대로 고른 것은?

─ 보기 ─

ㄱ. 관측자의 시선 방향이 행성의 공전 궤도면과 나 란할 경우 (나)의 현상을 관측할 수 있다.

ㄴ. 겉보기 밝기가 최소일 때 중심별의 스펙트럼 파 장이 가장 길게 관측된다.

ㄷ. 행성의 반지름이 2배가 되면 a는 2배로 커진다.

① ㄱ ② ㄴ ③ ㄷ ④ ㄱ, ㄴ ⑤ ㄱ, ㄷ

195 그림 (가)는 식 현상, (나)는 미세 중력 렌즈 현상에 의한 별 의 밝기 변화를 이용하여 외계 행성을 탐사하는 방법을 나 타낸 것이다.

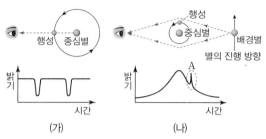

이에 대한 설명으로 옳은 것만을 〈보기〉에서 있는 대로 고 른 것은?

─ 보기 ─

ㄱ. (가)에서 행성의 반지름이 클수록 별의 밝기 변 화가 크다.

ㄴ. (나)에서 A는 행성의 중력 때문에 나타난다.

ㄷ. (가)와 (나)는 행성에 의한 중심별의 밝기 변화를 이용한다.

① ㄱ ② ㄷ ③ ㄱ, ㄴ ④ ㄴ, ㄷ ⑤ ㄱ, ㄴ, ㄷ

196 그림은 외계 행성을 탐사하는 두 가지 방법이다.

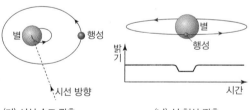

(가) 시선 속도 관측　　　　(나) 식 현상 관측

이에 대한 설명으로 옳은 것만을 〈보기〉에서 있는 대로 고 른 것은?

─ 보기 ─

ㄱ. (가)와 같이 별과 행성이 위치하면 청색 편이가 나타난다.

ㄴ. (가)와 (나) 모두 행성의 공전 주기를 구할 수 있다.

ㄷ. (가)와 (나) 모두 행성의 공전 궤도면이 시선 방 향과 수직일 때 이용할 수 있다.

① ㄱ ② ㄷ ③ ㄱ, ㄴ ④ ㄴ, ㄷ ⑤ ㄱ, ㄴ, ㄷ

기출 분석

46 유형

? 출제 의도

별의 질량에 따른 생명 가능 지대의 특징을 이해할 수 있는지를 묻는 문제이다.

이렇게 대비하자!

별의 질량에 따라 생명 가능 지대의 범위가 어떻게 달라지는지를 이해하도록 한다. 생명 가능 지대 안쪽에 있는 행성과 바깥쪽 행성에서 물의 상태를 학습한다.

■ 연관 기출 문제 키워드

\# 생명 가능 지대 \# 별의 질량

\# 공전 궤도 반지름

\# 별의 질량에 따른 생명 가능 지대의 분포 범위

문제 분석

• 별의 질량이 큰 경우: 중심에서 많은 에너지를 만들어 내면서 별의 수명이 짧아진다.

→ 생명 가능 지대의 폭은 넓어진다.

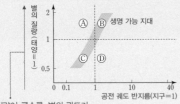

별의 질량이 클수록, 별의 광도가 높을수록 생명 가능 지대는 별에서 멀어지고 그 폭이 넓어진다.

• 별의 질량이 작은 경우: 생명 가능 지대가 중심별에 너무 가까워진다.

→ 생명 가능 지대의 폭은 좁아진다.

그림은 별의 질량과 공전 궤도 반지름에 따른 생명 가능 지대와 행성의 위치를 나타낸 것이다.

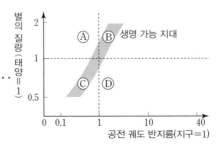

이에 대한 설명으로 옳은 것만을 〈보기〉에서 있는 대로 고른 것은?

┤ 보기 ├

ㄱ. A보다 D의 평균 표면 온도가 낮을 것이다.

ㄴ. B와 C에서 물은 액체 상태로 존재할 것이다.

ㄷ. 별의 질량이 클수록 생명 가능 지대는 중심별에서 멀어진다.

① ㄱ　　　　② ㄷ　　　　③ ㄱ, ㄴ　　　　④ ㄴ, ㄷ　　　✔ ㄱ, ㄴ, ㄷ

■ 문항별 해설

ㄱ. (○) 중심별에 가까울수록 행성의 표면 온도가 높다. 중심별에 가까운 A보다 D 행성의 평균 표면 온도는 낮을 것이다.

ㄴ. (○) 행성 B와 C는 생명 가능 지대에 위치하므로 물은 액체 상태로 존재할 것이다.

ㄷ. (○) 중심별의 질량이 클수록 표면 온도가 높고, 광도가 커지므로 생명 가능 지대는 중심별로부터 멀어진다. 생명 가능 지대는 중심별의 질량의 영향을 받는다.

개념 알기

생명 가능 지대는 별의 둘레에서 물이 액체 상태로 존재할 수 있는 거리 영역(범위)을 말한다. 생명 가능 지대에 속한 행성에는 생명체가 존재할 가능성이 크다.

■ 오류 피하기

⋯ 별과 행성 사이의 거리가 너무 가까우면 물이 모두 증발하고, 별과 행성 사이의 거리가 너무 멀어지면 고체 상태의 얼음이 된다.

기출 문제

정답과 해설 35~36쪽

197 그림은 별의 질량에 따른 생명 가능 지대와 태양계 행성들의 위치를 나타낸 것이다.

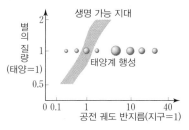

이에 대한 옳은 설명만을 〈보기〉에서 있는 대로 고른 것은?

┤ 보기 ├
ㄱ. 생명 가능 지대의 행성에는 액체 상태의 물이 존재할 수 있다.
ㄴ. 별의 질량이 클수록 생명 가능 지대는 별에 가까워진다.
ㄷ. 태양계에서 생명 가능 지대에 위치하는 행성은 지구뿐이다.

① ㄱ　② ㄴ　③ ㄱ, ㄷ　④ ㄴ, ㄷ　⑤ ㄱ, ㄴ, ㄷ

198 그림은 태양계 행성과 어느 주계열성을 공전하는 행성을 생명 가능 지대와 함께 나타낸 것이다.

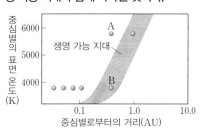

이에 대한 설명으로 옳은 것만을 〈보기〉에서 있는 대로 고른 것은?

┤ 보기 ├
ㄱ. 질량은 태양이 B의 중심별보다 크다.
ㄴ. 생명 가능 지대의 폭은 태양이 B의 중심별보다 넓다.
ㄷ. 물이 액체 상태로 존재할 가능성은 A가 B보다 높다.

① ㄱ　② ㄴ　③ ㄷ　④ ㄱ, ㄴ　⑤ ㄱ, ㄷ

199 그림은 태양계 생명 가능 지대의 변화를 시간에 따라 나타낸 것이다.

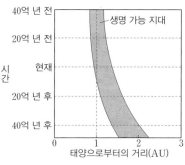

이에 대한 설명으로 옳은 것만을 〈보기〉에서 있는 대로 고른 것은?

┤ 보기 ├
ㄱ. 시간이 지날수록 태양의 광도는 커진다.
ㄴ. 시간이 지날수록 태양계 생명 가능 지대의 폭은 넓어진다.
ㄷ. 현재로부터 40억 년 후에 1 AU 거리에서는 액체 상태의 물이 존재할 것이다.

① ㄱ　② ㄷ　③ ㄱ, ㄴ　④ ㄴ, ㄷ　⑤ ㄱ, ㄴ, ㄷ

200 그림은 태양계의 생명 가능 지대를 나타낸 것이다.

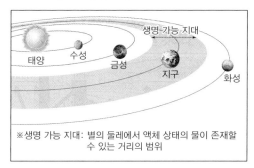

※생명 가능 지대: 별의 둘레에서 액체 상태의 물이 존재할 수 있는 거리의 범위

이에 대한 설명으로 옳은 것만을 〈보기〉에서 있는 대로 고른 것은?

┤ 보기 ├
ㄱ. 지구는 생명 가능 지대에 위치한다.
ㄴ. 물은 금성에서는 고체 상태, 화성에서는 기체 상태로 존재할 수 있다.
ㄷ. 태양의 복사 에너지 방출량이 현재의 절반이 된다면 생명 가능 지대는 현재보다 태양에 가까워질 것이다.

① ㄱ　② ㄴ　③ ㄱ, ㄷ　④ ㄴ, ㄷ　⑤ ㄱ, ㄴ, ㄷ

기출 분석

47 유형

? 출제 의도

외부 은하를 형태에 따라 분류할 수 있는지를 묻는 문제이다.

～ 이렇게 대비하자!

외부 은하를 분류하는 보기 문항 중에 우리 은하의 특징을 묻는 문항이 포함되기도 한다. 우리 은하는 막대 나선 은하에 속한다는 사실을 알아두도록 한다.

■ 연관 기출 문제　키워드

외부 은하　# 허블의 외부 은하 분류 방법

형태에 따른 외부 은하 분류

정상 나선 은하　# 막대 나선 은하

타원 은하　# 불규칙 은하

문제 분석

• 은하를 A, B, C로 구분하는 기준은 은하의 형태이다. 분류표만 보고 진화 정도에 따라 은하를 분류한 것으로 착각할 수 있으므로 주의하도록 한다.

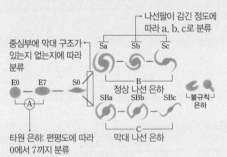

나선팔이 감긴 정도에 따라 a, b, c로 분류

중심부에 막대 구조가 있는지 없는지에 따라 분류

정상 나선 은하

불규칙 은하

타원 은하: 편평도에 따라 0에서 7까지 분류

막대 나선 은하

그림은 여러 종류의 외부 은하를 분류한 것이다.

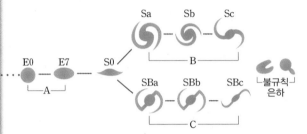

이 자료에 대한 설명으로 옳은 것만을 〈보기〉에서 있는 대로 고른 것은?

┤ 보기 ├

ㄱ. A에서 은하 E0보다 E7의 편평도가 작다.

ㄴ. B의 은하들에는 젊은 별들이 은하핵보다 나선팔에 많다.

ㄷ. C의 은하들은 중심부에 막대 구조가 나타난다.

① ㄱ　　② ㄷ　　③ ㄱ, ㄴ　　✓④ ㄴ, ㄷ　　⑤ ㄱ, ㄴ, ㄷ

■ 문항별 해설

ㄱ. (×) A는 타원 은하이다. 타원 은하는 둥근 정도에 따라 E0에서 E7으로 구분하고 수치가 커질수록 편평도가 크다.

ㄴ. (○) B는 정상 나선 은하이다. 이 은하의 은하핵과 헤일로에는 늙은 별이 주로 분포하며, 나선팔에는 젊은 별과 산개 성단이 주로 분포한다. 나선 은하는 나선팔이 휘감기는 정도에 따라 a, b, c로 다시 세분화된다.

ㄷ. (○) C는 막대 나선 은하이다. 중심부에 은하핵을 가로지르는 막대 모양 구조의 유무에 따라 B(정상 나선 은하)와 구분된다.

🎮 개념 알기

편평도는 타원체의 편평한 정도를 나타낸 것이다. 편평도가 0이면 완벽한 구의 형태를 띠고, 편평도가 커질수록 타원체의 납작한 정도가 커진다.

■ 오류 피하기

⋯ 타원 은하에서 구형에 가장 가깝게 보이는 은하가 E0이고, 가장 편평하게 보이는 은하가 E7이다.

⋯ 불규칙 은하는 특정한 형태가 없는 은하이다. 타원의 형태나 나선의 형태 중 어디에도 속하지 않는 은하들은 불규칙 은하로 분류한다.

기출 문제

정답과 해설 36~37쪽

201 그림은 허블이 외부 은하를 분류한 것이다.

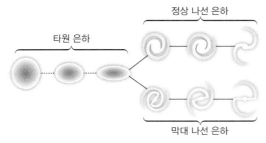

정상 나선 은하

타원 은하

막대 나선 은하

이에 대한 설명으로 옳은 것만을 〈보기〉에서 있는 대로 고른 것은?

| 보기 |

ㄱ. 외부 은하를 진화 과정에 따라 분류한 것이다.

ㄴ. 타원 은하는 성간 물질이 적고, 주로 나이가 많은 별들로 이루어져 있다.

ㄷ. 정상 나선 은하와 막대 나선 은하의 나선팔에는 성간 물질이 많아 별의 탄생이 활발하다.

① ㄱ ② ㄴ ③ ㄱ, ㄷ ④ ㄴ, ㄷ ⑤ ㄱ, ㄴ, ㄷ

202 그림은 외부 은하를 은하의 형태에 따라 A~C로 분류한 것이다.

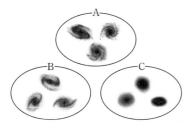

이에 대한 설명으로 옳은 것만을 〈보기〉에서 있는 대로 고른 것은?

| 보기 |

ㄱ. A와 C는 막대 구조가 있다.

ㄴ. B는 C보다 성간 물질이 많다.

ㄷ. 우리 은하는 C로 분류된다.

① ㄱ ② ㄴ ③ ㄱ, ㄴ ④ ㄱ, ㄷ ⑤ ㄴ, ㄷ

203 그림은 은하를 형태에 따라 분류하는 과정을 나타낸 것이다.

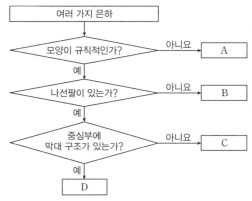

여러 가지 은하

모양이 규칙적인가? — 아니요 → A

예

나선팔이 있는가? — 아니요 → B

예

중심부에 막대 구조가 있는가? — 아니요 → C

예

D

이에 대한 설명으로 옳은 것만을 〈보기〉에서 있는 대로 고른 것은?

| 보기 |

ㄱ. A는 불규칙 은하이다.

ㄴ. 우리 은하는 B에 해당한다.

ㄷ. D는 편평도에 따라 세분된다.

① ㄱ ② ㄴ ③ ㄷ ④ ㄱ, ㄴ ⑤ ㄴ, ㄷ

204 그림은 외부 은하들의 대표적인 형태를 나타낸 것이다.

(가)   (나)

(다)   (라)

이에 대한 설명으로 옳은 것만을 〈보기〉에서 있는 대로 고른 것은?

| 보기 |

ㄱ. (가)와 (나)의 분류 기준은 나선팔의 유무이다.

ㄴ. (다)는 주로 젊은 별들로 구성되어 있다.

ㄷ. (라)는 일정한 모양이 없는 불규칙 은하이다.

① ㄱ ② ㄷ ③ ㄱ, ㄴ ④ ㄴ, ㄷ ⑤ ㄱ, ㄴ, ㄷ

기출 분석

48 유형

■ 연관 기출 문제 키워드

\# 우주 팽창 \# 빅뱅 우주론

\# 대폭발 우주론 \# 허블 법칙

\# 우주의 중심 \# 은하의 후퇴 속도

문제 분석

· A를 기준으로 B보다 C에서 멀어지는 속도가 빠르다.
  → 팽창 후 AB=6 cm, AC=9 cm

· B를 기준으로 A보다 C에서 멀어지는 속도가 빠르다.
  → 팽창 후 AB=6 cm, BC=12 cm

· C를 기준으로 A보다 B에서 멀어지는 속도가 빠르다.
  → 팽창 후 AC=9 cm, BC=12 cm

· 한 점을 기준으로 할 때 다른 점들은 모두 기준점에서 멀어진다.
  → 팽창하는 우주의 중심은 없다.

┌ 풍선 표면은 우주 공간에 비유된다.

점 A, B, C는 각각 다른 은하를 나타낸다.

❓ 출제 의도

우주 팽창 모형 실험으로 빅뱅 우주론을 설명할 수 있는지를 묻는 문제이다.

〰 이렇게 대비하자!

빅뱅 우주론에서 팽창하는 우주의 중심이 없음을 이해하도록 한다. 멀리 떨어진 은하일수록 더 빠른 속도로 멀어져 간다는 사실을 학습한다.

다음은 팽창하는 우주의 특성을 알아보기 위한 대폭발 우주 모형 실험이다.

[실험 과정]

(가) 균일한 재질의 풍선 표면에 같은 간격으로 여러 개의 점을 찍는다.

(나) 임의의 세 점을 선택하여 A, B, C로 표시한다.

(다) 실을 이용하여 세 점 사이의 거리를 측정한다.

(라) 풍선을 불어 팽창시킨 후, (다)를 반복한다.

[실험 결과]

	두 점 사이의 거리(cm)		
	AB	AC	BC
팽창 전	2	3	4
팽창 후	6	9	12

[결과 해석]

· 점 A, B, C 중 어느 곳을 기준점으로 정하든지 항상 허블 법칙이 성립한다.

이에 대한 설명으로 옳은 것만을 〈보기〉에서 있는 대로 고른 것은?

┤ 보기 ├

ㄱ. 풍선이 팽창하는 동안 A로부터 멀어지는 속도는 C가 B보다 크다.

ㄴ. 풍선 표면의 점의 총 개수는 팽창 전과 후가 같다.

ㄷ. 이 실험을 통해 우주의 중심이 없음을 설명할 수 있다.

① ㄱ   ② ㄴ   ③ ㄱ, ㄷ   ④ ㄴ, ㄷ   ✓⑤ ㄱ, ㄴ, ㄷ

📺 개념 알기

허블 법칙에 의하면 은하의 후퇴 속도는 그 은하까지의 거리에 비례한다. 멀리 있는 은하일수록 가까이 있는 은하보다 더 빠른 속도로 멀어지고, 우주는 계속 팽창한다.

■ 문항별 해설

ㄱ. (○) 팽창 후 AB 사이의 거리는 6 cm, AC 사이의 거리는 9 cm이다. 따라서 풍선이 팽창하는 동안 A로부터 멀어지는 속도는 C가 B보다 크다.

ㄴ. (○) 풍선 표면의 점은 은하에 비유할 수 있다. 우주가 팽창하더라도 은하의 개수는 일정하게 유지된다. 은하가 팽창할 때 은하 사이의 거리는 멀어진다.

ㄷ. (○) A, B, C 중 어느 점을 기준으로 하더라도 각 점을 기준으로 다른 점들이 모두 멀어져 간다. 이 실험을 통해 팽창하는 우주의 중심이 없음을 알 수 있다.

기출 문제

정답과 해설 **37**쪽

205 그림은 우주가 시간에 따라 어떻게 변하는지 알아보기 위해 풍선의 표면에 은하들을 표시하고 풍선을 불어 보는 실험을 나타낸 것이다.

이에 대한 옳은 설명만을 〈보기〉에서 있는 대로 고른 것은?

| 보기 |

ㄱ. 풍선이 커지는 것은 우주가 팽창하는 것을 의미한다.
ㄴ. 풍선이 커지면 은하들 사이의 거리가 멀어진다.
ㄷ. 우주의 크기는 현재보다 과거에 더 작았을 것이다.

① ㄱ   ② ㄷ   ③ ㄱ, ㄴ   ④ ㄴ, ㄷ   ⑤ ㄱ, ㄴ, ㄷ

206 다음은 허블 법칙을 알아보기 위한 실험 과정이다.

(가) 풍선을 약간 불어 표면을 팽팽하게 만든다.
(나) 풍선의 표면에 은하 모양의 스티커 A를 붙인다.
(다) A로부터 같은 거리에 위치한 곳에 은하 모양의 스티커 B~D를 붙인다.
(라) 풍선을 불어 크게 부풀린 후, 풍선 표면을 따라 각 스티커들 사이의 최단 거리를 측정한다.

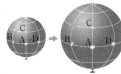

이에 대한 설명으로 옳은 것만을 〈보기〉에서 있는 대로 고른 것은?

| 보기 |

ㄱ. 각 스티커들 사이의 거리는 (라)에서가 (다)에서보다 멀다.
ㄴ. D를 기준으로 쟀을 때 A~C 중 거리 변화가 가장 큰 것은 B이다.
ㄷ. 이 실험을 통해 멀리 있는 은하일수록 후퇴 속도가 빠른 현상을 설명할 수 있다.

① ㄱ   ② ㄴ   ③ ㄱ, ㄷ   ④ ㄴ, ㄷ   ⑤ ㄱ, ㄴ, ㄷ

207 그림은 허블의 법칙에 따라 팽창하는 우주의 모습을 나타낸 풍선 모형이다. 풍선 표면에 고정시킨 단추 A, B, C는 은하를, 물결 무늬(～)는 우주 배경 복사를 나타낸다.

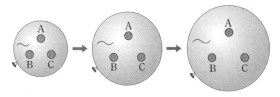

이에 대한 설명으로 옳은 것만을 〈보기〉에서 있는 대로 고른 것은?

| 보기 |

ㄱ. 풍선 표면의 A, B, C는 서로 멀어진다.
ㄴ. 풍선 표면의 중심은 B의 위치에 있다.
ㄷ. 우주가 팽창하면 우주 배경 복사의 파장이 길어진다.

① ㄱ   ② ㄴ   ③ ㄱ, ㄷ   ④ ㄴ, ㄷ   ⑤ ㄱ, ㄴ, ㄷ

208 다음은 우주의 팽창을 알아보기 위한 모형 실험이다.

[실험 과정]
(가) 풍선을 불어 약간 부풀린 후 풍선 표면에 은하를 가정한 세 개의 스티커 A, B, C를 붙인다.

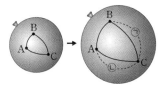

과정 (나)   과정 (다)

(나) 실을 이용하여 A, B, C 사이의 거리를 잰다.
(다) 풍선을 불어 크게 부풀린 후 (나)의 과정을 반복한다.
(라) 풍선의 표면을 우주라고 가정할 때, 팽창하는 우주에서 중심을 정할 수 있는지 토의해 본다.

[실험 결과]

거리	(나)의 결과(cm)	(다)의 결과(cm)
A−B	3	6
B−C	6	㉠
C−A	5	㉡

이에 대한 옳은 설명만을 〈보기〉에서 있는 대로 고른 것은?

| 보기 |

ㄱ. A, B, C는 서로 멀어졌다.
ㄴ. (다)의 결과에서 ㉠은 ㉡보다 작을 것이다.
ㄷ. 이 실험으로 팽창하는 우주는 특정한 중심이 없다는 것을 알 수 있다.

① ㄱ   ② ㄴ   ③ ㄱ, ㄷ   ④ ㄴ, ㄷ   ⑤ ㄱ, ㄴ, ㄷ

기출 분석

49 유형

? 출제 의도

외부 은하의 적색 편이를 이용하여 허블 법칙을 이해할 수 있는지를 묻는 문제이다.

〰 이렇게 대비하자!

외부 은하의 적색 편이와 후퇴 속도와의 관계를 이해하도록 한다. 적색 편이량이 클수록 은하의 후퇴 속도가 빨라진다는 사실을 학습한다.

■ 연관 기출 문제 키워드

\# 외부 은하 \# 적색 편이
\# 허블 법칙 \# 팽창 속도
\# 우주 팽창 \# 후퇴 속도

문제 분석

• 은하 A, B, C에서 모두 적색 편이가 나타난다.
→ 관측자로부터 멀어지고 있다.

적색 편이량이 커진다.
→ 더 빠른 속도로 멀어진다.

• 화살표의 길이는 외부 은하의 적색 편이량을 나타낸다.
→ 은하의 거리가 멀수록 화살표의 길이가 길다.
→ 화살표의 길이가 길수록 적색 편이량이 크다.
→ 적색 편이량이 클수록 외부 은하의 후퇴 속도가 빠르다.
→ 우주는 팽창하고 있다.

표는 외부 은하의 거리에 따른 적색 편이를 나타낸 것이다.

은하	사진	거리(Mpc)	스펙트럼
A		17	
B		210	
C		560	

이에 대한 설명으로 옳은 것만을 〈보기〉에서 있는 대로 고른 것은? (단, 화살표는 흡수선의 편이량 크기이다.)

┤ 보기 ├

ㄱ. 적색 편이가 가장 큰 은하는 A이다.
ㄴ. 후퇴 속도가 가장 빠른 은하는 C이다.
ㄷ. 거리와 적색 편이 관계로 우주 팽창을 설명할 수 있다.

① ㄱ 　② ㄴ 　③ ㄱ, ㄷ 　✔ ④ ㄴ, ㄷ 　⑤ ㄱ, ㄴ, ㄷ

■ 문항별 해설

ㄱ. (✕) 적색 편이가 가장 큰 은하는 후퇴 속도가 가장 빠른 은하 C이다.
ㄴ. (○) 외부 은하의 스펙트럼을 관측하여 후퇴 속도를 알 수 있다. 표에서 적색 편이가 가장 크게 나타나는 은하 C에서 후퇴 속도가 가장 빠르다.
ㄷ. (○) 외부 은하까지의 거리가 멀수록 적색 편이가 크게 나타난다. 이로부터 우주가 팽창하고 있음을 알 수 있다.

💻 개념 알기

외부 은하의 스펙트럼을 조사했을 때 흡수선의 위치가 원래의 위치보다 파장이 긴 적색(붉은색) 쪽으로 이동하는 적색 편이가 나타나면 관측자(우리 은하)에게서 멀어진 것이다.

■ 오류 피하기

⋯▸ 화살표의 길이가 적색 편이량을 나타내므로, 화살표의 길이가 길수록 적색 편이가 크게 나타난다.

209 그림은 외부 은하 A, B의 스펙트럼을 나타낸 것으로, 화살표(→)의 길이는 파장이 a인 흡수선이 이동된 정도를 나타낸다.

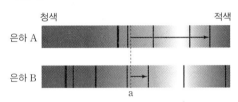

이에 대한 옳은 설명만을 〈보기〉에서 있는 대로 고른 것은?

┃ 보기 ┃

ㄱ. 은하 A와 B는 모두 적색 편이가 나타난다.

ㄴ. 은하 A는 B보다 가까운 거리에 있다.

ㄷ. 은하 A와 B는 모두 우리 은하로 접근하고 있다.

① ㄱ　② ㄴ　③ ㄱ, ㄴ　④ ㄱ, ㄷ　⑤ ㄴ, ㄷ

210 그림은 은하 A와 B의 스펙트럼을 기준 스펙트럼과 함께 나타낸 것이다.

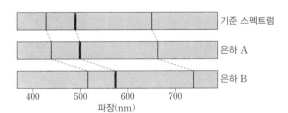

이에 대한 옳은 설명만을 〈보기〉에서 있는 대로 고른 것은?

┃ 보기 ┃

ㄱ. 은하 A의 스펙트럼에는 적색 편이가 나타난다.

ㄴ. 후퇴 속도는 은하 A가 B보다 크다.

ㄷ. 우리 은하로부터의 거리는 은하 A가 B보다 멀다.

① ㄱ　② ㄴ　③ ㄱ, ㄷ　④ ㄴ, ㄷ　⑤ ㄱ, ㄴ, ㄷ

211 그림 (가)는 지구의 공전을, (나)는 이에 따른 일부 구간에서의 별빛 흡수 스펙트럼 파장 변화를 나타낸 것이다.

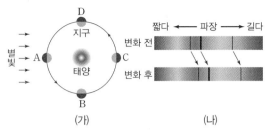

이에 대한 설명으로 옳은 것만을 〈보기〉에서 있는 대로 고른 것은?

┃ 보기 ┃

ㄱ. A와 C에서 관측되는 별빛 흡수 스펙트럼의 파장은 같다.

ㄴ. (나)의 흡수 스펙트럼 파장 변화는 청색 편이이다.

ㄷ. C → D에서는 (나)와 같은 파장 변화가 나타난다.

① ㄱ　② ㄴ　③ ㄱ, ㄷ　④ ㄴ, ㄷ　⑤ ㄱ, ㄴ, ㄷ

212 그림 (가)는 우리 은하에서 관측한 외부 은하 A, B, C의 후퇴 속도를, (나)는 이들 은하의 흡수 스펙트럼을 순서 없이 나타낸 것이다.

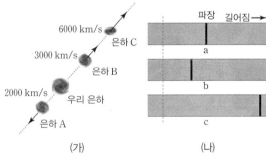

이에 대한 설명으로 옳은 것만을 〈보기〉에서 있는 대로 고른 것은? (단, (나)의 흡수선은 동일한 원소에 의한 것이며, 점선은 정지 상태일 때 이 원소의 흡수선 위치이다.)

┃ 보기 ┃

ㄱ. 우리 은하로부터의 거리가 멀수록 후퇴 속도가 크다.

ㄴ. 은하 C의 흡수 스펙트럼은 (나)에서 c이다.

ㄷ. 우주는 우리 은하를 중심으로 팽창하고 있다.

① ㄱ　② ㄴ　③ ㄷ　④ ㄱ, ㄴ　⑤ ㄴ, ㄷ

기출 분석

50 유형

? 출제 의도

외부 은하의 후퇴 속도를 이용하여 허블 법칙을 설명할 수 있는지를 묻는 문제이다.

〰 이렇게 대비하자!

후퇴 속도가 빠를수록 은하의 팽창 속도가 빠르고, 우주의 나이가 젊다는 것을 알아 두도록 한다. 특정 은하를 중심으로 우주가 팽창하는 것이 아님을 학습한다.

■ 연관 기출 문제 키워드

\# 은하의 후퇴 속도 \# 적색 편이

\# 허블 법칙 \# 빅뱅 우주론

\# 허블 상수 \# 우주 나이

문제 분석

• A의 후퇴 속도 기울기가 B보다 급하다.

→ A의 후퇴 속도가 B보다 빠르다.

→ A의 팽창 속도가 B보다 빠르다.

→ 우주가 한 점에서 팽창했다고 했을 때 A의 나이가 B보다 적음을 알 수 있다.

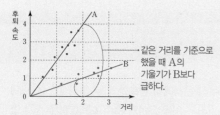

같은 거리를 기준으로 했을 때 A의 기울기가 B보다 급하다.

• A인 경우, $\dfrac{v}{r}=H=\dfrac{4}{2}=2$이다.

→ $\dfrac{1}{H}=\dfrac{1}{2}$이다.

• B인 경우, $\dfrac{v}{r}=H=\dfrac{1}{2}$이다.

→ $\dfrac{1}{H}=2$이다.

그림의 A, B는 서로 다른 시기에 관측한 외부 은하들의 자료를 상대적인 값으로 나타낸 것이다.

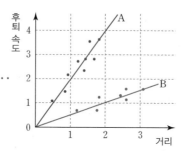

이에 대한 설명으로 옳은 것만을 〈보기〉에서 있는 대로 고른 것은?

┤ 보기 ├

ㄱ. 우주의 나이는 A가 B보다 적다.

ㄴ. 허블 상수 값은 A가 B의 2배이다.

ㄷ. 같은 거리에 있는 은하의 적색 편이는 A가 B보다 작다.

① ㄱ   ② ㄷ   ③ ㄱ, ㄴ   ④ ㄴ, ㄷ   ⑤ ㄱ, ㄴ, ㄷ

■ 문항별 해설

은하의 후퇴 속도(v)는 그 은하까지의 거리(r)에 비례한다. 즉 $v=H\cdot r$(H: 허블 상수)이고, $\dfrac{r}{v}=\dfrac{1}{H}$이다. 이때 우주의 나이는 허블 상수의 역수$\left(\dfrac{1}{H}\right)$에 해당한다.

ㄱ. (○) 우주의 나이는 은하가 v의 속도로 r까지 가는 데 걸린 시간으로, $\dfrac{1}{H}$이다. 허블 상수 값은 A가 B의 4배이므로 우주의 나이는 A가 B보다 $\dfrac{1}{4}$배로 적다.

ㄴ. (✕) $H=\dfrac{v}{r}$이므로 허블 상수는 그림에서 그래프의 기울기에 해당한다.

A의 기울기는 2, B의 기울기는 $\dfrac{1}{2}$이므로 허블 상수 값은 A가 B의 4배이다.

ㄷ. (✕) B보다 A에서 그래프의 기울기가 더 급하므로 후퇴 속도가 더 크게 측정되었다. 적색 편이는 A가 B보다 더 크다.

💻 개념 알기

허블 상수는 외부 은하의 후퇴 속도와 거리 사이의 관계를 나타내는 비례 상수이다. 허블 상수는 약 71 ± 4 km/s/Mpc이다.

■ 오류 피하기

⋯➡ 그래프의 기울기는 허블 상수에 해당하고, 허블 상수의 역수가 우주의 나이에 해당한다.

기출 문제

정답과 해설 **38**쪽

213 그림에서 A와 B는 서로 다른 방법으로 관측한 외부 은하까지의 거리와 후퇴 속도를 나타낸 것이다.

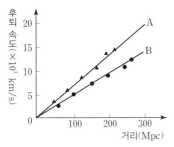

A와 B를 근거로 계산한 물리량의 비교로 옳은 것만을 〈보기〉에서 있는 대로 고른 것은?

┃ 보기 ┃
ㄱ. 허블 상수: A>B
ㄴ. 우주의 나이: A>B
ㄷ. 우주의 팽창 속도: A<B

① ㄱ　② ㄷ　③ ㄱ, ㄴ　④ ㄴ, ㄷ　⑤ ㄱ, ㄴ, ㄷ

214 그림은 은하 B에서 은하 A와 C를 관측하였을 때 후퇴 속도를 나타낸 것이다.

이에 대한 설명으로 옳은 것만을 〈보기〉에서 있는 대로 고른 것은?

┃ 보기 ┃
ㄱ. B는 우주의 중심이다.
ㄴ. A와 C는 모두 적색 편이가 나타난다.
ㄷ. C에서 관측하면 A의 후퇴 속도는 4000 km/s 이다.

① ㄱ　② ㄷ　③ ㄱ, ㄴ　④ ㄴ, ㄷ　⑤ ㄱ, ㄴ, ㄷ

215 다음은 허블의 법칙에 대한 설명이다.

1929년 미국의 천문학자 허블은 외부 은하에서 관측된 스펙트럼을 분석한 결과 외부 은하가 우리 은하로부터 멀어지고 있고, 외부 은

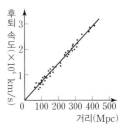

하까지의 거리와 후퇴 속도 사이에는 $V=H \cdot r$ (V: 후퇴 속도, H: 허블 상수, r: 은하까지의 거리)이라는 관계가 성립한다는 것을 발견하였다.

이에 대한 설명으로 옳은 것만을 〈보기〉에서 있는 대로 고른 것은?

┃ 보기 ┃
ㄱ. 우리 은하는 우주의 중심에 있다.
ㄴ. 가까운 은하일수록 후퇴 속도가 빠르다.
ㄷ. 멀리 있는 은하일수록 스펙트럼의 적색 편이가 크게 나타난다.

① ㄴ　② ㄷ　③ ㄱ, ㄴ　④ ㄱ, ㄷ　⑤ ㄱ, ㄴ, ㄷ

216 그림 (가)와 (나)는 관측자의 위치에 따른 외부 은하들의 후퇴 속도를 나타낸 것이다.

(가) 은하 A에서 관측할 때

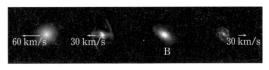

(나) 은하 B에서 관측할 때

이에 대한 옳은 설명만을 〈보기〉에서 있는 대로 고른 것은?

┃ 보기 ┃
ㄱ. (가)와 (나) 모두 외부 은하들은 관측자로부터 멀어진다.
ㄴ. 관측자로부터 멀리 떨어진 은하일수록 후퇴 속도가 빠르다.
ㄷ. 우주는 특정한 은하를 중심으로 팽창한다.

① ㄱ　② ㄴ　③ ㄷ　④ ㄱ, ㄴ　⑤ ㄴ, ㄷ

기출 분석

51. 유형

? 출제 의도
우주 배경 복사의 관측과 분포 자료를 해석할 수 있는지를 묻는 문제이다.

∿∿ 이렇게 대비하자!
우주가 한 점에서 폭발한 후 팽창하면서 우주의 온도가 낮아졌다는 사실을 학습한다. 우주 배경 복사는 우주의 모든 방향에서 관측된다는 사실을 알도록 한다.

■ **연관 기출 문제 키워드**

\# 우주 배경 복사 # 2.7 K
\# 빅뱅 우주론 # COBE 위성
\# 우주 물질의 분포 # 불균일한 분포

문제 분석 ....

• 대폭발 이후 우주 배경 복사 온도는 3000 K에서 점점 감소하여 현재 2.7 K인 흑체에서 방출되는 복사와 일치한다.

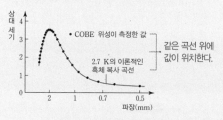

• 우주 배경 복사는 대체로 균일하게 분포하지만, 미세하게 불균일한 분포가 나타난다.

• 그림은 WMAP 위성이 관측한 우주 배경 복사이다. COBE 위성이 관측한 우주 배경 복사 분포와는 약간 차이가 있다. 이러한 차이는 관측하는 위성의 종류에 따라 우주 배경 복사의 공간 분포에 미세한 차이가 나타나기 때문이다.

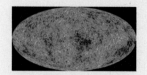

그림 (가)는 COBE 위성이 측정한 우주 배경 복사와 흑체 복사 곡선을 나타낸 것이고, (나)는 우주 배경 복사 분포도이다.

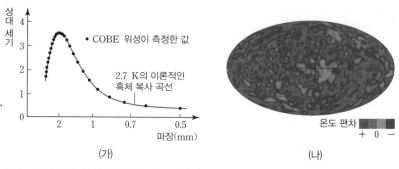

이에 대한 설명으로 옳은 것만을 〈보기〉에서 있는 대로 고른 것은?

┌── 보기 ├──
ㄱ. 우주 배경 복사의 평균 온도는 약 2.7 K이다.
ㄴ. 우주 배경 복사는 빅뱅 우주론을 뒷받침하는 증거이다.
ㄷ. (나)를 통해 우주의 물질이 불균일하게 분포함을 알 수 있다.

① ㄱ   ② ㄴ   ③ ㄱ, ㄷ   ④ ㄴ, ㄷ   ✔⑤ ㄱ, ㄴ, ㄷ

■ **문항별 해설**

ㄱ. (○) 그림 (가)에서 COBE 위성이 측정한 값(점으로 표시)은 2.7 K의 이론적인 흑체 복사 곡선 위에 있다. 우주 배경 복사의 평균 온도는 약 2.7 K임을 알 수 있다.

ㄴ. (○) 빅뱅 우주론(대폭발 우주론)에서 예측했던 우주 배경 복사가 실제로 우주 공간 내의 어느 방향에서나 2.7 K으로 관측된다. 우주 배경 복사는 빅뱅 우주론의 확실한 증거가 된다.

ㄷ. (○) (나)에서 나타나는 온도 편차는 우주의 물질이 불균일하게 분포함을 의미한다. 이것으로 별과 은하의 생성, 은하단 등의 생성을 설명할 수 있다.

🖥️😊 개념 알기

우주 배경 복사는 빅뱅(우주 생성 초기)이 일어나고 약 38만 년 후, 우주의 온도가 약 3000 K일 때 물질에서 빠져 나온 빛이다. 우주가 팽창함에 따라 온도가 낮아졌는데, 약 2.7 K의 온도를 나타내는 파장으로 관측된다. 우주 폭발 이후 우주 배경 복사는 온도가 낮아지면서 파장이 길어졌다.

기출 문제

정답과 해설 **38~39**쪽

217 다음은 우주 배경 복사의 최초 형성 과정에 대한 설명과 WMAP으로 관측한 약 2.7 K의 우주 배경 복사를 나타낸 것이다.

> 빅뱅 이후 약 38만 년이 지나 우주의 온도가 약 3000 K가 되었을 때 빛이 물질과 분리되면서 우주 배경 복사가 방출되었다.
>
>
>
> 온도 편차

이에 대한 옳은 설명만을 〈보기〉에서 있는 대로 고른 것은?

| 보기 |

ㄱ. 우주 나이 38만 년 이후에 우주는 투명해졌다.
ㄴ. 우주의 물질 분포는 완전히 균일하다.
ㄷ. 우주 배경 복사의 파장은 우주의 온도가 약 2.7 K일 때보다 약 3000 K일 때 길다.

① ㄱ　② ㄷ　③ ㄱ, ㄴ　④ ㄴ, ㄷ　⑤ ㄱ, ㄴ, ㄷ

218 그림 (가)와 (나)는 서로 다른 위성으로 관측한 우주 배경 복사를 나타낸 것이다.

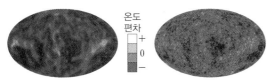

온도 편차

(가) COBE 관측 자료　　(나) WMAP 관측 자료

이에 대한 옳은 설명만을 〈보기〉에서 있는 대로 고른 것은?

| 보기 |

ㄱ. (가)는 (나)보다 우주의 물질 분포를 자세하게 알 수 있다.
ㄴ. (가)와 (나)는 전파 영역에서 관측한 것이다.
ㄷ. 우주 배경 복사의 온도 편차를 통해 우주의 물질 분포가 완전히 균일하지는 않음을 알 수 있다.

① ㄱ　② ㄴ　③ ㄱ, ㄷ　④ ㄴ, ㄷ　⑤ ㄱ, ㄴ, ㄷ

219 그림 (가)는 COBE 위성이 촬영한 우주 배경 복사 지도이고, (나)는 COBE 위성의 관측 값과 2.7 K 흑체 복사 곡선을 나타낸 것이다.

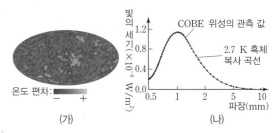

온도 편차:

(가)　　　　　　　(나)

이에 대한 설명으로 옳은 것만을 〈보기〉에서 있는 대로 고른 것은?

| 보기 |

ㄱ. 우주 배경 복사는 쿼크 형성 시기에 출현하였다.
ㄴ. 우주 배경 복사는 우주의 온도가 2.7 K일 때 만들어졌다.
ㄷ. (가)를 통해 우주의 불균일한 물질 분포를 설명할 수 있다.

① ㄴ　② ㄷ　③ ㄱ, ㄴ　④ ㄱ, ㄷ　⑤ ㄱ, ㄴ, ㄷ

220 그림 (가)는 우주 팽창에 의한 우주 배경 복사 파장의 변화를, (나)는 WMAP 위성이 촬영한 우주 배경 복사 분포를 나타낸 것이다.

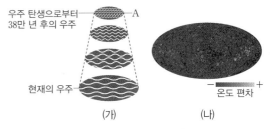

우주 탄생으로부터 38만 년 후의 우주 ───A

현재의 우주

온도 편차

(가)　　　　　　　(나)

이에 대한 설명으로 옳은 것만을 〈보기〉에서 있는 대로 고른 것은?

| 보기 |

ㄱ. A 시기의 우주 온도는 약 3000 K이다.
ㄴ. 우주 배경 복사는 하늘의 모든 방향에서 검출된다.
ㄷ. 현재 우주 배경 복사는 약 2.7 K 흑체 복사에 해당한다.

① ㄱ　② ㄷ　③ ㄱ, ㄴ　④ ㄴ, ㄷ　⑤ ㄱ, ㄴ, ㄷ

기출 분석

52 유형

■ 연관 기출 문제　키워드

우주 모형 # 가속 팽창 # 우주 팽창
암흑 물질 # 암흑 에너지
보통 물질 # 우주의 밀도 # 우주의 크기

문제 분석

• 현재 우주의 크기는 계속 커지고 있다.

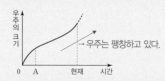

• 우주를 구성하는 요소인 보통 물질, 암흑 물질, 암흑 에너지의 비율은 관측 시기에 따라 계속 달라지고 있다.
→ 숫자에 의존하기보다는 상대적인 비율 관계(어느 물질이 더 많은지 또는 더 적은지)에 초점을 맞추도록 한다.

개념 알기

초신성은 별이 폭발하면서 밝게 빛나는 현상인데, Ia형 초신성 관측으로 은하의 거리를 이전보다 더 정확하고 멀리까지 측정할 수 있게 되었다. Ia형 초신성을 관측하여 얻은 자료는 우주가 가속 팽창하고 있다는 사실을 알려준다.

? 출제 의도

암흑 물질과 암흑 에너지의 비율을 이용하여 우주 팽창을 설명할 수 있는지를 묻는 문제이다.

∞ 이렇게 대비하자!

우주가 팽창하면 우주의 부피가 커지므로 구성 물질의 밀도는 작아진다. 우주 팽창을 일으키는 주된 물질은 암흑 에너지라는 것을 알아두도록 한다.

그림은 어느 팽창 우주 모형에서 시간에 따른 우주의 크기와 우주를 구성하는 요소의 상대량을 나타낸 것이다.

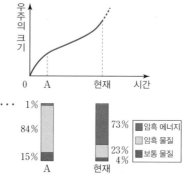

이에 대한 설명으로 옳은 것만을 〈보기〉에서 있는 대로 고른 것은?

┤ 보기 ├
ㄱ. 현재 시점에서 우주의 팽창 속도는 증가하고 있다.
ㄴ. 암흑 에너지의 비율은 A 시점보다 현재가 크다.
ㄷ. 우주의 평균 밀도는 A 시점보다 현재가 크다.

① ㄱ　　② ㄷ　　✔ ㄱ, ㄴ　　④ ㄴ, ㄷ　　⑤ ㄱ, ㄴ, ㄷ

■ 문항별 해설

ㄱ. (○) 그림에서 보면 우주의 크기는 점점 커지고 있다. 현재 시점에서 우주는 계속 가속 팽창하고 있다.

ㄴ. (○) A일 때 암흑 에너지의 비율은 1 %이고, 현재 암흑 에너지의 비율은 73 %이다. 암흑 에너지의 비율은 현재가 A 시점보다 크다.

ㄷ. (×) 우주가 팽창하면 부피는 커지므로 우주의 부피는 A 시점보다 현재가 크다. 같은 질량일 때 A 시점과 현재의 평균 밀도를 비교하면, 우주의 평균 밀도는 현재보다 A 시점에서 더 크게 나타난다.

■ 오류 피하기

⟶ 우주의 팽창 속도가 점점 빨라지기 위해서는 우주 중심을 향하는 중력과 반대로 작용하는 힘이 필요하다. 이렇게 중력과 반대로 척력으로 작용하면서 우주의 팽창을 가속시키는 우주의 성분이 암흑 에너지이다. 암흑 물질과 암흑 에너지는 다른 물질이다.

기출 문제

정답과 해설 **39**쪽

221 표는 우주를 구성하는 요소의 상대량을 나타낸 것이다.

구성 요소	상대량(%)
(가)	72
암흑 물질	A
보통 물질	B

이에 대한 설명으로 옳은 것만을 〈보기〉에서 있는 대로 고른 것은?

┤ 보기 ├
ㄱ. (가)는 암흑 에너지이다.
ㄴ. A는 B보다 크다.
ㄷ. 암흑 물질은 우주를 가속 팽창시키는 원인이 된다.

① ㄱ ② ㄴ ③ ㄷ ④ ㄱ, ㄴ ⑤ ㄴ, ㄷ

222 그림은 우주를 구성하는 요소의 시간에 따른 비율 변화를 예측하여 나타낸 것이다.

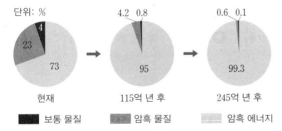

이에 대한 옳은 설명만을 〈보기〉에서 있는 대로 고른 것은?

┤ 보기 ├
ㄱ. 현재 우주에는 암흑 물질이 보통 물질보다 많다.
ㄴ. 우주의 물질 밀도는 점점 커질 것이다.
ㄷ. 115억 년 후에는 현재보다 우주의 팽창 속도가 느려질 것이다.

① ㄱ ② ㄴ ③ ㄱ, ㄷ ④ ㄴ, ㄷ ⑤ ㄱ, ㄴ, ㄷ

223 그림은 어느 가속 팽창 우주 모형에서 시간에 따른 우주 구성 요소 A, B, C의 밀도를 나타낸 것이다. A, B, C는 각각 보통 물질, 암흑 물질, 암흑 에너지 중 하나이다.

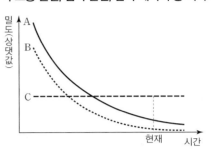

이에 대한 설명으로 옳은 것만을 〈보기〉에서 있는 대로 고른 것은?

┤ 보기 ├
ㄱ. A는 암흑 물질이다.
ㄴ. 우주에 존재하는 암흑 에너지의 총량은 시간에 따라 증가한다.
ㄷ. 보통 물질이 차지하는 비율은 시간에 따라 감소한다.

① ㄱ ② ㄴ ③ ㄱ, ㄷ ④ ㄴ, ㄷ ⑤ ㄱ, ㄴ, ㄷ

224 그림은 절대 등급이 일정한 Ⅰa형 초신성의 적색 편이량과 겉보기 등급을 나타낸 것이다.

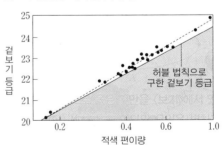

이에 대한 옳은 설명만을 〈보기〉에서 있는 대로 고른 것은?

┤ 보기 ├
ㄱ. 멀리 있는 Ⅰa형 초신성일수록 허블 법칙으로 구한 밝기보다 더 어둡게 보이는 경향이 있다.
ㄴ. Ⅰa형 초신성의 관측 결과는 우주의 팽창 속도가 점점 빨라지고 있음을 의미한다.
ㄷ. 이러한 관측 결과는 암흑 에너지로 설명할 수 있다.

① ㄱ ② ㄴ ③ ㄱ, ㄷ ④ ㄴ, ㄷ ⑤ ㄱ, ㄴ, ㄷ

피곤한 눈을 맑고 개운하게!
눈 스트레칭

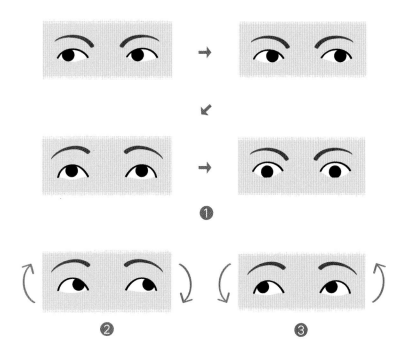

눈이 피곤하면 집중력도 떨어지고, 심한 경우 두통이 생기기도 합니다.
꾸준한 눈 스트레칭으로 눈의 피로를 꼭 풀어 주세요. 눈 스트레칭을 할 때 목은
고정하고 눈동자만 움직여야 효과가 좋아진다는 것! 잊지 마세요.

❶ 눈동자를 다음과 같은 순서로 움직여 보세요. 한 방향당 10초간 머물러야 합니다.

　　왼쪽 ➡ 오른쪽 ➡ 위쪽 ➡ 아래쪽

❷ 눈동자를 시계 방향으로 한 바퀴 돌려 주세요.

❸ 눈동자를 시계 반대 방향으로 한 바퀴 돌려 주세요.

　　※ 스트레칭 후에도 눈에 피곤함이 남아 있다면, 2~3회 반복해 주세요.

Sherpa

개념을 쌓아가는 기본서

고등 **셀파**

Sherpa

지구과학 I

김연귀 · 김익순 · 김진성 · 조광희

BOOK **2**

문제 기본서 | **정답과 해설**

천재교육

기출 1~50

001 ①	002 ①	003 ④	004 ⑤	005 ⑤	006 ④	007 ①	008 ③
009 ②	010 ③	011 ②	012 ③	013 ②	014 ③	015 ②	016 ①	017 ①
018 ①	019 ②	020 ③	021 ①	022 ①	023 ①	024 ①	025 ①	026 ④
027 ②	028 ②	029 ①	030 ④	031 ⑤	032 ⑤	033 ③	034 ④	035 ④
036 ⑤	037 ⑤	038 ②	039 ⑤	040 ①	041 ⑤	042 ②	043 ③	044 ⑤
045 ③	046 ②	047 ③	048 ④	049 ⑤	050 ①

기출 51~100

051 ②	052 ②	053 ③	054 ④	055 ①	056 ③	057 ④	058 ①
059 ⑤	060 ②	061 ④	062 ③	063 ⑤	064 ①	065 ③	066 ⑤	067 ②
068 ⑤	069 ①	070 ①	071 ③	072 ①	073 ②	074 ⑤	075 ⑤	076 ④
077 ②	078 ②	079 ①	080 ⑤	081 ⑤	082 ①	083 ③	084 ②	085 ⑤
086 ④	087 ⑤	088 ④	089 ②	090 ⑤	091 ⑤	092 ③	093 ③	094 ①
095 ③	096 ⑤	097 ③	098 ①	099 ⑤	100 ④

기출 101~150

101 ⑤	102 ②	103 ⑤	104 ④	105 ④	106 ②	107 ③	108 ③
109 ④	110 ④	111 ⑤	112 ⑤	113 ⑤	114 ⑤	115 ③	116 ⑤	117 ③
118 ③	119 ⑤	120 ②	121 ②	122 ②	123 ③	124 ②	125 ③	126 ⑤
127 ④	128 ④	129 ②	130 ⑤	131 ③	132 ⑤	133 ⑤	134 ④	135 ①
136 ②	137 ①	138 ①	139 ①	140 ③	141 ⑤	142 ⑤	143 ②	144 ③
145 ③	146 ④	147 ④	148 ③	149 ⑤	150 ②

기출 151~200

151 ⑤	152 ⑤	153 ⑤	154 ④	155 ④	156 ⑤	157 ①	158 ⑤
159 ②	160 ⑤	161 ③	162 ④	163 ④	164 ⑤	165 ④	166 ③	167 ④
168 ⑤	169 ⑤	170 ③	171 ④	172 ⑤	173 ③	174 ④	175 ②	176 ⑤
177 ④	178 ③	179 ④	180 ⑤	181 ④	182 ④	183 ③	184 ①	185 ③
186 ②	187 ④	188 ⑤	189 ③	190 ⑤	191 ⑤	192 ④	193 ③	194 ①
195 ③	196 ③	197 ③	198 ④	199 ③	200 ③

기출 201~224

201 ④	202 ②	203 ①	204 ②	205 ⑤	206 ⑤	207 ③	208 ③
209 ①	210 ①	211 ①	212 ④	213 ①	214 ④	215 ②	216 ④	217 ①
218 ④	219 ②	220 ⑤	221 ④	222 ①	223 ⑤	224 ⑤

001 답 ① | 정자극기는 과거 지구 자기장의 방향이 현재와 같았던 시기이고, 역자극기는 지구 자기장의 방향이 현재와 반대 방향인 시기이다.

ㄱ. A 지점의 고지자기는 정자극기이므로 이 지점의 지각이 생성될 당시 지구 자기장의 방향은 현재와 같았을 것이다.

[오답 피하기]

ㄴ. 해령을 중심으로 판이 서로 멀어지므로 해령에서 멀어질수록 지각의 나이는 많아진다. 따라서 지각의 나이는 해령으로부터 거리가 더 먼 A가 B보다 많다.

ㄷ. 문제의 그림에서 해령을 기준으로 B는 우측 방향으로, C는 좌측 방향으로 이동한다.

002 답 ① | ㄱ. 해양 지각의 연령과 고지자기 분포가 각각 대칭적으로 나타난다. 따라서 발산형 경계인 해령에서 나타나는 고지자기 분포이다.

[오답 피하기]

ㄴ. 해령에서 40 km 떨어진 곳에서 해양 지각의 연령이 400만 년이므로 판의 평균 이동 속도 $= \dfrac{40 \times 10^5 \text{ cm}}{4 \times 10^6 \text{년}} = 1$ cm/년이다.

ㄷ. 문제의 그림에서 정자극기(회색 영역)와 역자극기(흰색 영역)의 간격이 일정하지 않다.

003 답 ④ | ㄱ. 그림에서 회색 영역은 역전기, 흰색 영역은 정상기이다. 해령을 중심으로 정상기와 역전기의 분포가 대칭적으로 나타난다.

ㄷ. 150만 년 전에는 지구 자기장의 방향이 현재와 반대이므로 역전기에 해당한다.

[오답 피하기]

ㄴ. 현재 해령 축을 기준으로 500만 년 동안 이동해 간 해령 부근의 암석에 나타난 정상기와 역전기의 횟수를 헤아려 보면, 지구 자기장의 역전기는 총 2번 있었다.

[문제 속 자료] **암석에 기록된 고지자기 분포**

해령을 기준으로 새로운 해양 지각이 계속 생성되면서 판이 양쪽으로 확장되어 나간다. 해령 축을 기준으로 고지자기 분포가 대칭적으로 나타난다.

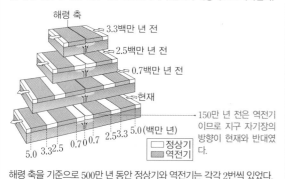

해령 축을 기준으로 500만 년 동안 정상기와 역전기는 각각 2번씩 있었다.

004 답 ⑤ | 해령에서는 새로운 해양 지각이 생성되고, 해령을 중심으로 양쪽으로 멀어짐에 따라 해저가 확장된다. 그림 (나)에서 과거부터 현재까지 해저가 확장되는 동안 정자극기는 총 3번, 역자극기는 총 2번 있었다.

ㄱ. 해령에서 생성되는 해양 지각은 현무암질 마그마가 식어서 생성된 현무암질 지각이다.

ㄴ. 아이슬란드는 대서양 해령 부근에서 해령 축이 통과하는 곳이다. 따라서 발산형 경계에 위치한다.

ㄷ. 해령에서 생성된 해양 지각은 해령 축을 기준으로 양쪽으로 계속 이동해 간다. 이때 지각(암석) 속에는 지각이 생성될 당시의 지구 자기장 방향이 기록된다.

005 답 ⑤ | ㄴ. 일본 해구에서 우리나라 쪽으로 판이 섭입한다. 우리나라는 일본보다 지진이 발생하는 진원의 깊이가 깊다. 따라서 우리나라에서 일본 쪽으로 갈수록 진원의 깊이는 얕아진다.

ㄷ. 섭입형 수렴 경계에서는 섭입대에서 발생한 마그마가 분출하여 화산 활동이 일어난다. 해구를 기준으로 섭입대가 형성된 쪽에서 화산 활동이 일어나므로 A 지역이 B 지역보다 화산 활동이 활발하다.

[오답 피하기]

ㄱ. 우리나라와 일본은 같은 유라시아판에 위치한다. 태평양판이 유라시아판 밑으로 섭입하는 경계에서 일본 해구가 생성된다고 해서, 일본은 태평양판, 우리나라는 유라시아판에 위치한다고 생각하지 않도록 한다.

[문제 속 자료] **우리나라 주변에서 나타나는 진원 분포**

화살표와 같이 일본 해구에서 우리나라 쪽으로 판이 섭입한다. B는 태평양판, A는 유라시아판에 해당한다.

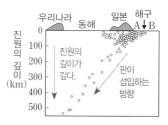

세로축은 진원의 깊이를 나타내는데, 아래로 갈수록 진원의 깊이가 깊다. 일본에서 우리나라 쪽으로 올수록 대체로 진원의 깊이가 깊어진다.

006 답 ④ | ㄱ. 쿠릴 열도 부근은 두 판이 수렴하는 경계로 해구가 나타난다.

ㄷ. 해구를 기준으로 B판이 A판 아래로 섭입되면서 A판에서 화산 활동이 일어나므로, 이 지역에서 호상 열도가 생성된다. 호상 열도는 활과 같은 모양으로 섬들이 길게 배열된 지형으로, 보통 해구와 나란하게 발달되어 있다. 일본 열도는 대표적인 호상 열도에 해당한다.

ㄴ. 진원의 깊이 분포를 보면 B판에서 A판 쪽으로 갈수록 진원의 깊이가 깊다. B판이 A판 밑으로 섭입한 것이므로, B판의 밀도가 A판보다 더 크다.

007 답 ① | ㄱ. 필리핀판과 유라시아판의 경계에서 유라시아판 쪽으로 가면서 진원의 깊이가 점점 깊어지므로 밀도가 큰 필리핀판이 유라시아판 아래로 섭입함을 알 수 있다.

ㄴ. 판의 경사를 비교할 때는 수평 거리를 기준으로 진원의 깊이 차를 비교하면 된다. 같은 거리를 기준으로 했을 때 진원의 깊이는 A−A′보다 B−B′에서 더 깊게 관측되므로 B−B′의 경사가 더 크다.

ㄷ. 지진의 규모는 지진이 발생했을 때 방출되는 총 에너지양으로, 어느 지역에서나 동일하게 측정된다. 반면에 진도는 지진이 발생했을 때 입은 피해 정도나 진동을 수치로 나타낸 것으로 지진의 규모가 클수록 대체로 진도는 커진다. 즉, 지진이 발생하면 어느 지역에서나 규모는 일정하고, 진원 거리나 지표면의 상태 등에 따라 진도는 달라진다.

008 답 ③ | ㄱ. 두 지역은 판이 섭입하는 수렴형 경계 지역이다. 그림 (나)를 보면, A와 B 지역에서는 모두 천발 지진과 심발 지진이 발생한다.

ㄷ. B 지역에서 밀도가 큰 태평양판이 인도-오스트레일리아판의 아래로 섭입하고, 진원의 깊이는 오스트레일리아 쪽으로 갈수록 깊어진다.

ㄴ. 진원의 수직 위쪽이 진앙이므로 B는 A보다 판의 경계에서 더 먼 곳까지 진앙이 분포한다.

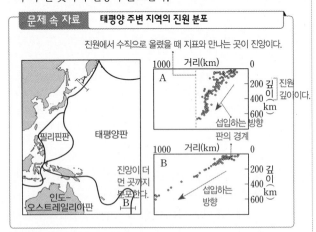

문제 속 자료 **태평양 주변 지역의 진원 분포**

009 답 ② | ㄴ. 두 대륙에서 측정한 자극의 이동 경로를 일치시켰을 때 대륙의 분포를 보아 과거에 두 대륙은 붙어 있었던 적이 있었다.

ㄱ. 같은 지질 시대에 형성된 자기 북극은 하나이다. 과거에도 자기 북극은 1개가 존재했다.

ㄷ. 유럽과 북아메리카 대륙에서 측정한 고지자기 북극의 이동 경로를 겹쳐보면, 대륙이 하나로 모아진다. 고지자기 북극의 이동은 대륙과 자기 북극의 상대적인 이동으로 형성되었음을 알 수 있다.

010 답 ③ | 과거 암석이 생성될 당시의 지구 자기장의 방향이 암석 속에 남아 있기 때문에 고지자기의 이동 경로를 분석하면 대륙 이동을 설명할 수 있다.

ㄱ. 암석의 생성 당시 지구 자기장 방향의 자기가 암석에 남아 있다. 고지자기 북극의 위치는 암석의 잔류 자기로 알아낸 것이다.

ㄷ. A(북아메리카)와 B(유라시아)를 같은 시대별로 맞춰보면 두 대륙이 붙어 있다가 이동하여 분리되었음을 알 수 있다.

ㄴ. 과거에 지자기 북극은 한 개였다. 문제의 그림에서 지자기 북극이 세 개인 것처럼 보이는 것은 대륙이 이동하였기 때문이다.

011 답 ② | 현재 멀리 떨어진 남아메리카 대륙과 아프리카 대륙에서 같은 종류의 메소사우루스 화석이 산출되기 위해서는 대륙이 이동해야만 가능하다. 북아메리카 대륙과 유럽 대륙에서 고지자기 북극의 이동 경로가 다르지만, 두 대륙의 고지자기 북극의 이동 경로를 모아 보면 과거에 두 대륙이 붙어 있었음을 알 수 있다.

ㄴ. 대륙의 개수에 관계없이, 과거와 현재에 관계없이 지자기 북극은 하나이다.

ㄷ. 북아메리카 대륙과 유럽 대륙은 하나의 대륙이 갈라져서 이동하여 형성되었다.

ㄱ. 하나로 붙어 있던 대륙이 여러 대륙으로 갈라지면서 현재의 대서양이 형성되었다.

ㄹ. 메소사우루스는 약 3억 년 전에 남아메리카 대륙과 아프리카 대륙이 하나의 대륙으로 모여 있을 당시에 서식하였다.

012 답 ③ | ㄱ. 한 시기에 지자기 북극은 1개이다. 같은 시기에 하나의 대륙에서 형성된 잔류 자기의 방향은 한 점으로 수렴된다.

ㄷ. (나)에서 3.5억 년 전에 2개로 떨어져 나타나는 지자기 북극은 원래 하나였다가 대륙이 이동하면서 갈라져 보이는 것이다. 이러한 지자기 북극의 겉보기 이동으로 대륙 이동을 설명할 수 있다.

오답 피하기

ㄴ. 과거에 하나였던 대륙이 떨어져서 이동한 경우이므로
(가)에서 A와 B 대륙 사이에는 열곡이나 해령이 형성된다.

문제 속 자료 **지자기 북극의 겉보기 이동과 대륙 이동**

현재 지자기 북극은 2개처럼 보이지만, 지자기 북극은 원래 1개이다. 지
자기 북극을 하나로 모으면 대륙이 하나로 모이게 된다.

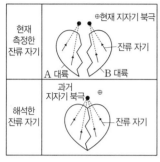

(단위: 억 년 전)

→ 유럽
→ 북아메리카

하나로 붙어 있던 대륙이 이동하였기 때문에
지자기 북극이 2개인 것처럼 보인다.

고지자기는 과거 지질 시대의 암석에 남아 있는 자기이고, 잔류 자기는 과
거나 현재에 상관없이 암석에 남아 있는 자기이다.

---

013 답 ② | ㄴ. C점을 경계로 화산섬의 이동 방향이 바뀌었으므
로 판의 이동 방향이 바뀌었음을 알 수 있다.

오답 피하기

ㄱ. 하와이섬(A) 아래에 열점이 분포한다. 열점은 고정된 지점
이므로, 하와이섬 아래에서 계속 마그마가 분출하여 새로운
화산섬이 생겨난다.

ㄷ. 하와이섬의 이동 방향으로 판의 이동 방향을 알 수 있다.
그림에서 하와이 열도 및 해산은 북북서쪽과 북서쪽으로 이
동하므로, 태평양판은 A에서 E 방향으로 이동했을 것이다.

---

014 답 ③ | ㄱ. 열점은 현재 화산 활동이 일어나고 있는 섬의 아
래에 존재하므로 하와이섬의 아래에 존재할 것이다.

ㄴ. 미드웨이섬은 열점 위에 위치한 하와이섬의 위치에서 생
성되어 태평양판의 이동을 따라 약 2700만 년 동안 이동하
여 하와이섬으로부터 약 2700 km 떨어진 현재의 위치에 있
는 것이다. 따라서 미드웨이섬이 형성된 이후 태평양판의 평
균 이동 속도는 $\dfrac{2700 \times 10^5 \text{ cm}}{2700 \times 10^4 \text{년}} = 10$ cm/년이다.

오답 피하기

ㄷ. 하와이섬에서 멀어질수록 오래된 화산섬이므로 엠퍼러
해산군이 형성된 시기는 미드웨이섬이 형성된 시기보다 오
래되었다. 미드웨이섬이 형성된 시기에 판의 이동 방향은 북
서 방향이고, 엠퍼러 해산군이 형성된 시기에 판의 이동 방
향은 북북서 방향이다. 따라서 엠퍼러 해산군이 형성될 당시
에 태평양판의 이동 방향은 현재와 달랐다.

---

015 답 ② | ㄴ. 킬라우에아 화산 부근에서 계속 새로운 화산섬이 생
겨나고 있다. 즉, 고정되어 있는 열점은 킬라우에아 화산 부근
지하 깊은 곳에 위치할 것이다.

오답 피하기

ㄱ. 판의 이동 속도는 $\dfrac{\text{거리(떨어진 위치)}}{\text{시간(연령)}}$로 알 수 있다. 화
산섬과 열점 사이의 거리와 화산섬의 나이를 이용하여 판의
이동 속도를 구해 보면 태평양판의 이동 속도는 일정하지 않
았음을 알 수 있다.

ㄷ. 하와이 열도를 형성한 열점은 고정되어 있어 판의 이동
과 관계가 없다. 열점과 해령 사이의 거리는 일정하다.

문제 속 자료 **열점과 판의 운동**

킬라우에아 화산 부근(열점)에서 새로운 화산섬이 생겨나서 북서 방향으로
이동하고 있다. 화산섬이 계속 이동해 가는 것이지 열점이 이동하는 것은
아니다.

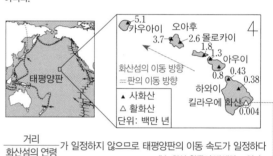

화산섬의 이동 방향
판의 이동 방향

▲ 사화산
△ 활화산
단위: 백만 년

$\dfrac{\text{거리}}{\text{화산섬의 연령}}$가 일정하지 않으므로 태평양판의 이동 속도가 일정하다
고 할 수 없다.

계속 화산 활동이 발생하고 있다.

---

016 답 ① | 판의 경계 지역과 열점에서 분출하는 용암에는 차이
가 있다. 수렴형 경계에서는 주로 안산암질 용암이 분출하
고, 열점에서는 주로 현무암질 용암이 분출한다.

ㄱ. 하와이 열도를 이루는 화산섬들의 연령이 북서쪽으로 갈
수록 증가하므로 판의 이동 방향은 대체로 북서 방향이다.
하와이섬 아래에 열점이 있어 이곳에서 계속 새로운 화산섬
들이 생겨나고 있다.

오답 피하기

ㄴ. A에서는 주로 현무암질 용암이 분출하고, C에서는 주로
안산암질 용암이 분출한다.

ㄷ. B는 발산형 경계로 해령에 해당한다. 하와이 열도는 열
점에 해당하므로 A와 같은 곳에서 만들어졌다.

---

017 답 ① | ㄱ. 물을 포함하는 화강암의 용융 온도는 압력이 증가
할수록 낮아진다. 따라서 ㉠은 물을 포함하는 화강암의 용융
곡선이다. ㉡은 현무암의 용융 곡선이다.

오답 피하기

ㄴ. 지하 100 km를 기준으로 할 때 이곳보다 깊은 곳에서는
현무암질 마그마가 생성되고, 그보다 얕은 곳에서는 현무암질
마그마와 화강암질 마그마가 모두 생성된다.

ㄷ. 해령에서는 맨틀 대류의 상승류가 존재하므로 맨틀 물질이 상승하면서 압력이 감소한다. 따라서 해령 아래에서는 a와 같은 과정으로 마그마가 생성된다.

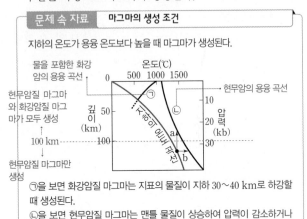

문제 속 자료 **마그마의 생성 조건**

지하의 온도가 용융 온도보다 높을 때 마그마가 생성된다.

⊙을 보면 화강암질 마그마는 지표의 물질이 지하 30~40 km로 하강할 때 생성된다.
ⓒ을 보면 현무암질 마그마는 맨틀 물질이 상승하여 압력이 감소하거나 (a) 맨틀 물질의 온도가 상승하는 경우 (b)에 생성된다.

018 답 ① | ㄱ. (가)를 보면 20 km 깊이에서 암석의 용융 온도는 물을 포함하지 않은 현무암이 물을 포함한 화강암보다 높다.

오답 피하기

ㄴ. X에서 마그마의 생성은 맨틀 물질의 상승에 따른 압력 감소로 일어난다.

ㄷ. Y에서 생성되는 마그마는 맨틀이 용융한 것이므로 현무암질 마그마가 생성된다.

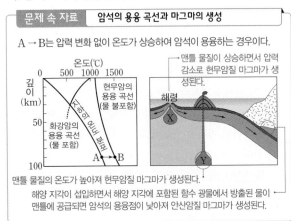

문제 속 자료 **암석의 용융 곡선과 마그마의 생성**

A→B는 압력 변화 없이 온도가 상승하여 암석이 용융하는 경우이다.

맨틀 물질이 상승하면서 압력 감소로 현무암질 마그마가 생성된다.

맨틀 물질의 온도가 높아져 현무암질 마그마가 생성된다.
해양 지각이 섭입하면서 해양 지각에 포함된 함수 광물에서 방출된 물이 맨틀에 공급되면 암석의 용융점이 낮아져 안산암질 마그마가 생성된다.

019 답 ② | ㄴ. 문제의 그림 (가)에서 현무암의 용융점이 화강암의 용융점보다 높으므로 현무암질 마그마는 화강암질 마그마보다 높은 온도에서 생성된다.

오답 피하기

ㄱ. 깊이가 깊어질수록 압력이 커지기 때문에 물을 포함한 화강암은 깊어질수록 용융점이 낮아진다.

ㄷ. 문제의 그림 (나)와 같은 해령 하부에서는 맨틀 물질이 상승하면서 압력 감소로 용융점에 도달하여 현무암질 마그마가 생성된다. 따라서 해령 부근에서는 P → B와 같은 과정

으로 마그마가 생성된다. P → A와 같은 과정은 압력의 변화 없이 온도가 높아지면서 마그마가 생성되는 경우이다.

020 답 ③ | ⊙은 해령, ⓒ은 열점, ⓒ은 섭입대(베니오프대)이다. 베니오프대는 밀도가 큰 해양판이 밀도가 작은 대륙판 아래로 비스듬히 섭입해 들어갈 때 생기는 경계면으로, 이 과정에서 마찰에 의해 지진이 발생한다.

ㄱ. 그림 (가)에서 현무암질 마그마는 내부 온도가 올라가는 A → B 과정과 압력이 감소하는 A → C 과정에서 생성될 수 있다. 해령(⊙)에서는 맨틀 물질이 상승하면서 압력 감소로 마그마가 생성된다.

ㄷ. 섭입대(ⓒ)에서는 물을 포함한 판(해양판)이 섭입하면서 용융점이 하강하여 마그마가 생성된다.

오답 피하기

ㄴ. 일본은 호상 열도이다. 호상 열도는 화산 활동으로 형성된 화산섬들이 길게 배열된 것으로, 주로 해구와 나란하게 발달되어 있다.

ⓒ은 지구 내부의 열점에 해당한다. 열점에서 형성되는 대표적인 지형에는 하와이 열도가 있다.

021 답 ① | A는 용암의 점성이 크고 온도가 낮은 유문암질 용암의 성질이다. B는 용암의 점성이 작고 온도가 높은 현무암질 용암의 성질이다.

ㄱ. 점성이 클수록 유동성이 작아지므로 유동성은 A가 B보다 작다.

오답 피하기

ㄴ. 온도가 낮을수록 SiO_2 함량은 많아진다. SiO_2 함량은 A가 B보다 많다.

ㄷ. A는 B보다 점성이 크므로, A는 경사가 급한 종상 화산체를 형성한다. B는 경사가 완만한 순상 화산체를 형성하거나 용암 대지를 형성한다.

022 답 ① | A는 온도가 높고 유동성이 큰 현무암질 용암의 성질이다. B는 온도가 낮고 유동성이 작은 유문암질 용암의 성질이다.

ㄱ. 한라산은 용암(마그마)의 온도가 높고 SiO_2 함량이 적으며, 점성이 작고 유동성이 큰 현무암질 마그마가 분출되어 형성된 순상 화산이다.

오답 피하기

ㄴ. SiO_2 함량비는 용암의 온도가 낮을수록 많아진다. 온도가 낮은 B가 온도가 높은 A보다 SiO_2 함량이 많다.

ㄷ. 한라산은 경사가 완만한 순상 화산체이므로 한라산을 만든 용암은 온도와 유동성이 큰 A에 해당한다.

023 답 ① | ㄱ. (가)에서 화산 가스의 대부분은 수증기이다. 그 외에 이산화 탄소, 이산화 황, 황화 수소 등이 포함되어 있다.

오답 피하기

ㄴ. A는 용암의 온도가 낮고 유동성이 작은 유문암질 용암의 성질이다. B는 용암의 온도가 높고 유동성이 큰 현무암질 용암의 성질이다. (나)에서 용암 속에 포함된 SiO_2 함량은 A가 B보다 많다.

ㄷ. 화산 (가)는 격렬하게 분출된 것으로 보아, 용암의 성질은 (나)의 B보다 A에 가깝다.

문제 속 자료 **화산의 특징**

(가) 칼부코 화산은 격렬하게 분출하므로 화산 가스의 양이 많다. 유동성이 크다. 점성이 작다. 용암의 온도가 높다.

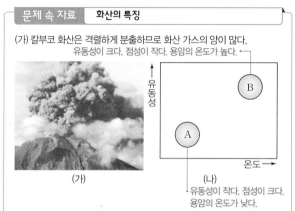

(가)   (나)
유동성이 작다. 점성이 크다. 용암의 온도가 낮다.

화산 활동은 지하 깊은 곳에서 암석이 용융되어 생성된 마그마가 지각의 약한 틈을 뚫고 지표 위로 나오는 현상이다. 이때 고온의 용암과 함께 여러 가지 기체 및 고체 물질이 분출한다.

024 답 ③ | (가)의 암석은 현무암이다.

ㄱ. 현무암질 용암은 점성이 작고 유동성이 커서 멀리까지 이동해 간다. 이러한 용암은 순상 화산이나 용암 대지를 형성한다.

ㄷ. 문제의 그림 (나)에서 A는 현무암질 용암, B는 안산암질 용암, C는 유문암질 용암의 성질이다. (가)에서 분출된 용암은 (나)의 A에 해당한다.

오답 피하기

ㄴ. 온도가 가장 높은 용암은 현무암질 용암으로, SiO_2 함량과 점성이 작으며, 유동성은 크고 휘발성 기체의 양은 적다. (나)에서 온도가 가장 높은 용암은 A이다.

025 답 ① | (가)는 용암이 비교적 격렬하게 분출하여 형성된 성층 화산체이고, (나)는 용암이 조용하게 분출하여 형성된 순상 화산체이다.

ㄱ. 용암의 점성이 클수록 화산은 폭발적으로 분출하며, 화산체의 경사는 급해지고, 화산재가 많이 분출된다.

오답 피하기

ㄴ. 화산 활동은 (가)가 (나)보다 폭발적이다.

ㄷ. (가)와 같이 경사가 급한 화산체일수록 화구 주위에 화산재가 많다.

026 답 ④ | 용암은 SiO_2 함량에 따라 현무암질 용암, 안산암질 용암, 유문암질 용암으로 구분한다. SiO_2 함량은 유문암질 용암 > 안산암질 용암 > 현무암질 용암 순이다.

ㄴ, ㄷ. 문제의 그림 (가)는 SiO_2 함량이 적은 현무암질 용암으로 생성된 순상 화산체이며 온도가 높고 점성이 작아 경사가 완만한 특징을 보인다. 그림 (나)는 SiO_2 함량이 많고 온도가 낮은 용암으로 생성된 종상 화산체이며 폭발적인 분출과 화산체의 경사가 급한 특징을 보인다. 용암의 점성은 (가) < (나)이고, 용암의 온도는 (가) > (나)이다.

오답 피하기

ㄱ. SiO_2 함량은 (가) 순상 화산 < (나) 종상 화산이다.

027 답 ② | 화산체의 모습을 비교하여 용암의 성질을 상대적으로 비교한다. 용암의 종류에 따라 용암의 성질이 달라지고, 화산의 분출 형태도 다르게 나타난다.

ㄴ. (가)는 (나)보다 상대적으로 경사가 완만한 화산체이다. 따라서 (가)는 (나)보다 용암의 온도가 높고 점성이 작으며 유동성이 크고 휘발 성분과 SiO_2 함량은 적다.

오답 피하기

ㄱ. SiO_2 함량은 (가)가 (나)보다 적다.

ㄷ. 휘발 성분의 양은 (가)가 (나)보다 적다.

028 답 ② | ㄷ. 점성이 큰 용암일수록 화산 분출물 중 화산 쇄설물이 차지하는 비중이 크다.

오답 피하기

ㄱ. (가)는 (나)보다 폭발적으로 분출하므로 점성이 크고 유동성이 작은 용암이 분출되었을 것이다. 따라서 화산 (가)는 비교적 조용히 분출하는 (나)보다 용암의 온도가 낮다.

ㄴ. 용암의 점성이 클수록 화산은 격렬하게 폭발한다. 따라서 용암의 점성은 (가)가 (나)보다 크다.

문제 속 자료 **용암의 성질과 화산의 형태**

• 점성은 끈적끈적한 정도, 유동성은 액체가 흘러가는 성질이다. 용암의 점성이 작을수록 유동성이 크다.
• 용암의 온도가 낮을수록 용암 속에 포함된 SiO_2 함량이 많아 분출되는 가스의 양도 많아진다.

(가)   (나)

• (가): SiO_2 함량이 많고 점성이 커서 비교적 격렬하게 분출하는 화산체이다. 휘발성 기체의 양이 많고 유동성은 작은 편이다.
• (나): SiO_2 함량이 적고 점성이 작아서 조용하게 분출하는 화산체이다. 휘발성 기체의 양이 적고 유동성은 커서 용암이 멀리까지 이동해 간다.

029 답 ① | 세 암석 중 암염은 건조한 환경에서 생성되는 증발암으로 화학적 퇴적암이다. 암염은 쇄설성 퇴적암이 아니므로 A는 암염이다. 역암과 응회암은 쇄설성 퇴적암으로 역암은 자갈, 응회암은 화산재가 주 성분이다. 따라서 B는 역암, C는 응회암이다.

030 답 ④ | ㄴ. B는 해수의 증발에 의한 염류의 침전으로 형성되는 퇴적암이므로 화학적 퇴적암이다. B는 해수의 증발이 활발하게 일어나는 건조한 환경에서 형성된다.

ㄷ. C는 생물체 유해가 퇴적되어 형성되는 퇴적암이므로 유기적 퇴적암이다. 유기적 퇴적암에는 생물체의 유해나 흔적인 화석이 발견될 수 있다.

[오답 피하기]

ㄱ. A는 화산 쇄설물로 이루어진 쇄설성 퇴적암으로 화산재로 이루어진 응회암이 A에 포함된다. 석회암은 해수에 녹아 있는 탄산 칼슘이 침전되거나 석회질 생물체의 유기물이 쌓여 형성되므로 B 또는 C에 포함된다.

031 답 ⑤ | ㄱ. 석탄, 처트, 석회암은 각각 식물체, 규질 생물체, 석회질 생물체의 유해가 쌓여 생성된 유기적 퇴적암이므로 A는 유기적 퇴적암이다.

ㄴ. 역암, 사암, 셰일은 각각 자갈, 모래, 실트 또는 점토가 퇴적된 후 속성 작용으로 형성된 쇄설성 퇴적암이므로 B는 쇄설성 퇴적암이다. 응회암은 화산 쇄설물의 한 종류인 화산재가 퇴적되어 생성된 쇄설성 퇴적암의 한 종류이다.

ㄷ. 화학적 퇴적암인 암염은 해수가 증발하여 침전된 NaCl이 굳어져 만들어질 수 있다.

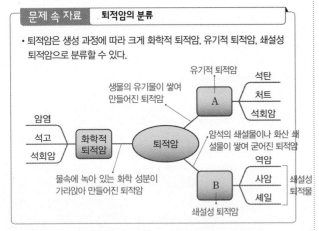

문제 속 자료 **퇴적암의 분류**

• 퇴적암은 생성 과정에 따라 크게 화학적 퇴적암, 유기적 퇴적암, 쇄설성 퇴적암으로 분류할 수 있다.

032 답 ⑤ | ㄴ. C는 속성 작용으로 퇴적물이 퇴적암으로 되는 과정이다. 속성 작용에는 다짐 작용과 교결 작용이 있다. 다짐 작용을 받으면 퇴적물은 입자 사이 간격이 좁아져 공극이 감소하고 밀도가 증가한다. 교결 작용을 받으면 퇴적물 입자들이 단단하게 결합된다.

ㄷ. B와 C를 거쳐 형성된 암석은 쇄설성 퇴적암이다. 이러한 암석은 구성하는 쇄설물의 크기에 따라 자갈이 쌓여 만들어진 역암, 모래가 쌓여 만들어진 사암, 실트 또는 점토가 쌓여 만들어진 셰일로 구분한다.

[오답 피하기]

ㄱ. A와 C를 거쳐 형성된 암석은 화산 쇄설물로 구성된 쇄설성 퇴적암으로 응회암이 여기에 포함된다. 석회암은 해수에 녹아 있는 탄산 칼슘이 침전되거나 석회질 생물체의 유기물이 쌓여 형성된다.

033 답 ③ | ㄱ. (가)는 위로 갈수록 지층을 구성하는 입자가 점점 작아지므로 점이 층리이다.

ㄴ. (나)는 층리가 경사져 있는 사층리이다. 퇴적 구조를 보면 퇴적물이 왼쪽에서 오른쪽으로 공급되었음을 알 수 있다.

[오답 피하기]

ㄷ. 표면에 갈라진 모양이 나타나는 (다)는 건열이다. 문제의 그림에서 갈라진 부분이 위쪽에 나타나기 때문에 이 지층은 역전되지 않았다.

034 답 ④ | 점이 층리는 심해 환경에서 형성되지만, 사층리는 비교적 얕은 물속이나 바람이 부는 사막에서 형성된다.

[오답 피하기]

① 사층리의 층리가 기울어진 방향으로 퇴적물이 공급된 방향을 알 수 있다.

② 건열은 건조한 환경에서 나타나는 퇴적 구조이다.

③ 점이 층리는 입자 크기가 큰 퇴적물이 먼저 퇴적되고, 입자 크기가 상대적으로 작은 퇴적물이 나중에 퇴적되어 형성되었다.

⑤ 사층리는 층리 간격이 더 넓은 부분, 건열은 지층에서 갈라진 모양이 나타나는 부분, 점이 층리는 퇴적물 입자가 더 작은 부분이 각각 퇴적 구조 형성 당시 지층의 상부에 해당한다. 역전된 지층에서는 이러한 부분이 지층 하부에서 나타난다.

035 답 ④ | C는 건열, B는 사층리이다. 건열의 갈라진 부분, 사층리의 층리 간격이 넓은 부분이 모두 각 지층의 하부에서 나타나므로 이 지층은 역전되었다.

ㄴ. 사층리는 퇴적물의 공급 방향을 알 수 있으므로 퇴적물과 함께 움직인 유체(바람 또는 물)의 이동 방향을 알 수 있다.

ㄷ. 건열은 건조한 환경에서 나타나는 퇴적 구조이다.

[오답 피하기]

ㄱ. 지층이 역전되었으므로 지층은 C, B, A 순으로 형성되었다.

• 역전되기 전 지층의 단면 모습은 다음과 같다.

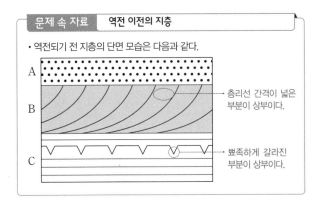

층리선 간격이 넓은 부분이 상부이다.

뾰족하게 갈라진 부분이 상부이다.

036 답 ⑤ | ㄴ. 사암층에서는 층리가 기울어진 사층리가 나타난다. 사층리의 층리 경사 방향을 통해 퇴적 당시 퇴적물의 이동 방향을 알 수 있다.

ㄷ. 셰일층에서는 건열이 나타난다. 따라서 셰일층은 건조한 시기에 공기 중으로 노출된 시기가 있었다.

오답 피하기

ㄱ. 역암층은 다양한 크기의 둥근 자갈로 이루어져 있다.

037 답 ⑤ | ㄱ. (가)는 습곡 중 위로 볼록한 부분인 배사 구조가 나타난다.

ㄴ. (다)는 장력을 받아 상반은 단층면을 기준으로 아래로 내려가고, 하반은 단층면을 기준으로 위로 올라간다.

ㄷ. (가)와 (나)는 횡압력을 받아 형성된 지질 구조이다.

038 답 ② | ㄷ. (다)는 습곡으로 횡압력이 작용하는 판의 충돌대에서 잘 발달한다.

오답 피하기

ㄱ. (가)는 횡압력을 받아 상반이 올라가고, 하반이 내려가 있는 역단층이다.

ㄴ. (나)는 장력을 받아 상반이 내려가고, 하반이 올라가 있는 정단층이다.

039 답 ⑤ | ㄱ. 습곡은 횡압력이 작용하여 지층이 휘어지면서 형성된 지질 구조이다.

ㄴ. (나)는 상반이 위로 올라가 있는 역단층이다.

ㄷ. 지층의 휘어짐과 끊어짐은 층리가 발달한 암석에서 잘 관찰된다.

• 문제의 그림에서 단층면이 분명하게 보이지 않지만 가장 어두운 층을 기준으로 상반이 올라가고 하반이 내려가 있는 역단층임을 알 수 있다.
단층면

040 답 ① | ㄱ. (가)에서 아래층은 습곡이 나타나고 위층은 층리가 수평으로 나타난다. 따라서 위층과 아래층은 경사 부정합 관계에 있다.

오답 피하기

ㄴ. (나)는 상반이 올라가고 하반이 내려가 있는 역단층이다. 역단층은 횡압력을 받아 형성되므로 수렴형 경계에서 잘 발달한다. 장력을 받아 형성되는 정단층은 발산형 경계에서 잘 발달한다.

ㄷ. (가)의 아래층에 나타나는 습곡과 (나)의 역단층은 횡압력을 받아 형성되었다.

041 답 ⑤ | ㄱ. 지질 단면도에서 단층면을 기준으로 왼쪽의 상반이 올라가고 오른쪽의 하반이 내려가 있는 역단층이 관찰된다.

ㄴ. 층리가 휘어져 있는 습곡 구조가 나타난다. 문제의 그림에서는 습곡 중 위로 볼록한 부분인 배사 구조가 나타난다. 습곡이 단층면으로 끊어져 있으므로 습곡 형성 이후에 단층이 형성되었다.

ㄷ. 지층의 역전이 없었으므로 지층 누중의 법칙에 따라 아래에 있는 사암층이 셰일층보다 먼저 형성되었다.

042 답 ② | ㄴ. A와 B 사이 연흔의 모습으로 지층이 역전되었음을 알 수 있다. 또한 B와 C 사이에 기저 역암이 C에 있으므로 지층 역전 이후 C가 퇴적되었다. 따라서 지층의 퇴적 순서는 B → A → C이다.

오답 피하기

ㄱ. 기저 역암은 지층이 융기되어 침식되는 과정에서 형성된 암석이다. 따라서 기저 역암은 침강 후 퇴적된 C가 아닌 융기 후 침식 작용을 받은 B와 동일한 암석이다.

ㄷ. 단층 P−P′와 Q−Q′ 모두 상반이 올라가 있는 역단층이다.

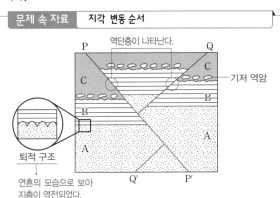

역단층이 나타난다.

기저 역암

퇴적 구조

연흔의 모습으로 보아 지층이 역전되었다.

• 단층 P−P′와 Q−Q′의 단층면이 모두 A, B, C를 통과하고 있으므로 두 단층은 C 퇴적 이후에 일어났다. 단층 Q−Q′는 단층 P−P′에 의해 끊어져 있으므로 단층 Q−Q′가 단층 P−P′보다 먼저 일어났다. 따라서 이 지역은 B 퇴적 → A 퇴적 → 지층 역전 → 부정합 → C 퇴적 → 단층 Q−Q′ → 단층 P−P′ 순으로 지각 변동이 일어났다.

043 답 ③ | ㄱ. A층은 습곡 구조가 나타나고 A층 위에 지층은 수평으로 퇴적되었으므로 두 층은 경사 부정합 관계에 있다. 따라서 A층이 퇴적된 후 지층이 융기하였고 오랫동안 퇴적이 중단되고 침식 작용이 일어났다.

ㄴ. A층에서는 습곡 구조와 역단층 $f-f'$가 나타난다. 두 지질 구조 모두 횡압력을 받아 형성되므로 A층은 퇴적된 후 횡압력을 받았다.

오답 피하기

ㄷ. 단층 $f-f'$는 화성암 B를 절단하지 못했고 화성암 B는 단층 $f-f'$의 단층면을 통과하여 관입하였다. 따라서 단층 $f-f'$가 먼저 형성되었고 이후에 화성암 B가 단층면을 관통하며 관입이 일어났다.

044 답 ⑤ | 화성암 B와 화성암을 둘러싸고 있는 지층의 경계에서 바깥쪽으로 기저 역암이 존재하기 때문에 두 지층은 부정합 관계에 있다. 따라서 이곳은 화성암 B 생성 → 부정합 → 습곡 → A 관입 → 부정합 → 역단층 순으로 지각 변동이 일어났다.

ㄱ. 화성암 A는 습곡된 지층을 모두 통과하고, 화성암 B는 습곡된 지층과 부정합 관계이므로 화성암 B가 A보다 먼저 관입하였다.

ㄴ. 단층면이 습곡된 지층을 지나고 있기 때문에 습곡이 단층보다 먼저 형성되었다.

ㄷ. 이 지역은 두 번의 부정합이 있었다. 부정합은 융기 – 침식 – 침강 – 퇴적의 과정으로 나타나므로 두 번의 부정합 형성 과정에서 융기 또한 두 번 있었다. 현재 이 지역은 지상에 식물이 있는 것으로 보아 최근에 융기가 일어났으므로 최소세 번의 융기가 있었다.

045 답 ③ | (가) 지역과 (나) 지역은 인접한 지역이므로 지질 단면에서 퇴적된 지층이 전체적으로 유사하다.

ㄱ. (나)에서 셰일층과 응회암층 사이에 존재하는 역암층이 (가)에는 존재하지 않는다. 따라서 (가)에서 셰일층과 응회암층은 부정합 관계에 있다. (나)에 역암층이 형성될 당시에 (가)에서는 지층이 융기하여 침식 작용이 일어났고, 퇴적이 일어나지 않았다.

ㄷ. 두 지역 모두 화산재가 퇴적되어 형성된 응회암층이 존재하므로 화산 활동의 영향을 받았다.

오답 피하기

ㄴ. 석회암층에서 암모나이트 화석이 발견되므로 석회암층 보다 위에 존재하는 지층은 중생대 이후에 형성된 지층이다. 삼엽충 화석은 고생대 표준 화석이므로 석회암층보다 위에 있는 A에서 삼엽충 화석이 발견될 수 없다.

046 답 ② | A~C 지역의 지질 주상도에서 역암, 응회암, 셰일 순으로 퇴적된 지층이 동일하게 나타난다.

ㄴ. 응회암층을 기준으로 응회암층 아래에 A 지역에는 역암, B 지역에는 역암, 사암, 이암, C 지역에는 역암, 사암이 존재한다. 따라서 지층은 이암, 사암, 역암 순으로 퇴적되었으며 B 지역의 이암층이 가장 오래된 암석층이다.

오답 피하기

ㄱ. A의 사암층은 응회암층보다 위쪽에 있어 응회암층이 형성된 이후에 퇴적된 암석층이다. C의 사암층은 응회암층보다 아래쪽에 있기 때문에 응회암층이 형성되기 이전에 퇴적된 암석층이다.

ㄷ. 응회암, 이암, 셰일, 사암, 역암 모두 쇄설성 퇴적암이다. 이 지역에는 화학적 퇴적암이 존재하지 않는다.

문제 속 자료 **암상에 의한 지층 대비**

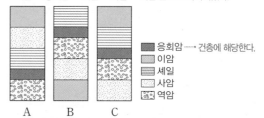

- 응회암층을 건층으로 암석층의 퇴적 순서를 살펴보면 이암 → 사암 → 역암 → 응회암 → 셰일 → 사암 → 이암 순으로 퇴적되었다.
- C 지역에서 이암층과 셰일층 사이에 사암층이 존재하지 않으므로 두 암석층은 부정합 관계에 있음을 추정할 수 있다.

047 답 ③ | (가), (나) 지역의 지질 주상도에서 화폐석이 발견되는 석회암과 석회암 아래에 존재하는 사암, 역암이 동일하게 나타난다.

ㄱ. (나)에서 가장 나중에 형성된 지층은 석회암층이지만 (가)에서 석회암층 위에 셰일층이 존재하므로 가장 나중에 형성된 지층은 (가)의 셰일층이다.

ㄷ. (가)의 석회암층에서 화폐석 화석이 발견되고, (나)의 석회암층에서 화폐석과 암모나이트 화석이 발견된다. 화폐석과 암모나이트는 해양 생물이므로 두 지층은 모두 바다에서 형성된 해성층이다.

오답 피하기

ㄴ. (나)에서 가장 오래된 지층은 중생대 표준 화석인 암모나이트 화석이 발견되는 석회암층이다. 따라서 (나)에서 중생대보다 더 오래된 고생대 퇴적층은 존재하지 않는다.

048 답 ④ | (가), (나), (다) 지역의 지층 단면에서 방추충이 발견되는 지층이 동일하게 나타난다.

ㄴ. (가)와 (다)에는 방추충 화석을 포함한 지층 아래에 동일한 지층이 나타난다.

(나)에서는 이 지층이 나타나지 않고 삼엽충 화석을 포함한 지층이 존재한다. 따라서 (나)에서 방추충이 발견되는 지층과 삼엽충이 발견되는 지층은 부정합 관계에 있다.

ㄷ. (다)에서 고사리 화석이 발견되는 지층은 육지에서 형성된 육성층이다.

오답 피하기

ㄱ. 방추충은 고생대 표준 화석이다. A층은 방추충이 발견되는 지층보다 아래에 존재하므로 고생대 이전에 형성된 지층이다. 따라서 A층에서 중생대 표준 화석인 암모나이트 화석이 산출될 수 없다.

049 답 ⑤ | ㄱ. ^{14}C가 ^{14}N로 붕괴되므로 최초로부터 양이 점점 줄어드는 A는 ^{14}C, 양이 점점 늘어나는 B는 ^{14}N의 곡선이다.

ㄴ. 반감기는 최초로부터 원소의 양이 반으로 줄어들 때까지 걸리는 시간이므로 ^{14}C의 양이 반이 되는 약 5700년이 ^{14}C의 반감기이다.

ㄷ. 11400년이 지나면 2번의 반감기를 지나 ^{14}C의 양이 이전의 $\frac{1}{4}$만큼만 남으므로 ^{14}C가 붕괴되지 않고 남아 있을 확률은 약 25 %이다.

050 답 ① | 반감기는 모원소의 양이 50 %로 감소할 때까지 걸린 시간이다. 원소 ㉠의 반감기는 약 7억 년, 원소 ㉡의 반감기는 약 14억 년이다.

ㄱ. 원소 ㉠의 반감기는 약 7억 년이므로 14억 년이 지나면 ㉠의 양은 처음의 $\frac{1}{4}$로 줄어든다.

오답 피하기

ㄴ. ^{14}C의 반감기는 약 5700년이고 ㉡의 반감기는 약 14억 년이므로 ㉡은 ^{14}C가 아니다.

ㄷ. 원소 ㉠의 반감기는 약 7억 년, 원소 ㉡의 반감기는 약 14억 년이므로 ㉠의 반감기는 ㉡의 절반이다.

051 답 ② | 이 지역의 지층은 C 퇴적 → P 관입 → 부정합 → B 퇴적 → f−f′ 단층 → Q 관입, 부정합 후 A 퇴적 순으로 지각 변동이 일어났다.(Q 관입과 부정합 후 A 퇴적은 선후를 알 수 없다.)

ㄴ. 지질 단면도에서 두 번의 부정합이 나타나고 현재 융기되어 육상에 존재하므로 이 지역은 최소한 3회 이상 융기했다.

오답 피하기

ㄱ. 화성암 Q는 지층 C를 지나 지층 B까지 관입하였으므로 지층 B 퇴적 이후 화성암 Q가 관입하였다.

ㄷ. 방사성 원소 X의 반감기가 약 7억 년이고 화성암 P와 Q에 포함된 방사성 원소 X의 양은 각각 암석이 생성될 당시의

25 %, 50 %이므로 화성암 P는 약 14억 년 전, 화성암 Q는 약 7억 년 전에 만들어졌다. 단층 f−f′는 화성암 P 관입 이후, 화성암 Q 관입 이전에 형성되었다. 고생대의 시작이 약 5.41억 년 전인데 비해 단층 f−f′는 최소 7억 년 전에 형성되었으므로 이 단층은 선캄브리아 시대에 형성된 단층이다.

052 답 ② | 이 지역의 지층은 B 퇴적 → A 관입 → 부정합 → D 퇴적 → C 관입 → 부정합 후 퇴적 순으로 지각 변동이 일어났다.

ㄴ. B와 D 사이에 기저 역암이 존재하므로 두 지층은 부정합 관계이다.

오답 피하기

ㄱ. (나)에서 방사성 원소 X의 함량이 반으로 줄어드는 데 걸리는 시간이 1억 년이므로 방사성 원소 X의 반감기는 1억 년이다. A와 C에 포함된 방사성 원소 X의 양은 각각 처음의 $\frac{1}{8}$, $\frac{1}{4}$이므로 A는 반감기 3회를 지났고, C는 반감기 2회를 지났다. 따라서 A의 절대 연령은 3억 년, C의 절대 연령은 2억 년이다.

ㄷ. D는 A 관입과 C 관입 사이에 퇴적된 지층이다. 따라서 2억 년 전과 3억 년 전 사이에 퇴적되었고 이때는 고생대 말부터 중생대 초까지의 시기이다. 화폐석은 약 6600만 년 전부터 시작된 신생대의 표준 화석이므로 D에서 발견될 수 없다.

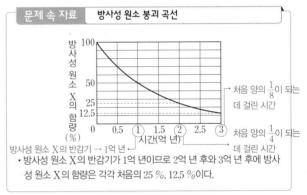

문제 속 자료 **방사성 원소 붕괴 곡선**

· 방사성 원소 X의 반감기가 1억 년이므로 2억 년 후와 3억 년 후에 방사성 원소 X의 함량은 각각 처음의 25 %, 12.5 %이다.

053 답 ③ | 그림은 고생대 표준 화석인 삼엽충 화석이다.

ㄱ, ㄴ. 삼엽충은 고생대 바다에서 살았던 생물이므로 이 지층은 고생대 바다에서 퇴적되었다.

오답 피하기

ㄷ. 화석 형성 이후에 지층이 심한 변성 작용을 받았다면 화석이 온전하게 보전되지 못한다.

054 답 ④ | (가)는 삼엽충 화석, (나)는 고사리 화석, (다)는 암모나이트 화석이다.

ㄱ. 삼엽충 화석은 고생대 표준 화석, 암모나이트 화석은 중생대 표준 화석이다. 따라서 (가)는 (다)보다 먼저 생성되었다.

ㄷ. 암모나이트가 번성했던 중생대에는 기후가 대체로 온난하고 빙하기가 없었다.

오답 피하기

ㄴ. 고사리 화석은 시상 화석이다. 고사리 화석이 포함되어 있는 지층은 기후가 온난하고 습윤한 지역에서 형성된다.

문제 속 자료 화석이 산출되는 지층의 특징

삼엽충, 고사리, 암모나이트가 산출되는 지층의 특징은 다음과 같다.

화석	사진	산출 지층 특징
삼엽충		• 고생대에 퇴적된 지층 • 해양 환경에서 형성
고사리		• 온난하고 습도가 높은 육지 환경에서 퇴적된 지층
암모나이트		• 중생대에 퇴적된 지층 • 해양 환경에서 형성

055 답 ① | 공룡은 중생대 표준 화석으로 육지에서 생존했던 생물이다. 따라서 공룡 화석이 포함되어 있는 지층은 육지에서 퇴적되었고, 같은 지층에서 중생대 해양 생물인 암모나이트 화석이 발견될 수 없다.

056 답 ③ | (가)는 방추충 화석, (나)는 공룡 화석, (다)는 고사리 화석이다.

ㄱ. 방추충 화석은 고생대 표준 화석이고, 공룡 화석은 중생대 표준 화석이므로 (가)와 (나)를 통하여 지층의 생성 시대를 알 수 있다.

ㄴ. 고사리 화석은 시상 화석으로 지층 생성 당시 환경을 추론하는 데 이용된다.

오답 피하기

ㄷ. 지질 시대 구분에는 짧은 기간 생존하고 멸종한 (가)와 (나)가 오랜 기간 생존한 (다)보다 적합하다. (다)는 지층 퇴적 환경 추정에 적합한 화석이다.

057 답 ④ | 문제의 그림에서 해양 무척추동물 과의 수 변화로 지질 시대를 세 시기로 나눌 수 있다. A는 고생대, B는 중생대, C는 신생대이다.

ㄴ. 해양 무척추동물의 과의 수는 A 시기 말에 약 500이고 B 시기 말에는 그보다 많았다.

ㄷ. 화폐석은 신생대 표준 화석으로 C 시기인 신생대에 번성하였다.

오답 피하기

ㄱ. 해양 무척추동물은 A 시기 초에, 육상 식물은 A 시기 중기에 출현했다.

058 답 ① | ㄱ. 육상 척추동물은 오존층 형성 이후에 출현하였고, 해양 동물은 오존층 형성 이전부터 존재하였다. 따라서 A와 B 중 A는 해양 동물, B는 육상 척추동물이다.

오답 피하기

ㄴ. ㉠ 시기는 고생대 말이다. 고생대에 번성한 육상 척추동물은 양서류이다. 포유류는 신생대에 번성했다.

ㄷ. 판게아는 고생대 말인 페름기 말에 형성되었다.

059 답 ⑤ | ㄱ. 판게아는 고생대 말인 페름기 말에 형성되었으며 판의 이동으로 서식지가 감소되어 당시 생물 종류의 수를 크게 감소시켰다.

ㄴ. 중생대는 트라이아스기부터 백악기까지의 기간이다. 따라서 중생대에만 생존했던 C가 중생대의 표준 화석으로 가장 적합한 생물이다.

ㄷ. 큰 변화 없이 꾸준하게 증가하는 육상 식물보다 각 지질 시대의 경계에서 생물 종류의 수가 급격하게 변하는 해양 동물이 지질 시대의 구분 기준으로 더 적합하다.

060 답 ② | ㄴ. 육상 식물은 지구 대기에 오존층이 형성되면서 육상에 도달하는 자외선이 감소하여 출현하였다.

오답 피하기

ㄱ. 고생대 말인 페름기에 출현하여 지금까지 생존해 있는 A는 겉씨식물, 중생대 말인 백악기에 출현하여 지금까지 생존해 있는 B는 속씨식물이다.

ㄷ. 판게아는 페름기 말에 형성되어 당시 해양 동물 종류의 수 감소에 영향을 주었다.

문제 속 자료 지질 시대 구분

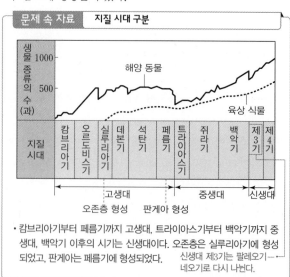

• 캄브리아기부터 페름기까지 고생대, 트라이아스기부터 백악기까지 중생대, 백악기 이후의 시기는 신생대이다. 오존층은 실루리아기에 형성되었고, 판게아는 페름기에 형성되었다. 신생대 제3기는 팔레오기~네오기로 다시 나뉜다.

061 답 ④ | (가)는 판게아가 형성되어 있는 고생대 말의 수륙 분포이고, (나)는 판게아가 분리되기 시작한 중생대의 수륙 분포이다.

ㄴ. 중생대에는 전반적으로 기후가 대체로 온난하였고 빙하기가 없었다.

ㄷ. 공룡은 중생대 육지에서, 암모나이트는 중생대 바다에서 번성하였다.

오답 피하기

ㄱ. 하나로 뭉쳐 있던 대륙이 분리되면서 해안 지역이 늘어나고 대륙붕 면적이 넓어졌다. 중생대에 해양 생물의 서식지가 넓어져 생물 종의 수가 증가하였다.

062 답 ③ | ㄱ. 수륙 분포가 (가)에서 (나)로 변하면서 북아메리카판과 유라시아판, 남아메리카판과 아프리카판이 갈라졌고 대서양이 형성되기 시작했다.

ㄴ. 대륙이 갈라지면서 대륙 사이에 바다가 형성되고 해안선의 길이가 길어졌다.

오답 피하기

ㄷ. 대륙이 분리되어 새로운 해양으로 해류가 흘러가게 되면서 해류의 분포가 복잡해진다.

문제 속 자료 **판게아 분리**

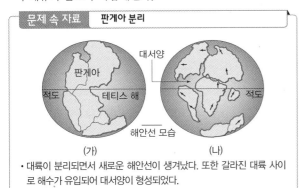

(가)   (나)

• 대륙이 분리되면서 새로운 해안선이 생겨났다. 또한 갈라진 대륙 사이로 해수가 유입되어 대서양이 형성되었다.

063 답 ⑤ | (가)는 고생대 말, (나)는 중생대, (다)는 중생대 말에서 신생대 초, (라)는 신생대의 수륙 분포이다.

ㄱ. 생물 종의 수는 시간이 지나면서 대체로 증가했다. 따라서 (가)보다 (라)에서 생물 종이 다양하다.

ㄴ. 히말라야산맥은 인도 대륙과 유라시아 대륙의 충돌로 형성되었다. 과거 두 대륙 사이에 바다가 있었고 해양 퇴적층이 대륙의 충돌로 융기되었으므로 히말라야산맥에서 바다 생물 화석이 발견된다.

ㄷ. (가) → (라)로 가면서 대륙 분포가 복잡해지고 해안선이 길어졌다. 대륙이 갈라지면서 새롭게 생긴 해양에 해류가 흘러 들어가고 해류의 흐름이 복잡해진다.

064 답 ① | (가)는 판게아가 형성되어 있는 고생대 말, (나)는 판게아가 분리되기 시작한 중생대, (다)는 현재와 비슷한 수륙 분포를 보이는 신생대이다.

ㄱ. 판게아가 형성되면서 지구 전체에 존재하는 해안선의 길

이가 줄어들고 해안 지역과 대륙붕의 면적이 감소한다. 해양 무척추동물의 주서식지인 대륙붕 면적이 크게 감소하여 멸종까지 이어진다.

오답 피하기

ㄴ. 히말라야산맥은 인도 대륙이 유라시아 대륙과 충돌한 신생대에 형성되었다.

ㄷ. (다) 시기인 신생대에는 육지에 속씨식물이 번성하였다. 겉씨식물은 중생대에 번성하였다.

065 답 ③ | 번성한 생물을 고려하면 A는 선캄브리아 시대, B는 고생대, C는 중생대, D는 신생대이다.

ㄷ. C 시기는 D 시기보다 평균 기온이 대체로 높다. D 시기 말에는 여러 차례의 빙하기와 간빙기가 있었다.

ㄹ. 양치식물은 시상 화석으로 온난 다습한 환경에서 서식하였다.

오답 피하기

ㄱ. A 시기는 오존층이 형성되기 이전의 시기이기 때문에 자외선이 들어오지 못하는 물속에서만 생물이 서식했다.

ㄴ. 암모나이트는 중생대 표준 화석으로 중생대인 C 시기에 바다에서 번성하였다.

066 답 ⑤ | 문제의 그림에서 A는 고생대, B는 중생대, C는 신생대이다.

ㄱ. 평균 기온 그래프를 통해 평균 기온이 낮았던 빙하기를 확인할 수 있으며, 가장 길었던 빙하기는 A 시대 말기에 있었다.

ㄴ. B 시대에는 전체적으로 평균 기온이 현재 값보다 높고 온난하였다.

ㄷ. 신생대에는 속씨식물이 번성하였다.

문제 속 자료 **지질 시대의 빙하기**

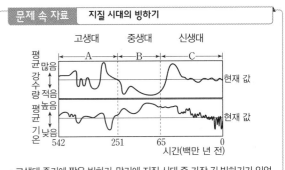

• 고생대 중기에 짧은 빙하기, 말기에 지질 시대 중 가장 긴 빙하기가 있었다. 중생대에는 빙하기가 없었으며 신생대에는 기후가 온난하다가 말기에 빙하기와 간빙기가 반복적으로 나타났다.

067 답 ② | ㄴ. 시간을 고려하면 C 시기는 중생대이다. 기온 그래프를 통해 중생대 전체 기간 동안 기온이 현재보다 높았으며, 신생대 말기에는 대체로 현재보다 기온이 낮았다.

오답 피하기

ㄱ. 평균 기온이 낮을수록 수온이 낮아지고 빙하의 분포 면적이 넓어진다. 따라서 평균 기온이 크게 낮았던 B 시기가 A 시기보다 빙하의 분포 면적이 더 넓었다.

ㄷ. C 시기에는 기온이 현재보다 낮아진 시기가 없어 빙하기가 없었다.

068 답 ⑤ | 삼엽충이 번성한 시기는 고생대이고, 파충류가 번성한 시기는 중생대이다. 따라서 A 기간은 고생대 초기부터 중기, B 기간은 고생대 말기, C 기간은 중생대이다.

ㄴ. 고생대 말 이산화 탄소가 급격하게 감소한 까닭은 육상 식물이 출현하면서 광합성으로 많은 양의 이산화 탄소가 소모되었기 때문이다.

ㄷ. C 기간에는 온실 기체인 이산화 탄소의 농도가 현재보다 높아 기후가 현재보다 따뜻했을 것이다. 실제 중생대에는 온난한 기후가 지속되었으며 빙하기가 없었다.

오답 피하기

ㄱ. 암모나이트는 중생대 표준 화석이므로 고생대 초기부터 중기까지의 기간인 A 기간에 번성할 수 없다. 암모나이트는 C 기간에 번성하였다.

069 답 ① | ㄱ. 세종은 한랭 전선 전면(한랭 전선과 온난 전선 사이)에 있다가 이 기간 중 한랭 전선이 세종을 통과하므로 세종의 기온은 낮아졌다.

오답 피하기

ㄴ. 서울의 풍향은 남서풍이 불다가 한랭 전선 통과 후 북서풍으로 변했다.

ㄷ. 온대 저기압은 편서풍의 영향으로 서쪽에서 동쪽으로 이동한다. 따라서 온대 저기압이 더 동쪽으로 이동해 있는 (나) 일기도가 더 나중에 작성되었다.

070 답 ① | 일기 기호의 풍향을 보면 A와 B 사이에 한랭 전선이 있고, B와 C 사이에 온난 전선이 있음을 알 수 있다. A는 한랭 전선 후면이다.

오답 피하기

② 일기 기호를 보면 B의 풍향은 남서풍이다.

③ B가 온난 전선 후면(한랭 전선과 온난 전선 사이)에 있으므로 B의 온도가 가장 높을 것이다.

④ A의 풍속은 7 m/s이고, C의 풍속은 5 m/s이므로 A의 풍속이 B보다 더 크다.

⑤ (나)는 수직으로 솟아있는 적운형 구름으로 한랭 전선 후면의 좁은 지역에서 주로 관측된다. 따라서 (나)는 A에서 주로 관측된다.

문제 속 자료 일기도에서 온대 저기압 위치

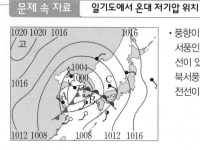

• 풍향이 남동풍인 지역과 남서풍인 지역 사이에 온난 전선이 있고, 남서풍인 지역과 북서풍인 지역 사이에 한랭 전선이 있다.

071 답 ③ | (나)의 기온은 16 ℃, 이슬점은 14 ℃, 기압은 1004.5 hPa, 풍향은 남동풍, 풍속은 7 m/s, 날씨는 흐림이다. 풍향이 남동풍이므로 (나)는 C 지역의 일기 기호이다.

ㄱ. 온대 저기압의 강수 구역은 온난 전선 전면 넓은 지역, 한랭 전선 후면 좁은 지역이다. 따라서 A 지역에는 강수 현상이 잘 나타난다.

ㄴ. A, B, C 지역 중에 A와 C 지역은 차가운 공기의 영향을 받는 지역이고 B 지역은 따뜻한 공기의 영향을 받는 지역이다. 따라서 B 지역의 기온은 C 지역의 기온인 16 ℃보다 높을 것이다.

오답 피하기

ㄷ. 일기도의 등압선 위치를 통해 각 지역의 기압을 알 수 있다. A 지역의 기압은 1000 hPa보다 낮고, B 지역의 기압은 1000 hPa과 1004 hPa 사이의 값을 가진다. C 지역의 기압은 1004.5 hPa이다.

072 답 ① | ㄱ. 1012 hPa 등압선을 기준으로 A는 안쪽에, B는 바깥쪽에 있다. 등압선 중심이 저기압이므로 A는 1012 hPa보다 기압이 낮고 B는 1012 hPa보다 기압이 높다.

오답 피하기

ㄴ. 온대 저기압 주변의 바람은 일정한 풍향을 가지고 불기 때문에 A 지점에서는 북서풍, B 지점에서는 남서풍, C 지점에서는 남동풍이 분다. 풍향을 기준으로 그림 (나)에서 풍속을 살펴보면 C 지점의 풍속은 5 m/s보다 느리다.

ㄷ. C 지점은 현재 남동풍이 불고 있고 온난 전선이 통과하면 남서풍이 분다. 따라서 풍향은 시계 방향으로 바뀐다.

073 답 ② | ㄴ. 태풍은 중심 기압이 낮을수록 태풍 세기가 강하다. 따라서 소멸 직전 B에서 태풍의 중심 기압은 A보다 높다.

오답 피하기

ㄱ. 태풍의 눈에서는 하강 기류가 나타나 구름이 없는 맑은 날씨를 보인다.

ㄷ. 우리나라는 태풍의 이동 경로에서 왼편(안전 반원)에 있으므로 편서풍의 풍향과 태풍의 영향으로 부는 바람의 방향이 서로 다르다.

문제 속 자료 **태풍의 위험 반원과 안전 반원**

풍향 →　편서풍 방향 →

태풍 진행 경로

안전 반원

위험 반원

- 북반구 중위도 기준 태풍의 이동 경로 왼편(안전 반원)에서는 태풍의 영향으로 발생하는 바람과 편서풍의 풍향이 서로 반대이기 때문에 위험 반원보다 상대적으로 바람이 약하다.
- 태풍의 이동 경로 오른편(위험 반원)에서는 태풍의 영향으로 부는 바람과 편서풍의 풍향이 서로 같기 때문에 바람이 더 강하게 불어 지상에 더 큰 피해를 준다.
- 위험 반원 지역은 안전 반원 지역보다 지상에 더 큰 피해를 준다.

→ 동일한 태풍이 우리나라를 지난다면 황해를 거쳐 북상하는 태풍이 동해를 거쳐 북상하는 태풍보다 더 큰 피해를 준다.

074 답 ⑤ | ㄱ. 일기도에서 각 태풍의 위치는 12시간 간격으로 나타냈다. 8일 15시 이후 같은 시간 동안 태풍이 이동한 거리가 크게 증가했으므로 태풍의 이동 속도가 빨라졌다.

ㄴ. 8일 15시에 제주는 15 m/s로 북풍이 불고 있고 날씨는 흐리며 비가 내리고 있다.

ㄷ. 8일 15시 이후 부산은 태풍의 이동 경로 왼편에 있으므로 안전 반원의 영향을 받고 있으며 풍향이 시계 반대 방향으로 변한다.

075 답 ⑤ | ㄴ. 태풍의 세력은 중심 기압으로 판단할 수 있다. 태풍이 A 해역으로 접근하면서 태풍의 기압이 10 hPa 하강하였으므로 태풍의 세력이 강해졌다.

ㄷ. (나)를 통해 P 지역의 풍향이 시계 방향(북동풍 → 동풍 → 남서풍 → 서풍)으로 변했음을 알 수 있다. 따라서 P 지역이 태풍의 이동 경로를 기준으로 오른편인 위험 반원에 있었고, 태풍의 실제 이동 경로는 a이다.

오답 피하기

ㄱ. 이 태풍은 위도 20° 부근에서 발생하였으므로 무역풍대에서 발생하였다. 무역풍대의 위도는 적도~30°이고, 편서풍대의 위도는 30°~60°이다.

076 답 ④ | ㄴ. 태풍은 열대 저기압이므로 중심 기압이 낮을수록 세력이 강하다. 태풍 발생 이후 세력이 가장 강한 시기는 중심 기압이 가장 낮았던 7일이었다.

ㄷ. 태풍이 남해상을 통과하는 동안 제주도는 태풍의 이동 경로 왼편에 있었다. 따라서 제주도의 풍향은 시계 반대 방향으로 변했다.

오답 피하기

ㄱ. 5일에는 태풍이 북서쪽으로 이동하고 있으므로 무역풍의 영향을 받았다.

077 답 ② | ㄷ. 중심에서 150 km 지점은 날짜가 지날수록 풍속이 점점 강해졌다.

오답 피하기

ㄱ. 문제의 그림에서 26일에 태풍의 눈은 반지름이 100 km 보다 작았다.

ㄴ. 태풍에서 하강 기류는 기압이 가장 낮은 태풍의 눈에서 나타난다. 최대 풍속이 나타나는 곳은 태풍의 눈 주변 지역이다.

078 답 ② | ㄴ. 기압은 태풍의 중심인 태풍의 눈에서 가장 낮다. 따라서 기압은 B에서 가장 낮다.

오답 피하기

ㄱ. 태풍에서 바람은 중심을 향해 시계 반대 방향으로 불어들어간다. 따라서 A에서는 서풍 계열의 바람이, C에서는 동풍 계열의 바람이 분다. A는 태풍의 진행 방향과 풍향이 반대이므로 안전 반원(가항 반원), C는 태풍의 진행 방향과 풍향이 같으므로 위험 반원이다. (나)에서 Y 방향 태풍 중심 부근에서 풍속이 가장 강하게 나타나므로 C가 위험 반원임을 알 수 있다.

ㄷ. C 지역은 동풍 계열의 바람이 불고 있으므로 풍향이 북서풍인 일기 기호와 대응되지 않는다.

079 답 ① | ㄱ. 태풍 중심으로부터 같은 거리에 있는 A와 C 중 풍속은 A에서 더 빠르다. 따라서 A는 위험 반원의 영향을 받는 태풍의 진행 방향 오른쪽에 위치해 있다. C는 안전 반원의 영향을 받는 태풍의 진행 방향 왼쪽에 위치해 있다.

오답 피하기

ㄴ. B는 태풍 중심으로 풍속이 느리게 나타나는 태풍의 눈이 있다. 태풍의 눈에서는 하강 기류가 나타나며 구름이 없는 맑은 날씨가 나타난다.

ㄷ. 태풍은 저기압이므로 기압은 태풍의 중심에 가까워질수록 낮아지고, 태풍의 중심(태풍의 눈)에서 가장 낮다. 따라서 B에서 기압이 가장 낮다.

080 답 ⑤ | ㄱ. 태풍의 눈에서는 하강 기류가 나타나며 지상에 가까워질수록 기압이 높아져 공기의 부피가 줄어들면서 단열 압축이 일어난다.

ㄴ. 태풍의 중심에서 가장 낮은 값을 가지는 A는 기압이고, 태풍의 중심 부근에서 가장 높은 값을 가지고 중심에서 값이 감소하는 B는 풍속이다.

ㄷ. 풍속이 서쪽보다 동쪽에서 더 강하므로 위험 반원은 태풍의 중심을 기준으로 동쪽 부분이다. 따라서 태풍의 중심에서 동쪽으로 150 km 떨어진 지점은 위험 반원에 속한다.

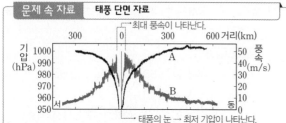

문제 속 자료　**태풍 단면 자료**

최대 풍속이 나타난다.

태풍의 눈 → 최저 기압이 나타난다.

- 태풍의 기압은 중심에 가까워질수록 감소하며 태풍의 눈에서 가장 낮은 값을 가진다.
- 태풍의 풍속은 중심에 가까워질수록 증가하지만 태풍의 눈 주변에서 최대 풍속을 가지고 태풍의 눈으로 더 들어갈수록 풍속이 느려진다.

081 답 ⑤ | ㄱ. (가)를 통해 구름의 분포와 구름의 유형을 알 수 있고, 연속된 사진을 이용하면 구름의 이동 방향과 속도를 알 수 있다.

ㄴ. (나)를 이용하여 한류와 난류의 위치를 알 수 있고, 두 해류가 만나는 조경 수역의 위치를 알 수 있다. 짧은 거리에서 수온이 급격하게 변하는 해역이 조경 수역이 형성된 곳이다.

ㄷ. 적외 영상은 물체의 온도를 탐지하여 영상으로 나타내므로 빛이 없는 밤에도 자료를 얻을 수 있다.

082 답 ① | A와 B는 한랭 전선 후면, C는 한랭 전선 전면(한랭 전선과 온난 전선 사이)에 있다.

ㄱ. 한랭 전선이 이미 통과한 A는 찬 기단의 영향을 받으므로 한랭 전선 전면에서 따뜻한 기단의 영향을 받는 C보다 기온이 낮다.

오답 피하기

ㄴ. B는 한랭 전선이 통과한 직후의 지역이다. 한랭 전선 후면 좁은 지역에는 찬 공기가 따뜻한 공기를 파고들어 공기를 위로 상승시키므로 연직으로 높게 적운형 구름이 발달하고 소나기가 내릴 수 있다.

ㄷ. C에는 남풍 계열의 바람이 불고, A와 B에는 서풍 계열의 바람이 분다.

문제 속 자료　**위성 영상에서 온대 저기압 위치**

가시 영상에서 구름이 두꺼울수록 밝게 나타난다.

구름이 없는 맑은 지역으로 온난 전선과 한랭 전선 사이에 해당한다.

- 구름의 경계가 분명하게 나타나는 위치에 전선이 존재한다. 저기압 중심을 기준으로 남서쪽에 한랭 전선이 위치하고, 남동쪽에 온난 전선이 위치한다.

083 답 ③ | 위성 영상에서 거대한 원 형태로 구름이 모여 있고, 구름 사이 공간이 동심원 형태로 나타나면 태풍이다. 구름이 긴 호 형태로 늘어져 있고, 구름의 한 쪽 경계만 분명하면 전선이 존재하는 지역이다.

ㄷ. 시베리아 기단이 따뜻한 황해를 건너면서 열과 수증기를 공급받아 우리나라에 폭설을 내리는 경우가 많다. (나)에서 서해안 지역에 폭설이 내리고 있으므로 C 지역 상공에는 적운형 구름이 발달해 있다.

오답 피하기

ㄱ. 태풍 주위 바람은 시계 반대 방향으로 회전하며 태풍 중심으로 불어 들어간다. 따라서 태풍 중심으로부터 서쪽에 위치한 A 지역에는 북서풍 계열의 바람이 불 것이다.

ㄴ. 태풍은 주로 여름철에 우리나라에 영향을 미친다. 여름에 B 지역에는 북태평양 기단이 발달해 있다.

084 답 ② | 겨울철 우리나라에 영향을 미치는 대륙 고기압은 시베리아 고기압이다.

ㄷ. 대륙 고기압이 따뜻한 황해를 지나면서 수증기와 열을 공급받아 하층이 불안정해진다.

오답 피하기

ㄱ. 하층이 불안정해진 기단은 대류 운동이 활발해져 적운형 구름을 형성한다. 황해에 보이는 구름은 찬 기단이 남하하면서 따뜻한 해상을 통과할 때 하층이 불안정해져 생긴 수직으로 발달하는 적운형 구름이다. 권층운은 높은 고도에서 형성된 층운형 구름이다.

ㄴ. 대륙 고기압은 고위도 대륙에서 형성되므로 성질이 한랭하고 건조하다. 따라서 눈을 만든 수증기는 대부분 황해에서 공급받은 수증기이다.

085 답 ⑤ | ㄱ. 중국 발원지에서 출발한 모래 먼지가 편서풍을 타고 동쪽으로 이동해 우리나라에 영향을 미친다.

ㄴ. 황사는 주로 3월에서 5월경 봄철에 많이 발생한다.

ㄷ. 우리나라에 영향을 미치는 황사의 발원지가 중국과 몽골의 사막이므로 두 지역의 사막화가 진행될수록 우리나라에 황사가 더 자주 나타날 것이다.

086 답 ④ | ㄴ. 황사는 주로 양쯔강 기단의 세력이 강해지는 봄철에 발생한다.

ㄷ. 황사는 편서풍의 영향으로 발원지에서 동쪽으로 이동한다.

오답 피하기

ㄱ. 문제의 표에서 연간 황사 발생 일수는 증가와 감소를 반복하여 나타나며 전체적인 증가 또는 감소 경향이 나타나지는 않는다.

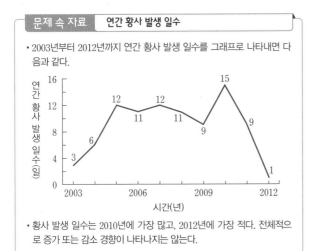

• 2003년부터 2012년까지 연간 황사 발생 일수를 그래프로 나타내면 다음과 같다.

• 황사 발생 일수는 2010년에 가장 많고, 2012년에 가장 적다. 전체적으로 증가 또는 감소 경향이 나타나지는 않는다.

087 답 ⑤ | ㄴ. 몽골과 중국 사막에서 발생한 모래 먼지는 편서풍의 영향으로 우리나라에 영향을 미친다.

ㄷ. 발원지인 중국과 몽골의 사막화가 진행될수록 황사 현상이 심해진다.

오답 피하기

ㄱ. 황사는 주로 봄철에 발생한다.

088 답 ④ | ㄴ. 주어진 기간 동안 황사 농도가 가장 높았던 날은 6일이다. 이날 백령도에 하강 기류가 강했으므로 상공에서 이동 중인 모래 먼지가 지표 가까이 내려와 영향을 크게 미쳤을 것이다.

ㄷ. 황사는 사막에서 시작되므로 사막의 면적이 줄어들면 황사 발생 횟수도 감소할 것이다.

오답 피하기

ㄱ. A 지역은 고기압 주변, B 지역은 저기압 주변에 위치해 있다. 황사가 발생하기 위해서는 발원지에서 상승 기류를 받아 모래 먼지가 상층으로 이동해야 하므로 상승 기류가 나타나는 저기압 주변이 황사가 발생하기 좋은 조건에 해당한다. 따라서 (가)에서 황사의 발원지는 하강 기류가 나타나는 A 지역보다 상승 기류가 나타나는 B 지역일 가능성이 크다.

089 답 ② | ㄴ. 수온 약층은 혼합층 아래에서 깊이에 따라 수온이 급격하게 낮아지는 층이다. 문제의 그림에서 수온 약층은 다른 해보다 표층과 심층의 수온 차이가 가장 큰 2009년에 뚜렷하게 나타났다.

오답 피하기

ㄱ. 표층부터 수심에 따른 수온 변화가 거의 없는 혼합층의 두께가 2005년에 가장 두꺼웠으므로 바람은 2005년에 가장 강하게 불었다.

ㄷ. 수심 200 m는 수온이 낮은 물이 아래쪽에 있고 수온이

높은 물이 위쪽에 있으므로 혼합 작용이 잘 일어나지 않고, 상하층 간의 물질과 에너지 교환이 활발하지 않다.

090 답 ⑤ | ㄱ. 수온 약층은 표층과 심층의 수온 차가 클수록 뚜렷하게 나타난다. A에서 C로 갈수록 표층 수온은 증가하는 반면 심층 수온은 거의 변하지 않으므로 수온 약층이 점점 뚜렷하게 나타난다.

ㄴ. 2000 m보다 깊은 곳에서는 세 지점 모두 수온과 염분이 거의 같다.

ㄷ. 해수의 밀도는 수온이 낮을수록, 염분이 높을수록 크다. 세 지점 모두 2000 m 해수가 1000 m 해수보다 수온이 낮고 염분이 높다. 따라서 1000 m 해수보다 2000 m 해수의 밀도가 크다.

091 답 ⑤ | ㄱ. 표층과 심층의 수온 차이가 더 큰 저위도가 고위도보다 수온 약층이 뚜렷하게 나타난다.

ㄴ. 빛이 비교적 많이 도달하는 해수의 표층에서 광합성이 활발하게 일어난다. 따라서 혼합층에서 이산화 탄소 농도가 낮고 산소 농도가 높다.

ㄷ. 극에서 침강하여 형성된 심층 해수는 용존 산소가 풍부하다. 따라서 표층에서 수심이 깊어질수록 감소하던 용존 산소 농도가 심층으로 가까워지면 다시 증가한다.

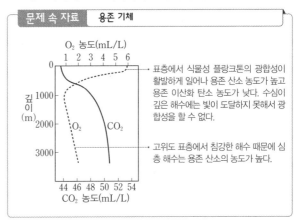

O_2 농도(mL/L)

깊이(m)

O_2 CO_2

CO_2 농도(mL/L)

표층에서 식물성 플랑크톤의 광합성이 활발하게 일어나 용존 산소 농도가 높고 용존 이산화 탄소 농도가 낮다. 수심이 깊은 해수에는 빛이 도달하지 못해서 광합성을 할 수 없다.

고위도 표층에서 침강한 해수 때문에 심층 해수는 용존 산소의 농도가 높다.

092 답 ③ | 수심이 깊어질수록 값이 낮아지는 (가)는 수온 분포이고, 나머지 (나)는 염분 분포이다. 수온 분포에서 표층 수온이 높은 점선이 8월, 표층 수온이 낮은 실선이 2월 자료이다.

ㄷ. 해수의 밀도는 수온이 낮을수록, 염분이 높을수록 크다. 2월의 표층 해수는 8월의 표층 해수보다 수온이 낮고 염분이 높으므로 밀도가 크다.

오답 피하기

ㄱ. (가)는 수온 분포, (나)는 염분 분포이다.

ㄴ. 여름철이 겨울철보다 강수량이 많기 때문에 여름철 표층 해수의 염분이 겨울철보다 낮다. 강수량이 적은 겨울철 표층

해수의 염분은 심층 해수의 염분과 큰 차이를 보이지 않는다. 심층 해수의 염분은 연중 거의 변하지 않으므로 표층에서 수심 100 m까지 염분의 변화량은 8월이 2월보다 크다.

093 답 ③ | ㄱ. 중위도에서 등온선은 대체로 위도와 나란하다.

ㄴ. 표층 수온은 태양 복사 에너지를 많이 받는 저위도에서 높게 나타나고, 태양 복사 에너지를 적게 받는 고위도로 갈수록 대체로 낮아진다.

오답 피하기

ㄷ. A 해역에서 등온선 간격이 B 해역보다 좁으므로 위도에 따른 수온 변화가 B 해역보다 A 해역에서 더 크다.

094 답 ① | A 해역은 난류의 영향을 받아 동일 위도의 다른 해역보다 수온이 높고 B 해역은 한류의 영향으로 동일 위도의 다른 해역보다 수온이 낮다.

ㄱ. 염분은 난류의 영향을 받는 A 해역이 한류의 영향을 받는 B 해역보다 높다.

오답 피하기

ㄴ. 해수의 기체 용해도는 수온이 낮을수록 증가하므로 한류의 영향을 받는 B 해역의 용존 산소량이 A 해역보다 많다.

ㄷ. 북태평양 아열대 해역의 표층 해류는 시계 방향으로 순환한다. B 해역의 표층 해류는 고위도에서 저위도로 흐른다.

095 답 ③ | ㄱ. 표층 해수의 용존 산소량은 중위도에서 대체로 위도와 나란하며 고위도로 갈수록 증가하는 경향을 보인다.

ㄴ. 표층 해수의 용존 산소량은 표층 수온이 높은 곳에서 낮다. 표층 수온은 표층 용존 산소량이 약 5.0 mL/L인 A 해역이 표층 용존 산소량이 약 5.5 mL/L인 B 해역보다 높을 것이다.

오답 피하기

ㄷ. 쿠로시오 해류의 세력이 강해지면 A 해역은 난류가 유입되므로 용존 산소량은 감소할 것이다.

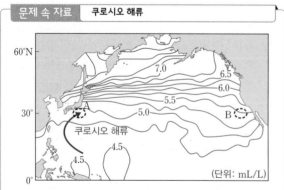

문제 속 자료 쿠로시오 해류

• 쿠로시오 해류는 북태평양의 서쪽 저위도에서 고위도로 흐르는 난류이다. 우리나라 주변 바다를 포함해 태평양 서쪽 해역의 물리량은 쿠로시오 해류의 영향으로 수온과 염분이 높고 용존 산소량이 낮다.

096 답 ⑤ | ㄱ. A는 한류인 캘리포니아 해류의 영향을 받는다.

ㄴ. (증발량−강수량)은 표층 염분을 결정하는 주요 요인으로 표층 염분이 높을수록 (증발량−강수량) 값이 크다. B 해역 표층 염분이 C 해역보다 낮으므로 (증발량−강수량) 값은 B가 C보다 작다.

ㄷ. A, B, C 각 해역에서 각각 염분은 다르지만 염분비 일정 법칙에 따라 주요 염류의 질량비는 일정하다.

097 답 ③ | ㄱ. 물체의 온도가 높을수록 많은 적외선을 방출하기 때문에 적외선 관측을 통해 물체의 온도를 탐지할 수 있다. 해수면의 수온 분포는 인공위성에서 적외선 관측을 통하여 얻은 것이다.

ㄷ. 제주도 남쪽 해역에서 동해와 황해 쪽으로 따뜻한 쿠로시오 해류가 흐르고 있다. 제주도 남쪽에서 황해 쪽으로 등온선이 휘어져 나타나므로 쿠로시오 해류가 황해로 일부 유입되었음을 알 수 있다.

오답 피하기

ㄴ. 조경 수역은 한류와 난류가 만나는 곳으로 거리에 따라 수온이 급격하게 변하기 때문에 표층 수온 분포 자료에서 등온선 간격이 매우 조밀하게 나타난다. 우리나라 주변 해역에서 조경 수역은 동해에서 나타나며 황해는 고위도에서 한류가 흘러오지 못하기 때문에 조경 수역이 나타나지 않는다.

098 답 ① | ㄱ. 황해의 표층 염분은 8월에 30.0~31.0 psu 사이의 값을 가지고 2월에 31.0~33.0 psu 사이의 값을 가지므로 대체로 2월의 표층 염분이 8월보다 높다.

오답 피하기

ㄴ. 염분비 일정 법칙에 따라 해수 1 kg에 녹아 있는 전체 염류에서 Cl⁻이 차지하는 비율(성분비)은 A와 B에서 동일하다.

ㄷ. 표층 염분 분포 자료를 보면 육지에서 멀어질수록 표층 염분이 대체로 높아짐을 알 수 있다. 육지 근처 해역에서는 지속적으로 육지에서 하천수가 바다로 유입되기 때문에 표층 염분이 낮다.

099 답 ⑤ | ㄱ. 황해가 동해보다 수심이 얕아 수온이 쉽게 변하고 비열이 상대적으로 작은 대륙의 영향을 많이 받기 때문에 겨울철 수온이 더 낮다.

ㄴ. 대륙붕은 육지와 인접한 해저 지형으로 해저 깊이가 200 m 미만이다. 동해, 남해, 황해 모두 해안 근처 바다에서 대륙붕이 나타난다.

ㄷ. 동해는 수심이 깊고 우리나라 하천수 대부분이 서쪽으로 흐르므로 대체로 등수온선이 위도와 나란하게 나타난다.

100 답 ④ | ㄴ. 황해는 동해보다 수심이 얕고 육지로 둘러싸여 있기 때문에 황해의 수온 변화는 육지의 영향을 많이 받는다.

ㄷ. 남해에는 계절에 상관없이 연중 따뜻한 쿠로시오 해류가 흐르므로 수온의 연교차가 작다.

오답 피하기

ㄱ. 겨울철 남해의 최고 수온과 동해의 최저 수온 차이는 약 20 ℃이다. 여름철 남해의 최고 수온과 동해의 최저 수온 차이는 약 9 ℃이다. 따라서 남북 간의 수온 차이는 겨울철이 여름철보다 크다.

문제 속 자료   우리나라 주변 해역의 표층 수온 분포

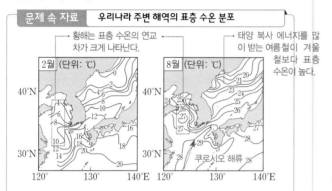

- 황해: 수심이 얕고 대륙의 영향을 많이 받기 때문에 표층 수온의 연교차가 크다.
- 남해: 쿠로시오 해류의 영향으로 수온의 연교차가 작다.
- 동해: 북한 한류와 동한 난류가 만나는 조경 수역의 위치는 여름에는 북상하고 겨울에는 남하한다.

101 답 ⑤ | ㄱ. 수온-염분도에서 수심이 깊어짐에 따라 해수의 밀도가 커진다.

ㄴ. 0~50 m층은 수온이 약 15 ℃로 비교적 일정한 혼합층이다. 혼합층은 바람에 의한 혼합 작용으로 형성된다.

ㄷ. 50~150 m에서는 염분이 거의 일정하고 수온이 급격하게 하강하기 때문에 밀도 변화에 수온이 염분보다 큰 영향을 미친다.

102 답 ② | ㄷ. 수온-염분도에서 수심이 깊어질수록 해수의 밀도가 커진다.

오답 피하기

ㄱ. 0~100 m 구간은 수온이 약 3 ℃ 하강했다. 100~200 m 구간에서는 수온이 약 5 ℃ 하강했으므로 0~100 m 구간은 100~200 m 구간보다 온도 변화량이 작다.

ㄴ. 100~300 m 구간에서는 수심이 깊어질수록 염분이 낮아진다.

103 답 ⑤ | ㄱ. A 해역의 표층 염분은 약 34 psu이고, B와 C 해역의 표층 염분은 약 32 psu이다. 따라서 표층 염분이 가장 높은 곳은 A이다.

ㄴ. 수심 50 m에서 수온은 C가 가장 높고 A, B로 갈수록 낮아진다.

ㄷ. 수온-염분도에서 세 해역의 자료는 해수 표층보다 수심 50 m에서 더 높은 등밀도선에 가깝다. 따라서 해수의 밀도는 세 해역 모두 표층보다 수심 50 m에서 더 크다.

문제 속 자료   표층과 수심 50 m에서 수온과 염분

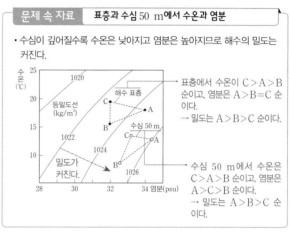

- 수심이 깊어질수록 수온은 낮아지고 염분은 높아지므로 해수의 밀도는 커진다.

표층에서 수온이 C>A>B 순이고, 염분은 A>B≒C 순이다.
→ 밀도는 A>B>C 순이다.

수심 50 m에서 수온은 C>A>B 순이고, 염분은 A>C>B 순이다.
→ 밀도는 A>B>C 순이다.

104 답 ④ | 소금물의 밀도는 A는 약 1.0276 g/cm³, B는 약 1.0253 g/cm³로 소금물 A의 밀도가 더 크다. 밸브를 열면 투명관 아랫부분에서 밀도가 큰 A에서 밀도가 작은 B로 소금물의 흐름이 생긴다. 반대로 투명관 윗부분에서는 B에서 A로 소금물이 흐른다.

오답 피하기

① 소금물 B의 밀도는 약 1.0253 g/cm³이다.

② 소금물 A의 밀도는 약 1.0276 g/cm³로 소금물 B의 밀도보다 크다.

③ 표층 해류는 바람의 영향으로 발생한다. 문제의 실험은 해수의 밀도 차이로 발생하는 물의 흐름을 알아보는 것으로, 심층 해류의 발생 원리를 설명할 수 있다.

⑤ 두 소금물의 양이 같고 외부와의 열 교환이 없으므로 충분한 시간이 흐르면 두 소금물이 혼합되어 수온 10 ℃, 염분 34.5 psu의 소금물이 형성된다. 혼합된 소금물의 밀도는 약 1.0266 g/cm³로 소금물 A의 밀도보다 작고, 소금물 B의 밀도보다 크다.

문제 속 자료   소금물의 밀도

- 소금물 A와 소금물 B를 혼합한 소금을 수온-염분도에 나타내면 다음과 같다.

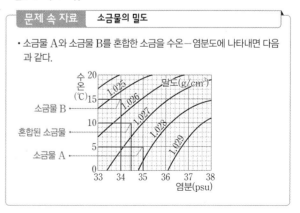

105 답 ④ | ㄴ. 적도에서 태양 복사 에너지 흡수량은 지구 복사 에너지 방출량보다 많다.

ㄷ. (나)에서 에너지 이동량은 약 38°N에서 최대이다.

<u>오답 피하기</u>

ㄱ. ㉠은 고위도에서 태양 복사 에너지 흡수량보다 지구 복사 에너지 방출량이 더 많으므로 에너지 부족량이고, ㉡은 저위도에서 지구 복사 에너지 방출량보다 태양 복사 에너지 흡수량이 더 많으므로 에너지 과잉량이다.

106 답 ② | (가)는 다른 자료보다 저위도에서 크고 고위도에서 작으므로 태양 복사 에너지양이다. 저위도에서 태양 복사 에너지양보다 작고 고위도에서 태양 복사 에너지양보다 큰 자료는 지구 복사 에너지양이다.

<u>오답 피하기</u>

A는 에너지 부족량이고 B는 에너지 과잉량이다. 대기와 해수의 순환으로 에너지가 저위도에서 고위도로 이동하며 위도 38° 부근에서 가장 많은 에너지가 이동한다. 위도별 에너지 불균형은 구형인 지구에서 위도별 태양 복사 에너지양의 차이가 나타나기 때문에 발생한다.

107 답 ③ | (나)에서 대기에 의한 에너지 수송량이 해양에 의한 에너지 수송량보다 많다.

<u>오답 피하기</u>

① A는 저위도에서 B보다 크고, 고위도에서 B보다 작은 태양 복사 에너지이다.

② B는 지구 복사 에너지로 그래프를 보면 위도 20° 부근에서 최대이다.

④ 에너지 수송량은 A와 B가 같은 위도 38° 부근에서 최대이다.

⑤ 에너지 수송량이 최대인 위도 38° 부근에서 대기에 의한 수송량이 해양보다 많다.

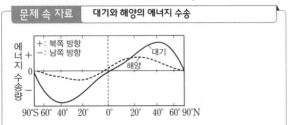

문제 속 자료 대기와 해양의 에너지 수송

- 남반구에서는 남쪽으로, 북반구에서는 북쪽으로 에너지 수송이 일어난다.
- 에너지 수송량은 대체로 대기가 해양보다 많으며 북반구 저위도에서만 해양에 의한 에너지 수송량이 더 많다.
- 대기와 해양의 에너지 수송량 합은 위도 38°에서 최대이다.

108 답 ③ | ㄱ. ㉠은 에너지가 부족한 고위도이다. 이곳에서는 지구 복사 에너지 방출량이 태양 복사 에너지 입사량보다 많다.

ㄷ. 태풍은 위도별 에너지 불균형을 해소하기 위해 저위도의 남는 에너지를 고위도로 수송하는 대기 현상이다.

<u>오답 피하기</u>

ㄴ. 남북 방향 에너지 수송량은 태양 복사 에너지 입사량과 지구 복사 에너지 방출량이 같은 ㉡에서 가장 많다.

109 답 ④ | ㄴ. 사막은 하강 기류가 우세하여 건조한 기후가 나타나는 30°N 지역에 더 많이 분포한다.

ㄷ. A는 페렐 순환으로 간접순환이다. 지구가 자전하지 않았다면 페렐 순환이 나타나지 않고, 해들리 순환과 극순환이 연결되어 하나의 순환만 나타날 것이다.

<u>오답 피하기</u>

ㄱ. 대류권의 두께는 적도에서 약 16 km이고 고위도로 갈수록 두께가 얇아져 북극에서는 약 9 km이다.

110 답 ④ | ㄴ. 해들리 순환의 지상에는 무역풍, 페렐 순환의 지상에는 편서풍, 극순환의 지상에는 극동풍이 분다.

ㄷ. 극순환과 페렐 순환 경계의 지상에는 공기가 수렴하여 한대 전선대가 형성되어 있다.

<u>오답 피하기</u>

ㄱ. 30°N 부근은 대기 대순환의 영향으로 하강 기류가 우세한 지역이다. 지상의 기압이 대체로 높기 때문에 구름이 잘 형성되지 않고 건조한 기후가 나타난다. 따라서 강수량이 적고 증발량이 강수량보다 많다.

111 답 ⑤ | ㄱ. (가)는 지구가 자전하지 않을 때 하나의 순환 세포로 이루어져 있는 대기 대순환이고, (나)는 지구가 자전할 때 세 개의 순환 세포로 이루어져 있는 대기 대순환이다.

ㄴ. (나)의 중위도 지상에서는 편서풍이 분다. 위도 30°보다 저위도에서는 무역풍이 불고, 위도 60°보다 고위도에서는 극동풍이 분다.

ㄷ. 지구는 구형이므로 (가)와 (나)에서 적도는 태양 복사 에너지를 다른 위도보다 많이 받는다. 적도에서 지표 가열로 하층이 따뜻해진 공기는 상승 기류가 발달한다.

112 답 ⑤ | A는 극순환, B는 페렐 순환, C는 해들리 순환이다.

ㄱ. 극순환과 페렐 순환 사이인 60°N 부근에서 한대 전선대가 형성된다.

ㄴ. 대류권 계면은 대류권과 성층권의 경계면이다. 적도에서 대류권 계면의 높이는 15 km보다 높고 고위도로 갈수록 점차 낮아져 북극에서 대류권 계면의 높이는 10 km보다 낮다.

ㄷ. C는 적도의 가열로 형성된 직접 순환이고, A는 극의 냉각으로 형성된 직접 순환이다.

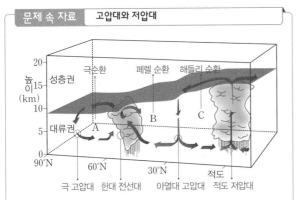

문제 속 자료 **고압대와 저압대**

• 하강 기류가 우세한 고압대: 대체로 지상의 기압이 높고 지상에서 공기의 발산이 일어난다. 공기가 상승하기 어려워 구름이 잘 형성되지 못하고 건조한 기후가 나타난다.
• 상승 기류가 우세한 저압대: 대체로 지상의 기압이 낮고 지상에서 공기의 수렴이 일어난다. 공기가 쉽게 상승하여 구름이 잘 형성되고 잦은 강수 현상으로 습한 기후가 나타난다.

113 답 ⑤ | ㄱ. A는 북적도 해류, B는 쿠로시오 해류, C는 북태평양 해류, D는 캘리포니아 해류이다.

ㄴ. 쿠로시오 해류는 저위도에서 고위도로 흐르며 수온과 염분이 높은 난류이고, 캘리포니아 해류는 고위도에서 저위도로 흐르며 수온과 염분이 낮은 한류이다.

ㄷ. 북적도 해류는 무역풍의 영향으로 형성된 동에서 서로 흐르는 해류이다. 북태평양 해류는 편서풍의 영향으로 형성된 서에서 동으로 흐르는 해류이다.

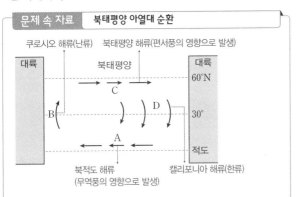

문제 속 자료 **북태평양 아열대 순환**

• 북태평양 아열대 순환은 4개의 표층 해류로 이루어져 있으며 시계 방향으로 순환하고 있다.
• 전향력의 영향으로 순환의 중심이 서쪽에 형성되어 있다.

114 답 ⑤ | ㄱ. A에는 쿠로시오 해류, B에는 북태평양 해류, C에는 캘리포니아 해류가 흐른다.

ㄴ. B에 흐르는 북태평양 해류는 편서풍의 영향을 받아 동쪽으로 흐르는 해류이다.

ㄷ. C에 흐르는 캘리포니아 해류는 고위도에서 저위도로 흐르는 한류이다. A에 흐르는 쿠로시오 해류는 저위도에서 고위도로 흐르는 난류이다.

115 답 ③ | ㄱ. 우리나라에 영향을 주는 난류의 근원은 쿠로시오 해류이다. 동한 난류와 황해 난류는 쿠로시오 해류에서 분리되어 나온 해류이다.

ㄴ. 북태평양 해류는 편서풍의 영향을 받아 서쪽에서 동쪽으로 흐른다.

오답 피하기

ㄷ. 무역풍의 영향으로 흐르는 해류는 북적도 해류와 남적도 해류이다. 적도 반류는 해수면의 높이 차로 형성된 해류로, 서쪽에서 동쪽으로 흐른다.

116 답 ⑤ | ㄱ. 30°N 부근에는 해들리 순환과 페렐 순환의 영향으로 하강 기류가 우세한 고압대가 형성된다. 지상에서 공기의 발산이 일어나 편서풍이 고위도로, 무역풍이 저위도로 분다.

ㄴ. A 해역에는 편서풍의 영향을 받아 북태평양 해류가 동쪽으로 흐른다.

ㄷ. B 해역에는 저위도에서 고위도로 쿠로시오 난류가 흐르고, C 해역에는 고위도에서 저위도로 캘리포니아 한류가 흐른다. 해류가 수송하는 열량은 수온이 높을수록 많으므로 난류가 흐르는 B 해역이 한류가 흐르는 C 해역보다 많다.

117 답 ③ | ㄱ. A는 북태평양 서쪽 저위도 해역에서 고위도로 이동하였으므로 북태평양 서쪽 가장자리에서 고위도로 흐르는 쿠로시오 난류를 따라 이동하였다.

ㄴ. 같은 기간 동안 해류 관측 장치의 이동 거리가 길수록 평균 속력이 빠르다. A~C 중 B의 이동 거리가 가장 짧으므로 B의 평균 속력이 가장 느렸다.

오답 피하기

ㄷ. C는 북반구 중위도 동쪽 해역에서 남쪽으로 이동한 뒤 서쪽으로 이동했다. 따라서 캘리포니아 해류를 따라 남쪽으로 이동하고 북적도 해류를 따라 서쪽으로 이동했다. 북태평양 해류의 영향을 받은 해류 관측 장치는 북태평양 해역에서 동쪽으로 이동한 B이다.

118 답 ③ | ㄷ. 북태평양 해류, 캘리포니아 해류, 북적도 해류, 쿠로시오 해류로 이어져 있는 북태평양 아열대 순환은 시계 방향으로 순환한다.

오답 피하기

ㄱ. A는 저위도에서 고위도로 흐르는 쿠로시오 난류이고, B는 고위도에서 저위도로 흐르는 캘리포니아 한류이다.

ㄴ. 동서 방향으로 흐르는 표층 해류는 대기 대순환의 지상 바람 영향을 받아 형성된다. 동쪽에서 서쪽으로 흐르는 북적도 해류를 형성하는 바람은 동풍 계열인 무역풍이다. 서쪽에서 동쪽으로 흐르는 북태평양 해류를 형성하는 바람은 서풍 계열인 편서풍이다.

적도 반류와 열대 순환

- 북적도 해류와 남적도 해류 사이에는 동쪽으로 흐르는 적도 반류가 흐른다. 적도 해류와 적도 반류가 이어지면서 북반구에서 시계 반대 방향으로 순환하는 열대 순환을 형성한다.

119 답 ⑤ | ㄱ. 해류 ㉠은 북적도 해류, 해류 ㉡은 남적도 해류이다. 두 해류 모두 서쪽으로 흐르며 각각 북동 무역풍과 남동 무역풍의 영향을 받아 형성된다.

ㄴ. A 해역에는 저위도에서 고위도로 난류가 흐르고, B 해역에는 고위도에서 저위도로 한류가 흐른다.

ㄷ. 열대 저기압은 수온이 높은 해역에서 많은 수증기를 공급받아 발생한다. 한류의 영향을 받는 C 해역보다 난류의 영향을 받는 A 해역의 수온이 더 높으며 A 해역에서 열대 저기압이 더 자주 발생한다.

120 답 ② | ㄴ. 아열대 순환은 저위도에서 무역풍의 영향으로 서쪽으로 흐르는 해류와 중위도에서 편서풍의 영향으로 동쪽으로 흐르는 해류가 대륙의 영향으로 이어지면서 형성된다.

오답 피하기

ㄱ. 해류 A는 저위도에서 고위도로 흐르는 해류이므로 난류이고, 해류 B는 고위도에서 저위도로 흐르는 해류이므로 한류이다.

ㄷ. 북반구 아열대 순환은 시계 방향으로 흐르고, 남반구 아열대 순환은 시계 반대 방향으로 흐른다.

121 답 ② | ㄴ. 북태평양의 아열대 순환은 시계 방향으로 회전하고, 남태평양의 아열대 순환은 시계 반대 방향으로 회전한다.

오답 피하기

ㄱ. 용존 산소량은 수온이 낮을수록 높게 나타난다. A에는 저위도에서 고위도로 난류가 흐르고, B에는 고위도에서 저위도로 한류가 흐른다. 따라서 한류의 영향을 받아 수온이 더 낮은 B 부근의 해수가 A 부근의 해수보다 용존 산소량이 많다.

ㄷ. 남반구에 아한대 순환이 나타나지 않는 까닭은 남반구의 수륙 분포 때문이다. 남극 대륙 주변의 해류는 다른 대륙에 가로막히지 않으므로 순환하지 않고 일정한 방향으로만 흐른다.

122 답 ② | ㄷ. 쿠로시오 해류는 북태평양 서쪽 해역에서 고위도로 흐르는 난류이다. 우리나라 주변에 흐르고 있는 동한 난류와 황해 난류가 쿠로시오 해류에서 분리되어 나온 해류이다.

오답 피하기

ㄱ. 서쪽으로 흐르는 남적도 해류와 북적도 해류는 동풍 계열인 무역풍의 영향으로 발생한 해류이다. 편서풍의 영향으로 발생한 해류는 동쪽으로 흐르는 북태평양 해류와 남극 순환 해류이다.

ㄴ. 북태평양 중위도 해역에서 해류는 시계 방향으로 순환한다. 남태평양 중위도 해역에서 해류는 시계 반대 방향으로 순환한다.

123 답 ③ | ㄷ. 오염 물질은 시간이 지날수록 북대서양 방향으로 빠르게 확산된다. 80일이 지났을 때 오염 물질은 멕시코만에서 북대서양으로 유출되고 이후 난류인 멕시코 만류에 의해 확산된다.

오답 피하기

북대서양에서 아열대 순환은 북태평양 아열대 순환과 동일하게 시계 방향으로 순환하므로 해류를 따라 이동하는 오염 물질도 시계 방향으로 이동한다.

멕시코 만류

- 멕시코 만류는 북대서양 아열대 순환에서 고위도로 흐르는 난류이다.
- 멕시코 만류는 북대서양 해류로 연결되어 북유럽 앞바다까지 흘러가며 따뜻한 난류의 영향으로 서유럽에서는 따뜻한 기후가 나타난다.

124 답 ② | ㄷ. C 해역에는 편서풍의 영향으로 남극 순환 해류가 흐른다. 남극 순환 해류는 남극 대륙 주위에서 동쪽으로 흐르므로 ㉠ 방향으로 흐른다.

오답 피하기

ㄱ. 남반구에서 아열대 순환은 시계 반대 방향으로 흐른다. 남태평양과 남대서양의 동쪽 해역에서는 한류가 흐르고, 서쪽 해역에서는 난류가 흐른다. 따라서 A 해역에는 한류가 흐르고, B 해역에는 난류가 흐른다.

ㄴ. 표층 염분은 난류가 흐르는 B 해역이 한류가 흐르는 A 해역보다 더 높다.

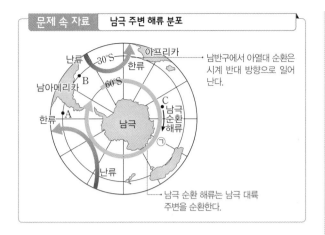

문제 속 자료 **남극 주변 해류 분포**

- 남반구에서 아열대 순환은 시계 반대 방향으로 일어난다.
- 남극 순환 해류는 남극 대륙 주변을 순환한다.

문제 속 자료 **우리나라 주변 해류**

- 우리나라는 북반구 태평양 서쪽 해역에 위치해 있기 때문에 쿠로시오 해류의 영향을 받는다. 남쪽에서 북쪽으로 흐르는 동한 난류와 황해 난류는 쿠로시오 해류에서 분리되어 나온 해류이다.
- 동해의 북쪽에서는 연해주 한류가 연장되어 북한 한류가 남쪽으로 흐르고 동한 난류와 만나 조경 수역을 형성한다. 황해는 북쪽이 대륙으로 막혀 있기 때문에 한류의 영향을 받지 못한다.

125 답 ③ | ㄱ. A는 쿠로시오 해류로 북태평양 해류, 캘리포니아 해류, 북적도 해류와 이어져 북태평양 아열대 표층 순환을 형성한다.

ㄴ. B는 쿠로시오 해류에서 분리되어 나온 동한 난류로 수온이 높다. 따라서 겨울에 해수가 대기보다 온도가 높고 해수에서 대기로 열이 이동한다.

오답 피하기

ㄷ. 용존 산소량은 수온이 낮은 해역에서 높다. C는 고위도에서 저위도로 흐르는 북한 한류로 동한 난류인 B보다 수온이 낮다. 따라서 용존 산소량은 한류인 C가 난류인 B보다 많다.

126 답 ⑤ | ㄱ. A 해역의 해류는 고위도에서 저위도로 흐르므로 수온이 낮은 한류(오야시오 해류)가 흐르고, B 해역의 해류는 저위도에서 고위도로 흐르므로 수온이 높은 난류(쿠로시오 해류)가 흐른다.

ㄴ. C 해역에는 위도 20° 부근에서 서쪽으로 흐르는 해류가 나타나므로 북적도 해류이다. 북적도 해류는 무역풍의 영향으로 형성된다.

ㄷ. 북태평양에서 아열대 순환은 북적도 해류 → 쿠로시오 해류 → 북태평양 해류 → 캘리포니아 해류로 나타나므로 순환 방향은 시계 방향이다.

127 답 ④ | ㄱ. 적외선을 이용하면 온도에 따라 물체가 방출하는 에너지를 탐지하여 영상 자료로 나타낼 수 있다.

ㄴ. 동해에서는 동한 난류와 북한 한류가 만나므로 조경 수역이 형성된다.

오답 피하기

ㄷ. 황해의 수온이 낮은 까닭은 수심이 얕아 열용량이 작고 대륙으로 둘러싸여 있어 대륙 기후의 영향을 많이 받기 때문이다. 황해는 북쪽이 대륙으로 막혀 있어 한류의 영향을 받지 못한다.

128 답 ④ | 남극 순환 해류는 편서풍의 영향으로 흐르는 해류이다.

오답 피하기

① 아열대 해역의 표층 순환(아열대 순환)은 북반구에서 시계 방향, 남반구에서 시계 반대 방향으로 나타나므로 북반구와 남반구가 대칭적이다.

② 우리나라 해역의 동한 난류와 황해 난류는 쿠로시오 해류에서 분리되어 나온 해류이다.

③ 동해에는 한류와 난류가 만나 조경 수역이 형성된다.

⑤ 캘리포니아 해류는 고위도에서 저위도로 흐르는 한류이다.

129 답 ② | ㄴ. 남위 65° 부근 해역에서 해수 A가 표층으로 올라오는 용승 현상이 나타난다.

오답 피하기

ㄱ. 해수의 밀도는 깊이가 깊을수록 크다. 더 아래에 존재하는 해수 B의 밀도가 해수 A보다 더 클 것이다.

ㄷ. 지구 온난화가 진행되면 극지방의 빙하가 녹아 해수는 염분이 낮아지고 밀도가 작아진다. 밀도가 작아진 극지방 해수는 침강이 잘 일어나지 않는다.

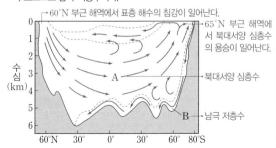

문제 속 자료 **심층 순환**

- A는 북위 60° 부근에서 침강하여 남위 65° 부근에서 용승하는 북대서양 심층수이다. B는 남극 대륙 주변에서 침강하여 가장 깊은 해저를 따라 흐르므로 남극 저층수이다.
  - 60°N 부근 해역에서 표층 해수의 침강이 일어난다.
  - 65°N 부근 해역에서 북대서양 심층수의 용승이 일어난다.
  - 북대서양 심층수
  - 남극 저층수
- A가 B보다 위로 흐르므로 A의 밀도가 B보다 작다.

130 답 ⑤ | ㄱ. 남극 저층류는 북대서양 심층류보다 깊은 해역에서 흐르므로 밀도가 크다.

ㄴ. 해수의 심층 순환과 표층 순환은 연결되어 있으며 저위도의 남는 에너지를 에너지가 부족한 고위도로 수송한다.

ㄷ. A는 수심이 약 $100 \sim 500 \, \text{m}$에 해당하는 영역으로, 빛이 도달하지 못한다. 이곳에서는 광합성보다 생물의 호흡과 분해 활동이 더 활발하게 일어나 산소의 농도가 급격하게 감소한다.

131 답 ③ | ㄱ. 가장 깊은 곳에 존재하는 남극 저층수의 밀도가 가장 크다.

ㄷ. 해수의 밀도는 동일한 심층 해수 내에서 비슷한 값을 보인다. 대서양의 심층 순환에서 염분의 분포보다 수온의 분포가 더 심층 해수 분포와 유사한 경향을 보이므로 해수의 밀도는 염분보다 수온의 영향을 많이 받는다.

오답 피하기

ㄴ. 심층 순환은 저위도의 남는 에너지를 에너지가 부족한 고위도로 수송하므로 위도별 에너지 불균형이 해소된다.

132 답 ⑤ | ㄱ. 햇빛이 해수의 심층까지 도달하지 못하기 때문에 광합성이 해수의 표층에서만 일어나고 해수의 용존 산소량은 표층에서 가장 높다. 심해에서 광합성이 일어나지 않아 산소가 생성되지 못하지만 해수의 침강이 일어나면 표층의 산소가 심해에 공급된다.

ㄴ. 남극의 빙하가 녹아 유입되면 많은 양의 담수가 해수와 섞여 표층 염분이 감소한다. 염분이 감소하면 해수의 밀도가 작아지므로 해수의 침강이 원활하게 일어나지 못하고 남극 저층수의 흐름은 약화될 것이다.

ㄷ. 심층 해류의 흐름은 바다 깊은 곳에서 느리게 나타나기 때문에 직접적으로 관측하기가 어렵다. 심층 해류는 밀도 차이로 흐르는 해류이므로 수온과 염분을 조사하여 해수의 밀도를 알아내면 심층에 있는 수괴의 분포를 알 수 있고 간접적으로 심층 해수의 흐름을 알아낼 수 있다.

133 답 ⑤ | ㄴ. 표층 순환과 심층 순환이 연결된 전 지구적 해수의 순환은 저위도의 남는 에너지를 에너지 부족 상태에 있는 고위도로 수송한다.

ㄷ. 전 지구적 해수의 순환으로 저위도에서 고위도로 지구의 에너지가 수송된다. 이 순환의 변화는 지구 에너지 균형 이상으로 이어지고 지구의 기후에 영향을 준다.

오답 피하기

ㄱ. A 해역에서 침강이 강해지면 더 많은 해수가 심층으로 유입되고 심층 순환이 빨라지면서 전 지구적 순환이 강해진다.

134 답 ③ | ㄱ. 햇빛이 해수의 심층까지 도달하지 못하기 때문에 광합성은 해수의 표층에서만 일어나고 해수의 용존 산소량은 표층에서 가장 높다. A 해역에서 해수의 침강이 일어나면 표층의 산소가 심해층에 공급된다.

ㄴ. B 해역에서 침강한 해수는 밀도가 매우 큰 남극 저층수를 형성한다.

오답 피하기

ㄷ. 지구 온난화가 심해지면 평균 기온이 상승하고 그린란드 부근 빙하가 녹아 A 해역으로 담수가 유입된다. 해수에 담수가 유입되면 염분이 낮아지고 밀도가 작아진다. 밀도가 작아진 해수는 침강이 약해진다.

135 답 ① | ㄱ. 북극 지방의 빙하가 녹으면 A 해역으로 담수가 유입된다. 담수가 유입된 해수는 염분이 낮아지고 밀도가 작아져 해수의 침강이 약화된다.

오답 피하기

ㄴ. B 해역은 남극 대륙 주변 해역으로, 수온이 하강하여 해수의 밀도가 높아지고 침강이 일어난다.

ㄷ. 해수의 심층 순환과 표층 순환은 연결되어 있다. 따라서 심층 순환이 강해지면 표층 순환도 강해진다.

136 답 ② | ㄴ. (나)에서 고위도 해역인 A는 기온이 하강하고 저위도 해역인 B는 기온이 상승하여 위도별 기온 차이가 커졌다. 따라서 전 지구적 해수의 순환과 열 수송이 약화되어 위도별 에너지 불균형이 심화되었음을 알 수 있다.

오답 피하기

ㄱ. 전 지구적 해수의 순환이 약화되었으므로 A 해역에서 침강도 약해졌다.

ㄷ. 고위도 지역인 A의 기온이 하강하고 저위도 지역인 B의 기온이 상승하였으므로 A와 B 사이의 기온 차는 증가하였다.

문제 속 자료 | **해수의 순환과 기후 변화**

- 지구 온난화로 극지방 빙하가 융해되면 다음과 같은 현상이 나타난다.
→ 융해된 담수가 극지방 바다로 유입
→ 고위도 해수 염분 및 밀도 감소
→ 고위도 해수 침강 약화, 심층 순환 약화
→ 위도별 에너지 불균형 심화

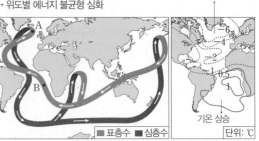

- 고위도에서는 에너지 부족으로 기온이 하강하고, 저위도에서는 에너지 과잉으로 기온이 상승한다.

137 답 ① | ㄱ. 1972년은 수온 편차가 양의 값을 가지므로 엘니뇨 현상이 나타난 해이다.

오답 피하기

ㄴ. 1975년은 수온 편차가 음의 값을 가지므로 평년보다 페루 연안 수온이 낮았다. 이 시기에 페루 연안은 난류성 어류가 감소하고, 한류성 어류가 증가했을 것이다.

ㄷ. 빗금 친 부분은 모두 수온 편차가 양의 값을 가지는 시기이므로 엘니뇨가 발생했던 해이다. 엘니뇨 시기에는 무역풍이 평년보다 약하게 나타난다.

138 답 ① | ㄱ. A 시기에는 동태평양 적도 부근 해역의 수온 편차가 양의 값을 가지므로 엘니뇨가 발생한 시기이다. B 시기에는 동태평양 적도 부근 해역의 수온 편차가 음의 값을 가지므로 라니냐가 발생한 시기이다.

오답 피하기

ㄴ. 무역풍은 엘니뇨 시기에 평년보다 약하고 라니냐 시기에 평년보다 강하다. 따라서 A 시기보다 B 시기에 무역풍이 강하게 불었다.

ㄷ. 동태평양 페루 해역의 강수량은 엘니뇨 시기에 증가한다. 따라서 라니냐가 발생한 B 시기에 페루 해역의 강수량이 평년보다 적었을 것이다.

문제 속 자료 **동태평양 적도 부근 해역 수온 편차**

• 평상시보다 동태평양 적도 부근 해역의 수온이 높은 A는 엘니뇨 기간, 수온이 낮은 B는 라니냐 기간이다.

• 서태평양 적도 부근 해역에서는 기온 편차가 동태평양 적도 부근 해역과 반대로 나타난다.

139 답 ① | 관측 해역의 수온 편차는 A 기간에 음의 값, B 기간에 양의 값을 가지므로 A 기간은 라니냐가 발생한 시기이고, B 기간은 엘니뇨가 발생한 시기이다.

ㄱ. 동태평양 해역의 해수면 수온은 수온 편차가 음의 값인 A 기간보다 수온 편차가 양의 값인 B 기간에 높았다.

오답 피하기

ㄴ. 무역풍의 세기는 엘니뇨 시기에 평년보다 약하고 라니냐 시기에 평년보다 강하다. 따라서 A 기간보다 B 기간에 무역풍의 세기는 약했다.

ㄷ. A 기간은 동태평양 페루 해역의 수온이 평소보다 낮은 라니냐가 발생한 시기이다.

140 답 ③ | ㄱ. (나)에서 다윈과 타히티의 기압 변화 경향은 서로 반대로 나타난다.

ㄷ. 엘니뇨 감시 해역의 수온 편차가 양의 값인 B 시기는 엘니뇨 기간이다.

오답 피하기

ㄴ. 타히티에서 음(−)의 기압 편차가 컸던 A 시기는 엘니뇨 감시 해역에서 수온 편차가 양의 값이 나타났으므로 엘니뇨가 발생한 기간이다. 엘니뇨 시기에는 페루 연안에서 용승이 약화된다.

141 답 ⑤ | ㄱ. (가)는 서태평양 해역에서 상승 기류가 나타나고 동태평양 해역에서 하강 기류가 나타나는 평상시 대기 순환 모습이다. (나)는 서태평양 해역에서 하강 기류가 나타나고 동태평양 해역에서 상승 기류가 나타나는 엘니뇨 발생 시 대기 순환 모습이다.

ㄴ. 무역풍 세기는 평상시보다 엘니뇨 시기에 약화된다. 따라서 (가) 시기의 무역풍 세기가 엘니뇨가 발생한 (나) 시기보다 강하다.

ㄷ. 평상시에는 따뜻한 해수가 서쪽으로 이동하고 동태평양 해역에서 차가운 해수의 용승이 일어나 A 해역은 수온이 높고 B 해역은 수온이 낮다. 엘니뇨 발생 시 따뜻한 해수가 동쪽으로 이동하고 동태평양 해역에서 용승이 약화되어 A 해역 수온은 하강하고 B 해역 수온은 상승하면서 두 해역의 표층 수온 차이는 평상시보다 작아진다.

142 답 ⑤ | 엘니뇨는 무역풍의 약화로 해류의 순환과 수온이 변하여 적도 부근 해역의 기후가 변하는 현상이므로 기권과 수권의 상호 작용으로 발생한다.

오답 피하기

① 엘니뇨 발생 시 무역풍이 평상시보다 약해지고 남적도 해류가 약화된다.

② 평상시 따뜻한 표층 해수가 서쪽으로 흐르고 동태평양 페루 해역에서 표층 해수의 발산으로 차가운 심층 해수의 용승이 일어난다. 해류의 영향으로 수온은 A 지역이 B 지역보다 높다.

③ 엘니뇨 시에 A 지역의 수온이 낮아져 하강 기류가 나타나고, B 지역의 수온이 높아져 상승 기류가 나타난다. 따라서 A 지역의 기압이 B 지역보다 높다.

④ 엘니뇨 시 A 지역에 하강 기류가 나타나기 때문에 고기압이 형성된다. 고기압 지역에는 맑고 건조한 날씨가 지속되어 가뭄이 발생한다.

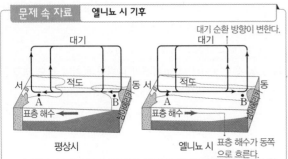

문제 속 자료 | 엘니뇨 시 기후

대기 순환 방향이 변한다.

평상시 / 엘니뇨 시 표층 해수가 동쪽으로 흐른다.

• A 해역: 수온과 기온이 하강한다. 하강 기류가 우세해지고 고기압이 형성된다. 맑은 날씨가 지속되어 강수량이 감소한다.
• B 해역: 용승이 약해지면서 수온과 기온이 상승한다. 상승 기류가 우세해지고 저기압이 형성된다. 구름이 잘 발달하고 강수량이 증가한다.

---

143 답 ② | ㄴ. 엘니뇨가 발생하면 페루 연안에서 용승이 약화되어 수온 약층이 나타나는 깊이가 깊어진다.

오답 피하기

ㄱ. 엘니뇨가 발생하면 평상시보다 무역풍이 약하게 불고 인도네시아로 향하는 남적도 해류가 약해지면서 인도네시아 연안에서 해수면의 높이가 낮아진다.

ㄷ. 표층 해수의 용존 산소량은 표층 수온이 낮을수록 높게 나타난다. 엘니뇨가 발생하면 페루 연안의 표층 수온이 상승하고 용존 산소량은 감소한다.

144 답 ③ | ㄱ. 엘니뇨 시기에 서태평양으로 향하는 남적도 해류의 흐름이 약해지므로 서태평양의 해수면은 낮아지고 동태평양의 해수면은 높아진다.

ㄴ. 엘니뇨 시기에 평상시보다 동태평양 용승이 약화되므로 동태평양의 수온 약층 깊이가 깊어진다.

오답 피하기

ㄷ. 엘니뇨 시기에 동태평양 연안 용승이 평상시보다 약화되고 동태평양 연안 해수의 수온이 상승한다.

145 답 ③ | ㄱ. 동태평양 연안 용승은 엘니뇨 시기에 약화된다. 연안 용승은 (나)보다 (가)일 때 약했다.

ㄴ. 무역풍은 평년보다 라니냐 시기에 강해진다. 따라서 (나)일 때 평년보다 무역풍이 강했을 것이다.

오답 피하기

ㄷ. 적도 부근 서태평양의 강수량은 수온이 높아져 증발량이 증가하는 라니냐 시기에 더 많다. 따라서 적도 부근 서태평양의 강수량은 (나) > (가)이다.

146 답 ④ | (나)에서 해류의 속도 편차가 동쪽으로 나타나므로 (나)는 엘니뇨 발생 시 표층 해류 속도 편차이다.

ㄱ. A 해역은 평상시에는 해류가 서쪽으로 흐르지만, (나)

시기에는 표층 해류의 속도 편차 방향이 동쪽으로 나타난다. 따라서 평상시에 서쪽으로 흐르는 해류가 약해졌다.

ㄴ. 서쪽으로 이동하는 해류가 약해지면서 A 해역에서 해수면의 높이가 평년보다 높아진다.

오답 피하기

ㄷ. (나)의 A 해역은 따뜻한 해수가 서쪽으로 이동하지 못하고 용승이 약화되면서 표층 수온은 평년보다 높아진다.

147 답 ④ | ㄱ. 문제의 그림에서 평상시보다 동태평양 해역에서 수온 약층이 나타나는 깊이가 깊어졌으므로 동태평양 해역에서 용승이 약해지는 엘니뇨 시기이다.

ㄴ. 해수의 표층에서 수온 약층이 나타나기 시작하는 깊이까지가 혼합층이다. 수온 약층이 나타나기 시작하는 깊이가 깊어진 동태평양 적도 해역은 혼합층의 두께가 증가한다.

오답 피하기

ㄷ. 엘니뇨 발생 시 동태평양 적도 해역에서 표층 수온은 평년에 비해 높아진다.

148 답 ③ | (가)는 동풍(무역풍)이 약한 엘니뇨 시기, (나)는 동풍(무역풍)이 강한 라니냐 시기에 해당한다.

ㄱ. (가)에서 해역 A의 풍속은 2 m/s보다 빠르고, 해역 B의 풍속은 −4 m/s이다. (나)에서 해역 A의 풍속은 −6 m/s, 해역 B의 풍속은 −5 m/s이다. 따라서 (가)의 풍속과 (나)의 풍속 차는 해역 A에서 약 8 m/s이고 해역 B에서 약 1 m/s이므로 해역 A가 B보다 크다.

ㄷ. 엘니뇨 시기인 (가)일 때 따뜻한 해수가 상대적으로 태평양의 동쪽 해역으로 이동하므로, 무역풍으로 발생하는 상승 기류도 (나)보다 (가)일 때 상대적으로 더 동쪽에 위치한다.

오답 피하기

ㄴ. 적도 부근 해역에서 동태평양과 서태평양의 표층 수온 차는 라니냐 시기가 엘니뇨 시기보다 크다. 따라서 A와 B의 표층 수온 차는 (가)보다 (나)일 때 크다.

문제 속 자료 | 태평양 적도 부근 해역의 풍속과 풍향

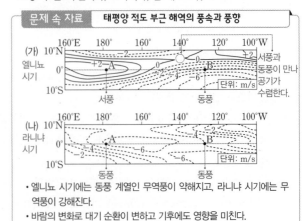

• 엘니뇨 시기에는 동풍 계열인 무역풍이 약해지고, 라니냐 시기에는 무역풍이 강해진다.
• 바람의 변화로 대기 순환이 변하고 기후에도 영향을 미친다.

149 답 ⑤ | ㄴ. 기온 편차 자료를 보았을 때 과거 40만 년 동안 기온 편차는 대체로 음의 값을 보인다. 따라서 과거 40만 년 동안 기온은 대체로 현재보다 낮았다.

ㄷ. 육수에는 하천수, 지하수, 호수, 빙하 등이 있다. 따라서 기온이 낮을 때 육상 빙하의 면적이 증가하면서 전체 수권 중 육수가 차지하는 비율이 높아진다. 반면에 기온이 높을 때 육상 빙하가 녹아 해수로 유입되어 전체 수권 중 육수가 차지하는 비율이 낮아진다. 3만 년 전은 현재보다 기온이 낮으므로 전체 수권 중 육수가 차지하는 비율은 3만 년 전이 현재보다 높았다.

오답 피하기

ㄱ. 기온 편차 그래프와 CO_2 농도 그래프는 대체로 비슷한 변화 경향을 보인다. 따라서 지구의 기온이 낮을 때 CO_2의 농도도 낮게 나타난다.

문제 속 자료 기온 편차와 이산화 탄소 농도 그래프

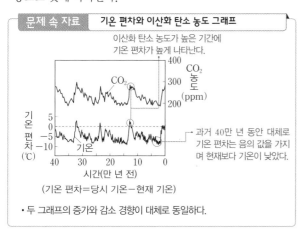

이산화 탄소 농도가 높은 기간에 기온 편차가 높게 나타난다.

과거 40만 년 동안 대체로 기온 편차는 음의 값을 가지며 현재보다 기온이 낮았다.

(기온 편차=당시 기온−현재 기온)

• 두 그래프의 증가와 감소 경향이 대체로 동일하다.

150 답 ② | 해양 생물 화석의 산소 동위 원소비($\frac{^{18}O}{^{16}O}$)는 해양 생물이 살아 있을 당시 해수의 산소 동위 원소비와 같다. 지구의 평균 기온이 높을수록 상대적으로 무거운 ^{18}O가 잘 증발하여 해수의 산소 동위 원소비는 낮아진다.

ㄷ. 해수면 높이는 지구의 평균 기온이 높을수록 높다. B 시기는 현재보다 해양 생물 화석의 산소 동위 원소비가 더 낮으므로 평균 기온은 더 높다. 따라서 해수면 높이는 현재가 B 시기보다 낮을 것이다.

오답 피하기

ㄱ. 극지방의 빙하는 증발한 수증기가 눈으로 내려 형성한다. 따라서 극지방 빙하의 산소 동위 원소비는 해양 생물 화석의 산소 동위 원소비와 반대 경향이 나타난다. 해양 생물 화석의 산소 동위 원소비는 A 시기가 B 시기보다 높으므로 극지방 빙하의 산소 동위 원소비는 A 시기가 B 시기보다 낮을 것이다.

ㄴ. 해양 생물 화석의 산소 동위 원소비가 더 낮은 B 시기가 A 시기보다 온난했을 것이다.

151 답 ⑤ | ㄱ. 기온 편차 그래프에서 과거 12만 년 동안 기온 편차 값은 대체로 음의 값을 보인다. 따라서 과거 12만 년 동안의 평균 기온은 현재보다 낮았다.

ㄴ. A 시기가 B 시기보다 기온이 높았으므로 상대적으로 무거운 ^{18}O를 포함한 물 분자의 증발이 더 잘 일어났다. 해수에서 증발되는 물 분자와 대기의 산소 동위 원소비도 높았을 것이다.

ㄷ. B 시기는 현재보다 평균 기온이 낮았던 시기이다. 빙하의 면적은 기온이 낮을수록 넓어지므로 B 시기가 현재보다 넓었을 것이다.

152 답 ⑤ | ㄴ. 과거 40만 년 동안 이산화 탄소 농도는 대체로 현재보다 낮았다. 따라서 전체 기간 동안 평균값은 현재 이산화 탄소 농도보다 낮다.

ㄷ. 기온이 낮을 때 육상 빙하의 면적이 증가하면서 전체 수권 중 육수가 차지하는 비율이 높아진다. 35만 년 전은 현재보다 기온이 낮았던 시기이므로 전체 수권 중 육수가 차지하는 비율은 35만 년 전이 현재보다 높았을 것이다.

오답 피하기

ㄱ. 먼지 농도는 기온 편차가 낮을 때 높게 나타난다. 따라서 시간에 따른 기온 편차와 먼지 농도는 비례하지 않는다.

153 답 ⑤ | ㄴ. 지구 공전 궤도가 타원 궤도에서 원 궤도로 변하면 남반구는 여름에 태양까지 거리가 멀어지고, 겨울에 태양까지 거리가 가까워진다. 따라서 여름철 평균 기온은 하강하고, 겨울철 평균 기온은 상승한다.

ㄷ. 우리나라는 북반구에 위치하고 있다. 지구 공전 궤도가 타원 궤도에서 원 궤도로 변하면 겨울에 태양까지 거리가 멀어지고, 여름에 태양까지 거리가 가까워진다. 따라서 여름철 평균 기온은 상승하고, 겨울철 평균 기온은 하강한다.

오답 피하기

ㄱ. 북반구는 여름에 더 더워지고, 겨울에 더 추워지므로 기온 연교차는 커진다.

문제 속 자료 지구 공전 궤도 이심률 변화

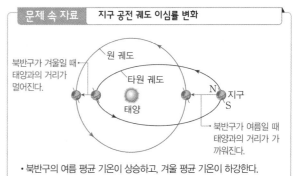

북반구가 겨울일 때 태양과의 거리가 멀어진다.

원 궤도

타원 궤도

태양

N 지구 S

북반구가 여름일 때 태양과의 거리가 가까워진다.

• 북반구의 여름 평균 기온이 상승하고, 겨울 평균 기온이 하강한다.
• 북반구의 기온 연교차가 커진다. (남반구의 기온 연교차는 작아진다.)

154 답 ④ | ㄴ. 북반구 기준 (가)에서는 A에서 여름, B에서 겨울이다. (나)에서는 C에서 겨울, D에서 여름이다. 따라서 여름은 태양과 거리가 더 가까운 (나)에서 평균 기온이 높고, 겨울은 태양과 거리가 더 먼 (나)에서 평균 기온이 낮다. 기온연교차는 (나)가 (가)보다 크다.

ㄷ. A~D 중 우리나라에서 하루 동안 태양 복사 에너지를 가장 많이 받는 위치는 근일점이면서 계절이 여름인 D이다.

오답 피하기

ㄱ. 우리나라는 북반구에 위치하고 있고 북반구에서 태양 복사 에너지 입사각이 작을 때 겨울이다. 따라서 B와 C의 위치에서 우리나라는 겨울철에 해당한다.

155 답 ④ | ㄴ. A 시기에는 지구 자전축의 기울기가 현재보다 작다. 따라서 중위도에서 여름철에 태양 복사 에너지 입사각이 작아지고 현재보다 여름철의 평균 기온은 낮아진다.

ㄷ. B 시기에는 지구 자전축의 기울기가 현재보다 크다. B 시기에 중위도는 여름철 태양 복사 에너지 입사각은 커지고, 겨울철 태양 복사 에너지 입사각은 작아진다. 따라서 우리나라의 여름철 평균 기온은 현재보다 높아지고 겨울철 평균 기온은 현재보다 낮아져 기온의 연교차가 커질 것이다.

오답 피하기

ㄱ. 우리나라가 여름일 때 지구 자전축의 기울기가 커지면 태양 복사 에너지의 입사각이 커지면서 태양 고도가 높아진다.

156 답 ⑤ | ㄴ. 현재 우리나라는 원일점에서 여름, 근일점에서 겨울, A 부근에서 가을이다. 지구 자전 방향은 시계 반대 방향이므로 약 6500년 후에는 지구의 자전축이 시계 방향으로 90° 회전한다. 따라서 A 부근에서 겨울, 근일점에서 봄, 원일점에서 가을로 변한다.

ㄷ. 약 13000년 후에는 지구의 자전축이 시계 방향으로 180° 회전한다. 따라서 우리나라는 원일점에서 겨울, 근일점에서 여름으로 계절이 변한다. 여름철 태양과의 거리가 더 가까워지고, 겨울철 태양과의 거리가 더 멀어지므로 여름철 기온은 상승하고, 겨울철 기온은 하강하여 기온 연교차는 현재보다 더 커진다.

오답 피하기

ㄱ. 낮의 길이는 여름철에 가장 길다. 우리나라가 있는 북반구는 현재 지구가 원일점에 위치할 때 여름이므로 이때 낮의 길이가 가장 길다.

157 답 ① | ㄱ. 자전축 경사각이 작아지면 중위도는 여름철에 태양 복사 에너지의 입사각이 낮아지고 우리나라 지표면에 도달하는 일사량은 현재보다 적어진다. 반대로 겨울철 태양 복사 에너지의 입사각은 높아지고 일사량은 증가한다.

오답 피하기

ㄴ. 자전축 경사각이 커지면 여름철에 우리나라 지표면에 도달하는 일사량은 현재보다 많아지고, 겨울철에 우리나라에 도달하는 일사량은 현재보다 적어진다. 따라서 여름철 기온은 상승하고, 겨울철 기온은 하강해 연교차가 커진다.

ㄷ. 자전축 경사각이 커지면 중위도에서 여름철에 받는 태양 에너지가 많아지고, 겨울철에 받는 태양 에너지가 더 적어져 기온 연교차가 커진다. 지구 전체가 받는 연간 태양 복사 에너지양은 지구와 태양 사이 거리와 태양 활동에 따라 달라진다. 지구 자전축 경사각이 달라지더라도 지구 전체가 받는 연간 태양 복사 에너지양은 변하지 않는다.

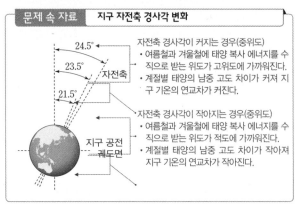

문제 속 자료 **지구 자전축 경사각 변화**

자전축 경사각이 커지는 경우(중위도)
• 여름철과 겨울철에 태양 복사 에너지를 수직으로 받는 위도가 고위도에 가까워진다.
• 계절별 태양의 남중 고도 차이가 커져 지구 기온의 연교차가 커진다.

자전축 경사각이 작아지는 경우(중위도)
• 여름철과 겨울철에 태양 복사 에너지를 수직으로 받는 위도가 적도에 가까워진다.
• 계절별 태양의 남중 고도 차이가 작아져 지구 기온의 연교차가 작아진다.

158 답 ⑤ | ㄱ. (가)에서 태양 상이 작은 B는 지구와 태양 사이 거리가 먼 원일점에 지구가 위치할 때 촬영한 것이다. 북반구는 지구가 원일점에 위치할 때 여름이므로 B를 촬영할 때 북반구는 여름이다.

ㄴ. P는 지구와 태양 사이 거리가 가까운 근일점이다. (가)에서 태양 상이 큰 A는 지구가 P에 위치할 때 촬영한 것이다.

ㄷ. 현재 북반구는 근일점에서 겨울, 원일점에서 여름이나. 지구의 공전 궤도가 타원에서 원으로 변하면 여름에 태양과의 거리가 더 가까워져 기온이 상승하고 겨울에 태양과의 거리가 더 멀어져 기온이 하강한다. 따라서 북반구 기온의 연교차는 커진다.

159 답 ② | ㄴ. 지구 자전축 기울기가 감소하면 중위도는 여름에 태양 복사 에너지 입사각이 낮아지고, 겨울에 태양 복사 에너지 입사각이 높아진다. 따라서 여름에는 태양의 고도가 낮아져 기온이 하강하고, 겨울에는 태양의 고도가 높아져 기온이 상승하면서 우리나라의 기온 연교차가 작아진다.

오답 피하기

ㄱ. 지구 자전축 기울기가 감소하면 중위도의 여름에 태양 복사 에너지 입사각이 낮아져 여름철 일사량이 감소한다.

ㄷ. 지구 자전축 기울기 방향이 변하지 않으므로 여름과 겨울의 별자리가 바뀌지 않는다.

160 답 ⑤ | ㄴ. 현재 북반구는 지구가 근일점에 위치할 때 겨울, 원일점에 위치할 때 여름이다. 1만 3천 년 후가 되면 지구 자전축 방향이 180° 회전하여 북반구는 지구가 근일점에 위치할 때 여름, 원일점에 위치할 때 겨울이다. 따라서 여름에 태양과의 거리가 더 가까워져 기온이 상승하고, 겨울에 태양과의 거리가 더 멀어져 기온이 하강하여 기온의 연교차가 커진다.

ㄷ. 1만 3천 년 후에는 지구 공전 궤도 이심률이 변하여 근일점일 때 태양과의 거리가 멀어진다. 지구 전체가 받는 태양 복사 에너지양은 태양과의 거리가 멀어질수록 감소하므로 근일점에서 지구 전체가 받는 태양 복사 에너지양은 (가)가 (나)보다 많다.

<u>**오답 피하기**</u>

ㄱ. (가)에서 지구가 근일점에 위치할 때 태양이 북반구보다 남반구를 비추는 면적이 더 넓으므로 북반구는 겨울, 남반구는 여름이다.

161 답 ③ | ㄱ. A~D 중 북반구가 겨울인 위치는 태양이 북반구보다 남반구를 비추는 면적이 더 넓고 태양 복사 에너지의 입사각이 낮은 A와 D이다.

ㄴ. 현재는 지구가 근일점에 위치할 때 북반구에서 계절이 겨울이다. 13000년을 주기로 지구의 자전축이 180° 회전하므로 13000년 전에는 지구가 원일점에 위치할 때 북반구에서 계절이 겨울이었다. 또한 현재 지구 자전축의 기울기가 13000년 전보다 작아졌으므로 현재 북반구 겨울은 13000년 전보다 태양과의 거리가 가까워졌고 태양 복사 에너지의 입사각이 커져 평균 기온이 높아졌다.

<u>**오답 피하기**</u>

ㄷ. 현재 지구는 남반구가 겨울일 때 원일점, 여름일 때 근일점에 위치하고 있다. 13000년 후 지구는 남반구가 여름일 때 원일점, 겨울일 때 근일점으로 변한다. 13000년 후의 지구 자전축 경사는 현재보다 작으므로 13000년 후의 남반구는 여름에 태양과의 거리가 멀어지고 남중 고도가 낮아져 기온이 낮아진다. 반대로 겨울에 태양과의 거리가 가까워지고 남중 고도가 높아져 기온이 높아진다. 따라서 남반구 기온의 연교차는 13000년 후가 현재보다 작아질 것이다.

162 답 ④ | ㄴ. (가)에서 북반구가 여름일 때 태양과의 거리가 가까워져 기온이 상승하고, 북반구가 겨울일 때 태양과의 거리가 멀어져 기온이 하강한다. 따라서 북반구의 연교차는 증가한다.

ㄷ. (나)에서 지구 자전축의 경사각이 23.5°에서 21.5°로 작아졌으므로 우리나라의 여름철 태양의 남중 고도는 낮아지고, 겨울철 태양의 남중 고도는 높아진다.

<u>**오답 피하기**</u>

ㄱ. 우리나라가 여름인 위치는 태양이 북반구를 비추는 면적이 더 넓을 때인 B와 C이다.

163 답 ④ | ㄱ. (나)의 주기는 약 10만 년이고, (가)의 주기는 10만 년보다 짧다.

ㄷ. 10만 년 전에는 현재보다 지구 공전 궤도의 이심률이 컸다. 지구는 현재보다 근일점에서 태양과의 거리가 더 가까웠고, 원일점에서 태양과의 거리가 더 멀었다.

<u>**오답 피하기**</u>

ㄴ. 현재 지구는 북반구가 여름일 때 원일점, 북반구가 겨울일 때 근일점이다. 60만 년 전 지구 자전축 경사는 지금보다 작았고 지구 공전 궤도 이심률은 지금보다 컸다. 따라서 우리나라는 여름철 태양과의 거리는 멀어지고, 태양의 남중 고도는 낮아져 기온이 현재보다 낮았을 것이다. 반대로 겨울철 태양과의 거리는 가까워지고, 태양의 남중 고도는 높아져 기온이 현재보다 높았을 것이다. 그러므로 60만 년 전 우리나라는 현재보다 기온의 연교차가 작았을 것이다.

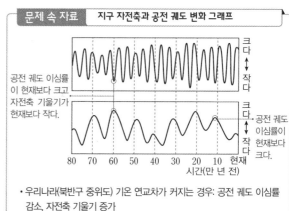

문제 속 자료 지구 자전축과 공전 궤도 변화 그래프

• 우리나라(북반구 중위도) 기온 연교차가 커지는 경우: 공전 궤도 이심률 감소, 자전축 기울기 증가
• 우리나라(북반구 중위도) 기온 연교차가 작아지는 경우: 공전 궤도 이심률 증가, 자전축 기울기 감소

164 답 ⑤ | ㄱ. (가)만을 고려할 때, 1만 년 전에는 지구 자전축의 기울기가 현재보다 컸다. 따라서 북반구 중위도는 여름에 태양 남중 고도가 높아지고, 겨울에 태양 남중 고도가 낮아져 기온의 연교차는 현재보다 컸을 것이다.

ㄴ. (나)만을 고려할 때, 1만 년 후의 여름은 태양과 지구 사이의 거리가 현재보다 가까워진다. 따라서 여름 기온은 현재보다 높아질 것이다.

ㄷ. (가)와 (나)를 모두 고려하면 3만 년 후에는 여름철 태양과의 거리가 가까워지고, 태양의 남중 고도가 높아져 기온이 상승한다. 반대로 겨울철 태양과의 거리가 멀어지고, 태양의 남중 고도가 낮아져 기온이 하강한다. 기온의 연교차가 커지면서 현재보다 계절 변화가 뚜렷해질 것이다.

165 답 ④ | ㄱ. A는 지표면에서 반사되는 태양 복사 에너지이다. 빙하는 반사율이 높은 지표의 상태이므로 빙하 면적이 넓어지면 A 과정이 활발해진다.

ㄷ. C 과정은 지구 복사 에너지 중 대기가 흡수하는 에너지를 나타낸 것이다. 따라서 C 과정이 활발해지면 대기가 지표로 에너지를 재복사하는 온실 효과가 강해지므로 지표면의 온도가 상승한다.

[오답 피하기]

ㄴ. B 과정은 태양 복사 에너지 중 대기가 흡수하는 에너지를 나타낸 것이다. 이산화 탄소는 지구 복사 에너지를 잘 흡수하고 태양 복사 에너지를 통과시키는 온실 기체이다. B 과정은 이산화 탄소에 의해 일어나지 않는다.

166 답 ③ | ㄱ. 지표면 복사 104 중 대기에서 100이 흡수되므로 B는 4이다. 지표면이 흡수하는 에너지와 방출하는 에너지는 동일해야 하므로 $45+C=104+8+21$, $C=88$이다. 대기 복사 154 중 지표로 향하는 복사(C)가 88이므로 우주 공간으로 향하는 복사 A는 66이다. 따라서 A~C 중 C값이 가장 크다.

ㄴ. 온실 기체는 지구에서 복사하는 에너지 중 대기가 흡수하는 양을 증가시켜 대기가 다시 지표면으로 복사하는 에너지양을 증가시킨다. 따라서 온실 기체가 증가하면 C가 증가한다.

[오답 피하기]

ㄷ. 물의 상태 변화로 이동한 에너지양은 숨은열에 해당하므로 21이다.

167 답 ④ | ㄴ. 태양 복사 에너지(A)는 대부분 가시광선으로 지구로 입사하고, 지구 복사 에너지(D)는 대부분 적외선으로 방출된다.

ㄷ. 온실 기체가 증가하면 D에서 대기가 흡수하는 양과 E가 증가하여 지구의 평균 기온이 상승한다.

[오답 피하기]

ㄱ. 태양 복사 에너지양(A)은 우주 공간 반사량(B), 대기 흡수량, 지표면 흡수량(C)의 합과 같다.

168 답 ⑤ | 대기가 지표로 방출하는 에너지양은 88이고 우주 공간으로 방출하는 에너지양은 66이므로 대기가 지표로 방출하는 에너지양이 더 많다.

[오답 피하기]

① 지구 복사 에너지양(70)과 지구가 반사하는 에너지양(A)의 합은 지구에 도달하는 태양 복사 에너지양(100)과 같아야 한다. 따라서 지표와 대기에서 반사되는 양(A)은 30이다.

② 지표가 흡수하는 복사 에너지의 총량은 지표가 흡수하는 태양 복사 에너지양(45)과 대기의 재복사로 지표가 흡수하는 에너지양(88)의 합인 133이다. 지표가 흡수하는 복사 에너지의 총량은 지표가 방출하는 에너지양과 같다.

③ 지표는 태양으로부터 45의 에너지를 흡수하고 대기로부터 88의 에너지를 흡수한다. 따라서 태양보다 대기로부터 에너지를 많이 흡수한다.

④ 대기는 태양으로부터 25의 에너지를 흡수하고 지표로부터 129의 에너지를 흡수하므로 총 $129+25=154$의 에너지를 흡수한다. 지표가 직접 우주로 방출하는 에너지양이 $133-129=4$이고, 대기가 우주로 방출하는 에너지가 $70-4=66$이며, 대기에서 지표로는 88의 에너지를 방출하므로 대기가 지표와 우주 공간으로 총 $66+88=154$의 에너지를 방출한다. 따라서 대기는 흡수하는 에너지와 방출하는 에너지가 평형을 이룬다.

문제 속 자료   **각 영역의 열수지**

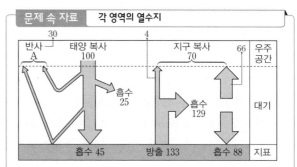

- 우주 공간
  태양 복사(100)=지표와 대기의 반사(30)+지구 복사(70)
- 지표
  태양 복사 흡수(45)+대기 복사 흡수(88)=지표 복사 방출(133)
- 대기
  태양 복사 흡수(25)+지표 복사 흡수(129)=지표로 복사(88)+우주 공간으로 복사(66)

---

169 답 ⑤ | ㄱ. 지구의 평균 기온은 상승과 하강을 반복하고 있지만 전반적으로는 상승하는 경향을 보인다.

ㄴ. 이산화 탄소는 대표적인 온실 기체이므로 지구의 온실 효과를 강화하고 지구의 평균 기온을 상승시킨다. 평균 기온과 이산화 탄소 농도는 모두 시간에 따라 상승하고 있다.

ㄷ. 화석 연료를 사용하면 이산화 탄소가 배출되고 대기 중 이산화 탄소의 농도가 증가하면서 지구의 평균 기온이 상승한다.

170 답 ③ | ㄱ. 연평균 기온은 상승하는 경향이 나타난다.

ㄴ. 그래프에서 연평균 기온의 변화율은 150년 평균보다 25년 평균이 더 가파르게 나타나므로 연평균 기온의 변화율은 150년 평균보다 25년 평균이 크다.

ㄷ. 이 기간 동안 평균 기온이 상승하였으므로 육상 빙하가
녹아 바다로 유입되고 해수의 열팽창이 일어나 평균 해수면
의 높이는 높아졌을 것이다.

171 답 ④ | ㄴ. 평균 기온이 상승하면 육상 빙하의 면적이 좁아진
다. 빙하는 반사율이 높은 지표 상태이므로 육상 빙하의 면
적이 좁아지면 극지방의 반사율은 감소할 것이다.

ㄷ. 대기 중 온실 기체인 이산화 탄소의 농도가 증가하면 온
실 효과가 강화되어 지구의 평균 기온이 상승하고 평균 해수
면 높이가 높아진다.

ㄱ. 평균 해수면의 높이 편차는 1900년에 약 −6 cm였고,
2000년에 약 6 cm로 상승하였다. 따라서 이 기간 동안 평
균 해수면은 약 12 cm 상승하였다.

172 답 ⑤ | ㄱ. 이 기간 동안 지구의 평균 기온은 남반구와 북반
구에서 전반적으로 상승하는 경향을 보인다.

ㄴ. 북반구의 기온은 약 −0.2 ℃에서 약 0.8 ℃로 1.0 ℃
정도 상승하였고, 남반구의 기온은 약 −0.2 ℃에서 약
0.5 ℃로 0.7 ℃ 정도 상승하였다. 따라서 이 기간 동안의
기온 변화는 남반구보다 북반구에서 더 크다.

ㄷ. 1960년 이후 기온은 대체로 상승했으므로 극지방의 빙하
가 녹았을 것이다. 빙하는 반사율이 높은 지표의 상태이므로
극지방의 반사율은 대체로 감소하였을 것이다.

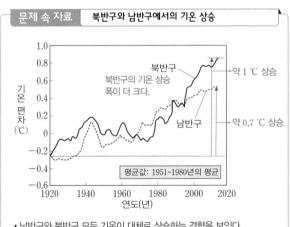

문제 속 자료 | **북반구와 남반구에서의 기온 상승**

• 남반구와 북반구 모두 기온이 대체로 상승하는 경향을 보인다.
• 북반구의 기온이 더 많이 상승했다. 북반구에는 남반구보다 상대적으로
비열이 작은 대륙이 많이 분포하고 있기 때문이다.

173 답 ③ | A. 화석 연료의 사용량이 증가하면 이산화 탄소를 포
함한 온실 기체가 대기 중으로 방출되어 대기 중 온실 기체
의 양이 증가한다. 대기 중 온실 기체의 농도가 증가하면 지
구 온난화가 일어난다.

B. 지구 온난화가 진행되면 평균 기온이 상승하면서 대륙 빙
하가 녹아 면적이 감소한다.

C. 대륙 빙하의 면적이 감소해 바다로 담수가 유입되고 해수
의 온도가 상승하여 열팽창이 일어나면 해수면이 상승한다.

174 답 ④ | ㉠ 해수의 온도가 낮을수록 기체의 용해도는 증가한
다. 따라서 해수 온도가 상승하면 이산화 탄소 용해도는 감
소한다.

㉡ 지구 온난화가 진행되면 비교적 낮은 위치에 있던 빙하가
녹으면서 지구에 존재하는 빙하량이 감소한다. 빙하는 반사
율이 높은 지표 상태이므로 태양 복사 에너지의 지표 반사율
이 감소한다.

175 답 ② | ㄴ. 태양 복사 에너지 반사율이 감소하면 지구가 흡수
하는 태양 복사 에너지가 증가하여 북극권의 온난화가 강화
된다. 메테인은 이산화 탄소와 더불어 대표적인 온실 기체이
므로 메테인이 대기 중으로 방출되면 온실 효과로 북극권의
온난화가 강화된다.

ㄱ. 빙하는 반사율이 높은 지표 상태이다. 따라서 빙하의 면
적이 감소하면 지표면의 반사율이 감소한다.

ㄷ. (다)에서 온실 기체 중 가장 많은 양을 차지하는 것은 이
산화 탄소이다.

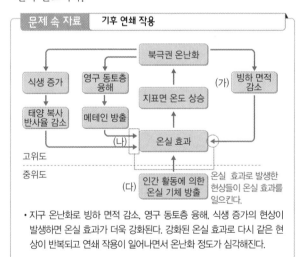

문제 속 자료 | **기후 연쇄 작용**

• 지구 온난화로 빙하 면적 감소, 영구 동토층 융해, 식생 증가의 현상이
발생하면 온실 효과가 더욱 강화된다. 강화된 온실 효과로 다시 같은 현
상이 반복되고 연쇄 작용이 일어나면서 온난화 정도가 심각해진다.

176 답 ⑤ | ㄱ. 기온이 상승하면 해수면이 상승하고 비교적 낮은
지대의 육지가 침수된다. 육지 면적이 감소하면서 주거 가능
한 면적이 감소할 것이다.

ㄴ. 빙하는 반사율이 높은 지표 상태이므로 빙하가 소멸되면
지구의 반사율이 감소할 것이다.

ㄷ. 메테인은 이산화 탄소와 더불어 온실 기체이므로 메테인
방출로 지구의 온실 효과는 더 심해질 것이다.

177 답 ④ | ㄴ. H-R도에서 왼쪽 아래에서 오른쪽 위로 갈수록 별의 반지름이 커지므로 별 (나)는 (다)보다 반지름이 크다.

ㄷ. 분광형이 O형과 가까운 별일수록 푸른색 계열의 빛을 많이 방출하고, M형과 가까운 별일수록 붉은색 계열의 빛을 많이 방출한다.

오답 피하기

ㄱ. (가)와 (라)는 주계열성으로, 절대 등급이 작을수록 광도와 질량이 크다. (가)는 (라)보다 질량이 크다.

178 답 ③ | A와 C는 주계열성, B는 거성, D는 백색 왜성이다. H-R도에서 절대 등급이 낮을수록 별의 광도가 크고 반지름이 크다. O형으로 갈수록 표면 온도가 높고, M형으로 갈수록 표면 온도가 낮다.

③ 거성인 B는 표면 온도는 낮지만 A~D 중 절대 등급이 가장 작으므로 반지름이 가장 크다.

오답 피하기

① 진화가 가장 많이 진행된 별은 D이다.

② 질량은 A가 C보다 크다.

④ 표면 온도가 가장 높은 별은 A이다.

⑤ 광도가 가장 큰 별은 B이다.

179 답 ④ | 문제의 그림 (가)에서 A는 거성, B는 주계열성, C는 백색 왜성이다. 그림 (나)는 중심부에서부터 중심핵, 복사층, 대류층으로 이루어졌으므로 태양 정도의 질량을 가지는 별 (주계열성)의 내부 구조이다.

ㄴ. 백색 왜성(C)은 진화 단계 중 마지막이므로 가장 많이 진화를 거친 별이다.

ㄷ. 문제의 그림 (가)에서 태양은 B 영역에 포함된다. (나)와 같은 내부 구조를 가지는 별은 B에 속한다.

오답 피하기

ㄱ. 분광형이 같을 경우 거성(A)이 주계열성(B)보다 반지름이 크다.

180 답 ⑤ | 별 A는 주계열성, 별 B는 거성에 포함된다. 별 A와 비교할 때 별 B는 더 붉은 색깔을 띤다.

오답 피하기

① 거성은 별이 팽창하여 반지름이 커진 별이므로 반경(반지름)은 A＜B이다.

② 절대 등급이 작을수록 광도가 크므로 광도는 A＜B이다.

③ 색지수가 작을수록 표면 온도가 높고 파란색이 강하며, 색지수가 클수록 표면 온도가 낮고 붉은색이 강하다. 별의 표면 온도는 A＞B이다.

④ 별의 평균 밀도는 거성보다 주계열성이 크므로 A＞B이다.

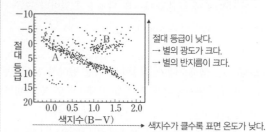

문제 속 자료 **H-R도를 이용한 별의 물리량 비교**

별 A, B의 절대 등급과 색지수를 H-R도에 나타내면 다음과 같다.

절대 등급이 낮다.
→ 별의 광도가 크다.
→ 별의 반지름이 크다.

색지수가 클수록 표면 온도가 낮다.

• 색지수는 사진 등급(별을 사진으로 찍었을 때의 밝기 등급)에서 안시 등급(별을 맨눈으로 관측했을 때의 밝기 등급)을 뺀 값이다.

• 별은 표면 온도가 높을수록 색지수가 작다. 고온의 별의 색지수는 (−), 저온의 별의 색지수는 (+)이다.

181 답 ④ | ㄱ. 태양은 절대 등급이 약 4.8등급이고 표면 온도가 약 5800 K인 주계열성이다. 태양의 진화 단계는 현재 (나)에 해당한다.

ㄴ. 태양의 진화 단계 중 절대 밝기가 가장 밝을 때는 광도가 가장 큰 (다) 단계이다.

오답 피하기

ㄷ. (가)에서 (나)까지 진화하는 동안 원시별의 내부에서는 중력 수축이 일어나고, 중력 수축으로 형성된 중력 수축 에너지는 원시별의 주요 에너지원이다. 중력 수축 에너지 발생으로 중심부의 온도가 충분히 높아지면 수소 핵융합 반응이 일어나 주계열성이 된다.

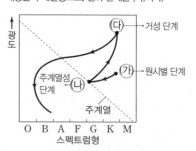

문제 속 자료 **태양의 진화 경로**

태양은 주계열성으로, 진화 단계는 (나)이다.

• (가) → (나): 중력에 의해 수축될 때 위치 에너지가 감소하여 에너지가 생기는데, 이 에너지를 중력 수축 에너지라고 한다. 중력 수축 에너지는 원시별의 에너지원에 해당한다.

• (나): 4개의 수소 원자핵이 융합하여 1개의 헬륨 원자핵을 만드는 수소 핵융합 반응이 일어난다. 핵융합 반응 후에 줄어든 질량이 에너지로 전환된다. 중심핵의 수소 핵융합 반응은 주계열성의 에너지원에 해당한다.

182 답 ④ | H-R도는 가로축에 별의 표면 온도, 세로축에 별의 광도를 나타낸 것이다. H-R도를 이용하면 여러 가지 별의 분광형, 색지수, 절대 등급, 반지름 등을 비교할 수 있다. 대부분의 별들은 일생의 90 % 이상을 주계열 단계에 머무른다.

④ A, B는 같은 주계열성이지만, B는 A보다 광도가 작으므로 질량이 작다. 별의 질량이 작을수록 에너지 소모가 적으므로 주계열에 머무는 기간은 B가 A보다 길다.

오답 피하기

① A가 C보다 표면 온도가 높으므로 색지수는 작다.

② B가 A보다 표면 온도가 낮고 광도가 작으므로 질량도 작다.

③ D가 B보다 광도가 크므로 절대 등급은 작다.

⑤ B는 광도와 표면 온도가 태양과 비슷하므로 중심핵에서 수소 핵융합 반응이 일어날 것이다.

183 답 ③ | 원시별은 저온, 고밀도의 성운(성간 물질)이 중력 수축하여 별이 형성될 수 있을 만큼의 상태로 변한 기체 덩어리이다. 원시별의 밀도는 높은 편이고 형태는 둥근 모양에 가깝다.

ㄱ. 원시별의 질량이 클수록 주계열에 도달했을 때 절대 등급이 더 작아지므로 광도가 큰 별(주계열성)이 된다.

ㄷ. 원시별이 주계열에 도달하는 동안 중력 수축으로 내부 온도가 상승하고, 주계열에 도달하면 내부에서 수소 핵융합 반응이 일어난다.

오답 피하기

ㄴ. 원시별(질량＝$1M_\odot$)이 주계열에 도달하는 동안 절대 등급이 계속 커지므로 광도는 계속 작아지고 표면 온도는 점차 높아진다.

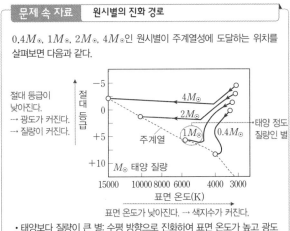

문제 속 자료 　원시별의 진화 경로

$0.4M_\odot$, $1M_\odot$, $2M_\odot$, $4M_\odot$인 원시별이 주계열성에 도달하는 위치를 살펴보면 다음과 같다.

- 태양보다 질량이 큰 별: 수평 방향으로 진화하여 표면 온도가 높고 광도가 큰 주계열성이 된다.
- 태양보다 질량이 작은 별: 수직 방향으로 진화하여 표면 온도가 낮고 광도가 작은 주계열성이 된다.
- 질량이 큰 원시별일수록 중력 수축이 빠르게 일어나 주계열에 빨리 도달한다.

184 답 ① | ㄱ. 원시별에서 주계열성으로의 진화 속도는 질량이 클수록 빠르다. A가 B보다 광도가 크므로 질량이 더 크다. 주계열성이 되기까지 걸린 시간은 A가 B보다 짧다.

오답 피하기

ㄴ. P–P 연쇄 반응은 수소 원자핵인 양성자 4개가 연쇄적으로 융합하여 1개의 헬륨 원자핵을 만드는 과정이다. CNO 순환 반응은 탄소핵과 수소핵의 반응을 시작으로 질소핵과 산소핵을 거쳐 헬륨핵과 탄소핵이 만들어지는 과정이다.

질량이 큰 A는 중심에 대류핵, 주변으로 복사층이 나타나고 핵에서는 CNO 순환 반응이 우세하다.

ㄷ. 문제의 그림 (나)는 대류핵과 복사층으로 된 별의 내부 구조이다. 이러한 별은 태양 질량의 2배 이상인 주계열성으로, A의 내부 구조에 해당한다.

185 답 ③ | ㄱ. 태양 정도의 질량을 가진 별은 적색 거성, 행성상 성운을 거쳐 백색 왜성으로 진화한다.

ㄴ. (나)의 초거성 단계에서는 별의 중심부에서 탄소, 네온, 산소, 규소 핵융합 반응이 차례로 일어나 철까지 만들어진다. 이후 초신성 폭발 과정에서 철보다 무거운 원소가 만들어진다.

오답 피하기

ㄷ. 별의 질량이 클수록 주계열성으로 있는 시간이 짧다. (가)는 태양 정도 질량인 별의 진화 경로이고, (나)는 태양보다 질량이 큰 별의 진화 경로이다. 주계열성으로 있는 시간은 (가)보다 (나)의 경로를 거치는 별이 더 짧다.

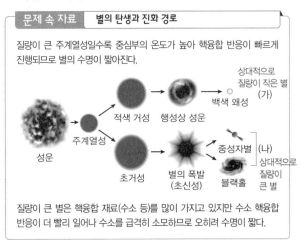

문제 속 자료 　별의 탄생과 진화 경로

질량이 큰 주계열성일수록 중심부의 온도가 높아 핵융합 반응이 빠르게 진행되므로 별의 수명이 짧아진다.

질량이 큰 별은 핵융합 재료(수소 등)를 많이 가지고 있지만 수소 핵융합 반응이 더 빨리 일어나 수소를 급격히 소모하므로 오히려 수명이 짧다.

186 답 ② | ㄷ. 주계열성의 에너지원은 수소 핵융합 반응에 의한 에너지이다. 수소 핵융합 반응은 중심부의 온도가 1000만 K 이상인 주계열성에서 일어난다.

오답 피하기

ㄱ. 질량이 가장 작은 별의 진화 과정은 A이다.

ㄴ. 철(Fe)보다 무거운 원소는 대부분 무거운 별의 내부에서 합성된 것으로 초거성에서 초신성 폭발 단계에 이를 때 만들어진다. B 과정이나 C 과정에서 만들어진다.

187 답 ④ | ㄱ. 질량이 작은 별의 마지막 단계에서는 백색 왜성이 만들어지고 질량이 큰 별의 마지막 단계에서는 중성자별이나 블랙홀이 만들어진다.

ㄷ. 질량이 큰 별일수록 중심부에서는 연속적인 핵융합 반응이 일어나 더 무거운 원소가 만들어진다.

[오답 피하기]

ㄴ. 태양 정도의 질량을 가진 별의 진화 단계는 주계열성 → 적색 거성 → 행성상 성운 → 백색 왜성으로 (나) 과정에 해당한다.

188 답 ⑤ | ㄱ. 원시별의 중심부 온도가 1000만 K에 이르면 수소는 핵융합 반응이 일어난다. 수소 핵융합 반응은 4개의 수소 원자핵이 융합되어 1개의 헬륨 원자핵이 생성되는 과정(A 과정)이다.

ㄴ. 태양 정도의 질량을 가진 별은 주계열성 → 적색 거성 → 행성상 성운 → 백색 왜성 단계로 진화 과정을 거친다. 헬륨 핵융합 반응까지 멈추면 별의 바깥층은 우주 공간으로 방출되어 행성상 성운이 되고, 중심부는 더욱 수축하여 백색 왜성(B)이 된다.

ㄷ. 별의 질량이 커질수록 핵융합 반응이 계속 일어나 더 무거운 원소가 만들어진다.

189 답 ③ | ㄷ. 행성의 질량이 클수록 공통 질량 중심은 별에서 멀어진다. 이로 인해 별의 흔들림이 더 커져 별빛의 편이량도 커진다.

[오답 피하기]

ㄱ. 행성이 A에 있을 때 별은 관측자로부터 멀어진다. 이때 지구에서는 적색 편이가 관측된다.

ㄴ. 별빛의 파장 변화는 지구에서 별까지의 거리와는 상관없이 별이 다가오거나 멀어지는 속도의 영향을 받는다.

문제 속 자료 | **도플러 효과를 이용한 외계 행성 탐사**

별은 행성 중력의 영향을 받아 공통 질량 중심 주위를 공전한다. 지구에서 관측하면 별이 미세하게 떨리는 것처럼 보이는데, 이러한 파장 변화는 도플러 효과로 관측된다.

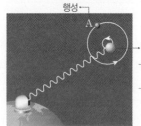

→ 행성의 질량이 클수록 별빛의 떨림(편이량)이 커진다.
→ 별빛의 떨림이 일어나면서 도플러 효과가 생긴다.

• 별이 관측자에게 가까워지면 별빛의 파장이 짧아진다.
　→ 청색 편이
• 별이 관측자에게서 멀어지면 별빛의 파장이 길어진다.
　→ 적색 편이

---

190 답 ⑤ | ㄱ. 행성과 별은 공통 질량 중심을 중심으로 동일한 방향으로 공전한다. 행성의 공전 방향은 A이다.

ㄴ. 현재 별은 지구 방향으로 접근하고 있다. 지구에서는 별빛의 청색 편이가 관측될 것이다.

ㄷ. 같은 조건에서 행성의 질량만 커진다면 행성의 중력이 커지므로 별빛의 편이량은 현재보다 커질 것이다. 공통 질량 중심은 현재보다 별에서 멀어지고 별의 회전 속도가 증가하여 공전 주기는 짧아진다.

191 답 ⑤ | 공통 질량 중심을 중심으로 별과 행성이 동일한 방향으로 공전함에 따라 별은 미세한 떨림이 일어나면서 도플러 효과가 생긴다.

ㄱ. 공통 질량 중심에 가까운 B가 A보다 질량이 더 큰 중심별이다.

ㄴ. 비교 스펙트럼과 중심별 스펙트럼을 비교할 때 적색 편이가 일어났다. 중심별은 지구로부터 멀어지고 있으며 중심별과 행성은 시계 반대 방향인 ㉡ 방향으로 공전하고 있다.

ㄷ. 행성의 질량이 작을수록 공통 질량 중심은 별에 가까워지고, 행성의 질량이 클수록 공통 질량 중심은 별에서 멀어진다.

192 답 ④ | ㄱ. 행성이 별 주위를 공전하면 별을 가리게 되므로 관측되는 별의 밝기가 달라진다. 행성이 별의 일부분이라도 가리게 되면 별의 밝기는 감소한다.

ㄴ. 지구에서 별을 관측할 때 별이 지구에 가까이 올 때와 지구에서 멀어질 때 관측되는 별빛의 파장이 달라진다. 이러한 도플러 효과를 이용하여 별빛의 스펙트럼을 분석할 수 있다.

[오답 피하기]

ㄷ. 관측자의 시선 방향(다가오는 방향과 멀어지는 방향)과 행성의 공전 궤도면이 수직이면 별빛의 밝기나 파장 변화가 일어나지 않는다.

193 답 ③ | ㄱ. 행성이 중심별 주위를 공전하면서 중심별 앞을 지나게 되면 식 현상이 일어난다. 식 현상은 한 천체가 다른 천체를 가려서 전체가 보이지 않거나 일부가 가려질 때이다.

ㄷ. 행성의 반지름이 클수록 중심별 주위를 공전할 때 행성이 별을 가릴 수 있는 면적이 커진다. 이때 중심별의 밝기 변화는 더 커질 것이다.

[오답 피하기]

ㄴ. 행성이 중심별 주위를 1회 공전할 때마다 별의 밝기 변화는 1회 나타난다. 문제의 그림에서 행성이 중심별을 지나는 시간은 1일을 지날 때와 약 3.2일을 지날 때이다. 행성의 공전 주기는 약 2.2일이다.

194 답 ① | ㄱ. 관측자에게서 멀어지거나 가까워지는 시선 방향이 행성의 공전 궤도면과 나란할 경우, 행성이 중심별 주위를 공전할 때 중심별의 일부가 가려지는 식 현상이 나타나게 된다. 식 현상이 일어날 때 별의 겉보기 밝기는 (나)와 같이 감소하는 구간이 나타난다.

오답 피하기

ㄴ. 겉보기 밝기가 최소일 때 행성 전체가 별을 가리게 되므로 별과 행성은 관측자의 시선 방향에 나란하게 위치한다. 이때 공통 질량 중심을 중심으로 회전하는 별과 행성의 운동 방향은 관측자의 시선 방향과 거의 수직이다. 중심별의 별빛 스펙트럼에는 파장 변화가 나타나지 않을 것이다.

ㄷ. 행성의 반지름이 2배가 되면 행성의 면적은 2^2이므로 4배가 되고, 행성에 의해 가려지는 별의 면적도 4배가 된다. 감소한 별의 겉보기 밝기의 양 a는 처음의 4배로 커진다.

문제 속 자료 식 현상을 이용한 외계 행성 탐사

행성이 중심별의 거의 중앙에 위치하게 되면 중심별의 겉보기 밝기가 최소가 된다. 이때 관측자의 시선 방향은 별과 행성의 운동 방향과 거의 수직하게 되어 도플러 효과가 나타나지 않는다. 도플러 효과는 파장 변화가 일어날 때 관측자에게 가까이 오거나 멀어지는 현상이 나타나야 관측할 수 있다.

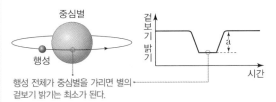

행성 전체가 중심별을 가리면 별의 겉보기 밝기는 최소가 된다.

행성의 공전 궤도면과 관측자의 시선 방향이 같을 경우에는 별빛이 미세하게 떨리는 현상이 관측된다. 이때는 도플러 효과로 행성의 존재를 확인할 수 있다.

195 답 ③ | ㄱ. (가)에서 행성의 반지름이 클수록 행성에 의해 가려지는 중심별의 면적이 넓으므로 중심별의 밝기 변화가 크게 나타난다.

행성이 별을 가리지 않으면 별의 밝기가 가장 밝게 관측되고, 행성의 일부가 별의 일부를 가리면 별의 밝기가 감소한다. 행성 전체가 별의 일부를 가리면 별의 밝기가 가장 어둡게 관측된다.

ㄴ. (나)에서 A는 행성의 중력에 의해 굴절되어 미세하게 나타나는 배경별의 밝기 변화이다. 시선 방향 앞뒤로 2개의 별이 놓여 있을 때 뒤쪽 별에서 오는 빛은 앞쪽 별의 중력 때문에 굴절되어 우리 눈에 보인다.

오답 피하기

ㄷ. 외계 행성을 탐사하는 방법 중 (가)는 행성에 의한 중심별의 밝기 변화를 이용한 것이고, (나)는 중심별과 행성에 의한 배경별의 밝기 변화를 이용한 것이다.

문제 속 자료 외계 행성 탐사 방법

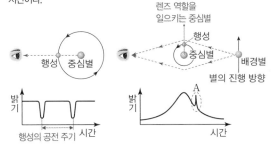

(가): 행성의 공전 주기는 밝기가 최소인 지점에서 다음 최소인 지점까지의 시간이다.

(나): 렌즈 역할을 하는 중심별이 행성을 거느린 경우, 행성의 공전으로 배경별의 밝기가 미세하게 달라진다. 이때 배경별의 밝기 변화를 관측하여 중심별 주변의 행성 존재를 확인할 수 있다.

196 답 ③ | (가)는 도플러 효과를 이용한 외계 행성 탐사 방법이고, (나)는 식 현상을 이용한 외계 행성 탐사 방법이다.

ㄱ. (가)에서 별은 관측자의 시선 방향으로 접근하므로 청색편이가 나타난다.

ㄴ. (가)에서는 별빛의 도플러 효과가 나타나는 주기를 이용하여 행성의 공전 주기를 구할 수 있다. (나)에서는 식 현상에 의한 별빛의 밝기 변화 주기를 이용하여 행성의 공전 주기를 구할 수 있다.

오답 피하기

ㄷ. 행성의 공전 궤도면이 시선 방향과 수직일 때는 별의 미세한 떨림을 관측하기 어렵고 중심별의 밝기 변화를 관측하기 어렵다. 이때는 도플러 효과와 식 현상이 나타나지 않으므로 (가)와 (나) 모두 이용할 수 없다.

197 답 ③ | ㄱ. 별의 둘레에서 물이 액체 상태로 존재할 수 있는 범위를 생명 가능 지대라고 한다.

ㄷ. 태양계에서 생명 가능 지대는 금성과 화성 사이이다. 태양계 행성 중에서 물이 액체 상태로 존재할 수 있는 행성은 지구뿐이다.

오답 피하기

ㄴ. 별의 질량이 클수록 별의 광도가 증가하므로 생명 가능 지대는 별에서 멀어지고 그 폭이 넓어진다.

198 답 ④ | 생명 가능 지대에 있으면서 태양으로부터 거리가 1 AU인 행성은 지구이다. 지구보다 안쪽에 있고 생명 가능 지대에 포함되지 않은 A는 태양계 행성이고, B는 어느 주계열성을 공전하는 행성이다.

ㄱ. 중심별의 질량이 클수록(표면 온도가 높을수록, 광도가 클수록) 생명 가능 지대의 거리는 중심별에서 멀어진다. 질량은 태양이 B의 중심별보다 크다.

ㄴ. 중심별의 질량이 클수록 생명 가능 지대의 폭이 넓어진다. 생명 가능 지대의 폭은 태양이 B의 중심별보다 넓다.

오답 피하기

ㄷ. B는 생명 가능 지대에 위치하고, A는 생명 가능 지대보다 안쪽에 위치한다. 물이 액체 상태로 존재하려면 행성이 생명 가능 지대에 위치해야 하므로, 물이 액체 상태로 존재할 가능성은 B가 A보다 높다.

199 답 ③ | ㄱ. 문제의 그림에서 시간이 지날수록 생명 가능 지대가 태양에서 멀어지고 있으므로 태양의 광도는 커진다.

ㄴ. 별의 광도가 클수록 생명 가능 지대의 폭이 넓어진다. 문제의 그림에서 시간이 지날수록 태양의 광도가 커지므로 태양계 생명 가능 지대의 폭은 넓어진다.

오답 피하기

ㄷ. 현재로부터 40억 년 후에 1 AU 거리는 생명 가능 지대의 안쪽 지역이다. 이때는 별과 행성 사이의 거리가 가까워 물이 증발하여 기체 상태로 존재할 것이다.

200 답 ③ | ㄱ. 태양계에서 생명 가능 지대는 금성과 화성 사이인데, 이 영역에 속하는 행성은 지구뿐이다.

ㄷ. 태양의 복사 에너지 방출량이 현재의 절반이 된다면 별의 광도가 지금의 절반이 된다. 이때 생명 가능 지대는 현재보다 태양에 가까워질 것이다.

오답 피하기

ㄴ. 금성은 생명 가능 지대보다 태양에 가까워 물이 모두 증발하므로 기체 상태로 존재할 수 있다.

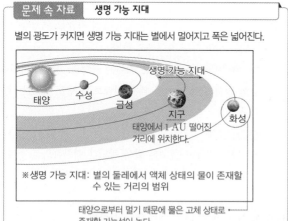

문제 속 자료 **생명 가능 지대**

별의 광도가 커지면 생명 가능 지대는 별에서 멀어지고 폭이 넓어진다.

※생명 가능 지대: 별의 둘레에서 액체 상태의 물이 존재할 수 있는 거리의 범위

태양으로부터 멀기 때문에 물은 고체 상태로 존재할 가능성이 높다.

별의 광도가 작아지면 생명 가능 지대는 별에 가까워지고 그 폭은 좁아질 것이다.

201 답 ④ | ㄴ. 타원 은하는 성간 물질이 거의 없거나 적고, 주로 나이가 많은 붉은색 별들로 이루어져 있다.

ㄷ. 나선 은하(정상 나선 은하, 막대 나선 은하)의 나선팔에

서는 새로운 별들이 활발하게 탄생한다. 나이가 젊은 파란색 별들과 성간 물질이 풍부하다.

오답 피하기

ㄱ. 허블은 은하를 진화 과정과 상관없이 모양(겉보기 형태)에 따라 타원 은하, 정상 나선 은하, 막대 나선 은하, 불규칙 은하로 분류하였다. 타원 은하보다 나선 은하가 더 진화된 단계의 은하라고 생각하지 않도록 한다.

202 답 ② | A는 정상 나선 은하, B는 막대 나선 은하, C는 타원 은하이다.

ㄴ. 타원 은하는 성간 물질이 거의 없고, 나선 은하의 나선팔에는 성간 물질이 주로 분포한다. 나선 은하 B는 타원 은하 C보다 젊은 별과 성간 물질이 많다.

오답 피하기

ㄱ. A와 C는 막대 구조가 없다. 막대 구조는 B에서만 나타난다.

ㄷ. 우리 은하는 막대 나선 은하이므로 허블의 은하 형태 분류에 따라 B에 해당한다.

203 답 ① | A는 불규칙 은하, B는 타원 은하, C는 정상 나선 은하, D는 막대 나선 은하이다.

ㄱ. A는 모양이 규칙적이지 않으므로 불규칙 은하이다. 은하가 타원이나 나선 등 일정한 모양이나 규칙적인 구조가 나타나지 않을 경우 불규칙 은하로 분류한다.

오답 피하기

ㄴ. B는 모양이 규칙적이지만 나선팔이 없으므로 타원 은하이다. 우리 은하는 막대 나선 은하이므로 D에 해당한다.

ㄷ. D는 모양이 규칙적이고 나선팔과 중심부에 막대 구조가 있으므로 막대 나선 은하이다. 나선 은하는 나선팔이 감긴 정도에 따라 a, b, c로 분류한다. 편평도에 따라 세분되는 은하는 타원 은하이다.

204 답 ② | 허블은 외부 은하를 모양에 따라 타원 은하, 나선 은하, 불규칙 은하로 분류하였다. 나선 은하는 중심부에 막대 구조가 있는지 없는지에 따라 정상 나선 은하와 막대 나선 은하로 구분된다. (가)는 정상 나선 은하, (나)는 막대 나선 은하, (다)는 타원 은하, (라)는 불규칙 은하이다.

ㄷ. 불규칙 은하는 일정한 모양이나 규칙성이 나타나지 않는 은하이다.

오답 피하기

ㄱ. 은하를 (가)와 (나)로 분류하는 기준은 중심부의 막대 구조의 유무이다.

ㄴ. 타원 은하는 주로 늙은 별들로 구성되어 있다.

별은 성간 물질(성간 기체나 성간 티끌 등)이 밀집된 성운에서 탄생한다. 젊은 별일수록 성간 물질이 많고 나이든 별일수록 성간 물질이 적거나 거의 없다.

타원 은하와 나선 은하의 특징을 비교하여 알아두도록 한다.
· 타원 은하: 비교적 늙은 붉은색의 별들로 되어 있다.
  → 생성된 지 오래된 나이가 많은 은하이다.
  → 성간 물질이 거의 없거나 적다.
· 나선 은하: 비교적 젊은 파란색의 별들로 되어 있다.
  → 생성된 시기가 젊은 은하이다.
  → 나선팔에 성간 물질이 많이 분포한다.

205 답 ⑤ | ㄱ. 풍선 표면은 우주 공간에 비유할 수 있다. 풍선을 불었을 때 풍선이 커지는 것은 우주 팽창에 비유할 수 있다.

ㄴ. 풍선을 불면 풍선의 크기가 커지면서 풍선 표면에 표시한 모든 은하들 사이의 거리가 멀어진다. 이 사실로부터 은하들이 서로 멀어지고 있으며, 우주가 팽창하고 있다는 것을 알 수 있다.

ㄷ. 초고온, 초고압, 초고밀도의 극소 우주가 폭발하여 현재와 같은 우주가 형성되었다고 생각하는 것이 대폭발 우주론(빅뱅 우주론)이다. 과거의 우주는 현재보다 작았다.

206 답 ⑤ | ㄱ. 풍선을 크게 불면 불수록 풍선 표면 위의 각 스티커들 사이의 거리는 더 멀어진다.

ㄴ. D를 기준으로 했을 때 D에서 멀리 떨어진 스티커일수록 더 많이 멀어졌으므로 거리 변화가 크게 나타날 것이다.

ㄷ. 이 실험을 통해 멀리 있는 은하일수록 후퇴 속도가 빠르고, 팽창하는 우주에 중심이 없다는 사실을 알 수 있다.

과정 (다)보다 과정 (라)에서 스티커들 사이의 거리가 더 멀어지고, 어느 스티커를 기준으로 해도 스티커들 사이의 거리는 멀어진다.

풍선 위의 스티커는 은하에 비유

한 스티커를 기준으로 할 때 멀리 떨어진 스티커일수록 이동한 거리가 크므로, 거리 변화가 크게 나타난다.

207 답 ③ | ㄱ. 풍선의 크기가 커질수록 풍선 표면의 단추 A, B, C 사이의 거리는 서로 멀어진다.

ㄷ. 풍선 표면에 그려진 물결 무늬(~)는 풍선의 크기가 커질수록 길어진다. 현재 관측되는 우주 배경 복사도 우주 팽창 이후 온도는 계속 낮아졌고 파장은 길어졌다.

ㄴ. 풍선을 불 때 A, B, C 중 어느 단추를 기준으로 해도 다른 단추들은 점점 멀어진다. 즉, 풍선 표면에는 특정한 중심이 없다. 팽창하는 우주에 특정한 중심이 없는 것과 같다.

208 답 ③ | ㄱ. 풍선을 크게 불수록 A, B, C는 서로 멀어진다.

ㄷ. 우주의 팽창으로 은하들 사이의 거리는 서로 멀어지며, 우주 팽창의 특정한 중심은 없다.

ㄴ. (다)의 결과에서 ㉠은 ㉡보다 크게 나타날 것이다. 두 은하 사이의 거리가 멀수록 우주 팽창에 따른 거리 변화는 더 크게 나타난다.

209 답 ① | 적색 편이를 이용하여 은하까지 떨어진 거리와 후퇴 속도와의 관계를 알 수 있다.

ㄱ. 화살표(→)의 길이는 파장이 a인 흡수선이 이동된 정도이다. 은하 A와 B는 화살표 길이만큼 파장이 길어졌고 모두 적색 편이가 나타난다.

ㄴ. 은하 A는 B보다 적색 편이가 더 크게 나타났으므로 A는 B보다 더 먼 거리에 있다.

ㄷ. 지구로부터 멀어지는 은하에서는 적색 편이가 나타나고, 지구에 가까워지는 은하에서는 청색 편이가 나타난다.

210 답 ① | ㄱ. 기준 스펙트럼과 은하 A의 스펙트럼의 흡수선을 비교해 보면, 은하 A의 스펙트럼에서는 흡수선들이 기준 스펙트럼보다 파장이 긴 쪽(붉은색 쪽)으로 치우치는 적색 편이가 나타난다.

ㄴ. 외부 은하의 후퇴 속도는 적색 편이가 크게 나타날수록 빠르다. 후퇴 속도는 은하 A가 B보다 작다.

ㄷ. 적색 편이가 크게 나타나는 은하일수록 우리 은하로부터의 거리가 멀다. 우리 은하로부터의 거리는 은하 B가 A보다 멀다.

211 답 ① | ㄱ. A와 C에서는 별과 거리 변화가 없으므로 별빛 스펙트럼 흡수선의 파장 변화도 없다. A와 C에서 관측되는 별빛 흡수 스펙트럼의 파장은 같을 것이다.

ㄴ. (나)는 흡수선의 파장이 길어지므로 적색 편이이다.

ㄷ. C → D 동안에는 지구가 별 쪽으로 접근하므로 흡수선에서는 청색 편이가 나타날 것이다.

(가) A, C: 지구에서 별에 가까워지거나 별에서 멀어지는 거리 변화가 나타나지 않으므로 스펙트럼의 흡수선에서 편이량이 나타나지 않을 것이다.
A → B: 지구가 별에서 멀어지므로 적색 편이가 나타난다.
C → D: 지구가 별 쪽으로 접근하므로 청색 편이가 나타난다.

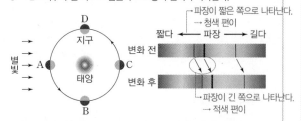

(나): 스펙트럼의 흡수선은 파장이 길면 붉은색 쪽으로, 파장이 짧으면 파란색 쪽으로 나타난다. 스펙트럼에 색깔이 나타나지 않더라도 파장 변화로 편이를 구분할 수 있다.

212 답 ④ | ㄱ. 우리 은하에서 거리가 가장 먼 은하 C가 거리가 가장 가까운 은하 A보다 후퇴 속도가 빠르다.

ㄴ. 우리 은하를 기준으로 멀리 떨어진 은하일수록 적색 편이가 크게 나타난다. 은하 A의 흡수 스펙트럼은 b, 은하 B의 흡수 스펙트럼은 a, 은하 C의 흡수 스펙트럼은 c이다.

오답 피하기

ㄷ. 모든 은하가 서로 멀어지므로 팽창하는 우주에 특정한 중심은 없다.

213 답 ① | 은하의 거리(r)에 따른 후퇴 속도(v)는 A가 B보다 크다.

ㄱ. 허블 상수 $\left(H=\dfrac{v}{r}\right)$는 A>B이다.

오답 피하기

ㄴ. 우주의 나이는 허블 상수의 역수 $\left(\dfrac{1}{H}\right)$이므로 A<B이다.

ㄷ. 우주의 팽창 속도는 A>B이다.

• 허블 법칙: 은하의 후퇴 속도는 그 은하까지의 거리에 비례한다.
• 허블 상수: 외부 은하의 후퇴 속도와 거리 사이의 관계를 나타내는 비례 상수이다.
• 그림에서 같은 거리일 때 A의 후퇴 속도가 B보다 빠르다.

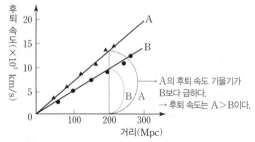

→ A의 후퇴 속도 기울기가 B보다 급하다.
→ 후퇴 속도는 A>B이다.

• 우주의 크기는 A>B이다.

214 답 ④ | ㄴ. 은하 B에서 관측할 때 은하 A와 C는 멀어지고 있으므로 적색 편이가 나타난다.

ㄷ. C에서 관측하면 A는 C와 반대 방향으로 멀어지고, C의 이동 속도와 A의 멀어지는 속도를 합친 만큼 A는 후퇴하고 있다. C에서 관측하면 A 은하의 후퇴 속도는 4000 km/s이다.

오답 피하기

ㄱ. A, B, C 중 어느 은하를 기준으로 해도 다른 은하는 서로 멀어지고 있다. 팽창하는 우주에 중심 은하는 없다.

215 답 ② | ㄷ. 문제의 그림에서 외부 은하들의 후퇴 속도는 거리에 비례한다.

오답 피하기

ㄱ. 우주의 모든 방향에서 적색 편이 현상이 관측되는 것은 우주가 팽창하고 있다는 것이다. 이때 팽창하는 우주에 특별한 중심은 없다.

ㄴ. 멀리 떨어진 은하일수록 후퇴 속도가 빠르고, 가까운 은하일수록 후퇴 속도가 느리다.

216 답 ④ | ㄱ. 문제의 그림에서 은하 A나 은하 B에서 관측자의 위치를 중심으로 외부 은하들은 모두 멀어지고 있다. 관측자의 위치가 우주의 중심이라고 생각하지 않도록 한다.

ㄴ. 은하들의 후퇴 속도는 거리에 비례한다. 관측자로부터 멀리 떨어진 은하일수록 후퇴 속도가 빠르다.

오답 피하기

ㄷ. 은하 A와 은하 B에서 관측했을 때 두 위치 모두에서 은하들은 모두 멀어져 간다. 우주가 팽창하는 데 기준이 되는 은하는 없다.

217 답 ① | ㄱ. 우주의 나이가 38만 년이 되었을 때 빛과 물질이 분리되면서 우주는 투명하게 되었다.

오답 피하기

ㄴ. WMAP 위성이 관측한 우주 배경 복사를 보면, 현재 우주의 물질 분포는 완전하게 균일하지 않고 미세하게 불균일한 분포를 나타낸다.

ㄷ. 우주 배경 복사는 우주의 온도가 약 3000 K일 때 빠져나온 빛이다. 우주가 팽창한 후 온도가 낮아지면서 우주 배경 복사의 파장도 길어졌는데, 현재 우주 배경 복사는 약 2.7 K으로 관측된다. 우주 배경 복사의 파장은 우주의 온도가 약 2.7 K일 때보다 약 3000 K일 때 짧았다.

218 답 ④ | ㄴ. 우주 배경 복사는 빅뱅 이후 우주 물질로부터 빠져나온 빛이 파장이 길어진 상태로 우주 전체에서 관측되는 것이다. (가), (나)는 모두 전파 영역에서 관측한 것이다.

ㄷ. (가), (나) 관측 자료를 보면, 관측된 우주 배경 복사에 온도 편차가 나타난다. 우주의 물질 분포가 균일하게 분포하지 않음을 알 수 있다.

오답 피하기

ㄱ. (나)는 (가)보다 우주 배경 복사의 온도 편차 분포가 자세하므로 물질의 분포를 더 자세하게 알 수 있다.

219 답 ② | ㄷ. 우주 배경 복사의 불균일한 온도 분포는 우주의 물질이 불균일하게 분포되어 있음을 알려준다.

오답 피하기

ㄱ. 우주 배경 복사는 우주의 온도가 약 3000 K일 때 원자가 만들어지면서 물질에서 빠져 나온 빛이다.

ㄴ. 우주가 팽창하면서 우주 배경 복사의 온도가 점차 내려가서 현재는 약 2.7 K으로 관측된다.

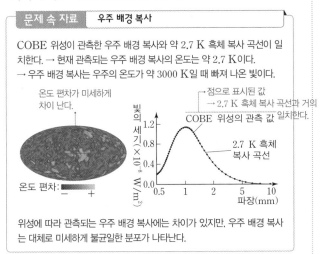

문제 속 자료 | **우주 배경 복사**

COBE 위성이 관측한 우주 배경 복사와 약 2.7 K 흑체 복사 곡선이 일치한다. → 현재 관측되는 우주 배경 복사의 온도는 약 2.7 K이다.
→ 우주 배경 복사는 우주의 온도가 약 3000 K일 때 빠져 나온 빛이다.

온도 편차가 미세하게 차이 난다.

점으로 표시된 값
→ 2.7 K 흑체 복사 곡선과 거의 일치한다.
COBE 위성의 관측 값

온도 편차: — +

2.7 K 흑체 복사 곡선

위성에 따라 관측되는 우주 배경 복사에는 차이가 있지만, 우주 배경 복사는 대체로 미세하게 불균일한 분포가 나타난다.

220 답 ⑤ | ㄱ. 우주 배경 복사는 빅뱅 이후 약 38만 년 후(문제의 그림 (가)에서 A)에 빠져 나온 빛으로, 이때의 우주 온도는 약 3000 K이다.

ㄴ. WMAP 위성이 촬영한 우주 배경 복사 분포를 보면 우주 배경 복사는 모든 방향에서 관측된다.

ㄷ. 현재 우주 배경 복사는 약 2.7 K 흑체 복사에 해당한다.

221 답 ④ | ㄱ. 우주를 구성하는 요소 중 가장 많은 비율을 차지하는 (가)는 암흑 에너지이다.

ㄴ. 암흑 물질은 보통 물질보다 우주에서 차지하는 양이 많다. 우주를 구성하는 물질은 암흑 에너지＞암흑 물질＞보통 물질의 순으로 분포한다.

오답 피하기

ㄷ. 우주가 중력을 가진 물질로만 되어 있다면 우주 자체는 물질들의 중력에 의해 수축되어야 하지만, 우주는 중력과 반대로 가속 팽창하고 있다. 이렇게 중력과 반대로 작용하면서

우주의 팽창을 가속시키는 우주의 물질을 암흑 에너지라고 한다.

222 답 ① | ㄱ. 현재 우주는 암흑 에너지가 73 %, 암흑 물질이 23 %, 보통 물질이 4 %를 차지한다.

오답 피하기

ㄴ. 우주의 팽창으로 우주의 물질 밀도는 점점 작아질 것이다.

ㄷ. 115억 년 후에는 현재보다 암흑 에너지가 많아지므로 (73 % → 95 %) 우주의 팽창 속도가 빨라질 것이다.

223 답 ⑤ | 현재 우주의 구성 물질은 암흑 에너지가 가장 많고, 그 다음으로 암흑 물질과 보통 물질 순으로 많다.

ㄱ. A는 현재 두 번째로 많으므로 암흑 물질이다.

ㄴ. 우주가 팽창하고 있는데 암흑 에너지인 C의 밀도는 일정하므로, 암흑 에너지의 총량은 시간에 따라 증가했을 것이다.

ㄷ. 문제의 그림에서 보통 물질인 B가 차지하는 비율은 시간에 따라 감소하고 있다.

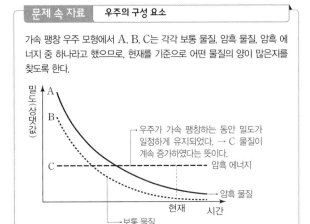

문제 속 자료 | **우주의 구성 요소**

가속 팽창 우주 모형에서 A, B, C는 각각 보통 물질, 암흑 물질, 암흑 에너지 중 하나라고 했으므로, 현재를 기준으로 어떤 물질의 양이 많은지를 찾도록 한다.

밀도(상댓값)

우주가 가속 팽창하는 동안 밀도가 일정하게 유지되었다. → C 물질이 계속 증가하였다는 뜻이다.

암흑 에너지

암흑 물질

보통 물질

현재   시간

• A, B: 우주가 팽창하는 동안 물질의 밀도는 모두 줄어들었다. 상대적인 밀도를 비교할 때 A가 B보다 양이 많다.

224 답 ⑤ | 멀리 있는 Ia형 초신성일수록 적색 편이량이 크고 겉보기 등급이 더 크게 관측된다. 절대 등급은 별로부터 떨어진 거리에 상관없이 일정한 밝기로 관측되지만, 겉보기 등급은 거리가 멀어질수록 더 어둡게 보인다.

ㄱ. 멀리 있는 Ia형 초신성일수록 허블 법칙으로 구한 겉보기 등급보다 더 큰 값을 나타내므로 더 어둡게 보일 것이다.

ㄴ. Ia형 초신성 관측 결과 우주의 팽창 속도는 점점 빨라지고 있다.

ㄷ. 우주의 팽창 속도가 점점 빨라지기 위해서는 중력과 반대로 작용하는 암흑 에너지의 존재가 필요하다. Ia형 초신성 관측 결과로 우주를 가속 팽창시키는 물질을 암흑 에너지로 설명할 수 있게 되었다.